Bibliothèque de philosophie
Collection fondée par Jean-Paul Sartre
et Maurice Merleau-Ponty,
dirigée par Pierre Verstraeten.

JEAN-PAUL SARTRE

L'IDIOT
DE LA FAMILLE
GUSTAVE FLAUBERT
DE 1821 À 1857

★

Nouvelle édition
revue et complétée

nrf

GALLIMARD

PRÉFACE

L'Idiot de la famille *est la suite de* Questions de méthode. *Son sujet : que peut-on savoir d'un homme, aujourd'hui ? Il m'a paru qu'on ne pouvait répondre à cette question que par l'étude d'un cas concret : que savons-nous — par exemple — de Gustave Flaubert ? Cela revient à* totaliser *les informations dont nous disposons sur lui. Rien ne prouve, au départ, que cette totalisation soit possible et que la vérité d'une personne ne soit pas plurale ; les renseignements sont fort différents de* nature *: il est né en décembre 1821, à Rouen ; en voilà un ; il écrit, beaucoup plus tard, à sa maîtresse : « L'Art m'épouvante » ; en voilà un autre. Le premier est un fait objectif et social, confirmé par des documents officiels ; le second, objectif aussi lorsqu'on s'en tient à la chose dite, renvoie par sa signification à un sentiment vécu et nous ne déciderons rien sur le sens et la portée de ce sentiment que nous n'ayons d'abord établi si Gustave est* sincère, *en général et, particulièrement, en cette circonstance. Ne risquons-nous pas d'aboutir à des couches de significations hétérogènes et irréductibles ? Ce livre tente de prouver que l'irréductibilité n'est qu'apparente et que chaque information mise en sa place devient la portion d'un tout qui ne cesse de se faire et, du même coup, révèle son homogénéité profonde avec toutes les autres.*

C'est qu'un homme n'est jamais un individu ; il vaudrait mieux l'appeler un universel singulier *: totalisé et, par là même, universalisé par son époque, il la retotalise en se reproduisant en elle comme singularité. Universel par l'universalité singulière de l'histoire humaine, singulier par la singularité universalisante de ses projets, il réclame d'être étudié simultanément par les deux bouts. Il nous faudra trouver une méthode appropriée. J'en ai donné les princi-*

pes en 1958 et je ne répéterai pas ce que j'en ai dit : je préfère mon-
trer, chaque fois que ce sera nécessaire, comment elle se fait dans
le travail même pour obéir aux exigences de son objet.
   Un dernier mot : pourquoi Flaubert ? Pour trois raisons. La pre-
mière, toute personnelle, il y a bien longtemps qu'elle ne joue plus
bien qu'elle soit à l'origine de ce choix : en 1943, relisant sa Correspondance *dans la mauvaise édition Charpentier, j'ai eu le senti-*
ment d'un compte à régler avec lui et que je devais, en vue de cela,
mieux le connaître. Depuis, mon antipathie première s'est changée
en empathie, *seule attitude requise pour comprendre. D'autre part,*
il s'est objectivé dans ses livres. N'importe qui vous le dira : « Gus-
tave Flaubert, c'est l'auteur de Madame Bovary. *» Quel est donc*
le rapport de l'homme à l'œuvre ? Je ne l'ai jamais dit jusqu'ici.
Ni personne à ma connaissance. Nous verrons qu'il est double :
Madame Bovary *est défaite et victoire ; l'homme qui se peint dans*
la défaite n'est pas le même qu'elle requiert dans sa victoire ; il fau-
dra comprendre ce que cela signifie. Enfin ses premières œuvres
et sa correspondance (treize volumes publiés) apparaissent, nous
le verrons, comme la confidence la plus étrange, la plus aisément
déchiffrable : on croirait entendre un névrosé parlant « au hasard »
sur le divan du psychanalyste. J'ai cru qu'il était permis, pour cette
difficile épreuve, de choisir un sujet facile, qui se livre aisément
et sans le savoir. J'ajoute que Flaubert, créateur du roman
« moderne », est au carrefour de tous nos problèmes littéraires
d'aujourd'hui.
   A présent, il faut commencer. Comment ? Par quoi ? Cela
importe peu : on entre dans un mort comme dans un moulin.
L'essentiel, c'est de partir d'un problème. Celui que j'ai choisi,
d'ordinaire on en parle peu. Lisons, pourtant, ce passage d'une let-
*tre à M*lle *Leroyer de Chantepie : « C'est à force de travail que*
j'arrive à faire taire ma mélancolie native. Mais le vieux fond repa-
raît souvent, le vieux fond que personne ne connaît, la plaie pro-
fonde toujours cachée [1]. *» Qu'est-ce que cela veut dire ? Une plaie*
peut-elle être native ? De toute manière, Flaubert nous renvoie à
sa protohistoire. Ce qu'il faut tenter de savoir, c'est l'origine de
cette plaie « toujours cachée » et qui remonte en tout cas *à sa pre-*
mière enfance. Cela ne sera pas, je crois, un mauvais départ.

---

1. Croisset, 6 octobre 1864.

Première partie

LA CONSTITUTION

I

Un problème

Lire.

Quand le petit Gustave Flaubert, égaré, encore « bestial » émerge du premier âge, les techniques l'attendent. Et les rôles. Le dressage commence : non sans succès, semble-t-il; personne ne nous dit, par exemple, qu'il ait eu du mal à marcher. Au contraire nous savons que ce futur écrivain a buté quand il s'est agi de l'épreuve primordiale, de l'apprentissage des mots. Nous tenterons de voir, tout à l'heure, s'il eut, dès l'origine, des difficultés à parler. Ce qui est sûr, c'est qu'il fit mauvaise figure dans l'autre épreuve linguistique, initiation et rite de passage, l'alphabétisation : un témoin rapporte que le petit garçon sut ses lettres très tard et que ses proches le tenaient alors pour un enfant demeuré. Caroline Commanville, de son côté, fait le récit suivant :

« Ma grand'mère avait appris à lire à son fils aîné. Elle voulut en faire autant pour le second et se mit à l'œuvre. La petite Caroline à côté de Gustave apprit de suite, lui ne pouvait y parvenir, et après s'être bien efforcé de comprendre ces signes qui ne lui disaient rien, il se mettait à pleurer de grosses larmes. Il était cependant avide de connaître et son cerveau travaillait... (un peu plus tard le père Mignot lui fait la lecture) dans les scènes suscitées par la difficulté d'apprendre à lire, le dernier argument de Gustave, irréfutable selon lui, était : ''À quoi bon apprendre puisque Papa Mignot lit?'' Mais l'âge du collège arrivait, il fallait à toute force savoir... Gustave s'y mit résolument et, en quelques mois, rattrapa les enfants de son âge. »

Ce mauvais rapport aux mots, nous verrons qu'il a décidé de sa carrière. Encore faut-il ajouter foi, dira-t-on, à la nièce de Flaubert. Et pourquoi pas ? Elle vivait dans l'intimité de son oncle et de sa grand-mère : c'est de celle-ci qu'elle tient ses renseignements. On sera détourné pourtant de lui faire entièrement crédit par le faux enjouement du récit. Caroline élague, expurge, adoucit ; si, par contre, l'incident raconté ne lui semble pas compromettant, elle le fignole, forçant sur la rigueur aux dépens de la vérité. Il suffit d'une lecture pour trouver la clé de ces déformations doubles et contraires : le but est de plaire sans quitter le ton de la bonne compagnie.

Revenons sur le passage que je viens de citer : nous n'aurons aucune peine à entrevoir l'enfance ingrate de Gustave dans sa vérité. On nous dit que l'enfant pleurait à chaudes larmes, qu'il était avide de connaître et que son impuissance le désolait. Puis, un peu plus bas, on nous montre un cancre fanfaron, buté dans son refus d'apprendre : pour quoi faire ? le père Mignot lit pour moi. Est-ce le même Gustave ? Oui : mais la première attitude est provoquée par un constat qu'il fait lui-même : adversité des choses, incapacité de sa personne. L'*Autre* est là, naturellement : c'est le témoin, c'est le milieu astringent, c'est l'exigence. Mais il ne suscite pas le chagrin du petit, relation spontanément établie entre les impératifs inanimés de l'alphabet et ses propres possibilités. « Je dois mais je ne peux pas. » La seconde attitude suppose une *relation agonistique* entre l'enfant et ses parents. Caroline Commanville nous dit, comme en passant, qu'il y avait des scènes ; cela suffit. Ces scènes ne vinrent pas tout de suite. Il y eut le temps de la patience, puis celui de l'affliction, enfin, celui des reproches : au début, on incrimine la nature, plus tard on accuse le petit de mauvaise volonté. Il répond par forfanterie qu'il ne ressent pas le besoin d'apprendre à lire ; mais il est déjà vaincu, déjà truqué : il prétend expliquer son refus de s'instruire donc il l'admet ; les parents n'en demandent pas davantage et toutes leurs impatiences sont justifiées. L'humilité désarmée, l'orgueilleux dépit qui fait la victime reprendre à son compte le malin vouloir dont elle est faussement accusée, ces deux réactions sont séparées par plusieurs années. Il y eut, chez les Flaubert, un certain malaise quand Gustave, affronté aux premières tâches humaines, se montra dans l'incapacité de les remplir. Ce malaise, de jour en jour accru, persista longtemps, s'envenima. On fit violence à l'enfant. Cette violence, à peine évoquée mais si lisible, suffit à craqueler le récit bénin. Une étrange confusion de Mme Commanville vient accentuer notre gêne : elle laisse entendre que Gustave et Caroline Flaubert apprirent à lire ensemble. Or Gustave avait quatre ans de plus que sa cadette. En supposant que Mme Flaubert ait commencé à l'instruire vers cinq ans, la dernière-née, âgée de douze ou de treize mois, assistait aux leçons de son berceau. Les trois enfants d'Achille-Cléophas ont donc chacun à leur tour, reçu de Mme Flaubert des leçons particulières, le second neuf ans après que l'aîné sut lire, la troisième quatre ans après que le second s'y fut pour la première fois essayé. Voilà pourtant que Mme Commanville, sans s'effrayer de ces grands intervalles, convoque dans le même paragraphe ses deux oncles et sa mère. Pourquoi, puisqu'ils n'étudièrent pas ensemble? Lisez bien : Mme Flaubert se fit l'institutrice du brillant Achille; avec Gustave, elle recommence l'expérience. Par la raison que ses premiers succès l'avaient convaincue de ses dons pédagogiques : Achille dut être enfant prodige. Et Caroline, la dernière venue, mère de la narratrice, apprit en se jouant. Entre ces deux merveilles Gustave est coincé : inférieur à celle-ci comme à celui-là, il a pauvre mine. Comme si Mme Commanville s'était lancée dans cette comparaison — qui ne s'imposait pas — pour rappeler au public que les insuffisances du futur écrivain se trouvaient largement compensées par l'excellence des deux autres enfants. L'oncle était majeur quand la nièce vit le jour; quand *Madame Bovary* parut, elle avait onze ans; n'importe, même à elle qui n'en vit que la suite, les premières années de Gustave paraissent inquiétantes; il y eut ce retard, ensuite « la crise de nerfs » dont elle entendit sûrement parler de bonne heure, il n'en faut pas plus : elle utilisera cette gloire mais n'en sera jamais éblouie. Mme Commanville née Hamard est une Flaubert par sa mère; jusque dans l'éloge funèbre de son oncle elle tient à rappeler son appartenance à la famille scientifique la mieux famée de Normandie. Pour sauver l'honneur Flaubert, elle flanque un génie confinant à l'idiotie de deux bons sujets, de deux grosses têtes, vraie progéniture de savant. Si cette dame elle-même, un demi-siècle après les événements, ne peut se retenir de comparer les trois enfants, on devine sans peine ce que Gustave dut entendre, entre 1827 et 1830. Mais nous aurons l'occasion de revenir longtemps sur ces comparaisons. Il s'agissait de montrer que Gustave, par sa carence, se trouve au centre d'une tension familiale qui ne cessera pas de s'accroître avant qu'il ait rejoint les « enfants de son âge ».

Est-il assuré, pourtant, que le petit ne sut pas ses lettres avant neuf ans? Quand on voudrait y croire, comment admettre que Gustave sût écrire depuis si peu de temps quand il adressait à Ernest Chevalier, le 31 décembre 1830, donc à neuf ans, la lettre étonnante dont nous aurons mainte occasion de reparler ? À la relire, elle frappe par sa fermeté : phrases concises et drues, vraies ; l'orthographe est un peu fantaisiste : pas plus qu'il ne faut. A n'en pas douter, l'auteur a la maîtrise de ses gestes graphiques. Il propose d'ailleurs à son ami Ernest de « lui envoyer ses comédies ». Le passage n'est pas très clair : s'agit-il de pièces qu'il a déjà écrites ou de celles qu'il compte écrire lorsque Ernest « écrira ses rêves » ? En tout cas le mot d'*écrire* a déjà pour lui ce double sens qui en fait toute l'ambiguïté : il désigne à la fois l'acte commun de tracer des mots sur une feuille et l'entreprise singulière de composer des « écrits ». Nous pensions trouver un ci-devant idiot, à peine sorti des brumes : nous tombons sur un homme de lettres. Impossible. Il est vrai : un changement de milieu, l'intelligence d'une éducatrice, les conseils d'un médecin, tout peut servir aux enfants retardataires ; il leur suffit d'une chance. Et pour beaucoup de traînards, l'accès au monde de la lecture se présente comme une vraie conversion religieuse, longtemps, insensiblement préparée, tout à coup actualisée. Mais ces progrès soudains compensent les retards d'une année. De deux, à la rigueur, pas plus. Gustave, à croire sa nièce, en avait quatre ou cinq à rattraper.

Non : analphabète à neuf ans, l'enfant serait trop gravement atteint pour que son *sprint* final soit même concevable. Gustave sut lire en 1828 ou 29, c'est-à-dire entre sept et huit ans. Avant, son retard n'eût pas tant inquiété ; après, il n'eût jamais pu le rattraper.

Ce qui demeure vrai, c'est que les Flaubert sont soucieux. Longtemps Gustave n'a pu saisir les liaisons élémentaires qui font de deux lettres une syllabe, de plusieurs syllabes un mot. Ces difficultés en entraînaient d'autres : comment compter sans savoir lire ? Comment retenir les premiers éléments d'histoire et de géographie si l'enseignement reste oral ? On ne s'inquiète pas de cela aujourd'hui : les méthodes sont plus sûres et, surtout, on prend l'élève *comme il est*. À l'époque, il y avait un ordre à suivre et l'enfant devait s'y plier. Donc, Gustave était en retard sur toute la ligne.

Naïveté.

Pas tout à fait, cependant : le père Mignot lui faisait la lecture, le petit garçon se pénétrait d'une culture diffuse, littéraire déjà ;

les romans exerçaient son imagination, la fournissaient de schèmes nouveaux, il apprenait l'usage du symbole. Un enfant, s'il s'incarne de bonne heure en Don Quichotte, installe en soi-même, à son insu, le principe général de toutes les incarnations : il sait se retrouver dans la vie d'un autre, vivre comme une autre sa propre vie. Rien de tout cela, malheureusement, n'était visible. L'acquis, transparences neuves, clairières de l'âme, reflets, était de nature à multiplier le nombre de ses stupeurs : en tout cas, il ne le réduisait pas. Mme Flaubert ne sut rien de ses exercices. Et le doute commença à naître : Gustave n'est-il pas un idiot ? Nous retrouvons ses alarmes dans le récit enjoué de Mme Commanville :

« L'enfant était d'une nature tranquille, méditative et d'une naïveté dont il conserva des traces toute sa vie. Ma grand'mère m'a raconté qu'il restait de longues heures un doigt dans sa bouche, absorbé, l'air presque bête. À six ans un vieux domestique qu'on appelait Pierre, s'amusant de ses innocences, lui disait quand il l'importunait : "Va voir... à la cuisine si j'y suis." Et l'enfant s'en allait interroger la cuisinière : "Pierre m'a dit de venir voir s'il était là." Il ne comprenait pas qu'on voulût le tromper et devant les rires restait rêveur, entrevoyant un mystère. »

Texte curieux et menteur ; sous la bonne humeur de Caroline, la vérité perce : Gustave était un simple d'esprit, d'une invraisemblable crédulité pathologique ; il tombait fréquemment dans de longues hébétudes, ses parents scrutaient son visage et craignaient qu'il ne fût idiot. On ne peut admettre que ces confidences furent faites dans la gaieté, dans un triomphal soulagement ; ce serait mal connaître la mère de Gustave : elle n'a *jamais* cru au génie, pas même au talent de son fils. En premier lieu, ces mots n'avaient pas de sens pour elle : veuve d'une grosse tête, les grosses têtes seules avaient droit à son estime ; pratique, elle ne reconnaissait de talent qu'aux hommes *capables* et tenus pour tels, car la capacité leur permettait de vendre leurs services au plus haut prix. À ce compte-là, elle devait priser l'aîné de ses fils plus que le cadet. C'est ce qu'elle faisait probablement : sans trop l'aimer. Son cœur penchait vers l'autre ; et puis elle avait des difficultés avec sa bru. Mais elle s'imaginait qu'elle restait à Croisset par devoir : Gustave était un malade, il fût mort ou fou sans les soins maternels. Rien n'est plus étrange que ce couple de solitaires blessés dont chacun se terrait loin des hommes dans la maison du bord de l'eau et prétendait n'y rester que pour secourir l'autre. Mais la sollicitude glacée de Mme Flaubert montre le peu d'estime où elle tenait son fils ; l'idiotie d'abord, l'alarme du père, un moment calmée puis d'un seul coup ressuscitée quand Gustave eut dix-sept ans, les années stériles de Paris et, pour finir, la crise de Pont-l'Évêque, le haut mal, enfin la séquestration volontaire et l'oisiveté, toutes ces infortunes lui semblaient liées par un fil secret : dans le cerveau du petit, quelque chose s'était détraqué, peut-être dès la naissance : l'épilepsie — c'était le nom qu'on donnait à la « maladie » de Flaubert — c'était, en somme, l'idiotie continuée. Il parlait, grâce à Dieu, il raisonnait mais il n'en était pas moins dans l'incapacité totale d'exercer un métier, ce qu'on avait craint de prévoir dès la sixième année. Il écrivait, bien sûr, mais si peu : que faisait-il là-haut, dans sa chambre ? Il rêvait, il se jetait sur son divan, terrassé par une attaque nouvelle ou bien il retombait dans ses vieilles hébétudes. Il travaillait, disait-il, à un nouveau monstre qu'il nommait « la Bovary » ; la mère, pressentant qu'il courait à l'échec, souhaitait qu'il ne terminât jamais son œuvre. Aucun vœu ne fut plus sage : elle s'en rendit compte quand elle apprit que ces gribouillages obscènes allaient déshonorer la famille et que l'auteur en serait traîné sur le banc d'infamie. La petite Caroline Hamard allait sur ses douze ans : les détails qu'elle nous rapporte, sa grand-mère lui en fit part dans les années qui suivirent le scandale. Il est clair que la veuve avait le sentiment de lui confier un douloureux secret, des appréhensions malheureusement confirmées : « Tout petit, déjà, ton oncle nous a donné beaucoup de soucis. » Mme Flaubert fut une mère abusive parce qu'elle était veuve abusée : elle exaspéra « l'irritabilité » de son fils cadet en reprenant à son compte, par piété, tous les jugements que l'Époux adorable avait portés sur lui. Caroline fut sa confidente. Gustave prenait une joie revancharde à faire l'éducation de sa nièce : moi, le forçat de l'abécédaire, instruit par mes souffrances, j'enseigne le monde à cette enfant sans qu'il lui en coûte une larme. Mais la grand-mère avait prévenu contre lui sa petite-fille qui resta prévenue quoi qu'il fît et, incapable d'apprécier son oncle, s'entendit mieux à l'utiliser qu'à l'aimer. Pour donner au passage cité tout son sens, il faut y voir la transcription en style édifiant du bavardage malveillant de deux commères dont l'une est une femme vieillissante et geignarde, l'autre une petite-bourgeoise pas trop bonne de douze à quinze ans : elles déchirent à belles dents le locataire du premier, l'une par détresse et, souvent, par susceptibilité blessée, l'autre par jeune malignité conformiste. Et c'est la grand-mère qui a pu dire : « Une naïveté dont il a conservé des traces. » Caroline est incapable de faire une réflexion si juste ; du reste, il faut l'avoir vue soi-même, dans sa réalité, l'innocence du petit garçon, pour la retrouver chez l'adulte sous des travestissements divers. Venant de Mme Flaubert, appuyée sur l'anecdote qu'on sait, l'intention est claire : ce romancier qui prétend lire dans les cœurs, ce n'est qu'un jobard, qu'un gobeur qui a conservé dans l'âge mûr l'exceptionnelle crédulité de son enfance. Quant à l'exemple rapporté, il surprend. A six ans, les enfants « normaux » ne s'orientent pas sans peine dans l'espace et dans le temps ; sur l'être, sur leur moi, ils hésitent, leur jeune raison s'embrouille. Mais ce vieillard qu'ils voient, qu'ils touchent et qui leur parle, *ici* et *maintenant*, on ne leur fera pas croire qu'il soit dans la même seconde à l'autre bout de l'appartement. A six ans, non. Ni à cinq, à quatre pas davantage : s'ils « vont voir à la cuisine », c'est qu'ils n'ont pas l'entier usage des mots, qu'ils n'auront compris qu'à moitié ou qu'ils s'élancent sans trop écouter, pour la joie de courir et de perdre haleine. En vérité, c'est que l'unicité des corps et leurs localisations sont des caractères simples et manifestes : il faut un travail de l'esprit pour les *reconnaître* mais que fera-t-il sinon intérioriser les synthèses passives de l'extérieur ? Le dédoublement, au contraire, ou l'ubiquité d'un être individué sont des vues de l'esprit, contredites par l'expérience quotidienne et que nulle image mentale ne peut étayer. En fait ces notions se caractérisent par leur complexité même : on ne peut les extraire que de la désintégration de l'identité ; pour concevoir cette gémellation de l'identique, il faut être adulte et théosophe. Un enfant retardé peut conserver longtemps une vue confuse de l'individualité localisée mais il n'en sera que plus éloigné de ces dichotomies : car pour rêver seulement qu'on dédouble un individu, il faut savoir d'abord l'individualiser. Gustave serait donc l'exception ? Ce serait grave : d'autant qu'il va jusqu'à interroger la cuisinière et que, même après sa déconvenue, il ne s'aperçoit pas qu'on l'a mystifié. Heureusement, la règle est rigoureuse, comme je viens de le montrer, elle ne tolère même pas la fameuse exception qui la confirmerait. Autrement dit, l'histoire est une invention pure et simple.

Explication par la confiance.

Cet exemple de naïveté n'est qu'un symbole. Caroline en a trouvé la niaiserie rassurante et lui a donné le coup de pouce qu'il fallait. Symbole de quoi ? D'une foule de petits événements familiaux, trop

« privés », pensait-elle, pour être racontés. Pour que le petit garçon crût son interlocuteur, il n'y eut jamais besoin, soyons-en sûrs, d'une pareille distorsion mentale : on lui donnait, pour rire, des informations fausses mais vraisemblables : que ses camarades de jeu n'étaient pas arrivés — quand ils l'attendaient derrière la porte ; que son père était parti « faire sa tournée » sans l'emmener — quand le médecin-chef se tenait derrière lui, prêt à le saisir et à le porter dans la carriole. Tous les parents sont facétieux ; pigeonnés depuis l'enfance, leur plaisir est de pigeonner leurs mômes : gentiment. Ils sont à cent lieues de se douter qu'ils les affolent. Les petites victimes doivent se débrouiller avec des sentiments faux qu'on leur prête et qu'ils intériorisent, avec des renseignements faux qui seront démentis sur l'heure ou dès le lendemain. Ces badinages ne sont pas toujours criminels : l'enfant grandit, se délivre par la contestation, regarde sans indulgence les grandes personnes faire les enfants. Or Gustave reste marqué. Mᵐᵉ Flaubert attache assez d'importance à ses naïvetés pour les rapporter à sa petite-fille, elle prétend que cette « innocence » n'a jamais entièrement disparu. Caroline a-t-elle raison de laisser entendre que l'amour est à l'origine de ces naïvetés ? Certes, le petit ne conçoit pas que les adultes puissent le décevoir par caprice. Après tout, Descartes ne garantit pas autrement notre savoir : Dieu est bon donc il ne peut vouloir nous tromper. Raison valable. Pour Gustave, c'est plus qu'une raison, c'est un humble droit. Il y a toujours eu dans la confiance une générosité calculatrice : je vous la donne, à vous de la mériter. Et le petit, dans l'élan de sa ferveur : puisque vous le dites, il faut que cela soit vrai ; vous ne m'avez pas mis au monde pour me berner. Mais cette foi du charbonnier, d'où lui vient-elle ? Poussée à l'extrême, n'est-elle pas elle-même une défense ? Ou, à tout le moins, n'a-t-elle pas pour office de remplacer quelque chose qui a été perdu ou qui n'a pas été donné, de combler une lacune ? Il faut avancer prudemment quand il s'agit d'une protohistoire et quand les témoignages sont rares et truqués. Nous tenterons, par une description suivie d'une analyse régressive, d'établir *ce qui manque*. Et, si nous y parvenons, nous chercherons par une synthèse progressive à trouver le *pourquoi* de cette carence. Nous ne perdrons pas notre temps : puisque, chez le futur écrivain, cette naïveté tenace exprime un mauvais rapport initial au langage, notre description ne visera d'abord qu'à préciser celui-ci.

Oui, la naïveté n'est originellement qu'une relation à la parole puisque c'est par la parole que ces bourdes sont communiquées.

Mieux : puisqu'elles ne correspondent à aucune réalité, il faudrait n'y voir que des lexèmes : le malheur du petit Gustave, c'est que quelque chose, en lui, le détourne de saisir les mots comme de simples signes. Bien entendu, même chez l'enfant « normal » il faut un long apprentissage pour distinguer la pesanteur matérielle du vocable, ses adhérences, l'intimidante pression qu'il exerce sur le « locuté », en un mot sa puissance magique de sa pure valeur signifiante. Mais la naïveté de Gustave, puisqu'elle persiste, montre qu'il n'a pas pu effectuer ce travail jusqu'au bout : sans doute il apprend à décoder le message mais non pas à en contester le contenu. Une fausse pensée lui est transmise par le verbe ; bientôt son absurdité crève les yeux — même ceux du petit garçon — pourtant elle demeure en lui, incontestée. Le sens devient matière : il en acquiert la consistance inerte. Non par évidence : par densité. L'idée s'est épaissie, écrase l'esprit qui la supporte : c'est une pierre qu'on ne peut ni soulever ni rejeter. Pourtant cette énorme masse est demeurée *sens* de part en part. La signification — cette transcendance qui n'est que par le projet qui la vise — et la passivité — pur En-soi, lourdeur matérielle du signe — passent l'une dans l'autre : ce couple de contraires s'interpénètrent au lieu de s'opposer. Le plus grave, c'est que l'enfant ne tire aucun profit de ces déceptions répétées : on lui ment, on lui fait accroire que son père est absent ; celui-ci paraît aussitôt, au milieu des rires. Mais cette tromperie qui se démasque sur-le-champ n'a jamais pour lui la valeur d'une *expérience*.

On aura compris que j'expose les apparences ; pour atteindre à la vérité, il faut renverser les termes : c'est l'esprit, en Gustave, qui s'ankylose devant la parole ; qu'on lui adresse un mot, tout se grippe, tout s'arrête. Le sens importe peu : c'est la matérialité verbale qui le fascine. Encore ne faut-il voir en cette « ankylose » qu'un symbole : l'esprit ne s'ankylose jamais. Ce qui ne peut s'entendre que d'une façon : à travers le Verbe, c'est dans ses relations humaines qu'il est atteint dès la petite enfance. Aux petits des hommes la crédulité vient par les hommes qui les en affectent par le langage, c'est-à-dire à travers le milieu conducteur de toutes les communications articulées. Celui-ci les entoure déjà, ils y sont nés, on les a modelés — bien ou mal — pour qu'ils s'y adaptent. Lorsque l'appareil sensori-moteur est « normalement » développé et que cependant la réponse de l'enfant au message est « anormale », le trouble a son origine au niveau difficile où tout discours est un homme, où tout homme est discours, il suppose une mauvaise insertion de l'enfant dans l'univers linguistique, cela revient à dire : dans le monde social, *dans sa famille.*

Pour serrer de plus près cette étrange crédulité, il convient de se rappeler quelques faits élémentaires et généraux : celui-ci d'abord, que le langage du locuteur se dissout immédiatement, en général, dans l'esprit de l'auditeur ; reste un schème conceptuel et verbal, tout à la fois, qui préside à la *reconstitution* et à la compréhension. Celle-ci sera d'autant plus profonde que la restitution mot à mot sera plus inexacte. Or cette compréhension est un pacte personnel : l'auditeur, s'il récite, ne fait que prêter sa voix à un objet transcendant qui se réalise par elle et s'envole vers des glottes nouvelles ; s'il *comprend*, il refait *pour son compte* le chemin déjà suivi. À la fin, l'acte est sien tout à fait, bien que la réalité comprise puisse être une notion universelle. Il ne s'agit pas, bien entendu, de penser sans mots : mais l'intellection — ou la compréhension — quand elle est entière, définit une série pratiquement illimitée d'expressions verbales et se fait *règle a priori* pour choisir parmi celles-ci la plus propice en chaque circonstance et selon chaque interlocuteur. La pensée n'est alors ni tel ou tel membre de la série — comme si quelque expression devait être *a priori* privilégiée — ni une option capricieuse et transcendante — comment *choisir* le verbe sans être le verbe soi-même ? Elle est à la fois la totalité de la série — c'est-à-dire des relations différentielles qui lient entre elles les diverses expressions d'une même réalité — et la possibilité de détacher comme une forme distincte, sur le fond obscur de la série totalisée, celle de ces expressions qui paraît le mieux adaptée à la situation présente. Une idée comprise, c'est moi et c'est tout le non-moi : c'est *ma* subjectivité éclatant et s'effondrant dans l'inessentiel au profit de l'objet. Mais, justement, suis-je jamais plus libre et plus inconditionnellement moi-même que dans cette déflagration « explosante-fixe » qui s'élargit par les bords jusqu'à tout embrasser ? De la même manière, le langage c'est *moi* et *je* suis le langage. Une idée, de ce point de vue, c'est, en moi, la colonne des phrases qui l'expriment, chapiteau ensoleillé, socle dans les ténèbres, et qui me définit *dans le temps* comme la raison — à moi-même cachée — des mots choisis et *dans l'instant* par le choix souverain d'*une* expression dans l'entortillement infini de toutes et, conséquemment, par mon appréciation des hommes et de la situation. Et la guirlande en spirale des mots, il faut y voir aussi *moi dans l'Autre* : le langage exprime la relation humaine mais c'est la relation des hommes qui va chercher les mots — pour les renforcer, les censurer, les bannir — en chaque individu. L'Autre, en moi, fait mon langage qui est ma façon d'être en l'Autre. Ainsi, quand l'homme est langage et quand le langage est humain, quand chaque mot qu'on nous jette au passage nous dépasse de tous ses liens obscurs avec les hommes qui parlent, quand nous dépassons chaque mot vers l'idée c'est-à-dire vers la série infinie de ses remplaçants possibles, la perméabilité des consciences est telle que la *naïveté* n'est plus concevable. Bien sûr, on ment, on mystifie, on trompe : tout le temps, tout le monde. Mais c'est une autre affaire : la mystification des adultes renvoie à l'aliénation ; quand ils font leurs mensonges, ils n'ont d'autre souci que de se tenir au plus près du Vrai ; les plus habiles menteurs en font de petites sangsues imperceptibles qu'ils collent sur la peau d'une vérité reconnue. En d'autres termes, on trompe au moyen du langage — et, bien entendu, certains se laissent prendre, d'autres non — mais le langage par lui-même n'est pas trompeur : non qu'il ne recèle des labyrinthes, des chausse-trappes ou qu'il n'y ait des mirages, souvent, au bout des mots ; simplement, il ne peut être séparé du monde, des autres et de nous-mêmes : ce n'est pas une enclave étrangère et qui peut me circonvenir ou dévier mon propos ; c'est moi, en tant que je suis le plus près d'être moi-même quand je suis au plus loin, chez les autres et parmi les choses, c'est l'indissoluble réciprocité des hommes et leurs luttes, manifestées ensemble par les relations internes de ce tout linguistique sans porte ni fenêtre, où nous ne pouvons *entrer*, dont nous ne pouvons *sortir, où nous sommes*. L'homogénéité du mot avec toutes les déterminations objectives et subjectives de l'homme fait qu'il ne peut venir à nous comme un pouvoir étranger. Comment cela se pourrait-il ? Il est en nous puisque nous le comprenons ; de si loin qu'il vienne, pour imprévu qu'il soit, il s'attendait au plus profond de notre cœur ; bref il n'est compris que par lui-même : cela veut dire qu'il s'efface, qu'on ne le voit pas : reste la chose elle-même, signe du mot qui s'est annulé.

Naïveté et langage.

Bien entendu, j'ai décrit la condition abstraite d'adultes sans mémoire. Par la mémoire, l'enfance nous pourrit dès ses premiers mots : nous croirons les choisir pour leurs significations volatiles et légères quand ils s'imposent à nous par un sens obscur. Mais ces problèmes, essentiels pour l'analyste, ne nous concernent pas encore : il s'agit de comprendre la crédulité et nous ne pouvons, après ce qui précède, l'expliquer autrement que par un « *impact* » du mot sur la conscience. Tout se passe comme si, pour le petit Gustave, le mot était à la fois une signification comprise — c'est-à-dire une détermination de sa subjectivité — et un pouvoir objectif. La phrase n'est pas dissoute en lui, elle ne s'efface pas devant la *chose dite* ou le parleur qui la dit : l'enfant la comprend sans pouvoir l'assimiler. Comme si l'opération verbale n'était faite qu'à moitié. Comme si le sens — correctement vu —, au lieu de se faire schème conceptuel et pratique, au lieu d'entrer en rapport avec d'autres schèmes de même espèce, restait aggluntiné au signe. Comme si le signe lui-même, au lieu d'aller se fondre avec son image intérieure, gardait pour cette conscience sa matérialité sonore. Comme si — au sens où l'on parle de pierres qui chantent et de fontaines qui pleurent — le langage n'était encore, pour l'enfant, que des bruits qui parlent.

Cette attitude est-elle concevable ? Oui : si la compréhension s'arrête avant d'être achevée ; l'idée reste captive de l'expression autant que celle-ci des sons qui la transportent ; faute de contrôler la gamme des phrases qui *pourraient* le restituer le contenu du signifiant reste au niveau assertorique : on ne le dira ni possible ni impossible, il est, tout simplement. La rencontre avec le signifiant — fait réel : l'enfant a entendu des sons — n'est pas distinguée de cet autre fait : l'existence réelle du signifié. Et, de façon plus générale, le sens — étrange amalgame d'une plénitude sonore et d'une transcendance visée à vide — reste sans déterminations de modalités : pour le rapporter aux modes hypothétiques ou apodictiques, il faudrait pouvoir le décoller de la « bouchée sonore » ; mais si l'être pur est son mode, cette pure facticité, faute de se définir par rapport au nécessaire, au possible, reste elle-même indéterminée. Pourtant, on ne s'étonnera pas que, dans certaines conditions, le développement du langage s'arrête et que, tant qu'il ne s'achève pas, les opérations verbales paraissent folles : cette pensée captive, cautionnée mais écrasée par la présence réelle de son signe, nous l'avons rencontrée dans les recettes de la magie, dans les vers dorés et les *carmina sacra* ; nous la retrouvons chaque nuit dans nos rêves.

Si Gustave, à six ans, confond le signe et la signification au point que la présence matérielle de celui-là est l'évidence qui garantit la vérité de celle-ci, il faut d'abord qu'il ait un mauvais rapport avec l'Autre : il croit en effet tout ce qu'on lui dit ; par stupeur devant l'objet verbal, par amour dévot des adultes. Mais il n'en rapporte pas *vraiment* les paroles à ceux qui les ont dites : d'abord il y voit plutôt des impératifs que des affirmations : elles s'imposent d'elles-mêmes et puis *il faut y croire* puisqu'elles sont un don gracieux que lui font ses parents. En outre, faute de la réciprocité — fût-elle éphémère — qu'établit une compréhension entière, avec toutes ses structures, la parole de l'Autre lui semble *parole donnée*, à tous les sens du terme. *Dire* n'est pas *énoncer* : la phrase, volumineuse présence, est un cadeau matériel qu'on lui fait ; on lui offre une boîte sonore, autant dire un dessous-de-plat à musique. Si la musique a un sens, tant mieux ; on le prend, on le garde ; c'est un souvenir. On voit ce qui manque : l'*intention*. L'objet donné, l'enfant adore en lui la volonté paternelle de le combler, mais c'est la même générosité qu'il découvre dans la moindre caresse du docteur Flaubert. Parler ou lui ébouriffer les cheveux : c'est une même chose. Entre les parents et l'enfant, on dirait que les gestes de la tendresse, silencieux, efficaces, aussi « bestiaux » chez les gens que chez les bêtes sont la seule *communication* possible. Cet enfant sauvage et — s'il faut en croire ses premiers écrits — proche de l'animalité, ne peut aimer les hommes et s'en croire aimé qu'au niveau de la sous-humanité commune.

Le plus frappant, en effet, dans le récit de sa nièce, c'est que, dans le même paragraphe, elle signale les hébétudes de Gustave et sa crédulité. Comme si celles-là n'étaient que des tentatives renouvelées pour échapper à celle-ci, comme si le petit garçon essayait de s'évader du langage en se laissant couler dans le silence. Il est tranquille, ne souffle mot, se laisse absorber par l'environnement, les plantes, les cailloux du jardinet, le ciel, à Yonville, la mer : on dirait qu'il cherche à se dissoudre dans la nature indisable, fuyant la pesanteur de la nomination dans la texture innommée des choses, dans les mouvements irréguliers, indéfinissables des feuillages, des vagues. Entre ces premières escapades hors de soi et le vœu ultime de *Saint Antoine* : « être la matière », je vois de surprenantes affinités. Il est trop tôt, cependant, pour en faire état. Bornons-nous à décrire.

Même à prendre les choses simplement, comme elles se donnent, il est frappant que le silence des hébétudes soit tout ensemble le contraire et le complément des sonorités d'airain, inertes et implacables, qui vibrent en Gustave, *autres* et siennes, subies, jamais comprises tout à fait. Il restait *des heures*, un doigt dans sa bouche, l'air presque bête : cet enfant tranquille qui réagit mal quand on lui parle, il éprouve moins qu'un autre le besoin de parler : les mots, comme on dit, ne lui viennent pas; ni l'envie d'en user. Cela veut dire certainement qu'il ne communique pas volontiers : ses affections ne se dirigent pas d'elles-mêmes vers les autres, elles ne leur sont pas dans leur principe destinées et ne visent pas à *s'exprimer*. N'en concluons pas qu'elles soient par intention « égocentriques » : pas d'Ego sans Alter, sans Alter Ego ; faute de s'exprimer *aux autres*, elles restent pour lui-même inexprimables. Elles sont vécues pleinement et vaguement sans que personne soit là pour les vivre : sans doute cela vient-il de ce que leur contenu est, comme dirait Lacan, « inarticulable »; mais la raison n'en est-elle point une difficulté première de l'articulation renforcée par une option secrète pour l'inarticulé? L'évidente connexion des insuffisances de Gustave — en tant que « locuté » et que « locuteur » — achève de nous convaincre : chez l'enfant le langage est mauvais conducteur; à travers lui, ce n'est pas seulement le rapport à l'Autre qui est faussé, c'est aussi, du même coup, le rapport à soi. Le petit garçon est mal vissé dans l'univers du discours. Le mot n'est jamais *sien* : tantôt l'hébétude engloutit le verbe et tantôt celui-ci, tombé du ciel, le tyrannise. Dans ce dernier cas, jusque dans l'intériorité profonde, il reste extérieur. Cela veut dire qu'il ne fait pas l'objet, quand il entre chez l'enfant par l'oreille, des opérations classiques : accueil, reprise en main, reclassement dans une série verbale à titre de possibilité permanente du sujet. Ces opérations se font d'elles-mêmes si l'enfant est déjà langage ou, si l'on préfère, être langage c'est refaire en soi sans arrêt ces opérations. Qu'un mot se présente alors, c'est le langage qui accueille le langage. Mais Gustave, si le verbe lui manque ou l'étourdit c'est que sa propre texture, la trame de ses « idées » et de ses affections, n'est *pas assez verbalisée*. A l'âge où tout le monde parle, il en est encore à *imiter* les parleurs ; et le son qui retentit brusquement en lui, s'il lui en impose, c'est par cet « estrangement »[1] qu'il provoque. Et l'*estrangement* n'a qu'une explication : il n'y a ni commune mesure ni médiation entre l'existence subjective de Gustave et l'univers des significations; ce sont deux réalités parfaitement hétérogènes dont l'une visite l'autre parfois. Un enfant de six ans, à l'ordinaire, se trouve désigné jusqu'au fond de soi par les autres et par lui-même : vivre, c'est produire des significations[2]; souffrir, c'est parler; perméable aux

---

1. Lacan traduit ainsi le terme freudien de *Unheimlichkeit.*
2. Ce n'est pas *que cela* : c'est d'abord travailler. Mais le travail comme objectivation est, lui aussi, signifiant.

sens extérieurs parce qu'il est lui-même pourvu de sens et producteur de sens (je traduis ici le mot allemand de *sinngebend* pris dans son acception phénoménologique). Gustave ne produit pas de sens. Sa vie ne se présente pas à ses yeux comme un sens, il n'est, en lui-même, désigné par rien, ni par un nom propre ni par le nom général de ce qu'il éprouve. Il vit pourtant, il goûte sa vie, il se projette hors de soi vers le monde qui l'entoure : mais vie et paroles sont incommensurables. En vérité, je pousse à l'extrême : la verbalisation de son existence a commencé puisque, si durables que soient ses silences, il parle, il acquiert un vocabulaire, il écoute et comprend ce qu'on lui dit. Simplement, les mots ne désignent jamais vraiment à ses yeux ce qu'il éprouve, ce qu'il ressent. Ni sans doute son vrai rapport transcendant au monde. Les objets qui l'environnent, ce sont les choses des autres. Ses parents l'obligent parfois à se désigner à travers les signes qu'ils ont choisis : dis bonjour à la dame, dis-lui comment tu t'appelles ; où as-tu mal ? Là ou là ? Mais, disant le vrai, il réalise que la Vérité lui demeure étrangère. Par cette raison, il sera l'enfant le plus crédule : puisqu'il ne possède pas la Vérité, puisque c'est un rapport des autres avec les choses et entre eux, puisque chaque parole *vraie*, en révélant le décalage de l'existence et du Verbe, se manifeste à lui par le malaise qu'elle provoque et jamais par une évidence, il s'en remet au principe d'autorité. Disons qu'il voit les mots *du dehors*, comme des choses, même quand ils sont en lui : c'est cette disposition d'esprit qui sera plus tard à l'origine du *Dictionnaire des idées reçues* ; les vocables sont d'abord des réalités sensibles ; leurs liaisons sont opérées au-dehors — accidents, coutumes, institution —, le sens vient en troisième lieu, résultat rigoureux des deux premiers moments mais, en lui-même, *quelconque*. Emma et Léon parleront de la Nature parce que la situation exige — à travers les habitudes sociales — qu'il en soit parlé ; non qu'il y ait à cela une raison logique : simplement, on évoque la Nature à un certain stade des rapports sexuels. Au même instant, des milliers de couples disent les mêmes choses dans les mêmes termes : l'essentiel pour tous ces amoureux encore platoniques, c'est de sentir à travers ces fadaises une « communion d'âmes » avec leurs futures maîtresses. Bref, les liaisons de mots sont physiques, ce sont les modulations d'un chant ; institutionnalisées, celles des amoureux ont pour fin de remplacer les caresses impossibles à ce stade, de les préparer et, par cette communication des haleines, avant le baiser, d'éveiller un sentiment de réciprocité ; le sens est là, dans les vocables, préfabriqué, on en a besoin non *pour lui-même* mais pour que les futurs amants, en partageant un goût, créent l'équivalent d'un désir partagé. On retrouve dans cette conception du langage — nous y reviendrons à loisir — les anciens refus de l'enfant : adulte, Gustave garde « les traces de ses naïvetés » ; il garde aussi, pour l'essentiel, son entêtement à ne jamais rentrer tout à fait dans l'univers du discours : dehors et dedans, il voit les mots à l'envers, dans leur étrangeté sensuelle, il tient les lieux communs pour des impératifs gravés dans la matière verbale et que chaque individu a mission de reproduire par les inflexions de sa voix ; il persiste à penser que le verbe le ronge et ne pourra jamais le désigner tout à fait. Dans son cas, la difficulté d'apprendre à lire vient d'un trouble général et plus ancien, la difficulté de parler.

Tout cela, le récit de Caroline permet au moins de le pressentir ; il ne nous donne pas le moyen d'approfondir ces premières impressions. Cette hétérogénéité radicale, en Gustave, de la vie mentale et du langage, qu'est-ce au juste ? Il ne suffit pas d'en montrer l'apparente incompatibilité, il faut la préciser rigoureusement : de fait, tout animal humain — je dirai même tout mammifère — qu'il parle ou non, ne peut vivre sans entrer dans le mouvement dialectique du signifiant et du signifié. Par cette simple raison que la signification naît du projet. Ainsi Gustave, si mal adapté qu'il soit à l'univers de l'*expression*, est signe, signifié, signifiant, signification dans la mesure même où ses plus élémentaires impulsions se manifestent par des projets. D'ailleurs, il le sait ; court-il en riant se jeter dans les bras ouverts de son père, il se décide sur un signe, il réalise un rapport signifié entre le Seigneur et le Vassal. Mieux : *c'est un signe* que la caresse. Pourquoi la réclame-t-il sinon parce qu'elle *signifie* l'amour paternel ? Où donc commencent les troubles, c'est-à-dire les répugnances et les impossibilités ? Au langage articulé ? Pourquoi ? Il est trop tôt pour tenter de répondre à ces questions. Ce qui importe *avant tout*, c'est d'étayer cette description par d'autres témoignages. N'oublions pas, en effet, la fragilité de celui-ci : deux paragraphes piqués dans le bavardage bienséant de Mme Commanville et qui rapportent, édulcorées, des confidences de Mme Flaubert. Celles-ci, d'ailleurs, concernent des faits ensevelis dans le passé le plus lointain : un quart de siècle *au moins* sépare les résistances de Gustave à l'alphabétisation du moment où la veuve d'Achille-Cléophas en a fait état devant sa nièce ; cette femme prématurément vieillie par des deuils successifs n'a-t-elle pu déformer ou simplement exagérer ses souvenirs ? Après tout, Gustave lit et écrit couramment ; assez bien, en tout cas, pour avoir fait un chef-d'œuvre. Ses égarements d'enfant ou bien n'étaient pas si marqués que sa mère le prétend ou bien n'ont pas eu de conséquences. Sans doute, tout ne va pas si bien pour Flaubert : il a détesté la vie de collège, la vie d'étudiant ; victime d'une « maladie nerveuse » que sa biographe prend soin de passer sous silence, il se séquestre à Croisset. Mais rapprocher de cette enfance soi-disant retardée ces troubles de l'adolescence et de la maturité, expliquer ceux-ci par celle-là, ou simplement les utiliser pour confirmer les déclarations de Caroline Commanville, ce serait tirer un lapin d'un chapeau si nous ne disposions d'un témoignage abondant, détaillé, qui n'est que de cinq ans postérieur aux événements en question : celui de Gustave lui-même. De fait, ses premières œuvres parlent sans cesse de son enfance. Et, bien sûr, chacun ne cesse de dire l'enfant qu'il fut, qu'il est : mais, à certaines époques, on en a moins conscience qu'à d'autres, on décrit ce temps passé, indépassable, sans le savoir. L'adolescence, en particulier, est souvent rupture : on pense au présent, à l'avenir, on décrit ce qu'on croit être aujourd'hui, on veut savoir ce qu'on sera. Gustave, à quinze ans, dans plusieurs de ses récits, parle sciemment de sa petite enfance : en particulier de ses hébétudes et de ses tourments devant l'abécédaire. C'est qu'il n'a cessé ni ne cessera jamais d'être pour lui-même cet enfant qu'on a tué. Nous saurons les raisons de cette fidélité mais pas tout de suite : il faut laisser cette vie se développer sous nos yeux et ne rien demander pour l'instant aux souvenirs de Flaubert sinon d'infirmer ou de confirmer le récit de Caroline.

Relisons *Quidquid volueris* [1]. Il est clair que Djalioh, l'homme-singe, représente Flaubert lui-même. À quel âge ? Ce personnage a seize ans : un de plus que son créateur. Mais c'est le produit d'un croisement monstrueux : un savant, M. Paul, a, pour les besoins

---

1. N'importe lequel des contes écrits par Gustave à la même époque nous révélerait, à l'examen, la même thématique. Marguerite, Garcia, le Bibliomane, Mazza sont des incarnations de Gustave au même titre que Djalioh. J'ai choisi *Quidquid volueris* parce que l'effort de l'auteur pour rendre l'égarement de son enfance y est plus explicite. Nous étudierons plus loin l'étrange « relation d'objet » qui se laisse deviner à travers ces fantasmes. Il convient toutefois de souligner que le singe et l'esclave ne représentent pas uniquement les parents de Flaubert. C'est l'époque où Gustave, amoureux de Mme Schlésinger, se complaît à imaginer, par sadomasochisme, les rapports sexuels de Schlésinger avec sa femme : il imagine la femme qu'il aime dans des postures grotesques et obscènes ; elle est l'esclave avilie de son prétendu mari. Celui-ci est donc, à n'en pas douter, symbolisé lui aussi par l'orang-outang. Achille-Cléophas, par contre, est — nous le verrons — dédoublé : c'est tout ensemble M. Paul, qui préside à la fécondation monstrueuse par amour de la Science, et la bête simiesque qui engrosse une femme.

de la Science, fait violer une esclave par un orang-outang. En cet anthropopithèque, l'héritage simiesque arrête le développement humain. Cela veut dire qu'il *reste en enfance*, qu'il dépasse de justesse le moment où l'homme et l'animal sont — d'après Gustave — encore indiscernables. Dira-t-on que le jeune collégien veut se désigner lui-même, tel qu'il est présentement sur les bancs du collège? Oui et non : Gustave n'est pas un « brillant sujet », nous le verrons, mais c'est un assez bon élève, il lit, il écrit, fréquente des garçons de son âge, s'enivre, avec Alfred, de discussions métaphysiques : il ne peut se viser, à travers Djalioh, que s'il tient son enfance pour la *vérité profonde* de ses quinze ans. C'est elle, inoubliable, inoubliée, qui l'a fait ce qu'il est devenu : elle reste en lui, toujours *actuelle*, mais ce n'est pas tant la réalité vécue de son présent qu'un axe universel de référence, qu'une immédiate explication de tout ce qu'il fait, de tout ce qu'il sent. L'enfant n'est pas l'adolescent : il est la catastrophe qui a produit celui-ci et qui borne ses horizons. Par là même, celle-ci est permanente, il la touche; s'il pense à soi, il revient toujours de huit ans en arrière, à cet âge entre deux âges où ses malheurs ont commencé. Nous n'accepterons pas ce témoignage sans critique. À quinze ans, le jeune garçon est passé — nous verrons pourquoi — de la défense élastique à la contre-attaque. Il commence par accepter le jugement d'autrui, par le pousser à l'extrême : j'étais un demeuré, pis encore : un anthropopithèque. Mais c'est pour renverser soudain les valeurs et retourner l'accusation contre les accusateurs. Homme-singe, pourquoi pas? Soyez des bêtes si vous pouvez, à la rigueur des sous-hommes, n'importe quoi plutôt que des êtres humains. On nous avertit que Djalioh, pour les liaisons logiques, est un peu juste; les *rapports* lui échappent; cela tient à ses lobes cérébraux : et l'auteur, appliqué, nous décrit la boîte crânienne du monstre : « Quant à sa tête, elle était étroite et comprimée sur le devant mais par derrière elle prenait un développement prodigieux... » Atrophie des frontaux, donc de l'intelligence; hypertrophie des occipitaux, donc de la sensibilité. Le jeune phrénologue a-t-il lu Gall? Je crois plutôt qu'il tient ces sottises de son père. N'importe : ce qui compte c'est que — l'auteur nous l'apprendra quand sa créature aura déjà gagné notre sympathie — Djalioh est analphabète :

« — Eh bien que fait-il... Aime-t-il les cigares?

« — Du tout, mon cher, il les a en horreur.

« — Chasse-t-il?

« — Encore moins, les coups de fusil lui font peur.

« — Sûrement il travaille, il lit ; il écrit tout le jour ?

« — Il faudrait pour cela qu'il sache lire et écrire. »
Les questions sont posées par des viveurs ridicules, les réponses
données par l'infâme M. Paul. L'auteur rapporte ce dialogue sans
aucun commentaire mais il est convaincu que nous le jugeons à sa
valeur. De quoi s'agit-il, en somme ? De *situer* Djalioh dans la
société. Ces rentiers demandent s'il est des leurs. Non : pas de
femme, pas de cigares, pas de chevaux, pas de fusil. Le voilà suspect : ce sera sans doute un intellectuel. M. Paul les attendait là.
Intellectuel ? Même pas : c'est un illettré. Il révèle l'origine du monstre aux convives éberlués. Illettré, soit. Mais pourquoi ? A-t-on
négligé de l'instruire ? Flaubert ne le dit pas. Mais il souligne à plusieurs reprises l'intérêt que portent les savants à l'expérience la plus
saisissante du siècle et à son heureux résultat. Croit-on qu'il ne se
soit pas trouvé un seul biologiste pour brûler d'enseigner ses lettres à Djalioh ? La science exigeait qu'on tentât l'épreuve, donc elle
fut tentée. Vainement. Si Djalioh ne sait rien, il ne faut accuser
que son inaptitude constitutionnelle. Il ne peut lier les syllabes entre
elles. Ni *a fortiori* les concepts entre eux. Voilà qui confirme les
confidences de Mme Flaubert : *Quidquid volueris* témoigne d'une
âcre et forte mémoire butée sur un échec d'enfance. Être un Flaubert, avoir sept ans et ne pas savoir lire, c'était ce qu'il ne pouvait
supporter huit ans plus tôt. À quinze ans, cela reste un intolérable
souvenir : c'est le Malheur et la Chute, l'origine de ce qu'il est,
l'humiliation qu'il compense par ce perpétuel ressassement :
lui-même.

Mais Gustave va plus loin et, derrière son incapacité de comprendre le langage écrit, il nous fait entrevoir son mauvais rapport avec
le langage oral. Il ne dit point expressément que Djalioh ne parle
pas — bien qu'il se trouve des gens pour condamner son mutisme.
Disons qu'il se tait, en général, et que, s'il tente de parler, le mot
ne franchit pas la barrière de ses dents et, en tout cas, n'est jamais
entendu. Une fois, ses lèvres remuent, rien ne sort. Une autre fois :
« Djalioh... voulut dire un mot mais'il fut si bas, si craintif qu'on
le prit pour un soupir. » On notera qu'il a le souffle coupé *par la
crainte*. Or il ne semble pas, à l'ordinaire, que l'anthropopithèque,
docile et calme en apparence, ait particulièrement peur des hommes : c'est le langage même qui l'inquiète. À mi-chemin entre l'imitation simiesque de la parole humaine et la production consciente
de signes, le pauvre Djalioh n'ose émettre un son, faute de savoir
ce qu'il fait, par terreur de se tromper. Une même cause profonde

le contraint au mutisme et l'empêche d'apprendre ses lettres. Un défaut d'intelligence ? Sans doute. Mais pas seulement cela : à tous ces hommes, qui ne sont pas de son espèce, il n'a rien à *dire*. Pourtant le jeune conteur ne refuse pas à son personnage un vague besoin d'expression. Mais, comme disait Mᵐᵉ de Staël d'un de ses trop jeunes amants : « La parole n'est pas son langage. » Une fois, l'homme-singe s'approche d'un violon. Il le tourne entre ses mains sans trop savoir qu'en faire ; il manque briser l'archet puis, imitant les musiciens qui viennent de quitter leurs pupitres, il « approche (l'instrument) de son menton ». C'est d'abord « une musique fausse, bizarre, incohérente... des sons lents et mous... ». Puis il s'amuse : l'archet « sautille sur les cordes ». La musique « est saccadée, remplie de notes aiguës, de cris déchirants... et puis ce sont des arpèges hardis... des notes qui courent en masse et s'envolent comme une flèche gothique... (le tout) sans mesure, sans chant, sans rythme, une mélodie nulle, des pensées vagues et coureuses... des rêves qui passent et s'enfuient poussés par d'autres dans un tourbillon sans repos... »

Encore faut-il remarquer que cette improvisation ne vise pas à restituer l'extase poétique mais plutôt les passions terrestres du poète. Il est nettement dit, en outre, que l'anthropopithèque songe pas à communiquer : « Il regarda tous ces hommes, toutes ces femmes (qui, au début, rient de l'improvisation)... avec de grands yeux ébahis ; il ne comprenait pas tous ces rires [1]. Il continua. » Bref, il ne joue pas *pour les autres* : il joue et les autres sont là. Retenons, pourtant, cette tentative : Djalioh s'incarne dans la musique, il *s'exprime* par elle mais il n'accepte pas de se *désigner* par le langage articulé.

Voilà le monstre, voilà l'enfant idiot : « fantasque selon les uns, mélancolique, disaient les autres, stupide, fou, enfin muet, ajoutaient les plus sages... ». Les plus sages, bien entendu, ce sont Madame et le docteur Flaubert dont l'aveugle intelligence ne sait pas distinguer entre les soupirs de Djalioh et ses efforts — très rares, il est vrai — pour prononcer un mot : « Si c'était un mot ou un soupir, commente Gustave, peu importe mais il y avait dedans toute une âme. » Toute une âme : c'est que l'enfant retardé l'emportait aisément sur les membres de notre espèce par la profondeur de ses affections sensibles. Au thème du langage s'oppose celui des hébétudes.

---

1. À rapprocher du texte de C. Commanville : « devant les rires il restait rêveur, entrevoyant des mystères ». Il s'agit d'un souvenir.

La vie de Djalioh sera coupée en deux par une catastrophe : M. Paul l'emmènera en France, l'homme-singe y connaîtra Adèle, la fiancée de son maître, et concevra pour elle une passion violente, la jalousie le tourmentera jusqu'à la mort. Mais *auparavant*, c'est-à-dire, en ce qui concerne Gustave, avant qu'on s'avise de lui apprendre à lire, il y a eu un âge d'or. « Souvent, en présence des forêts, des hautes montagnes, de l'Océan, l'âme (de Djalioh) se dilatait... Il tremblait de tous ses membres sous le poids d'une volupté intérieure et, la tête entre ses deux mains il tombait dans une léthargique mélancolie... » L'auteur prend soin de souligner que les passions ne se sont pas encore déchaînées. Pourtant, même à cet âge, l'hébétude semble, à l'en croire, une de ses conduites familières : « La nature le possède sous toutes ses forces, volupté de l'âme, passions violentes [1] ; appétits gloutons. [...] Son cœur... est vaste comme la mer, immense et vide comme sa solitude. » Le symbole est rigoureux : l'homme-singe, produit monstrueux de la Nature et de l'homme, doit être à la fois l'objet pur de celle-ci et le sujet naturel par excellence. Sa relation la plus intime est avec elle et non avec les hommes : elle est *en lui*, c'est son existence pure ; *hors de lui*, c'est sa possibilité propre. Son unique possibilité ; il ne peut se dépasser que vers elle, se faisant d'autant plus Nature — c'est-à-dire spontanéité sans sujet — qu'il se perd dans les immensités vierges, innommées, incultes de l'Océan ou de la forêt ; elle est sens et but de son projet fondamental, détaillé en mille appétits particuliers, il *revient à lui-même* des horizons, c'est un être des lointains *naturels*. Entre l'immanence et la transcendance il y a, chez Djalioh, réciprocité ; aussi, l'auteur y insiste, on peut dire, selon les circonstances, qu'il se dilue dans la Nature ou qu'elle entre tout entière en lui ; bien qu'il semble s'agir de conduites inverses, *c'est la même*, accentuée différemment : tantôt l'âme se produit comme une infinie lacune et le monde s'y engouffre et tantôt c'est un mode fini de la substance ; emprisonnée dans les limites de sa détermination, elle s'anéantit pour couler hors de ses frontières et *réaliser* son appartenance au Tout sans parties dans le mouvement même qui dissout sa particularité. Ce qui compte, c'est que l'intention fondamentale ne varie pas : ce qui est visé dans l'un et l'autre cas, c'est la totalisation. Totalisation réciproque du microcosme par le macrocosme et de celui-ci par celui-là. Cette double appartenance

---

1. Ces passions, précise Gustave, n'ont pas, pour violentes qu'elles soient, l'âpre fureur des passions humaines : elles ne sont point jalouses et pas davantage possessives ; elles ne s'adressent qu'à la Création entière.

simultanée de l'âme au monde, du monde à l'âme, Flaubert l'appelle, quand elle fait l'objet d'une expérience concrète et vécue, tout simplement la Poésie. On pourrait tout aussi bien lui donner, quand elle s'actualise en ramassant tout l'Être et tout l'homme dans une synthèse intentionnelle qui opère à partir de la négation de toute détermination analytique, le nom d'*attitude métaphysique*. En effet, avant l'extase, il y a le petit Gustave, les vagues de la mer, le sable sombre où elles meurent, le sable clair et sec qu'elles ne peuvent atteindre, une carcasse de barque échouée sur la plage, une cabane, etc. ; dès que l'attitude métaphysique s'impose, ces objets s'anéantissent au profit de déterminations générales : le Lieu, le Temps, l'Infini, etc.

On aura remarqué que cette attitude, bien qu'intentionnelle et spontanée, est *subie* par l'anthropopithèque et par l'enfant : on ne s'y détermine pas de soi-même, *on y est déterminé* : la poésie advient au sous-homme, comme l'indique assez le mot de « *léthargie* » que Gustave emploie pour désigner une certaine phase de l'extase chez Djalioh — et, tout aussi bien, d'ailleurs, les tremblements irrépressibles qui l'accompagnent la plupart du temps. La poésie est *subie*; il faut ajouter qu'elle est *innée* : ce qui est donné au fils du singe et de la femme ne peut l'être au fils de l'homme; en celui-ci, l'intelligence et la logique tuent l'intuition panthéistique. Le jeune garçon est fier de ses hébétudes car il voit en chacune d'elles son animalité ressuscitée. Il sait fort bien qu'on lui trouve en ces moments-là l'air *bête*. Il l'écrit en toutes lettres dans *Quidquid volueris*. Fou de jalousie, le monstre a égratigné Adèle avec ses ongles. Elle s'enfuit, il reste seul : « Il était pâle comme la robe de la mariée, ses grosses lèvres crevassées par la fièvre et couvertes de boutons se remuaient vivement comme quelqu'un qui parle vite, ses paupières clignotaient et sa prunelle roulait lentement dans son orbite, comme les idiots. »

Ce dernier passage, si violent, frappe par une double incorrection ou plutôt par la même deux fois répétée : « comme quelqu'un qui parle vite », « comme les idiots ». Il faut s'y arrêter un instant. Flaubert ressuscite intentionnellement une des hébétudes de son enfance : il montre son comportement *du dehors*, tel qu'il apparaissait aux yeux des autres et n'hésite pas à le qualifier par les mots qu'on lui appliquait alors : « Comme les idiots. » Oui ! J'avais l'air idiot, je marmonnais, je roulais des yeux égarés, j'étais pâle comme la mort ! Pourquoi ces aveux complaisants ? Pour dénoncer la légèreté criminelle de ses anciens juges : ces conduites éperdues, ils n'en ont su voir que la faiblesse extérieure et n'ont pas compris qu'elles cachaient les plus violentes tempêtes : qu'on imagine les passions qui se combattent dans l'âme de Djalioh, l'amour et la jalousie, le remords et la férocité, orages, trombes, cyclones : une seule de ces tempêtes suffirait à tout bouleverser. Mais elles sont déchaînées toutes ensemble, de même force et de sens contraire : elles se cognent les unes aux autres, ravagent cette âme mais se contiennent mutuellement, le corps fragile et simiesque qui les ancre, immobile et bouleversé, se détruit sans un geste. Flaubert triomphe : voilà ce qui se passait en moi ! Autrement dit, les hébétudes apparaissaient aux adultes comme des conduites *négatives* : absences, lacunes, trous d'attention, défaut d'adaptation. En fait, elles manifestaient la « bestialité » dans sa plénitude. Toute sa vie, Flaubert attachera une valeur particulière à l'adjectif « bestial ». « Ce que j'ai de meilleur, écrira-t-il beaucoup plus tard à Louise, c'est la poésie, c'est la bête. » Dès *Quidquid volueris*, il oppose clairement Djalioh « ce monstre de la nature (à) M. Paul, cet autre monstre ou plutôt cette merveille de la civilisation qui en portait tous les symboles, grandeur de l'esprit, sécheresse du cœur ». Langage, analyse, lieux communs : c'est l'homme. Dès que la bête humaine se met à parler, avant même que de lire, elle abdique la poésie natale, elle passe de la Nature à la Culture. On notera la constance du vocabulaire flaubertien : combien de fois Gustave ne répétera-t-il pas, dans sa correspondance : les bêtes, les idiots, les fous, les enfants viennent à moi parce qu'ils savent que « *je suis des leurs* ». Non par quelque lacune : par une sombre et riche puissance tellurique, demeurée en lui grâce à ce mauvais départ qui l'a toujours empêché de s'intégrer pleinement au monde culturel. Cet adulte parle au présent : je *suis* des leurs. À trente ans, il pense que son enfance frustrée, silencieuse, inerte et folle ne l'a jamais quitté : la fréquentation d'autres adultes, les réclamations de sa maîtresse l'en arrachent un instant, il y retombe dès qu'il se retrouve seul. Cette rumination du passé suffit à révéler en lui l'homme de la récrimination qui avance à reculons. Mais dans les premières années la récrimination n'existe pas encore : je veux seulement indiquer que Gustave n'a jamais cessé d'estimer en lui *d'abord* non l'animal parlant mais celui qui ne parle pas. En affichant leur incompréhension du poète, M. Paul et ses amis ne font que porter sentence sur eux-mêmes : d'un côté cet être de silence, replié sur soi, de l'autre ces lettrés, ces savants qui usent du langage pour répéter d'une table à l'autre les mêmes lieux communs issus de la même mesquine sagesse; de la comparaison c'est l'alphabète qui sort disqualifié. Si l'on a pratiqué Flaubert quelque temps, il n'est pas difficile de lire entre les lignes une revanche venimeuse de Gustave sur Achille : « Oui, à sept ans je ne savais pas mes lettres et toi, dès quatre, tu as lu couramment. Après ? J'étais une bête, cela veut dire un poète et toi, tu étais un petit Docteur, c'est-à-dire un Robot et tu l'es resté. »

À cette époque, Flaubert est catégorique : la poésie est une aventure silencieuse de l'âme, un événement vécu qui est sans commune mesure avec le langage; plus exactement, elle *a lieu* contre lui. Si ces partis pris restent encore implicites dans *Quidquid volueris*, ils reçoivent leur plein développement, un an plus tard, dans les *Mémoires d'un fou*. Cette fois, nous avons affaire à une ébauche d'autobiographie : l'auteur dit *Je*. Du coup, le symbole est changé : le *Monstre* est devenu un *fou*. Et les premiers élans du fou — ceux-là mêmes qu'éprouvait Djalioh en son âge d'or — sont expressément rapportés par Gustave à sa petite enfance : « Enfant, j'aimais ce qui se voit... Je rêvais à l'amour... Je regardais l'immensité, l'espace, l'infini, et mon âme s'abîmait devant cet horizon sans bornes. » Il ne s'agit plus de forêt vierge mais « l'Océan » revient à plusieurs reprises dans les premières pages. Dès ses plus anciennes vacances, l'enfant s'est senti lié à la mer. Il y a une relation d'intériorité entre le petit garçon et cette immensité qui roule sur elle-même et ne cesse de représenter à ses yeux la Nature sans les hommes. On notera, au passage — nous y reviendrons —, que cette relation extatique se traduit par la passivité : l'âme *s'abîme*; cet effondrement — comme tentative de conquérir la plénitude en s'y abandonnant — c'est l'hébétude — ici représentée par l'auteur comme une conduite intentionnelle qui se donnerait pour objectif la possession de l'infini sensible. Or, pour la première fois, Gustave pose clairement la question : comment lier les intuitions indifférenciées du poète et le langage qui doit les communiquer : « J'avais un infini plus immense, s'il est possible, que celui de Dieu... et puis, il fallait redescendre de ces régions sublimes vers les mots... Comment rendre par la parole cette harmonie qui s'élève dans le cœur du poète?... par quelle gradation la poésie s'abaisse-t-elle sans se briser? » Il s'agit, bien entendu, de l'*écriture poétique* et ce problème concerne l'adolescent lui-même : le futur écrivain, en lui, rêve de gloire; il nous dit ses préoccupations de métier; cette contradiction qui rend toute transcription de ses extases impossible, elle l'inquiète, ici; comment fera-t-il connaître le poète génial qu'il est ? Mais ces inquiétudes ne sont que l'écho de préoccupations plus anciennes et bien plus profondes : il y avait cette plénitude indifférenciée, l'enfant y vivait dans la joie et puis, tout à coup, la redescente en flammes, l'*interpellation*, le retour en force des mots des autres : « Gustave où es-tu ? Ote ton doigt de ta bouche, tu as l'air bête. » C'est ce qu'on sent mieux encore, un peu plus loin, dans les mêmes *Mémoires* quand il déclare que, par cette redescente nécessaire vers l'expression verbale, le poète s'abaisse, *abaisse la poésie*. Ses raisons théoriques, il ne les donne pas — Flaubert ne donne jamais ses raisons mais il n'est pas difficile de les donner à sa place. Puisque le fait poétique se produit en dehors du langage et sans lui, puisqu'il n'est pas *en lui-même* rapport au mot, alors sa transcription n'est pas *par elle-même* poétique : elle ne peut ni fixer ni communiquer l'expérience totalisante. Contrairement à ce que dira plus tard Joë Bousquet, on ne peut rien « traduire du silence ». Cette inadéquation totale des mots à ce qui devrait être leur objet primordial sera, plus tard, quand la source des extases poétiques se sera tarie, un puissant motif pour que Flaubert considère le langage comme un ordre distinct, qui se suffit à lui-même et qui est son propre objet. Pour l'instant n'y voyons rien de plus que la suprématie réaffirmée du silence. Et la condamnation du Verbe : car celui-ci, que la Culture a produit, prétend rendre le mouvement naturel, intime de l'âme et n'en exprime jamais que les déterminations culturelles, c'est-à-dire extérieures. Analyser — et le langage, pour Flaubert, est analyse — c'est tuer. Les mots dé-composent. Si le poète parle, que nous donne-t-il de plus que l'articulation de ces mots eux-mêmes ? Un mauvais plaisant emprunte une montre, la démonte, la rend en pièces détachées : au moins rapporte-t-il les vrais rouages ; si rien ne manque, on peut la remonter. Le poète marron qui monnaie son expérience, c'est pis : il prend la montre et restitue *les mots détachés* qui désignent les parties de l'objet. Le *mot* de rouage et le *mot* d'extase, que sont-ils ? Des *choses* distinctes — dans leur matière même — des objets qu'elles prétendent désigner. Des choses encombrantes qui occupent le devant de la scène et qui bouchent la vue, juxtaposées, solitaires, *plus contiguës qu'articulées*, bref des molécules de langage. Que la réalité soit syncrétisme ou synthèse, existence au jour le jour vécue ou brusque reprise de soi-même et du monde dans une appropriation mystique, elle se place en deçà ou au-delà de l'analyse verbale ; de toute manière c'est la vie immédiate ; syncrétisme, « multiplicité d'interpénétration », synthèse, elle est l'indécomposable animalité, elle se tait.

Voilà ce que Gustave *pense* à quinze ans. Avec une force de conviction surprenante. Et, bien entendu, tout est faux. Sans doute, la phrase est analyse ; mais il est aussi vrai qu'elle est synthèse. Les Idéologues n'avaient eu d'yeux que pour la fonction analytique : ils avaient eux-mêmes découpé les propositions en mots et ceux-ci en syllabes pour appliquer d'abord leurs principes et leurs méthodes à leurs propres outils. Ainsi ne vit-on que des molécules dans le discours articulé, tant que la dissociation individualiste fut à l'origine de l'idéologie bourgeoise. Il se peut, à quinze ans, que les fables de Gustave soient un lointain écho de ces « idées » : il connaissait par son père Cabanis, Destutt de Tracy. Un demi-siècle plus tard, les questions se compliquèrent ; avec la dialectique, le problème de la synthèse revient au premier plan : nul ne doute aujourd'hui qu'une phrase n'apparaisse sur un fond qui n'est autre que *tout* le langage ; nul ne doute qu'il ne faille *en elle* le langage tout entier pour qu'elle puisse définir son être et son sens qui n'est qu'une *différenciation*. Nul ne doute que *tout* ne puisse et ne doive recevoir un nom, ne soit même nommé *par le reste* du langage découvrant et définissant en lui par *tous* les autres termes un certain vide qui est déjà négativement un nom. Quant aux *totalités* (extases ou longues percées somnolentes de la passion), elles ne sont jamais *désignées* : cela veut dire qu'elles sont à tous les coups des expériences neuves qui échappent aux nominations antérieures et ne produisent pas forcément — ni même souvent — le mot ou la phrase qui leur conviennent le mieux. Mais, si nous savons que nous sommes tout ensemble culture naturelle et nature cultivée, si nous nous rappelons que le réel vécu roule encore ses mots, en lâche un, le reprend, que l'immédiat, en somme, est verbal déjà — mais tout simplement inadéquat — nous comprendrons que le rôle du mot n'est pas de traduire dans une langue articulée le silence de la Nature : parler est, chez tous, une expérience immédiate et spontanée, vécue, dans la mesure où la parole est une conduite ; inversement le vécu n'est jamais vierge de mots et, souvent, ressuscite des désignations périmées qui le visent sans lui convenir vraiment. Ainsi, la conduite verbale ne peut se définir *en aucun cas* comme le passage d'un ordre à l'autre. Comment serait-ce possible puisque la réalité de l'homme vivant et parlant se fait à chaque instant par les deux ordres confondus. Parler n'est rien d'autre qu'adapter et approfondir une conduite déjà parlante, c'est-à-dire par elle-même expressive. Et cela signifie : reprendre et corriger les babillages immédiats en vivant mieux la passion qui les produit ; vivre avec moins d'entraves et plus radicalement la passion constitutive par l'effort libérateur qui l'éclaire en la désignant; quelquefois aussi, par une erreur double, dévier la nomination en faussant le mouvement passionnel, dérégler l'impulsion par une erreur de nomination. Le mot n'est pas donné; il l'est; il n'y a pas de mots pour ce que je ressens, il faut des phrases : ces différents propos représentent simplement mon attitude envers moi-même : le mot, si je m'en contente, est toujours donné; le mot d'amour, si vieux soit-il, peut suffire longtemps; il éblouit encore de sa foudre des amoureux qui s'ignoraient; et si l'on veut raffiner, il y a des subdivisions infinies : amour-passion, amour-estime, que sais-je; tous les cas sont prévus pourvu que nous acceptions — qui ne le fait? — d'être prévisibles. Et puis, si l'occasion l'exige, il faudra reconnaître que l'amour vécu ne peut se nommer sans se réinventer. On changera l'un par l'autre le discours et le vécu. Ou plutôt, on accroît tout ensemble l'exigence de ressentir et celle d'exprimer : rien d'étonnant puisque l'une et l'autre sont issues d'une même source et, dès l'origine, s'interpénétraient. Il se peut que je m'agace, aujourd'hui, parce que le mot « amour » ou tel autre ne rend pas compte de tel sentiment. Mais qu'est-ce que cela signifie? D'abord mon *affection* déclare qu'elle *n'est pas* un silence passif mais une attente et même une invention silencieuse, sinon d'où viendraient sa revendication, l'urgence de lui trouver une qualification juste? Bref, au niveau où je la prends, avec ses réclamations, elle se nomme et se donne un faux nom, s'en agace et réclame non pas tant le recours étudié au langage que l'approfondissement, en pleine lumière, de sa *réalité*. De cet approfondissement, elle réclame en outre qu'il soit créateur : qu'il la saisisse dans son unité synthétique et que par là même, dans le même moment, il *invente* la désignation par phrase de cette unité. C'est-à-dire à la fois que rien n'existe qui n'exige un nom, ne puisse en recevoir un et ne soit, même, négativement nommé par la carence du langage. Et, à la fois, que la *nomination* dans son principe même est *un art* : rien n'est donné sinon cette exigence; « on ne nous a rien promis », dit Alain. Pas même que nous trouverions les phrases adéquates. Le sentiment parle : il dit qu'il existe, qu'on l'a faussement nommé, qu'il se développe mal et de travers, qu'il réclame un autre signe ou, à son défaut, un symbole qu'il puisse s'incorporer et qui corrigera sa déviation intérieure; il faut chercher : le langage dit seulement qu'on peut tout inventer en lui, que l'expression est toujours possible, fût-elle indirecte, parce que la totalité verbale, au lieu de se réduire, comme on croit, au nombre fini des mots qu'on trouve dans le dictionnaire, se compose des différenciations infinies — entre eux, en chacun d'eux — qui, seules, les actualisent. Cela veut dire que l'invention caractérise la parole : on inventera si les conditions sont favorables ; sinon l'on vivra mal des expériences mal nommées. Non : rien n'est promis, mais on peut dire en tout cas qu'il ne peut y avoir *a priori* d'inadéquation radicale du langage à son objet par cette raison que le sentiment est discours et le discours sentiment.

À quinze ans, Gustave affirme le contraire. L'influence du siècle et du père ne suffit pas à rendre compte de cette mauvaise humeur entêtée. Il est écrivain dès cette époque : avec beaucoup de force et d'ingéniosité, du bonheur dans le style ; les mots lui sont dociles, ils se pressent sous sa plume : cette éloquence ne connaît aucune des difficultés qui feront la grandeur et l'austérité de *Madame Bovary*, elle coule de source. Et pourtant, à quoi lui sert-elle ? À écrire qu'il ne faut pas écrire ; que la parole est un silence dégradé. Sa morosité, que la réussite *présente* rend injustifiable, nous y verrons donc une survivance. Elle survit et survivra dans et par une inoubliable enfance qui conditionne tout le développement ultérieur de Flaubert. Nous verrons plus tard par quelles raisons complexes l'adolescent s'est fait homme de lettres. Il en est une, en tout cas, que nous devinons déjà : à neuf ans, Gustave a décidé d'écrire parce qu'à sept, il ne savait pas lire.

Ainsi la preuve est faite : les écrits de Flaubert adolescent corroborent entièrement les souvenirs de sa mère ; ils nous permettent d'entrevoir l'expérience primitive telle qu'elle a été vécue du dedans ; ils donnent même à entendre que cette expérience — enrichie et magnifiée par l'orgueil et le ressentiment — s'est reproduite souvent par la suite et que l'adolescent, comme autrefois l'enfant, ne cesse pas d'éprouver un malaise linguistique ni de le compenser par des extases incommunicables. Gustave, avec un sens profond de ses vrais problèmes — ce qu'il ne faut pas confondre avec la lucidité —, met aussitôt le doigt sur l'événement fondamental de sa protohistoire : tout a commencé avec cette mauvaise insertion dans l'univers du langage qui se traduit dès lors par un échange dialectique du silence et du ressassement. Si nous le débarrassons de son hyperbolisme, *Quidquid volueris* nous confirme dans nos hypothèses : l'enfant a ressenti vraiment l'incompatibilité des synthèses affectives avec les signes institutionnels qui s'y rapportent. Le mot, ce fut pour lui, d'abord, l'outil et le résultat des opérations analytiques que les adultes, du dehors, effectuaient sur lui.

On lui communiquait les conclusions ; il ne s'y reconnaissait pas. Non qu'il eût d'autres mots à leur opposer : il lui semblait échapper au langage par nature. La Culture, pour lui, c'est le vol : elle réduit l'indécise et vaste conscience naturelle à son être-autre, cela veut dire : à ce qu'elle est pour les autres. Le mot est chose ; introduit dans une âme, il la résorbe dans sa propre généralité : il s'agit d'une véritable métamorphose. L'analyse remplace les liens intérieurs par des attaches purement externes. Elle cisaille, isole, remplace l'interpénétration par la continuité ; l'universalité abolit la singularité subjective au profit de l'objectivité communautaire : l'âme, cette fièvre cosmique et particulière, devient un lieu commun.

Nous avons montré que cette doctrine est fausse. La brusque scission, chez Flaubert, de la vie subjective et du langage, de l'intuitif et du discursif, de la Nature et de la Culture ne peut s'expliquer par l'incommensurabilité, en chacun de ces couples, du premier terme avec le second. Il faut y voir, plutôt qu'une saisie précoce de la vérité, l'aventure singulière d'un enfant : des éléments divers, extérieurs et intérieurs, sont intervenus pour le buter contre ce qui deviendra peu à peu sa bête noire ainsi que le matériau de son art, contre le mot. La doctrine qu'il expose dans *Quidquid volueris*, il faut n'y voir qu'un effort pour se justifier et surcompenser des humiliations inoubliables. Si nous en refusons les truquages, nous pourrons approcher davantage de ses premiers silences. Et *d'abord* nous comprendrons qu'ils n'étaient pas des silences *pour de vrai*. Considérons, par exemple, les extases panthéistiques de Djalioh ou celles du Fou qui écrit ses Mémoires : admettons-nous qu'elles soient dépourvues de tout contenu verbal ? Impossible puisque le flot du vécu ne cesse de rouler des mots, pêle-mêle, tantôt les maintenant à la surface et tantôt les engloutissant pour les charrier invisibles entre deux eaux. Impossible surtout parce que le silence est lui-même un acte verbal, un trou creusé dans le langage et qui, en tant que tel, ne peut être maintenu que comme une nomination virtuelle dont le sens est défini par la totalité du Verbe. À quinze ans, Gustave veut *ne pas voir* les mots qui hantent sa poésie. La preuve en est que, chaque fois qu'il vient à parler de ses intuitions, il utilise un vocabulaire assez pauvre et stéréotypé ; ce sont toujours les mêmes termes, dans le même ordre. Bien sûr, il évoque tantôt un infini simple et tantôt un infini « plus vaste que celui de Dieu » ; mais ces variations légères ne font que souligner l'invariabilité du thème verbal. On retrouvera ces systèmes jusque vers 1857 ; il en restera des traces dans sa Correspondance jusqu'à sa mort. Fluides, toujours nouvelles, indicibles, les extases eussent fait l'objet d'allusions plus floues, plus capricieuses. Ici tout est construit pour durer, pour se répéter sans s'user. Et puis voyez un peu les termes : Monde, Création, Infini. Ils suggèrent tous un mouvement sans fin de l'esprit, un passage à la limite par dépassement de tout le donné : mais Gustave ne les a pas trouvés après coup pour désigner une opération qui se fût faite sans eux pendant l'extase ; comme l'opération est restée virtuelle, il a fallu que cette ébauche de récurrence soit en chaque cas soutenue et consolidée par un mot plus ou moins enseveli — l'un ou l'autre des trois que nous avons cités — qui, dans sa matérialité de poteau indicateur, se substitue à l'impossible extrapolation. Le mot d'Infini, par exemple, est au cœur du projet poétique de Gustave. Celui-ci n'a jamais eu d'envols sans vocable : dits ou vus, peu importe. Mais sus. Et nous devons bien admettre que le silence « primitif [1] » est intentionnellement obtenu non pas en abolissant le langage mais en *le passant sous silence.* Ces observations ne valent pas telles quelles pour ses premières hébétudes : à cinq ans, il ne connaissait pas, j'imagine, le mot d'infini, en tout cas, son sens. N'importe : à quinze ans, par sa comédie du silence, il entend restituer son enfance telle qu'en elle-même l'orgueil l'exalte et la change. Les rapports sont conservés : les grands mots ont pénétré la rêverie de l'adolescent mais dans les extases enfantines un langage plus fruste se dissimulait sous une poésie plus vague qu'il conditionnait en secret. L'enfant produit en lui la Nature sans les hommes en jetant partout des voiles sur les œuvres humaines. Il refuse de se couler dans le moule des phrases pour garder au fond de lui-même une essence incommunicable dont la texture est celle du monde et qui échappera toujours aux adultes : ce n'est point supprimer le langage, c'est en faire un autre usage ; Gustave ne se sert point des mots pour parler : il utilise certains d'entre eux dans la solitude et sans avoir l'air d'y toucher, pour leur puissance de suggestion.

Ce qu'il faut comprendre, ici, c'est qu'il *fait usage* des mots mais qu'il ne parle pas. Parler, c'est d'une manière ou d'une autre un acte : le sens advient au parleur, les structures linguistiques s'imposent mais rien n'empêchera qu'il les reprenne à son compte, affirmant, niant, entreprenant de communiquer ceci et de taire cela.

---

1. Il est un autre silence, celui, par exemple, qui se referme sur l'œuvre faite, c'est-à-dire sur la totalisation du langage. Celui-là, Gustave le connaîtra aussi. Plus tard.

Dans les extases, Gustave, hanté par la parole, n'assume pas les phrases ou les noms « holophrastiques » qui se proposent : ce n'est point qu'il refuse d'en user ; ce serait un acte encore ; disons plutôt qu'il s'abandonne aux forces de l'inertie. Voyez comme il parle de ses intuitions poétiques, après coup : il les *reçoit*, nous dit-il. Le « sublime » — au sens strictement kantien du terme — l'attaque ; et que fait Gustave, en butte à cette agression ? Il tombe. Un passage des *Mémoires d'un fou* nous dit qu'il « s'abîme ». J'en citerai vingt autres plus loin. Il y a deux temps, semble-t-il : d'abord le moment du « *ravissement* » ; l'âme du jeune Ganymède est enlevée par un aigle, elle se sent élevée jusqu'au *Point sublime* d'où l'on peut voir le Monde c'est-à-dire tout. Mais qui dit « ravissement » dit rapt : Gustave ignore l'ascension, il ne jouit que d'assomptions imprévisibles. Et quand on l'a juché sur une cime et qu'il prétend voir enfin l'unité indifférenciée du multiple, cette substance universelle, sans détail et sans partie, c'est aussi bien le Rien, le passage de l'Être dans le Non-Être et leur équivalence. En cet instant, si l'âme du petit garçon se sent liée par une relation interne à cette abolition totalisante du Cosmos, c'est dans la mesure où elle ne *veut* rien, ne *sent* rien, ne *désire* rien. À la limite, elle devrait perdre conscience d'elle-même. Après le ravissement, la possession. Gustave, dans *Quidquid volueris*, marque nettement ces deux moments de l'extase : en présence du Sublime (Océan, forêts, etc.), « l'âme de Djalioh se dilatait... il tremblait sous le poids d'une volupté intérieure... et... tombait dans une léthargique mélancolie ». Le deuxième temps est capital : on dirait que le premier n'est fait que pour le préparer et que le petit garçon cherche à prendre congé, à s'écouler furtivement, honteusement, par un trou de vidange. Bref, ce qui est visé, ce n'est pas même le quiétisme, c'est l'étourdissement, présence de l'âme au corps si confuse qu'on peut bien l'appeler absence. Reste que cette démission — serait-ce l'orgueil qui l'exige ? — ne peut se produire que sur les sommets. C'est ce qu'il dit, du moins. Est-ce tout à fait exact ?

Le ravissement — « enfant, j'aimais ce qui se voit » — c'est le *visible* qui le provoque : il faut que le regard puisse filer jusqu'à l'horizon, que la *chose vue*, par son ampleur et sa répétition, évoque le Lieu et le Temps à cet enfant surcomprimé par sa famille ; il charge son regard de s'évader pour lui ; en vérité l'objet n'est pas vu pour lui-même, ou n'en saisit que l'immensité dont il devient le symbole plastique ; et celle-ci n'est au départ que ce mouvement du regard frisant la mer et s'étonnant de se perdre au large sans

jamais buter contre un mur. Pris au dépourvu par le peu de résistance des choses, Gustave se laisse aller à je ne sais quelle décompression ; la glissante évasion *subie* change les qualités sensibles
en supports abstraits de la fuite vers l'horizon ; à travers le monde
visible, elle vise les structures les plus universelles de l'expérience.
Dilatation, décontraction, expansion — mais, du coup, appauvrissement par dispersion. La perception se fait négation systématique de tout contenu réel pour parvenir au vide, catégorie commune
à l'Être et au Néant, à l'absentéisme intérieur et à l'indifférenciation extérieure. C'est ce premier temps que l'adolescent baptisera
« élévation » ou « ravissement » ; cela signifie qu'il en fausse le sens
en douce : le sentiment originel de Gustave — *Quidquid volueris*
en témoigne — c'était que son être s'élargissait par les bords donc
horizontalement, perdant en précision et en netteté ce qu'il gagnait
en ampleur ; d'autres facteurs dont nous parlerons plus tard inter-
viennent et changent le mouvement horizontal en *translation verticale*. Pour voir les choses d'ensemble ne faut-il pas les considérer
de haut ? Cette interprétation nouvelle n'est qu'une substitution
d'*image*. Une substitution capitale, certes — puisqu'elle introduit
le thème du haut et du bas, de l'assomption et de la chute, si important chez Gustave —, mais qui ne modifie pas la structure première
des hébétudes. Si nous y insistons, c'est qu'elle empêche de saisir
la vraie nature de la décompression et l'homogénéité profonde des
deux moments de l'extase. De fait, assomption et pâmoison s'opposent : c'est monter pour choir ; de là, Gustave tirera plus tard toute
une mythologie. Mais se *décomprimer* et se *diluer*, ce sont deux
opérations si proches l'une de l'autre que la seconde apparaît
comme la conséquence de la première et peut-être comme son but.
Un captif, incapable de révolte, mime une évasion sur place et sa
rancune efface toutes les déterminations de l'Être pour abolir du
même coup toutes les plaies de son âme. Bref, l'élan vers l'infini
opère, comme en rêve, une infinie destruction dont l'enfant prend
soin de rejeter la responsabilité sur le monde extérieur : c'est le
monde qui l'a dilaté ou ravi et qui se détruit lui-même sous ses yeux
vides. Ainsi la pâmoison serait esquissée dès le début des extases,
la dilatation serait une voie d'accès vers la léthargie, mieux, ce serait
la léthargie elle-même se donnant un prétexte pour se temporaliser. On voit que le rapt n'est qu'un enjolivement. Le petit garçon
n'est pas simple. On dirait qu'il réunit en lui la tentation permanente de disparaître et l'orgueil, l'ambition sombre et jalouse des
Flaubert. Le recours à l'infini, à l'extase panthéiste, la poésie

muette, la revendication superbe de son animalité, tout cela, nous le comprenons à présent, s'est ajouté plus tard à la pâmoison : dès sept ans, j'imagine. Plus exactement, dès que le jeune garçon prit conscience de son insuffisance, dès qu'il intériorisa cette humiliation *objective* pour en faire une structure permanente de sa subjectivité. Il se dore la pilule et puisque l'hébétude est sa tentation, il la valorisera, il en fera, sous le nom de Poésie, cet anéantissement noble qu'on pourrait, en parodiant un mot de Marx, appeler le « devenir-monde » de Gustave Flaubert.

Se dupe-t-il tout à fait ? Non : ces oripeaux couvrent malaisément je ne sais quel ennui de vivre, une tentation immédiate et permanente de déserter la vie. Il est convaincu que l'évanouissement pourrait, à la limite, sous le coup, par exemple, d'une vexation insoutenable, se réaliser en lui sans extase ni rapt, dans sa négativité nue. La preuve en est qu'il le dit lui-même, à quinze ans, dans *La Peste à Florence* : Garcia, frère jaloux, assiste au triomphe de François, son frère aîné ; il en conçoit tant de déplaisir qu'il tombe évanoui dans la salle de bal et qu'on doit le balayer comme une ordure au petit matin. Si l'on m'objecte qu'il s'agit d'une fable et que l'auteur est libre d'inventer ce qu'il veut, je demanderai : pourquoi cette invention plutôt que n'importe quelle autre ? Je rappelle, en effet, que les passions de Garcia sont d'une folle virulence : c'est la haine et c'est la rage, ce sont les charbons ardents de l'envie. Tout va sauter, dirait-on ; et d'ailleurs, tout saute : Garcia finit par tuer son frère. Mais le meurtre est peu convaincant : il intéresse, avant tout, par son caractère autopunitif — nous reviendrons sur cet acte surdéterminé. En tout cas, rares sont les auteurs adolescents qui ne termineraient la fête au palais Médicis et la souffrance du jeune Garcia par quelque éclat. Que ferait-il ? Il déchirerait une robe, ensanglanterait une belle nuque avec ses ongles *comme il rêve de le faire*. Ou bien il insulterait un capitaine et le provoquerait en duel. Non que ces violences découlent directement de sa passion : tout au contraire, elles naissent d'elles-mêmes sous les plumes parce qu'elles sont exigées par la convention la plus commune et que la majorité des auteurs, jeunes ou vieux, n'osent pas s'écarter du conventionnel. Il semble naturel que des sentiments si brûlants s'extériorisent, que la haine soit au-dedans souffrance, au-dehors agressivité. En d'autres termes les émotions *actives* — surtout quand il s'agit de personnages masculins — sont abondamment décrites dans notre littérature ; on n'y fait guère de place, par contre, aux tristesses passives, aux peurs bleues, aux colères blanches : elles existent pourtant, fauchant les jambes, paralysant les langues, relâchant les sphincters ; poussées à l'extrême, on perd les sens, on s'abat comme une masse aux pieds de l'ennemi juré qu'on aurait voulu meurtrir. Quand Gustave donne à Garcia, sa victime, une colère passive dont la chute et la fausse mort sont l'aboutissement, il évite la convention sans même y penser par la simple raison qu'il invente sa vérité. À ce degré de haine, il faut tout casser ou crever : il crève. Ce départ à l'anglaise est une des deux solutions qui prétendent mettre fin à sa tension intérieure. Pourquoi choisir celle-ci plutôt que l'autre ? Parce qu'il se définit par elle au plus profond de son corps et de sa mémoire. Il faudra bien nous rappeler cet évanouissement de Garcia quand nous verrons Gustave, à vingt-deux ans, piquer du nez dans la carriole, et s'effondrer sous les yeux d'Achille au cours de la crise fameuse qui fit enfin de lui Gustave Flaubert. Bien souvent le fils cadet du médecin-philosophe se vante d'être prophète : à raison, nous verrons pourquoi. Comment ne pas voir qu'il préfigure par le corps inanimé de Garcia la terrible violence passive qu'il fera subir à son propre corps ? Celle-ci, d'ailleurs, il déclarera qu'il y discerne un aboutissement rigoureux de sa vie passée. Cela veut dire qu'il faut y reconnaître l'effet des offenses qu'il a subies et la conduite qui résume en elle, radicalise et porte à l'absolu toutes les réactions antérieures. Par son « attaque de nerfs » il saute le pas, se réfugie dans l'impuissance ; mais, en même temps, il établit la continuité de sa vie, éclaire le passé par le présent, *se reconnaît* dans ses fureurs blanches, dans l'évanouissement de Garcia, dans les premières hébétudes du cadet Flaubert. Inertie, paresse, tourmentes intérieures, léthargies, nous rencontrons ces traits d'un bout à l'autre de son existence. Ils définissent à la fois une stratégie que nous retrouverons plus loin, sous le nom d'activité passive, dans la profondeur de l'organisme, une sorte de frayage nerveux qui rend l'abandon *plus facile*. L'hébétude, à l'origine, c'est cet ensemble apparemment disparate : des chemins frayés dans le corps, une vocation d'apathie, sollicitant sans cesse l'abandon, un malaise, une lassitude rancuneuse de vivre et, dans certains cas, l'utilisation intentionnelle de ces facilités pour provoquer l'absence de l'âme, l'évasion dans la mort vécue. Cet abandon implique par soi seul une lassitude qui remonte à ses premières années. Pour lui vivre est *trop fatigant* ; il se force pour passer d'un instant à l'autre : au fond de ses désirs, de ses plaisirs, il y a un vertige permanent. Imaginez un soldat blessé, poursuivi. Il marche aux côtés de ses cama-

rades, on l'exhorte : s'il presse le pas, ils échapperont à l'ennemi.
Il fait ce qu'on lui dit mais il souffre et, surtout, la fatigue, d'heure
en heure moins tolérable, souffle sur les désirs qu'il partageait avec
ses camarades ; rejoindre le régiment, tromper des poursuivants
féroces, être soigné, guéri, il voulait cela : peu à peu il s'en désinté-
resse ; si ces motifs agissent encore, c'est à la manière d'impératifs
et par la médiation des autres. Sournoise, puis violente, irrésistible, enfin, l'envie se lève en lui de lâcher prise, de quitter ses camarades, de se laisser tomber et d'attendre couché le malheur et la
mort. Il y cédera à moins qu'on ne le porte. Mais, dans le moment
glissant où la lassitude et le désir de mort empoisonnent son humble projet de survivre, quand chaque enjambée, loin d'appeler les
suivantes, *se fait vivre en lui* — « je ne tiendrai pas longtemps » —
comme une des dernières, ce soldat ressemble à Gustave ; il *marche* comme le jeune garçon *vit* : avec la même répugnance et la
même application, pour obéir plutôt que par instinct de conservation.

Une différence, toutefois : s'il se couche, si ses camarades l'abandonnent, ce blessé mourra pour de bon : il rentrera dans le grand
silence de la matière inanimée. Gustave, comme ces insectes qui
se paralysent quand on les menace, c'est la « fausse mort » qu'il
vise. On dirait qu'il flaire le danger ou qu'il sent ses blessures et
cherche à mourir vivant pour survivre à sa mort, pour en faire un
événement vécu et dépassé au sein de sa propre vie et qui s'englou-
tisse dans sa mémoire en même temps que le péril qui l'a provoqué. Cette « fausse mort », nous ne la perdrons plus jamais de vue ;
à tous les carrefours, en toutes les grandes occasions, Gustave
recommencera cette tentative de fuite, toujours spontanée mais de
plus en plus *dispendieuse* : il s'y ruinera. Nous verrons comment
l'opération, sans jamais atteindre à la lucidité, *ramasse du sens* en
cours de route et devient le principe d'une stratégie défensive. Mais
il faut ajouter que la « fausse mort » elle-même, perte momentanée des sens, est visée mais jamais atteinte entièrement. Créateur,
Flaubert adolescent permet à Garcia d'en jouir quelques heures.
Mais le personnage ne fait que réaliser les désirs insatisfaits de
l'auteur qu'il incarne. Le jeune garçon perd conscience *en lui*, faute
de pouvoir *en soi-même* suspendre, fût-ce un instant, les facultés
de l'âme. Les hébétudes n'atteignent jamais à l'évanouissement qui
est leur fin et, comme telle, leur raison d'être : la preuve en est que
Gustave, à quinze ans, peut les présenter comme des extases *poétiques*. Quant à la fausse mort de Pont-l'Évêque et aux crises qui

l'ont suivie, il a souvent répété qu'elles se marquaient par une paralysie du corps — qui le rendait incapable de parler, de faire un signe — et par les incroyables visions de sa conscience survoltée. Sur le contenu des extases et des « attaques » nous reviendrons à loisir.

Ce qu'il convient de noter, pour l'instant, c'est d'abord que l'enfant — avant même d'être exilé de l'âge d'or — supporte la vie comme un fardeau. Nous n'avons pas encore les moyens de mettre au jour l'origine de son mal. Mais c'est à celui-ci, sans aucun doute, qu'il fait allusion quand il écrit à Mlle Leroyer de Chantepie : « C'est à force de travail que j'arrive à faire taire ma mélancolie native. Mais le vieux fond reparaît souvent, le vieux fond que personne ne connaît, la plaie profonde toujours cachée. » Texte curieux dont l'apparente contradiction vient — comme toujours chez Gustave — de sa richesse. De fait, on serait tenté d'opposer la « mélancolie native », trait de caractère inné ou constitutionnel, à la « plaie profonde », blessure ou traumatisme, qui, par définition, devrait être un événement de sa protohistoire. Mais il faudra mieux y regarder : on dirait en effet que la plaie est une injure *subie* donc un accident de sa temporalisation et, tout à la fois, qu'elle fait *a priori* partie de son être intemporel ; et c'est bien cela qu'il veut dire : à nous de nous débrouiller pour comprendre. Nous nous y essaierons plus tard. Remarquons pour l'instant que cette « nature » — qui n'est peut-être qu'une première coutume — paraît en même temps son mal et le moyen, sinon de le guérir, du moins de s'en évader par brèves échappées toujours recommencées. Car la plaie profonde dont *on* l'a affecté — ce vertige, ce dégoût de vivre, cette impossibilité de rien entreprendre, cette difficulté à nier, à affirmer qui lui interdit d'entrer dans l'univers du discours —, il faut l'appeler, je crois, sa *constitution passive*. C'est elle, en effet, qu'il dénonce quand il conclut que Djalioh « était le résumé d'une grande faiblesse morale et physique avec toute la véhémence du cœur ». Il ne cache même pas l'extrême fragilité de ses violences : c'est la foudre, dit-il, « qui brûle les palais et se noie dans une flaque d'eau ». Et nous aurons à chercher si sa constitution ne lui a pas été *donnée*. Mais, quand il en souffre, quand il voit dans son malaise vital la conséquence d'une plaie qu'on lui a faite, il peut mettre un terme momentané à son infortune en *renchérissant sur sa passivité* ; telle est l'origine des hébétudes : chacune d'elles est une tentative pour vivre jusqu'au bout ce statut *octroyé* d'inerte matérialité ; et ne voyons pas ces essais comme des entreprises : Gustave, enfant, n'est pas *fait* pour agir; ce sont plutôt des abandons vertigineux à cette nature constituée qu'il sent en lui comme le produit *des Autres*. Vertigineux et rancuneux : je vous fuis en devenant contre vous ce que vous avez voulu que je sois. Bien entendu, à cinq ans, rien n'est dit : il faudrait que l'enfant disposât d'une lucidité réflexive qui n'appartient pas à cet âge. Et, surtout, il ne *dit* rien, ne *se* dit rien puisqu'il ne parle pas : est-ce qu'il faut en conclure, cependant, que ces abandons ne sont pas *vécus*? Certes non : et pas davantage qu'ils n'ont point de structure intentionnelle. Mais ce sera notre tâche, quand nous aborderons la synthèse progressive, que d'établir ce que peut être une « activité passive ». Qu'il nous suffise de noter que Gustave, dès la petite enfance, ne peut ni affleurer à la praxis humaine ni se laisser couler tout à fait dans l'inconscience de la chose inanimée : son domaine, c'est le *pathos*, c'est l'affectivité en tant qu'elle est violence pure, subie sans être assumée et qui le ravage puis s'éclipse sans avoir rien nié ni rien affirmé, sans avoir eu la force de *s'affirmer* soi-même.

Telle est la raison — au niveau de la pure description phénoménologique — de ses difficultés à parler, à lire. A l'ordinaire, dès qu'il a brisé cette ultime coquille, le ruban sonore, un enfant émerge dans l'univers du discours. La synthèse des signes, déjà commencée, effectue par elle-même l'analyse du signifié. Des syllabes se rapprochent, s'accolent, produisent, par leur ânonnement, une totalité : sur le fond indistinct du monde extérieur une forme se détache, détaille les éléments qui la composent. Puisque la parole peut être muette et le mutisme bavarder, puisque Nature et Culture ne sont pas discernables et se retrouvent ensemble dans l'unité du signifiant, du signifié et de la signification, si loin que nous remontions dans nos préhistoires, il est clair que rien ne précède le langage et que nous sommes passés sans effort, par notre simple affirmation pratique de nous-mêmes, de l'âme parlée à l'âme parlante.

La constitution passive de Gustave le maintient longtemps au stade de l'âme parlée : des sens lui adviennent, comme des goûts et des odeurs, il les comprend — pas tout à fait puisqu'il ne peut les reprendre à son compte; ce qu'il en saisit, en tout cas, lui est donné par les autres. Faute de pouvoir accomplir cet acte qu'est l'intellection — évidence affirmative sur quoi se basent nos certitudes —, il en est réduit à la croyance. Les phrases des autres s'affirment *en lui* mais non *par lui*. C'est ce qu'on appelle sa crédulité : de fait il croit à tout, c'est ne rien croire, ce n'est que croire.

Cette crédulité se confond avec ce qu'il nommera plus tard sa « croyance à rien ». Il prononce des phrases, pourtant, il répète des mots ou les assortit comme des bouquets : il *s'affecte* du sens vague qui y rémane. Tant qu'on ne s'avise pas de lui donner un abécédaire, personne ne s'aperçoit qu'il ne parle pas mais qu'il *est parlé*. Mais, dès l'instant qu'il lui faut apprendre à lire, le langage se métamorphose sous ses yeux : il faut décomposer, recomposer selon des règles, affirmer, nier, communiquer ; ce qu'on doit lui enseigner ce n'est point seulement l'alphabet mais, à cette occasion, la *praxis* à laquelle *rien* ne l'a préparé : l'enfant *pathétique* aborde la *pratique* et découvre qu'il n'est pas fait pour elle. Ou, plutôt, qu'il ne comprend pas ce qu'on exige de lui. Auparavant, bien sûr, il obéissait docilement. Mais c'était se plier aux volontés des adultes : *perinde ac cadaver*. À présent ce qu'on lui commande, c'est d'agir. Or l'acte — même fait sur ordre — est souveraineté : cela veut dire qu'il comporte en soi une négation implicite de l'obéissance. Lire, ce ne sera pas seulement, pour Gustave, une opération qu'on réclame de lui sans lui avoir donné les moyens de l'entreprendre ; ce sera surtout un exil : devant l'abécédaire, il sent qu'on va le chasser du doux monde servile de l'enfance.

Il apprendra ses lettres, bien sûr : nous verrons à quel prix. La passivité est son lot mais c'est un petit d'homme, ce n'est pas un idiot, pas même un enfant sauvage : il est, comme tous les hommes, dépassement, projet ; il *peut* agir. Seulement il y a plus de difficultés que les autres, plus de dégoût aussi ; et puis il ne se *reconnaît* pas quand il se force à devenir, par docilité, un *agent* : il se perd, s'égare dans une entreprise qui suscite en lui un *Je* qui est lui-même et n'est point son Ego, que les adultes suscitent et qui, par sa fonction même, leur échappe : l'action, c'est l'inconnu, c'est l'angoisse ; tout se dérobe parce qu'il *dépasse tout* vers un but qu'on a fixé pour lui. Il lira, il écrira mais le langage restera toujours, à ses yeux, cet être double et suspect qui se parle tout seul, en lui, l'emplissant d'impressions incommunicables et qui *se fait parler*, réclamant de Gustave qu'il communique avec les autres quand celui-ci n'a, à la lettre, rien à leur communiquer. Ou plutôt quand la notion même et le besoin de communication lui sont, de par sa protohistoire, présents, certes, mais étrangers dans la mesure même où les mots sont en lui *autres* (venus par les autres) et ne peuvent désigner le vécu. C'est à partir de là, nous le verrons, qu'on peut établir le sens particulier du *style*, chez Flaubert, c'est-à-dire de son comportement futur par rapport au Verbe. Pour l'instant nous n'avons fait que localiser le trouble : l'enfant se découvre *passif* dans l'univers *actif* du discours. Notre description s'arrête là : ce qui importe, à présent, c'est de remonter le cours de cette histoire et de chercher dans la profondeur des premières années les raisons de cette passivité.

Le corps en est-il responsable ? À vrai dire il nous échappe. Les hasards de sa vie intra-utérine, nous savions au départ que nous ne pourrions pas les connaître. Si du moins on nous avait transmis l'opinion des médecins sur Flaubert adulte, si nous étions renseignés par quelque *check-up* opéré sur le quinquagénaire nous pourrions, avec l'aide des spécialistes contemporains, remonter de proche en proche jusqu'aux dispositions originelles du *soma* : il ne s'agirait bien sûr que de conjecture ; il serait utile, cependant, d'apprendre que Gustave, à cinquante ans, était hypotendu, qu'on trouvait, chez lui, des traces d'une très ancienne décalcification, etc. Il n'en est rien : les connaissances médicales, en 1875, restent assez frustes malgré les immenses progrès accomplis. Aucun espoir, même si les diagnostics étaient conservés, d'en tirer quoi que ce soit qui puisse nous servir. Les parents le tenaient pour un esprit débile et l'ont trop dit ; mais l'organisme ? Qui nous a parlé de sa résistance ou de sa débilité ? La fatigue de vivre est certaine : elle ne le quittera pas. Il la dissimulera par des gesticulations et des cris mais sans convaincre : jusqu'au bout ses contemporains mentionneront ses torpeurs écrasantes, les somnolences qui le prennent au milieu du jour. Nul doute qu'il n'y ait une convenance secrète entre l'apathie de ce grand gaillard — qui semble renvoyer à sa constitution organique — et ses léthargies qui comportent des structures intentionnelles. Mais ces dispositions biologiques, à supposer qu'elles existent, qui prouve qu'elles soient premières ?

Ces questions, quand on les pose dans leur généralité, restent encore sans réponse. Que sera-ce si nous les particularisons ? Si nous interrogeons *un* mort entre tous — et non des plus loquaces — sur l'origine de ces premières structures psychosomatiques ?

Passage à la synthèse progressive.

Notre embarras nous avertit que l'analyse régressive nous a menés aussi loin qu'elle pouvait : jusqu'à la description phénoménologique d'une sensibilité enfantine. À présent, il faut renverser le mouvement : laissons-nous couler jusqu'aux origines de cette vie, jusqu'à la naissance de Gustave et voyons si nous disposons, sur cette préhistoire, de renseignements suffisants pour amorcer la remontée, c'est-à-dire la synthèse progressive qui retracera la genèse de cette sensibilité, étape par étape, du degré zéro de cette aventure individuelle jusqu'à la sixième année.

Nous allons rencontrer au passage, l'une après l'autre, les différentes structures que nous venons d'expliciter. Cela va de soi puisqu'elles nous serviront de schèmes directeurs : si le mouvement de la synthèse n'est pas dévié il doit restituer comme les produits d'une histoire, les hébétudes, la passivité, la fatigue de vivre que nous avons explicitées et montrées comme les structures d'une certaine vie, vécue à un certain moment. Mais ne craignons pas les redites : la matière est la même, les lumières sont neuves ; les « qualités » de l'enfant passent du *structural* à l'*historique*.

Il faut chercher à comprendre ce scandale : un idiot qui devient génie. Il le faut si nous ne voulons pas nous payer de balivernes et faire de ces premières stupeurs une marque d'élection. Il le faut aussi pour une autre raison : c'est que, finalement, nous ne *connaissons* personne parmi les anciens morts que nous aimons. Gide, oui : mais c'est hier. Avant-hier, il n'y a rien. L'allaitement, les fonctions digestives, excrétoires du nourrisson, les premiers soins de propreté, le rapport avec la mère : sur ces données fondamentales, rien. Quel que soit le personnage, refusât-il, adulte, comme Gérard de Nerval, de s'aventurer hors d'une merveilleuse et tragique enfance, nous n'aurons pas un détail : les mères faisaient leur métier en somnambules, appliquées, aimantes souvent, plus routinières que lucides ; elles n'ont rien dit. Quand on essaie de reconstituer une vie du siècle dernier, on est souvent tenté d'en rapporter les déterminations fondamentales aux premiers faits marquants que les témoins ont mentionnés. Je le sais d'autant mieux que j'ai commis cette erreur, il y a quelques années, lors de mes premiers contacts avec Flaubert. Je tentais de *comprendre* son « activité passive » à partir de l'unité sans faille de son groupe familial. Et je n'avais pas tous les torts : nous verrons comment le petit garçon, mode inessentiel de la substance Flaubert, est acquiescement dans le profond de son être et que cet acquiescement incarne l'adhésion orgueilleuse de la famille à elle-même par la médiation de chaque membre individuel. Mais cette explication vient beaucoup trop tard : l'enfant s'est déjà pénétré de l'arrivisme fier et sombre que le médecin-chef a communiqué, plus tôt, à son aîné ; il a fait l'apprentissage des structures familiales, son inertie vient à la fois de ce qu'il accepte la hiérarchie des Flaubert et ne peut tolérer d'y occuper le dernier rang. L'envie est déjà née, le ressentiment peut être, en tout cas, un conflit paralysant : individu, il est sans valeur aucune ; incarnation de la cellule sociale, il partage avec ses proches une valeur absolue mais commune. Nous verrons cela bientôt : ce bref aperçu suffit à montrer que l'intelligence et la sensibilité de Gustave sont en plein développement ; pour mieux dire, nous sommes au terme d'une longue évolution : il a neuf ans, dix ans peut-être ; pour que la maturation continue, il faudra l'intervention de facteurs nouveaux. Une affectivité si hautement évoluée sera déjà passive ou refusera déjà la passivité.

Telle était mon erreur. Je l'exagère à dessein : si les choses devaient être si tranchées, l'explication de l'inertie par l'acquiescement serait superflue. On verra qu'elle ne l'est pas. Par cette raison, justement, que la passivité ne *subsiste* pas : elle doit se faire sans cesse ou se défaire peu à peu. Le rôle des expériences nouvelles est de maintenir ou de liquider. Pendant les toutes premières années, la passivité s'est *constituée* : à ce niveau profond où le vécu, le signifiant et le signifié ne sont pas séparables. Au cours des années suivantes, ce caractère fondamental de la sensibilité a sans aucun doute freiné le développement général de l'enfant ; il n'a pu l'empêcher entièrement puisqu'il fait partie intégrante de la totalité ; il en résulte un hiatus, une inégalité : l'inertie affective, enracinée dans la mémoire de Gustave, seconde nature et première coutume, est décalée, retarde sur l'évolution globale : on apprend à l'enfant des conduites pratiques, il est — fût-ce en dépit de lui-même — actif de cent manières diverses, courant, jouant, parlant, écoutant et regardant tous les jeunes garçons de six ans et cette passivité de nourrisson, habitude prise au berceau, paralyse son sentiment, il *ressent* pathétique ce qui se livrerait mieux, peut-être, à une affectivité plus conquérante ; tout prend en lui, vécu, je ne sais quelle obscurité profonde, vaguement périmée, la paralysie dénonce son insuffisance : à ce stade plus conscient et plus raisonnable de l'évolution, elle désigne mal son « « être-dans-le-monde » qui n'est pas simplement une « ouverture de l'être » — celle-ci s'accommoderait de sentiments passifs — mais aussi, depuis quelque temps, une certaine manière *pratique* de se jeter vers les choses, de s'annoncer à soi-même par l'horizon. Il ne s'agit pas d'acquisitions mais d'explicitations. Peu importe : le petit ressent son histoire avec un cœur préhistorique. Ce décalage sollicite de lui-même une mise au point : il faudrait tout casser ou tout réparer. Mais cette obligation se projette dans une sensibilité enchaînée et ne peut être ressentie qu'en termes de destin : l'enfant se trouve à un carrefour de fatalités. On pourrait concevoir de telles interactions, une telle influence de l'éducateur, de l'entourage, des tâches si durement imposées que le vécu, traversé par un courant de générosité expressive, liquiderait partiellement l'avarice introvertie qui le caractérise, devinant que la plénitude du « ressentir » exige la communication. D'une certaine façon, c'est même l'histoire de tout le monde. Mais non pas celle de Gustave : sa famille est un puits, il est au fond ; l'âge et l'éducation le hissent lentement : le seau s'élève mais la paroi qui l'entoure, comment changerait-elle ? L'intelligence affermie, les comportements appris, l'exploration toujours plus ample, autant de moyens pour mieux découvrir la situation familiale mais non pour la modifier ; il se trouve par ailleurs qu'elle ne se modifie pas d'elle-même : la cellule sociale est trop intégrée ; un tour de vis de trop, somme toute. Le résultat, c'est que l'« éveil au monde » de Gustave n'est qu'un éveil à la famille omniprésente et dans toutes les dimensions : il ne fera rien d'autre, grandissant, que la vivre, à différents étages, *la même*. Les facteurs nouveaux, ce sont d'anciennes influences, éclairées, reconsidérées, agissant par l'intermédiaire d'une compréhension qui les détaille et les amplifie. En certains cas on pourrait concevoir que l'explicitation provoque une transformation radicale des attitudes — ce serait le cas pour un malentendu. Pas de malentendu chez les Flaubert : les déterminations nouvelles ne sont que les anciennes consolidées et aggravées, adaptées aux relations toujours plus riches qui se nouent entre l'enfant mûrissant et le monde qui l'environne. Ainsi l'*apathie* est d'abord la famille vécue au niveau psychosomatique le plus élémentaire — celui de la respiration, de la succion, des fonctions digestives, des sphincters — par un organisme *protégé* ; après des transformations que nous essaierons d'entrevoir, Gustave l'assume pour en faire une conduite plus évoluée et pour lui assigner une fonction nouvelle : l'action passive devient tactique, défense élastique contre un danger mieux compris, le pur *ressentir* aveugle devient ressentiment. Nous verrons cela bientôt : mais ce qui compte ici, c'est de rejeter l'idéalisme : les attitudes fondamentales, on ne les *adopte* que si d'abord elles existent. On prend ce qu'on a : les moyens du bord ; on peut tailler les piquets pour en faire des épieux, rien de plus. Ces armes pointues, quoi qu'on y fasse, resteront des morceaux de bois et leur matérialité ligneuse ne dépend pas de leur fonction nouvelle mais d'opérations lointaines qui l'ont produite et qu'elle conserve en soi. Ainsi de l'inertie pathétique. Nous avons vu qu'elle sollicitait une intégration plus rigoureuse au système en évolution; ce n'est pas tout : par le simple fait d'*être-là*, comme réceptivité pure, elle se propose, elle se fait *moyen* et suggère à l'enfant le meilleur parti à tirer d'elle. Enfin, lorsqu'elle sera tout entière absorbée par la praxis et qu'elle se recomposera comme l'unité du sensible subi et de l'action passive, elle conservera son sens archaïque, comme l'épieu conserve la matière du piquet qu'il fut : conservé, dépassé, traversé de significations neuves et complexes, ce sens ne peut manquer de s'altérer. Mais ses altérations *doivent être comprises* : il s'agit, en effet, de reproduire une totalisation nouvelle à partir de contradictions internes d'une totalité antérieure et du projet qui naît d'elles.

Ce qui revient à dire, somme toute : j'ai interprété autrefois la passivité de Gustave à partir de son rapport interne à sa famille; cette interprétation n'est pas fausse : entre cinq et neuf ans, c'est ainsi que les choses se sont passées; mais, sans la restitution des fondements archaïques de la sensibilité, elle reste en l'air, abstraite et relativement indéterminée. Ce n'est pas seulement la compréhension qui reçoit du dehors ses limites; c'est le sens même de la détermination qui se dérobe à la description : je l'ai dit, au premier âge l'organique et l'intentionnel sont confondus; ainsi le sens est matière et la matière sens. D'une certaine manière, si toute personne singulière a, par elle-même, la structure du signe et si l'ensemble totalisé de ses possibles et de ses projets lui est donné comme son sens, le dur noyau sombre de ce sens est la petite enfance : l'apathie reçue, vécue, consolidée des deux premières années soutient de l'*intérieur* l'activité passive et toutes les conduites de ressentiment, elle est tout à la fois la matière du signe, l'opacité du signifié (mystérieux dépassement de la clarté vers des significations plus obscures) et la délimitation intérieure du signifiant. Vérité restrictive et plénitude condensée de la mémoire, le passé préhistorique revient sur l'enfant comme Destin; c'est la source d'impossibilités permanentes que les déterminations ultérieures — et, par exemple, l'être-en-famille du petit garçon, à neuf ans — seraient incapables d'expliquer; et c'est aussi, par un syncrétisme originel, la matrice des inventions les plus singulières, l'inextricable confusion qu'elles éclairent et qui les fait mieux comprendre. Ou bien nous trouverons le noyau de bitume autour duquel le sens va se constituer dans sa singularité ou les origines profondes de Gustave Flaubert et, par conséquent, la trame de son idiosyncrasie nous échapperont toujours.

Sans la petite enfance, c'est peu de dire que le biographe bâtit sur le sable : il construit sur la brume avec du brouillard. La compréhension dialectique peut bien s'élever de proche en proche jusqu'aux derniers moments d'une vie : elle commence arbitrairement, avec la première date que mentionnent les archives, c'est-à-dire qu'elle se fonde sur l'incompréhensible. Et celui-ci, dépassé mais conservé, reste en elle comme sa limite permanente et sa négation interne : si le mouvement ne trouve pas son vrai point de départ, il n'atteindra jamais son but ; je peux bien inventer les rapprochements les plus ingénieux, prévoir à coup sûr le passé qui fut l'avenir de mon grand homme, reste que je comprends ce que je ne comprends pas, et, conséquemment, que je ne comprends pas ce que je comprends.

Cette ignorance est plus ou moins grave : il est des hommes que l'histoire a forgés beaucoup plus que la préhistoire, écrasant en eux sans pitié l'enfant qu'ils ont été. Aussi bien ne sont-ils plus tout à fait singuliers : on les trouve au carrefour de l'individuel et de l'universalité. Mais Gustave! Dès qu'il écrira, nous aurons l'expérience directe du singulier. Chez lui, à chaque instant, quoi qu'il fasse, le *sens* paraît : c'est l'unité des non-sens qui retardent ou dévient la signification rationnelle et pratique. Et, par là, l'enfance. Gustave, nous le savons, en est hanté : l'enfance est en lui, il la voit, il la touche sans cesse, le moindre de ses gestes l'exprime : ainsi nous est-elle présente, à nous aussi, nous la devinons à travers ses tics de plume ; mais, pour l'essentiel, elle se dérobe à nous, c'est un vide qui laisse apercevoir ses bords. Ouvrons, sans préparation, au hasard, un tome de la Correspondance, elle nous saute aux yeux mais nous ne la *voyons* pas.

Toute la question se résume en ces quelques mots : Gustave n'est jamais sorti de l'enfance. Il le dit, nous le savons : cet adulte est aliéné au monstre misérable qu'il fut. D'autre part, quand on veut recueillir des témoignages sur ses premières années, on se heurte à une conspiration du silence : c'est d'abord que nul ne se fût avisé d'observer les marmots et leurs mères ; et puis le petit retardataire ne faisait pas honneur à ses parents : ainsi son début dans la vie est resté caché : un secret de famille. Dans ces conditions, il faut choisir : abandonner la recherche ou glaner partout des indices, examiner les documents dans une autre perspective, sous un autre jour et leur arracher d'autres renseignements. Des deux termes de l'alternative, je choisis le second. Je sais que la moisson sera pauvre. Si, pourtant, nous devions apprendre quelques détails ou découvrir l'importance de certains faits que nous avions négligés, il faudrait tenter la synthèse progressive, faire des conjectures sur ces six ans qui nous manquent, en un mot, forger une hypothèse compréhensive qui relie les faits nouveaux aux troubles de la sixième année par un mouvement continu. La vérité de cette restitution ne peut être prouvée ; sa vraisemblance n'est pas mesurable : bien sûr, avec un peu de chance, nous rendrons compte de tout ce que nous savons. Mais ce tout, c'est si peu : presque rien. Faut-il prendre tant de peine pour n'arriver, en fin de compte, qu'à cette hypothèse trouée d'incertitudes et d'ignorance, sans probabilité définie ? Oui. Sans hésiter. Je dirai pourquoi sur-le-champ quitte à y revenir en conclusion. Une vie, c'est une enfance mise à toutes les sauces, on le sait. Donc notre compréhension conjecturale sera requise par toutes les conduites ultérieures de Flaubert : il faudra faire entrer dans toutes les manifestations de son idiosyncrasie la restitution hypothétique du premier âge, combler avec ces années disparues et réinventées les vides que nous avons signalés, être en mesure de rendre à cette sensibilité ce noyau de ténèbres où le corps vécu et le sens se confondent, cette indifférenciation *ressentie* comme le tissu *charnel* des passions. Bref nous serons requis, non pas une fois mais à toutes les pages : la synthèse compréhensive ne s'arrête qu'à la mort. Si notre reconstruction n'est pas rigoureuse, comptez qu'elle sera tout de suite malmenée. Allons plus loin : réclamée de toute part, donnée, soumise aux pressions les plus fortes, il faut qu'elle éclate ou qu'elle contienne une part de vérité. Ne l'oublions pas, en effet : à partir de la treizième année, on joue cartes sur table, Gustave écrit des livres et des lettres, il a des témoins permanents ; impossible de prendre des libertés avec des faits si connus, rapportés, la plupart du temps, par plusieurs témoins à la fois, ni avec les interprétations de Flaubert lui-même : la réalité de cette vie et de cette œuvre s'impose, pour peu qu'on la lise. Sa densité et sa rigueur font à chaque instant la preuve de sa *vérité* : nous, cependant, tentant d'éclairer le vécu par la lumière noire du premier âge, nous verrons si la lente expérience de l'adolescent, du jeune homme et de l'adulte est allergique à notre hypothèse, la tolère ou l'assimile et se change par elle en soi-même. Ainsi l'aventure de Flaubert, à mesure qu'elle s'approchera de sa fin, fera l'épreuve de cette enfance retrouvée et décidera rétrospectivement de sa vraisemblance. Cet espoir me suffit : je tente le coup.

Les traits distinctifs de l'enfant à six ans, nous les avons fixés et décrits ; on peut les ramener à deux déterminations fondamentales : l'une c'est le caractère *pathétique* de sa sensibilité ; l'autre,

c'est une certaine « difficulté d'être » qui traduit un malaise psychosomatique. Si ces dispositions se sont formées au cours de sa protohistoire, il faut qu'elles traduisent un trouble de la relation
originelle qui unit l'enfant, chair en train d'éclore, à Génitrix,
femme se faisant chair pour nourrir, soigner, caresser la chair de
sa chair. Donc il faut remonter le cours de cette vie jusqu'à ce
moment premier où une femme se fait chair pour qu'une chair soit
faite homme.

Je rappelle les généralités : quand la mère allaite ou nettoie le
nourrisson, elle s'exprime, comme tout le monde, dans sa vérité
de *personne*, qui, naturellement, résume en elle toute sa vie, depuis
la naissance ; en même temps elle réalise un rapport variable selon
les circonstances et les individus — dont elle est le *sujet* et qu'on
peut appeler amour maternel. Je dis que c'est un rapport et non
un sentiment : en effet, l'affection proprement dite se traduit par
des actes et se mesure par eux. Mais, du même coup, par cet amour
et, à travers lui, par la personne même, adroite ou maladroite, brutale ou tendre, telle enfin que son histoire l'a faite, l'enfant est manifesté à lui-même. C'est-à-dire qu'il ne se découvre pas seulement
par sa propre exploration de soi et par ses « doubles sensations »
mais qu'il apprend sa chair par des pressions, des contacts étrangers, des frôlements, des heurts qui le bousculent ou par une experte
douceur : il connaîtra ses membres, violents, affables, tordus,
contraints ou libres par la violence ou l'affabilité des mains qui le
réveillent. Il connaît aussi par sa chair une autre chair : mais un
peu plus tard. Pour commencer, il intériorise les rythmes et les travaux maternels comme des qualités vécues de son propre corps.
Qu'est-ce au juste ? Le corps manié se découvrant dans sa passivité à travers une découverte étrangère, s'il est, par exemple,
retourné sans précaution sur le dos, sur le ventre, arraché trop tôt
du sein, comment se découvrira-t-il ? Brutal ou brutalisé ? Les dis-
cordances, les chocs deviendront-ils le rythme heurté de sa vie ou
tout simplement une irritabilité constante de la chair, promesse de
grandes rages futures, une fatalité de violence ? Rien n'est arrêté
d'avance : c'est la situation totale qui décide puisque c'est *toute
la mère* qui se projette dans la chair de sa chair : ses violences ne
sont peut-être que des maladresses, peut-être, pendant que ses mains
le froissent, ne cesse-t-elle de parler, de chanter à l'enfant qui ne
parle pas encore, peut-être apprend-il, dès qu'il sait voir, sa propre unité corporelle par les sourires qu'elle lui adresse ; peut-être
au contraire fait-elle ce qu'il faut, ni plus ni moins, mal et cons-

cieusement, sans desserrer les dents, trop absorbée par une besogne qui lui déplaît. Les conséquences seront fort différentes dans l'un et l'autre cas. Mais, dans l'un comme dans l'autre, le nourrisson, chaque jour façonné par les soins qu'on lui donne, se pénètre de son « être-là » passif, c'est-à-dire qu'il intériorise l'activité maternelle comme la passivité qui conditionne toutes les pulsions et tous les désirs — rythmes intérieurs, vitesses, orages amoncelés, schèmes révélant en même temps des constantes organiques et des vœux inarticulables — bref que sa propre mère, engloutie au plus profond de ce corps, devient la structure *pathétique* de l'affectivité.

Cela ne suffit pas et Margaret Mead a démontré comment, en certaines sociétés, l'agressivité de l'adulte dépend de la manière dont on l'a nourri au berceau. Celle-ci peut être réglée par la coutume : ici l'on gave ; là, on alimente de mauvaise grâce, après avoir laissé crier. Dans notre société bourgeoise, l'allaitement n'est plus réglé par les mœurs mais rationalisé par les prescriptions médicales : reste qu'il dépend des groupes familiaux et des individus. À l'âge où la faim ne se distingue pas du désir sexuel, l'alimentation et l'hygiène conditionnent les premières conduites agressives, cela veut dire que le besoin arrache le nourrisson aux violences passives et aux pâmoisons du « pathétique » ; première négation et premier projet, l'agressivité représente tout ensemble la transcendance, sous son aspect le plus élémentaire, la relation primitive avec l'autre et la forme préhistorique de l'action. Ainsi peut-on comprendre que, selon sa nature et son intensité — cela veut dire selon le comportement maternel — l'enfant devienne par la suite plus ou moins passif jusque dans ses activités essentielles, plus ou moins actif jusque dans le simple déchaînement des passions. En dehors des fonctions proprement organiques, c'est la mère qui disposera le nourrisson aux colères rouges ou blanches, aux peurs qui fuient, qui attaquent ou qui paralysent, bref à la prédominance du *pathétique* (émotion subie, intérieure) ou du *pratique* (violences extériorisées, tumultes se dépassant dans une agression).

Le rôle du corps comme donnée préexistante est lui-même variable : l'organisme, sous l'action de facteurs purement physiologiques, peut « s'ouvrir » à l'émotivité passive ; les chemins de l'influx nerveux — en liaison avec le « tempérament » — peuvent faciliter ou même solliciter les affections passives et l'abandon ; cette priorité de droit permettra, peut-être, à la passivité de s'imposer plus souvent dans les cas ambigus, quand les conduites maternelles ne sont pas, en elles-mêmes, de nature à priver l'enfant d'agressivité.

Inversement, si les données somatiques n'y sont pas propices la mère ne saurait exalter chez l'enfant les violences *pathétiques* que par des actions typiques et radicales : cela signifie qu'il y a des seuils à franchir et peut-être des portes à forcer. Et, parfois, le battant résiste, le seuil est infranchissable. Ainsi dans certains cas les *dispositions organiques* solliciteraient du nourrisson une attitude que les *conduites maternelles*, confuses ou contradictoires, auraient peine à esquisser en son corps. Et, dans d'autres, celles-ci seraient si rigoureuses, le sens s'en imprimerait si facilement dans la chair que les réactions induites en seraient — dans la forme et dans le fond — fortement *dépendantes* (elles réextérioriseraient le comportement intériorisé) sinon *malgré* la constitution physique, du moins *à la faveur* de la neutralité corporelle. On va d'un extrême à l'autre par des gradations infinies. La conduite vulgaire est bavarde : ni la mère ni la nature n'ont rien précisé, aussi n'est-on qu'*incliné le plus souvent* dans une direction et parfois dans l'autre ; on entrevoit dans chaque comportement les canevas brouillés qui le règlent avant qu'une refonte spontanée les dépasse vers des objectifs originaux. Et, sans aucun doute, la rencontre en un même enfant de certaines dispositions somatiques et de sollicitations définies — conduites de la mère intériorisées — peut être prise au départ comme un fait de hasard. Mais, quand il s'agit de la personne humaine, le hasard est lui-même producteur de sens ; cela veut dire *en général* que l'existence assume la facticité sans parvenir à la fonder et, dans chaque cas particulier, que tout individu doit pouvoir apparaître comme *homme de hasard* (insignifiant [1]) ou *d'un certain hasard* (sursignifiant) ; c'est ce que Mallarmé nous explique dans « Un coup de dés »... Le coup de dés n'abolira jamais le hasard car il contient le hasard dans son essence pratique ; et pourtant le joueur fait un acte, il lance ses dés d'une certaine manière, il réagit d'une manière ou d'une autre aux numéros qui sortent et tente, dans le moment qui suit, d'utiliser sa bonne ou sa mauvaise fortune : c'est nier le hasard et, plus profondément, l'intégrer à la praxis comme sa marque indélébile. Ainsi l'œuvre est hasard et construction tout ensemble et d'autant plus fortuite qu'elle est plus soigneusement édifiée : Nicolas de Staël s'est donné la mort, entre

---

1. Un homme insignifiant est aussi pleinement signifié et signifiant que son voisin, même si celui-ci est le produit « original » d'une enfance extravagante. Toutes les significations du monde humain déterminent son insignifiance, fût-ce par privation. Il est astreint par sa réalité psychosomatique à signifier l'*insignifiance* à travers ses projets ; inversement les autres et le monde en font un *insignifiant signifié*.

autres raisons, pour avoir compris cette inévitable malédiction de l'artiste et que celui-ci ne peut ni refuser la contingence ni l'accepter. Une solution : prendre la contingence originelle pour but final de la rigueur constructive. Peu de créateurs s'y résolvent [1]. Par contre, cette dialectique de la chance et de la nécessité se réalise librement et sans gêner personne dans la pure existence de chacun (c'est-à-dire dans le vécu se dépassant comme praxis et dans la praxis en tant qu'elle baigne sans cesse dans le milieu nourricier du vécu). Je me saisis en même temps comme un homme de hasard et comme fils de mes œuvres. Et tantôt je fais de mes actes, de mes possibles ma vérité la plus immédiate, tantôt la vérité de ma praxis m'apparaît dans l'obscurité des chances qui me font tel que je dois me vivre. Mais ni dans l'une ni dans l'autre de ces attitudes extrêmes la fortune et l'entreprise ne sont séparées. Comme on voit chez les amants : pour eux, l'objet aimé c'est le hasard ; c'est à son premier hasard qu'ils tentent de le réduire et, dans le même moment, ils réclament de ce produit de rencontre qu'il leur ait été depuis toujours approprié. Ce que nous cherchons ici, nous, c'est l'enfant chanceux, la rencontre d'un certain corps et d'une certaine mère : rapport non-compréhensible puisque deux séries se rejoignent sans qu'on puisse rendre raison du croisement ; et, dans le même temps, compréhension première, fondement compréhensible de toute compréhension : en effet, ces déterminations élémentaires, loin de s'ajouter ou de s'affecter l'une l'autre en extériorité, sont immédiatement inscrites dans le champ synthétique d'une totalisation vivante ; inséparables, elles se donnent, dès qu'elles surgissent, pour les parties d'un ensemble : cela veut dire que chacune est dans l'autre, au moins dans la mesure où la partie est une incarnation du tout. Nous avons enfin remonté le cours de cette vie jusqu'à son commencement : nous l'interrogerons sur le premier hasard dépassé, c'est-à-dire sur le trait fondamental de sa destinée.

Mais, nous l'avons vu, cette enquête nous ramène à la *persona* de la mère : ce que l'enfant intériorise, dans les deux premières années de sa vie, c'est Génitrix tout entière ; cela ne veut pas dire qu'il lui ressemblera mais qu'il sera fait, dans sa singularité irréductible, par ce qu'elle est. Nous voici renvoyés, pour comprendre la passivité dont Gustave est affecté, à l'histoire personnelle de Caroline Flaubert. Et non seulement à cela mais aux rapports que celle-ci entretient avec son mari, avec son premier fils, avec ceux

---

1. Flaubert, nous le verrons, est de ceux-là ; c'est ce qui fait la grandeur de son œuvre.

qu'elle a engendrés par la suite et qui sont morts. Ce qui implique, naturellement, que nous mettions au jour *d'abord* les traits principaux d'Achille-Cléophas, ceux du grand frère Achille et, puisque cette famille est une cellule sociale qui exprime à sa manière et par son histoire singulière les institutions de la société qui l'a produite, il faudra en même temps établir les structures fondamentales de ce petit groupe si solidement intégré à partir de l'histoire générale qu'il reflète. Car c'est dans ce milieu, tissé par la trinité Père-Mère-Fils aîné que Gustave va surgir et c'est l'être même du groupuscule qu'il devra intérioriser d'abord *à travers la Mère* et les soins qu'elle lui donne. Intériorisation brouillée, opaque puisque Caroline exprime à sa manière, c'est-à-dire, elle aussi, à travers sa protohistoire, les déterminations familiales dont elle va l'imprégner. Autrement dit, notre seule chance de comprendre le premier rapport du nourrisson au monde et à soi-même, c'est de restituer *dans l'objectif* l'histoire et les structures de la cellule Flaubert. Nous allons tenter une première synthèse progressive et nous passerons, si c'est possible, des caractères objectifs de cette cellule, c'est-à-dire de ses contradictions, à la détermination originelle de Gustave — qui n'est *rien de plus* au départ que l'intériorisation de l'environnement familial dans une situation objective qui la conditionne, du dehors et *dès avant* sa conception, comme *singularité*[1].

---

1. Sans entrer dans les détails — nous y viendrons par la suite —, il va de soi que Gustave, avant même que d'être conçu, ne pouvait être qu'un *cadet*.

II

Le père

Quand Gustave vient au monde, en 1821, Louis XVIII règne depuis six ans et la classe des grands propriétaires fonciers s'est en grande partie reconstituée : durant les quinze années de la Restauration elle freinera le développement industriel : celui-ci, pendant la première moitié du siècle, reste sensiblement plus lent que celui de l'Angleterre. Malgré cela la classe bourgeoise maintient et améliore souvent ses positions. Les deux classes ennemies réalisent un semblant d'accord et trouvent un équilibre tout provisoire grâce à la politique douanière qu'elles ont intérêt l'une et l'autre à imposer au gouvernement : on protégera à la fois certains manufacturiers (fer, acier, textiles) et tous les agrariens contre la concurrence étrangère. Entre la classe montante et la classe déclinante des fonciers il ne pouvait s'agir que d'un compromis ; mais ce compromis était nécessaire à la bourgeoisie handicapée par sa faiblesse numérique et par celle du prolétariat. Au recensement de 1826, sur un total de 32 millions d'habitants, on trouve environ 22 millions de Français qui vivent directement ou indirectement du travail de la terre.

Le terrain d'entente sera donc le protectionnisme. D'une part en effet les fonciers sont malthusiens : ils veulent vendre le blé cher et ne se soucient nullement d'élargir le marché : les vieilles méthodes de culture (jachère, etc.) sont conservées ou remises en vigueur. Il faut attendre 1822 pour voir apparaître la première machine à battre le blé. Sans doute les anciens émigrés — qui ont de l'argent — procèdent, dans leurs domaines, à certains aménagements qui ont pour résultat d'accroître la productivité. Mais la production n'augmente pas pour autant : il s'agit simplement d'abaisser les coûts en maintenant les prix. Les industriels, d'autre part, ne se plaignent pas trop du prix de la vie; l'un d'eux va jusqu'à écrire que l'ouvrier travaillera mieux si le pain coûte plus cher. Pas plus que les « agrariens » ils ne songent à augmenter la production. Le capitalisme reste familial et prudent : il se contente des anciens marchés; personne n'irait s'aviser de créer la demande par l'offre. L'usage de la machine se répand très lentement. L'industriel veut dominer sa production et satisfaire à des demandes prévisibles et limitées. D'une certaine façon, les artisans, les ouvriers l'y encouragent : ces travailleurs hautement qualifiés craignent la disqualification et le chômage; ils luttent contre la machine partout où on l'introduit. En 1825, dans la Seine-Inférieure, le tissage du coton est fait tout entier à la main. Le résultat c'est que les concentrations ouvrières sont rares; l'exode rural est pratiquement stoppé, la petite-bourgeoisie, faite d'artisans, de commerçants, de boutiquiers, est numériquement très importante.

Les classes possédantes, toutefois, ne s'entendent que sur la politique douanière. Sur tous les autres plans une lutte sourde mais violente oppose les bourgeois aux fonciers. Ceux-ci sont les champions d'une monarchie autoritaire qui prendrait appui sur la noblesse — c'est-à-dire sur eux — et qui imposerait le catholicisme comme religion d'État. Des organismes semi-officiels (le plus célèbre est la Congrégation) se chargent de la propagande religieuse et politique, de l'espionnage et de l'intimidation. Les gros bourgeois, bien que voltairiens, se laisseraient faire. Mais ce qui compte avant tout, pour eux, c'est la liberté économique que leur a donnée la Révolution. Les choses se gâtent sous Charles X, quand les ultras parlent de rétablir les corporations. À cette époque, en effet, la bourgeoisie industrielle et commerçante a deux buts bien définis : empêcher l'intervention de l'État et l'union des ouvriers; contrôler le gouvernement dans la mesure où la politique risque d'influer sur l'économie. Sur ces bases, les doctrinaires ont établi cette idéologie encore aujourd'hui virulente bien que périmée qu'on nomme le libéralisme. Industriels, commerçants ou propriétaires nobles, les gros ne sont d'accord que sur un point : écarter les autres classes du pouvoir. Pour 10 millions de contribuables et 32 millions d'habitants, il y a 96 000 électeurs et 18 561 éligibles. Cette nation, rejetée tout entière au-dehors de la vie publique, plongée dans une somnolence apparente, frappée au cœur par la défaite et l'occupation, semblait figée dans une sorte d'immobilité rurale; on reprenait partout les attitudes traditionnelles devant la vie, devant la mort. Pendant que l'Angleterre double et triple le taux d'accroissement de sa natalité, le taux de la France se maintient aux environs de 55 p. 10 000 entre 1801 et 1841 ; le taux de mortalité a fortement baissé de 1789 (33%) à 1815 (26%), mais il se maintient sans grande variation pendant toute la Restauration ; en 1789, la population urbaine représentait 20% de la population totale, elle en représente 25% en 1850.

Les classes dites « moyennes », pourtant, ressentent profondément les tares du régime : elles souffrent à la fois de la cherté de la vie, du système électoral qui les écarte des affaires publiques et de la concurrence de la grosse industrie. C'est dans leurs rangs que se recruteront les plus violents ennemis du régime censitaire et, plus tard, les républicains. Dans les couches supérieures de ces classes moyennes on rangera les avocats, les médecins, d'une manière générale tous ceux qui exercent une profession « libérale » et qu'on nomme aussi, alors, les « capacités ». La plupart d'entre eux, formés sous l'Empire, ont reçu une instruction scientifique et positiviste qui les oppose à l'idéologie de la classe dirigeante. Ils ont été touchés par le courant de déchristianisation qui est issu de la bourgeoisie riche aux environs de 1789. Ils n'ont rien à gagner au compromis qui masque l'opposition fondamentale des classes supérieures ; du reste, l'une et l'autre s'entendent pour leur interdire l'accès au pouvoir. Pourtant, ils ne luttent guère, au début, contre des maîtres dont ils sont en même temps serviteurs et complices. C'est d'abord qu'ils vivent sur la rente des uns et sur le profit des autres. C'est aussi, c'est surtout que la « classe moyenne », dont l'accroissement numérique est tout récent, s'embarrasse dans ses contradictions intérieures. Il suffit pour s'en convaincre de prendre l'exemple d'Achille-Cléophas, le père de Gustave Flaubert.

Cet homme « éminent » n'est vraisemblablement pas électeur et sûrement pas éligible ; en d'autres termes, le chirurgien en chef de l'hôpital de Rouen est un citoyen passif. Il ne semble pourtant pas qu'il ressente très profondément la disproportion de ses mérites techniques et de son importance dans la vie politique de la nation. C'est qu'il a passé sa jeunesse sous un régime autoritaire et qu'il doit tout à Napoléon. À Napoléon ou plutôt à la guerre : aux besoins des armées révolutionnaires et impériales. Il ne suffisait pas, sous l'Empire, de mobiliser les compétences : il fallut susciter les vocations. Les parents d'Achille-Cléophas se saignent aux quatre veines pour l'envoyer faire ses études à Paris. Il s'y montre si brillant que le Premier consul donne l'ordre de leur rembourser les frais, ce qui permet au jeune homme d'achever sa médecine. Si nous lisons sa « Dissertation sur la manière de conduire les malades avant et après les opérations chirurgicales », présentée et soutenue à la faculté de médecine le 27 décembre 1810, nous verrons qu'il est entré orgueilleusement dans la querelle qui avait opposé chirurgiens et médecins tout le long du XVIIIe siècle et qui durait encore. Lorsque les chirurgiens de robe longue et les chirurgiens de robe courte — les barbiers — s'étaient associés dans une même confrérie, sous le titre de « maîtres chirurgiens jurés et barbiers », prenant le droit de cumuler ces deux offices, couper les jambes et « faire le poil », les médecins en avaient profité pour leur interdire la soutenance de thèses, le titre de professeurs et l'usage du latin. La profession tomba dans un profond discrédit dont l'édit royal de 1743, qui leur rendait leurs droits, ne la tira pas entièrement. Il fallut les guerres de la Révolution et de l'Empire pour leur permettre de remonter le courant. L'ascension d'Achille-Cléophas était double : non seulement il passait d'une classe à une autre mais il entrait dans une profession en pleine évolution. S'il prend part à la querelle, c'est avec l'intention de la clore définitivement : il peut se le permettre puisqu'il est à la fois médecin et chirurgien. L'introduction de sa Dissertation indique assez la force de son ambition : « Le chirurgien, qui se montre si grand dans les manœuvres de l'opération où il faut des connaissances précises d'anatomie, de la dextérité dans la main, de la finesse dans presque tous les sens et de la force dans l'esprit, ne le devient réellement que quand, à ces précieux avantages, réunissant ceux du physiologiste et du médecin, il considère le tempérament général de son sujet, le tempérament partiel de ses organes, l'influence de toutes les choses qui peuvent avoir des rapports avec son malade, cherche et applique, avant comme après l'opération, tous les moyens qui doivent en rendre le succès heureux : alors seulement il mérite le nom de chirurgien ou de médecin-opérateur ; il rapproche deux sciences, la médecine et la chirurgie qui toujours veulent marcher ensemble et qui faiblissent et chancellent dès qu'elles sont désunies... Ses fonctions s'étendent avant, pendant, après l'opération : dans le premier temps il est médecin, dans le second chirurgien, dans le troisième il redevient médecin. » Idées banales aujourd'hui mais qu'il dit lui-même être, de son temps, « trop négligées ». Il reconnaît que beaucoup de ses confrères ne s'en soucient pas : « Quoi qu'on puisse dire des chirurgiens qu'ils ont trop négligé les attentions dues aux malades avant et après l'opération et qu'on puisse en partie leur adresser le reproche qu'on a fait à ce frère Jacques de Beaulieu, qui ne préparait jamais les individus qu'il devait tailler et qui remettait à Dieu seul le soin de leur guérison après l'opération...» En d'autres termes tous les médecins ne sont pas chirurgiens mais tous les chirurgiens doivent être médecins et, quand ils le sont, ils atteignent à «la grandeur réelle». Ils connaissent l'anatomie et la physiologie, les techniques chirurgicales et médicales et ils joignent à leur savoir l'habileté manuelle, la finesse des sens et la force d'âme. Voilà le portrait d'Achille-Cléophas, qui est alors prévôt d'anatomie à l'hospice d'Humanité (l'Hôtel-Dieu) de Rouen. Tel il est, tel il veut être, espérant à la fois se placer au plus haut degré où son métier ainsi pratiqué puisse le faire atteindre et faire avancer son art.

Jusqu'en 1815, Achille-Cléophas fut détourné de la politique et du libéralisme actif par une certaine fidélité au régime qui lui avait donné sa chance. Il n'était pas bonapartiste, pourtant; et la Restauration ne changea pas sensiblement son statut. Mais ses activités de chirurgien et de savant l'avaient depuis longtemps éloigné de la religion. Avait-il adopté l'athéisme matérialiste du XVIIIᵉ siècle? Nous l'ignorons. Ce qui est sûr en tout cas — son allusion au frère Jacques de Beaulieu et d'autres passages de la Dissertation le montrent — c'est qu'il était anticlérical [1]. Sous la Restauration, il passait pour libéral, fréquentait des républicains et ne devait pas

1. On trouvera dans cette « Dissertation » plusieurs traits caractéristiques du docteur Flaubert :
A. Ce chirurgien se veut humaniste et soutient ce qui, aujourd'hui, est devenu un principe commun pour tous les praticiens : *Nunquam, nisi consentiente plane aegroto, amputationem suscipiat chirurgus.* Mais cet humanisme dissimule à peine un paternalisme autoritaire : pour obtenir le consentement du patient, le mieux, dit Achille-Cléophas en toutes lettres, est de lui mentir. On goûtera la saveur du paragraphe qui suit :
« On détermine souvent le malade à se confier à l'instrument, en lui disant qu'on veut seulement faire une ou deux incisions pour prévenir l'opération elle-même... C'est ainsi que plusieurs fois j'ai vu M. Laumonier, chez qui la sensibilité la plus touchante est alliée au sang-froid qui distingue l'opérateur, décider ses malades, en leur promettant de ne débrider que la peau, afin de leur épargner l'opération de la hernie, ou toute autre. N'omettons jamais de bien disposer l'esprit de nos malades, et rappelons-nous ce précepte de Callisen : *"Nunquam, nisi consentiente plane aegroto, amputationem suscipiat chirurgus."* »
Le début de ce passage n'a d'autre résultat en effet que d'annuler la formule de Callisen qui prétend en être la conclusion : il ne s'agit pas de déterminer le malade à se confier vraiment au praticien mais, tout au contraire, de le tromper en le persuadant qu'on ne l'opérera pas.
B. La Dissertation abonde — c'était l'usage — en citations : La Fontaine, Gresset, Delille, etc. Il ne faudrait pas croire que le docteur Flaubert — qui, dans une lettre à son fils, cite également Montaigne — fût dépourvu de culture. Mais ces citations sont si connues, à l'époque, qu'on imaginera volontiers que le chirurgien ne lit guère et qu'il a dû rester, toute sa vie, avec le mince bagage littéraire qu'il avait acquis au temps de ses études.
C. En bon matérialiste, il n'hésite pas à reconnaître que la sexualité est un besoin : « L'attrait séduisant des plaisirs de l'amour est aussi impérieux pour l'homme en santé que celui qui le sollicite à satisfaire au besoin de la faim et de la soif. » Sans doute faut-il voir là une des influences qui pousseront Gustave à théoriser sur « le brave organe génital ». C'est en tant que *satisfaction d'un besoin* que l'acte sexuel répugne au cadet Flaubert.

se priver de critiquer le nouveau régime puisqu'il fit l'objet d'une enquête ; ses idées, toutefois, ne parurent pas bien redoutables : l'enquête fut abandonnée et on ne l'inquiéta pas. Il avait, en somme, des *opinions*, mais ne s'engageait pas. C'est que cet intellectuel est lié de plusieurs manières et profondément à la classe des propriétaires : son père était un vétérinaire campagnard, royaliste enragé ; ainsi le docteur Flaubert avait passé son enfance au milieu des paysans ; ses frères, d'ailleurs, étaient restés vétérinaires. Seule, son intelligence l'avait « distingué » ou plutôt, c'est l'État qui l'avait séparé de ses camarades et de ses pairs pour l'élever brusquement au-dessus d'eux. L'état de vétérinaire était et restera jusqu'au bout son futur antérieur, cet *être* qui lui venait des profondeurs de l'Ancien Régime et du passé familial auquel une mutation de la société l'avait brusquement arraché. Achille-Cléophas, par la suite, exerce son métier dignement mais dans l'intention bien arrêtée de s'élever en s'enrichissant. Par là même, il revient au monde rural dont il est sorti : en cette France qui dort, on investit dans les biens immeubles ; lorsque le docteur Flaubert voulut « placer » ses fonds — cette part rognée sur la plus-value que la bourgeoisie lui attribuait en fonction de ses services —, il acheta tout naturellement des terres. Ainsi, ce chirurgien d'opinion voltairienne se trouvait rapproché des grands propriétaires qui gouvernaient la France : il avait avec eux certains intérêts communs ; il obéissait aux exigences de la rente et devait, lui aussi, souhaiter un régime protectionniste : dans la mesure où le gouvernement protégeait les prix agricoles, Achille-Cléophas ne se montrait pas tout à fait hostile à la Monarchie. Pourquoi l'eût-il été, du reste ? Son attitude envers la Révolution devait être pour le moins ambiguë : après tout, les révolutionnaires avaient jeté son père en prison ; libéré, celui-ci était mort en 1814 des suites de sa détention. Et puis, ce « paysan parvenu » reçut par son mariage une touche d'aristocratie : médecin, il avait comme il se doit épousé la fille d'un médecin ; mais il se trouvait que la mère de celle-ci était une demoiselle de la noblesse et qu'elle avait, près de Trouville, une propriété dont sa fille hérita. C'est ce fief qui détermina les placements du docteur : on voulut l'agrandir. Gustave et, plus tard, Caroline Commanville, ont pris soin de ne pas nous laisser ignorer les origines de Mme Flaubert.

Il n'est pas tout à fait sûr qu'Achille-Cléophas ait projeté au départ ce « retour aux champs » : on sait même qu'il voulait faire carrière à Paris. C'est Dupuytren, jaloux de son disciple, qui l'aurait fait expédier en province « pour sa santé ». Nous ne savons pres-

que rien de cette obscure histoire, sinon que le médecin-chef ne déra-geait pas et qu'il s'est, jusqu'à sa mort, tenu pour exilé à Rouen.
Il faut noter d'ailleurs que ce citadin de fraîche date, petit-fils de cultivateur, avait pour meilleur ami un industriel libéral, Le Poit-tevin. N'importe : quels qu'aient été ses premiers espoirs, et, plus tard, ses ressentiments, ce grand homme de province revint à la terre et ce fut la province qui en décida. Il fut, au fond de lui-même, la contradiction vécue de la campagne et de la ville, de la routine et du progrès : rentier, il laissait cultiver ses champs suivant les vieil-les méthodes ; médecin, il ne cessait d'apprendre et d'enseigner du nouveau. Ponctuel, consciencieux, autoritaire, il semble avoir conservé la rudesse des mœurs paysannes qui se marque jusque dans son vêtement : les Rouennais ont gardé longtemps le souvenir de la peau de bique qu'il mettait en hiver pour aller faire ses visites. Par le fait, bien qu'il soit inférieur aux uns comme aux autres par la fortune, on dirait qu'il enveloppe en lui-même le conflit latent des industriels dont il aime à faire sa société et des anciens émigrés dont les terres bordent les siennes. Ce citoyen passif vit dans la ner-vosité le conflit majeur des classes dirigeantes. Traître à l'une comme à l'autre : il refuse l'idéologie des fonciers mais non pas tout à fait leurs mœurs et n'a pas même l'idée d'investir dans l'industrie. Ainsi — en poussant les choses à la limite — on pour-rait dire que ce libéral contribue — au moins sur le plan de l'économie — à maintenir la France dans sa léthargie.

La vie d'Achille-Cléophas s'explique en effet par le déclassement. Un vétérinaire royaliste, plus qu'aux trois quarts paysan, qui tient le roi pour son Seigneur et pour la source de toute « *patria potes-tas* », élève à la dure un gamin précoce qui franchit une étape nou-velle. Ce jeune ambitieux dont l'enfance s'enracine dans la coutume rurale vient à soigner les gens quand ses frères ne guérissent que les bêtes, il passe des champs à la grande ville et devient sous l'Empire un petit-bourgeois intellectuel. L'ascension continue sous la Restauration ; sa science, l'idéologie du XVIIIe siècle, les opinions de la bourgeoisie libérale, tout concourt à lui donner une « philo-sophie » qui ne reflète entièrement ni son « mode d'existence » ni son « style de vie ». En particulier son autoritarisme de chef et de père ne se recoupe pas avec son libéralisme.

Issu d'une famille domestique et séparé d'elle par ses fonctions, par ses nouveaux honneurs, ce déclassé fonde une famille nouvelle et la recompose domestique. On a fait remarquer que les familles conjugales, à mesure que l'enfant prend de l'importance à leurs yeux, deviennent moins prolifiques; dès que le père et la mère voient dans le nouveau-né une personne irremplaçable, il devient par lui-même un facteur de malthusianisme : ainsi l'individualisme du couple bourgeois prépare à chaque rejeton un destin d'individu, un égotisme prénatal. Mais les Flaubert ont gardé les mœurs de l'Ancien Régime : ils font six enfants dont trois qui meurent en bas âge. Restent Achille, né en 1812, Gustave, en 1821, Caroline, en 1825. Le *pater familias* — dont l'office est de traiter le corps humain comme un objet — conserve pourtant, envers la naissance et la mort, l'attitude paysanne : c'est la Nature qui donne à l'homme ses petits et c'est elle qui les lui ôte. Dans la bourgeoisie qui entoure le chirurgien-chef les pratiques anticonceptionnelles commencent à se répandre : il le sait, par métier, mais il demeure fidèle à la doctrine du laissez-faire. À vrai dire il la justifierait parfaitement s'il croyait. Athée, médecin, bourgeois, sa position semble traditionaliste plus que rationnelle. Et puis ce géniteur autoritaire semble s'être plus soucié de se donner des continuateurs que de créer des individus singularisés. Les enfants Flaubert se sentiront à la fois sujets de droit en tant qu'*hoirs* et quelconques, remplaçables, en tant qu'individus. De fait il y a un patrimoine à conserver, à accroître, et qui n'est pas seulement fait de terres acquises mais de la science du père, de ses mérites techniques et de sa fonction sociale : médecin, celui-ci entend faire de ses fils des médecins. D'abord parce qu'il lui semble naturel de les former à son image et surtout parce qu'il a le bras long : si ses deux garçons entrent dans sa profession, il usera plus tard de son crédit pour assurer leur carrière. Celle d'Achille, en tout cas, est faite d'avance : de l'héritage matériel, certes, il n'aura que *sa* part; mais on lui réserve déjà la totalité du patrimoine scientifique et social : il est entendu depuis longtemps qu'il prendra la suite du père et deviendra médecin-chef à l'hôpital de Rouen. Ainsi, à l'époque où la bourgeoisie libérale se révolte tout entière contre le rétablissement du droit d'aînesse, Achille-Cléophas, bourgeois et libéral, tout en partageant les indignations de son ami Le Poittevin, n'hésitait pas un instant à privilégier l'aîné des Flaubert aux dépens du cadet. Pourquoi, d'ailleurs, se fût-il tourmenté : il était le maître absolu dans la famille comme son père l'avait été dans la sienne. C'est qu'il est bourgeois de fraîche date : dans les milieux plus riches et surtout dans ceux qui sont riches depuis plus longtemps la famille domestique se désintègre; la mère prend une importance nouvelle : dès la fin du XVIIIe siècle, dans une famille de robins grenoblois, Henri Beyle adore la sienne et déteste Chérubin; sur Hugo, au début du XIXe, l'influence maternelle est décisive; plus tard, la vie de Baudelaire, un contemporain de Gustave, est ravagée par la passion rancuneuse que lui inspire Mme Aupick. Tout près de lui, s'il l'eût voulu, Achille-Cléophas eût découvert une famille typiquement conjugale : Mme Le Poittevin, ornement des salons libéraux, devait à sa beauté une autorité réelle; son fils Alfred l'adorait : de cet amour nous verrons qu'il mourut. Mais, sans aucun doute, le médecin-chef ne s'inquiétait pas de ces anomalies : il fit en sorte que sa femme restât tant qu'il vécut cet « être relatif » dont a parlé Michelet. L'at-il réduite en esclavage ou manquait-elle de personnalité? En tout cas elle était complice. Elle l'aimait, cela ne fait pas de doute; elle voulait n'être auprès des enfants que sa représentante et n'avoir sur eux et sur la maisonnée d'autre autorité que celle qu'il lui prêtait. Les choses allaient si loin qu'elle refusait d'intercéder auprès de lui, même si ses enfants l'en priaient. Intermédiaire, si l'on veut, mais à sens unique. On reconnaîtra à ces traits le rôle de l'épouse dans la famille domestique tel que l'a si bien décrit Restif de La Bretonne.

Pourtant le petit groupe des Flaubert est miné par une contradiction. Les familles rurales, bien qu'on y cherche souvent à augmenter le patrimoine, sont fondées sur la répétition. Retour des saisons, retour des travaux et des cérémonies; chaque génération vient remplacer la précédente et recommencer sa vie. C'est qu'on se déclasse peu. Ni le fermier ni le hobereau ne tentent en général de transformer leur condition sociale : l'enrichissement — d'ailleurs lent et médiocre — ne la change pas. Aussi peut-on dire que ces communautés n'ont pas d'histoire. Ainsi vécurent les frères du chirurgien : vétérinaires et fils de vétérinaires. Un accident — l'Intelligence — a projeté Achille-Cléophas dans l'Histoire : il commence une aventure au lieu de répéter celle des anciens. Cette mutation brusque le livre aux forces ascendantes de la société. La Science ne se répète pas. Ni la bourgeoisie, cette classe qu'un mouvement sans cesse accéléré va porter au pouvoir. Savant et bourgeois, Achille-Cléophas prend conscience d'une évolution irréversible : sa famille retombera au plus bas à moins qu'elle ne s'élève de vive lutte au sommet de la société française.

Le *pater familias* est fondamentalement — c'est-à-dire par l'enfance — un paysan de l'Ancien Régime ou, ce qui revient au même, un membre de cette petite-bourgeoisie rurale, pauvre et clairsemée, liée par le sang aux cultivateurs, qui vivait au milieu d'eux et conservait leurs mœurs. Mais ce forçat de l'intelligence a établi solidement en lui la Raison analytique et l'idéologie libérale, produits lentement élaborés dans les villes. Il ne dispose pas des instruments qui lui permettraient de se penser dans son existence réelle ; entre la permanence et l'Histoire il est déchiré sans le savoir : celle-ci ne cesse de ronger celle-là qui ne cesse de se rétablir. Cette contradiction — qu'il vivait dans l'inconscience — se manifestait aux bourgeois qu'il soignait, aux étudiants qui l'entouraient, comme un trait de caractère : on le trouvait autoritaire mais on lui passait ses sautes d'humeur et ses violences en considération de sa compétence. « Il est comme ça ! » disait-on. En fait, ce qu'on nomme caractère est purement différentiel et se manifeste comme un décalage léger entre les conduites de la personne et les conduites objectives que son milieu lui prescrit. Ce décalage à son tour n'exprime pas la Nature mais l'histoire, en particulier la complexité des origines et le degré réel d'intégration sociale. Achille-Cléophas n'était pas « intégré » : il restait, en dépit d'une ascension rapide, ce que Thibaudet nomme un « m'ont-fait-tort » ; la preuve en est que les méfaits de Dupuytren, ressassés à voix haute devant sa femme et ses enfants, devinrent un mythe familial. Il piquait des colères fameuses qui s'achevaient quelquefois, dans le privé, par des pleurs ; son déséquilibre nerveux et sa tension mentale étaient les conséquences de sa désadaptation : en dépit de ses succès de professeur et de médecin ou plutôt à cause d'eux, il devait se travailler sans cesse pour s'intégrer à cette société libérale dont il reflétait les idées mieux que personne mais dont les mœurs le déconcertaient. Au milieu de bourgeois durs et calmes, installés, ce bourreau de travail aux nerfs de femme semble avoir hérité de la sensibilité révolutionnaire.

Pour connaître ses pensées, au moins au début de sa carrière, il faut revenir à la Dissertation de 1810.

Il s'y montre décidément vitaliste : il fait appel souvent, en effet, à la notion de *force vitale* en lutte incessante avec les forces physico-chimiques et qui neutralise leur action sur l'organisme vivant : « (Avant l'opération) une diminution des éléments devient utile si l'homme qui doit être opéré souffre, si son affection a besoin d'une assez grande somme de forces vitales pour ne pas éprouver quelque changement subtil et funeste. Chez cet individu, beaucoup d'aliments produiraient ou le changement à craindre dans la partie lésée ou l'indisposition connue sous le nom d'indigestion. Le premier accident arriverait si les forces étaient appelées sur l'estomac pour la perfection de la digestion; le second, si ces déplacements des propriétés vitales n'avaient pas lieu...» Après l'opération : «(Ne pas couper les cheveux ni la barbe pendant les premiers jours) lorsqu'on les peigne ou lorsqu'on les coupe, ils deviennent le siège d'un mouvement de composition ou de décomposition plus actif (Bichat, *Anatomie générale*, vol. IV) qui probablement se fait aux dépens de celui de toutes les parties et surtout de l'opéré... Quoique les cheveux entretiennent la chaleur de la tête, ce n'est pas son refroidissement que je redoute par leur section... mais le déplacement des forces et leur transport à la tête.» Pour le reste, il en est encore à la théorie fibrillaire puisqu'il parle du «tissu cellulaire» (ce que nous appellerions «tissu conjonctif») au sens où le font Le Cat en 1765 et Haller en 1769 : il s'agit d'un tissu dans les fibres duquel se trouvent des cellules, celles-ci n'étant que les produits de celleslà. Forces vitales, fibres : c'est ce qu'on enseignait à la faculté de médecine; cette pensée encore toute paysanne devait plaire à Achille-Cléophas; la science ne s'éloignait pas trop de son enfance rurale. Son maître, plusieurs fois cité dans la Dissertation, c'était Bichat. A-t-il changé par la suite? Et dans quelle mesure? Nous n'en savons rien. En tout cas, Gustave ne nous dit point que son père usât du microscope — que Bichat n'aimait guère, lui non plus. Ce qui est sûr, c'est que le vitalisme, déjà périmé sous cette forme, ne cadrait pas avec le rationalisme *analytique* dont il faisait — Gustave nous l'a dit — le fondement de toute recherche scientifique et qui était, en outre, à l'origine de l'idéologie libérale. On dirait que, là encore, il y a un décalage entre un certain aspect de sa pratique, fondée sur des croyances féodales et rurales et la pensée de sa nouvelle classe qu'il a adoptée quand il est entré dans celle-ci.

Le rationalisme analytique, issu du XVIIe siècle, utilisé au XVIIIe par les «philosophes» comme une arme critique, devient, au début de l'Empire, sous la plume des «idéologues», détestés de Napoléon, la charte intellectuelle de la bourgeoisie. Il s'agit à la fois d'un principe de méthode et d'une extrapolation métaphysique : «L'analyse est toujours nécessaire, elle est dans tous les cas théoriquement possible.» Cela veut dire qu'un ensemble quelconque, dans n'importe quel secteur de l'Être, peut être décomposé en éléments plus simples et ceux-ci, à leur tour, en d'autres éléments, jusqu'à toucher le roc, c'est-à-dire les *insécables* protégés contre la désintégration moins par leur unité que par leur absolue simplicité. Sans doute la décomposition doit-elle être suivie d'une contre-épreuve : la reconstitution de l'objet considéré. Mais, les analyses chimiques de Lavoisier semblent l'avoir prouvé, la recomposition est tout simplement une décomposition renversée; autrement dit, on considère une expérience comme une série réversible qui livre les éléments à partir de l'ensemble et restitue l'ensemble à partir des éléments. Il suffit de cela pour que, dans la plupart des cas, on fasse la contre-épreuve synthétique en passant sous silence le moment réel de la synthèse — c'est-à-dire précisément son irréductibilité dialectique aux éléments simples. Cette Idée analytique fournit ses postulats — on les appelle les principes — à la mécanique classique. L'ensemble des mouvements se loge dans le cadre d'un espace et d'un temps homogènes, donc analysables. Les insécables auxquels se réduit le déplacement d'un mobile sont les positions successives occupées par les objets au cours du temps. Le point correspond à l'instant. On peut donc reconstituer la nature à partir des « points matériels » dotés d'un nombre fini de propriétés et soumis à des forces indépendantes d'eux. Si l'on se donne toutes les positions et les vitesses initiales d'un système de points matériels, on peut prédire toute son évolution. Les lois de la Nature régissent les corps et les systèmes du dehors; elles constituent un système complet, ce qui veut dire qu'elles sont en nombre fini et bien déterminé. Ces lois, bien entendu — en particulier le principe de gravitation — doivent leur universalité à leur simplicité élémentaire.

Il faut remarquer que cette conception, qu'on appelle souvent *mécaniste* et qui n'a pas survécu, représentait sur le terrain des recherches physico-chimiques un progrès réel : on remplaçait les forces métaphysiques par les calculs, la magie du concept par l'expérience [1]; on introduisait le déterminisme qui représentait ensemble la première postulation à l'unité du savoir et le premier refus décidé de réduire les enchaînements de l'Être aux nécessités de la pensée. Par contre, au niveau des sciences humaines, le système perdait sa rigueur et son intransigeance : c'est qu'il n'y était pas né; on l'y avait importé, on l'y appliquait par analogie comme, par un anthropomorphisme inverse, on tente d'appliquer aujourd'hui la dialectique, loi de l'histoire humaine, au mouvement de la Nature et singulièrement à la mécanique subquantique. De fait — qu'il s'agît de Hume ou de Condillac — le public bourgeois du XVIIIe siècle demandait à ses philosophes de nous montrer, tournant dans notre

1. Condillac faisait observer que l'analyse réclame la création d'un système de signes.

tête, des systèmes planétaires en modèle réduit conçus à la façon de ceux de Newton : des points matériels ou molécules psychiques, éléments insécables reliés entre eux par un système de lois fini qui leur restât extérieur. Ces penseurs logèrent des constellations dans la pensée, dans le cœur. L'atome fut la sensation, pour d'autres l'impression élémentaire [1]. On le définit du dehors, faute de pouvoir le couper en plus petits morceaux. Les lois d'attraction furent : trouver la ressemblance, la contiguïté. La contiguïté, surtout, eut la faveur des bons esprits : elle permettait de relier par des gravitations subtiles des objets psychiques dont le seul caractère commun était de n'avoir aucun rapport les uns avec les autres. En outre, on voulait y reconnaître la loi de Newton elle-même adaptée au secteur psychique : deux unités psychiques, quand une fois elles ont été données ensemble dans l'esprit, s'attirent en fonction de caractères parfaitement extérieurs ; si l'un vient à réapparaître, l'autre tendra à revenir et, pour qui connaîtra toute la succession des faits, cette tendance sera, tôt ou tard, rigoureusement mesurable. L'homme fut dépossédé de lui-même comme l'avait été la Nature : en compensation, on lui prédit que le tourbillon d'atomes qui le composait, régi par une inflexible légalité, serait parfaitement prévisible pour quiconque connaîtrait, au départ, les positions et les vitesses. Le seul problème troublant qui restait : comment cette personne stupide, fausse unité de galaxies, conditionnée par une absurde mémoire à restituer des concomitances fortuites sous forme de coq-à-l'âne, comment cette *extériorité du dedans* pouvait-elle comprendre, inventer, agir ? La réponse des philosophes était variable ; en général, ils en venaient, comme Hume, à concéder à la Nature ce qu'ils refusaient à l'homme : une certaine constance dans les enchaînements, des séries claires et distinctes, de fructueuses contiguïtés ; bref, ils accordaient à l'extérieur ce levain d'intériorité qu'ils refusaient à l'intérieur. Quant aux vertus, on les décomposa : l'analyse découvrit, sous leur complexité, des attitudes élémentaires. Il fallait que celles-ci correspondissent au niveau primitif des atomes psychiques : à la sensation correspondit le principe simple du plaisir et du déplaisir. L'enfant — aussi bien que l'adulte — cherche celui-là et fuit celui-ci. Pour certains, nous l'avons vu, cet hédonisme ne suffisait pas : Bentham propose une règle à calculer les conduites ; d'autres — toujours grâce à Newton, c'est-à-dire par

---

1. « Toutes les opérations de l'âme ne sont que la sensation même qui se transforme différemment » (Condillac).

la loi de l'association — combinèrent ces molécules de vertu pour produire la vertu dans sa diversité : le plaisir devint l'intérêt ; l'hédonisme perdit son cynisme aristocratique et s'alourdit bourgeoisement en utilitarisme. C'est que la bourgeoisie triomphante voulait réduire en poudre les vieux organismes totalitaires de la monarchie absolue. Le libéralisme économique se fondait lui aussi sur l'atomisation. Mais il ne s'agissait pas d'abord d'une théorie : la bourgeoisie réduisait en pratique les corps sociaux à l'état moléculaire : il suffit de se rappeler comment, en Angleterre, elle liquida les derniers vestiges de la charité féodale et transforma les pauvres en prolétaires. La notion de marché concurrentiel implique, par elle-même, en effet, que les réalités collectives sont des apparences et les traditions des routines. Le groupe n'est qu'une rubrique abstraite sous laquelle on fait entrer les relations innombrables qui unissent les individus. Le monumental édifice du mécanisme est au moment de s'achever : le point pesant, la détermination élémentaire de l'espace et du temps, l'atome psychique, la molécule éthique, tout nous conduit à l'insécable social qui n'est autre que l'individu. À peine celui-ci est-il « isolé » par l'économiste, nous le voyons entraîné avec ses semblables dans un nouveau tourbillon : c'est que les lois de l'économie doivent nous rester extérieures ; il faut que le riche subisse sa richesse pour que le pauvre soit convaincu d'accepter sa pauvreté. Tout serait perdu, comme l'ont si bien dit Marx et Lukács, si ces lois se découvraient alors pour ce qu'elles sont, si ces règles d'airain dont la parfaite cruauté semble un fait de nature avouaient tout à coup aux hommes que ce sont eux qui les font. Il n'en est pas question : le mécanisme sait rendre compte de la dissémination des atomes et de l'ordre qui s'impose à eux. Grâce au rationalisme analytique, la bourgeoisie peut lutter sur deux fronts : elle dissout par la critique les privilèges et les mythes de l'aristocratie foncière ; elle décompose sa propre classe et la classe ouvrière en atomes individués mais sans communication entre eux. L'offre et la demande, la pratique concurrentielle, le lien péniblement établi de l'intérêt particulier et de l'intérêt général, le principe du marché du travail : tous ces éléments se retrouveront *intégrés*, vers le milieu du XIXe siècle, quand Marx aura écrit que le processus de la production forme un tout. Pour l'instant, les interprétations de l'économiste restent analytiques : le vendeur et l'acheteur viennent seuls au marché, nul groupe ne les exploite, nulle prérogative ne les protège ; l'offre et la demande définissent chacun *du dehors* et c'est aussi *du dehors* que le prix sera finalement établi. Mais il est prouvé par là même que je dois freiner les mouvements de mon cœur : je dois produire davantage, à moins de frais, donc contenir ou réduire les salaires ; c'est mon intérêt et tout compte fait c'est celui de mes ouvriers : ils gagneront moins mais seront plus nombreux à travailler. Et c'est, bien entendu, l'intérêt de mon pays. Par la suppression des organes sociaux de médiation et par la conquête de la propriété *réelle*, le bourgeois se réalise lui-même : il est une chose, un petit atome solitaire et incommunicable. Il ne peut rien pour les autres sauf se perdre en les perdant : il est vain et coupable de tenter directement de les servir. Le seul altruisme valable, c'est un égoïsme éclairé : je poursuis mon intérêt en conformité avec les lois générales de l'économie. Et ces lois se chargeront, du dehors, de produire le bien-être général sur la base de mon enrichissement particulier.

Voilà le système : tous les bourgeois ensemble le sécrètent et le respirent ; ils le produisent et s'en imprègnent. Toujours neuf et toujours recommencé, c'est lui que le médecin-chef est obligé d'intérioriser. Achille-Cléophas est à chaque instant convaincu des réciprocités de perspective qu'il prend pour des évidences. Au fond du cœur humain, il trouve ces pulsions insécables qui lui paraissent un reflet des points matériels et ceux-ci le renvoient à l'atomisation des sociétés ou de l'intelligence humaine. Ne l'en blâmons pas : ces jeux de glace sont des preuves pour la plupart des gens. Nous avons, aujourd'hui, d'autres systèmes de références aussi fragiles et qui se confirment à nos propres yeux par des tourniquets d'images. On n'y peut rien, puisque les idéologies sont totalitaires, à moins de remettre tout en question, ce qui n'était pas l'affaire de ce chirurgien. En un seul domaine, du moins au début de sa carrière, il refuse de trouver les éléments simples qui sont impliqués partout par le principe de l'analyse : en physiologie et en médecine. A-t-il jamais lu *La Génération* d'Oken, parue en 1805, où la théorie cellulaire est exposée avec précision : « Tous les organismes naissent de cellules et sont formés de cellules ou vésicules » ? Comment le savoir ? Ce qui est sûr, c'est que, vers 1830-1840, la théorie de la cellule, longtemps freinée en France par l'influence de Bichat, connaît un nouveau développement et qu'il n'a pu l'ignorer dans son âge mûr. Et s'est-il aperçu que le mécanisme newtonien de Buffon, qu'il a sûrement lu dans sa jeunesse, convenait mieux que la théorie des « forces vitales » à la philosophie du libéralisme [1] ? Il avait sûre-

---

1. Pour Buffon, l'organisation vivante se constitue sous l'action de « forces pénétrantes et agissantes » qui sont des spécifications de l'attraction newtonienne.

ment des idées puisqu'il rêvait, à la fin de sa vie, de prendre sa retraite, laissant la place à son fils aîné, et d'exprimer son expérience et sa pensée dans un grand traité de physiologie générale. Bref, il fut gagné sur le tard — à Rouen, sans doute — par le libéralisme. Son seul tort, si c'en est un, fut de se pénétrer si vivement de ces correspondances réglées qu'il croyait les découvrir quand l'idéologie les produisait en lui d'elle-même. Il avait réfléchi sur notre condition, peut-être arrivait-il pendant l'enfance de Gustave qu'il y réfléchît encore. Il avait en tout cas des convictions établies qu'il ne se privait pas d'exposer : eût-il mérité, sinon, le titre de « praticien-philosophe » que Flaubert se plaît à lui donner ? De toute manière, cela revenait à montrer l'unité du savoir. La philosophie analytique s'exprimait par sa bouche : rien de plus.

Nulle part la contradiction entre l'idéologie de la famille Flaubert et sa pratique semi-féodale ne se marque mieux que dans la morale du *pater familias*. Gustave a peint son père sous le nom de Larivière et nous apprend qu'il pratiquait la vertu sans y croire. Quelques années plus tôt, parlant cette fois de sa mère, Gustave écrivait à Louise Colet qu'elle était « vertueuse sans croire à la vertu ». Il s'agissait, comme on voit, d'une attitude commune aux deux époux. Elle porte sa marque de fabrique : La Rochefoucauld, réinventé et popularisé au XVIIIe siècle sous l'influence des négociants anglais et des sensualistes, leurs penseurs à gages, de Cabanis, enfin de Destutt de Tracy, de tous les « Idéologues » qui remettent en chantier la théorie pour servir les besoins de l'Empire. Nous y reviendrons plus loin. L'essentiel, pour l'instant, c'est de marquer le principe : quel que soit l'acte, le mobile unique est l'intérêt. Selon les milieux et les époques, on tire de là quelque hédonisme sceptique et léger ou le plus pesant des utilitarismes. Les Flaubert avaient choisi l'utilitarisme : ce couple sérieux ne croyait pas aux grands sentiments. D'où vient, en ce cas, qu'ils se piquassent de vertu ? C'est qu'ils préféraient l'intérêt commun de la famille à leurs intérêts particuliers. Chacun se dévouait à sa tâche. Le père n'avait souci que de soigner les malades et de faire la fortune de sa descendance ; la mère, rigide, glacée, élevait les enfants et tenait la maison. Austères, économes et pour tout dire avares, les Flaubert, emportés par le mouvement de l'Histoire, pratiquaient un véritable puritanisme de l'utilité. Ils considéraient leur famille comme une entreprise particulière dont les travailleurs étaient liés par le sang et qui se donnait pour but d'accéder par étapes aux plus hautes sphères de la société rouennaise par le mérite et l'enrichissement.

La vertu qu'ils pratiquaient, qu'ils imposaient à leurs enfants, c'était l'aliénation rigoureuse de l'individu au groupe familial ; instrument collectif, contrainte de l'ensemble sur chacun et de chacun sur soi, elle s'identifiait, dans le fond, au travail ascensionnel dans la mesure où ce dur labeur s'exécutait par tous sans se poser pour soi explicitement.

En fait ce jansénisme utilitariste ne représente qu'un aspect de la famille Flaubert : très exactement son arrivisme. Fondé sur la Raison analytique, il est parfaitement adapté aux familles vraiment bourgeoises c'est-à-dire conjugales dont il reflète l'individualisme. Mais quand le docteur en affirme les principes devant sa femme et à ses enfants, il ne fait qu'exposer l'atomisme social et psychologique du libéralisme. Par là, sans doute, il justifie l'entreprise mais du même coup il risque de la désintégrer et de la transformer en une somme d'unités solitaires dont chacune poursuivra son intérêt. En fait la morphologie du petit groupe retarde sur son idéologie : quoi que le docteur puisse en penser, ce n'est pas l'utilitarisme qui peut fonder la pratique vertueuse des individus qui le composent. L'arrivisme a son rôle à jouer mais la cohésion familiale et l'aliénation de chacun au tout s'expliquent d'abord par des traditions héritées d'une société féodale et théocratique où le *pater familias* est monarque absolu de droit divin. Ainsi le héros géniteur impose à sa Maison la contradiction qui lui est propre. Il justifie par l'intérêt les dévouements qu'il exige et qui ne s'expliquent que par la Foi. En effet pour ses enfants l'aliénation à la famille est vécue en réalité comme une aliénation féodale au père. Ils pratiqueront la vertu par amour, par respect. Leur but fondamental est d'accomplir les ordres du Tout-Puissant. Cette association d'athées aura donc en dépit d'elle-même un soubassement religieux. C'est qu'elle reflète fidèlement l'image de son fondateur. Fortement structurée, elle conserve la hiérarchie des temps révolus : les hommes d'abord, les femmes passent après eux et n'ont d'autre pouvoir que celui qu'ils leur donnent ; chez les hommes, le géniteur commande, vient ensuite l'aîné, fait à son image et qui lui succédera, puis le cadet. Cette famille n'est pas « frottée », on la trouve rude et sans manières, indifférente à ce qui l'environne, comme en témoigne la hideur de son mobilier. Un amour-propre négatif la tourmente sans cesse et c'est tout simplement le travail qu'elle exerce sur elle-même : elle fait le point, détermine sa position, le niveau social qu'elle atteint et qu'elle doit dépasser ; cet examen se poursuit d'un jour à l'autre, sans gaieté ; on *envie* les supérieurs, on partage les ressentiments paternels, on se jette pour un rien dans la récrimination, dans les larmes. Mais, simultanément, la famille entière ne peut pas ne pas *vivre* son ascension lente et sûre : le docteur Flaubert achète une maison à Yonville l'année de la naissance de Gustave ; il acquiert des terres en 1829, 1831, 1837, 1838, 1839 pour arrondir le domaine que sa femme tient d'un aïeul ; il va de soi qu'on délibérait de ces placements devant les enfants : la vie de ceux-ci est *orientée*, le petit groupe n'est pas seulement un milieu permanent dans l'espace ; en dépit de ses attaches il apparaît à ses membres comme un voyage, comme une détermination vectorielle du temps. Mais il se fait en eux une collusion inévitable de la richesse et du mérite : le progrès social des Flaubert est assuré par la valeur de leur chef, praticien irremplaçable. La science paie : c'est juste ; bienfaiteur de l'humanité, un grand homme est récompensé par l'argent qu'on lui donne. Donc l'argent est un honneur. Ces notions ne s'accordent pas tout à fait avec l'utilitarisme paternel : n'importe, elles ont leur source dans l'admiration que ses enfants lui portent. Achille et Gustave s'identifient à leur maître et, du coup, quand ils se trouvent parmi leurs condisciples ou quand ils rendent visite aux parents de leurs amis, ils participent à son aura sacrée ; chacun, représentant, à l'extérieur, le héros fondateur, se juge *en tant que Flaubert* supérieur aux plus éminents des Rouennais. Bref, la petite communauté intègre la contradiction d'Achille-Cléophas : elle est tout entière aliénée à son entreprise historique ; substance permanente, elle est possédée par l'orgueil tout aristocratique d'être une Maison. Chez les enfants, la contradiction reste un moment voilée : conquérir la Normandie, c'est l'obliger à reconnaître un mérite qui existe mais qui ne s'est pas encore imposé. Les Flaubert sont *attendus* au sommet de l'échelle sociale : tout retard est une injustice. Quand ils tiendront enfin le haut du pavé, ils seront, malgré les méchants et leurs cabales, *devenus* ce qu'ils étaient.

Reste que cette relation organique et quasi religieuse des enfants avec leur idole se vivait, par la faute du docteur, comme une solitude en commun. Autoritaire et sec, avec des éclats de sensiblerie qui ne s'adressaient qu'à lui-même, irritable, volontiers méchant par nervosité, il refrénait les élans de ses fils, tantôt réclamant leur admiration, tantôt s'en agaçant capricieusement. Comment les voyait-il, ses rejetons ? Soyons-en sûrs : sans aucune indulgence. Il les aimait comme les héritiers de son nom et de sa science, qui transmettraient le flambeau des Flaubert à leurs fils. Mais il les jugeait sans aucun doute très inférieurs à leur père, au fondateur

Achille-Cléophas. Plus que par la physionomie ou par les traits du caractère, il les individualisait par leur âge, leurs fonctions et leurs travaux. S'ils fussent morts quand il était encore vert, il en eût fait d'autres. Puisqu'ils vivaient, il fallait en tout cas qu'ils lui fissent honneur : il les aima toutes les fois qu'il put en être fier. Noble, il n'eût pas été plus exigeant ni plus autoritaire ; mais, s'il eût sacrifié ses fils à son nom, du moins les eût-il tenus pour ses véritables héritiers, aliénés comme lui et comme lui inessentiels : le *pater familias* de l'aristocratie ne se juge pas aujourd'hui supérieur à celui de demain ; d'une génération à l'autre le passage du titre et des devoirs crée, à travers le temps qui coule, une égalité profonde qui permet, dans la sévérité même, toutes les formes d'affection. Mais Achille-Cléophas, fier de sa Maison comme un gentilhomme, était conditionné en outre par l'individualisme bourgeois. Sa réussite exceptionnelle, ce bond fait à pieds joints d'une classe à une autre, le sentiment profond qu'on n'avait pas reconnu ses mérites éminents, tout contribuait à le rendre fou d'orgueil. Nul doute qu'il ne pensât : mes fils vaudront moins que moi. Ils suffiraient, bien sûr, à maintenir l'honneur mais il faudrait attendre deux ou trois générations avant qu'un autre génie ne prenne en main le destin de la famille et ne l'élève enfin jusqu'aux sommets. La mère, sans aucun doute, partageait son avis. Chacun des fils s'enorgueillissait d'être un Flaubert, aucun d'eux ne connaissait la fierté d'être lui-même.

On ne comprendra rien à Gustave si l'on ne saisit d'abord ce caractère fondamental de son « être-de-classe » : cette communauté semi-domestique — avec toutes les contradictions qui la rongent — est à la fois sa vérité originelle et la détermination sans cesse recommencée de son destin. Il arrivera plus tard que la rage ou le désespoir le poussent à lancer des imprécations qui paraissent présager le mot fameux de Gide : Familles, je vous hais. Mais cette ressemblance tout extérieure ne doit pas nous abuser : Gide, né un demi-siècle plus tard, quand les structures de la famille bourgeoise sont en pleine évolution, est à la fois un produit et un agent de leur dissolution. Flaubert vit à l'intérieur du groupe domestique et n'en sortira jamais. Cette appartenance, c'est le tuf sur lequel toute son existence va se bâtir. Cela ne signifie point qu'il ressente de l'amour ou même de la tendresse pour ses parents : mais il est solidaire d'eux et cette solidarité préfabriquée puis vécue jusqu'à la lie est l'infrastructure permanente de son existence réelle. Pas plus que son frère, il n'a fait l'objet, dans sa petite enfance, d'une affection exclusive.

Quand un enfant sent que sa mère tient sa naissance pour une chose incomparable, il fonde sur ce qu'il prend pour sa réalité objective la tranquille conscience de sa valeur ; pour Gustave et pour Achille, ce ne fut pas le cas : les deux petits mâles furent aimés en gros d'un amour consciencieux et austère qui ne se détaillait pas. D'un bout à l'autre de sa vie, le cadet se tiendra pour un hasard inessentiel ; l'essentiel, pour lui, en tout temps, ce sera la famille. Aux heures de doute et d'angoisse, en 1857, pendant le procès, en 1870, en 1875, c'est elle qu'il retrouve au fond de lui comme le roc ; ce qui soutiendra cet instable, toujours humble et prêt à se condamner dans sa personne singulière, c'est l'orgueil familial et les supériorités qu'il prend sur tous en tant qu'il est le fils Flaubert. Pour cette raison, « l'ermite de Croisset », cet « original », ce « solitaire », cet « ours », ne sera jamais ce que Stendhal fut dès sa petite enfance : un individualiste. Or, vers la même époque, de jeunes bourgeois grandissaient dans les collèges et les lycées de France, qui allaient devenir les écrivains qualifiés de la génération postromantique ; et c'étaient, pour la plupart, des produits authentiques de l'individualisme libéral. Ce sont les contemporains de Gustave Flaubert ; il les fréquentera et se liera d'amitié avec beaucoup d'entre eux. Mais, au milieu de ces molécules qui revendiquent le statut moléculaire, le fils Flaubert ne se sent jamais à son aise : il n'est pas des leurs. Tout se passe comme s'il était né cinquante ans plus tôt que ses contemporains. Nous verrons bientôt l'importance de cette *hystérésis* et comment elle conditionne son destin social et jusqu'à son art. À cause d'elle, Flaubert se transformera en cet étrange personnage : le plus grand romancier français de la seconde moitié du XIXe siècle. À cause d'elle il deviendra, dès 44, ce névrosé dont *dès alors* la névrose réclamait obscurément la société du second Empire comme le seul milieu « sécurisant » où elle pût se développer.

III

La mère

Caroline Flaubert, fille du docteur Fleuriot et d'Anne-Charlotte-Justine née Cambremer de Croixmare, a eu l'enfance la plus triste. Ses parents se sont mariés le 27 novembre 92 ; ce fut un roman, dit-on ; on parle même d'enlèvement : en tout cas, ils s'aimaient passionnément. Le 7 septembre 93, la jeune femme meurt en lui donnant le jour. Il faut mettre la petite en nourrice. Il arrive assez souvent que le veuf garde rancune à l'enfant qui lui a tué sa femme ; surtout, le rejeton criminel se pénètre très tôt de sa culpabilité. Nous n'affirmerons pas qu'il en fut ainsi pour la pauvre Caroline ; en tout cas, le médecin ne l'aima pas assez pour vouloir survivre : *il souffrit son malheur dans son corps*, comme il se doit, perdit la santé et disparut, en 1803. Sa fille avait dix ans. Il semble qu'elle ait passé le plus grand nombre de ces années dans une maison déserte, à Pont-Audemer, en compagnie d'un père inconsolable, sinistre comme tous les veufs. Frustration double : sans mère, elle adora son père ; distrait, morose peut-être, il était là du moins, il vivait près d'elle. Quand cette flamme vacillante fut soufflée, la petite fille resta seule. Elle perdait l'amour du docteur Fleuriot — qui ne s'en montrait guère prodigue — et, surtout, le bonheur d'aimer.

Les orphelins ressentent obscurément les deuils comme des désaveux : les parents, dégoûtés, les renient, les abandonnent. Caroline, déjà convaincue de sa faute, vit-elle une condamnation dans ce départ précipité ? On l'ignore. On sait par contre que ses futures exigences se gravèrent dès lors dans son cœur : elle n'épouserait que son père. Deux dames de Saint-Cyr tenaient un pensionnat à Honfleur : elles promirent de la garder jusqu'à sa majorité mais elles moururent à leur tour. Un cousin notaire, Me Thouret, s'avisa d'envoyer la malheureuse indésirable chez le docteur Laumonier, chirurgien en chef de l'hospice de l'Humanité : Mme Laumonier était née Thouret. Caroline avait seize ou dix-sept ans. Une réflexion de C. Commanville nous éclaire sur son caractère : il paraît qu'on s'amusait chez les Laumonier, les mœurs étaient légères. La « nature éminemment sérieuse » de la petite fille « la préserva des dangers d'un tel milieu ». Cette enfant n'est à personne : elle passe de main en main, on préfère mourir que la garder ; ce qui domine, c'est la culpabilité. Et la défiance de soi. Une affectivité assez riche, capable de violence mais barrée. Une distance infranchissable la séparait des autres, différents ou mercenaires, si prompts à trépasser. Pas d'avenir en dehors du mariage : au présent, pas de foyer ; dans le passé, pas de racines. Elle flottait : de là venait sa réserve, son extrême timidité ; de là aussi, sa froideur : de « mœurs légères » — ainsi parle Commanville — Caroline Fleuriot, désaxée de naissance, n'a que faire : légère, elle ne l'est que trop : qu'on l'allège encore, elle s'envole. Ce qu'elle demande, *c'est du lest* ; elle tente de mettre un terme à son indéfini glissement en se chargeant du fret le plus lourd, de la vertu : elle sera *pondérée* et parfois rigide ; faute d'avoir une ancre à jeter, elle tentera de retrouver un axe : ce sera la verticale absolue. Cette jeune fille ne sait pas grand-chose : les dames de Saint-Cyr ne lui ont rien appris ; elle ne sent guère plus : ses années de glace l'ont gelée ; elle aimera bientôt et totalement : pour l'instant son cœur ne souffle mot ; non qu'il soit mort : au contraire ; mais les premières frustrations l'ont si bien conditionné, il a des exigences si rigoureuses qu'elles ne se feront pas connaître avant que soit apparu l'homme qui peut les satisfaire. En attendant, la Vertu : les bonnes pratiques, les saintes habitudes servent de repères. Et l'Orgueil. Il naît chez les coupables, chez les opprimés et les humiliés, flaire autour de lui, cherche à compenser l'abjection dont il sort par des triomphes rhétoriques. Caroline n'était pas abjecte à ses propres yeux mais *vide* ; l'orgueil fut niais : il s'agissait moins de valoriser une singularité individuelle que d'arrêter à tout prix le glissement d'une existence vague, entre ciel et terre ; il fallait trouver une attache. Caroline se rêva noble par sa mère et « chouanne » par son père. En vérité son père n'avait pas pris part aux insurrections de l'Ouest et les Cambremer de Croixmare, hommes de loi et prêtres, n'avaient jamais porté l'épée. N'importe : Caroline Commanville écrit : « Par sa mère, ma mère était liée aux plus vieilles familles de Normandie. » Et Gustave, dans sa Correspondance, fait souvent allusion à ses nobles origines. Il s'agissait d'un des principaux mythes Flaubert. Qui pouvait l'avoir introduit dans la famille? qui, plus tard, l'entretint en dévidant ses souvenirs devant sa petite-fille sinon Caroline Fleuriot elle-même? Noble, elle avait — à défaut de racines — une *qualité* : elle participait, de loin, par le sang, à l'ordre stable et sûr d'une Maison. Bref elle s'aliéna de bonne heure à cette abstraction qui lui procurait une illusoire sécurité : la jeune fille coupable, sèche et vide, monnayant le sentiment de sa faute originelle en un fourmillement superficiel de scrupules, ne se trouvait d'Ego que chez les autres, en tant qu'autre. Là-bas, chez les Danyeau d'Annebault, chez les Fouet du Manoir, son vide intérieur retrouvait son être véritable, redevenait une détermination passagère de la plénitude collective. Timide, apeurée, orgueilleuse et sévère, vertueuse par *besoin*, aliénée à cet être métaphysique, la noblesse de robe, et, malgré le jeu des compensations, perdue : en soi et dans le monde. Telle était cette enfant de seize ans quand elle rencontra, dans le salon des Laumonier, un jeune prévôt d'anatomie, Achille-Cléophas Flaubert. Petite, mince et fragile, elle avait souffert d'hémoptysie, quelques années plus tôt ; elle resta toute sa vie nerveuse, impressionnable, cachant son angoisse permanente sous des inquiétudes presque maniaques.

À peine les jeunes gens se furent-ils rencontrés, ils se fiancèrent. Caroline avait eu le coup de foudre : ce brillant médecin, envoyé de Paris par le grand Dupuytren, autoritaire, vertueux et travailleur, était de neuf ans son aîné ; surtout c'était un adulte — à ses yeux du moins —, un homme fort qui pesait lourd : le père ressuscité. Grâce à lui, les années vagues et sombres de la pension, de l'exil s'anéantissaient dans l'oubli, elle renouerait le fil rompu par la mort inopportune du docteur Fleuriot et se retrouverait seule avec son père dans une maison vide, bref elle revenait en arrière et recommençait sa vie à l'âge de dix ans. Le milieu des Laumonier l'avait égarée ; non pas tant par la liberté des mœurs, qui ne la tentait pas : par la réciprocité visible des relations ; personne ne commandait ; dans une hiérarchie rigoureuse, elle eût trouvé sa place, l'égalité lui semblait l'extrême du désordre : son malheur lui était venu du misérable échec d'un couple, une famille conjugale s'était constituée, l'avait faite et puis tout avait avorté, elle restait seule, absurde orpheline ; contre la fragilité d'un amour égalitaire, rompu d'un seul coup par la mort, elle rêvait d'un ordre strict et noble : elle y trouverait son but et le sens de sa vie. La chance, pour une fois, la servit : elle ne pouvait mieux trouver qu'Achille-Cléophas. Bourgeois de fraîche date, il avait un principe — tiré, nous l'avons vu, de ses origines paysannes et de son orgueil impérieux — : l'époux est seul maître à bord. De la future épouse, il exigeait ce qu'elle revendiquait de tout son cœur : l'obéissance, l'être relatif ; une femme est une éternelle mineure, la fille de son mari. Elle était d'accord ; deux complices, comme le montre le curieux épisode de leurs fiançailles : il la vit, la jugea ; l'austérité de cette adolescente était mise en valeur par la légèreté de son milieu ; aussitôt le fiancé s'arrogea les droits du père défunt ; il prit sur lui de la renvoyer en pension et ne l'en fit sortir qu'à la veille du mariage. On devine que les Laumonier ne demandèrent pas mieux : cette vierge sage devait les embarrasser. Pour celle-ci en tout cas, ce coup de force eut l'effet d'une première possession : elle sentit qu'elle avait un maître et cette certitude enivrante retentit jusque dans son sexe. Le transfert était achevé : dans sa cellule presque monacale, elle attendit, patiente et soumise, que fût enfin sonnée l'heure de coucher avec son père. Plus tard, veuve et vieillie, elle évoquait encore avec fatuité cette mesure de rigueur. Quand Caroline Commanville écrit à ce propos qu'Achille-Cléophas était « plus clairvoyant qu'elle ne pouvait l'être », on croit entendre la voix de sa grand-mère : « Mon futur mari, plus clairvoyant que je ne pouvais l'être... » Cela veut dire : il y avait anguille sous roche, des liaisons que je ne soupçonnais pas, ou, peut-être, un scandale menaçant ; je ne m'en doutais pas, dans ma naïveté ; mon fiancé les voyait, j'ai d'abord protesté contre la décision qu'il voulait prendre, j'ai boudé, et puis j'ai reconnu délicieusement mes torts ; il avait raison comme toujours.

Ils se marièrent en février 1812 et s'installèrent au 8 de la rue du Petit-Salut : ils devaient y rester sept ans. Mme Commanville écrit : « Dans mon enfance, grand'mère me faisait souvent passer (devant la maison) et, en regardant les fenêtres, elle me disait d'une voix grave, presque religieuse : Vois-tu, là se sont passées les meilleures années de ma vie. »

Pour nous, ce témoignage est de première importance. Sept ans de bonheur. Après, les malheurs ne commencèrent pas tout de suite, il y a comme un suspens, mais les menaces s'accumulent et surtout, le cœur n'y est plus. Quels sont les événements qui ont marqué la vie du couple entre 1812 et 1819 ? Eh bien d'abord, un an moins un jour après les noces, Achille est né. Nul doute qu'il n'ait été bien nourri et soigné. La jeune mère aimait ce gage d'amour. Et puis Achille-Cléophas en lui donnant son propre nom de baptême avait signifié à ses proches qu'il tenait ce premier-né — il y en aurait d'autres — pour son successeur, le futur chef de la famille :

voici mon fils, autant dire moi-même, aujourd'hui mon reflet, demain ma réincarnation. La mère fut informée de cette prédilection et elle la partagea : elle aima dans son enfant la tendre enfance désarmée de son époux, longtemps tenue pour morte, enfin ressuscitée. Objet de tant de soins et si passionnés, Achille fut un enfant sur mesure : sain, docile, éveillé. Ce fut un plaisir pour la mère, un peu plus tard, de lui apprendre à lire. Cependant le géniteur engrossait par deux fois sa femme : elle lui donna deux garçons. Deux mesures pour rien : ils moururent en bas âge. Et voilà bien ce qui m'étonne : une seule mort prématurée suffit en général à plonger des parents dans le malheur ; chez les Flaubert il s'en produit deux, coup sur coup : de quoi les ravager pour longtemps et leur faire prendre en horreur ce premier domicile. Or la vieille Mme Flaubert, trente ans plus tard, se plaît à revenir nostalgiquement dans la rue du Petit-Salut, à s'arrêter devant son ancien logement et à rappeler sans cesse qu'elle y a connu le bonheur. Si l'on coupe en deux sa vie conjugale, comme elle nous y convie, on remarque qu'elle eut, *avant* de s'établir à l'Hôtel-Dieu, trois fils dont un seul vivra ; *après* son établissement la proportion se renverse : des trois enfants qu'elle fait, un seul meurt. Pourtant, c'est elle qui nous le dit, malgré ces cuisants échecs, elle a goûté au vrai bonheur pendant les sept premières années, quand elle habitait rue du Petit-Salut.

D'où cela peut-il venir ? Un point me paraît acquis : ni les morts n'ont pu la dégoûter des sept premières années, ni les vivants l'attacher aux années qui suivent : donc sa progéniture n'a pas dû peser lourd dans la balance. Le bonheur et le malheur de Caroline Flaubert dépendaient d'une seule personne qui était Achille-Cléophas. C'est Gustave lui-même qui en témoigne, dans une lettre à Louise : « Elle a aimé mon père autant qu'une femme a jamais pu aimer un homme, et non pas lorsqu'ils étaient jeunes, mais jusqu'au dernier jour, après trente-cinq ans d'union. » À les replacer dans leur contexte, il apparaît, comme toujours, que ces beaux éloges ne sont pas gratuits, qu'il veut donner sa mère en exemple à Louise — tu es jalouse, ma mère ne l'était pas, qui aimait mon père mille fois plus que tu ne m'aimes ; voilà l'exemple à suivre : m'aimer et se taire. Et puis on reconnaîtra, pour peu qu'on l'ait pratiqué, une certaine frénésie, avant tout destinée à convaincre les autres : le ton se hausse, l'hyperbole naît, pour compenser la faiblesse *pathétique* de l'affirmation. Peut-être exagère-t-il les sentiments de sa mère. Mais nous avons, heureusement, cette autre preuve, dont il est, bien entendu la source, mais qui ne semble pas un mensonge : Mme Flaubert, déiste, avait gardé sa foi bien qu'elle se fût donnée à un médecin mécréant. Il fallait un ciel pour la mère qu'elle avait tuée, pour J.-B. Fleuriot, mort trop vite, et pour les petits anges que Dieu envoyait faire un tour à terre et rappelait régulièrement à soi, avant la fin de la permission. Et puis, un peu d'amour aussi, pour atténuer l'angoisse de la coupable, pour ensoleiller les ingrates vertus qu'elle tenait de la peur. Elle était de ces femmes qui disent : « J'ai ma religion à moi » ou « J'ai mon Bon Dieu » et qui se bornent à vampiriser un peu la religion catholique : elles en prennent les conforts, les encens, les vitraux, l'orgue et laissent les dogmes. Le déisme de Caroline, son super-Sur-moi, c'était un recours à Dieu contre le père et puis, sans aucun doute, la poésie de cette sensibilité tôt flétrie : harmonies, méditations, recueillements, élévations; Lamartine plut parce qu'il rendait compte des pensées en lambeaux mais si belles, qui traversaient les têtes pendant la messe. Par le fait, on y allait, on recevait les sacrements — ne fût-ce que pour l'honorable clientèle et par crainte de la Congrégation.

On peut être sûr que le docteur Flaubert ne fit aucun effort pour éclairer sa femme : elle eût abandonné ses opinions sur l'heure pour peu qu'il en eût témoigné le désir. Elle les garda par la tolérance maritale mais sans y toucher, tout resta poétique et flou; de fait, après la complète réussite du transfert, elle n'avait guère besoin de son super-Sur-moi. Et j'imagine assez mal qu'elle en eût appelé à son Dieu d'une sentence portée par Achille-Cléophas. N'importe : elle disposa ses enfants, en tout cas Gustave, à recevoir d'en haut des intuitions sans contenu, des appels. Le médecin-chef laissait faire : il faut de la religion à la nursery, il en faut au gynécée, c'est le meilleur moyen de conserver les femmes en enfance. Les fils, il les prenait en main vers cinq ou six ans et dispersait au vent, d'un souffle, les fines poussières maternelles qui encrassaient leurs lobes frontaux.

Or, après avoir vu mourir coup sur coup son mari et sa fille, Mᵐᵉ Flaubert, brusquement, perdit la foi — cette foi qui n'avait pas été troublée par la mort de trois enfants, donnés et repris absurdement. Sans doute, le choc fut terrible : il n'exigeait pas, cependant, qu'elle commît le péché de désespérance. C'est à l'occasion des deuils que l'incrédule se convertit le plus souvent : il lui faut des secours et que la vie ne soit pas un conte idiot; il a besoin, surtout, de croire que les trépassés font un voyage et qu'il les retrouvera. La première fois que son père l'abandonna, Caroline avait dix ans : elle fit comme tout le monde et consolida sa religion. La

seconde fois, elle en avait plus de cinquante : c'eût été le moment
de tomber entre les mains des prêtres ; il n'en fut rien ; la veuve
eut cette réaction peu commune : elle rompit avec Dieu. Dira-t-on
qu'elle y fut poussée surtout par la disparition de sa fille ? Sans
doute : les deux deuils sont inséparables. Mais c'est le premier qui
éclaire le second de sa lumière noire. Le chirurgien-chef, pourtant,
lorsqu'il mourut, avait atteint la soixantaine : de notre temps, ce
serait déjà bien ; à l'époque on tenait ces longues vies pour des
faveurs exceptionnelles de la Providence. À première vue Dieu semble irréprochable ; il a poussé la bonté jusqu'à ne pas liquider le
Père avant que le fils aîné fût en âge de le remplacer. N'importe :
cette femme vieillissante d'un vieux mari ne se résigna pas ; après
trente-cinq ans de vie commune, la disparition d'Achille-Cléophas
fut à ses yeux un scandale aussi peu tolérable que celle de sa jeune
épouse Cambremer de Croixmare dut l'être pour le jeune docteur
Fleuriot ; une injustice si révoltante met en cause l'Univers : le mal
y est tout-puissant, Dieu n'existe pas. Gustave a raison : elle aime
comme au premier jour ; pour cette créature relative, le chirurgien-
chef représentait, bien sûr, l'unique source de son bonheur ; mais
ce n'est pas assez dire : il la justifiait, l'innocentait, légitimait son
existence, il lui donnait sa raison d'être ; c'était le Bien. Si le Bien
meurt, il ne reste rien ni sur terre ni dans le ciel : elle retrouvait
les égarements de sa jeunesse mais sans espoir. Toute sa vie lui revint
en mémoire, avec tous ses deuils, elle biffa le Tout-Puissant rageu-
sement : ce fut un règlement de compte. Et puis surtout, elle se
convertit à l'athéisme comme d'autres le font à la religion révélée :
par fidélité au mort ; pour le reprendre en soi tout entier, pour *être*
lui. Elle acceptait de ne plus jamais le revoir à condition de le porter en son ventre comme un nouvel enfant en reprenant à son
compte les fières et dures doctrines qui avaient tant fait pour la
gloire de son mari. Vivant, l'athéisme du docteur Flaubert caution-
nait la religiosité de Caroline : celle-ci tenait obscurément cette foi
sans dogme pour un enchantement mineur, conforme à son sexe ;
son mâle était athée pour deux. Mort, elle représentait Achille-
Cléophas ; elle recracha les bonbons lamartiniens et prit sainement
le parti de désespérer. C'est ce qui me frappe : il fallait garder Dieu
ou renoncer pour toujours à retrouver l'âme du cher défunt. Elle
chassa le Tout-Puissant trompeur et, du même coup, sciemment,
tua son mari pour toujours : pas d'âme, il ne resterait que des os
blancs dans la terre corrosive. Cela veut dire qu'elle préféra la fidélité à l'espérance : le médecin-philosophe, au nom de ses propres

principes, devait tomber en poussière ; elle connaissait les conséquences de la doctrine et pourtant l'adopta : retrouver au ciel son
époux, c'était bien ; le représenter sur terre, dans son propre cœur
et pour elle seule — elle ne fréquentait plus personne —, c'était
mieux. Parlerons-nous d'identification, de réincarnation ? Non :
mais de constance ; elle glisserait vers la mort comme avait fait feu
Achille-Cléophas, sachant que l'ultime naufrage est total et souhaitant rejoindre son mari, à chaque battement de cœur et *dans
cette vie*, plutôt que le retrouver, *dans l'autre*, élu malgré lui au
Ciel qu'il avait nié. Cela se fit sans tant raisonner. Ou plutôt il n'y
eut pas d'argument du tout : elle fit ce qu'elle pouvait faire, elle
devint elle-même de plus en plus en ressemblant à son homme chaque jour davantage ; desséchée, vide, inquiète, avec un malheur
infini et débité jour par jour, retenue de se tuer par l'utilitarisme
Flaubert : il faut servir la famille ; tant qu'elle existe encore, on ne
se donne pas la mort.

Voilà ce que j'appelle de l'amour : il en est d'autre espèce ; aucun
qui soit plus fort. Tout est là : ce père la dominait, la guidait,
l'ancrage, la vertu et le sexe y trouvaient leur compte. Elle possédait tout : le Bien l'avait prise et mise dans son lit, elle avait porté
cet ange écrasant, elle s'était pâmée ; au grand jour, les sévérités
paternelles du docteur la troublaient : elle y trouvait la promesse
de nouvelles pâmoisons ; docile et maniable, son obéissance lui semblait le voluptueux prolongement de ses soumissions nocturnes.

J'ai dit que la branche rouennaise des Flaubert se constitua sous
l'aspect d'une famille semi-domestique : Achille-Cléophas construi-
sit lui-même la cellule familiale, il la fit — nous l'avons vu — *telle
qu'il était*, telle qu'on l'avait fait et qu'il projetait d'être. Mais il
ne fut pas le seul responsable : son épouse, choisie avec discerne-
ment, lui convenait à merveille ; elle fit tout le travail, à l'intérieur
de la maisonnée, sous sa haute direction. Non qu'elle tînt à telle
ou telle structure de la « cellule sociale » ou qu'elle repoussât telle
autre : elle s'en moquait. Ce qui comptait à ses yeux, c'était le couple. Et qu'il fût le plus incestueux. Elle confirma son mari dans
ses pouvoirs de *pater familias* pour sentir dans son cœur et dans
son corps qu'elle n'avait d'autre amant que son père. Toute son
existence, du mariage à la mort, fut marquée, orientée, pénétrée
— au cœur de ce patriarcat — par l'amour conjugal. Elle se fit la
complice du géniteur prépotent pour défendre envers et contre tout
l'unité de ce couple dont elle tirait ses voluptés, son bonheur, sa
place dans le monde et son être.

Les enfants, bien sûr, elle les aima : à travers eux, elle aima le père. Elle aima *en eux* la fécondité du géniteur. Autre chose aussi : nul doute que la petite orpheline, autrefois, n'ait souvent rêvé à la seule manière dont elle pût retrouver la famille perdue ; elle souhaitait le mariage, être mère à son tour et ressusciter sa mère par ses propres maternités. Il ne s'agissait, comme on voit, que d'un rapport à soi : les enfants, pourvu qu'ils fussent normaux, n'avaient d'autre rôle à ses yeux que de la mettre en possession de sa fonction maternelle. Même dans ses songes les plus précis, ils devaient rester indéterminés. Les images les plus brillantes de ses fantasmes, c'étaient celles qui la montraient dans son nouveau rôle : donnant le sein, soignant, élevant une ribambelle de marmots. Ou plutôt non : ce que je viens de dire, il ne faut l'appliquer qu'aux garçons. Elle en aurait autant que Dieu lui en donnerait ; pour les filles, c'est différent : elle en *voulait une*. Une enfance manquée — on le sait à présent grâce aux analystes — ça se recommence ; ça se recommence avec un autre enfant. Caroline, accouchant d'une fille, c'était sa propre mère l'enfantant. L'amour et les soins qu'elle comptait prodiguer à sa fille, c'étaient ceux-là mêmes dont Mme Fleuriot, par une mort précipitée, l'avait frustrée. Bref, une autre Caroline était attendue : si l'ancienne orpheline, qui s'était retrouvé un père incestueux, parvenait à réaliser avec une enfant de son sexe une version améliorée de sa propre enfance, si, prévenant tous les désirs de la chair de sa chair, elle parvenait rétrospectivement à combler de bonheur ce premier âge frustré, à limer les griffes de souvenirs encore déchirants, Mme Flaubert aurait bouclé la boucle : jouissant d'une éternelle enfance sous l'autorité paternelle de son mari, elle déracinerait la sienne, la vraie, l'arracherait à sa mémoire et la réussirait chez une autre. La preuve de ce profond désir, c'est qu'elle nomma de son propre nom la fille que le médecin-chef vint à bout de lui faire après treize ans. Et ce n'est pas non plus un hasard si la fille de cette fille reçut à son tour ce prénom : en vérité il fallait avant tout conserver le souvenir de la jeune mère qui mourut en lui donnant le jour comme fit Mme Fleuriot à la fin du siècle précédent. N'importe : quelle étrange dynastie de Caroline dont la première et la dernière assassinent leur mère. Le géniteur, au premier-né, avait fait l'acte royal : « *C'est moi*, la preuve en est que je l'appelle Achille. » Les intentions de sa femme, treize ans plus tard, ne sont guère différentes et sans doute s'inspirait-elle de son Maître : « C'est moi, moi réparant ma propre enfance, pourvue d'une mère qui vit pour m'aimer. » Par cette raison, la sœur de Gustave fut sûrement la préférée : d'une certaine manière, elle représentait la seule relation personnelle que l'épouse du médecin-chef entretenait avec soi, la seule intimité subjective où le père incestueux n'avait pas accès ; dans l'action même d'allaiter, pourtant réglée par des considérations objectives, elle mettait, sans le savoir, un monde qu'il ne pouvait pas même deviner ; *elle se faisait sein*, pour effacer au présent les frustrations indestructibles du passé, elle se faisait amour pour pouvoir *donner* au moins la tendresse qu'elle n'avait pas *reçue*.

Elle attendit treize ans cette chance qui vint trop tard. Treize ans pendant lesquels Achille-Cléophas lui fit cinq garçons. Le premier, elle l'accueillit avec plaisir : il fallait d'abord assurer la descendance et que le nom fût perpétué ; d'ailleurs les désirs de l'épouse passent après ceux du Maître et puis il n'est pas bon que l'aîné soit du sexe faible. Mais, dès la seconde grossesse, elle commença d'attendre. Il y eut quatre déceptions : Gustave fut la troisième. C'est par là qu'il faut expliquer, à mon avis, son étrange indifférence aux deux premiers décès. Ces fils, Dieu les lui donnait, elle les acceptait pour l'amour de son mari, par devoir : la famille devait croître et se multiplier. Mais, quand Dieu les lui ôtait, les yeux de la mère restaient secs : s'Il les reprenait, c'est qu'on les avait livrés par erreur aux Flaubert : on recommencerait, voilà tout ; on tâcherait de faire mieux ; il n'était pas interdit d'espérer que le prochain rejeton serait une fille. Tout de même, je suppose qu'elle restait frappée : les nourrissons mouraient entre ses mains, en dépit des soins habiles et vigilants qu'elle leur donnait ; elle avait mission de les faire vivre, de les protéger, elle remplissait ses devoirs à merveille, alerte et consciencieuse, sans jamais s'épargner : tout innocente qu'elle fût, les décès devenaient ses échecs personnels : meurtrière de sa mère, le rapport à la mort semble avoir été son lien fondamental au Monde et à l'Autre, la source première de sa culpabilité ; il y a gros à parier qu'elle tenait chacune de ces disparitions précipitées pour un recommencement de sa faute originelle et, tout à la fois, pour l'effet d'une obscure malédiction maternelle.

Le docteur Flaubert, heureusement pour elle, n'avait pas de ces raffinements : bien sûr, il préférait les mâles et surtout, quel que fût le sexe, il voulait une progéniture viable. Mais ses inquiétudes restèrent longtemps bénignes : l'aîné se portait bien, c'était le principal. Quant aux autres enfants, ils s'équivalaient : chacun représentait la famille, aucun ne pouvait être l'incarnation privilégiée. Bref, il ne s'attachait guère aux nouveau-nés. Du reste, au début du siècle dernier, il était recommandé de ne pas trop aimer les nourrissons vu qu'ils crevaient comme des mouches. Les deux premières morts parurent certainement regrettables mais non pas exceptionnelles : c'était dans l'ordre. Achille-Cléophas, à peine l'enfant mis au monde, n'y voyait qu'une probabilité calculée de survie. Des aventures incomparables et malchanceuses prenaient un mauvais départ sous ses yeux et lui pétaient au nez sans qu'il s'avisât d'y découvrir rien d'autre que des accidents physiologiques. Il faut beaucoup d'enfants pour perpétuer une famille, pensait-il, et beaucoup de morts pour faire un vivant ; la conclusion s'impose : un médecin, s'il est par-dessus le marché philosophe, doit prévoir la mortalité infantile et la supporter d'une âme égale quand elle ravage sa propre famille. Ce qui revient à dire, comme nous savons : l'individu est le mode inessentiel et passager, la communauté familiale est la substance qui produit et résorbe en elle les modes. Nul doute que cette sagesse un peu courte n'eût le meilleur effet sur Caroline : il lui expliqua sans doute qu'elle mettait au monde ce que j'appellerai, faute de connaître un mot français qui ait le même sens, des « *morituri* » [1]. Elle les sentit tels jusque dans ses flancs quand elle les portait.

Chagrine indifférence : deux enterrements puis, après, Gustave, le troisième fils. La mère ne quittait pas le deuil ou pas longtemps. Mais nous savons qu'elle avait l'humeur sombre et par quelles raisons : elle ne pouvait accepter qu'un bonheur endeuillé. Le noir justifia tout pour elle, même la volupté : orpheline, mère d'enfants mort-nés, puis veuve, elle le porta sa vie durant ou presque. Ces remarques nous expliquent qu'elle parlât des premiers sept ans « avec une voix grave, presque religieuse ». Soumission, respect, austérité, dévouement au chef de famille et, par lui, à la famille future, voluptés nocturnes, jeux de l'amour et de la mort ; il lui fallait cela, rien d'autre ; une vie brillante et généreuse, épanouie lui eût rappelé le salon des Laumonier, elle l'eût refusée dans l'angoisse et la frigidité. Ses fils, qu'ils fussent sur terre ou dessous, lui demeuraient toujours étrangers : l'autorité paternelle se glissait entre l'épouse et ses enfants, les garçons appartiennent au père, c'est la règle, dès qu'ils sont en état de quitter le gynécée. Achille, tant qu'il fut son propre père dans les langes, la charma. Le père le reprit au bout de quelque temps : elle continua de le soi-

---

1. Ainsi fit Goethe qui, comme on lui annonçait la mort de son fils, déclara paisiblement : « Je savais que j'avais engendré un mortel. »

gner, ce fut elle qui lui apprit ses lettres mais le petit prodige, l'élu du médecin-chef, lui échappait : il se réduisait pour elle au destin viril, étranger, que son père lui ménageait. C'est ce qui explique la quasi-rupture de la mère et du fils après la mort du géniteur : elle en voulait à sa bru, d'accord, et puis Achille n'était guère aimable ; mais ces raisons ne vaudraient rien si elle eût éprouvé pour son aîné l'amour violent et partagé que, dans le même temps, Mme Le Poittevin ressentait pour Alfred. Vingt ans plus tard, les malentendus, les mauvais procédés peuvent bien pourrir un sentiment si profond, l'infecter de rancune et, parfois, le changer en détestation, ils ne feront jamais qu'il n'ait pas marqué les cœurs, qu'un souvenir parfois ne le ressuscite dans sa naïveté, dans sa force antique ; Mme Flaubert n'aimait pas le chirurgien-chef Achille — c'est un fait que Gustave laisse volontiers entendre dans sa Correspondance. Mais cette indifférence nuancée de blâme et sans animosité ne serait pas même concevable si d'abord elle l'avait aimé. Tout petit elle aimait en lui son père ; quand il devint Achille, il ne l'intéressa plus. Ni pour l'un ni pour l'autre de ses garçons, elle n'éprouva d'affection possessive ni jalouse. Les droits qu'elle se reconnaissait sur eux, il fallait d'abord qu'ils lui fussent octroyés par le père. Jamais elle ne prit l'initiative ni ne leur donna d'ordre en son nom : la volonté souveraine de l'époux la faisait dépositaire de la *patria potestas*, elle recevait le pouvoir, son autorité n'était qu'empruntée. C'est ce que le médecin-chef exigeait de son épouse. Mais elle, loin de lui obéir par coutume, par éducation ou pour suivre les mœurs, se complaisait à la soumission, d'autant plus autoritaire avec ses enfants qu'elle était plus soumise au maître. Elle ne lui rapportait pas leurs plaintes ; la contestation d'un ordre, les objections soulevées par ses fils fussent devenues, dans sa bouche, *sa propre irrévérence*. Le *non*, quelle qu'en fût l'origine, ne devait pas être prononcé devant le maître : c'était *en tout cas* un blasphème. Le reste va de soi : à la différence de tant d'autres mères, elle ne prit jamais le parti de ses enfants contre son mari ; elle ne fut jamais tentée de les défendre tant elle était assurée que les décisions d'Achille-Cléophas étaient les meilleures du monde. Elle l'aimait trop et trop loyalement pour essayer de le manœuvrer ; et je tiens que son plus grand mérite fut, au contraire de tant d'épouses, de n'avoir pas « su prendre » son mari. Mais c'est un mérite *domestique* : pour l'acquérir et le conserver elle a refusé toutes les connivences — plus ou moins louches, plus ou moins heureuses — qui unissent le fils et la mère dans les familles conjugales. Poussant la vertu à l'extrême c'est-à-dire juqu'au vice, elle n'a jamais *intercédé* pour ses enfants : jusqu'à la mort d'Achille-Cléophas, plus redoutable mais plus souple, plus capricieuse mais plus adaptée quand celui-ci l'exerçait lui-même, plus rigide et plus bureaucratique quand sa femme servait d'intermédiaire, l'autorité du *pater familias* s'exerça souverainement sur les deux garçons sans que la mère l'ait jamais tempérée par sa tendresse. Comment l'eût-elle fait d'ailleurs ? Elle les aimait sans aucun doute mais non pas tendrement, réservant son cœur pour la nouvelle Caroline, qui devait n'être que son recommencement. Et si l'on demande ce qu'est l'amour sans la tendresse, je dirai qu'il est absolu dévouement et valorisation collective : pour sauver ses fils malades, je ne doute pas qu'elle se fût ruiné la santé ni qu'elle eût donné sa vie contre celle de l'un ou de l'autre : c'est, en tout cas, ce qu'elle croyait fermement. Elle a déclaré, cependant, qu'elle ne savait point ce qu'était le sacrifice ; le devoir, pas davantage. Il faut l'en croire à condition de la bien comprendre. Ce qu'elle veut : d'abord condamner certaines amies, dont l'aigre générosité maternelle, toujours essoufflée, toujours pleurarde, soutenue par le « sens du devoir », n'a d'autre fin que de leur acquérir des droits, et, quand ils ne sont pas reconnus, s'achève dans le ressentiment. Caroline, elle, n'a jamais *pris sur elle* ; elle agit par plaisir ou pour défendre les intérêts de la famille. Les seules actions *valables* prennent source dans la spontanéité. C'est une bonne chose pour un enfant que sa mère ne prétende pas se sacrifier à lui quand elle le torche : le *positif*, ici, c'est cet intérêt que Mme Flaubert apportait aux besognes routinières et précises de la maternité. Du moins épargna-t-elle aux deux garçons le sentiment pénible qu'elle ne les approchait pas sans surmonter un dégoût. Mais nous ne la suivrons pas plus loin ; il est vrai, en cette époque utilitariste, la théorie de la vertu lui faisait défaut ; mais si, malgré cette carence, elle fut comme son mari vertueuse, ce n'est pas, contrairement à ce qu'en dit Gustave, par complexion mais par *besoin*. C'était dans l'accomplissement de besognes prescrites qu'elle trouvait son équilibre et sa pesanteur terrestre ; allaitant, soignant, passant les nuits à veiller un nourrisson, elle *faisait le point* : dérive nulle, position fixe à deux cents brasses de la terre. Seulement il faut bien voir qu'elle aimait ces tâches familières pour elles-mêmes et les ustensiles — les couches, les langes, le berceau — plutôt que l'enfant. Il s'était fait chez cette fillette anxieuse, dès ses premières couches, un renversement complet des moyens et des fins : le nouveau-né n'était plus que l'*objet* de ses soins, le moyen indispensable de devenir la meilleure des mères ; soigné *généralement*, sa singularité passait inaperçue, on ne lui demandait que de vivre ; les ustensiles absorbaient l'amour et ne le rendaient pas.

Cette généralité se retrouvait dans l'acte valorisant : quand elle tenait un poupon dans ses bras, elle admirait en lui cette source de vie qui l'avait fécondée : le sperme du géniteur devenu chair. Mais quel que fût l'enfant, la semence restait la même : ils lui apparaissaient, dans les premiers mois, interchangeables. En chacun — ce qui, somme toute, n'était qu'une socialisation de son trouble — elle respectait aussi les familles Flaubert et Cambremer de Croixmare étroitement mélangées. Mais, durant le premier âge, aucun ne pouvait en être une incarnation privilégiée. Il faut en revenir là : elle aimait en ses fils l'éternel retour — c'est-à-dire le temps cyclique de la vertu —, la puissance paternelle et la Maison Flaubert. Pas un trait singulier ; dans les familles bourgeoises d'aujourd'hui, la mère la plus amoureuse aime son fils, en partie, contre son mari : ce sera sa revanche ; à peine né, elle s'empresse d'adorer les traits individuels de ce géniteur futur ; une aventure commence pour l'un et pour l'autre, unique, imprévisible, et par cela même aimable. Caroline, en 1830, ne pouvait rien reprocher au médecin-philosophe : non que celui-ci fût irréprochable mais pour avoir décidé, avant même le mariage, de trouver bon tout ce qu'il ferait ; il manquait à cette épouse l'ombre de révolte qui en eût fait une mère.

Plus épouse que mère : phrase connue ; faut-il l'appliquer à Mme Flaubert ? Pas sans restrictions. Si l'on veut dire, en effet, qu'elle faisait l'amour plus volontiers que des enfants, on se trompe : pour qu'elle prît plaisir à celui-là il fallait évidemment qu'il lui apparût comme l'unique moyen de produire ceux-ci. Elle jouissait par vertu maternelle. On écrirait plus justement qu'elle était, plus que mère, fille incestueuse. Entre elle et ses fils, il n'y a rien : les liens qui paraissent les unir, nous savons qu'ils sont empruntés, qu'ils unissent les petits Flaubert à leur père. Avec la mère, les communications sont coupées. En vérité, c'est la sœur cachée de ses fils : une sœur aînée ; on les confie à sa garde, elle est responsable d'eux devant le *pater familias*, elle les aime en lui comme les chrétiens s'aiment en Dieu, mais la seule relation directe de ses enfants avec Caroline c'est la *cohabitation* ; par quoi il faut entendre non seulement la coexistence en un même lieu mais l'appartenance à la même Maison.

Voilà pourquoi le bonheur conjugal de Mme Flaubert n'a pas vraiment souffert des premiers deuils. Or nous savons qu'il diminua sensiblement quand elle déménagea. Qu'est-il arrivé ? Nous ignorons le détail mais les conditions générales nous sont connues. Celle-ci d'abord, la première et l'origine de toutes les autres : Caroline était ainsi faite que ni les joies ni les peines ne pouvaient la toucher qu'elles ne vinssent directement d'Achille-Cléophas. En d'autres mots, c'est dans son cœur incestueux qu'elle fut frappée. Sept ans, c'est une paye : les serpents changent de peau, beaucoup d'hommes changent de femme tous les sept ans. Je ne dis pas qu'Achille-Cléophas changea de femme ni même qu'il trompa la sienne mais simplement que l'amour, en la vie rigoureuse du médecin-chef, n'avait qu'une place secondaire. Au contraire, Caroline *vivait dans* l'amour ; c'était une force immuable, son axe et sa nourriture ; plus encore, c'était le milieu sacré de la répétition : par lui, il devenait poétique et religieux de recommencer obstinément, avec le succès médiocre qu'on sait, le travail de la ponte et du pouponnage. Elle ne souhaitait rien : pas même une intensification du sentiment — qu'elle n'eût pas jugée possible ou qui l'eût effrayée. Ceci simplement : la continuité ; tout revient, chaque année rappelle toutes les autres, répète les mêmes serments, garantit que l'avenir n'est qu'un futur souvenir, rien ne change. Pour tout dire, c'est cela, le bonheur : d'abord, il faut être vassal ; ensuite l'ordre des soumissions et des générosités seigneuriales doit être une fois pour toutes fixé ; on reçoit sa place, on s'y tient. Avec la réciprocité, le bonheur disparaît : bon débarras. La moindre altération des humeurs ou des sentiments, chez le Maître, je ne prétends pas que Caroline y fût immédiatement sensible. Mais, à coup sûr, quand la jeune épouse s'en apercevait, elle en souffrait ou tout au moins s'inquiétait ; si peu qu'Achille-Cléophas eût changé, elle découvrait obscurément que la loi particulière de son homme était d'aller toujours et de ne jamais revenir : bref, que son bonheur conjugal était en danger fondamentalement dans celui-là même qui le lui procurait. Pendant les sept ans, les prémonitions de cette espèce ne durent pas manquer mais elles traversaient la vie, la conscience de l'épouse, en étoiles filantes vite oubliées. Pourtant le médecin-philosophe ne ressemblait en rien à ces bourreaux de travail un peu frustes qui, jusqu'à la mort, sautent leurs femmes parce qu'elles sont *leur* propriété et qu'ils veulent en avoir la jouissance, gens décevants et rassurants, tout à la fois, qui ne changent guère mais ne donnent rien. Une anecdote rapportée par Gustave éclaire son père d'un jour singulier : il devait adorer les femmes, les charmer, courtois comme un prince, mufle comme un manant, et ne jamais rien faire qui pût épargner à son épouse les affres de la jalousie : « Je me souviens qu'il y a dix ans nous étions tous au Havre. Mon père y apprit qu'une femme qu'il avait connue dans sa jeunesse, à dix-sept ans, y demeurait avec son fils. Il eut l'idée de l'aller revoir. Cette femme, d'une beauté célèbre dans son pays, avait été autrefois sa maîtresse. Il ne fit pas comme beaucoup de bourgeois auraient fait : il ne s'en cacha pas, il était trop supérieur pour cela. Il alla donc lui faire visite. Ma mère et nous trois nous restâmes à pied dans la rue, à l'attendre... Crois-tu que ma mère en fût jalouse et qu'elle en éprouvât le moindre dépit ? Non. »

Ce récit appelle quelques observations. D'abord celle-ci : il se peut que Mme Flaubert n'ait ressenti ni jalousie ni dépit mais, quand elle eût souffert mille morts, ses deux fils et sa fille ne l'eussent pas deviné. Ce dont Flaubert peut témoigner c'est qu'il n'y eut pas de scène dans la rue, que sa mère ne marqua devant les enfants, ni ce jour-là ni les suivants, de mécontentement visible, voilà tout. Cela n'étonnera pas : Mme Flaubert n'était pas fort expansive et, l'eût-elle été, se fût catégoriquement refusée à mettre ses deux fils au courant de l'indignité de leur père. Du reste, cette fille obéissante, en cette circonstance comme en toute autre, dut mettre son application à encaisser.

Mais, en cette occasion, c'est le père qui m'intéresse : il y a beaucoup de constance et je ne sais quelle politesse du cœur chez un homme qui tient à revoir, après trente ans, une femme qu'il a aimée ; c'est un hommage qu'il rend à sa maîtresse, il vient lui dire : je ne vous ai jamais oubliée. Le même, avec sa femme, se conduit malheureusement comme un goujat : qu'il ne lui ait pas caché son intention, j'y consens. Encore faudrait-il connaître le sens de cette franchise : qu'un égal refuse de mentir à son égale, par cette double raison que cette égalité se fonde sur la vérité et que le mensonge procure au menteur une abjecte supériorité passagère couvrant une infériorité durable, rien de mieux. Mais « trop supérieur » pour mentir, qui sait s'il ne disait le vrai *pour conserver* cette supériorité ? Le *pater familias* considérait ses désirs comme des ordres, la famille avait le devoir de s'y soumettre sans discrimination ; il avait envie de revoir une ancienne maîtresse : caprice de roi donc légitime ; il en faisait part à ses sujets pour qu'ils pussent servir ses desseins ; quant à son grand vassal, à sa femme, elle n'avait qu'à s'en arranger. Après quoi, il la planta sur un trottoir, avec les enfants, et l'obligea à faire le pied de grue pendant qu'il comblait l'autre femme de ses gracieusetés. Cette muflerie frappe : pour qu'elle paraisse si spontanée, pour que le fils cadet la trouve si naturelle, il faut qu'elle ait été coutumière ; pour que Mme Flaubert n'en soit pas même dépitée, il faut que cette femme-enfant y ait été rompue de bonne heure en se brisant les os par l'exercice constant de la docilité.

Caroline Flaubert née Fleuriot méritait le bonheur dont elle a joui sept ans : elle savait encaisser. Or cet art difficile ne s'apprend pas d'un seul coup. Orpheline et respectueuse, je reconnais qu'elle en avait la vocation ; cela ne suffit pas : elle dut s'exercer, du premier jour, à essuyer des dégoûts, à ravaler des sanglots, à désarmer des rancunes. Surtout il lui fut demandé de tout approuver, d'avance et par principe : elle y parvint, semblable à cette paysanne d'un conte populaire qui répète en toute occasion : « Ce que le vieux fait est bien fait. » La femme du médecin-philosophe finit par incarner l'acquiescement inconditionné. Cela n'a jamais lieu sans un travail impitoyable, harassant : dans l'âme éreintée, des facultés s'hypertrophient, d'autres vont en s'atrophiant. La femme d'Achille-Cléophas, par son empressement à *ratifier*, par les callosités de son cœur et son insensibilité voulue en certains domaines devait la confiance du Maître au nombre des virages qu'elle avait pris. Mais qu'on vire tant qu'on veut ; on ne le fait pas impunément. La déstalinisation a multiplié les névroses en Europe : il en faut bien conclure que les griefs tus, les raisonnements tronqués, les sentiments bâillonnés, les faits passés sous silence ont été refoulés, enterrés, sous le plancher des âmes mais non pas supprimés. Les uns sont morts et puent, les autres, ensevelis vivants, rentrés en scène après la fin du stalinisme se sont aigris jusqu'à la folie : ouvrant les yeux, le « déstalinisé » se découvre sans racines dans un monde sans repères, atroce et nu. Plus de mythes, des vérités mortelles et passagères : il en a bavé comme un Russe et pour rien.

Après sept ans de stalinisme privé, il ne se passa rien d'aussi grave chez les Flaubert. L'époux n'était pas mort ; il régnait. Mais l'histoire ci-dessus rapportée prouve qu'il était capable d'entraînements passionnels : pour un rien on dirait qu'il savait aimer ; en tout cas il gardait en son cœur de vieux souvenirs romanesques et vivaces, d'inquiétantes fidélités : quand il faisait un fils à Mme Flaubert, *à quoi* pensait-il ? *À qui* ? Elle dut s'apercevoir très vite qu'il avait « vécu », qu'il tenait à sa vie passée : le médecin-chef était « trop supérieur » pour ne pas lui infliger le récit de ses amours : elle acceptait tout, elle se disait fière d'avoir un droit d'accès à cette abondante mémoire. Mais l'époux, à se raconter ainsi, sans cesser d'être père devenait un inconnu : chaque épisode de sa vie, chaque inclination, chaque goût, c'étaient des fuites. Elle le sentait insaisissable jusque dans sa présence charnelle : il lui échappait en se déterminant ; un autre Achille-Cléophas tournait un visage obscur vers un passé qu'il avait vécu seul et qui se dérobait à elle. Cela n'eût rien été : si loin qu'une femme puisse pousser l'identification ou l'aliénation à l'homme, quelque emportement qu'elle ait mis à s'amputer d'elle-même, à se cantonner dans l'être absolu du mari, celui-ci trahit toujours, fût-ce par le simple usage de la souveraineté qu'on lui reconnaît : il est variable indépendante, ainsi que l'a voulu l'épouse pour pousser à l'extrême l'intégration du couple ; pourtant cette indépendance, quand il ne ferait toute sa vie que l'affirmer, devient en lui et par lui la faute originelle, l'option qui favorise un sexe aux dépens de l'autre, la source de toutes les infidélités. Cela revient à dire : pour ne faire qu'un, il faut être et rester deux. Médecin rongé d'ambition, sage administrateur de sa petite fortune, père et mari impérieux, Achille-Cléophas appartenait à sa femme. Par de vieux éblouissements logés au profond de sa mémoire, par ce qu'on peut deviner d'une sensibilité âcre, sombre, nerveuse et parfois tendre, par les larmes qu'il versait sur lui-même, par un rapport à soi très singulier et rarement conscient, il lui échappait d'autant plus sûrement qu'elle ne songeait pas à le retenir : qu'avait-elle besoin, faible et coupable, de cette solitude et de cette faiblesse désarmée ? Les filles désirent, pour la plupart, *faire l'objet* de l'amour paternel. Laquelle veut pour de bon que le père, ce sujet absolu, devienne l'objet de son savoir ou de sa charité ?

Rien, donc, si ce n'est que les sentiments changent, en sept ans. Sans cette curieuse échappée sur Achille-Cléophas, nous eussions pu croire qu'il était resté le même jusqu'à la mort, faute d'avoir pris le temps de devenir un autre : médecin surmené, professeur, chercheur acharné, quand se fût-il mis en question ? En fait, il se transformait sans cesse : cet homme instable a eu ses rêves et la fidélité lui a coûté. L'hommage rendu à ses anciennes amours nous fait entrevoir ce qu'il fut pendant ses fiançailles et les premiers temps de son mariage : il combla Caroline par sa galanterie sévère, par un respect impérieux que déchirait parfois un éclair de passion. Et la même anecdote nous renseigne sur l'évolution de sa conduite conjugale ; à la fin, il respecte encore sa femme : assez pour lui dire en tout cas la vérité, pas assez pour lui éviter une longue attente au beau milieu de la rue pendant qu'il va rejoindre sa jeunesse et verser des larmes sur soi. Nous avons les deux bouts de la chaîne : la dégradation des rapports est manifeste. Peut-être sept ans suffisent-ils pour mener les choses jusque-là. Le plus probable pourtant c'est que la mort de Laumonier surprit le jeune ménage à quelque étape intermédiaire de cette évolution. Achille-Cléophas travaillait chaque jour davantage, par goût plus encore que par nécessité et puis, il se reposait le soir en rentrant en lui-même, de plus en plus souvent. L'épouse acquiesçait ou se taisait, elle affirmait en pensée que rien n'était changé. L'immuabilité du décor, la répétition de ses tâches — elle était mère et femme d'intérieur — masquaient cette imperceptible distance qui n'exprime rien d'autre en somme que la mort de l'amour dans un cœur. Caroline aimait toujours, Achille-Cléophas n'aimait plus ou, si l'on préfère, il aimait autrement. Les preuves de ce changement pullulaient, infimes, sautaient aux yeux de la jeune femme qui les voyait sans les percevoir ; entrées sans visa puis ensevelies, elles la rongeaient en douce sans qu'elle daignât sentir leurs morsures.

Le déménagement, attendu, redouté, fut une catastrophe : il éclaira tout d'une autre lumière. Le nouveau logis, d'abord, était sinistre. On l'a souvent décrit, on a montré l'étrange familiarité de Gustave, dès quatre ans, avec les cadavres. Mais on ne s'est pas demandé, à ma connaissance, comment sa jeune mère en supportait la compagnie. Marquée quatre fois par la mort, elle la retrouvait nue, familière, sa voisine. Au sous-sol des charognes, dans l'amphithéâtre des membres tronçonnés, dans les salles de l'hôpital des agonies. Elle était fille et femme de médecin, c'est vrai : elle pouvait se dire avec orgueil, si ça lui chantait, que son mari luttait pied à pied pour sauver des vies humaines. Ça ne lui chantait pas : cette imagination un peu pauvre n'avait pas assez de ressources pour transformer le Père introuvable en Paladin. Et puis ce lutteur menait le combat loin d'elle, il la laissait seule dans une vieille bâtisse que tous ceux qui l'ont vue s'accordent à trouver hideuse. Ces appartements dans les hôpitaux, on les connaît : fussent-ils coquettement aménagés, ce qui n'était pas le cas, on y entre la narine inquiète, guettant l'odeur du phénol et de la décomposition. Par toutes les fenêtres, on voit, le matin, de bonne heure le corbillard des pauvres filer en douce — et pas vide —, on voit des prisonniers en livrée traverser la cour ou se masser dans l'embrasure des portes, malades blêmes et convalescents, qui rendent de menus services et, parfois, servent à table le directeur ; la maladie produit ses techniques et les techniques produisent leurs hommes; l'intérieur du médecin, entre les murs hospitaliers, est traversé par l'extérieur; la souffrance publique écrase la vie privée. Pendant quelques années, entourée de décès qui lui reflétaient ses deuils comme des cas particuliers de la mortalité française, Caroline dut se sentir hantée, solitaire et anonyme. Son mari la quittait au point du jour; s'il prenait chez lui son déjeuner, il ne s'y attardait guère, repartait pour rentrer tard et se coucher tôt : ses nouvelles attributions n'allaient pas sans augmenter considérablement ses charges et son travail. Les soirées devenaient plus courtes au moment qu'il eût fallu plus d'efforts et de persévérance pour recomposer l'intimité conjugale. Que devient une femme d'intérieur quand son intérieur se transforme en carrefour? Mme Flaubert, depuis longtemps secrète, se ferma tout à fait. Toujours soumise, toujours aimante et loyale, elle ne cessa point de révérer son mari ni de pratiquer la vertu mais la résignation — sans oser dire son nom — lui donna du recul, je ne sais quelle profondeur glacée. C'est à la faveur de cette distance infime que la vie lui apparut et se fit reconsidérer : de nouvelles habitudes ou tout simplement les anciennes, recommencées dans un décor étranger, lui montrèrent sa propre personne *du dehors*. Donner la vie, allaiter dans le royaume de la mort, était-ce persévérance ou incongruité? Elle finissait par conclure à la persévérance mais sans pouvoir effacer l'absurdité de ses entreprises. Quant au mari, figure familière qui se détachait à heure fixe sur un fond inconnu, presque hostile, il participait en dépit d'elle-même à cet « estrangement » qui l'environnait. Cela signifie, somme toute, qu'elle avait perdu l'immédiat : rien n'allait plus de soi, même l'amour. On peut imaginer qu'elle découvrit au cours de cette contestation silencieuse le sens véritable de ses dernières années heureuses et que les vers s'y étaient déjà mis, que le docteur Flaubert s'était éloigné d'elle bien avant la mort de Laumonier, que l'amour dont rêvent les femmes est immuable et que celui des hommes ne l'est point. Mais je craindrais, pour ma part, de lui donner une conscience trop lucide. En l'absence de preuves, une autre conjecture est plus vraisemblable : elle n'a pas voulu comprendre que son malaise avait commencé rue du Petit-Salut ni surtout qu'elle l'y avait ressenti sans se l'avouer; l'éloignement de son mari, ses inquiétudes, sa dépersonnalisation légère, elle en attribua toute la responsabilité à son nouveau logis : tout datait de leur déménagement; en même temps elle n'hésitait pas, pour enrichir ses ruminations, à recourir aux années antérieures : il y avait eu des gênes, des silences, des interludes,

quand Laumonier vivait encore, qu'elle avait enfouis et qui repa-
raissaient, mais bien qu'elle les ressentît amèrement, comme des
prophéties aujourd'hui réalisées, elle s'abstenait de les dater et de
les localiser ; plutôt que d'y voir les repères d'une évolution inflexible, elle en nourrissait son réquisitoire contre l'Hôtel-Dieu, cimetière des vivants, qui lui prenait son mari. Achille-Cléophas sortait
de ces débats intérieurs comme il y était entré : la tête haute, innocent, son cœur n'avait pas changé ; c'était la mort universelle et
la souffrance des hommes, vitreuses transparences glissées entre les
deux époux, qui les séparaient. Ce truquage sauvait les années de
bonheur mais aux dépens du présent : Caroline avait tout projeté
— déception, angoisse, ressentiment, embarras de soi-même — sur
les murs sombres qui l'emprisonnaient ; les murs lui reflétaient ses
malheurs comme un tout.

J'ai préféré la seconde hypothèse ; on préférera peut-être la première, peu importe : à ne considérer que nos objectifs, elles s'équivalent. Plus ou moins lucidement, avec plus de vrai malheur ou
plus d'égarement cette jeune femme découvre que le froid l'a transie : c'est la mort qui s'approche de son mari qui fait un pas en
arrière. Il est à peu près sûr qu'elle fit part de ses inquiétudes au
chirurgien-chef : à peine installé, celui-ci acheta une maison de campagne à Butot pour y passer les vacances ; de 1820 à 1844, il habita
durant l'été à Yonville ; en 44, il acquit la propriété de Croisset où
il comptait séjourner. Bref, dès la première année, les inconvénients
de sa résidence d'hiver furent compensés par ses résidences d'été.
On conçoit mal que ce chercheur fanatique se soit, de son propre
mouvement, écarté du lieu de ses recherches : il faut que l'humeur
et la santé peut-être de sa femme se soient altérées, qu'il y ait pris
garde et l'ait interrogée. Ce préromantique, nerveux, passionné,
utilitaire et raisonnable, a dû voir l'Hôtel-Dieu par les yeux de Caroline. Pas plus d'un instant ; mais ce fut assez pour qu'il juge sa
requête valable. Elle l'était à ce point que leur sombre logis est,
depuis un demi-siècle, désaffecté : personne ne l'habite plus, nous
avons acquis, nous, les hommes, la sensibilité de nos arrière-
grand-mères.

IV

Le frère aîné

Né en 1812, Achille a neuf ans de plus que son frère. L'ironie voltairienne, l'intellectualisme empiriste, le mécanisme et l'analyse, la dissection des âmes et les puanteurs de l'amphithéâtre, l'étouffante austérité du groupe familial et les rigueurs d'une discipline parfois capricieuse, il a tout connu. Pour lui, neuf ans plus tôt que pour Gustave, Achille-Cléophas a représenté l'Absolu. À cela s'ajoutèrent ses difficultés propres : il eut des frères, des sœurs, aussitôt nés, presque aussitôt disparus. Ces naissances ont dû l'inquiéter, susciter sa jalousie; ces morts, s'il eût jamais le temps de les souhaiter, lui donnèrent peut-être des remords secrets, plongèrent en tout cas la famille dans le deuil : les premières années d'Achille furent certainement grises ou — qui sait ? — noires. En dépit de cela, il a brisé tout de suite le cercle que Gustave ne rompra jamais : collégien studieux et brillant, étudiant distingué, il passera sa thèse à vingt-huit ans au moment où le cadet, qui en a dix-neuf, interroge avec angoisse l'avenir incertain; quatre ans plus tard, pendant que celui-ci se remet lentement de sa « crise nerveuse », Achille commence d'exercer « la plus belle fonction médicale de toute la Normandie ». S'il ne remplit pas encore toutes les charges de son père, on les lui a promises, c'est l'affaire de quelques années. Plus tard, vers le temps où Gustave craint d'avoir enceinté sa maîtresse et se jette dans un panégyrique rageur de la stérilité, Achille, en bon Flaubert, assure la perpétuation du groupe familial par un mariage étudié. La suite est prévisible : le docteur Achille Flaubert est un médecin fort apprécié, ses coupons de rente inspirent confiance à la clientèle, cet aimable causeur reçoit la « société » — celle-là même que son père soignait déjà mais ne hantait pas encore. Bref, ce n'est pas tout à fait un nanti mais c'est un notable. Et qui a le bras long : il exerce une influence certaine sur les préfets, il agit sur le personnel des ministères par le canal de l'administration locale. Les ministres changent, les régimes aussi : le bras d'Achille reste aussi long, ce qui suffit à prouver son opportunisme [1]. Le père Flaubert, certes, passait pour un *sage* : cela veut dire qu'il ne se mouillait pas. Du moins cet homme opiniâtre était-il contraint de freiner son libéralisme par prudence paysanne et par un sens aigu de ses intérêts ; refoulée, contenue, plus philosophique encore que politique, il avait, bourgeois de fraîche date, une passion bourgeoise pour la liberté : libre pensée, libres enquêtes, libres suffrages, libre concurrence, libre jouissance de biens acquis. Mais le fils aîné se moque de la chose publique. Un grain de libéralisme, par fidélité au géniteur ; et puis, naturellement, il faut que l'ordre règne. À part cela, sa souplesse est l'effet de son indifférence. Bien sûr, l'indifférence politique est toujours contre-révolutionnaire ; elle est contre-révolutionnaire, cette dépolitisation massive des intellectuels qui caractérise la seconde moitié du XIXe siècle, mais pour la droite elle-même, Achille n'éprouvait guère d'attirance ; c'est ce qui lui permit de prendre en souplesse, sans capoter, les virages dangereux de son époque.

Avec lui, semble-t-il, la famille Flaubert franchit une étape nouvelle : « les Achille » sont frottés, ils ont des mœurs, du savoir-vivre ; moins fruste que son père, le nouveau médecin-chef trouve le temps de « se cultiver » : il lit, il se tient au courant, soucieux d'acquérir les connaissances « mondaines » qui alimentent les conversations de salon. Même dans son métier, le fils s'élève au-dessus du père : ou plutôt il est élevé, les progrès de la médecine le portent ; c'est un contemporain de Claude Bernard. L'observation, dans les sciences de la vie, se transforme en expérimentation ; ce changement l'affecte de l'extérieur mais profondément : professeur, il faut qu'il assimile les nouvelles méthodes. C'est de lui que Dumesnil devrait écrire qu'il « contrôle l'analyse par la synthèse » et non du malheureux cadet qui se débat dans les pièges du mécanisme et s'en évade en songe — par des totalisations infinies.

Au moment où Gustave, accusé de pornographie, est « traîné sur le banc d'infamie », il est déjà question en haut lieu de décorer le docteur Achille Flaubert ; il se peut que les incartades du romancier aient retardé la cérémonie : pas longtemps ; en 1859 la décoration viendra récompenser « un grand talent, de la fortune, quarante

---

1. Il fut conseiller municipal sous le Second Empire et le demeura après le 4 septembre 70.

années d'une existence laborieuse et irréprochable ». Quand Gustave avait écrit ces mots, il pensait à son père ; après 1860 on peut les appliquer tout aussi bien au fils aîné.

Quelle réussite exceptionnelle ! Achille échappe à la contradiction fondamentale de l'entreprise Flaubert, famille bourgeoise à structure semi-domestique : il s'arrache à la servitude sans tomber dans la révolte et prend la relève en toute liberté. Il a su créer pour son propre compte une entreprise plus évoluée, mieux accordée au milieu bourgeois qui l'entoure, une famille, en un mot, typiquement conjugale : c'est dans la bourgeoisie qu'il est enraciné puisque le médecin-philosophe, paysan parvenu, l'a engendré en elle. Dans l'écrasante autorité d'Achille-Cléophas, il n'a pu voir qu'un trait de caractère au lieu que son père trente ans plus tôt reconnaissait dans celle du grand-père royaliste et vétérinaire l'exercice coutumier de la *patria potestas* : et la différence tient à ceci que le chirurgien-chef, enfant, retrouvait les mêmes exigences et le même pouvoir discrétionnaire chez les pères de ses camarades et que le jeune Achille a connu plus d'un père de famille mais un seul *pater familias*. Bref, l'aîné des Flaubert n'a pas un effort à faire pour adapter la nouvelle cellule sociale à la nouvelle société : sa chance est d'être né dans une classe montante au moment de la montée ; il est soutenu, poussé, tiré par elle, elle *le* modifie pour *se* modifier par lui ; il suffit qu'Achille se laisse aller : vif, laborieux et souple, un seul et même mouvement sans cesse renouvelé le règle sur son milieu et le remet en accord avec soi. On admirera cet équilibre toujours instable et toujours corrigé : à travers cet *extraverti*, l'histoire des sciences se fait, en liaison avec celle des institutions. Ordre et Progrès : ne mérite-t-il pas ce blason bourgeois ? ne produit-il pas en lui-même et hors de lui un progrès qui reste, comme le voulait Auguste Comte, le développement de l'ordre ? Cet heureux homme semble avoir liquidé tous ses complexes et surmonté les contradictions objectives du milieu familial, ce travailleur ne demande son objectivation qu'au labeur scientifique et médical, ce père libéral, cet hôte enjoué sait joindre l'utile à l'agréable, ce chef de cordée entraîne toute la *gens* « *excelsior* », cet *extraverti* « syntone » ne perd jamais le sens du réel. Après tout, il secourt les Rouennais, il les soigne, il les conseille ; il est sans aucun doute « paternel avec les pauvres » : s'il n'a pas la dureté caustique de son père, tant mieux pour lui : le médecin-philosophe se montrait trop agressivement ironique pour s'être libéré tout à fait de ses vieilles chaînes. Il faut du caractère, bien sûr, mais point trop sous peine de tomber dans les caractériels. Par cette raison, l'on félicitera Achille d'offrir une image gommée d'Achille-Cléophas : c'est le progrès.

À cet instant, tout crève : pour parler comme un analyste, Achille est un « adulte », soit, mais pas un *vrai*, par la raison que les adultes sont faux par essence : ces trompe-l'œil sont fabriqués dans certains milieux, à certains moments ; leur plaisante physionomie flatte nos regards ; éblouie, sauvage encore, notre espèce s'engage à leur suite sur la voie sans retour de l'autodomestication. On notera d'abord que cet homme aimable jouit de l'estime rouennaise et n'a jamais rien fait pour la mériter. À quoi bon ? La charge de l'Hôtel-Dieu devenait héréditaire, on a reversé sur le fils les sentiments qu'on vouait au père : il suffira qu'Achille ne démérite pas. Par cette raison le passage du premier au second docteur Flaubert s'accompagne sinon d'une déperdition, du moins d'une dégradation d'énergie : Achille, bon professeur et bon médecin, n'a jamais connu la violente passion du père, cette curiosité presque mauvaise qui l'enfermait avec des cadavres fiévreusement consultés. Il ne trouve jamais le temps de faire des recherches personnelles. Si même il lui est arrivé de le trouver, ses enquêtes ont été si mollement conduites qu'elles n'ont pas abouti. Au fond, il n'est curieux que de science faite : Achille-Cléophas veut *découvrir,* Achille veut *se tenir au courant.* Social, sociable, il ne voit que des avantages à connaître la vérité par les autres. La curiosité folle et sombre de celui-là, c'était le lien de l'individu à l'univers mécaniste : il apprit peu, d'ailleurs, mais par ses propres forces ; celui-ci, en s'informant, apprend bien davantage et, surtout, socialise le savoir. Le scandale, c'est l'idée à cru ; accommodée, elle rapproche les hommes sans les transformer. Achille se préoccupe sans cesse de rajuster ses connaissances en s'appropriant celles des autres : il veut maintenir sa position sociale, sa réputation de professeur et de praticien en un temps où le développement rapide des disciplines médicales oblige les médecins à croupir sur place ou à tout lire. Du coup, il accumule les idées nouvelles : ou plutôt, elles s'accumulent en lui parce que la science est, entre autres choses, accumulation. Mais son rapport aux Rouennais, à ses étudiants, à ses confrères, en dépit de tout, reste fixe : c'est que la fixité seule était son objectif. Il veut se maintenir, rien de plus : progresser par le progrès des autres pour conserver sa position au sein de la classe montante ; s'il change, c'est pour rester le même : il consolidera son statut personnel, ce qui est perpétuer le statut de son père, conquis par celui-ci avant 1830 puis octroyé à celui-là. Ces deux observations — l'une touchant les rapports familiaux d'Achille, l'autre ses liens avec le savoir — montrent sous son vrai jour l'existence quotidienne de l'héritier : en dépit de la ductibilité qu'il manifeste, à cause d'elle peut-être, ce n'est pas une vie vécue mais l'adéquation d'une très vieille mort au cours des choses. L'aigre malédiction qui maintiendra jusqu'au bout, pour son malheur et pour sa gloire, le cadet dans l'enfance, on verra qu'elle tire son origine de l'écrasante bénédiction qui fit de l'aîné un adulte en lui cassant les reins. Achille-Cléophas avait des projets sur sa famille. Quand les pères ont des projets, les enfants ont des destins. Médecin, le *pater familias* s'est marié dans la médecine et ne veut engendrer que des médecins [1]. La famille Flaubert serait scientifique ; une torche sans cesse ranimée par les nouveaux venus et que la mort des anciens n'éteindrait pas. Le géniteur se rappelait son enfance difficile, les risques courus ; sans la bienveillance consulaire, eût-il terminé ses études ? Il se félicitait de son aisance : elle donnait à ses rejetons l'égalité des chances au départ. Cela veut dire qu'ils étaient assurés d'aller jusqu'à l'internat des hôpitaux, jusqu'à la thèse. « Après cela, pensait-il, en partisan de la libre concurrence, que le meilleur gagne. » Le docteur Flaubert n'avantageait personne : c'était un libéral, teinté, sur les bords, de républicanisme.

1. C'est du moins ce que nous rapporte la nièce de Gustave, Caroline Commanville. Témoin suspect, je sais : vanité, jactance, et quelques gros méfaits à dissimuler. Mais, quand elle ment, fût-ce par omission, ses intérêts sont évidents, elle se trahit. Or il s'agit d'un fait antérieur à sa naissance, à celle même de sa mère : pourquoi prendrait-elle la peine de le déformer ? Elle perdrait du crédit sans rien gagner : Flaubert a des confidents qui survivent et qui voudront peut-être rétablir la vérité. Quant à se tromper de bonne foi, impossible : elle a passé toute son enfance entre Gustave et Madame Mère, ce que ses yeux n'ont pu voir, elle le tient de leur bouche. M. Dumesnil, pourtant, nous déclare tout uniment que le médecin-philosophe comptait transmettre à l'aîné ses charges et faire de son cadet un procureur du roi. Cela se peut : on regrettera simplement qu'il ait gardé pour lui ses sources. Pour ma part, l'une et l'autre version me conviennent puisque dans chacune d'elles on voit le *pater familias* instituer le droit d'aînesse : tout pour Achille et le reste pour Gustave. De ce point de vue, je devrais même préférer la thèse de Dumesnil : l'écart y semble plus considérable et la préméditation paternelle y prend l'aspect d'une vexation. Achille-Cléophas n'avait qu'un orgueil et qu'une passion : la Science. Sur elle et par elle, il avait fondé sa maison. Imagine-t-on ce rationaliste contemplant sans mépris l'obscure pensée juridique qui se traîne à mi-chemin de la coutume et de la raison, prétend à l'universalité du concept et ne dispose en fait que de celle du Code ? Le jargon des tribunaux devait choquer ce voltairien qui aimait le beau langage clair des « philosophes », ce savant qui cherchait des mots précis pour désigner des concepts rigoureux. S'il a décidé *a priori* que Gustave « ferait son droit », qu'il fonderait ses mérites professionnels sur la connaissance du Code Napoléon et sur la creuse éloquence des Assises, il faut absolument que son fils lui ait inspiré une profonde répulsion. Voilà Gustave voué de naissance au martyre.

Simplement, il eût été dommage, il n'eût pas été admissible de laisser perdre ses titres, ses offices, sa clientèle, son influence. Quant à les partager entre ses héritiers, impossible : donnera-t-on une demi-chaire à chacun? Un demi-service? Divisée sa puissance se dégrade : quelqu'un doit la tenir de lui *entière* et le remplacer un jour dans toutes ses fonctions — même et surtout dans celle de *chef de Maison.* L'ambition d'Achille-Cléophas n'a jamais été de dépouiller un fils au profit de l'autre mais de transformer sa profession respectable et lucrative en charge héréditaire. Pour léguer de père en fils ce que l'État ne donnait qu'au mérite, il était nécessaire et suffisant que les Flaubert, de père en fils, fussent les plus méritants. Ce fils de royaliste n'oubliait pas sa naissance : il se rappelait ces robins du XVIIIᵉ qui se transmettaient leurs titres et n'imaginait pas que l'élite bourgeoise ne devînt tôt ou tard une aristocratie titrée. En somme cet attardé voyait sa classe d'adoption sous les traits d'une future noblesse de robe. À ceci près que les savants y seraient ducs et pairs. Il exigeait de la Société qu'elle reconnaisse aux hommes de science une autorité proportionnée à leur importance réelle. Mais, intellectuel paysan, dominé par son enfance, il ne pouvait s'empêcher d'envisager la médecine comme un patrimoine à transmettre. Les circonstances l'y engageaient fort : à Rouen, il jouissait d'un tel crédit qu'il n'aurait pas grand-peine à désigner son suc-

Je n'en demande pas tant : si peu tolérables que soient ses souffrances, Gustave n'a rien d'un souffre-douleur. C'est justement ce qui me détourne de croire Dumesnil sur parole. On connaît des pères atrabilaires qui ont haï un de leurs enfants dès le berceau; tel était le vieux Mirabeau et quand on lui demandait le motif de sa haine il répondait en d'autres mots comme cette mère qui abominait sa fille de quinze ans : « Question de peau. » Mais il n'eût jamais pris sur lui de promener son fils en carriole, ce que fit tant de fois le médecin-philosophe. Non : quand l'enfant parut — le second qu'il eût réussi en neuf ans — soyons sûrs qu'Achille-Cléophas lui fit bon accueil. Par quel sadisme abstrait l'eût-il obligé sans le connaître à déroger, à laisser le Savoir et l'Art de guérir à son frère, pourquoi — sans lui donner le temps de montrer ses aptitudes — l'eût-il d'avance confiné dans les bas offices? Et s'il eût été, ce cadet, un Newton en herbe, mieux : un Dupuytren? Il fût mort dans l'ignorance : quel manque à gagner pour une famille utilitaire! Et puis le vieux Flaubert aime l'argent; la Science même, il faut qu'elle rapporte : ses héritiers mâles ont le devoir d'accroître le patrimoine, ce serait un crime de l'écorner. Or un procureur du roi vit de ses rentes et quelquefois sur son capital, l'État le paie fort mal, à l'époque. Exprès : pour rendre une justice de classe, il n'est que d'avoir du bien. Qu'on en ait au départ, pense le géniteur, rien de mieux, à la condition d'avoir doublé sa fortune quand on prend sa retraite. Quant à se retirer d'une carrière plus pauvre qu'on y est entré, non : on aurait travaillé sans rémunération.

J'opte pour la version de Caroline : elle me semble vraie dans sa modération. Mais on peut bien préférer l'autre : ni les articulations ni le résultat de la recherche ne changeront.

cesseur. Sa toute-puissance à l'Hôtel-Dieu, le respect que lui portaient ses confrères, la confiance que témoignait la clientèle, tous ces faits objectifs dessinaient en creux, par-delà sa mort, l'avenird'un fils Flaubert. Duquel? S'il prétend choisir le meilleur, il risque de perdre la partie : mieux vaut tout décider d'avance et présenter le dauphin en bas âge à sa bonne ville de Rouen : les confrères et l'honorable clientèle auront le temps de s'habituer à lui. Donc ce sera l'aîné. Deux enfants sortirent des limbes, virent le grand frère qu'on leur offrait, replongèrent : Grand Frère Achille devint, seul, le fragile espoir d'une famille menacée de mort. Quand vint Gustave, les jeux étaient faits et puis la différence des âges était si considérable qu'elle ôtait tout moyen de comparaison. Quelle mesure commune pourra-t-on appliquer au petit garçon de dix ans qui vient d'entrer au collège et au jeune monsieur qui en sort et va sur ses dix-neuf ans?

Du reste, Achille-Cléophas n'entendait pas dépouiller le nouveau venu : l'office était indivisible, donc il l'avait réservé au premier-né. Mais le domaine serait partagé en toute équité bourgeoise. Le petit Gustave, ayant fait les mêmes études que son frère, aurait les mêmes connaissances, il pourrait même le dépasser sur le terrain de la recherche scientifique; quant au gain, le père ne doutait pas qu'il dût être substantiel pour le cadet aussi : ce n'est pas trop de deux bons médecins pour le chef-lieu de la Seine-Inférieure.

On se demandera pourquoi Achille-Cléophas, si fier de son office, de sa chaire et des honneurs qui s'y attachaient, n'avait pas le sentiment d'avantager outrageusement Achille quand il intriguait pour les lui transmettre. La réponse donne la clé de l'entreprise Flaubert; elle montre Achille nu, dans son insignifiance.

Le vieux comptait sur sa progéniture pour élever sa famille jusqu'aux couches supérieures de la société rouennaise. « Ils sauront ce que j'ignore.» Achille vaudrait mieux qu'Achille-Cléophas : c'est ainsi, nous l'avons vu, que les bourgeois voient le progrès. Le second chirurgien-chef l'emporterait sans effort, par le mouvement de l'époque, sur le premier. Et puis le patrimoine augmenterait sans cesse, divisé par les redistributions testamentaires, reconstitué par les gains. C'était cela qu'il voulait, le *pater familias* : il voulait la croissance et la multiplication des Flaubert.

Mais ce mauvais diable est perdu d'orgueil : quoi que puisse faire sa progéniture, tout le mérite en revient à lui. Une mutation brusque s'est opérée un beau jour dans une famille campagnarde; la mère croyait accoucher d'un vétérinaire : elle fit un médecin. En celui-ci, une nouvelle espèce Flaubert est née : ainsi naît l'oiseau du serpent — comme on dira bientôt. Le premier oiseau, c'est Achille-Cléophas ; il eut l'audace de s'arracher au sol par un bond extravagant et de s'établir sur une branche. Après cela, bien sûr, sa descendance sera, jusqu'à la fin des siècles, ailée : c'est que la nouvelle espèce, dès son apparition, a consolidé ses traits spécifiques. Ce plumage, sur les omoplates du premier chirurgien-chef, c'était une cause première, un éclatement originel bientôt suivi de l'envol, cette sauvage liberté *inventée*. Après, que verrons-nous ? Des recommencements. Les oiseaux futurs monteront de branche en branche, cela va de soi : mais faut-il admirer ces sautillements ? Ce sont les conséquences rigoureusement prévisibles d'un imprévisible saut.

Autrement dit le premier oiseau c'est aussi le seul : un oiseau ancestral et l'infinie succession de ses images, toujours plus brillantes, de moins en moins vivantes : voilà la famille Flaubert telle qu'elle apparaît à son fondateur. C'est à cette gloire infinie — soi-même en mille autres *soi* successivement rétracté — qu'il s'est aliéné. Pour le médecin-philosophe, on dirait que l'histoire se fait par crises : une série meurt, accablée sous son propre poids, une autre surgit, toute neuve ; le terme initial est le seul qui compte : il suffit de le connaître pour en déduire tous les autres. On peut *déduire* Achille. Son père en est sûr : par cette affreuse certitude, il l'engendre et le tue d'un même coup.

Le docteur Flaubert donne à son premier-né un destin : et le destin d'Achille ne sera pas même l'avenir mais la personne elle-même de son père. On l'a produit dans le petit monde archaïque de la répétition. Médecin, fils de médecin, futur chef de l'Hôtel-Dieu comme ses oncles vétérinaires étaient fils de vétérinaires. Mais le vétérinaire-géniteur, quelle que fût sa suffisance, ne se tenait pas d'avance pour *le meilleur* : il léguait un métier qu'il avait hérité. Ainsi des propriétaires fonciers : de père en fils l'office est le même, conserver, augmenter, mais par cette raison même, la permanence de l'entreprise exige l'équivalence des personnes. Achille lui, sait qu'il *recevra* de la générosité paternelle toutes les distinctions et toutes les charges que le médecin-philosophe a *conquises*. Donc, quand il se proposerait d'exceller dans sa spécialité, il accepte au départ d'être inférieur par principe au géniteur. Quand je dis : « il accepte », entendez-moi : c'est un enfant ; s'il faut parler à la lettre, il n'accepte ni ne refuse quoi que ce soit. Mais l'admiration et la terreur sacrée ont déjà commencé le travail de l'identification ;

et puis quelle insoutenable pression, ce choix qui n'est même pas encore du favoritisme : pendant près de neuf ans, la relation du fils docile et du père incomparable va rester singulière ; Achille ne connaîtra pas le statut bourgeois de l'héritier choisi, délibérément particularisé par les pratiques malthusiennes des parents : en un mot, les structures de la famille Flaubert interdisent à l'aîné le recours à l'individualisme ; personne — surtout pas cette mère froide, entièrement soumise au Maître — ne l'a chéri comme un individu. Mais, sauf quelques bulles de vie tout de suite crevées, rien ne viendra troubler, durant sa petite enfance, ce long tête-à-tête du fils et du père. Pis : les deuils assombrissent la famille et le Géniteur, bien qu'il s'obstine à procréer, commence à se défier de sa semence ; il se demande s'il pourra jamais donner des cadets à l'aîné de ses fils. Achille éprouve les inconvénients de l'unicité sans en connaître les avantages : le père voit en lui le survivant, non l'élu, et ne trouve à ce premier venu nulle autre incomparable qualité que celle — toute provisoire — d'être le seul moyen de perpétuer la famille. L'enfant se sent écrasé par cette insistance quotidienne, par ces regards inquisiteurs : il a le devoir de bien se porter ; ainsi l'exige l'honneur du nom. La pressante sollicitude du docteur Flaubert comporte sans nul doute de l'attachement : le père tient comme à ses yeux à l'espoir fragile des Flaubert ; et ne doutons pas non plus que l'attachement paternel imprègne le jeune garçon, constitue l'assise profonde de sa substance ; mais dans la mesure où ce sentiment est l'expression d'une revendication rigoureuse, il se retourne chez le fils en responsabilité : quand le médecin-philosophe fait visiter l'Hôtel-Dieu au petit Achille, quand il lui dit : « Si tu travailles, dans trente ans tu seras le patron et moi je serai mort », quand il s'amuse, le soir, à mettre sa philosophie à la portée d'une intelligence enfantine, il ouvre, qu'il le veuille ou non, la fontaine jaillissante des devoirs filiaux : mets tout en œuvre pour devenir moi quand je ne serai plus ; sauve les Flaubert. En même temps, cela va de soi, le père lui donne tous les moyens de remplir les obligations qui l'accablent : produit par le sperme, modelé par les mains paternelles, reproduit, soutenu, façonné par la Science et le travail du *pater familias*, Achille connaît très tôt son destin : il sera, fils, un chaînon de cette chaîne immortelle qui s'appelle Achille-Cléophas. Il éprouve, cire molle et sensible, les coups de pouce qui le métamorphosent insensiblement en ce Dieu même qui, après lui avoir cédé un à un ses terribles pouvoirs, disparaîtra, Phénix, pour renaître *le Père* en son fils. Achille sera la créature de son père : on ne lui laisse aucun choix ; la seule spontanéité qui lui est permise, c'est la pratique des vertus passives : humilité devant le Géniteur, esprit de sacrifice, docilité, ouverture d'esprit. Mais le Maître l'a bien dit : la soumission paiera, elle permet à la victime d'acquérir progressivement les mérites du Dieu qui la fait panteler. Elle devient prophétie : quand l'enfant se conforme à la volonté *présente* du père, il commence à distinguer sa propre image future. Et c'est le père encore.

Voilà ce que j'appellerai le cadre objectif et sacré de l'identification. Objectif parce qu'il vient à l'enfant par le père ; sacré parce que ce *pater familias* est une puissance numineuse pour tous ses enfants. Pouvait-on y échapper ? Non : possible, l'identification était nécessaire. Entendez bien : dans ce temps-là, dans ce mouvement qui brassait la société, dans cette famille semi-domestique.

Aujourd'hui, par exemple, le conflit conjugal — toujours présent, même dans les ménages unis — laisse à l'enfant un certain choix. Et bien sûr, c'est son histoire, en lui, qui choisira. Du moins — devînt-il névrosé — *sera-ce la sienne* ; le nombre des pères prépotents décroît à proportion de l'émancipation des femmes. Et, même au début de la Restauration, il avait lieu plus rarement, ce mouvement qui porte à se faire *le même qu'un autre.* Ce n'était pas, du reste, un vrai danger dans l'aristocratie foncière ; le père est nul, le fils l'est aussi : rien de plus sain. Mais quand la bourgeoisie intellectuelle s'avisait d'imiter les gros rentiers, tout était perdu : le père installait dans la tête du fils une intelligence préfabriquée. Non pas même la sienne propre : un prototype familial. C'est le cas d'Achille-Cléophas.

Mais on peut comprendre aussi qu'Achille ne puisse *réaliser* le modèle imposé sans motifs qui lui soient propres et qui le définissent dans sa particularité : car tout projet est aussi fuite ; Achille fuyait son père abusif, insoutenable présent, vers ce même *pater familias*, son avenir. La subjectivité, c'est la brusque mise en rapport de l'extérieur avec lui-même au cours du processus d'intériorisation. C'est en Achille, en lui seul, que le père peut se dédoubler. L'enfant ne manque pas non plus de sentir l'insupportable contradiction de la religion domestique qu'on lui inculque sans la nommer et de la philosophie libérale qu'on lui explique. Les dieux lares et le mécanisme, c'est aberrant : le fils cadet cherchera des issues, trouvera les routes barrées, vivra la contradiction jusqu'à l'hébétude. L'aîné se tire d'affaire : sa chance est de retrouver la philosophie mécaniste en poussant jusqu'au bout la vassalité. Il montre assez de dévotion pour vouloir *être* son père, comme celui-ci l'y convie : que lui importe, dès lors, la religion révélée, ses momeries, la prétendue aridité de la méthode analytique. Dans la physionomie de son père, il découvre les traits de l'éternel Médecin-Philosophe qu'il sera et qu'il engendrera dès qu'il aura pris femme : il s'abîme en Achille-Cléophas et devient par soumission heureuse l'homme sceptique et vertueux par complexion, le savant, le penseur mécaniste. Pour mieux dire, il *l'est* puisqu'il *le sera*, puisque, sous ses yeux, le Docteur adorable se charge de l'être éminemment. Bref, l'autorité du chirurgien-chef et ses contradictions écrasent l'enfant qui ne peut les fuir sans *devenir son propre père* : entendons qu'il réinvente les procédés communs d'identification et se fait le simple intermédiaire — indispensable mais secondaire — entre les deux Géniteurs, nés d'un mystérieux dédoublement mais rigoureusement identiques dont chacun a pour mission d'être le représentant de l'autre. Grâce à quoi, vivant sa nécessité objective comme la plus intime de ses passions, il évite les dégoûts et les peurs de Gustave. Celui-ci détestera l'analyse — tout en s'en réclamant — pour en avoir fait l'objet trop souvent. Achille, en symbiose avec son père, la pratique dès l'enfance.

Ou plutôt le père la pratique pour lui. Par chance, Achille-Cléophas dissèque volontiers les grands sentiments des autres mais n'a ni les moyens ni le souci de se connaître : en s'identifiant à lui, le petit devenait sujet perpétuel, de soi-même perpétuellement inconnu. Son regard chirurgical n'avait d'autre objet que le monde. Un savant, un praticien : de la lumière pure. Les morts ne l'effraient pas. Pas plus en tout cas que son propre cœur oublié, atrophié : c'est son héritage. Quand le père promène son fils dans les salles de l'hôpital, à travers les puanteurs de l'amphithéâtre, il semble qu'il lui dise : « Ce peuple est à toi.» Le peuple des malades et des cadavres : voilà son empire ; ça rapporte. Il regarde la souffrance et voit les honneurs, le gain. Non sans ressentir, bien sûr, une juste compassion. Sentiment d'adulte et qui vient de son père : un enfant livré sans mentor à l'enfance n'éprouverait que de l'horreur. Il apprend aussi des lèvres paternelles que « guérir est le plus beau métier ». S'il arrive qu'il ait peur, sa crainte ne dure qu'un instant : il est déjà futur, déjà cet homme en blouse blanche, déjà penché sur la plaie purulente qui l'effraie présentement. « Tu t'y feras. » Il n'en faut pas plus : déjà il s'y est fait. Il s'essaie, dès neuf ou dix ans, à singer la « majesté débonnaire » du médecin-philosophe. Quant aux illusions, je crois qu'il n'en a guère. Pour cet athée préfabriqué la foi n'est rien d'autre que l'obscurantisme. Qu'en ferait-il ? Repoussé par son père, Gustave se laissera tenter par la vassalité religieuse. Mais Achille ? C'est un vassal reçu. Il s'élance vers le médecin-chef et celui-ci, de loin, lui ouvre les bras. Achille est protégé contre le christianisme par un culte plus ancien et plus méticuleux : c'est le plus fidèle adepte de la religion domestique. On devine qu'il ignorera jusqu'au bout les inquiétudes de son frère. Achille, faux fils unique, seule survie future des Flaubert, possède son père et jouit de lui, il en est possédé ; comme si Achille-Cléophas faisait naître en son fils ses pensées les plus intimes, comme si le fils y reconnaissait le fruit de sa plus intime spontanéité. Père futur, celui-ci affecte le Père présent d'idées sans contenu, qu'il concevra plus tard quand il sera devenu père. Dans cette trinité, le Père pense dans la tête du Fils, le fils prend date pour penser par la tête du père. L'obéissance était douce : du dehors le Maître, impatient, nerveux, pouvait crier, donner des ordres capricieux ; législateur par coups de tête, il pouvait bien édicter des lois si rigoureuses qu'elles restaient inapplicables. Cela n'est rien : on s'en tire par des excuses, des promesses, des larmes ; tout se passe *à l'extérieur* ; l'essentiel est de n'être pas commandé *de l'intérieur* par un Autre. En Gustave, l'Autre fortement établi, décidera : c'est intolérable. Mais Achille, puisqu'il est toujours d'accord avec son créateur, c'est lui-même qui décide en l'Autre : d'abord il est *héritier* ; toute sa jeune personne exige les honneurs, le gain, les charges du père. Donc il faut s'en montrer digne en temps voulu : le titulaire actuel est seul qualifié pour former le titulaire futur. Achille se fie à son père : ils ont un but commun, le médecin-chef connaît la marche à suivre. Ainsi la sévérité la plus extrême gênera peut-être mais n'étouffera pas : c'est un moyen, l'enfant connaît la fin qu'elle vise ; il s'agit de préparer la difficile manœuvre par laquelle un père lègue à son fils des biens qui ne lui appartiennent pas. L'incontestable générosité du but rejaillit sur les moyens : le père a généreusement produit et reproduit la vie, il a généreusement donné sa propre essence au petit garçon ; à présent, ils sont un seul en deux et la sévérité même est généreuse, puisqu'elle prépare la plus jeune incarnation du docteur Flaubert à mériter les privilèges de l'autre. Et puis les ordres paternels découvrent à l'enfant *ses* volontés futures : il aura plus tard le même objectif, la même générosité pour son fils, la même sévérité puisqu'elle semble nécessaire. D'une certaine manière le volontarisme paternel est adouci : puisqu'il réglera les rapports du futur Achille avec sa progéniture, le petit peut le comprendre aussi comme une relation très intime de sa réalité future avec son enfance présente. C'est Achille lui-même, devenu légataire universel, qui donne des ordres au garnement qu'il a été en rêvant qu'il les va donner au garnement qu'il engendrera. Bref, tout est clair, on sait où on va et comment on y va. En fait, rien n'est si nettement *ressenti*; cela se vit sans mots, au jour le jour, sans finesse et surtout sans épanchements : c'est la famille, extérieur intériorisé, c'est la tradition, c'est la propriété, c'est l'héritage. Achille s'est commodément établi dans le rôle paternel et croit connaître l'homme pour avoir « désarticulé », par l'analyse, des affections à fleur de peau. Du coup, ce qui demeure objet, en lui, n'est plus vraiment lui-même; il n'a d'autre réalité substantielle que celle d'Achille-Cléophas, cela veut dire l'unité mystérieuse des pouvoirs paternels. Cette unité, quand elle est en acte, c'est l'intellection; tant qu'elle reste potentielle, c'est le centre d'une *aura* sacrée. On imagine les états intermédiaires : d'un mot, l'enfant, au terme d'une initiation qui commence à la naissance et finit à la maturité, entrera en possession du *mana* de son père.

On aurait tort de tenir l'identification pour une comédie; c'est un rôle, bien sûr; mais dans la mesure où elle exige l'intériorisation d'un système objectif, elle est aussi labeur : en ce cas particulier, par exemple, on ne peut atteindre à l'identité des mérites sans refaire au collège les études éblouissantes d'Achille-Cléophas. Tout le système est commandé par un terme dédoublé qu'on tente d'incarner dans l'immédiat par des attitudes mais dont il faut avant tout s'approcher par une succession d'entreprises réelles (concours, examens, thèses) dont chacune est définie par les programmes objectifs et découvre un avenir rigoureux, prévisible jusqu'au détail dans les programmes de l'année suivante. On jugera peut-être que ce processus réel — les études au collège, à la faculté, la thèse — a contraint Achille à construire des appareils, à combiner des moyens en vue d'une fin à court terme (par exemple la solution d'un problème scolaire), à développer en lui par l'usage cette liberté d'entendement qu'on nomme intellection. Cela n'est pas niable : ces opérations d'esprit maintiennent en vie le jeune homme rangé; hors des cours, il somnole, aux examens, il fulgure. Et, surtout, qu'on n'aille pas demander : s'il n'eût été qu'un sot, que fût-il arrivé? Ni, plus précisément : et s'il n'eût pas excellé dans les sciences, s'il eût, comme Gustave, préféré les lettres et projeté d'écrire? Ce serait revenir une fois de plus, en dépit de tous les efforts, à l'atomisme social : il y aurait *des* natures. Différemment douées; le hasard aurait comblé le fils Flaubert des mêmes dons qu'il avait faits autrefois au père, toute l'histoire de la famille viendrait de là ; affaire de globules rouges, de matière grise : l'identité des capacités aurait pour origine l'identité de certains traits physiologiques et pour effet l'entreprise d'identification. On a reconnu ce mauvais matérialisme, ce matérialisme bourgeois et moléculaire : celui-là même que le médecin-philosophe prenait pour une philosophie. C'est mettre cul par-dessus tête les événements et les raisons : Achille ne dut pas à son exceptionnelle intelligence la confiance que son père ne cessa de lui marquer ; il dut ses rares qualités d'esprit à la décision irrévocable qui l'avait, dès sa conception, avant peut-être, fait prince héritier de la Science.

Le bon sens est la chose la mieux partagée : rien n'a jamais été dit de si difficile et de si vrai. L'idée se comprend mal dans la solitude : chacun veut établir sa hiérarchie ; on se met rarement au sommet, rarement aux échelons les plus bas : les bonnes et même les mauvaises moyennes sont particulièrement recherchées. Mais ces vanités onanistes disparaissent dans le commerce des hommes : tout s'égalise ; le plus bête invente des arguments qui troublent et vous, réputé malin, vous ne savez que dire : en fait vous ne serez malin et vrai que s'il vous rejoint au niveau « supérieur » ; sinon vous tomberez au sien : c'est l'ordinaire. En vérité, les niveaux sont variables mais ce sont les gens qui les définissent ensemble : c'est une relation sociale et codifiée ; rien de plus complexe puisqu'elle reflète non seulement les structures objectives — milieux, générations, classes — et les affinités particulières entre les groupes, entre les personnes, mais encore les préjugés de chacun, c'est-à-dire un jugement normatif sur la valeur absolue de l'intelligence : votre ami vous tiendra d'autant plus aisément pour une grosse tête qu'il trouve les intellectuels dérisoires et n'attache de prix qu'à la violence déraisonnable ou bien à la sensibilité — qu'il déclare irrationnelle. Par là, il se classe. Vous classe-t-il ? À peine : mais, si vous êtes juif, par exemple, nous savons qu'il va se plaire à proclamer que vous êtes beaucoup plus malin qu'il ne saurait être et que cette modestie suspecte trahit son antisémitisme profond. Bref, des niveaux : variables, complexes, ils viennent à chacun par l'autre ; quand nous viendrons à parler de la fameuse « bêtise », que Gustave dénonce partout, nous verrons en détail qu'elle est oppression. On peut mettre un homme en situation de bêtise ; une fois qu'il y est, il y reste, à moins d'une issue. Inversement, il y a des intelligences qui naissent des privilèges. Les rois avaient du style : sans recherche. Simplement, ils s'étaient convaincus que la langue nationale était *leur bien*. L'intelligence, Achille, tout enfant, comprit qu'elle était le bien des Flaubert. À peine sait-il lire, il se laisse pénétrer par les conceptions de son père ; il adopte sans y prendre garde les schèmes qui dirigent la pensée paternelle, les articulations visibles des idées, ses raisonnements font paraître, des prémisses aux conclusions, la rigueur des sciences exactes : c'est pour se faire d'avance, dans une fête instantanée, médecin, seul maître à bord de l'Hôtel-Dieu et savant. Dirons-nous que cette intelligence *imite* ou qu'elle *emprunte*? Ce sera comme on veut. Mon avis c'est qu'elle s'éveille. Le petit garçon, nous l'avons vu, ne fait aucune confiance à son cœur, guère plus à son corps, j'imagine, faute d'avoir fait l'objet d'un amour exclusif : aussi bien, le cœur s'atrophie et le corps fait ce qu'il peut pour devenir celui du père ; son menton, dès qu'il le pourra, se cachera sous la barbe paternelle. Mais, d'autant moins il s'attache à ses singularités, d'autant plus il se fie et s'abandonne à ce torrent de feu qui traverse l'entreprise Flaubert et que le père a si bien su exploiter. L'intelligence est en Achille comme son privilège suprême et la source de ses droits futurs, elle est mérite et don de Dieu, tout entière en lui en tant qu'il est tout entier fils du Père et Père futur, à condition de n'en user jamais que pour le bien de la famille. Il est privé, en un temps d'individualisme, de toute valeur individuelle mais, précisément pour cela, il trouve sa raison de vivre dans cette admirable intelligence dont il se fait le serviteur inessentiel (en tant que molécule isolée) et dont il est le propriétaire (en tant qu'incarnation future du *pater familias*). Et, dira-t-on, cela suffit pour qu'il soit *en effet* un enfant doué, le premier de sa classe en tout, un étudiant remarqué? Oui, cela suffit. Quand la pensée têtue, originale, active, devient *créatrice*, il faut l'expliquer par d'autres raisons qu'on cherche à d'autres instances. Mais Achille *ne produit rien* : il comprend tout. Il ne s'élève pas au-dessus de ce caractère que nous avons tous en commun : l'ouverture d'esprit. Par là j'entends cette unité prospective mais vide qui définit un champ synthétique où les rapports objectifs entrent en coexistence et, tout aussitôt, *se mettent en rapport*. L'origine, c'est la tension du champ, simple expression de notre unité biologique et pratique, qui n'impose ni catégories ni relations particulières mais qui interdit aux rapports, quels qu'ils soient, de s'isoler. Comme dit Merleau-Ponty, l'homme est le seul animal qui n'ait pas d'équipement originel : ainsi les dimensions de l'ouverture ne sont pas définies *a priori*; le diamètre varie sous l'influence de facteurs physiologiques et sociaux; la nature de la *praxis* individuelle ou commune la dilate ou la contracte. La misère, les coups ou l'épuisement la réduisent à n'être qu'un point mais c'est dans la mesure même où ils dégradent les hommes jusqu'à la sous-humanité. Surtout, quand les gens mangent à leur faim, quand on les paie convenablement pour un travail modéré, ce sont les inhibitions, les défenses, les tabous, qui limitent l'ouverture et vont jusqu'à maculer le vide de taches aveugles, posant les principes, cachant les conclusions. Ou bien l'on fuit d'insupportables contradictions par une absence tournante de l'esprit. La défiance, aussi, retient l'adhésion. Toutes ces restrictions viennent à chacun de sa protohistoire : il les recommence autant qu'il les subit ; qu'on le délivre, son esprit se dilatera : aucune limite n'est prescrite ; à personne. Sauf par les accidents du corps.

Mais, justement, le petit Achille est sans défiance. Mieux : le XVIIIe siècle a légué son cosmisme au père Flaubert ; Achille-Cléophas interroge la *Nature* ; médecin, il en observe ce détail infinitésimal : la fracture des os ; philosophe, il pose en principe que l'Univers infini est tout entier connaissable par la Raison. Or il existe une science faite, qui s'est conquise sur la superstition : l'enfant entend parler très tôt de Newton, de Lavoisier ; ce qu'il apprend d'eux confirme les orgueilleux propos de son père ; il pense qu'Achille-Cléophas continue l'œuvre des pionniers et que son fils aîné continuera son œuvre. La Science est la Raison objective, l'intelligence est la subjectivité de la Raison : la seconde fait la première, la première cautionne la seconde. L'intelligence du petit, cautionnée par les siècles, union permanente de la créature Achille avec son tout-puissant créateur, il faut bien qu'elle se mesure à l'ouverture illimitée de son esprit. Intelligent par docilité : il s'abandonne au Vrai sans aucun préjugé, en confiance, il adhère, dès le commencement, à l'enseignement du père ; il reçoit les liaisons, apprend à les prévoir puis à les déduire : l'intelligence d'Achille, c'est l'inventaire superbe du patrimoine Flaubert, son futur héritage. Il est né propriétaire : apprendre, c'est recenser ; de toutes ces connaissances — déjà connues par ce Père qu'il sera — il fera des mérites qui lui vaudront les honneurs et les charges légués. Bref, pour apprendre — c'est-à-dire pour recevoir — il suffit de s'abandonner : ce qui nous retarde, ce sont nos résistances dont l'origine est à rechercher dans les couches archaïques de notre histoire. Mais Achille, père futur, légataire universel, *n'offre aucune résistance* : il n'y a presque rien en lui que son père n'ait mis. Poussé par l'ambition farouche de son Créateur — reprise, intériorisée jusqu'à devenir sa propre spontanéité —, confiant, docile, partageant les fins du médecin-philosophe et s'en remettant à lui pour le choix des moyens, cet enfant n'a d'autre intelligence que sa conviction d'être intelligent par droit divin ; il n'en faut pas plus. L'aîné, quel qu'il soit, a mandat de répéter la vie paternelle. Donc le voilà lancé dans une progression qui ne s'arrête pas. Est-il sauvé ? Non : perdu. Il eût fallu dépasser le stade de l'identification, accomplir le meurtre rituel du Père. Le dispositif extérieur ne le permettait pas : devenir le *pater familias*, c'était s'enfermer à tout jamais dans l'image de celui-ci. En effet, dès la petite enfance, l'orgueil du Père et l'humilité de l'enfant ne laissent aucun doute : jamais la créature n'égalisera le Tout-Puissant qui l'a tirée du limon. Par son travail acharné, le petit Achille-Cléophas a produit *ex nihilo* le fameux docteur Flaubert qu'il incarne aujourd'hui devant tous ; à sa mort le fils reprendra le rôle mais sans y rien changer : l'essentiel est fait. Vassal ébloui, Achille se laissa persuader : mais ça le rassurait plutôt ; issu d'une famille presque féodale, il sentait le besoin que Gustave ressentira plus tard : adorer un Maître inégalable. Tout eût chaviré dans l'angoisse s'il eût imaginé qu'il dût un jour le dépasser. Quand Achille-Cléophas laisse entendre qu'il est l'archétype et qu'il n'y aura plus, après sa mort, qu'une chaîne de répétitions, le fils est complice de son père. Complice aussi quand le Géniteur promet à l'enfant de lui léguer son essence mais en format réduit. L'accord est parfait : le Seigneur extravagant redeviendra poussière sans perdre un pouce de sa taille ; absent, il restera supérieur en tout point au remplaçant qu'il s'est choisi ; son homme lige se réjouit ; quel rêve orgueilleux et calme : devenir un puissant de ce monde et son propre seigneur sans jamais sortir de la vassalité. Il ne faut presque rien pour émerger dans les gaz pauvres, dans les ténèbres interstellaires de l'angoisse : en fait, il suffit même de ne pas se baisser ; Achille évitera cette angoisse trop humaine : nouvel Enée, il courbe la tête et porte Anchise sur son dos.

Achille-Cléophas *l'aime*-t-il ? Ce qu'on peut dire, c'est que dans ses dernières années, il se préparait doucement à prendre un nouveau départ : son fils Achille était près de lui, l'assistait en tout ; il fallait achever la formation du jeune homme et, dans le même temps, s'assurer en haut lieu des appuis qui lui réserveraient le poste et les honneurs de son père ; après quoi, Achille-Cléophas se retirerait. Peu à peu : Achille prendrait les charges une à une, le Père *se reposerait sur lui*. Libéré des soucis thérapeutiques, le vieux pra-

ticien pourrait enfin réaliser son souhait, devenir un savant à part
entière : il avait acquis et transmis oralement tout le savoir médical de son temps ; cela ne suffisait pas : *scripta manent* ; il ne mourrait pas sans avoir ramassé ses connaissances — certaines venaient
directement de son expérience — dans un traité de physiologie générale qui perpétuerait son nom. Le médecin-philosophe exposait son
projet à qui voulait l'entendre : il ne manquait pas d'ajouter que
ce dernier bonheur n'eût pas été possible *sans Achille*. Achille ou
la clé de voûte. Usé bien avant l'âge par un travail de forçat, le
vieux docteur ne trouvait l'espoir, le goût de vivre, la timide ambition de survivre que grâce à l'aveugle confiance qu'il mettait en
son fils. On imagine cette réciprocité : le père se ménageait des joies
futures en préparant son fils à de futurs devoirs, à de futurs honneurs ; celui-ci ne pouvait manquer de se découvrir à la fois comme
la fin suprême du père et comme le moyen de sa gloire ; enfin, sans
lui ôter les joies de la soumission, on lui permettait d'exercer sa
générosité sur le tyran magnanime qui l'avait accablé de dons. Tout
les liait, ces deux hommes : le passé, l'avenir ; au présent, chaque
nouveau malade était une connivence : ils discutaient de son cas,
posément ; et l'idée clinique surgissait dans l'une ou l'autre tête,
indifféremment. Est-ce aimer ? Oui : la mort d'Achille eût foudroyé
son père ; l'amour d'Achille-Cléophas, c'était cela : une affection
pratique qui ne se distinguait pas du travail en commun, une
confiance coûteuse, produite par le fils dans le profond du cœur
paternel grâce à vingt ans de labeur. Cela s'est fait lentement, insensiblement : au départ le médecin-philosophe n'a fait qu'avantager
l'aîné, par principe ; il vint ensuite à le préférer et puis, sur le tard,
à le chérir pour lui-même. Entre les deux hommes, nulle démonstration : l'intimité, c'est tout. À la longue, je suppose, le docteur
Flaubert finit par s'attacher à la physionomie d'Achille, à sa voix,
à ce long corps « tout en jambes ». À vrai dire, quel qu'eût été le
physique, il s'en fût accommodé : il n'y voyait que la marque de
fabrique.

Le 10 novembre 45, Achille-Cléophas tombe malade. Qui l'exa-
mine ? Son fils. Achille lui trouve un phlegmon de la cuisse, bientôt généralisé. Les meilleurs amis du mourant, deux médecins
appréciés, accourent à son chevet : l'intervention chirurgicale est
décidée et c'est encore son fils que le vieux médecin charge de l'opérer. Les confrères se firent un peu tirer l'oreille : Achille leur semblait trop jeune. Vaine résistance : le médecin-chef impose son fils,
l'opération a lieu, il en meurt.

L'anecdote est bien connue mais je n'ai pas vu qu'on lui ait attaché l'importance qu'elle mérite. Bien sûr, on reconnaîtra dans ce choix un rite de succession, la transmission de pouvoir la plus rigoureuse : c'est l'opérateur opéré ; un chirurgien menacé de mort désigne son successeur en mettant celui-ci dans l'obligation de le charcuter : tu me sauves ou tu me remplaces ; et si tu me sauves, tu as fait tes preuves, tu me succéderas dans quelques années. Peut-être discernera-t-on dans cette option, bientôt connue de toute la « société », je ne sais quelle manœuvre publicitaire, comme si le testateur eût voulu s'assurer que l'office deviendrait héréditaire par une ultime pression sur les Rouennais : « Je suis du métier ; si cet homme est assez bon pour moi, soyez sûrs qu'il l'est aussi pour vous ; la preuve en est que je l'essaie avant de vous le recommander. » De fait, la nuance est là : c'est une détermination de l'acte et de son sens objectif ; cela ne veut pas dire, toutefois, qu'on puisse la faire correspondre à quelque mode autonome et défini de la subjectivité.

De toute façon ce qui nous importe, à nous, c'est de décrire et de fixer la relation de ce père à ce fils telle qu'elle apparaît à travers cet ultime don paternel. Car c'est un don. Trente-deux ans plus tôt, le docteur Flaubert a donné la vie à l'aîné de ses enfants ; cette vie, il n'a cessé de la *reproduire* ; il a nourri son futur successeur de sa propre substance au point de le transformer en son *alter ego*. Au moment de mourir, c'est de son corps usé, c'est de sa propre vie qu'il lui fait cadeau ; il offre à Grand Frère Achille le client le plus flatteur : le meilleur spécialiste, admiré, craint, respecté par ses clients, ses étudiants et ses confrères. Pourquoi ? Peut-être, en effet, pour frapper un grand coup : quand cela serait, il faudrait y voir beaucoup plus qu'une ingénieuse publicité. Mais ce n'est qu'un détail de surface ; dès qu'on entre plus profondément dans la volonté du malade, on ne manque pas d'être frappé par l'orgueil familial qui s'y exprime : seul, un Flaubert peut soigner un Flaubert. C'est l'honneur de cette Maison médicale. Le vieillard impérieux, accablé par la maladie, ne s'est alité qu'au dernier moment ; il a choisi son médecin, il a, pendant l'intervention, gardé sa vigilance et puis il s'est éteint, trois semaines plus tard, au sein de sa famille, sans avoir jamais perdu connaissance. Cette mort volontaire aurait ravi Rilke : elle est à l'image d'une vie volontariste. On devine qu'il a guidé le diagnostic d'Achille et, plus tard, son bistouri. Pourtant la docilité d'Achille, mille fois requise en d'autres temps, ne l'intéressait nullement, ce jour-là : d'abord il eût trouvé la pareille n'importe où ; son âge, son savoir et sa réputation l'assuraient que le confrère choisi, quel qu'il fût, accepterait ses conseils, ferait preuve de déférence et de soumission. Mais, tout au contraire, après un demi-siècle de pratique, Achille-Cléophas était convaincu que la docilité ne sert pas les chirurgiens, qu'elle leur nuit ; à ses étudiants il enseignait que les plus hautes vertus chirurgicales restaient celles dont il avait fait preuve tout au long de sa carrière : l'indépendance, l'esprit d'initiative, l'énergie, qu'il fallait, comme il avait toujours fait, décider seul, au besoin contre tous. Ce qu'il réclamait de son fils, en ces heures capitales, c'étaient la rigueur et l'autorité, qualités Flaubert par excellence, d'une génération à l'autre transmises par le sang et par l'exemple, en tout cas depuis ce mauvais coucheur de Nicolas, le grand-père d'Achille qui fut emprisonné sous la Terreur pour n'avoir accepté ni de changer ses opinions, ni de les taire.

Si le docteur Flaubert choisit Achille, ce fut surtout par une totale confiance qui vint récompenser, à quelques jours de la mort, l'inébranlable foi de son fils aîné. Il lui attribuait donc ses propres mérites. Ce père abusif a si bien façonné son futur remplaçant qu'il a fait de lui, on l'a vu, son contraire : un être relatif, inessentiel et timide, qui ne se détermine jamais *de l'intérieur* mais toujours en fonction du modèle extérieur qu'on lui a donné et qu'il veut imiter en tout. À n'envisager que l'autorité, par exemple, le Père l'a ruinée chez Achille depuis l'enfance : le malheur d'Achille, c'est l'hétéronomie de sa volonté ; il n'y a rien en lui qui ne se soit imposé du *dehors*, rien qui l'exprime dans sa spontanéité originelle. Celle-ci, d'ailleurs, lentement et sûrement étouffée n'est plus qu'un mot. Il est donc parfaitement impossible qu'il manifeste jamais cette autorité souveraine qui appartient à tous et à chacun. Méticulosité maniaque, obsessionnelle, hésitations, silences, diagnostics intuitifs dont les motifs lui demeurent obscurs : autant de procédés pour combattre une insidieuse angoisse, autant de signes qui nous indiquent l'importance du déficit interne que la tyrannie paternelle a provoqué. Ses clients le respectent mais le trouvent peu convaincant. Tel il sera jusqu'à sa mort ; tel il est déjà à la fin de l'année 1845. Mais, d'autre part, l'identification au père, tout en dévastant ce fils soumis, exige qu'il produise en lui, hors de lui, les apparences de l'autorité. Les apparences, rien de plus ; ce qu'on peut dire, c'est que le fils croit au père : tant que celui-ci reste en vie, celui-là garde un peu d'assurance. Le docteur Flaubert n'en demande pas davantage : il est convaincu que ce rôle mal joué est la vérité d'Achille, il ne croit pas s'être seulement reproduit mais *refait*. Il va donc s'opérer lui-même par la main de son fils ; non pas en l'assourdissant de conseils mais pour lui avoir, dès l'enfance, donné son propre caractère, son coup d'œil, son inflexibilité. Cette relation du père au fils est-elle de l'amour ? Comme il vous plaira. Mais il est rare qu'une passion rapproche autant deux amants. Pour l'un et l'autre Flaubert, l'*être profond* du fils, c'est son *personnage* ; et, pour l'un comme pour l'autre, ce personnage est le Père. En choisissant le fils, en l'imposant aux confrères, Achille-Cléophas se choisit ; abattu par le phlegmon, il ressuscite : grâce à son incarnation, il conserve l'initiative ; le danger mortel l'a renversé sur son lit, réduit à l'impuissance : au même instant il se redresse, rajeuni, se penche, debout, sur son vieux corps et va l'arracher à la mort. Un en deux : il reste jusqu'au bout son propre maître. Quand même l'opération ne réussirait pas, du moins l'aurait-il décidée, menée à bout. Quelqu'un mourra, une dépouille mortelle sera ensevelie : le docteur Flaubert survivra.

Mais il y a plus encore que cette réciprocité d'identification : à regarder de près le sens objectif de ce choix, on y trouve la marque d'une intention plus profonde, informulée, charnelle et tendre, qui semble nous renvoyer au monde obscur des affections *subies* : cet homme offre à son fils son vieux corps usé ; c'est par son fils qu'il a décidé de souffrir. Minutieusement ; il *ressentira*, passif, dans sa chair, l'action incisive du bistouri. On dirait qu'il veut payer une dette de sang et qu'il aime se démettre entre les mains du jeune homme comme si cette impuissance réelle et consentie était le prix et le reflet d'une autre impuissance, de celle du nouveau-né entre les mains de son jeune père, trente-deux ans plus tôt. Le vieux Flaubert ne voulait pas, nous l'avons vu, disparaître en proclamant la royauté d'un de ses confrères à moins que ce ne fût un Flaubert ; mais on dirait inversement qu'il s'est plu, mourant, à recevoir humblement d'Achille la bonne souffrance, à quêter dans les yeux, dans la voix, dans les gestes de son fils le moindre signe rassurant : comme s'il eût assumé l'être relatif que la maladie donne aux malades pour que l'hoir transfiguré fût porté, par la démission paternelle, à l'être absolu ; le père se fait nourrisson, le fils décidera des besoins du vieux corps, comme le médecin-chef, autrefois, tranchait souverainement sur tout ce qui concernait ses enfants. Mais, surtout, c'est un sacrifice : l'intervention semble tardive, le succès n'est pas assuré ; Achille-Cléophas le sait mieux que personne : s'il est condamné, que la mort lui vienne de son fils aîné. « Je t'ai fait, tu m'as fait : nous sommes quittes ; ou plutôt non : pas tout à fait ; mon sang coule sous ton couteau, c'est la transfusion de pouvoirs : mourant par toi, je sens dans la douleur que le *mana* me fuit et qu'il entre en ton corps. »

Ce qui frappe, c'est la passivité consentie. Souffrances et mort infligées, acceptées d'avance, dépendance réclamée, subie, brusque renversement des rôles, comme dans les Saturnales, le père devenant le fils dans ses langes pour un fils qu'il métamorphose en son propre père : tout cela n'est pas voulu, ni vu ni connu, mais *ressenti*, Achille-Cléophas s'enfonce dans cette lourde et profonde inertie qui enveloppe les douleurs physiques et les affections indistinctement. C'est par son fils et pour lui mais surtout *en lui* qu'il éprouve sa générosité seigneuriale comme une maladie, bref comme une Passion. Mais celle-ci, à son tour, comment la concevrions-nous sinon comme une passion chauffée à blanc. Il faut bien le reconnaître : les dernières relations du père avec son fils ont été vécues passionnément. Achille-Cléophas aura tout donné à son fils aîné : la vie, les biens matériels, son savoir, son office et finalement son corps. Bref il n'aima jamais en son fils une aventure singulière, un « monstre » incomparable à tout, une vie chanceuse dont les hasards et la mort inévitable font le prix quel qu'en soit le cours. Il *se* chérissait en son fils *comme Autre* et par là même il fit d'Achille un autre Achille-Cléophas.

Le plus surprenant résultat de cette relation, c'est que le Vieux, s'offrant de lui-même au couteau, ôta à son aîné jusqu'à la possibilité de se délivrer par le classique *meurtre du père* : certes, Achille l'a tué mais il s'est fait, en tremblant, jusque dans l'opération, le docile instrument d'un suicide sacré.

Après la mort du chirurgien-chef, son fils aîné parachève l'identification au père. Même ville, même office, mêmes clients, même logement : c'est l'héritage. Mais il en remet : même allure, mêmes habits. Quand il entrait en carriole dans un village les anciens croyaient voir le vieux docteur Flaubert ressuscité. L'hiver, paraît-il, la ressemblance devenait hallucinante : Achille s'obstinait à porter la vieille peau de bique du *pater familias*. Cet accoutrement, déjà « original » sous la Restauration, marquait assez la rudesse paysanne du Géniteur ; en 1860 il devient aberrant. N'importe : ce long personnage aux jambes grêles jouit d'une grande popularité et, si l'on sourit de son costume, c'est en toute amitié, respectueusement ; il faut simplement noter que son étrange pelisse n'est pas *choisie*, qu'elle est *héritée* ; cet homme, si souple quand il s'agit de s'adapter à des changements sans conséquence, devient rigide quand on veut lui proposer de modifier, si peu que ce soit, le rôle du Père, *son* rôle. Poli, affiné par ses amitiés nouvelles, il était urbain dans les salons, cul-terreux sur sa carriole ; c'est que, dans l'un et l'autre cas, il *continue* le *pater familias* : celui-ci, sans se départir de ses manières paysannes, voulait avant tout que sa famille se haussât jusqu'à l'élite rouennaise des nantis ; Achille conserve le contraste et supprime la contradiction en gommant tout : la peau de bique ne rappelle plus aux clients l'origine rurale des Flaubert mais, tout simplement, la figure respectée du médecin-philosophe [1].

Le rôle n'est pas muet, d'ailleurs : Achille connaît par cœur ses répliques. Louis Levasseur écrit, en 1872 : « Il tient de l'héritage paternel tout un inventaire d'opinions, de thèses, de doctrines qui sont pour lui la loi et les prophètes, qu'il oppose avec opiniâtreté à certaines nouveautés : *Pater dixit* et auxquelles, pour rester d'accord avec lui, il n'y a qu'à répondre : amen. Il en est si fortement engoué qu'il se bute par avance contre tout ce qui peut y faire échec. Il s'embourberait s'il ne craignait qu'on l'accusât de ''piétiner dans les ornières'' [2]. »

Il « se bute par avance contre tout ce qui peut y faire échec » : la contradiction profonde d'Achille est bien vue ; il faut s'adapter, accepter le neuf ou s'embourber, c'est-à-dire perdre sa clientèle, ruiner le patrimoine qu'Achille-Cléophas lui a confié ; mais s'il doit, par cette raison, abandonner une opinion que son père lui a léguée, il s'égare, il a le sentiment de trahir son créateur et de démolir sa propre personne en remplaçant les règles par une indétermination généralisée. En vérité, il s'arrange : dans les domaines que le Père n'a pas explorés, il emmagasine les connaissances, il se « tient à jour » ; partout, au contraire, où le médecin-philosophe a mis son nez, il refuse de rien changer. Ces axiomes périmés, ces méthodes dépassées qu'il conserve obstinément, ce sont des survivances ; il a beau s'y cramponner, leur importance relative ne cesse de décroî-

1. Gustave ne s'y est pas trompé. Il écrit, dans *Madame Bovary* : « (Le docteur Larivière) appartenait à la grande école chirurgicale sortie du tablier de Bichat, à cette génération, maintenant disparue, de praticiens philosophes qui, chérissant leur art d'un amour fanatique, l'exerçaient avec exaltation et sagacité ! Tout tremblait dans son hôpital quand il se mettait en colère, et ses élèves le vénéraient si bien qu'ils s'efforçaient, à peine établis, de l'imiter le plus possible ; de sorte que l'on trouvait sur eux, par les villes d'alentour, sa longue douillette de mérinos et son large habit noir, dont les parements déboutonnés couvraient un peu ses mains charnues, de fort belles mains, et qui n'avaient jamais de gants. »
2. « Les notables de Normandie », cité par Dumesnil, *Gustave Flaubert*, p. 81.

tre : l'afflux des connaissances nouvelles va les rejeter à la périphé-
rie. N'importe : ces durillons, ces enkystements, pour lui, c'est
l'essentiel, c'est la marque intime de son être, le lieu même où la
vie de répétition se confond avec l'inerte permanence de la mort.

En dehors de ces conflits permanents, on devine assez bien ce
qu'il fut. Et Levasseur, qui semble malveillant mais perspicace, nous
donne un autre précieux renseignement : « Il est précautionneux,
éplucheur, méticuleux dans l'examen du sujet, autant par souci de
sa réputation que par perplexité pour le malade. » Rien de mieux,
somme toute : voudrait-on qu'il fût négligent ? Mais ce n'est pas
un hasard si l'auteur utilise coup sur coup deux épithètes péjorati-
ves : éplucheur, méticuleux. Achille devait aller trop loin, question-
nant sans cesse le malade et ses proches : chaque fois que ce
personnage sortait de sa carapace pour prendre contact avec la réalité clinique, il fallait qu'il prît le temps de rajeunir le vieux mort
et de le mettre en état d'affronter la situation nouvelle : l'incarnation, perplexe, commençait par se protéger contre l'angoisse et la
solitude par la méticulosité ; ses questions pointilleuses, ses précautions souvent inutiles, c'étaient des conjurations : il se garantissait
contre les méthodes de la jeune médecine par des manies obses-
sionnelles ; et puis il gagnait du temps ; quand, enfin rassuré, étayé
de partout, ce timide redevenait docteur Flaubert (père et fils), il
laissait libre cours aux mouvements spontanés de son esprit, avec
la conviction que le Vieux, comme autrefois, pensait en lui. De fait
on lui reconnaît « une intuition de son art. Il sait mieux deviner,
diagnostiquer, que définir ou expliquer ». Qu'est-elle devenue, cette
brillante intelligence discursive qui lui valut tant de succès dans ses
années de collège et de faculté ? S'est-elle éteinte en même temps
qu'Achille-Cléophas ? Non. Mais définir, expliquer, c'est appuyer
le diagnostic sur certaines conceptions théoriques et pratiques ; il
faut, tout particulièrement, avoir des vues précises sur ce qu'on
nomme aujourd'hui la symptomatologie. En cela, j'imagine, le
médecin-philosophe excellait. C'est qu'il était *de son temps* : un
peu en avance, un peu en retard comme tout le monde mais soutenu, nourri, emporté par le mouvement de l'époque ; ses confrères, dans toute la France, avaient eu, directement ou non, les mêmes
maîtres : donc Achille-Cléophas estimait avoir droit à leur approbation. Ainsi diagnostiquer resta pour lui jusqu'au bout légiférer.
Il semblait toujours à ce médecin magnifique que le cas particulier
engageait les idées générales et les principes ; en même temps,
comme il y avait plus de maladies sur terre et plus étranges que

ne rêvait sa philosophie, dès qu'il avait affaire à quelque variété inconnue de lui, il avait le sentiment que son diagnostic créait un précédent, comme s'il eût été président de tribunal. Et si l'on me demande d'où je sais tout cela sur le Vieux, je recommande de relire le portrait du docteur Larivière où tout est dit : en particulier on ne manquera pas de s'instruire si l'on considère de près les rapports du célèbre médecin avec son malheureux confrère.

Métier prestigieux, superbement exercé; qu'est-ce donc qui retient Achille d'imiter son père? Je réponds : Achille-Cléophas lui-même. Il eût fallu pour délivrer son fils une autre mutation brusque, ce qui ne lui fut pas donné. Faute de cela, il s'est tellement pénétré de la science paternelle, quand elle était vivante, qu'il en reste pour toujours marqué. Axiomes et principes, règles et lois : c'était l'intelligence en acte; son père découvrait les rapports et les ramenait aux vérités premières par un mouvement de pensée ininterrompu; Achille imitait puis comprenait, il refaisait le chemin seul, avec rigueur et spontanément. Le vieillissement des idées médicales fut très rapide, malheureusement, de Claude Bernard à Pasteur. Dans toutes les sciences, le positivisme tendit à remplacer le mécanisme que les nouveaux savants jugeaient souillé de métaphysique. En fait il s'agissait de châtrer le mécanisme en douce : pour éviter, dit-on, de retomber dans l'ornière philosophique, on en retrancha le matérialisme. Les causes disparurent aussi — ce qui ne fut pas un mal —, il ne resta plus que les lois. Bref les contemporains d'Achille ont évolué : ses confrères font une autre médecine. Disons plutôt qu'elle n'est « ni tout à fait la même ni tout à fait une autre ». Achille connaît leurs idées et les refuse : par cette simple raison qu'il est le docteur Flaubert n° 2. Toutefois il faut s'entendre : le père vieilli, s'il eût survécu quelques années, eût éprouvé de la difficulté à s'adapter; peut-être eût-il refusé en bloc toutes les nouveautés. Mais cela n'est pas sûr : il avait la passion de connaître; quelque chose eût passé en lui des soucis et des découvertes de la jeune génération. Abandonner *mes* idées, cela me coûte; mais je les lâcherai, *miennes*, avec moins d'effort que si l'Autre, quel qu'il soit, les a gravées en moi. Achille-Cléophas pouvait à la rigueur changer de principes : c'étaient les siens. Achille ne le pouvait pas : c'était le patrimoine. Il fait preuve à la fois d'une intransigeance et d'une inquiétude que son père n'a jamais eues; il est aux aguets, à la moindre allusion, il se cabre ou se braque. Et tout aussitôt la peur engendre la violence : il faut se taire ou se brouiller avec lui. C'est qu'il sent que la doctrine paternelle n'est autre que *lui-même* tel qu'en docteur Flaubert Achille-Cléophas l'a changé. Et, à la fois, qu'elle est responsable du léger décalage qui le sépare toujours de la réalité médicale. Dès lors, il n'a pas de langage pour définir, déduire, expliquer : le seul qu'il accepte, celui du père, ne convient pas tout à fait ; il est même préférable de ne pas s'en servir : formulées, ces vérités paraîtraient périmées. Quant à l'autre langage, s'il en use, il trahit ; c'est un apostat. Le misonéisme, chez lui, est d'abord une obligation sacrée. Nul doute que ses lectures ne l'influencent ; pourtant il gardera fermement les principes hérités. Incapable de fonder ses diagnostics, il a le plus souvent recours à l'intuition nue. Nue : c'est ce qu'on dit. En fait l'idée synthétique se forme dans sa tête à partir des nouvelles connaissances qui s'y sont glissées malgré lui ; au-dehors, elle se fait pratique et thérapeutique, produit des actes, des ordonnances ; en même temps le Fils dévot, sans ouvrir la bouche, tente en forçant un peu les mots de l'exprimer pour lui seul, silencieusement, dans la langue paternelle.

Après la mort du père, Achille ne sera même pas chef de la famille Flaubert. Pourtant la transmission des pouvoirs s'est faite correctement. Il n'aura guère d'influence sur les habitants de Croisset. C'est que le Père réside en lui, inerte pesanteur, comme la somme de ses impuissances. Achille n'est pas un homme, ce « creux toujours futur », puisqu'il s'est contraint d'être une plénitude toujours passée, jamais dépassée, la plénitude d'un autre. Vivant, le Père était, pour son fils aîné, *le même*. À partir de 46, Achille se retrouve aliéné au plus exigeant des morts. Il cesse de vivre et meurt au jour le jour. Il voulait être son père tout vif ; il sera jusqu'au bout son père défunt. Achille, grand dadais funèbre, n'a rien voulu qu'être. Tous ses efforts d'adolescence et de jeunesse n'avaient qu'un but : intérioriser au plus vite l'*être* de son père, en faire sa substance intérieure et son conditionnement perpétuel pour être, en cas de malheur, prêt à le remplacer sur l'instant. Il y a réussi ; et puis après ? Pour se contenir dans ce rôle, il faut qu'il abandonne la recherche, la philosophie, l'intelligence même et jusqu'à l'autorité du *pater familias*, bref tout ce qui définissait le père vivant dans sa libre existence. Son existence est finie. Cette montre morte marquera 1846 jusqu'à sa fin.

Est-ce à dire qu'Achille était malheureux ? Je ne le pense pas. Il jouissait de son Créateur à travers l'image indigne qu'il en offrait modestement à tous. Quelle vie *protégée* ! Il recommençait chaque jour, dans le bonheur, le cycle des actes paternels : hôpital, amphithéâtre, visites, carriole et peau de bique. Cette carcasse vide ne souhaitait que la répétition. Après tout, c'était de famille : les vétérinaires, fils de vétérinaires, répétaient les conduites de leurs pères ; la mutation brusque d'Achille-Cléophas libéra une génération. Une seule : la suivante rétablit à un niveau supérieur le retour éternel et ses pompes sacrées. Il en serait ainsi pendant des siècles, jusqu'à la prochaine mutation. L'hoir jouissait de la clientèle, de la fortune et de la notoriété paternelles sans souhaiter les accroître : il ne fallait que maintenir. Il n'ignorait pas que les honneurs et l'argent s'adressaient à travers lui au Fondateur disparu mais c'était justement la raison de son plus profond plaisir : les attentions, le respect des Rouennais lui donnaient la certitude subjective d'être la meilleure incarnation possible du Héros éponyme. Ainsi sa vérité c'était le Père, cet « Ego » protecteur qui était en même temps *son* Ego ; et sa parfaite sécurité lui venait de cette étrange et très intime tension : il n'était jamais soi-même qu'en se découvrant inférieur à soi. Bref, satisfait, en tout cas apaisé ; et légèrement funèbre par le vide qu'il avait installé en lui : l'analyse mécaniste, les leçons du père et leur rigueur logique, puis plus tard la nécessité de *n'être qu'Achille-Cléophas* avaient refoulé brutalement, écrasé contre la paroi toutes les affections vagues, toutes les pensées irrationnelles que chacun de nous rumine et qui font notre richesse. Il ne restait rien. En lui, l'irrésistible élan d'Achille-Cléophas agonise : s'il s'élève encore un peu c'est que son milieu, c'est que sa classe le portent ; mais il se laisse porter, il se fait aussi lourd qu'il peut : il fait profession d'aimer le progrès des lumières pour imiter le Géniteur mais, en même temps, il déteste les changements qui l'éloignent de son Dieu. À ne considérer que lui, l'aîné, l'héritier, le chef de famille, la chute de la maison Flaubert paraît proche : souhaitons-lui d'avoir des fils qui reprendront les ambitions du grand-père mort ; s'il doit en avoir, ils vivront : Achille — c'est sa seule qualité mais elle est d'importance — n'est *pas assez admirable* ; il n'eût pas gêné ses enfants. Hélas ! la fatalité veut qu'il n'ait qu'une fille et que la branche rouennaise des Flaubert s'éteigne avec lui.

V

Naissance d'un cadet

Les Flaubert s'installent en 1819 à l'Hôtel-Dieu. Gustave est
conçu à la fin du premier trimestre de 1821, c'est-à-dire quelque
dix-huit mois plus tard ; il naît le 12 décembre, un autre enfant le
suit bientôt puis c'est Caroline en 1824. Cela signifie — on sevrait
fort tard, à l'époque — que la mère de Gustave l'allaitait encore
quand elle commença sa nouvelle grossesse et qu'il n'avait pas plus
d'un an et demi quand son frère cadet disparut. Il a trois ans de
plus que sa sœur, donc il faut que Mme Flaubert se soit trouvée
enceinte, une fois encore, quand il était âgé de deux ans et quelques mois. Ainsi, depuis la naissance du futur écrivain jusqu'à sa
troisième année, Mme Flaubert passe, presque sans transition, de
la grossesse à l'accouchement, de l'allaitement au deuil, du deuil
à la grossesse et à un nouvel accouchement. En neuf ans, trois
enfants ; trois enfants en moins de quatre : on passe de la nonchalance à la frénésie. Ensuite, c'est le calme plat ; pourtant la mère
est jeune encore : trente et un ans. N'importe : famille au complet,
plus jamais le géniteur n'engendrera. Est-ce que les Flaubert ne
feront plus l'amour ? Revenons à notre comparaison : trois en neuf
ans, ces amoureux musent, il leur vient des enfants parce qu'ils couchent ensemble ; trois en quatre ans, ces parents se hâtent, ils couchent ensemble pour avoir des enfants. Après, satisfaits et las, ils
ont dû renouveler quelquefois — de plus en plus rarement — des
étreintes qui n'avaient plus de but et qui donnaient peu de plaisir.
Tel était du moins le sentiment du docteur. Je ne suis pas sûr que
sa femme ait renoncé de si bonne grâce aux plaisirs du lit. Mais
que dire ? Gratuits, ils l'eussent effrayée ; elle avait réclamé qu'ils
fussent légitimés par la nécessité de perpétuer la famille. Le couple
s'était conformé à la lettre au *planning* familial : l'œuvre de chair

accomplie, les enfants mis au monde, il eût été coupable de rechercher pour elles-mêmes les voluptés charnelles.

Et pourquoi s'arrêter après la naissance de Caroline? Eh bien, la raison est manifeste et je l'ai déjà dite : Mme Flaubert voulait une fille, quand elle l'eut, on tira le trait. Faut-il penser que Mme Flaubert avait déjà cette idée en tête quand le mari lui fit Gustave? Je le crois. Nous avons vu que son enfance la disposait à se retrouver, à se chérir, en la personne d'une nouvelle Caroline. On ne s'étonnerait donc pas si quelque lettre retrouvée nous apprenait qu'elle désirait sortir de soi, chair de sa chair, dès sa première grossesse. Mais ce désir — à supposer qu'il fût déjà manifeste — n'avait pas pris le tour d'une impérieuse exigence. Des exigences, l'épouse incestueuse et soumise n'en avait aucune : l'aîné, c'était le fils du père et son successeur, elle mit de côté sans hésiter ses préférences personnelles et se réjouit d'être entrée du premier coup dans l'Empire du soleil; il serait toujours temps, plus tard, de rejoindre les États de la lune, son propre empire. Vinrent encore deux garçons qui se retirèrent en s'excusant : pendant les neuf mois de chaque grossesse, la mère eut tout le temps de rêver au poupon futur : serait-ce une pouponne, on l'aimerait à la folie, on lui donnerait tout. Ce libre jeu de l'imagination lui révéla finalement la force de son désir : je *veux* une fille. Mais les petits mâles moururent avant de la décevoir : le sexe comptait pour rien au prix de la santé. Quelle hérédité portait la responsabilité de ces accidents? Les parents et grands-parents d'Achille-Cléophas semblent avoir été fort sains; Caroline pouvait, par contre, se rappeler les deuils de son enfance, la mort de l'épouse et surtout ce père si frêle, tout le temps malade, qui survécut à celle-ci de dix ans; elle pouvait se rappeler ses propres hémoptysies[1] : triste bilan; la culpabilité profonde de l'orpheline s'en nourrissait avidement. Elle dut pleinement déguster ce que certains analystes appellent la malédiction de la mère. Mme Fleuriot lui disait : tu m'as tuée, je te maudis, les fruits de ton ventre pourriront parce que tes entrailles sont pourries.

Par bonheur, le docteur Flaubert, incarnation de Dieu, rassurait et calmait : et puis, je l'ai dit, en ce temps de leur vie, l'enfant justifiait l'amour mais l'amour comptait d'abord. De sept années d'expérience, Caroline tira des conclusions fort simples : pour la ponte proprement dite, ça pouvait aller, elle était féconde avec le bassin large; mais sans être malsaine ni même fragile, il y avait en

---

1. Achille-Cléophas, surmené, avait eu, lui aussi, des crises d'hémoptysie.

sa chair un germe de délicatesse qu'elle transmettait à ses fils et dont ils avaient les plus fortes chances de mourir ; enfin son tempérament — ou plutôt celui du docteur prépotent — l'inclinait malgré ses vœux à faire des enfants du sexe masculin.

Vient le commencement des années mauvaises : l'Hôtel-Dieu détesté lui découvre la très légère réserve d'un mari trop occupé. Pour la deuxième fois, Caroline est frustrée d'un père : elle retrouve sans le savoir, à travers cette retenue, les malheurs de son enfance solitaire, la condamnation muette du docteur Fleuriot. Pour la première fois elle voulut une compensation ; il n'y en avait qu'une. Une seule, rigoureusement définie par ses malheurs : une fille. Nous ne saurons jamais si elle eut l'audace de parler en présence du Maître : ce qui est sûr, c'est qu'elle se fit entendre. Achille-Cléophas semble avoir tout de suite accepté : une fille, très bien, elle l'aurait. Contre les petits mâles indiscrets qui se trompaient de ventre, contre la fragilité qu'elle communiquait à la chair de sa chair, une seule tactique : on efface tout et l'on recommence, aussi souvent qu'il le faudra, pour mettre au jour une petite fille et qui soit viable. Achille-Cléophas espérait bien qu'un garçon naîtrait au cours de cette quête : son honneur spermatique y était engagé. Mais, avant tout, il voulait aller vite : le couple disposait de cinq ou six ans, guère plus ; si l'on ne se pressait pas, les derniers venus seraient des enfants de vieux. Ainsi naquit Gustave, premier résultat du nouveau *planning* : son malheur fut d'essuyer les plâtres.

Après le déménagement la jeune mère resta plus d'un an sans être engrossée : quand cela se fit enfin, elle avait eu le temps de remâcher ses regrets ; l'Hôtel-Dieu, intériorisé, avait assombri pour toujours sa sensibilité. Pour toujours ? Cela dépendait, c'était pile ou face.

Face : si l'enfant attendu était de sexe féminin, Caroline apprendrait un amour inconnu, des relations de cœur jamais ressenties, cette femme de devoir connaîtrait la générosité ; elle se retrouverait en se renouvelant et se renouvellerait pour s'être retrouvée. La réserve imperceptible du père et l'abandon goulu de la fille s'équilibreraient en elle ; l'Hôtel-Dieu perdrait sa valeur de symbole ; il *représentait* le malheur et Caroline vivrait un bonheur nouveau : sans disparaître, la vieille prison des souffrances sauterait en arrière, perdrait son pouvoir envoûtant. Il n'est de cachot si noir qu'une passion n'éclaire quand elle y est éclose.

Pile : si par malchance elle portait en ses flancs pour la quatrième fois un mâle, elle ne lui donnerait pas le jour sans une déception terrible. L'intrus confirmerait par sa naissance la malédiction de Mme Fleuriot : la fille coupable était condamnée à ne faire que des fils. De là à conclure que ces fils — hors le premier — crèveraient au berceau, il n'y aurait qu'un pas aussitôt franchi. D'ailleurs les relations de la mère à l'enfant ne seraient pas renouvelées : ressuscitées, sans plus, avec une moindre intensité : elle soignerait son petit d'homme, comme elle l'avait fait trois fois, avec application et dévouement, sans trop d'élan, craignant au moindre malaise qu'une fièvre subite ne l'emporte et se reprochant sans parole de ne pas le craindre assez. Une seule modification : l'avant-dernier des « *morituri* » avait mené sa courte vie dans le milieu du bonheur, rue du Petit-Salut ; le dernier naîtrait au cœur de la souffrance publique, dans une ineffaçable suie ; son apparition serait pour la jeune mère un échec profond, sanctionnerait tous les échecs passés, présents et futurs, le surmenage d'un époux un peu distrait, le délaissement qu'elle ne voulait pas s'avouer, tous les deuils, la mort future du nourrisson ; ce porte-malheur attirerait sur sa tête et sur celle de ses parents toutes les puissances malignes qui tourbillonnaient dans l'hospice : ce serait l'enfant de l'Hôtel-Dieu.

Neuf mois bien agités : elle dut tout envisager, la pauvre Caroline, espérer et désespérer, tantôt accueillant la fille future comme une manne céleste et d'autres fois crachant aux cendres pour refuser le fils imminent. Ces agitations de l'âme restèrent sans doute cachées. Mais elle ne put dissimuler l'ardent désir de faire une fille, de se refaire. Après quoi la sage-femme extirpa d'elle un garçon ; on le lui montra avec des cris et des rires, nu, et, comme nous sommes à la naissance, magnifiquement pourvu. Si mon hypothèse est juste, la jeune mère vit en lui une bête étrangère : elle avait trop espéré se reproduire — au sens littéral du mot — pour ne pas ressentir qu'un usurpateur s'était incarné sans visa dans la chair de sa chair. Un Autre. Qui était du parti des Autres, de la suie, de la mort et qui venait souffrir, mourir sur cette terre pour exécuter la sentence portée par un Tribunal inconnu. Cette naissance rejeta la mère à son délaissement. Heureux d'avoir un second fils, le docteur Flaubert ne dut ni partager ni même deviner le désarroi de sa femme.

Caroline était femme de devoir : nous avons vu ce qu'il faut entendre par là. Jamais elle ne détesta Gustave, le chiffre de son échec. Elle s'avouait sa déception, rien de plus. Pour le reste, il y avait ce nouveau-né qu'il fallait nourrir, laver, protéger. Elle fit le nécessaire. Mais, sans même nous interroger sur les replis de cette âme faussement transparente, il est clair que l'objet de ces soins minutieux n'avait que deux façons de lui apparaître : ou comme *son* échec de femme et de mère — cela veut dire comme singularité détestable et toute négative — ou dans sa pure généralité de nourrisson. Elle préféra ne voir qu'une existence avide qui *n'était pas* la fille souhaitée et, à part cette négation bien définie, restait dans la pure indétermination. Une vie sexuée, rien de plus. Qu'avaient-ils été, d'ailleurs — Achille mis à part —, les autres fils sinon les objets *généraux* de ses soins ? Elle les aimait d'un amour général qui, nous l'avons vu, respectait en eux le sexe du père et la gloire future des Flaubert. Mais il fallait bien qu'elle ressentît chaque naissance masculine comme une répétition. Vivant côte à côte, ils eussent créé, soutenu leurs différences, elle eût été forcée de reconnaître leurs caractères individuels qu'eût soulignés la coexistence : dans leurs querelles, ils eussent fait apparaître l'un plus d'impétuosité, l'autre plus de rancune. Mais ils naissaient et mouraient dans la solitude, sans qu'on pût les comparer. Chacun paraissait à la mère le recommencement des précédents. Retour des naissances comparable à celui des saisons, des travaux saisonniers et d'une antique malédiction. Gustave recommençait les deux morts. Pour sa mère il fut mort de naissance : on le soigna contre la mort, en attendant qu'elle vînt, inflexible. Pour beaucoup de parents, leur nourrisson semble le présent le plus désarmé, l'avenir le plus somptueux : Gustave, non ; pas pour les parents Flaubert ; ils avaient peur, ils se cachaient leurs sentiments, le père affirmait d'une voix posée, médicale que son fils était viable : ces efforts empêchaient peut-être que le mot « décès » fût prononcé ou qu'il vibrât en silence dans l'une des deux consciences : ils n'empêchaient pas que l'enfant fût privé d'avenir ; les parents épiaient cet organisme minute par minute et cette surveillance les absorbait trop pour qu'ils songeassent aux années futures. Or ce sont elles, avant même d'être vécues, qui individualisent : non pas *subjectivement* dans la tête d'un père mais *objectivement* comme une préfabrication ; il suffit qu'un chef de famille ait manqué sa vie ou qu'il l'ait réussie : le destin de l'enfant est fait. À partir de là, on revient sur lui, on l'observe, on le juge : sera-t-il capable d'affronter l'avenir qu'on lui prépare ? Les exigences de demain sont les schèmes d'aujourd'hui, les idées directrices qui guideront les parents ; on commencera par donner aux petits d'hommes, souvent très tôt, un « caractère » qui n'est autre, en vérité, que la somme des prévisions paternelles : « Le petit tient de moi l'endurance, de toi la sagesse et la douceur », etc. Cela veut dire : il aura la vocation du métier que nous lui imposons. Peu importe ce qui arrive ensuite : en intériorisant plus tard cette individualité hâtivement composée, l'enfant risque les pires complications. Mais en tout cas, les troubles seront moins graves que si l'on a, plus ou moins silencieusement, attendu sa mort pendant ses premières années. Il n'a rien compris, bien sûr, il n'y voit que du feu : reste qu'on n'enseigne pas à marcher de la même manière si c'est pour soixante ans d'usage ou pour deux ; les soins, même, la mère fût-elle la plus adroite, sont provisoires. Ce gosse vit en amateur puisqu'il va mourir ; il s'occupe *en attendant* : ainsi font, aujourd'hui, les jeunes filles de Passy qui suivent des cours à la Sorbonne *en attendant* de se marier.

Gustave naît entre deux décès : les médecins et les analystes savent tous que c'est un mauvais début. Or un garçon naît après Gustave et meurt à six mois lorsque son frère en a dix-huit. Le sevrage est si tardif à l'époque que Mme Flaubert a pu, pendant quelques semaines, donner le sein aux deux fils en même temps. A-t-elle aimé le disparu plus que le survivant ? Peut-être, encore qu'on ne voie guère la raison de cette préférence : cet intrus prenait lui aussi la place de la fille qu'elle désirait. À peine peut-on dire qu'il était moins marqué que Gustave : celui-ci résume en lui les infortunes de Caroline y compris ses déceptions conjugales. Au suivant, le pli est pris et le mal est fait. Il se peut donc qu'on n'ait vu que son innocence et qu'on l'ait regretté. Guère. Mais, surtout, le coup fut ressenti par Achille-Cléophas lui-même : il fallait bien, cette fois, que le médecin-philosophe se demandât si sa semence n'était pas pourrie. D'autant qu'une doctrine accréditée — et flatteuse pour les maris — tenait les spermatozoïdes pour des miniatures d'hommes ; le père projetait ses petits simulacres dans la mère qui les nourrissait de ses graisses et de son sang mais n'influait pas sur leur nature. Si le docteur Flaubert faisait des enfants morts, n'était-ce pas qu'il portait en lui le principe funeste de ces trépas ? Il commença de se tourmenter. Inquiète paternité ! En fait il souffrait surtout dans son orgueil : quoi de plus humiliant pour un *pater familias* que d'être un géniteur aux testicules avariés ?

Ce qui fut évident pour les époux, en tout cas, c'est qu'on allait bientôt leur retirer Gustave. On tint pour rien le fait qu'il avait résisté dix-huit mois ; il y avait dans la mort du puîné une évidence noire et brillante qui aveuglait. D'Achille — qui avait dix ans passés — on pouvait dire qu'il était sauvé. Mais l'autre, non. À quand son tour ? Gustave fut soumis aux traitements les plus contradictoires. Le chirurgien volontariste et son épouse stalinienne voulurent lutter pied à pied contre le destin; ils exercèrent sur l'enfant cette tyrannie que les médecins nomment aujourd'hui surprotection. Pour un frisson, pour une langue chargée, le lit. Des médicaments. Le gavage, peut-être : c'était bien vu. Et, cela va de soi, des lavements. Mais, au fort du combat, ces lutteurs ne croyaient guère à leur cause : on ferait ce qu'il faudrait, on irait jusqu'au bout et quand l'issue fatale, longtemps reculée mais inexorable, anéantirait à la fois tant d'efforts et leur objet, on n'aurait rien à se reprocher. La surprotection cachait un abandon. Mieux, cette sollicitude est par elle-même un refus : les parents Flaubert croyaient refuser la mort quand ils l'avaient au fond du cœur acceptée. C'était Gustave qu'ils refusaient. Vivant, il payait pour tous ces mômes obstinés. Ainsi, quand une pièce de théâtre bat de l'aile, les acteurs en veulent aux rares spectateurs : ceux-ci représentent les absents.

J'imagine donc que Mme Flaubert, épouse par vocation, était mère par devoir. Excellente mère, mais non pas délicieuse : ponctuelle, empressée, adroite. Rien de plus. Le fils cadet fut précautionneusement manié : on lui ôtait, on lui remettait ses langes en un tournemain; il n'eut pas à crier, on le nourrissait toujours à point. L'agressivité de Gustave n'eut pas l'occasion de se développer. Frustré, pourtant, il le fut : bien avant le sevrage mais sans cris ni révolte; la pénurie de tendresse est aux peines d'amour comme la sous-alimentation à la faim. Plus tard, le mal aimé se consumera; pour l'instant, il ne souffre pas vraiment : le besoin d'être aimé apparaît dès la naissance, avant même que l'enfant sache reconnaître l'Autre [1] mais il ne s'exprime pas encore par des désirs

---

1. C'est que l'Autre est là, diffus, du premier jour, par cette découverte que je fais de moi à travers mon expérience passive de l'altérité. Cela veut dire : à travers ce maniement répété de mon corps par des forces étrangères, orientées, servant mes besoins. À ce niveau même, pour élémentaire qu'il soit, l'amour est exigé. Ou, plutôt, les soins reçus *sont* l'amour. Il convient, dans ces moments-là, que l'enfant, se découvrant par et pour l'altérité diffuse, puisse se saisir dans un milieu externe et interne d'affabilité. Les besoins viennent de lui mais le premier intérêt qu'il attache à sa personne, il le tient des soins dont il fait l'objet. Si la mère l'aime, en d'autres mots, il découvre peu à peu son être-objet comme son être-aimé. Objet subjectif pour lui-même à travers un autre de plus en plus manifeste, il devient à ses propres yeux, comme but absolu d'opérations coutumières, une *valeur*. La valorisation du nourrisson par les soins l'atteindra d'autant plus profondément que la tendresse sera plus manifeste : si la mère lui parle, il saisit l'*intention* avant le langage; qu'elle lui sourie, il reconnaît l'*expression* avant le visage même. Son petit monde est traversé d'étoiles filantes qui lui *font signe* et dont l'importance est avant tout de lui *dédier* les conduites maternelles. Ce monstre est monarque absolu, toujours fin, jamais moyen. Qu'un enfant puisse une fois dans sa vie, à trois mois, à six, goûter ce bonheur d'orgueil, il est homme : il ne pourra de toute son existence ni ressusciter la volupté suprême de régner ni l'oublier. Mais il gardera, jusque dans la mauvaise

précis. La frustration ne l'*affecte pas* — ou peu —, elle le *fait* : je
veux dire que cette négation objective le pénètre et qu'elle devient
en lui un appauvrissement de la vie : misère organique et je ne sais
quelle ingratitude au cœur du vécu. Pas d'angoisse, il n'a jamais
l'occasion de se sentir abandonné. Ni seul. Dès qu'un désir se
réveille, il est aussitôt comblé ; qu'une épingle le pique et qu'il crie,
une main preste supprimera la douleur. Mais ces opérations précises sont aussi parcimonieuses : on économise tout, chez les Flaubert, même le temps qui est de l'argent. Donc on lave, on allaite,
on soigne sans précipitation mais sans complaisance inutile. Surtout la mère, timide et froide, ne sourit pas ou guère, ne babille
pas : pourquoi faire des discours à ce bébé qui ne peut les entendre ? Gustave a beaucoup de peine à saisir ce caractère épars du
monde objectif, l'altérité ; quand il en prend conscience, quand il
reconnaît les visages qui se penchent sur son berceau, une première
chance d'amour lui a déjà échappé. Il ne s'est pas découvert, à
l'occasion d'une caresse, être de chair et fin suprême. Il est trop
tard, à présent, pour qu'il soit, à ses propres yeux, la *destination*
des actes maternels : il en est l'objet, c'est tout. Pourquoi ? Il
l'ignore : il ne faudra pas longtemps pour qu'il sente obscurément
qu'il est un moyen. Pour Mme Flaubert, en effet, cet enfant est le
moyen d'accomplir ses devoirs de mère ; pour le médecin-philosophe
à qui la jeune femme est tout entière aliénée — il est d'abord celui
de perpétuer la famille. Ces découvertes viendront plus tard. Pour
l'instant, il a brûlé l'étape de la valorisation : il n'a jamais ressenti
ses besoins comme des exigences souveraines, le monde extérieur
n'a jamais été son écrin, son garde-manger, l'environnement s'est
découvert à lui peu à peu, comme aux autres, mais il ne l'a connu
d'abord que dans cette morne et froide consistance que Heidegger
a nommée « *nur-vorbeilagen* ». L'exigence heureuse de l'enfant
aimé compense et dépasse sa docilité de chose maniable : il y a dans
ses désirs je ne sais quoi d'impérieux qui peut apparaître comme
la forme rudimentaire du projet et, par conséquent, de l'action.
Sans *valeur*, Gustave sent le besoin comme une lacune, comme une
inquiétude ou — dans le meilleur des cas qui est aussi le plus
fréquent — comme l'annonce d'une agréable et proche réplétion
mais ce trouble ne s'arrache pas à la subjectivité pour se faire *récla-*

fortune, une sorte d'optimisme religieux qui se fonde sur la certitude abstraite et tranquille de sa valeur. Misérable, c'est encore un privilège. D'une aventure ainsi
commencée nous dirons, en tout cas, qu'elle est sans commune mesure avec celle de
Flaubert.

mation dans le monde des autres : il reste en lui, inerte et bruyante affection ; Gustave le subit, agréable ou déplaisant, comme il en subira, l'instant venu, l'assouvissement. On le sait : un besoin poussé à bout devient agressif, engendre son propre droit ; mais un enfant Flaubert n'est jamais affamé : l'enfant, gavé par une mère diligente et sèche, n'aura pas même cette occasion de rompre par la révolte le cercle magique de la passivité. Une imperceptible brusquerie dans l'adresse achève de l'y enfermer : il tétera, bien sûr, jusqu'à la dernière goutte mais s'il s'obstine à sucer un sein tari, deux mains irrésistibles l'écarteront, sans violence, fermement. Tout lui vient du dehors, il subira la fin et le commencement, il apprendra l'Autre par les privations qu'on impose plus que par les sourires qu'on lui fait. Pour peu que l'organisme y soit par lui-même disposé, cet enfant sans amour et sans droits, sans agressivité ni angoisse, sans affres mais sans valeur, s'abandonne aux mains diligentes qui le triturent et aux remous subjectifs d'une sensibilité « pathétique ». Par là j'entends que, dès sa première année, les circonstances le conduisent à s'enfermer en soi ; il n'a ni les moyens ni l'occasion d'extérioriser ses affections par des éclats : il les déguste, on l'en délivre ou bien elles passent, rien de plus. Sans souveraineté ni révolte, il n'a pas l'expérience des relations humaines ; manié comme un instrument délicat, il absorbe l'action comme une force subie et ne la rend jamais, fût-ce par un cri : la sensibilité sera son domaine. On l'y emprisonne ; plus tard il s'y confirmera par dignité. De toute manière, il sera le lieu des pesanteurs sinistres, des haines et des amours qui ruinent un cœur sans rien laisser paraître, de tout ce qui retombe sur soi-même et s'écrase et se bloque et se brise. Pas d'idées, surtout, jamais d'idées : « Alfred en avait ; moi, je n'en avais pas. » L'idée est la forme la plus évidente et la plus simple de notre transcendance : elle est projet. Chez Gustave, elle viendra la dernière : le petit fait l'expérience de la pesanteur *d'abord* ; *à la fin* viendra le dépassement quand l'habitude est prise de s'enfoncer en soi. Encore faut-il ajouter que la sensibilité est ou peut être un projet par soi-même : il suffit qu'elle soit raidie par un peu d'*exigence* ; elle vise l'objet, le réclame, l'apprend. L'émotion dite « active » est, dans une certaine mesure, communication : l'atrabilaire frappe ; la peur même, cette entreprise de fuir à contretemps, établit des rapports entre le danger, les ennemis et le fuyard. Le petit Gustave n'apprend à communiquer que fort tard et fort mal : les soins de sa mère ne lui en ont donné ni le désir ni l'occasion ; le voilà donc enfermé dans le *pathé-*

tique, entendez dans ce qui est subi sans être exprimé. Car l'essentiel est là : l'émotion active est publique à la naissance, elle naît
dans un monde où l'Autre existe déjà — fût-ce comme caractère
diffus de l'objectivité —, elle se déclare, elle est menace, prière
(« Vois ce que tu fais de moi ») et vise à se prolonger par une *praxis*,
c'est la violence se faisant martyre — pour violenter par la vue ;
l'émotion passive est privée : on peut certes s'en servir comme signe
et Gustave ne s'en fera pas faute — par exemple à Pont-l'Évêque —
mais elle n'est pas par elle-même un langage, bien au contraire,
c'est la paralysie du geste et des organes vocaux. Du moins les
paralyse-t-elle quand *par ailleurs* ils existent déjà et sont éduqués.
L'hypotonus musculaire imite le relâchement du cadavre : ce n'est
pas une signification, c'est une régression hors du monde des signifiants et des signifiés. Régression vers un état qui n'existe jamais
entièrement mais qu'un enfant mal aimé, bien soigné, a — presque — connu dans les premiers mois. L'émotivité passive n'est pas
un refus de communiquer, d'exprimer, elle n'est pas non plus — en
tout cas pas d'abord — un projet général de dissimuler, de *dérober à l'autre* les variations de la sensibilité. Tout simplement elle
est réceptivité pure *avant* tout désir et tout moyen de communiquer :
elle domine chez les nourrissons que la conduite maternelle n'a pas
ouverts *d'abord* à l'altérité environnante ; peut-être est-ce la restitution de troubles purement *endogènes* qui ont accompagné le développement : de toute manière, s'agit-il seulement de vivre des orages
organiques, cette tâche est *déjà conduite, déjà psychosomatique*
par ce qu'elle ressuscite et surtout par ce qu'elle refuse : la conduite maternelle absorbée par le nouveau-né et le réduisant à *souffrir* sans *exprimer*, voilà le sens psychique du trouble aveugle et
sourd, cul-de-jatte et manchot qui ne peut que *pâtir*. Voilà l'origine des évanouissements de Garcia-Flaubert.

   Je l'avoue : c'est une fable. Rien ne prouve qu'il en fut ainsi.
Et, pis encore, l'absence de ces preuves — qui seraient nécessairement des faits singuliers — nous renvoie, même quand nous fabu-
lons, au schématisme, à la généralité : mon récit convient à *des*
nourrissons, non pas à Gustave en particulier. N'importe, j'ai voulu
le mener à bout pour ce seul motif : l'explication *réelle*, je peux
m'imaginer, sans le moindre dépit, qu'elle soit exactement le
contraire de celle que j'invente ; *de toute manière* il faudra qu'elle
passe par les chemins que j'indique et qu'elle vienne réfuter la
mienne sur le terrain que j'ai défini : le corps, l'amour. J'ai parlé
de l'amour maternel : c'est lui qui fixe pour le nouveau-né la caté-

gorie objective de l'altérité, c'est lui qui dans les premières semaines permet à l'enfant de sentir comme *autre* — dès qu'il sait la reconnaître — la chair satinée du sein. Il va de soi que l'amour filial — phase orale de la sexualité — va dès la naissance à la rencontre de l'Autre — c'est la conduite maternelle qui en fixe les limites et l'intensité, c'est elle qui en détermine la structure interne. Gustave est immédiatement conditionné par l'indifférence de la mère ; il désire *seul* ; son premier élan sexuel et alimentaire vers une chair-nourriture ne lui est pas *réfléchi* par une caresse. Il n'arrivera pas ou guère — à trois, à quatre mois, pendant toute la première année — que cette forme à présent connue pour être la *mère*, amas confus de douceurs, sollicite à son tour une caresse, un sourire de l'enfant. On lui demande d'être un tube digestif en bon état : rien de plus. Rien de plus solitaire que les pulsions sexuelles quand aucun mouvement ne vient du dehors leur répondre. Rien de plus passif : la chair est là, on la touche, on la mange et puis on s'endort, amant lassé, dîneur repu. On la retrouvera quand il faudra, à heure fixe. Bref, on dort, on attend, on jouit : mais l'attente, inerte sécurité, et la jouissance, à peine distincte de la nutrition — dans la mesure même où l'Autre est simultanément nourriture donnée et personne hors de portée — définissent, par leur relation particulière, un *pathétique* de la sexualité. Nous verrons plus tard que c'est le pathétique qui marquera jusqu'au bout les relations sexuelles de Flaubert.

Reste à parler du malaise : ce sera plus simple puisque nous en connaissons la raison fondamentale qui est la *non-valorisation*. Il ne s'agit pas ici de conjectures ; il faut qu'un enfant ait *mandat de vivre* : les parents sont mandants ; une grâce d'amour l'invite à franchir la barrière de l'instant : on l'attend à l'instant qui suit, on l'y adore déjà, tout est préparé pour l'y recevoir dans la joie ; l'avenir lui apparaît, nuage confus et doré, comme sa mission : « Vis pour nous combler, pour que nous puissions te combler à notre tour ! » ; mais la mission sera facile : l'amour des parents l'a produit et le reproduit sans cesse, cet amour le soutient, le porte du jour au lendemain, l'exige et l'attend ; bref, l'amour garantit le succès de la mission. Plus tard, en vérité, l'enfant peut trouver d'autres objectifs, des conflits d'abord masqués peuvent déchirer la famille : l'essentiel est gagné. Il est marqué pour toujours dans le mouvement de sa temporalisation quotidienne par une urgence téléologique ; si plus tard, avec un peu de chance, il peut dire : « Ma vie a un but, j'ai trouvé le but de ma vie », c'est que l'amour des parents, création et attente, création pour une jouissance future, lui a découvert son existence comme mouvement vers une fin ; il est la flèche consciente qui s'éveille en plein vol et découvre à la fois l'archer lointain, la cible et l'ivresse de voler, décochée par l'un vers l'autre. S'il a vraiment reçu dans leur plénitude les premiers soins, dédiés par les sourires épars du monde, s'il s'est senti absolument souverain aux temps archaïques de l'allaitement, les choses iront plus loin : cette fin suprême acceptera de devenir l'unique moyen de combler ceux qui l'idolâtrent et dont elle est précisément la raison d'être ; vivre sera la *passion*, au sens religieux, qui transformera l'égocentrisme en don ; le vécu sera ressenti comme *libre exercice d'une générosité*.

Cette expérience n'est ni vraie ni fausse : il va de soi que la vie, à la prendre nue, « naturelle », à ne considérer en elle que le pur écoulement des impressions organiques, n'offrirait pas de sens *humain* — ce qui ne signifie nullement qu'elle ne pourrait pas être, en n'importe quel animal et chez l'homme, *par elle-même, « sinngebend »*, c'est-à-dire une réalité pourvue de sens. Mais il n'est pas moins clair que la pure vie vécue, le simple « être-là », s'incarnant dans la succession, toutes les formes, en bref, de notre facticité *dégustée* sont des abstractions commodes que nous ne rencontrons jamais sans nous en être affectés nous-mêmes — en isolant certains éléments de l'expérience intérieure, en passant délibérément les autres sous silence. En vérité sens et non-sens dans une vie humaine sont humains par principe et viennent au petit d'homme par l'homme. Ainsi faut-il renvoyer dos à dos ces formules absurdes : « la vie a un sens » ; « elle n'en a pas » ; « elle a celui que nous lui donnons » — et comprendre que nous découvrons nos buts, le nonsens ou le sens de nos vies comme des réalités antérieures à cette prise de conscience, antérieures peut-être à notre naissance et préfabriquées dans l'univers humain. Le sens d'une vie vient au vivant par la société humaine qui le soutient et à travers les parents qui l'engendrent : c'est pour cela qu'il est toujours *aussi* un non-sens. Mais inversement la découverte d'une vie comme non-sens (celle d'enfants surnuméraires, sous-alimentés, rongés de parasites et de fièvre dans une société sous-développée) est tout aussi bien la mise au jour du sens réel de cette société et, à travers ce renversement, c'est la vie — comme besoin organique — qui devient, dans sa pure exigence animale, *sens humain* et c'est la société des hommes qui, par la sentence du besoin inassouvi, devient *pur non-sens humain*.

Lorsque la valorisation du nourrisson par l'amour se fait mal ou trop tard ou pas du tout, l'insuffisance maternelle constitue la vie vécue comme non-sens : l'expérience intérieure révèle à l'enfant une molle succession de présents qui glissent au passé. Mais la durée subjective n'a pas d'*orientation*, faute d'être définie comme le mouvement qui part de l'amour passé (créateur) et va vers l'amour futur (attente par l'autre, mission, bonheur, extases temporelles). Bien entendu, le petit frustré, quelques années plus tard, retrouvera les trois dimensions du temps par lui-même ; c'est-à-dire par l'unité de ses projets. Il pourra même donner un sens à cette existence qui le déborde, le noie, l'entraîne et qui n'est que lui-même. Mais, justement, la faiblesse de ces fins posées par la subjectivité c'est qu'elles demeurent subjectives — à moins d'être reprises et objectivées par un courant social — et qu'elles conservent en soi une sorte de gratuité : valeur et but se conditionnent ici réciproquement ; le dépassement du vécu se choisit pour consolider une valeur défaillante ; mais l'insuffisance ou l'inexistence de la valorisation va ruiner l'objectif qui se propose de la fonder. On se demandera : suis-je bien celui qui est mandaté pour cette entreprise — c'est le « Suis-je Abraham ? » de Kierkegaard — ou bien : le mandat est-il par lui-même valable ? puis-je l'accepter sans connaître les mandants ? (Kafka disait : j'ai un mandat mais personne ne me l'a donné) ou bien, comme fera souvent Gustave, adulte : n'est-ce pas une niaiserie que ma volonté d'écrire ? ne suis-je pas tout simplement un collectionneur dans le genre des numismates ou des philatélistes ? Bref, l'amour de l'Autre est fondement et garantie dans l'objectivité de la valeur et de la mission : celle-ci devient choix souverain, permis et sollicité en la personne subjective par la présence de celle-là [1]. S'il a manqué, la vie se donne pour une pure contingence. Le vécu se donne pour une irrépressible spontanéité que l'enfant subit et produit sans en être la source ; mais il apparaît en même temps comme un embouteillage de hasards qui défilent un par un sans qu'aucun d'entre eux puisse annoncer le suivant ou s'expliquer par le précédent. Bien sûr, l'intelligence et la pratique reconnaissent dans le monde environnant des formes temporelles — séries ordonnées, ensembles unifiés, totalités qui se totalisent, enchaînements

---

1. Souveraine, l'option se vit dans la contradiction : elle se donne à la fois pour une libre détermination de la liberté par elle-même — ce qui, à soi seul, susciterait l'angoisse — et pour la réintériorisation d'un décret extérieur — ce qui, à soi seul, produirait l'aliénation la plus radicale. Et l'on voit en effet, bien souvent, le mandataire passer de l'angoisse à la conscience de son aliénation et *vice versa*. Ces difficultés, de toute manière, sont de deuxième instance ; elles tracassent, bien sûr, elles rongent : il n'est jamais drôle d'être homme. Mais le vrai *malaise* commence au seuil de l'humain, quand des enfants mal aimés — cela veut dire l'immense majorité — s'ébahissent d'exister sans raison.

rigoureux de moyens et de fins ; on lui enseigne à chercher, à trouver les prémisses nécessaires des faits qui sautent sur lui comme des voleurs ou qui détalent entre ses petites jambes, à voir en eux, quelque inopinés qu'ils soient, des conséquences ; il apprend sans effort que rien n'est sans raison. Mais son trouble en est encore accru dès qu'il se retire en lui-même car il retrouve une existence sans raison d'être : la sienne. À la base de cette exploration confuse, il découvrira, peut-être, beaucoup plus tard une vérité de la Raison : car l'être du marteau et l'existence d'un homme n'ont pas de commune mesure ; le marteau est là pour marteler, l'homme n'est pas « là », il se jette dans le monde ; source de toute praxis, sa réalité profonde est l'objectivation ; cela veut dire que la justification de cet « être des lointains » est toujours rétrospective : elle revient sur lui du fond de l'avenir et des horizons, remonte le cours du temps, va du présent au passé, *jamais* du passé au présent. Mais ces vérités éthico-ontologiques doivent se dévoiler lentement : il faut se tromper d'abord, se croire mandaté, confondre but et raison dans l'unité de l'amour maternel, vivre une aliénation heureuse et puis ronger en soi ce faux bonheur, laisser les infiltrations étrangères se dissoudre dans le mouvement de la négativité, du projet et de la praxis, substituer à l'aliénation l'angoisse ; ces démarches sont indispensables : c'est ce que j'appelais ailleurs la nécessité de la liberté ; la vérité n'est intelligible qu'au terme d'une longue erreur vagabonde : administrée *d'abord*, ce n'est qu'une erreur vraie. L'enfant mal aimé qui se découvre, nous savons qu'il existe et qu'il est le fondement de toute légitimation : il se prend, lui, pour un être sans raison d'être. La frustration lui dévoile une partie du vrai mais elle a soin d'en cacher l'autre. En fait, quand il s'éprouve comme injustifiable dans son être, il est cent fois plus éloigné de sa condition réelle que le petit privilégié qui se prend d'avance pour justifié. Car l'un et l'autre s'attribuent l'être des choses mais le premier ne perçoit en lui-même qu'un écoulement vague et purement subjectif, il s'enferme dans l'instant présent, pointe extrême du passé, quand l'autre saisit en lui la vie comme entreprise de l'avenir comme structure fondamentale de la temporalité. Gustave est victime d'une mystification ; puisqu'on n'attend rien de lui en tant qu'il est sujet singulier de son histoire, on en fera donc l'objet : sans mission particulière, il est privé *au départ* des catégories cardinales de la *praxis* ; non que l'avenir se dérobe entièrement à ses yeux, mais — nous y reviendrons — il le voit comme le résultat inéluctable de la Volonté Autre ; on peut le prophétiser mais non le *faire* puisqu'il est déjà fait. Il faut bien, en effet, que ce fils de praticien ait été, dès le plus jeune âge, conditionné rigoureusement par la vie familiale pour montrer de si bonne heure un si profond dégoût de l'action, quelle qu'en soit la forme : en vérité, ce n'est pas seulement qu'il déteste la vie pratique, c'est qu'il ne la *comprend pas*. Elle n'entre pas dans l'univers limité qu'il a découpé à son usage au sein de l'objectivité ; ou plutôt, s'il l'y fait entrer, elle y perd son efficacité ; tout est passé, même l'avenir ; tout est immuable d'avance ; l'effort concerté de l'homme ne sera jamais qu'un vain frisson à la surface d'un monde mort. Il ne fait d'exception, comme on verra, que pour les entreprises de démolition.

Avant que le quiétisme devienne sa thèse maîtresse et l'un des thèmes principaux de son œuvre, il subira bien d'autres malheurs, beaucoup de facteurs interviendront dont nous n'avons pas encore parlé. N'importe : l'origine est le délaissement du nourrisson ; l'amour exige : à l'enfant mal aimé on ne demande rien ; rien ne vient l'arracher à l'immanence. Ou plutôt, car il s'en arrache sans cesse, comme chacun, le dépassement, pour n'avoir pas été requis, s'opère aveuglément, dans une pénombre clandestine : il ne reçoit pas de statut. Cet étrange condition n'est pas vue mais sentie : il goûte son illégitimité dans la fadeur de l'hémorragie qu'il provoque et subit, cette saveur pâle révèle l'interchangeabilité de toutes ses affections ; personne ne les attend pas même lui : donc elles s'équivalent. Il lui paraît qu'elles sont — de l'horreur à la volupté — taillées dans le même tissu : de toute manière, en effet, même imprévisibles, elles ne paraîtront jamais inattendues par la raison que l'on n'attend rien d'autre. Elles naissent, s'installent, végètent et disparaissent et d'autres viennent, modes divers d'une même substance nauséabonde. L'expérience de l'universelle monotonie, il l'appellera plus tard « ennui » : à bon droit ; mais le « pur ennui de vivre » est une perle de culture : il semble évident que les animaux de maison s'ennuient ; ce sont des homoncules, reflets douloureux des maîtres ; la culture les a pénétrés, ruinant la nature en eux sans la remplacer, le langage est leur frustration majeure : ils en comprennent grossièrement la fonction mais n'en ont pas l'usage ; cela suffit pour qu'ils soient *parlés* : on leur parle, on parle d'eux, ils le savent ; cette puissance verbale qu'on leur manifeste et qui leur est refusée, elle les traverse, s'installe en eux comme la limite de leurs pouvoirs, c'est une inquiétante privation qu'ils oublient dans la solitude et qui les dénonce *dans leur nature* quand ils retrouvent les hommes. J'ai vu la peur et la rage monter chez un chien : nous parlions de lui, il le sut à l'instant parce que nos visages s'étaient tournés vers lui, qui somnolait sur le tapis, et que les sons le frappaient de plein fouet comme si nous nous adressions à lui. Pourtant nous *nous* parlions : il le sentait ; des mots paraissaient le désigner comme notre interlocuteur et, pourtant, lui parvenaient *barrés*. Il ne comprenait ni l'acte lui-même ni tout à fait cet échange de paroles qui le concernait beaucoup plus que le ronronnement ordinaire de nos voix — ce bruit vivant et non-signifiant dont les hommes s'entourent — et beaucoup moins qu'un ordre donné par son maître ou qu'un appel appuyé par le regard et le geste. Ou plutôt — car l'intelligence de ces bêtes humanisées est toujours au-delà d'elle-même, perdue dans l'imbroglio de ses presciences et de ses impossibilités — il s'affolait de ne pas comprendre ce qu'il comprenait. Cela commença par un réveil, un élan vers nous stoppé net, pour se continuer par des plaintes, par une agitation incoordonnée et finir par des aboiements de colère. Ce chien passa de l'inquiétude à la rage pour avoir ressenti à ses dépens l'étrange mystification réciproque qu'est la relation de l'homme et de l'animal. Mais cette rage n'avait rien d'une révolte : le chien l'avait appelée pour simplifier ses problèmes. Calmé, il s'en fut dans la pièce voisine et revint, beaucoup plus tard, faire des pitreries et nous lécher les mains.

Cet exemple montre assez que la culture, d'abord simple milieu, lacune ignorée, devient chez l'animal, à la faveur du dressage, pure négation *par elle-même* de l'animalité : c'est une *fission* qui entraîne la bête au-dessus et au-dessous de son niveau familier, la haussant vers une compréhension impossible *pendant* que son intelligence égarée s'effondre dans l'hébétement. Par elle, rien n'est donné : quelque chose est ôté ; sans atteindre jamais à la scissiparité réflexive, l'immédiat du vécu est fêlé, contesté. Par rien : donc nul espoir de médiation ; une ombre de distance sépare la vie d'elle-même, rend la nature moins naturelle. Du coup, l'immanence tranquille se change en présence à soi. Cette transformation n'est jamais achevée : c'est un mouvement pur mais cette contestation renouvelée, cette implantation de l'humain comme possibilité refusée se traduit par une jouissance : le chien *se sent vivre*, il *s'ennuie* ; l'ennui, c'est la vie dégustée comme impossibilité de devenir homme et comme effondrement perpétuel du désir de se transcender vers l'humain. Bref, les petits monstres forgés par le Roi de la Nature connaissent des moments privilégiés où les besoins, assouvis, cessent de les contraindre et de les justifier ; alors, si la vie, par cette distanciation qui n'est pas même *présence à soi*, jouit d'elle-même à la fois comme limite négative des pouvoirs animaux et comme insouciance ruinant par en dessous une vague entreprise douloureusement impossible, chaque instant vécu se ressent comme restitution — par incapacité provoquant l'oubli — de la pure contingence, c'est-à-dire de l'existence dépourvue d'objectif. Et cette contingence, au lieu d'être la simple structure permanente du vécu, jouit d'elle-même comme d'un *sens*, elle est à soi seule la condition animale et la fade intuition de celle-ci comme succession sans but d'états interchangeables et toujours différents. Sans la culture, l'animal ne s'ennuierait pas : il vivrait, c'est tout. Hanté par cette absence, il vit l'impossibilité de se dépasser comme rechute oublieuse dans l'animalité ; la nature se découvre par la résignation. L'ennui de vivre est une conséquence de l'oppression des bêtes par l'homme ; c'est la nature se saisissant comme terme absurde d'un processus limitatif au lieu de se réaliser comme spontanéité biologique.

Si Gustave partage avec les bêtes cette nostalgie c'est qu'il est, lui aussi, domestiqué. L'amour enseigne ; s'il fait défaut, c'est le dressage. Les premières conduites apprises, les habitudes élémentaires de propreté, si la raison de l'apprentissage échappe, l'enfant n'y verra que des contraintes ; il ne les intègre pas ni ne les reprend à son compte : au mieux il les tiendra pour une chaîne de réflexes conditionnés ; au pis pour l'entreprise *en lui* de l'Autre, c'est-à-dire pour l'envers d'une conduite organisée. Il l'intériorise en ce dernier cas comme activité subie : la coutume apprise de force et l'impératif étranger s'unissent pour déterminer l'hétéronomie de sa spontanéité. Nous verrons que l'activité passive, chez Gustave, n'est pas autre chose qu'un retournement masqué de l'action imposée contre ceux qui l'imposent : en d'autres termes il n'opposera jamais des *actes* aux actes des autres ; il obéit avec zèle aux ordres des parents, s'ouvre aux déterminations nouvelles dont ils veulent l'affecter mais s'arrange en douce pour que les conséquences en soient manifestement désastreuses : ainsi remontera-t-on sans peine des ultimes catastrophes à l'intention originelle qui sera condamnée *a posteriori* par ses effets. Encore faut-il les vivre, ces effets négatifs, en dégager dans les souffrances, à travers l'écoulement du vécu, la nocivité radicale ; donc, obéir, pousser la démission jusqu'à n'être plus que la matière inerte qu'un autre façonne ; cela veut dire : refuser toute responsabilité, laisser se développer en soi l'entreprise de l'Autre sans la dépouiller de son altérité ; en vérité la docilité n'est pas entière : il donne sournoisement des coups de reins pour dévier le processus ; surtout il refuse de corriger par lui-même les déviations qui ne manquent pas de se produire dans un système mécanique. Bref, l'action passive consiste essentiellement en un truquage de l'inertie vécue. Cette inertie, comprenons qu'elle doit s'imposer d'abord, se réaliser dans l'existence subjective du patient bien avant que celui-ci songe à la truquer. Par le fait Gustave ne *choisira pas* l'action passive entre autres modes également possibles de la praxis : c'est plutôt que la praxis elle-même se produit comme travail intérieur de l'inertie quand il lui est à la fois impossible de ne pas exister — Gustave se définit, comme les hommes et les bêtes, par des projets — et de se poser pour soi comme transcendance et comme entreprise. La praxis se fait *efficacité du passif* parce que le conditionnement de l'enfant lui ôte tous les moyens de s'affirmer comme action positive de la négativité. Nous y reviendrons : je voulais seulement marquer que les premières conduites du petit garçon sont vécues comme pur écoulement supporté, sans aucune signification subjective et, tout à la fois, renvoient à une activité transcendante — celle du dresseur, dont le but et le sens échappent *a priori* à l'objet du dressage. En ce premier moment l'acculturation sans amour réduit Gustave à la condition d'animal domestique. Il subit, lui aussi, la hantise d'une absente : la culture se donne à lui pour une ignorance qui, dehors, dans le milieu de l'altérité est par principe un savoir ; elle le façonne et lui demeure étrangère ; l'éducation l'arrache à lui-même sans le faire accéder au monde des autres, il est frôlé sans cesse, du dehors, par des objets *compréhensibles* : entreprise, avenir, intention, décision, spontanéité, unité synthétique d'un sujet et de sa praxis. Mais ce sont eux, justement, qui le fuient quand il cherche à les saisir. Non qu'ils ne soient pas eux-mêmes homogènes aux mouvements de sa vie : au contraire, nul ne peut faire qu'il n'existe et qu'il ne se réalise avec toutes les dimensions de l'existence ; ainsi peut-il pressentir comme une correspondance entre l'intérieur et l'extérieur ; il est, à chaque instant, sur le point de se comprendre par les autres et les autres par soi. Mais c'est la médiation qui manque : l'amour ; aussi les significations objectives se dérobent et se laissent déchiffrer par l'incompréhensible altérité qui le façonne tandis que les déterminations les plus immédiates de sa spontanéité lui semblent les plus lointaines, les plus obscures, s'enfoncent dans sa nuit dès qu'il pense les saisir : son aliénation lui est plus présente que sa vérité subjective, c'est sur elle qu'il retombe sans cesse après de vagues intuitions glissantes qui ressemblent à des songes. L'enfant, comme la bête de culture, ne comprend pas ce qu'il est en train de comprendre, ce qu'il lui semblait avoir compris : résigné, oublieux, il revient à sa contingence injustifiée, aux successions passives de ses états comme l'animal à son mutisme ; aux fugitives clartés qui le traversent on ne reconnaîtra pour l'instant d'autre fonction que de lui présenter sa *nature* comme insuffisance à travers la culture ressentie comme privation. Il *est parlé*, déjà, comme nos bichons de sofa, mais *trop tard* : on *lui parle peu*, distraitement et sans sourire. En ce sens, il reste au-dessous du chien qui, du moins, intériorise l'amour dont il fait l'objet. Faute de cela, le petit garçon se découvre dans la tristesse comme insignifiance et désunité. Supérieur à la bête, par contre, en ceci que la fêlure intérieure, en lui, est présence à soi déjà. Pourtant il ne faudrait pas croire que cette unité brisée mais indissoluble du reflétant et du reflété manifeste une simple fission ontologique : la présence à soi, en chacun, possède une structure rudimentaire de praxis ; au niveau même de la conscience non-thétique, l'intuition est conditionnée par l'histoire individuelle : le jumelage tournant peut inclure un refus, une adhésion, un vain effort pour écraser les deux termes dans l'unité de l'en-soi. Gustave, jusque dans ce « pour-soi » fondamental, est travaillé par la frustration : sa présence à soi est intuition d'un *moindre être* — la nature — par comparaison à la culture, être indéchiffrable et supérieur. Sa conscience est une rechute perpétuée qui, à partir d'un au-delà privatif, découvre l'existence *a priori* comme un *en deçà*. Il ne s'agit pas ici du « complexe » ni même du sentiment d'infériorité : comment serait-il inférieur ? à qui ? en quoi ? Mais l'au-delà, par sa seule absence ou, si l'on préfère, par *sa présence au-delà, constitue l'en deçà* comme une *misère* au sens où Pascal entend la « misère de l'homme sans Dieu ». Et cette misère ne vient pas à l'existence du fait que celle-ci manquerait de telle ou telle vertu : en elle-même, elle est manque, elle est *ce* manque singulier qui définit *cette* existence et qui n'est manque de rien en particulier. Cela se comprend sans peine : c'est l'amour qui manque ; présent, la pâte lève ; absent, elle s'alourdit ; le mal-aimé souffre de son délaissement, de la nature présente à soi comme insuffisance — à travers ses efforts vains pour saisir les significations inaccessibles —, comme passivité et pur être-là sans but ni raison. Or ces caractères négatifs et généraux ne viennent d'aucune comparaison. C'est tout simplement le manque d'amour ressenti par l'existant lui-même au niveau de l'unité synthétique de son existence comme une possibilité interne, échappant au moment qu'elle se pose — c'est-à-dire sans cesse —, de réaliser cette unité ; l'enfant reste au niveau de la pure subjectivité, il ne désigne pas l'amour refusé comme un être du dehors ; il *se* désigne à travers la catégorie vide d'objectivité comme réalité privée de force et mal liée : l'amour n'est pas connu mais son absence se fait connaître comme défaut d'être à travers la levée — d'avance retombée — de cette pâte sans levain. L'ennui est peine d'amour qui s'ignore : à travers l'intuition de la contingence et de la monotonie jusque dans l'imprévisibilité, il découvre son caractère objectif de *mal-aimé* — rapport fondamental avec autrui — comme vérité subjective de son existence : s'aimer, ce serait intérioriser l'affection de l'autre et se réaliser dans et par cette synthèse étrangère ; ne pas être aimé, cela se ressent et se réalise comme impossibilité de s'aimer ; et, derechef, comprenons qu'il n'y a pas, chez l'enfant, un effort déçu pour se plaire, pour donner de l'amour à l'écoulement vivant qui le constitue : simplement il *se déplaît* ; en lui, l'absence d'amour maternel est ressentie directement comme non-amour de soi. Cette hostilité à soi-même n'est qu'un trait secondaire : elle ne peut être bien forte puisque le *soi* haï ne peut jamais être tout à fait un objet pour le *soi* qui hait ; pourtant elle est constante et c'est la quasi-relation qu'on trouve dans la fissure non-thétique de l'immédiat (présence à soi). De même que le *soi* haï se trouve *au-dedans du soi qui hait* comme le soi le plus profond — ce qui implique un carrousel incessant —, de même la réalité détestée se trouve à l'intérieur de la détestation comme sa nature et son être profond. Autrement dit, le sentiment de répugnance est, à titre de réalité subjective, affecté des mêmes insuffisances (contingence, passivité, insignifiance, etc.) que le sentiment répugnant ; et comme, précisément, la dichotomie ébauchée ne va même pas jusqu'à la scissiparité réflexive et que de cette façon les deux modes passent sans cesse l'un dans l'autre et que chacun prend tour à tour la fonction de l'autre, il résulte de là un certain affaiblissement du dégoût. Ou, plus exactement, le dégoût *se* dégoûte de n'être plus intense, plus serré, plus nécessaire ; bref, de participer à l'être qu'il dénonce et, pour tout dire, d'être, en tant que dégoût, visé par la détestation qu'il traduit. Et, comme on l'observera, deux négations — sur ce terrain — *ne valent pas une affirmation*, elles s'embarrassent l'une l'autre sans se supprimer : le dégoût s'est senti dégoûtant et n'est pas, pour autant, plus dégoûté ; au contraire, il subit une dévalorisation intérieure : d'où lui vient son mandat ? qui l'autorise à manifester sa répugnance ? pour quoi faire ? Le dégoût pas plus qu'un autre sentiment n'a de raison d'être : s'il naissait de l'événement et de la substance avec la rigueur d'une conséquence découlant d'un principe, il pourrait être mépris de fer ; vague, il vagabonde, remplit tout, tout le remplit ; l'*ennui de vivre* c'est cela : une hostilité diminuée, milieu universel du vécu ; le non-amour s'intériorise en impossibilité de s'aimer, ressentie comme détestation ; celle-ci, dans l'instant de son apparition, se dégrade et devient une indissoluble unité dans la dichotomie : fadeur obscène du goût, malveillance inquiète et résignée dans la dégustation.

Il est partout : c'est la vie même de Gustave ; plus tard, parlant de son adolescence, il s'appellera « champignon gonflé d'ennui ». Et le mot de *champignon* est là pour insister sur le caractère *quasi végétatif* de son existence et du sentiment qui la remplit. Il se voit sous l'aspect d'une plante : les organes de locomotion font défaut, elle subit sa spontanéité, produit sans raison mais sans trêve ses confitures, ses beurres, emmagasine des réserves qui lui permettront de poursuivre son illégitime existence. Mais tous ces sucs qui le gonflent, toutes ces plénitudes inertes, c'est cela justement qu'il nomme ennui. Jamais Gustave n'a songé à rendre le monde extérieur responsable : la preuve est qu'il s'incarne dans un champignon. Pas d'yeux ni d'oreilles ni de mains. Plût aux dieux que l'ennui vînt du dehors : son cas serait moins grave. De fait, tous les jeunes gens s'ennuient : ils voudraient courir les mers ou la gueuse, se battre ou battre des records, ils restent entre quatre murs, avec le père, la mère et les frères, dans l'univers cérémonieux de la répétition — mêmes souvenirs, mêmes plaisanteries, mêmes jeux. L'acte impossible leur découvre la contingence végétative des parents, des meubles, des occupations : vivre, c'est perdre son sang ; ils meurent vivants dans la « Maison des retours écœurants ». Mais ce petit ennui mineur — qui ne va pas sans complaisance — se donne pour une contrariété provisoire ; l'impossibilité d'agir ne durera pas toujours ; la preuve en est que le jeune homme dénonce l'absurdité de sa vie présente au nom de l'inflexible nécessité de la praxis ; la structure de la « dégustation » n'a pas varié : le but, pris pour la raison d'être, hors de portée démasque une affreuse plénitude sans raison ; mais déjà, l'acte justificateur est connu, on en jouit d'avance par l'imagination ; l'adolescent nourrit l'espoir de renaître ou plutôt de mourir aux limbes familiales pour naître à la vraie vie légitimée, c'est-à-dire à la *mission*. Gustave est plus profondément atteint : l'action, les significations, l'amour et ses tendres promesses, tout lui a manqué à l'âge où il *souffrait* cette absence sans avoir aucun moyen de la *comprendre*. Il l'a donc vécue, comme insuffisance définitive et comme âcre abondance végétale de ses propres sucs, de soi. Champignon : organisme rudimentaire, passif, entravé, suintant d'une abjecte plénitude. L'image est juste : c'est ainsi qu'il s'est senti dès les premiers jours de sa vie. Un peu plus tard, il universalisera l'ennui : opération prévisible et nécessaire ; mais il ne fait qu'une extrapolation : il part de soi et dénonce chez les autres hommes, chez les bêtes, cette même insuffisance qui s'est découverte à lui dans sa propre vie. L'ennui, voilà le malaise. C'est la non-valorisation ressentie. À partir de là, nous comprendrons sans peine qu'il soit entré de travers dans le monde du langage. L'amour donne, attend, reçoit : il y a réciprocité de désignation. Sans ce lien fondamental, l'enfant est signifié sans être insignifiant. Les significations le traversent et parfois s'installent mais lui demeurent étrangères : par elles, l'Autre le déchiffre ; *autres*, elles fuient vers l'Autre ; dans le même temps, inertes, demi-closes, elles manifestent la puissance de cet invisible occupant. Réduit à la contemplation de sa passivité, l'enfant ne peut savoir qu'il a la structure d'un signe et que le dépassement vivant du vécu est, en lui comme en chacun, le fondement de la signification. Ainsi le langage lui vient du dehors : le dépassement signifiant est l'opération de l'Autre et s'achève par une signification qui le détermine de l'extérieur. Il le déchiffrera comme il a fait ses premières coutumes : c'est une passivité, résultat *objectif*, au sein de sa subjectivité, de l'activité étrangère ; les mots sont des choses que le cours du vécu charrie ; il aura beaucoup de peine à en faire les instruments vivants de son propre dépassement vers l'extérieur et n'y réussira jamais tout à fait par la raison qu'il a été *passivisé* par les soins maternels et que dépassement et projet — ses possibilités permanentes d'agir — ont été, dès le commencement, *passés sous silence.* Parler, c'est agir ; puisqu'il subit, on lui impose des noms qu'il apprend sans se reconnaître en eux, c'est-à-dire : sans les reprendre à son compte. Ce sont des marques étrangères, des points de repère pour les Autres ; quand il devine leur emploi et se pénètre par une lente osmose de leurs significations, il est bien loin d'y pressentir le début d'une réciprocité. On le nomme, il ne sait pas se nommer. Il ne restera pas longtemps, malgré tout, sans découvrir dans ces déterminations qui l'affectent en surface une véritable hypothèque sur sa réalité profonde. Dès qu'un enfant peut appliquer un nom sur un objet de son environnement, il assimile, en effet, la nomination à la découverte de l'Être. Gustave n'échappe pas à la règle bien qu'il ait pu s'y soumettre avec quelque retard : le chien *est* un chien et la mère *est* une mère ; toute chose possède, dans son noyau de ténèbres, un nom : qu'une voix l'éveille, nous jouissons de la vérité par la bouche et par l'oreille. Le cadet des Flaubert n'a pas vécu la désignation des objets qui l'entourent comme *son* entreprise : il y a sûrement mis plus de soumission que de spontanéité. N'importe : à peine parvient-il au stade de l'*ontologie verbale*, il faut, bon gré mal gré, que ses appellations diverses coïncident avec les attributs de sa substance singulière. Il *est* Gustave, il *est* Flaubert, il *est* enfant, petit garçon, etc. De jour en jour, le signalement se précisera. Il lui vient *du dehors* et que peut-il faire, pourtant, sinon l'accepter. C'est une raison — et non la moindre — de ses stupeurs. Non que ses sentiments soient par nature inexprimables : l'hétérogénéité du discours et des affections n'est qu'une fable, en général et dans chaque cas particulier. Simplement la passivité de Gustave rend la nomination univoque : l'acte verbal, chez lui, se fait mal. Recroquevillés, tassés, sans avenir, sans raison d'être, ses sentiments ne prétendent pas se désigner : pas plus à lui qu'aux autres.

On sait pourquoi : privé de la sollicitude maternelle, il n'a jamais senti qu'il éveillait l'intérêt chez les autres et, d'une certaine manière, il se borne à vivre au jour le jour sa vie sans s'y intéresser lui non plus. L'intention de désigner — cela veut dire : de connaître et de faire connaître — se retrouve, bien sûr, en chaque moment vécu de son expérience mais elle somnole. S'éveillât-elle, son mutisme est si profond que les mots ne « passeraient pas la rampe ». Et puis, il y a l'ennui, ce dégoût de soi : pourquoi voudrait-il communiquer son moindre-être, sa non-valeur ? Quand les mots appris diffusent leurs significations, quand celles-ci pénètrent peu à peu dans les couches profondes de sa passivité, elles lui semblent à la fois sa substance même et les fourriers de l'étranger. Insignifiant, on le signifie ; on lui signifie ce qu'il est. Mais l'intention verbale reste engourdie, elle ne s'élance pas vers le sens proposé pour le reprendre à son compte et le renvoyer comme une balle. Il a déjà des maîtres ; pas encore des interlocuteurs. Le résultat, c'est l'*estrangement* : il se reconnaît sans réserves dans les termes du discours et, tout à la fois, n'y retrouve rien de lui-même. Ou bien il s'imagine qu'il reste en deçà des mots, qu'ils servent aux riches, aux êtres complets et qu'il leur échappe par son ingrate pauvreté. Il est, il ressent ce qu'ils disent : rien d'autre, rien de plus, beaucoup moins. La stupeur, en ce cas, naît de ce *moins* insaisissable, indéfinissable, que son inconsistance même interdit de voir lucidement et d'opposer à la plénitude des vocables. Mais il arrive aussi que le mot lui paraisse en lui-même étrange : le nom propre, les qualifications coutumières, c'est l'être même de l'enfant ; seulement, faute d'une adhésion spontanée, cet être, indubitablement sien, reste hors de sa portée ; *c'est lui*, le contenu signifié ne se rapporte qu'au seul Gustave : voilà l'évidence. Mais c'est une évidence qui s'est trompée de personne. On dirait qu'elle est faite pour présenter le petit garçon à quelque autre conscience. En cette intuition verbale, la stupeur vient cette fois de l'*altérité* : ou plutôt l'enfant s'égare devant l'indistinction du Même et de l'Autre. Il est lui-même, en tant qu'Autre ou pour un Autre. L'indifférenciation de ces catégories ne nous surprendra pas : pour les distinguer, les opposer puis les unir par des liens synthétiques en perpétuelle transformation, il faudrait le mouvement dialectique le plus simple, celui de la vie, rien de plus : et ce mouvement existe, bien sûr, en Gustave puisque le petit garçon, fût-ce au ralenti, *est en train de vivre*. Mais il est barré, caché, détourné par la passivité constituée, il serpente, rivière souterraine, dans l'immanence ; quand la rivière coulera, beaucoup plus tard, à ciel ouvert, le mal sera fait ; à tout instant elle risquera de s'ensabler. Dans les premières années, en tout cas, les catégories s'emmêlent et s'interpénètrent : quand la passivité est la seule forme concevable de l'action, il faut subir l'ipséité même comme un être-autre.

Gustave s'ébahit devant soi, c'est-à-dire devant le mot « moi-même » : cet index est pointé sur sa vie subjective, il en désigne à la fois l'unicité — qui correspond au pur sentiment de vivre — et l'unité, synthèse passive et active, tout ensemble, de l'écoulement vécu. Or, s'il est vrai que la saveur d'un mets, dans sa bouche, ou que le froid du petit matin se donnent *par eux-mêmes* comme des sensations singulières, liées sans conteste à un *ici* et à un *maintenant*, il est vrai aussi que l'insignifiance d'un enfant non valorisé et l'équivalence absolue de sensations contingentes donnent à leur succession un certain caractère de généralité. Gustave n'a pas grand-chose de commun avec les individualistes « fin de siècle » ; ce n'est pas lui qui se réfugierait dans les jupes de sa mère en criant comme André Gide : « Je ne suis pas comme les autres. » En vérité, il n'est pas même possible de l'appeler, à l'époque, un individu. Unique ? Commun ? L'enfant ne pose pas la question ; simplement, sans mots, sans concepts, il est ballotté de l'un à l'autre sentiment. Et l'unité, d'autre part, quand elle est passive, il la reconnaît : à travers l'écoulement de tout, une inerte identité persiste qu'il ressent à n'en pas douter ; mais la synthèse active du multiple, c'est-à-dire, en somme, la personne, il sait la voir chez les autres, chez son père, toujours à l'ouvrage, chez sa mère, efficace et distante ; chez lui, elle n'existe pas ; en tout cas, il ne l'a pas rencontrée. Les grandes personnes, cependant, le tiennent pour responsable de ses actes : on l'a puni, grondé, récompensé. C'est leur coutume, il l'accepte. Mais il n'en saisit pas le sens quand c'est lui qui est en cause : dès qu'il sera en âge de se défendre, il la contestera ; nul n'a cru plus sincèrement, plus agressivement, plus désespérément au Destin, synthèse passive, dessous des cartes, vérité future, inerte matérialité préfabriquée des soi-disant personnes. « Je ne me sens pas libre », répète-t-il dans sa Correspondance. Et la métaphysique n'a rien à faire avec cette confidence résignée. Il veut marquer d'abord qu'il n'a jamais l'impression d'être *agent* mais constamment celle d'être *agi*. En outre, dans les passages les plus clairs et les mieux développés, il s'en prend avant tout au volontarisme de Louise : d'après la Muse, vouloir et persévérer c'est se définir ; l'unité des actions unifie le caractère et réciproquement. À vrai dire c'est l'opinion la plus répandue ; mais non pas celle de Gustave : il tient que la consistance de sa « personne » singulière et le retour perpétuel de ses comportements sont deux effets indépendants d'une seule cause qui est la permanence de ses fatalités objectives. Celles-ci, inertes aménagements de la matière, ornières, rails, tunnels, pentes, rampes, virages, l'attendent, décideront à chaque instant de sa vitesse et de sa direction. Par ce mouvement subi et orienté, Gustave est *rassemblé*, il se sent contenu par un corset d'acier : propulsion, pulsion, freinages et téléguidage à partir d'un poste futur, voilà son unité ; si l'on oubliait un instant de le manœuvrer, ses chairs croulantes se déferaient, il fondrait, mare de graisse sur une voie ferrée, ou s'effilocherait, fumée, dans le trop grand vide de l'Univers. Rien à craindre : l'avenir est une mémoire, voilà ce qu'il sent quand il écrit à sa maîtresse, voilà ce qu'il a toujours senti ; l'enfant disait *moi, moi-même* et les mots dans sa bouche, dans sa tête, désignaient un produit de série, commun et singularisé par son numéro d'ordre, qui tenait son unité provisoire du travail exercé par les ouvriers sur leur matériau et qui la perdrait, peu à peu, par usure sous l'action des forces extérieures.

Est-ce qu'il *pense* ce Destin ? D'où lui viendraient les mots ? les notions ? Dès les premières années, le dispositif est installé en lui : il n'aura besoin, au cours de sa vie, que d'inventer le langage qui convient ; ce sera son œuvre, qu'on pourrait appeler « Discours sur la Fatalité ». Mais il n'a d'abord qu'un sentiment brouillé. Quand le médecin-philosophe, au début, lui dit : *toi,* le mot prend dans cette bouche impérieuse un tout autre sens : toi, le responsable, toi qui dois m'obéir et qui, par conséquent, le peux. L'enfant ne connaît pas encore la parade, il ne sait pas encore dissoudre le *toi* avec le *moi* dans le « *il* » du destin ; il reçoit passivement cette désignation. *Toi,* c'est *moi* pour *Lui.* Cela veut dire qu'il accepte la *responsabilité* par soumission au Père et qu'il en fait un caractère périphérique de sa passivité. En même temps, je l'ai dit, le *toi* éveille en lui de vagues réminiscences : le souvenir de ce qu'il n'a jamais été, de ce qu'il ne peut pas ne pas être, en silence. Ces rappels sans contenu s'effondrent dans l'oubli. Mais l'ébahissement commence : l'appellation se conteste et conteste l'enfant dans son être. Non : la contestation suppose l'opposition, le lien synthétique de réciprocité négative. Il s'agit plutôt d'une déréalisation légère qui va du mot à la personne et revient de la personne au mot. Moi, c'est moi : l'enfant se reconnaît indubitablement ; et puis *ce n'est pas* moi : le mot devient pierre de taille, Gustave s'y heurte ; repoussé, il contemple cette masse impénétrable qui l'enferme en soi et l'exile hors de son être. *D'où* la contemple-t-il ? S'est-il réfugié dans le silence ? Non : tout est parole. Pourtant les mots lui manquent qui le désigneraient plus exactement. Ils manquent mais leur place est réservée : le mutisme, parole future, est le carrefour d'où le petit garçon contemple la parole dans sa plénitude et son insuffisance. Mais ni son âge ni sa passivité ne lui permettront de chercher une expression nouvelle ; ainsi le mutisme est attente passive. Du reste, n'en faisons pas une région de l'âme : le corps entier du petit saint Sébastien est percé de mots dont la hampe vibre encore. En vérité, dans la mesure même où le mutisme est parole, la parole est muette en son essence. L'hébétude, c'est cela : l'insuffisance du verbe en acte dénoncée par le verbe en puissance ; lointain, opaque, le mot fascine et, dans le même temps, il se lève au fond de l'âme, inaudible, absent. L'acte verbal remettrait tout en place, il définirait l'absence par l'insuffisance du terme présent et réciproquement ; en un mot, les deux termes s'engendreraient par leur différence. Mais la passivité de Gustave ne lui permet pas de faire l'opération : donc il attend. Qu'y a-t-il en lui, quand il reste hébété, suçant son pouce, des heures entières ? Rien et tout : un demi-langage, un rapport de non-réciprocité, des brumes vivantes qui se fascinent sur la pierre qui les nomme et s'étonnent de n'être pas pétrifiées, le sentiment d'être soi hors de soi-même, l'attente, enfin, timide, déçue d'avance, d'une métamorphose : la vie rongera ces blocs d'opacité, elle délivrera la vie qu'ils emprisonnaient — ou bien ils l'absorberont peu à peu, le petit finira par se fondre à l'être obscur de la matière sans intériorité. C'est à partir du « Moi », première désignation de sa réalité subjective, qu'il faut comprendre la multiplication des stupeurs : toute qualification de l'enfant — « sage », « méchant », « tranquille », « surexcité », « fatigué », etc. — se donne pour une détermination de son ipséité ; elle est *sienne* dans la mesure où le moi en est affecté ; ainsi, qu'on désigne ses humeurs, ses conduites, ou ses « traits de caractère », les signes participeront à l'ambiguïté de la notion-mère et du mot qui l'exprime. Ces remarques permettent de décider : les premières hébétudes ne sont pas les effets d'un conflit nature-culture mais les symptômes d'une maladie interne du langage ; l'enfant non valorisé ne peut s'exprimer qu'en termes de valeur : en effet on applique à sa réalité subjective des dénominations qui renvoient nécessairement à l'autonomie de la spontanéité, à l'unité synthétique de l'expérience, à toutes les structures de la *praxis*, c'est-à-dire au fondement de toute légitimation ; ce serait parfait si, au bon moment, Gustave avait été mis en état d'exercer la souveraineté que ces dénominations légitiment : les fils aimés sont des princes ; préférés, ils règnent dès le bas âge ; mais qu'un enfant soit accueilli dans l'indifférence, c'est une herbe folle. Gustave, cette mauvaise herbe, ne recevra d'aucune bouche le langage des plantes inutiles, le seul qui soit le sien. Plus tard, beaucoup plus tard, il l'inventera par lui-même ; en attendant, l'herbe s'exprimera dans le langage royal, cela veut dire : avec des mots d'homme qui la trahissent. Ou plutôt non : elle ne s'exprimera pas du tout. Les passions de Gustave, nous les connaissons par celles de son incarnation, Djalioh : échevelées, inconsistantes, variables, elles rémanent, s'effilochent, passent les unes dans les autres et *s'éprouvent* sans tenter de se montrer ; les mots prêtés par les adultes visent en ces complaintes sans mélodie je ne sais quelle spontanéité créatrice et souveraine que l'enfant n'a jamais rencontrée en lui-même ; ils ont beau, peu après, restituer la succession des notes exactement, ce n'est plus *la même* : l'ensemble, sans retouche visible, est organisé, offre l'unité d'une entreprise, un léger resserrement fera du premier accord et de l'accord final une réciprocité de reflets, chaque son renvoie aux précédents, annonce les suivants et se détache, forme singulière, sur le fond de la totalité musicale. Bref, le langage humain humaniserait ces douleurs et ces plaisirs :

il les peindrait comme ils devraient être et non pas comme ils sont.
Quand Gustave s'enfonce en soi, quand il subit ses humeurs, il ne
s'élève jamais jusqu'au désir de communiquer ; et quand il est élevé
par l'Autre au niveau du discours, il répond aux mots inducteurs
par des mots induits sans même imaginer qu'il puisse les rapporter
à lui-même. Bientôt, c'est à l'expression en général et sous toutes
ses formes que cette altération pathologique va se communiquer.
Il vit en société donc il *exprime* : chacun de ses gestes est « retenu
contre lui » ou peut l'être. Mais les sentiments froids, lents, douloureux, qui s'écrasent, ou s'enkystent ou s'évaporent, au plus
profond, dans le gouffre du cœur, ils se vivent comme une diminution organique, comme un amoindrissement de l'être — vaso-
constriction, alentissement du pouls, hypotonus ou résolution
musculaire — et, bien qu'un changement de couleur ou qu'un
bégaiement puissent les manifester, ils ne s'expriment pas, ils se
dé-priment ; l'ordre expressif et l'ordre émotionnel seront de si
bonne heure séparés chez l'enfant qu'on peut dire à coup sûr qu'il
ne ressent jamais ce qu'il exprime et qu'il n'exprime jamais ce qu'il
sent. Alors, dira-t-on, que va-t-il *présenter* aux autres ? Je réponds :
rien. Il *représente*, il est en *représentation*. Ou, si l'on préfère, les
gestes et les dits s'organisent d'eux-mêmes, sans référence aux réalités vécues ; ils renvoient aux autres ce qu'ils voudraient que soit
Gustave ou ce que Gustave voudrait être pour eux — deux fins qui
parfois s'opposent et parfois n'en font qu'une. On verra plus loin
que le cadet des Flaubert n'a cessé de jouer des rôles. Étrange
contraste de l'homme social avec cette herbe, au fond de lui, folle
et patiente qui languissamment, passivement, tente de distiller
— comme un suc — le langage de la vie nue. Tout Gustave est là,
pourtant, trompeur quand il est homme, vrai quand il reste végétal. Qu'il parle de lui-même, dans sa Correspondance, ce sera le
flot d'encre de la seiche. Qu'il invente, qu'il raconte des histoires
en les déclarant forgées, nous ne quittons pas un instant le vrai.
Mais il faut comprendre : le vrai végétatif est le produit d'une activité passive ; il imprègne les mots souverains d'un sens profond
qu'aucun mot ne pourra restituer. Nous verrons cela : de toute
manière, c'est son art, c'est sa solitude ; au lieu que la *représentation* se vit au niveau des relations humaines, dans la surexcitation
— en général suivie de prostration. La présence de ses congénères
l'agite énormément : ils ont des exigences, qu'il connaît mal ; il faut
y céder sous peine de dévoiler l'imposture et que Gustave n'est pas
homme tout à fait : les gestes et les mimiques se bousculent, c'est

la farce, c'est la foire, c'est le Garçon ; et si les spectateurs sont convaincus, tant mieux : Gustave essaiera de s'observer *par leurs yeux.* Je voulais en venir là, c'est-à-dire au pithiatisme ; car c'est bien de cela qu'il s'agit : en société, Gustave perd la tête ; il ne regarde personne et ne voit rien ; il *est vu* ; qu'on s'avise ou non de sa présence ; cette visibilité totale est, en effet, une disposition intérieure ; transpercé par mille regards, éclairé sous toutes les faces, il se persuade à l'instant qu'il est sur une scène — ce serait, en quelque sorte, un théâtre en rond — et qu'il faut jouer cinq actes sans interruption. Il s'arrache d'un coup aux léthargiques mélancolies, saute à l'étage supérieur — rayon des mimiques, gestes, expressions, significations — et là, par une crise de nerfs dirigée, se transforme en gai luron tonitruant. Les témoins nous rapportent qu'il n'était pas très convaincant. Il ne veut pas le savoir, lui : s'il est au milieu des hommes, il est visible ; s'il est visible, il joue ; s'il joue, la victoire est acquise *de jure.* À la fin, essoufflé, en proie à ce Moi qu'il abrite et n'a jamais rencontré, il entend les applaudissements silencieux d'invisibles mains : c'est bien assez ; aveugle et sourd aux réactions véritables de l'assistance, il se laisse persuader par l'enthousiasme des autres que l'interprète et son formidable personnage ne font et n'ont jamais fait qu'un.

On voit qu'il ne s'agit pas d'une menterie concertée ni d'un jeu véritable, mais d'une défense contre les hommes. Et que cette défense, volumineux brassage de signes, tente une diversion : on rompt les oreilles par des cris, on fatigue les yeux par des mouvements gigantesques et précipités. Mais ces danses de captation supposent une lésion grave. Gustave n'a jamais cru, de lui-même et par lui seul, être tel qu'il se représentait. Il croit qu'il a persuadé les autres et se fascine sur la croyance qu'il croit leur avoir donnée. L'*impact* des autres est *si fort* qu'ils lui retournent sa comédie sous les apparences du vrai et l'obligent à partager leur erreur quand il est le mieux placé pour la dénoncer. Et *si faible,* en même temps, qu'il n'a pas le moindre souci de les interroger et qu'ils ne représentent, dans ce jeu de reflets, que le principe abstrait de l'altérité. Il faudra y revenir quand nous étudierons sa « névrose » ; la pathologie de la croyance relève de l'hystérie plutôt que de cette épilepsie dont on l'a si longtemps affligé. Ce qui nous intéresse, pour l'instant, c'est d'interroger sa protohistoire : cette vocation hystérique de Flaubert, n'en trouverait-on pas l'explication dans la constitution passive qu'on lui a donnée ?

C'est la Vérité qui est en cause : pour qu'il la *reconnaisse* et l'affirme — ne fût-elle que le déguisement d'une erreur ou d'un mensonge — il faut et il suffit que l'Autre l'ait estampillée. Et, bien entendu, il ne se tromperait guère s'il envisageait le Vrai comme une œuvre commune et comme une exigence de réciprocité : je ne *saurai* jamais rien que l'Autre ne me garantisse mais il faut ajouter que le Savoir d'autrui n'a d'autre garantie que moi. Or c'est la réciprocité que Flaubert ignore : nous avons vu, nous verrons mieux encore que cette relation lui échappe ; absente, il ne peut la concevoir ; présente, il ne la comprend ni ne l'approuve ni ne peut s'y tenir : il fait si bien qu'elle casse ou qu'il la transforme en relation féodale. L'explication, nous la connaissons déjà : actif, il ferait l'expérience de l'antagonisme ou de l'entraide, c'est le monde des hommes ; passif, il se subit parce qu'il subit la domination étrangère ; l'activité fait partie des attributions d'autrui : Gustave peut en être l'objet. Le sujet, jamais. Or la Vérité est toujours une entreprise : par cette raison Gustave l'ignore ou la subit. *Il l'ignore* : jamais il n'a sur sa propre existence ces clartés actives — intuition et serment mêlés — qui *décident* ce qu'elles *constatent*. J'ai dit que cette vie hasardeuse et timide allait essayer de se donner un langage ; mais il s'agit moins pour elle de se définir que de couler une saveur dans les mots ; elle se déguste et passe ; la dégustation n'est pas connaissance : elle se fixe, parasitaire, sur un moment du vécu qui l'entraîne dans l'oubli. Ce qui manque ? L'acte élémentaire : l'affirmation. *Il subit* : si l'affirmation est constitutive du Vrai, ce sera donc à l'Autre d'opiner. L'acte judicatif apparaît à l'enfant comme une praxis étrangère. Cet acte scelle des mots, des gestes. Marqués, ils ont un étrange pouvoir : ils se glissent par les yeux et les oreilles comme édit souverain donnant à voir, à croire, l'Être tel qu'il est. Les « naïvetés » de Gustave n'ont pas d'autre origine : si l'Autre décide, l'unique fondement du savoir est le principe d'autorité. Donc l'enfant proportionne sa crédulité à l'importance familiale, sociale, à l'âge, à la prestance, au sexe de son interlocuteur. Les dommages sont considérables : l'énoncé vrai se donne dans une proposition — synthèse active — articulée par l'Autre. Celle-ci se dépose chez l'enfant, avec ses articulations, comme une synthèse originellement passive. À ce renversement, le *dire* perd sa fonction. La même phrase vise les mêmes objets, les unit par les mêmes rapports : pourtant, tout est changé. Entendre les paroles, c'est reconstruire la synthèse ; c'est la construire *d'avance* : on comprend à demi-mot, à demi-phrase. La pensée apparaît à la fois aux deux interlocuteurs comme l'*objet même en face d'eux* — cet arbre, cette lézarde au mur, cette chaise — et comme l'exfoliation active et pratique de *cet* objet par rapport à la totalité de l'environnement. Le dévoilement — opération de l'un ou de l'autre — comprend une indication transcendante, l'invitation *à s'échapper à soi vers...* et, si l'invite est acceptée, un acte induit mais autonome, réitération du premier dépassement, la présence des deux hommes l'un à l'autre à travers l'actualisation de leur présence commune à la chose. La Vérité a tout le caractère du travail : elle est cette transformation réglée de la chose en elle-même qui ne cesse de remanier les relations humaines à travers et par le remaniement de *cette* réalité. Remanier celle-ci, bien sûr, c'est seulement inventer de la faire paraître sur le fond totalisant et — sans l'écarter de ce milieu qui la produit et la soutient — la laisser se développer dans la lumière noire de nos regards comme elle va le faire irrésistiblement et en tout cas dans la nuit du Non-Savoir, c'est-à-dire du tout. Mais, par cette seule entreprise, l'homme s'objective en l'objet qu'il dévoile. Cela veut dire que l'objet, par son apparition, par sa clarté, par les limites de l'exfoliation et des développements hypothétiquement prévus, définit son homme ou plutôt son groupe, les connaissances déjà acquises, les méthodes, les techniques et les relations de travail. En désignant la chose, en la dévoilant immuable sous le nom d'objet, l'homme s'objective ; en devenant objet *par* et *pour* la praxis humaine, la chose, sans s'altérer, désigne l'homme à l'homme comme un *objet humain*. Supprimons le moment de la praxis chez un des travailleurs — le plus petit, Gustave, dès qu'il sait parler —, qu'arrive-t-il ? Ceci d'abord : les objets sans nom ne sont pas officiellement reconnus ou, plus exactement, ne sont pas du tout ; ils vivent en concubinage avec l'Être comme fait le petit Flaubert avec l'existence. La Vérité — l'erreur non plus, cela va de soi — n'a pas de sens pour lui quand il est seul. À trois ans, à quatre ans, on fait des conjectures, on se promet de les rapporter aux parents, on les oublie, elles renaissent à l'occasion d'étonnements précis : c'est explorer les conduites de *véridicité*. Flaubert ne joue pas à ce jeu-là : passif, il laisse disparaître ensemble les affections qu'il éprouve et les choses qu'il voit. Qu'elles aient des noms, ces réalités étrangères, il n'en doute pas : *puisqu'il a des parents !* Mais il n'y pense pas, il s'en moque et puis ces noms ne lui appartiennent pas : la cérémonie nominative est un privilège des grandes personnes. Au moins pourrait-il demander à sa mère, comme font tant de garçons de son âge, au même moment : comment ça

s'appelle? pourquoi c'est comme ça? etc. Mais non : l'interrogation suppose qu'on a fait d'abord l'acte nominatif à vide et vainement. Nous savons bien que Gustave n'a pas agi : ni de cette
manière ni autrement. Si les adultes lui apprennent le nom d'une
plante ou d'une bête, c'est par caprice ou par devoir ; n'ayant rien
demandé, il recevra le mot comme un rapport sacré des parents
à la chose ; on a bien voulu l'initier à ce rite, il servira le culte ; enfant
de chœur du langage, il lui sera même requis, en certaines circonstances, d'emprunter tel ou tel mot et de le prononcer — comme
on pourrait le charger, à l'occasion, de faire résonner un gong ou
de sonner les cloches. De toute manière, il ne s'agit que d'emprunt ;
après usage, on restitue le vocable au dictionnaire des grandes personnes qui n'est pas encore celui des idées reçues. En d'autres termes, Gustave nomme quand il accède au monde social de la
communication ; il nomme sur l'ordre des autres, à travers eux, pour
eux. Revenant à sa solitude, il retrouve la semi-clandestinité des
choses et de soi-même : la Vérité plane au-dessus de sa tête, il n'a
pas même l'idée de lever les yeux pour la regarder. Or l'intuition
nominative est saisie concrète de la chose telle qu'elle est à travers
l'acte qui lui donne un nom. Gustave ignore cette plénitude intuitive : non que la chose ne soit là, non qu'il ne la voie ni ne la touche ; il en jouit par tous les sens. Mais il ne la dévoile pas comme
objet, faute de recommencer l'entreprise qui tente de la classer dans
l'herbier du savoir ; cette appréhension du monde extérieur par les
sens et les affections d'un enfant clandestin n'a certes pas pour effet
de brouiller la frontière du Moi et du Non-Moi : la structure générale d'*objectivité* est donnée confusément dès la naissance. L'enfant
muet distingue spontanément ce qui lui appartient et ce qui appartient à l'environnement. Simplement, l'objectivité devrait, chez lui
comme chez la plupart des enfants, solliciter à chaque instant des
objectivations particulières : le monde objectif devrait se peupler
d'objets. Il n'en est rien. Les intuitions de sa sensibilité n'infirment
pas l'évidence nominative, mais elles ne la confirment pas non plus :
passives, elles sont subies sans aucune référence à la Vérité. Ce sont
elles, pourtant, qui devraient soutenir la désignation : mais nulle
foudre, nul éclair, nul *Fiat* ne les traverse, même si le cours du
vécu entraîne avec lui des épaves, mots à demi oubliés. Bref aucun
étonnement, aucune interrogation particulière : faute de pouvoir se détailler, il arrive au système entier de se renverser ; la question porte alors sur *tout* et c'est la stupeur : pourquoi y a-t-il des
noms? Mais ce qui nous importe surtout c'est que le moment social

de l'objectivation n'est jamais corrigé, contesté, ni confirmé par le retour intuitif « aux choses elles-mêmes ». Or le savoir se fonde — directement ou indirectement — sur l'évidence immédiate qui est à la fois vue plénière, jouissance et regard dirigé. Par l'évidence, la chose me possède en se livrant mais je m'affirme en l'accueillant « sans additions étrangères ». Le savoir est rigoureusement impersonnel et puis c'est nous et puis c'est moi. La connaissance de telle particularité de la chose, inflexiblement vraie, c'est *notre* bien commun ; mais par l'intuition qui la vérifie une fois de plus, ici et maintenant, elle est *mienne* : elle me comble, m'engage et me définit. Par l'évidence j'en appelle de l'impersonnalité rigoureuse à la communauté historique et des autres à moi-même ; je me récupère en me perdant. Cet exercice est donc *éthique* : c'est un acte instituant la personne mais qui ne peut s'effectuer que sur la base d'une *valeur* antérieurement reconnue. Le recours au Moi, en effet, suscite une confiance absolue du sujet en sa propre personne mais, d'abord, il la suppose. Gustave, non valorisé, ne peut en aucun cas se considérer comme un maillon absolu dans une chaîne d'opérations collectives. Ni tenir le cours simultané des choses et de sa vie pour la garantie d'une proposition verbale. Éprouver l'Être, oui. Mais non le déchiffrer.

Le résultat est doublement désastreux : la réalité même de son Moi lui demeure étrangère ; il le connaît par ouï-dire. De fait la structure fondamentale et immédiate de l'Ego, c'est l'affirmation spontanée au cœur de l'intuition concrète. Pour Gustave, ce n'est pas même que cet Ego lui échappe, qu'il reste confus, brouillé ou que l'enfant ait peur de le voir en face ; c'est qu'il est d'un autre ordre et qu'il n'existe pas en dehors de l'univers des significations, cela veut dire : en dehors du langage, puissance magique des grandes personnes. Que le mot lui revienne en tête, inopinément, l'enfant s'affole et la stupeur renaît. Mais, hormis ces déplaisantes rencontres, aucun vrai rapport de l'acte à l'Être ne fait surgir d'un coup l'objet par le sujet et le sujet par l'objet. Ce ne serait rien encore si, dans l'univers social, l'enfant n'avait reçu un nom propre, un Moi, des qualifications : seul au jardin, il n'en a que faire ; à peine sa mère ou la servante l'ont-elles appelé, il les retrouve. Qu'on lui crie d'une fenêtre : « Qu'est-ce que tu fais ? » il passe de la rumination à l'univers de l'entreprise. Il faut d'ailleurs reconnaître qu'il est plus souvent dans celui-ci que dans la solitude végétative. Or chaque signification vraisemblable comporte par elle-même une hypothèque sur notre croyance : l'univers des signes est d'abord celui de la foi : dans toute phrase entendue, dans tout mot qui résonne à mon oreille, je découvre une affirmation souveraine qui me vise, qui exige que je la reprenne à mon compte. On distinguera deux moments bien qu'ils soient en général confondus : la déclaration *m'affecte*, j'y *crois* en tant qu'elle reste un instant l'acte royal de l'Autre, sa métamorphose *en homme*; la défiance est une maladie, il faut commencer par la crédulité ou nier l'homme : on se fera pigeonner au début mais qu'importe? Après tout, si l'Autre veut être sous-homme, c'est à lui de faire la preuve, pas à moi. Ce premier moment passif — confiance d'un homme dans un autre — se dépasse immédiatement vers la réciprocité : j'affirme souverainement ce qui m'est souverainement affirmé. Pourtant, je serais dupe à chaque instant des mensonges, des erreurs si je ne disposais — en principe sinon dans chaque cas — de véritables *réducteurs*. Ou plutôt je n'en ai qu'un mais qui varie sans cesse : l'évidence. Cela veut dire que je reprends l'affirmation de l'Autre, conformément à son exigence, mais en présence de la chose, à travers l'intuition que j'en ai. La croyance disparaît automatiquement : elle cède la place à l'acte. À présent je *sais* : par un oui, par un non, par un peut-être que j'arrache à la chose — ou par un silence qui permet toutes les conjectures — j'ai transformé la vraisemblance en vérité. Telle est du moins l'opération idéale. Dans la plupart des cas, elle n'est pas possible. Ou pas tout de suite. Je demeure alors dans le monde des signes, de l'autorité, des croyances. En un mot, la langue *parlée*, sans le correctif de l'évidence, est caractérisée par ce trait fondamental : la crédibilité. Et celle-ci vient à moi par les autres, à travers leurs paroles, comme le pouvoir du souverain sur ses sujets. La croyance n'est pas un fait de subjectivité individuelle et nous ne sommes pas *disposés* à croire par je ne sais quelle tendance héritée; il s'agit d'une relation intersubjective, d'un moment incomplet dans le développement du savoir; c'est la présence en nous d'une volonté étrangère unissant des mots dans une synthèse assertorique et qui nous fascine et nous aliène jusqu'à ce que nous en fassions notre propre volonté.

Gustave, dès qu'il est en société, c'est-à-dire en famille, est circonvenu, débordé, pénétré par les signes et par leur impérieuse crédibilité. Il croit. Mais, à la différence des autres enfants, il ne dépasse jamais ce premier moment du savoir. Cela vient à la fois de ce qu'on l'a fait passif et de ce qu'il ne dispose d'aucun réducteur. En fait les deux raisons ne font qu'une : l'enfant passif ne peut pas même concevoir le projet de s'approprier l'acte d'autrui en réaffirmant l'affirmation ou en la niant ; c'est lui, bien sûr, qui maintient l'unité synthétique de la proposition, par cette seule raison qu'elle rencontre en son ipséité un milieu d'astringence et de totalisation, mais il se borne, croit-il, à soutenir passivement la synthèse opérée par l'autre ; la phrase reste en lui, à la fois, comme une multiplicité vaguement *contenue* par le resserrement naturel du vécu et comme un sceau apposé sur ses vagues affections pour en empêcher la dispersion. Mais le projet verbal dépend en outre d'une évidence : la *vue* de l'objet peut solliciter d'elle-même le parleur de reprendre à son compte la formule affirmative ou négative dont il est dépositaire ou de la révoquer ; il se peut aussi, avant tout espoir d'évidence, que différents facteurs l'inclinent à prendre position : dans ce cas, il ne décidera rien sans avoir exigé la pure vision de la chose. Chez Flaubert, ce ne sera ni l'un ni l'autre : et c'est, encore une fois, la passivité qui l'empêche de constituer ses intuitions souffertes en évidences *véridiques* ; en d'autres termes : de donner à la simple jouissance la structure d'un acte ; pas de réducteurs, pas de contrôle. Ni jamais cette solitude — provisoire mais essentielle — d'où surgit la décision : « Moi seul et c'est assez[1]. » Gustave souffre d'une maladie de la Vérité ; les catégories cardinales lui font défaut : ni praxis ni vision. Quand à l'Ego, il reste au niveau des significations. Dirons-nous que le Vrai, à ses yeux, n'existe pas ? Oui et non. Bien sûr le scepticisme est sa vocation : la Vérité, pour lui, c'est la Science qu'il poursuivra jusqu'au bout de ses sarcasmes et qu'il veut démasquer dans *Bouvard et Pécuchet* pour qu'elle s'effondre sous le poids de ses contradictions ; rien n'est sûr puisque l'évidence est perdue : si les idées adéquates ne sont pas marquées, comment les reconnaître ? Tout s'équivaut. Et Gustave nous fera savoir qu'il « n'a pas d'idées », qu'il ne faut jamais conclure, qu'il faut respecter toutes les opinions pourvu qu'elles soient sincères. Le cœur — c'est-à-dire l'adhésion pathétique — remplace ici les « critères » absents : qu'on tienne à certains préjugés de toutes ses forces, qu'on tue si l'on y touche — ou que l'on meure —, cela suffit : ils seront *valables*.

L'opération consiste à remplacer les évidences par la jouissance pathétique sans toucher à sa passivité fondamentale : nous som-

---

1. En fait il ne s'agit jamais que de la réactivation d'une pensée autre ; et *mon* affirmation ne tient sa force infinie que des affirmations en chaîne qui l'ont précédée et qui la soutiennent. N'importe : sans cette étincelle en chaque pensée, sans le *Fiat* qui s'allume ici quand, ailleurs, il vient de s'éteindre, la Vérité ne pourrait que mourir en passant d'un esprit à l'autre ; elle serait, pour chacun de nous, *vérité étrangère*.

mes au début d'un siècle qui n'inventera le « mensonge vital » qu'au moment de céder la place au nôtre. Pourtant il est déjà là, ce mensonge, gagé par le besoin qu'on en a : il s'étale à chaque page de la Correspondance. De la Religion même, nous verrons que Flaubert dira qu'elle contient sans nul doute une Vérité fondamentale : la preuve en est, à ses yeux, qu'elle est *instinct*. La Vérité n'est que le besoin de croire.

Mais, d'un autre côté, ce scepticisme du cœur n'a rien de commun avec le pyrrhonisme, effort raisonnable pour nier la raison : il traduit l'égarement, le ressentiment, un effort sournois pour substituer le cœur à l'esprit et l'irrationnel à l'intelligible. Ce n'est pas une doctrine, une entreprise encore moins : tout juste un mode de vie. Par opposition à cette déraison vécue, timidement déclarée, reste l'organisation sociale des significations ; Gustave y baigne comme tout un chacun ; il s'en rend compte dès qu'il sort de la solitude. Or cet univers est *vrai* : la preuve en est qu'il contient le mot de Vérité et que ce mot s'applique à certaines propositions verbales. Gustave nous parlera plus tard des idées reçues avec un humour d'autant plus âcre qu'il a reçu toutes les siennes. En particulier, celle de la Vérité. Donc il y croit : c'est la volonté de l'Autre, en lui. Sceptique, il se garde bien de conclure : le Vrai n'est pas ; ce serait former une idée, l'affirmer, la revendiquer. Socialisé, il est habité par la pensée des autres, il subit comme une croyance ce qui est leur assertion. Ainsi la Vérité — détermination verbale du *monde expressif* — est le fondement de ses croyances. Et la croyance est — comme relation sociale de non-réciprocité — le signe de la Vérité. Ce lieu commun, pensée inerte qui passe de bouche en bouche et de cervelle en cervelle, entre en Gustave par l'oreille, écrase ce jeune esprit sous le poids d'affirmations accumulées, s'y grave pour toujours. Il domine et fascine à la fois. La domination, c'est l'altérité triomphante s'imposant à la passivité ; la fascination, c'est l'aurore d'un désir inarticulable et sans cesse oublié ; comment le petit garçon pourrait-il dire — et *se* dire — qu'il est tenté de prendre la relève et d'affirmer, à son tour, puisque les structures essentielles de l'assertion lui font défaut ? La sollicitation qu'il subit sans la comprendre, elle est dans le signe lui-même, dans la manière dont on le lui a communiqué : la voix autoritaire du médecin-chef éveille en lui, réminiscence ou désir, la conscience incertaine de pouvoirs négligés ; il souhaite les retrouver et ne parvient qu'à imiter les accents impérieux qui l'ont troublé. Domination, fascination qui se dégrade en imitation : telle est la croyance chez Gustave ; ce qu'on peut résumer en disant qu'elle se définit comme l'aliénation, sans recours, aux grandes personnes. Il la sent bien ainsi : qu'un énoncé l'aliène à la famille entière, il le baptisera sans hésitation vérité. Or la Vérité exclut rigoureusement la croyance ; non que je ne puisse *croire* à quelque objet absent, connu par ouï-dire, et qui soit, ailleurs et pour d'autres, *vrai*, c'est-à-dire présent à l'évidence ; simplement, quand *j'y crois*, il n'est pas vrai ; si j'approche et que je le voie, je n'y *crois* plus. La croyance est l'Autre en moi ; la Vérité c'est l'objet devant moi, apparition qui désaliène car elle n'a jamais lieu que par et pour la libre réaffirmation du Moi. Par cette raison le vrai n'est jamais *subjectif,* à la différence de l'*opinion* ; c'est la praxis même, rapport double et complexe des hommes entre eux à travers leur travail sur le monde et des hommes au monde à travers la réciprocité (virtuelle ou réelle) des rapports humains.

Tous ces caractères du Vrai sont contenus dans sa notion : Gustave en connaît quelques-uns. Mais par ouï-dire : la Vérité, lui a dit son père, est ainsi faite. Pourquoi pas ? Il le croit ; donc il ne sait ni ne sent rien. La Vérité, fondement totalisant de toutes les vérités où elle s'incarne, peut faire, elle aussi, l'objet d'une intuition rigoureuse : après le recours à l'évidence fondamentale, on ne distinguera pas mieux qu'avant — c'est-à-dire sans intuition spécifique — les erreurs et les Vérités particulières. Mais on ne pourra plus jamais confondre le Vrai — totalisation absolue sans *ordre* — avec l'Erreur, principe suprême de tout ordre hiérarchique. Deux mondes dont le premier repousse l'autre inflexiblement. Pour Gustave, il n'en est qu'un : celui de l'ordre. L'ordre et la Vérité ne font qu'un ; l'un et l'autre sont garantis par son père. Et si, en certaines circonstances, une proposition tenue pour vraie par les bons esprits vient à se présenter sans quelques-uns des traits ou des groupes de traits qui constituent le Vrai, l'enfant constatera cette absence à la rigueur mais n'y verra rien de plus qu'une invite à la prudence ; il n'adoptera pas l'idée sans avoir poursuivi quelque temps ses consultations. L'*objet* — c'est-à-dire, ici, la Vérité, toujours absente — ne lui *résiste* pas : il y *croit* sans le voir ou plutôt il lui substitue la Croyance. La Vérité, pour lui, c'est la Foi, puisqu'il a foi dans la Vérité ; il croit sincèrement à la crédibilité de toutes les significations : il suffit d'éliminer les malfaçons par les précautions d'usage, tout le reste est, par principe, article de foi. Les formes les plus diverses de l'expression — de la mimique au « langage des fleurs » — se rapportent à des significations — verbales ou non verbales — qui sont *vraies* c'est-à-dire croyables par cette seule raison qu'elles sont exprimées. La Foi sera hiérarchique : elle est proportionnée à l'importance de l'interlocuteur c'est-à-dire à sa puissance affirmative. Ainsi l'enfant, remplaçant la Vérité par la croyance hiérarchisée, confond au départ l'Erreur et le Vrai, l'Aliénation et la Liberté.

Vide et visant des absences, la Croyance n'en comporte pas moins une certaine puissance subjective : l'Autre affirme en Gustave, cette domination fascinante peut engendrer des sentiments forts ; on retrouve ici la plénitude du *pathétique* : non qu'il soit la garantie du signe (le signe, en tant qu'il vient de l'Autre, est sa propre garantie) ; simplement, le bouillonnement passionnel ressemble, pour l'enfant, à une adhésion, à un refus ; c'est l'image passive de l'acte. Lorsqu'il répète avec rage une maxime, il ne parvient pas, pour autant, à se l'approprier. Mais le déchaînement des forces affectives donne quelque puissance à l'imitation répétitive : nulle *vision*, nul dépassement spontané de la phrase vers une autre, vers son objet ; cela n'empêche pas que la pseudo-vérité soit profondément *soufferte, éprouvée*. Pour me faire entendre, j'userai d'une comparaison. Les pièces de théâtre comportent beaucoup d'affirmations ; les personnages peuvent se tromper, affirmer par passion, truquer leurs évidences, n'importe : ils voient et disent ce qu'ils voient, la démarche tout entière est un acte. Or, après de nombreuses répétitions, j'ai constaté que la plupart des acteurs sont incapables sur scène de *représenter* la conduite affirmative. Les mêmes, à la ville, affirment ou nient aussi souvent que leurs spectateurs c'est-à-dire à chaque instant. Dès qu'ils jouent, l'action cède la place à la passion. Ecoutez-les : ils souffrent ce qu'ils disent ; s'ils doivent convaincre, ils mettront tout en œuvre — la chaleur du ton, l'impétuosité, la violence sauvage du désir ou de la haine — sauf la certitude du jugement fondé sur l'évidence. Celui-ci, quand on l'exprime, est une invite à la réciprocité ; libre, il s'adresse à la liberté d'autrui ; mais l'acteur veut persuader *par contagion*. À peine a-t-il dit : « Le temps s'est gâté », nous savons déjà que nous entrons dans le monde des pleurs et des grincements de dents : il ne *sait* pas que le temps s'est gâté ; à ce qu'il semble, il sent je ne sais quelle tristesse dans ses os qui lui arrache cette phrase comme un cri. Et cette étrange conduite n'a qu'une explication : toute œuvre dramatique est fantasmagorie ; le comédien, si profondément engagé qu'il soit dans son rôle, ne perd jamais tout à fait conscience de l'irréalité de son personnage. Bien sûr, après le spectacle, il lui arrivera de dire que la pièce est vraie ; peut-être même aura-t-il raison.

Mais cette vérité-là est d'une autre espèce : elle concerne l'intention profonde de l'auteur et la réalité qu'il a visée à travers ces images ; bref, *Hamlet*, pièce de Shakespeare, prise comme un tout, livre une vérité ; Hamlet, héros de la pièce, est un fantasme. Et quelle que soit l'opinion de l'acteur sur le sens profond du drame, son office est de reproduire mot par mot, geste par geste, la totalité de l'œuvre : cela signifie qu'il se meut dans un univers imaginaire, vrai, peut-être, dans son ensemble mais, dans le détail, privé de vérité. Elle est là, pourtant, la Vérité, le mot est prononcé dans la pièce : on dévoile au public l'erreur de tel protagoniste, le mensonge de tel autre. Mais de quoi s'agit-il sinon d'*imiter* la sottise de l'un et les fourberies de l'autre ? Inversement l'affirmation, la certitude, l'évidence ne paraissent jamais sur la scène : nous n'en voyons que des imitations plus ou moins réussies. En vérité, *toujours manquées* : on ne peut fournir du *Fiat* qu'une image dégradée. Le talent du comédien n'est pas en cause : c'est le matériau qui est mauvais. Puisque la *praxis* est rigoureusement bannie de toute représentation, on remplacera la fermeté volontaire par les emportements de la sensibilité : en d'autres termes on la peindra par son contraire. Qu'un prince dise : je suis prince, c'est un acte ; mais Kean, s'il se déclare prince de Danemark, c'est une passion soutenant un geste. Le discours théâtral n'offre pas de prise aux actes verbaux ; la parole apprise s'écoule sans pouvoir ni les susciter ni les accueillir : Kean n'est pas Hamlet, il le sait, il sait que nous le savons. Que peut-il faire ? Le démontrer ? Impossible : avant même d'être fournie, la preuve s'intègre à l'ensemble imaginaire. Hamlet peut convaincre, s'il veut, les fossoyeurs, des soldats rencontrés sur sa route ; il ne nous convaincra jamais. Le seul moyen de faire que *par nous* la pièce existe, c'est de nous en infecter. Contagion affective : l'acteur nous investit, nous pénètre, suscite nos passions par ses passions feintes, nous attire dans son personnage et gouverne notre cœur par le sien ; plus nous nous serons identifiés à lui, plus nous serons près de partager sa croyance — encore la nôtre demeure-t-elle imaginaire : ressentie mais neutralisée. De toute manière, c'est *croire*, rien de plus. Et le comédien n'essaiera pas d'abandonner le registre pathétique — qui est également celui de la Foi — car il ne resterait rien qu'un intérêt glacé. C'est à ce point que les phrases ou les tirades qui portent sur l'universel et, par conséquent, peuvent nous concerner directement, l'acteur éprouvé se gardera de les dire comme des vérités. Le monologue d'Hamlet, méditation sombre et pause intérieure, rumination perplexe d'idées fixes, incertitudes remâchées, éclairs d'évidences, devrait, pour être exact, se murmurer : voix monotone, blanche, sans intonation ; c'est qu'il *dit* ses passions ; il a pris la distance réflexive. Et ses soucis sont les nôtres : la vie, la mort, l'action, le suicide. Tout est généralité : être ou ne pas être ? qui pose la question ? N'importe qui, si l'on n'en juge que par les mots. Donc *moi*, dans ma réalité présente. Mais si, fût-ce un instant, les doutes et les raisonnements se donnent dans leur universalité, pour un sermon qui me vise ou pour une réflexion commune des hommes sur leur condition, tout croule, comme au cinéma lorsqu'un acteur tourne brusquement son regard vers la salle et paraît nous regarder. L'*acte* — le regard en est un — déchire la fiction ; Hamlet meurt ; reste un homme en pourpoint qui nous apporte un message de Shakespeare. Par cette raison, chaque interprète s'efforce de *singulariser* le monologue, son office est de nous cacher que ces mots pourraient s'adresser à nous : il cherche à nous contenir dans le personnage, à nous emprisonner dans le monde de la croyance ; non, non : pas la moindre vérité en tout cela — ou, s'il en est une, vous attendrez la fin de la pièce pour la trouver —, des tourments, rien d'autre ; et qui ne vous concernent guère : qu'avez-vous de commun avec ce prince danois vu par un Anglais du XVIIe siècle ? Les phrases que vous entendez ne sont pas même des constatations subjectives, le témoignage d'une courageuse lucidité : elles jaillissent spasmodiquement de douleurs *subies* comme le sang jaillit d'une plaie ; pour tout dire, elles incarnent les tourments d'Hamlet beaucoup plus qu'elles ne visent à les exprimer. Donc le monologue sera *joué* : heureux si le prince ne se roule pas sur les planches ou s'il nous épargne ses sanglots. Quand l'acteur connaît son métier, nous restons prisonniers d'Hamlet jusqu'à la tombée du rideau. Prisonniers de la croyance : c'est elle qui nous masque en pleine lumière le caractère universel des vérités que l'auteur nous lance comme des flèches ; croire c'est ne pas agir : la paralysie nous retient d'aller à la rencontre de ces idées qui volent ; il n'a fallu que les *subir* pour ne pas y reconnaître cette praxis : une pensée. Quant à l'interprète, il n'a pas eu besoin de réfléchir : il entre dans la croyance à la première réplique, il en sort à la dernière, parfois un peu après ; il ne pense rien, il sent. La pensée est-elle — on l'a dit souvent — nuisible au comédien ? C'est pis : dans l'exercice de son métier, répétitions comprises, elle lui est impossible. Et voilà pourquoi les meilleurs disent si mal les répliques affirmatives ; rien n'est su, tout est cru, tout est doublement aliéné : à l'auteur qui impose librement le texte, les croyances, les passions, au public qui peut soutenir leur foi et la porter aux extrêmes ou lâcher tout d'un coup et s'éveiller seul devant des somnambules horrifiés.

Tel est Gustave : réceptacle de sentences déposées par Autrui, apprises par cœur, éprouvées comme aliénation donc crues, il se trouve en un monde où la Vérité est l'Autre. Nul doute qu'elle n'ait pour ceux qui l'imposent et, sans doute, la font, un autre visage : l'enfant s'en est assuré bien souvent. Mais il préfère ignorer cette face cachée ; quand il entre en rapport avec les adultes — c'est-à-dire cent fois dans la journée — il entend leurs voix, leur ton inimitable de certitude, il tente de plaire par une certitude égale et ne peut que jouer la conviction. C'est, en un sens, la position de l'acteur renversée : celui-ci, sur les planches, passe des certitudes aux croyances par l'exigence même de la *représentation*, par ce refus de toute reconstruction volontariste qui l'oblige à s'abandonner, passif, aux fatalités de son personnage ; Gustave, paralysé d'abord, doit s'abandonner aux paroles étrangères, elles l'habitent comme un texte su par cœur et l'adhésion passive qu'il leur donne — par soumission et par indifférence — n'a pas en elle-même les moyens de dépasser la foi ; sa réalité vécue, c'est le lent écoulement végétatif des années ; dans le monde des vérités premières et des lieux communs, il est perdu, sans repères, croyant tout faute de rien savoir : c'est ce qui l'oblige à *jouer un rôle*. De fait, il ne se reconnaît nulle part, il n'a d'attirance pour rien, il ne découvre pas sa singularité ni même son ancrage dans le milieu des significations objectives ; faute de pouvoir se choisir en choisissant les expressions qui lui conviennent, faute d'avoir jamais ressenti le besoin fondamental de s'exprimer, il joue la comédie du choix ; en se guidant sur les préférences supposées de ses parents, il adopte les significations sans aucune référence à un signifié qui n'existe pas pour lui et, quand elles sont en lui, volontés étrangères qui le désignent, il se fait *par des gestes* tel qu'il s'est défini par l'*expression* adoptée. Comédie double : le choix est imité ; en vérité c'est le simple résultat de sa ductilité : les forces extérieures ont décidé pour lui ; la seule attitude sincère eût été l'indifférence et, justement, elle était impossible puisqu'il est aliéné aux préférences verbales des autres. Le caractère est joué : en fait, c'est tout simplement celui qu'on lui attribue. Mais — outre qu'il s'agit de schèmes assez vagues — il ne le *ressent pas* comme sa réalité ; son propre Ego, en lui, n'est qu'objet de croyance ; croyances aussi ses qualités — nous avons vu plus haut qu'il les comprend mal. Donc il exprime avant de sentir puis il joue à sentir ce qu'il exprime. Sent-il, à présent, le rôle qu'il joue ? Non : il *croit* le sentir. La comédie naît ici de la croyance et celle-ci le possède faute de réducteurs solides et, singulièrement, d'évidences. Aussi ne faut-il pas comprendre la comédie comme si Gustave avait conscience de la jouer. Mais il n'en est pas non plus inconscient. A la différence des acteurs professionnels, il ne peut ni coïncider avec son rôle ni le dénoncer au nom de sa réalité subjective ; désignés, les sentiments naissent de leur désignation même ; en vérité ce sont des gestes. Gustave sent parfaitement la pauvreté de leurs trames, les vides, la surexcitation qui vient remplacer d'elle-même le *vécu* et qui n'est qu'une fuite devant l'inconsistance. Mais, d'autre part, sa vie profonde est inexprimée, inexprimable, inexpressive, du moins sur *ce* plan, avec *ces* mots : elle demeure hors du coup, très loin, très bas. Donc elle ne s'oppose pas aux significations nouvelles et à la comédie qui les suit : pas de conflit, pas de heurts, pas d'évidence. Ce qui se parle est joué, ce qui se *vit* ne se parle pas.

Croire, c'est croire *en quelqu'un* (ou en quelque chose qui tient le rôle de quelqu'un : on n'en croit pas ses yeux). Cela veut dire, nous le savons, que les paroles reçues demeurent en Gustave comme des significations impératives. Cela veut dire aussi que leur force est empruntée. Et que l'*absence d'intuition* devient une « règle pour diriger l'esprit ». En général, les choses ne vont pas si loin : il existe un domaine du savoir et un domaine de la foi aux frontières confuses mais dont les zones éclairées sont nettement distinctes. La croyance est un état provisoire ; même si l'on est convaincu qu'il peut, en de nombreux cas, rester définitif, c'est par accident non par essence. Elle *tient lieu* de savoir. Je me rapporte à tel ou tel homme qui a vu ce que je n'ai pu voir ; faute d'avoir moi-même eu l'évidence, je fais confiance à celle d'un autre. Mais chez Gustave la Croyance *est* le Savoir par elle-même ; il n'y en a pas d'autre. Cela se conçoit : l'absence permanente d'intuition active est le résultat de la passivité ; du coup le besoin d'évidence n'est jamais ressenti. Or l'évidence c'est le rapport de l'existence à l'Être et à elle-même : d'une certaine manière ce n'est rien d'autre qu'*exister*, comme libre organisme qui *s'atteint* sans cesse et qui *touche le monde autour de soi*. Bloquée sous les croûtes et les mousses de la passivité, l'existence de Flaubert est profonde, elle charrie des mots, elle est « acculturée » déjà mais demeure hors d'atteinte, elle ne se propose pas comme mode plénier « d'être-dans-le-monde » et de vivre. Dans l'univers des significations exprimées, le mot de

Vérité et celui de Croyance vont se confondre ou plutôt le second se cache derrière le premier, plus imposant, et lui ronge sa chair : reste un squelette vampirisé. Tant qu'on dispose de connaissances vraies, la maxime de la croyance n'est pas trop gênante et l'on peut accorder que si l'on croit ce qu'on ne voit pas, on ne croit pas ce qu'on voit (parce qu'on le *sait*). Mais tout change quand on fait de cela le principe de toute vérité. Cela veut dire : l'absence est le mode d'être normal. L'être transcendant ne se livre pas, l'être immanent reste insaisissable, la vie est un exil au cœur d'un réel qui, ni du dedans ni du dehors, ne peut se donner à voir. Les Autres sont des intercesseurs : pour Gustave, ils reçoivent des certitudes qu'il ignore mais qui passent dans la signification même au moment de la transmission. La maxime devient, à présent : je ne vois rien ni ne peux rien voir ; le critère de la vérité c'est d'être affirmée par les autres et gravée par eux en moi. Si l'être désigné se caractérise par son non-être (qui peut être, bien sûr, un être-ailleurs), la Comédie n'est plus l'imitation d'une absence, elle est l'être même et la Vérité. De fait l'*imitation* est un jeu d'être et de non-être : elle inscrit dans l'Être le non-être (absence) d'un être ou, si l'on veut, elle présente un être par le non-être de l'Être ; de toute façon l'*imité* est esquissé par le jeu de deux non-être et ceux-ci renvoient à deux êtres dont l'un *n'est pas* (ou *n'est pas là*) et dont l'autre *n'est pas visible* (masqué par l'apparence), *n'est pas ce qu'on attrape au passage comme* sa véritable présence. Et voilà justement ce qu'est l'Être dans un monde où la croyance se prétend savoir : les gens vivent, ils sont, mais l'Être les fuit ; on ne *sait* pas si l'on aime sa mère, son frère ou plutôt on ne le *sent* pas : c'est normal, l'être de cet amour est de sortie ; reste qu'il faut le signifier, aux autres pour leur plaire, à soi-même le plus souvent possible pour le conserver au frais. Cette expression de tendresse sans cautionnement intérieur, ces signes passionnés sans passion, il faut y voir, à la fois, le réveil d'une signification apprise, donc une désignation de l'être par des conduites répétées et la présentification *minima* de cet être en son absence, à l'intérieur et à l'extérieur. Chez l'enfant, l'expression est nécessairement comédie ; mais la comédie ne dit pas son nom : elle croit, cherche à se croire, à se faire croire ; elle se donne pour le travail de la Vérité. Reste le vide que ces gestes, fantômes d'actes, n'arrivent pas à masquer : il faut y échapper en forçant sur la croyance. Car celle-ci — à la différence de la vérité — peut s'accroître indéfiniment ; autrement dit, l'enfant cherche à compenser l'inconsistance de l'être par la violence passionnelle de sa foi. C'est *à ce niveau-là* qu'il pense jouir du réel; son amour, il ne le ressent point, la foi en son amour, il l'éprouve pleinement; c'est en celle-ci qu'il rencontre la réalité de celui-là. Mais c'est se mettre dans une dépendance toujours plus étroite des autres : la croyance, nous le savons, n'est qu'une affirmation importée qui reste en nous sans se dissoudre et sans se changer en *notre* affirmation. Pour que Gustave soit de plus en plus *croyant* il faut qu'il persuade chaque jour les autres un peu plus. Non par des raisons : ce serait penser. Par l'emportement joué qui signifie sa passion. C'est sur la contagion qu'il compte pour arracher l'assentiment. Dès que celui-ci lui est donné, le petit garçon le prend et s'en pénètre : son amour, à présent, est impérativement désigné en lui par l'Autre; donc il existe, il est certifié. Bien sûr cet entraînement contagieux, à supposer qu'il se produise, ne pourra rien ajouter aux certitudes d'Autrui ni provoquer un assentiment qui n'a pas encore été donné. Il n'agit — comme au théâtre — qu'en infectant de passion les spectateurs. Les gestes provoquent les gestes : l'enfant court vers le père et le père ouvre les bras. Bref Gustave pourrait *au mieux* susciter des croyances. Mais, précisément, cette limite ne peut lui apparaître puisqu'il n'a pas cessé de confondre Savoir et Foi, Croyance et Affirmation. S'il a persuadé l'Autre, celui-ci manifestera sa foi nouvelle par des gestes, par des signes que l'enfant recueillera comme des assertions impératives. C'est en cela surtout qu'il se rapproche de l'acteur : il suggère aux autres de lui imposer les sentiments qu'il souhaite ressentir; son être, « insaisissable dans l'immanence », doit refluer sur lui du dehors. Ainsi l'acteur a besoin du public pour *être* cet Hamlet qu'il représente : encore sait-il profondément qu'il ne *l'est* pas. L'enfant ne sait pas qu'il joue ni que l'Ego exprimé lui appartient à peine. Mais c'est qu'il ne *sait* rien, même pas ce que veut dire *savoir*. Il croit ce qu'on dit, ce qu'on lui fait dire, ce qu'on croit. Quand le comédien se sent, aux bons jours, porté par les spectateurs, il s'émeut, cette émotion le sert, il y puise une force nouvelle, elle donne une espèce de réalité aux sentiments imaginaires qu'il exprime; dans ces moments privilégiés, ses certitudes générales, sans disparaître, se laissent reléguer au plus profond du cœur, la question n'est plus d'*être* Hamlet mais de faire éclater la colère d'un fils contre sa mère; il est ému, il croit être irrité : il le croit par autrui et par son émotion indifférenciée qui donne à ses fureurs je ne sais quelle mensongère authenticité. Gustave s'est placé de lui-même à ce niveau : la passivité remuée ne peut que s'agiter en désordre, l'agitation soutient la comédie, lui communique une fuyante réalité, il joue, il convie les autres à inventer sous sa direction le personnage qu'il intériorise sous forme d'Ego et qui restera toujours étranger à sa vie, c'est-à-dire, tout à la fois, *persona*, masque jeté sur un vide, ensemble de directives impérieuses qui visent ses conduites futures, objet intérieur au sujet, sans cesse à reproduire et à consolider et, par son autre face, tournée vers l'ombre, émanation d'une passion primaire, du trouble, du besoin général et muet d'être aimé, en un mot, reflet d'une nappe obscure, sans cesse mouvante et glissant sur elle-même, l'ipséité. C'est par ce double aspect de son Ego, moi de comédie, comédie qui renvoie à un rapport subjectif à soi, qu'il pourra, plus tard, *être le Garçon*, c'est-à-dire être soi-même dans le Garçon, faire de *ce personnage* sa propre désignation tout en la rejetant dans le monde de l'Autre, et, d'autre part, intérioriser comme purement siennes des qualités (passions déchaînées, pantagruélisme) qu'il joue pour les autres sans les posséder. Dans le monde social des signifiants-signifiés, l'Ego de Flaubert peut fort bien sauter hors de lui pour animer au-dehors un personnage étranger à qui Gustave prête, à tort ou à raison, un caractère identique au sien dans des circonstances radicalement différentes (mais symbolisant sa propre histoire) et dont il dit alors : *c'est moi*. Le Garçon, c'est moi. Madame Bovary, c'est moi. Etrange liaison de l'auteur à soi-même : nous y reviendrons car elle caractérise un rapport très défini de l'écrivain à l'écriture et tout un secteur des Lettres. Notons seulement qu'il ne dit pas : Je suis Madame Bovary ; ce jugement serait une affirmation lucide, le dépassement vers l'objet, la réextériorisation de l'intériorité se feraient dans le sens de l'activité rationnelle mais, par cela même, la phrase laisserait prévoir un piteux romancier [1]. Tout au contraire : ce neutre, la Bovary, *cela*, le pénètre du dehors et se découvre être lui dans la passivité ou, si l'on préfère, il est lui-même cette grande créature couchée entre les lignes et que seul l'acte d'un autre va redresser. Et, par une comédie de sens inverse mais de structure analogue, il peut aussi attirer l'acte du dehors, grâce aux croyances que son jeu suscite chez les autres : sans être tout à fait ladre, nous verrons qu'il fut toujours

---

1. Le « Je suis Heathcliff » des *Hauts de Hurlevent* a un sens différent : une femme (Kate) dit : *Je suis cet homme*. Dans ce personnage actif, dont la passion est toujours une praxis radicale, Emily Brontë peut s'incarner. Mais ce n'est pas elle qui peut dire : Je *suis* Heathcliff ; elle est trop active aussi pour dire : Heathcliff, c'est moi. Cette liaison intime se fait par personne interposée comme si elle laissait entendre : cette fille qui dit : je suis un homme, au moment qu'elle le dit, c'est moi. Il s'agit d'un rapport intermédiaire entre la découverte passive et la création volontariste.

un peu serré; cela n'empêche qu'il a joué dès l'adolescence et jusqu'au bout la générosité, croyant que les autres le croyaient prodigue et par là même, croyant l'être[1]. Cette qualité venait des Autres à son Moi-Autre et, par conséquent, s'y intégrait aisément : entre la rubrique générale et la détermination particulière, il y avait homogénéité. Les deux limites entre lesquelles l'Ego ne cesse d'osciller sont donc la projection du Moi dehors dans les qualités d'un personnage imaginaire à titre d'unité d'un caractère et d'une vie, et l'ingestion de qualités extérieures — accessibles aux Autres seuls — et leur intégration au même Moi, transcendant au cœur de l'immanence. Avec cette différence radicale entre les deux attitudes extrêmes : Flaubert, quand il dit Je, n'est jamais sincère, il joue, il arrange, il s'arrange; sa Correspondance et ses rares tentatives autobiographiques doivent être consultées avec circonspection : s'il dit vrai, c'est à son insu; ce qui n'est pas dit et qui *manque* est beaucoup plus révélateur que la confession publique ou les confidences privées. Par contre, quand il parle d'un personnage étranger — celui-là même dont il dit ensuite : c'est moi — tout passe; garantie par le statut d'imaginarité, la vérité s'installe, imprègne peu à peu la créature, non certes par la puissance du *Fiat* affirmatif mais par une nouvelle osmose que nous décrirons dans la seconde partie de ce livre. Ce qui est sûr, en tout cas, c'est que l'Ego, en lui, ne cesse jamais d'être invisible, insaisissable, ni de faire l'objet d'un « acte » de foi[2].

1. Tout de même, il remplaçait la dépense folle du revenu (la comédie eût été, sinon, plus difficile) par le pseudo-gaspillage de son « énergie vitale ». Bref la comédie, déjà, est symbolique.

2. On dira que l'Ego est chez tout le monde une détermination de la Psyché et qu'il est tout conditionné par les Autres, rempli de déterminations étrangères que nous pouvons saisir dans leur signification abstraite mais non pas *voir* car elles ne peuvent apparaître qu'*aux autres*. Les autres seuls peuvent me *trouver* spirituel ou vulgaire, intelligent ou balourd, ouvert ou fermé, etc. : je peux *savoir* qu'ils me trouvent tel, comprendre le sens des mots qui me désignent mais ces caractères — qui expriment la relation à autrui — m'échappent par essence. Ces deux remarques sont vraies, j'en conviens. Mais, chez la plupart d'entre nous, passivité et activité sont équitablement réparties : la dialectique de l'Ego (Moi — Je — ipséité, altérité — acte et comédie) est un mouvement complexe; et, bien souvent, le Moi n'est que l'horizon de l'*acte réflexif* : dans ce cas il est vision et serment mais la comédie n'y entre pas. Il y a une réalité objective du Moi mais cet objet psychique est, dans sa forme au moins, le pur corrélatif de l'ipséité réflexive, mieux : l'ipséité le produit en se faisant activité synthétique. Dans la mesure où certaines déterminations de cet objet peuvent provenir de l'Autre, je suis amené à quitter le terrain réflexif, à me rappeler certaines conduites qui ont décidé l'Autre à m'appeler irascible ou pusillanime, à les considérer avec les yeux de l'Autre, à les juger comme si moi-même j'étais un autre puis à revenir à la réflexion, à réfléchir sur mes intentions passées, à rejeter ou à accepter sur preuves intuitives le jugement de l'étranger, enfin à reformer l'unité-objet de mon expérience réflexive, l'Ego, avec ou sans les déterminations propo-

Ces remarques ne visent pas à *expliquer* l'option hystérique de Gustave. D'abord les raisons de celle-ci sont beaucoup plus complexes : c'est la vie même qui va peu à peu la solliciter. Et puis — ce qui, en un sens, revient au même — il n'est guère vraisemblable que ce trouble singulier ait pu se développer chez un si jeune enfant : dans le premier âge, on en trouvera peut-être des symptômes passagers mais il n'est pas, pour autant, à ranger parmi les hystériques et rien ne prouve que l'option future soit prédéterminée par ces malaises. La plupart des analystes tiennent que cette névrose, réponse globale à la situation d'ensemble, ne se manifeste pas avant l'adolescence ; entre treize et quinze ans, un petit garçon a « fait le tour » de ses problèmes, il les sent plus qu'il ne les connaît mais il en éprouve l'urgence ; il peut alors — et seulement alors — choisir le type de réceptivité et d'activité auquel il se conformera toute sa vie. Hébété, crédule, attardé, le petit Gustave, à sept ans, n'est pas hystérique : il lui manque encore les moyens de l'être.

Toutefois il faut s'entendre. Quand les psychiatres, à ce propos, emploient les mots de *choix* et d'*option*, ils ne prétendent pas nous renvoyer à une liberté métaphysique : ils veulent plutôt marquer qu'il s'agit d'une métamorphose totale du sujet ; on ne peut l'expliquer par un conditionnement de détail, comme on ferait d'une affection particulière. La rigueur reste mais les interprétations déterministes sont écartées : la névrose est une adaptation intentionnelle de la personne entière à tout son passé, à son présent, aux figures visibles de son avenir. On peut dire aussi bien que c'est une manière, pour la totalité de la vie vécue et du monde perçu (à travers un ancrage particulier), de se faire supportable : ce sera le « style » hystérique ou l'impossibilité de vivre. Mais qu'on prenne la circularité dans un sens ou dans l'autre, il faut une pensée dialectique pour en saisir la nécessité. Précisément pour cela, on peut comparer

sées. Si je les accepte il est vrai qu'elles demeureront en moi comme des significations irréalisables. Il est vrai aussi que je serai tenté de me faire acteur par impatience et pour les réaliser. Mais *accepter*, ici, c'est aussi jurer. Le caractère est serment, dit Alain. Ainsi les différentes formes d'activité ordinairement présentes dans la constitution ou la convocation de l'Ego permettent de considérer l'égologie réflexive comme un secteur du Savoir et de la Vérité (ce qui bien entendu signifie aussi : du Non-Savoir, de l'Erreur, et de la mauvaise foi). En vérité, l'opération suppose une constante réciprocité : c'est ce qui permet, à ce niveau du moins, de lutter contre l'aliénation et la mystification. Pour Gustave, au contraire, l'Ego *lui vient par les autres*, il ne songe pas à le ratifier mais à le jouer dans le sens qu'on lui propose et de manière à confirmer leurs exigences. Il n'est pas seulement un objet de la Psyché mais un *objet extérieur et autre* introduit du dehors dans la subjectivité. Ou si l'on veut, le Moi de Flaubert est *allogène*.

la névrose hystérique à une conversion. Et nul n'ignore que le feu
d'artifice termine, chez le converti, un sourd et lent travail qui
s'étend sur des années. Pour s'abattre aux pieds du Christ, après
vingt ans d'une irréligion militante, il faut que l'ancien incroyant
ait, à son insu, laissé les mites lui manger son athéisme : il se
retourne, un jour, ce n'est plus que de la dentelle. Et, derrière cette
loque, par ses mille trous, il aperçoit de puissants dispositifs déjà
mis en place et en ordre de marche. Avant de se convertir, il faut
qu'il se soit fait convertible. Cela veut dire que ses relations à tout
ont changé progressivement : aucun des changements n'était inquiétant par lui-même et c'est par cette raison qu'ils sont passés inaperçus ; le langage, par exemple, en certaines couches signifiantes,
a pris d'autres fonctions : les *sens* se sont pénétrés de symbolisme ;
le mot et la chose, ailleurs, se sont confondus, etc. Ces transformations linguistiques n'ont pas eu pour fin de donner à l'incroyant
la foi ; elles se sont constituées, pourtant, comme une réponse intentionnelle aux exigences de la situation. Mais cette réponse — totalité
partielle — a pour résultat d'abaisser, en lui, le seuil de la
croyance — au sens logique du terme : la densité matérielle du signe,
par exemple, lui apparaîtra plus souvent comme la présence réelle
du signifié. Et, d'une certaine manière, cette adhérence du sens au
vocable, cet affaiblissement des contrôles, toutes ces modifications
du Verbe ont fait l'objet d'une intention : le but était, dans une
situation désespérée, d'affaiblir les exigences rationnelles pour se
contenter à moins de frais. Dieu est au bout de la route mais au
moment qu'on commence à prendre les mots pour les objets, et
les vessies pour des lanternes, il n'est ni prévu ni souhaité : ce sera,
peut-être, pour s'aveugler davantage sur le désordre de son existence particulière, sur la navrante absurdité de la vie militaire que
cet officier choisit de s'orienter différemment — à peine — dans
l'univers du langage. N'importe : il trouvera Dieu par la raison qu'il
a commencé de l'inventer. Car Dieu — entre mille autres liens de
l'homme au monde et aux autres hommes — c'est aussi cela : un
épaississement du langage, les significations captées par leurs signes.

Cet exemple aura fait comprendre l'importance que j'attache à
ces premiers rapports de l'enfant et de l'expression. Il ne suffit pas
d'y voir la voie la plus sûre pour accéder à son œuvre et pour la
comprendre : on ira beaucoup plus loin dans la connaissance de
l'homme — et par conséquent de l'œuvre elle-même — si l'on reconnaît dans cette synthèse du mutisme et de la comédie, de la
croyance et de la passivité un chemin qui se fraye vers l'hystérie.

L'origine est objective : mal aimé, l'enfant s'est recroquevillé dans sa passivité, dans sa contingence ; mais si le même défaut d'amour a eu pour conséquence de lui ôter l'usage de la Vérité, à peine le petit mutilé tente-t-il de s'adapter à son infirmité — c'est-à-dire, ici, de la nier — il l'intériorise ; la croyance — seule ressource objectivement concédée — devient une fonction ; il tente d'en accroître l'intensité, il l'utilise intentionnellement pour se représenter à soi tel qu'il souhaiterait être. Et, sans doute, nous retrouvons un cercle : il ne serait pas comédien de lui-même s'il n'était condamné à croire sans savoir ; mais inversement, la condamnation lui sert, il s'y adapte. Ou plutôt non, c'est trop peu dire : à travers elle, il se choisit comédien, il *se* jouera pour attirer la faveur des Autres et contenter son besoin d'amour. À la limite, on entrevoit, déjà, le pithiatisme ; nous verrons aussi comment il suscitera, bientôt, l'hébétude pour s'en faire une arme défensive ; comment la croyance et la comédie nées de la passivité deviendront à leur tour la source des actions passives ; nous verrons Gustave, dans les périls extrêmes, agir sur les autres, sans leur parler ni les toucher, sans même paraître les voir et sans rien changer dans le monde extérieur, par la simple pression qu'il exerce de l'intérieur sur son propre corps.

Ce premier tableau est enfin terminé ; passivité, stupeurs, crédulité, mauvais rapports avec le langage et la vérité, comédies, croyances intentionnellement suscitées et, au bout du chemin, cette possibilité déjà probable : le fossé, la culbute dans l'hystérie ; tout forme un système embryonnaire commandé par un double refus : l'Amour se dérobe et cette fuite est intériorisée par l'enfant comme sa propre inertie végétative ; la valorisation par la mère n'a pas eu lieu et Gustave vit cette carence de l'Autre comme son propre écoulement sans but et sans cause, c'est-à-dire comme la stupéfiante contingence d'un être de mauvaise qualité. Cet étonnement s'exprimera plus tard dans ses œuvres : le personnage de *La Dernière Heure* par exemple — c'est Gustave lui-même à quinze ans — écrit : « Souvent en me regardant moi-même, je me suis demandé : pourquoi existes-tu ? » Il nous restitue par ces mots le sens vague de ses hébétudes : il ne s'agit pas là, en effet, d'une question métaphysique. Et l'enfant ne s'est jamais dit : « Pourquoi y a-t-il de l'être plutôt que rien ? Pourquoi cet être est-il justement moi ? » Mais, beaucoup plus simplement : « Né sans être désiré, qui diable me dira ce que je fous ici. »

Nous ne sommes pas au bout de nos peines ; de fait, s'il est vrai que les deux premières années, décisives pour la formation, ont façonné Gustave pour la souffrance, il n'est pas moins vrai qu'il a connu le bonheur, à partir de trois ou quatre ans et pour une période que nous aurons plus tard à délimiter. Et puis, de quelque manière qu'on les prenne, le délaissement, la sécheresse maternelle pouvaient engendrer la stupeur et le malaise : mais, je l'ai dit, l'enfant a besoin d'amour sans avoir le désir précis d'être aimé ; il sent donc — au sens où l'on dit d'un gaz qu'il est pauvre — sa pauvreté d'être. Jusqu'à l'ennui, parfois, je le veux bien, jusqu'à l'angoisse, mais non pas jusqu'à la fureur. Or nous verrons plus tard qu'il ne décolère pas depuis son entrée au collège — et, selon toute vraisemblance, bien avant cela — jusqu'au voyage en Orient : il faut que d'autres facteurs soient intervenus et qu'on l'ait soigneusement travaillé. En d'autres mots, nous enregistrons, après le premier âge, quelques années heureuses — mais *comment* cette chair à souffrance a-t-elle pu tout à coup s'épanouir et connaître la joie ? — puis, brusquement la rage et la douleur éclatent, les tourbillons d'encre ne cesseront plus — mais *quel conflit nouveau* a déchaîné l'horreur dans cette âme inerte ? Il est impossible, en effet, d'expliquer ces deux transformations successives par le simple développement des facteurs objectifs que nous l'avons vu intérioriser. Mais, à regarder les dates, nous comprenons vite ; Gustave a été — pour son plus grand bonheur d'abord et puis pour sa plus grande peine — mis en contact avec le monde social par un nouveau personnage entré bruyamment dans sa vie : par son père.

VI

Père et fils

A. — RETOUR À L'ANALYSE RÉGRESSIVE

C'est le zèle pieux et glacial de sa mère qui a *constitué* Gustave comme agent passif; Mme Flaubert est à l'origine de cette « nature » et du malaise à travers lequel celle-ci se fait vivre. C'est elle qui l'a accueilli comme un indésirable — c'est-à-dire comme le petit mâle importun qui prenait la place d'une fille; c'est elle qui n'a pu manquer de voir en lui une future victime de la mortalité infantile et qui l'a contraint d'intérioriser ce parti pris maternel sous forme d'un désir de mort ou, plus exactement, d'une incapacité de vivre; et, si la surprotection — qui l'a fait d'abord *objet* de soins trop poussés — a son origine dans les inquiétudes d'Achille-Cléophas, le fait est que l'enfant l'a subie, dans les premières années, à travers les soins que Caroline lui dispensait avec un tiède empressement. Pourtant dans ses premières œuvres, inquiètes et furibondes, il est frappant qu'il n'accuse jamais sa mère. On l'a *fait* monstre, nous dit-il avec rancune; et jamais il n'oublie de dénoncer la passivité qui est sa « nature » et son malaise. Mais quand il mentionne son « anomalie », il semble qu'elle soit plus *complexe* à ses yeux que la simple inertie constituée: nul doute que celle-là ne contienne celle-ci; pourtant on dirait qu'elle la dépasse, que c'est un édifice *complexe* dont la passivité n'est que le fondement. De toute manière la Génitrix n'est pas directement visée: si Caroline s'incarne parfois — dans un personnage secondaire —, c'est à titre de victime et tout ce qu'on peut alors lui reprocher c'est d'être complice involontaire. De qui? Voilà ce que nous devons établir. Pour comprendre les raisons qui contraignent le jeune auteur à ne jamais dérager, en tout cas, à reprendre d'un conte à l'autre le fil de sa colère, il faut revenir à ces premiers récits. Non plus, comme nous avons fait dans le premier chapitre, pour y pêcher des confirmations de détail mais pour considérer chacun d'eux dans sa totalité, c'est-à-dire pour les interroger, l'un après l'autre, sur leur sens.

Nous avons noté que Gustave, toutes les fois qu'il écrit à la première personne, est insincère : il faudra donc laisser de côté, pour le moment, le cycle autobiographique qui va de cette première esquisse, *La Dernière Heure*, à *Novembre* en passant par *Agonies* et les *Mémoires d'un fou* : ces ouvrages nous livreront plus tard, quand nous le connaîtrons mieux et que nous aurons les clés nécessaires pour les déchiffrer, des renseignements précieux. Pour l'instant, à les prendre à la lettre, ils ne feraient que nous abuser. Par contre il se livre dès qu'il invente. Et, de sa première œuvre connue aux écrits de sa quinzième année, il ne fait rien d'autre qu'inventer. C'est donc là qu'il faut le chercher ; c'est là qu'il nous attend. Il ne nous dira pas la vérité objective sur sa protohistoire mais nous apprendrons de lui cette autre vérité, irréfutable : la façon dont il a senti le mouvement de sa jeune vie. Toutefois, si nous envisageons de tenter une analyse vraiment régressive, il ne conviendra pas seulement d'observer avec rigueur l'ordre chronologique ; il faudra le suivre *à l'envers*. En toute investigation concernant l'intériorité, c'est un principe de méthode que de commencer l'enquête au stade ultime de l'expérience étudiée, c'est-à-dire quand elle se présente au sujet lui-même dans la plénitude de son développement — quoi qu'il en puisse advenir par la suite — c'est-à-dire comme une totalisation qui, sans qu'on puisse la dire achevée, ne pourra plus être continuée [1]. On y gagne ceci d'abord : plus le sens est riche, plus il s'approche d'un impossible achèvement, plus il est *compréhensible*. Et voici l'autre avantage : les intuitions les plus anciennes, plantes frustes et rabougries, non seulement ne contiennent pas l'indication des développements futurs — bien que le sujet puisse les vivre comme des pressentiments —, mais, faute d'être saisies à travers leurs futures vicissitudes, elles ne renseignent même pas sur le sens archaïque qui les possède et qu'elles obscurcissent en le condensant. Au contraire, si nous faisons le chemin *à l'envers*,

1. Entendons qu'elle peut se perpétuer telle qu'elle est, réapparaître par intermittence et, par là, s'intégrer dans un cycle de répétition ou s'abolir à plus ou moins long terme. Mais, de toute manière, le seul changement qui puisse alors l'affecter c'est la sclérose ou la stéréotypie.

en remontant de 1838 à 1835, cette étude régressive, interprétation systématique du présent à la lumière de l'avenir échu, nous découvrira chez Flaubert l'évolution subjective du vécu c'est-à-dire l'aperception qu'il a de sa propre vie dans son mouvement dialectique de totalisation. Quand l'enquête s'arrêtera, faute de documents, il sera temps de chercher ce que l'écrivain *veut faire comprendre* : des premiers signaux, difficiles mais profonds, aux constructions rationalisées mais plus superficielles des derniers contes, quelque chose a tourné sur soi, sans cesse, et fait boule de neige, une expérience a cherché cent fois son expression. Ce que Flaubert pense de sa vie, ce que nous devons restituer, c'est l'unité temporalisée de ces multiples significations et du sens qui s'y découvre.

Mais il faut ajouter que cette méthode rétrospective, quand il s'agit de Gustave, s'impose plus qu'en tout autre cas. À cause de cet étrange caractère qui lui est propre et que j'appellerai l'antériorité prophétique : en chacune de ces premières œuvres on retrouve les mêmes symboles et les mêmes thèmes — ennui, douleur, méchanceté, ressentiment, misanthropie, vieillesse et mort — mais, à chaque fois, sous ces rubriques, ce sont des expériences nouvelles qui s'expriment de sorte que la thématique semble toujours adaptée à la situation présente et toujours *antérieure à elle-même*, constituée du fond de l'avenir comme la prémonition d'une expérience future, plus profonde et plus riche, qui s'esquisse à travers le présent et, du fond du passé, comme une habitude enracinée par la répétition et comme un obscur *conatus*, d'origine immémoriale, pour *donner un sens* à qui est éprouvé. Bref, on ne trouve rien, en ces premières œuvres, qui simultanément *n'annonce* les maux futurs et ne *soit annoncé* par les anciennes douleurs.

J'en veux donner un exemple. En 1875, quand la faillite de son neveu le met au bord de la ruine, un des principaux aspects de son désespoir, de son propre aveu, c'est un vieillissement prématuré. Il revient souvent, dans sa Correspondance, sur cette sénilité précoce et trouve des formules heureuses pour en fixer les traits : sensiblerie, hébétude, incapacité de « prendre le dessus », pressentiment d'une mort prochaine, dévidage muet des souvenirs les plus lointains. Tout cela est *vrai*, n'en doutons pas : de fait il en mourra, de cette ruine, cinq ans plus tard. Mais, si nous remontons à 1870, à la capitulation de Sedan, à la proclamation de la République, nous aurons la surprise de le voir décrire sa honte et son malheur dans les mêmes termes. Certes nous aurons plus tard l'occasion d'étu-

dier sa réaction globale à la chute de l'Empire et nous la trouverons beaucoup plus riche que le thème de la sénescence ne semble
l'indiquer. N'importe : il est là; sensiblerie, pressentiment de la
mort, dévidage des souvenirs, Flaubert ne nous fait grâce de rien.
Un motif se détache sur le fond de tous les autres : celui de la survie; Gustave est un « *fossile* », il n'y a pas de place pour lui dans
la société nouvelle : c'est en cela surtout qu'il ressemble aux vieillards; ceux-ci, en effet, survivent à leur époque. Il y a eu, pour
eux, un temps d'adaptation passionnée à la vie mais, c'est en tout
cas l'opinion de notre auteur, elle est vraie, cette formule prudhommesque qui nous apprend qu'on ne peut pas être et avoir été. Gustave, en 70, se considère comme *ayant été* et, conséquemment,
comme n'étant plus. Ainsi ses revers de fortune, en 75, n'ont pu,
de toute évidence, que *réaliser* ce qui, cinq ans plus tôt, était déjà
actuel. On dira sans doute — et c'est vrai — que le désastre de Sedan
et la chute de l'Empire ont déclenché un processus d'involution que
la faillite de Commanville n'a fait qu'accélérer. Mais que dire, en
ce cas, des nombreuses lettres écrites *avant* la guerre qui décrivent
déjà Gustave comme un fossile, comme un retraité et, finalement,
comme un octogénaire? Et, si l'on veut soutenir que ces images
— pour exagérées qu'elles puissent être — ne s'appliquent pas si
mal à un quadragénaire qui éprouve chaque jour son vieillissement,
je réponds que le thème de la sénilité précoce se retrouve dans presque toutes les lettres qu'il écrit à Louise entre 48 et 49, c'est-à-dire
entre sa vingt-septième et sa vingt-neuvième année. Dès les premiers
jours il rappelle à sa maîtresse qu'il l'a prévenue avant tout engagement : « Si tu avais compté trouver en moi les aigreurs des passions adolescentes et leur fougue délirante, il fallait fuir cet homme
qui s'est déclaré vieux d'abord et qui, avant de demander à être
aimé, a montré sa lèpre. J'ai beaucoup vécu Louise, beaucoup.
Ceux qui me connaissent un peu intimement s'étonnent de me trouver si mûr et je le suis plus encore qu'ils ne pensent [1]. » Il est plus
net encore, trois mois plus tard [2], au moment de leur quasi-
rupture : « Sous mon enveloppe de jeunesse, gît une vieillesse singulière. Qu'est-ce donc qui m'a fait si vieux au sortir du berceau,
et si dégoûté du bonheur avant même d'y avoir bu? Tout ce qui
est de la vie me répugne... Je voudrais n'être jamais né ou mourir.
J'ai en moi, au fond de moi, un *embêtement* radical, intime, inces-

---

1. 21 octobre 46. Il a vingt-cinq ans.
2. 20 décembre 46.

sant qui m'empêche de rien goûter et qui me remplit l'âme à la faire crever [1]... Quand je t'ai crié dès l'abord, avec une naïveté que tu as peu appréciée que... c'était à un <u>fantôme</u> et non à un homme que tu t'adressais... il fallait me croire. »

1. Nous voyons ici, liés dialectiquement, le thème de l'ennui et celui de la vieillesse. Comme cette liaison apparaît dès ses premières œuvres, il est loisible de se demander d'où elle lui est venue. Nous tâcherons de montrer ici le sens et la fonction de celle-ci. Mais, pour qu'il vînt à l'esprit d'un enfant de se considérer comme ennuyé dès le plus jeune âge donc comme vieux *de naissance*, il fallait d'abord que les deux *mots* lui aient été donnés ensemble. Et certes, on peut dire que cette idée : « les vieillards s'ennuient » appartient à la chrestomathie de la sagesse des Nations. Simone de Beauvoir a montré, dans *La Vieillesse*, la part de vérité qu'elle contient. Encore faut-il que quelqu'un — ou quelques-uns — l'ait formulée de bonne heure devant Gustave. Qui ? Nous ne le saurons jamais. Cependant on ne lira pas sans étonnement le passage suivant de la thèse d'Achille-Cléophas (soutenue en 1810) :
« On rencontre rarement dans les maisons particulières, mais assez fréquemment dans les hospices, une disposition de l'âme nuisible à l'opération. L'état dont je veux parler est l'ennui, espèce de besoin qui est pour le travail, l'occupation, ce qu'est la faim pour les aliments solides ; et de même que la faim n'est pas toujours prononcée au point de faire sentir à l'homme si ce sont des aliments qui lui manquent, de même l'ennui souvent ne sait ce qu'il lui faut.
« L'ennui, qui se produit de tant de manières, comme par le défaut de choses capables d'occuper, par l'absence d'un objet dont on est passionnément épris, par la monotonie des impressions, ce qui a fait dire :

L'ennui naquit un jour de l'uniformité,

est dû, dans les hospices, à presque toutes ces causes réunies...
« Les enfants, peu soumis à l'influence de l'habitude, y sont peu sujets, tandis que les adultes, et surtout les vieillards, y sont plus exposés. Les derniers, particulièrement, aiment à conserver leur manière d'être ordinaire.

> *Certain âge accompli*
> *Le vase est imbibé, l'étoffe a pris son pli*
> > La Fontaine.

« Un asile impénétrable à la pluie et aux vents, un lit plus convenable à sa douleur, des soins mieux entendus, ne peuvent souvent remplacer sa cabane ou son grenier, le grabat qu'il partageait avec les siens et les faibles secours qu'il en recevait :

> *Soit instinct, soit reconnaissance*
> *L'homme, par un penchant secret*
> *Chérit le lieu de sa naissance*
> *Et ne le quitte qu'à regret.*
> > Gresset, *Ode sur l'amour de la patrie.*

« Cet état disparaîtra dès que le malade entrera en connaissance avec ses voisins ;

> *L'infortuné n'est pas difficile en amis.*
> > Delille.

fera le récit de ses maux, entendra celui de leurs espérances, en concevra lui-même, s'accoutumera au service des gens de la maison, distinguera surtout les soins des religieuses, administrés plus par goût et par humanité que par devoir, et jugera favorablement de l'homme de l'art, qu'il trouvera sensible, et toujours respecté. »

Cet amoureux n'a que deux soucis : empêcher à tout prix que sa maîtresse ne mette les pieds à Croisset et trouver des raisons chaque fois nouvelles pour remettre leurs rendez-vous de Paris ou de Mantes. Pour la contenir, il évite, tant que c'est possible, de lui déclarer un amour qu'elle voudrait aussitôt mettre à l'épreuve. Quelquefois, acculé, la fougue de l'adversaire ou sa propre fatigue lui arrachent de doux aveux qui lui déchirent la gorge au passage. À l'instant, il s'arrange, sans les renier, pour les disqualifier et, si possible, dans la même phrase. C'est ce qui explique la fréquence des couplets sur sa vieillesse : autrefois passionné, détruit par le malheur, il a perdu la faculté de sentir. Après cela, il peut lui déclarer qu'il l'aime pourvu qu'il ajoute : si le mot garde un sens sous la plume d'un vieillard qui n'est plus capable d'amour. Il peut aussi renverser les termes : je suis vieux donc je n'aime pas mais sois heureuse puisque tu es la seule qui puisse rallumer parfois mes cendres.

« Tu es venue du bout de ton doigt remuer tout cela. La vieille lie a rebouilli, le lac de mon cœur a tressailli. Mais c'est pour l'Océan que la tempête est faite. Des étangs, quand on les trouble, il ne s'exhale que des odeurs malsaines. Faut-il que je t'aime pour te dire tout cela. Oublie-moi... »

Cette confession d'un vieillard du siècle, vingt fois recommencée, a d'ailleurs un autre office. Louise est facile, conformiste, un peu vile : trois raisons pour qu'elle connaisse « le monde » un peu mieux que ce jeune reclus qui est passé presque sans transition de la maison familiale à l'internat et de celui-ci, après quelques mois de Paris, à la séquestration. Les émerveillements poétiques de la Muse dissimulaient une bonne dose de ce qu'on se plaît à nommer « expérience ». Gustave s'en agace : il ne veut pas qu'on le traite en petit garçon. L'expérience, parbleu, il en a. À revendre. Et ce

---

Comme on peut voir, l'explication de l'ennui est simpliste. Il n'en demeure pas moins que le docteur Flaubert note que les enfants y sont peu sujets « tandis que... les vieillards... », etc. S'il a surpris son fils, vers dix ans, à bâiller, ne lui aura-t-il pas dit : « Tu t'ennuies ? À ton âge ! Les enfants ne s'ennuient pas : il faut être bien vieux pour s'ennuyer. » Et le petit, prenant le sermon à rebours et loin de penser : je ne suis pas vieux donc, je ne connais pas l'ennui, s'est reporté d'abord à son état vécu et s'est dit — avec l'agressive docilité qu'on lui connaît : je m'ennuie *donc* je suis vieux. En acceptant sa condition d'octogénaire et — mauvaise foi ou malentendu — d'en être affecté par son père, il l'intégrait à la malédiction paternelle : son père l'a fait naître vieux, avec le désir de mourir, dégoûté des choses d'ici-bas, donc son père lui a donné « l'embêtement radical » qui n'est que l'intériorisation de la vieillesse. De quelque manière qu'on le prenne, il est frappant que le docteur Flaubert, onze ans avant la naissance du fils qui radicalisera le « spleen » dans sa vie et dans la littérature, se soit cru obligé de consacrer à cette « disposition de l'âme » un long passage de sa courte thèse.

n'est pas cette cousette qui lui en remontrera. D'où certaines allusions mystérieuses à son passé.

« La déplorable manie de l'analyse m'épuise. Je doute de tout, et même de mon doute. Tu m'as cru jeune et je suis vieux. J'ai souvent causé avec les vieillards des plaisirs d'ici-bas et j'ai toujours été étonné de l'enthousiasme qui ranimait alors leurs yeux ternes, de même qu'ils ne revenaient pas de surprise à considérer ma façon d'être ; et ils me répétaient : À votre âge ! À votre âge ! Vous ! Vous [1] ! » Et, quelques mois plus tard : « Je comprends bien combien je dois te paraître sot, méchant parfois, fou, égoïste et dur : mais rien de tout cela n'est ma faute. Si tu as bien écouté *Novembre* tu as dû deviner mille choses indisables qui expliquent peut-être ce que je suis. Mais cet âge-là est passé, cette œuvre a été la clôture de ma jeunesse [2]. »

Ces précautions sont communes : devant une maîtresse trop avertie quel est le blanc-bec qui ne joue les affranchis ? Sans succès, d'ailleurs. Il est percé à jour. Tu prends tes grands airs, répond Louise : « Tu poses. » Et puis les prudences calculées de Gustave sont misérables, elles le ravalent au niveau de son Rodolphe ; il en a conscience, le criminel, et s'en divertit. Est-ce qu'il ment ? Pas du tout : peu d'hommes sont moins menteurs. Ce qu'il y a, c'est qu'il est insincère. Et l'insincérité, à l'opposé du mensonge, nous abuse par la vérité.

Entre 46 et 49 Gustave n'écrit pas une lettre qui ne fasse au moins allusion à sa précoce vieillesse. Sa politique amoureuse du *containment*, quelles que fussent les impétuosités de Louise, n'en exigeait pas tant. Donc il y tient. Bien sûr ce thème sert les effets de manches dont notre procureur manqué ne s'est pas privé. Mais, dans les premiers temps, il a tenté de s'exprimer clairement. Ils deviennent amants au début d'août 46. Le 9, de retour à Rouen, il était amoureux et ne mesurait pas les exigences de sa maîtresse. Or voici ce qu'il lui écrit alors :

« Avant de te connaître j'étais calme, je l'étais devenu. J'entrais dans une période virile de santé morale. Ma jeunesse est passée. La maladie des nerfs qui m'a duré deux ans en a été la conclusion, la fermeture, le résultat logique. Pour avoir eu ce que j'ai eu, il a fallu que quelque chose, antérieurement, se soit passé d'une façon assez tragique dans la boîte de mon cerveau. Puis tout s'était réta-

---

1. 9 août 46.
2. 2 décembre 46.

bli ; j'avais vu clair dans les choses, et dans moi-même, ce qui est plus rare. Je marchais avec la rectitude d'un système particulier fait pour un cas spécial. » L'autobiographie sera complétée le 27 août : « Cela est vieux, bien vieux, oublié presque[1] ; à peine si j'en ai le souvenir ; il me semble même que ça s'est passé dans l'âme d'un autre homme. Celui qui vit maintenant et qui est moi ne fait que contempler l'autre, qui est mort. J'ai eu deux existences bien distinctes ; des événements extérieurs ont été le symbole de la fin de la première et de la naissance de la seconde ; tout cela est mathématique. Ma vie active, passionnée, émue, pleine de soubresauts opposés et de sensations multiples, a fini à vingt-deux ans. À cette époque, j'ai fait de grands progrès tout d'un coup et autre chose est venu[2]. »

En comparant les deux passages, il vient ceci : jusqu'à vingt-deux ans[2] la vie de Flaubert a tous les caractères d'une maladie mortelle, son expérience n'est que l'aggravation d'une agonie ; il souffre comme il respire et chaque souffrance le fait mourir un peu plus. Quand toutes les conditions sont réunies, l'organisme cède ; usé, à bout de souffle le jeune homme sombre dans la fausse mort. Les mots de « logique », « mathématique » doivent être pris au sens fort : ils n'ont pas été choisis pour marquer simplement que la crise était inéluctable mais ils donnent à entendre que cette existence sentait en elle le pourrissement comme une évidence interne, *son* évidence fondamentale. L'attaque, prévue de loin, est un aboutissement, un symbole et un rite de passage : mort et transfiguration. Mais *qui* va ressusciter ?

Sur sa seconde vie, à vrai dire, ses appréciations paraissent contradictoires. Tantôt c'est le calme mortuaire d'un étang : ne troublez pas l'eau qui dort, elle va puer. Tantôt c'est le commencement « d'une période virile de santé morale » et tantôt c'est « un embêtement radical ». Il va plus loin, il écrit cette phrase dont la pénétration surprend : « Je marchais avec la rectitude d'un système particulier fait pour un cas spécial. » C'est la définition même de la névrose : les mécanismes de défense ont mis au point un système qui est lui-même la maladie. Le fils Flaubert s'est organisé en profondeur pour souffrir le moins possible. Il y a finalité cachée du « Haut mal » et de la séquestration volontaire qui suivit. Dans ce

---

1. Flaubert fait allusion à ses anciennes amours.
2. Il dit vingt-deux. Mais la crise (janvier 44) eut lieu quand il venait d'avoir vingt-trois ans. Cela suffit à montrer qu'il s'y attendait depuis *au moins un an*.

planning névrotique la rencontre avec Louise n'était pas prévue : Gustave se trouble un instant mais revient, comme un robot, à sa marche inflexiblement rectiligne ; il vient de trouver une nouvelle tactique et fait étalage de son insensibilité par peur d'être resté trop sensible.

Elle existe pourtant, cette usure des sentiments : il sait l'exploiter comme un moindre mal mais il la subit. Lazare est un vieillard : mémoire exacte mais froide, cœur assassiné, lucidité lasse sans autre passion que celle de connaître : « La profondeur de mon vide n'est égale qu'à la passion que je mets à la contempler. » Il le répète sans cesse : « Tu me demandes par quoi j'ai passé pour en être arrivé où je suis : tu ne le sauras pas, ni toi ni les autres, parce que c'est indisable... Mon âme... a passé par le feu. Quelle merveille qu'elle ne se réchauffe pas au soleil ! Considère cela chez moi comme une infirmité, comme une maladie honteuse de l'intérieur que j'ai gagnée pour avoir fréquenté des choses malsaines mais ne t'en désole pas car il n'y a rien à faire. »

Le feu, c'est encore trop noble ; au beau milieu du paragraphe Gustave laisse tomber sa métaphore. Ébouillantée, son âme ? Allons donc ! Vérolée, tout au plus. La pauvre, elle est victime d'une contamination. Je laisse de côté « les choses malsaines » ; non par défiance : ce ne sont pas les mots qui ont entraîné les mots et Gustave a dit ce qu'il voulait dire. Simplement les clés nous manquent encore : elles devaient manquer à Louise aussi. Ce qui m'intéresse, en chacune de ces deux métaphores, c'est le rôle que Flaubert y donne au temps : la seconde le déplie, corrigeant la première qui l'avait reployé. Le feu, c'est le sinistre instantané, le traumatisme. Au contraire le pourrissement par contagion, c'est l'irréversible et lente osmose qui intériorise l'extérieur en extériorisant l'intérieur, c'est la structure familiale explorée, vécue, éprouvée au cours d'une vie individuelle qui se termine en janvier 44. L'une et l'autre de ces images reviennent à déclarer : « On m'a fait insensible. » Mais la première évoque un accident brutal et la seconde insiste sur la progression continue du mal. C'est celle-ci que vous retrouverez le plus souvent dans les lettres à Louise. Flaubert lui écrit par exemple qu'il tient sa courte vie pour « une longue histoire ». Un jour il insinue que ses malheurs ont commencé à sept ans. Un autre passage — déjà cité — nous invite à penser que les sarcasmes lui ont fait prendre conscience *alors* de la différence qu'il avait « toujours eue dans les façons de voir la vie avec celles des autres » et qu'il a senti dès lors le besoin de se cacher, de trouver, faute de solitude

véritable, un refuge en lui-même. L'original est déclaré monstre;
il peut se tuer, se laisser tuer, s'enfouir vivant dans un tombeau;
dans les trois cas il aura exécuté la sentence collective, qui prévoit,
plutôt que la mort, ce qui en est la conséquence ordinaire : l'enterrement. Voilà, du moins, une des manières dont Gustave envisage,
à vingt-huit ans, les hommes et sa vie parmi eux.

À première vue, cette nouvelle interprétation sans dissiper les obs-
curités de la première y rajoute les siennes. Flaubert nous dit qu'il
a masqué sa sensibilité; fort bien. Est-ce une raison pour qu'elle
s'étiole? En vérité, on ne peut rien conclure : en des cas bien particuliers la dissimulation peut entraîner l'usure; mais il en est d'autres,
beaucoup plus fréquents, où la passion cachée s'exalte. Or Gustave est formel : « J'ai trop crié dans ma jeunesse pour pouvoir
chanter : ma voix est rauque. » Ou bien : « À quinze ans, j'avais,
certes, plus d'imagination que je n'en ai. » Ce n'est pas l'isolement
qui lui casse la voix, c'est la violence inécoutée de sa récrimination. Pour masquées qu'elles fussent, il a eu des passions dans son
adolescence. Et des plus vives. Mais négatives toujours — douleur,
envie, honte, rage — ce qui signifie qu'on l'a toujours contrarié.
Rappelez-vous comment il qualifie les ardeurs de sa jeunesse : par
la fougue — cela va de soi — mais aussi, mot inattendu, par
l'*aigreur*; il ne peut mesurer la force de ses affections qu'à son pouvoir d'en souffrir : frustration et rancœur, douleur, aigrette de furie.
Ses maux ne sont pas engendrés par la seule « différence », il a fallu
qu'on les lui infligeât, fût-ce pour sanctionner celle-ci; intentionnels, ce sont eux qui ont mis au supplice un cœur trop sensible et
qui ont fini par l'user.

Mais à bien regarder, cette appréciation nouvelle ne contredit
pas les précédentes : la Chute, c'est la découverte de la « différence »
à travers le jugement des autres. C'est cela que Flaubert veut suggérer; un enfant monstrueux connaît, malgré tout, l'âge d'or de
la petite enfance : il n'a pas encore appris sa « nature » puisque nul
n'exige rien de lui; tant qu'on le laisse à l'enfance il est seul : nourri,
protégé, certes, mais jamais *comparé*. Et puis, un jour, à sept ans,
un juge souverain découvre sa particularité et la lui désigne : le voilà
autre. Autre que l'homme. Cela veut dire, bien sûr, au-dessous de
l'espèce, arrêté dans le « processus d'hominisation ». Recalé, somme
toute. Le jeune garçon est qualifié par l'homme, donc dans l'objectivité. Qualification *pratique* : à ce sous-homme conviennent certains traitements, d'autres sont moins appropriés. À présent que
cette détermination par l'extérieur l'a marqué des pieds à la tête,

il ne lui reste plus qu'à l'intérioriser. Il y verra le signe de son abjection ou de ses tourments, rarement celui de sa valeur : il oscille, tout de même — nous le verrons — entre le positif et le négatif. Mais il n'en doutera pas ; la lettre précitée le prouve : je ne suis pas comme les autres donc je me cache, *cri d'orgueil négatif* ; nous n'attendrons pas longtemps avant de découvrir les ravages que les parents ont faits pour de bon en installant en cette âme l'orgueil passionné des Flaubert et, du même coup, en lui ôtant les moyens de le satisfaire. Mais nous n'avons pas encore le droit de préciser puisque Gustave ne précise pas. J'ajouterai même qu'il sait parfaitement, lorsqu'il écrit à Louise, commencer les confessions et les arrêter à point nommé. Elle se croit dans la confidence puisqu'il lui dit, après lecture de *Novembre*, qu'elle aura deviné « des choses indisables » ; mais voilà l'insincérité : le mot « indisable » est fort ambigu : s'agit-il d'aperceptions si fines ou si profondes qu'il n'est pas de mots pour les rendre ? S'agit-il d'un secret de famille qu'on *doit taire* ? C'est exprès que Gustave ne décide pas. La preuve en est qu'il reprend le mot quelque temps plus tard et, tout en lui gardant son ambiguïté, il insiste plutôt sur le second sens. Louise lui demande quelles aventures pénibles, quel malheur perpétuel justifient ce dégoût blasé, cette forfanterie de vieillesse ; le sens de la question — d'après la réponse — est clair : que t'est-il *arrivé* ? Quant à la réponse elle-même, elle est nette mais beaucoup moins simple ; Gustave commence par déclarer : tu ne le sauras jamais, ni toi ni les autres. Cette négation suffirait ; elle signifie : *je ne veux pas te le dire*. Mais, pour adoucir cette fin de non-recevoir il ajoute : « parce que c'est indisable ». Et cette fois la précision sans équivoque de l'interrogation avantage dans la réponse les significations les plus précises. Que t'est-il arrivé ? Des histoires pénibles et que je ne te raconterai pas parce qu'elles mettent en cause ma famille. Pourtant cela n'est pas dit ; pas expressément ; la preuve en est que les biographes ont lu et relu cette correspondance sans y trouver la moindre allusion de Gustave à l'enfant-martyr qu'il pense, en toute certitude subjective, avoir été. N'empêche, au moment d'abandonner les lettres à Louise, reconnaissons que leur auteur, stratège défiant, a poussé les confidences aussi loin qu'il le pouvait. On l'a tant tracassé dans son enfance — par la simple raison qu'il ne ressemblait pas aux autres membres de la famille, aux autres collégiens, aux autres étudiants — que ses nerfs ont fini par craquer. Mais, s'il reste allusif quand il mentionne les souffrances *infligées*, il est plus clair sur ses manœuvres défensives : couper les ponts, c'est se mutiler; sa stratégie — système spécial et qui ne vaut que pour *son cas* —, c'est sa névrose. Ou plutôt la névrose, c'est tout ensemble, c'est le *stress* de Flaubert : l'agression intériorisée et la stratégie qui cherche à tourner l'ennemi et à l'envelopper. Si, pour Gustave, la crise de Pont-l'Évêque est la conclusion logique, mathématique, de sa jeunesse, s'il l'intègre à sa vie passée comme une éblouissante évidence et non comme un accident, c'est qu'il y voit l'aboutissement d'une guerre : il y a ce qu'on faisait de lui et ce qu'il faisait lui-même de ce qu'on l'avait fait, chacune de ces déterminations tentant de déborder l'autre [1]; mais c'est une guerre *tragique* : le hasard n'y entre pas; pas de probabilité, la certitude, toujours. Et le résultat sera préparé rigoureusement par les deux adversaires : la bataille de Pont-l'Évêque *devait avoir lieu*; elle a été réglée jusqu'au moindre détail. Victoire ou défaite? Nous laisserons Gustave en décider lui-même. Ce qui est sûr, en tout cas, c'est que cette fausse mort et la « survie » qui en découle sont, aux yeux de Gustave même, des facteurs *intentionnels* : le vieillissement est un produit du *stress*, il renvoie le jeune homme à l'enfance et aux conduites de l'Autre en tant qu'elles suscitent et combattent les siennes, à ses propres conduites en tant qu'elles tentent de désarmer l'adversaire. Il est d'autant plus nécessaire de marquer cette franchise à mots couverts que, dans notre rétrospective, nous allons la voir disparaître pour la retrouver — plus nette — dans la virulence créatrice de l'adolescence. À prendre en confiance ce premier témoignage, nous apprenons sans fard ce qui a — autant que je sache — échappé aux flaubertiens : Gustave a la certitude subjective d'avoir vécu, de sept à vingt-trois ans, la vie la plus atroce et la plus inflexible. Non, comme on dit parfois, pour avoir plus qu'un autre senti les maux de notre condition mais pour avoir été exilé, frustré et torturé dès sept ans par sa famille — autrement dit, par son père. En remontant le cours du temps nous nous en persuaderons davantage : la relation du fils au Père souverain domine toute cette existence et Gustave en est parfaitement conscient.

Il n'en demeure pas moins que Flaubert, en 1848, comme en 70 et en 75, mais pour d'autres raisons, se présente comme un *survivant*. Et nous ne pouvons oublier que c'est un malade, que sa jeu-

---

1. Ce qu'il fait de soi devient pour et par l'Autre un caractère objectif confirmant la sentence extérieure. Échappant, on le ressaisit, il échappe encore et se livre par sa fuite à des ressaisissements nouveaux. Inversement tout caractère objectif, d'où qu'il vienne, est intériorisé comme *altérité*; toutes les diastases subjectives se mettent à l'œuvre pour le digérer. Nous verrons cela dans la 2e partie.

nesse s'est terminée par une crise terrible, et que le nouveau Gustave a dû, après l'attaque de Pont-l'Évêque, renoncer à la vie active, se séquestrer à l'Hôtel-Dieu puis à Croisset. Il est donc vrai, d'une certaine manière, que la période qui suit janvier 44 peut être considérée comme une survie donc comme une vieillesse fragile et précautionneuse : la maladie nerveuse apparaît à Gustave comme la mort de ses passions.

Si le symbole « sénilité » apparaît comme recevable *après* la nuit de Pont-l'Évêque qui a pour effet de transformer la vie de Gustave, qu'allons-nous penser en le découvrant entièrement explicité dans les œuvres *qui précèdent* la « maladie nerveuse » ? Dès les premières pages de *Novembre*, achevé en octobre 42 — donc quinze mois avant qu'elle éclate — le thème est exposé : « Ma vie entière s'est placée devant moi comme un fantôme. » On a bien lu : « Ma vie entière. » À vingt et un ans. Il ne s'agit pas de raconter, comme Balzac, « un début dans la vie » ni d'écrire, comme Goethe, un « *Erziehungsroman* » mais de nous montrer rétrospectivement une existence révolue. Une ? Que dis-je ? Mille peut-être : « A compter les années... il n'y a pas longtemps que je suis né mais j'ai à moi des souvenirs nombreux dont je me sens accablé comme le sont les vieillards des jours qu'ils ont vécus : il me semble parfois que j'ai duré des siècles et que mon être renferme les débris de mille existences passées. » On dira peut-être qu'il pressent la névrose : et, sans aucun doute, il éprouve vraiment des fatigues écrasantes qui l'inquiètent et qu'il a bien le droit de symboliser par un recours à l'« usure » ou à la sénilité. Mais ce qui frappe alors d'autant plus que nous prenons le jeune auteur davantage au sérieux, c'est son don mystérieux de *voyance* : à partir, en effet, de ces obscures sensations, il prédit la crise et la survie qui suivra : de fait non seulement le jeune héros de *Novembre* est déjà le survivant de sa vie mais encore il va mourir par la pensée et nous verrons surgir de son cadavre un deuxième narrateur qui parlera du premier à la troisième personne. De celui-là on ne nous dit pas qu'il est vieux (et pas davantage qu'il est jeune) : simplement il n'existe que pour contempler cette vie morte et pour en témoigner ; c'est une mémoire, un pur regard rétrospectif qui n'existe pas assez pour donner prise au malheur, aux passions : rien ne lui arrivera jamais. N'est-il pas curieux que Flaubert ait pu prophétiser quatre ans à l'avance le sentiment qu'il décrit à Louise le 26 août 46 : « Celui qui vit maintenant et qui est moi ne fait que contempler l'autre qui est mort » ? En d'autres termes, ce que *Novembre* nous raconte d'avance, c'est l'attaque de Pont-l'Évêque et ses conséquences. Pourquoi ? Sans doute, en cette phase prénévrotique de sa vie, Gustave gage sa prédiction sur un début d'expérience pathologique : il est d'autant plus sûr de la dégringolade finale que la chute a déjà commencé ; et plus tard, après l'attaque, le jeune amant de Louise sera d'autant moins gêné pour reprendre à son compte ces prophéties d'adolescent que le désespoir et l'angoisse de celui-ci se sont réalisés chez celui-là, en troubles *subis*. *Novembre* : une vie tragiquement illuminée par l'évidente nécessité d'une mort prochaine ; une mort inflexiblement tissée dans l'« *estrangement* » par la vie même ; un survivant déjà prévu, ce fantôme : le néant devenu sujet par l'anéantissement de la subjectivité ; le non-être délibérément confondu avec la conscience lucide de n'être plus ; tout un train roulant vers cette ultime confusion, la crise, où la métamorphose irréversible d'une forme de vie en une autre se donne d'avance pour l'abolition du vivant.

De 42 à 48 nous nous trouverions donc devant l'unité rigoureuse d'un processus inflexible où les anticipations et les réminiscences, loin de se contredire, s'éclaireraient par un jeu réciproque de reflets. À travers un système en marche, on découvrirait partout une compréhension tantôt prospective, tantôt rétrospective, toujours réelle de l'événement : comme si la temporalisation du processus se totalisait d'elle-même à chaque instant et que seule variait en elle la proportion de l'actuel et du virtuel, du vécu et du mythique, de la prophétie et de la remémoration.

Mais, si nous acceptons cette explication, deux faits demeurent qui ne s'y intègrent pas. En premier lieu le même *break-down* s'est produit, à notre connaissance, trois fois. En 44, en 70 et en 75 c'est — à nous en tenir au témoignage explicite de Flaubert — le même coup de foudre : l'événement vient sur lui comme un voleur — c'est l'« attaque de nerfs », c'est la défaite, c'est la ruine —, tout prend feu, il tombe et, quand il se relève, c'est pour s'apercevoir qu'il survit, qu'il a, comme on dit si bien, « fait son temps » et que le malheur l'a prématurément vieilli. Mais ses déclarations de 1875, à les prendre littéralement, infirment celles de 70. S'il était, après le 4 septembre, cet octogénaire, ce fossile qu'il prétendait être devenu, que lui restait-il à perdre en 1875 ? Et, s'il se désole, après la victoire de la Prusse, s'il lui semble sombrer dans la sénilité, n'est-ce pas que, malgré ses plaintes répétées, il jouissait, sous le Second Empire, d'une verte maturité ? Où donc est-il passé, le vieillard de 44, cassé par la vie, par un « collapse » inoubliable, irrémédiable ? Est-ce lui qui s'est assuré les faveurs de la Person, est-ce lui qui tonitrue aux dîners Magny, qui fait le courtisan à Saint-Gratien, à Compiègne, aux Tuileries ? On dirait qu'il perd, à chaque « coup de vieux », la mémoire du précédent ; or cela n'est pas possible : Gustave n'oublie rien, c'est lui-même qui nous le dit. Nous éluciderons plus tard ce petit mystère. Notons seulement qu'il nous a présenté *déjà*, dans *Novembre*, une vieillesse à répétitions. À chaque page, une jeune existence se flétrit sans mûrir, misérablement ; à chaque page le jeune narrateur fonce vers la sénilité, vers la mort, tantôt par un chemin, tantôt par un autre et rajeunit pour vieillir encore à la page suivante. Tantôt c'est l'ennui qui l'use et tantôt la douleur et tantôt l'abus des plaisirs de l'imagination. Nous le savions déçu, blasé, dégoûté des songes et des plaisirs solitaires, il nous avait dit : « À quoi rêver ? » et, tout à coup, son imagination ressuscite et bondit ; il s'envole vers ces mêmes songes qu'il caressait au début du livre et dénonçait vers le milieu. C'est que la sénescence a plus d'un sens pour Gustave. Depuis longtemps installée dans l'âme du malheureux si, pourtant, elle fond sur lui *du dehors*, c'est qu'il y a pour lui *des* vieillesses dont chacune a son histoire, ses significations, son office. Dira-t-on qu'il eût mieux fait de donner en même temps tous ses motifs et de faire vieillir une seule fois par l'effet de tous ces facteurs son héros ? Mais non : ces raisons ne sont pas nécessairement compatibles entre elles et nous devinons que le thème du « coup de vieux » si cher à Gustave tente d'exprimer, quelquefois sans trop de bonheur, les richesses irrationnelles du vécu : nous verrons bientôt, en d'autres termes, qu'il est polysémantique.

Ces remarques nous permettent d'introduire le deuxième fait que j'ai dit échapper à l'interprétation des prophéties de *Novembre*. Si celle-ci, en effet, explique la prémonition, en 42, des troubles de 44 par une expérience prénévrotique mais déjà pathologique du jeune auteur et, somme toute, par une attente anxieuse de la future catastrophe, on n'acceptera pas sans une forte résistance que la même imagerie — qui s'est ouverte en éventail aux premiers signes du mal — puisse se retrouver antérieurement aux circonstances qui l'ont déployée. Et cela *d'autant moins* que Gustave, dans les lettres à la Muse [1], est catégorique sur un point : jusqu'à quinze ans, il a eu la jeunesse la plus follement passionnée. Certes, il y avait de l'aigreur dans ses passions ; la rage et le désespoir l'ont plus souvent bouleversé que l'enthousiasme. Mais il *vivait*, nous dit-il. À

1. Et, plus tard, dans les lettres qu'il écrit à Mlle Leroyer de Chantepie.

plein temps. Au point qu'il dira plus tard sa fierté d'avoir été jeune si pleinement. La crise de Pont-l'Évêque et la sénilité qui, selon lui, s'en est suivie, ce sont les conséquences de sa vie violente ; impossible, donc, que l'apathie des vieillards ait précédé, chez lui, le commencement de sa névrose : en modérant ses souffrances, elle eût précisément empêché le *collapse* que celles-ci sont censées avoir provoqué. Or le fait est là : en remontant le cours du temps, de sa quinzième à sa treizième année, nous allons rencontrer *dans tous ses écrits* la fantasmagorie déployée, c'est-à-dire la Trinité mythique : désespoir passif, vieillesse et mort. Flaubert est-il déjà malade ? D'où viendrait alors le choc qu'il a ressenti en écrivant *Novembre* et que nous tenterons de restituer dans un prochain chapitre ? Adopte-t-il un thème à la mode, sous l'influence du romantisme ? Peut-être mais pourquoi celui-là ? Au reste, le romantisme a bon dos : c'est un lieu commun prudhommesque, cette idée que l'expérience, en même temps qu'elle nous enrichit, nous tue à petit feu. Ce proverbe d'adultes, quelle surprise de voir l'enfant Gustave se jeter dessus pour en faire sa pâture. Dirons-nous qu'il ment, qu'il fait l'important pour étonner ? Cela serait bien surprenant : il n'a d'autre public, à l'époque, qu'Alfred qui le connaît par cœur. Encore semble-t-il qu'il ne lui ait pas tout montré : il redoute d'être lu par crainte de se livrer. C'est le signe qu'il a conscience — plus ou moins confusément — d'être représenté par ses personnages. Il force un peu, c'est tout : il nous l'a dit dans *Novembre* : adolescent, il donnait dans l'« amphigouri ». À cette réserve près, nous sommes obligés d'admettre qu'il est sincère : la fiction lui permet de dire ce qu'il sent. Lisons ses premières œuvres : à quelque moment qu'on lui demande : « Que penses-tu de ta vie ? », nous sommes sûrs qu'il répondra : « Vous tombez bien : elle vient justement de finir, c'est un vieillard, c'est un mort qui vous répond. » Quel que soit le protagoniste qui se charge de l'incarner, si courte que soit sa vie et fût-elle tranchée net par la violence, nous verrons que celui-ci aura *tous ses âges*, enfance, jeunesse et vieillesse sauf la maturité. De celle-ci, il n'est jamais question : on entre dans l'âge ultime dès qu'on sort de l'âge d'or. Un jeune homme, c'est un vieux : la sénilité lui bouffe son enfance ; dès qu'elle a fini de la digérer, elle se découvre et se supprime en se résumant. Pour Gustave, à treize ans déjà, la vieillesse, image vivante de la mort, c'est l'abolition qui totalise ; inversement une vie ne se totalise que par l'abolition : c'est donc que l'expérience n'est exhaustive qu'à l'instant qu'un homme peut envisager sa vie *du point de vue de la mort*.

Il ne s'agit pas, comme on voit, d'un encrassement d'organes usagés mais d'une transformation psychosomatique dont l'origine et la cause permanente se trouvent dans la vie elle-même se *dévoilant* dans sa vérité et se *situant*, totale, dans la totalité de l'Être ou Univers. Macrocosme, microcosme — combien de fois retrouverons-nous ces mots si bien adaptés à la pensée médiévale de Flaubert —, le second, en se totalisant, devient le reflet du premier qui est le Néant totalisé. L'homme, miroir du monde : une lacune qui prend conscience de son non-être au sein du néant universel. Le vieillissement, c'est le rapport toujours plus étroit et plus profond du microcosme au macrocosme; en un mot c'est la mort au ralenti ou, si l'on préfère, la mort-elle-même se réalisant par le moyen de la vie. On ne meurt pas de vieillesse; aux yeux du jeune Flaubert on vieillit de mourir. Quant à la Vérité complète, cette correspondance homothétique de l'Univers et de l'individu, elle se réalise en celui-ci, au terme d'un processus d'involution, par l'anéantissement.

Oui, à quinze ans, à treize ans, beaucoup plus tôt, peut-être, il a connu la violence et l'aigreur des passions malheureuses, il a brûlé, il a pleuré, il a haï. Et, dans le même temps, il survivait aux jeunes élans, au désespoir qui le déchiraient, étonnant les plus vieux vieillards, ces clampins, par son désenchantement. Au moins, dira-t-on, dans ces premiers essais, la crise future ne figure pas au tableau. Mais si, justement. Nous verrons qu'elle entre dans l'expérience du malheur, à titre de pressentiment. Flaubert ne ment pas. Sur la mort, sur le vieillissement et l'usure par le désespoir, il est exact qu'il n'a jamais changé d'opinion. Pour le reste, il suffit de comparer les textes : pas d'identité mais de surprenantes correspondances, des feux surgis de la nuit, allumant d'autres feux, des clins d'œil de l'enfant au jeune homme et du jeune homme à l'enfant. À quinze ans, Gustave ne peut écrire ses exposés d'amertume sans avoir obscurément prévu la catastrophe de ses vingt-trois ans; il ne pourrait, à vingt-cinq ans, faire de celle-ci la conclusion *logique* de sa vie si l'adolescent, dix ans plus tôt, n'avait entrevu la triade du Père et de ses deux Fils dans *La Peste à Florence*. Dans cette étrange existence, tout est réciprocité malgré la durée, à travers elle. Le passé a conduit au présent qui, tout en se faisant d'après des schèmes protohistoriques, remodèle, transforme et confirme le passé. Nous n'avons qu'à observer ces échanges, nous serons au cœur du mouvement dialectique de l'ipséité, au cœur des vrais tourments de Gustave et de son histoire subjective. — C'est par cette raison que la régression rétrospective s'impose quand il s'agit de lui : elle seule peut déchiffrer les oracles de la jeune Pythonisse *à partir de l'avenir qui les a vérifiés.*

1837 : Passion et Vertu. Gustave va sur ses seize ans. Ce n'est pas la première fois qu'il s'incarne en une femme : nous verrons tout à l'heure qu'il s'est « introjeté » dans Marguerite, le laideron, avant de charger Mazza, splendide héroïne, de le représenter. Celle-ci ne ressemble guère aux pâles héros des semi-autobiographies que Flaubert écrira dans les années suivantes : sa vie n'est point « une pensée » comme sera celle du Fou qui va nous laisser bientôt ses Mémoires, elle ne se réduit pas, comme celle du héros de *Novembre*, à un long ennui, à une sénile apathie traversée par des éclairs de fureur. Mazza n'est pas née avec le désir de mourir : nous trouvons enfin, chez elle, l'aigreur et les violences des passions adolescentes. Flaubert n'a pas menti. S'il ne les ressent pas, ces passions, il rêve en tout cas de les ressentir. Le cœur de Mazza, pour tout dire, n'est guère touché mais son sexe est une fournaise. Un séducteur a éveillé ses sens : d'abord désappointée, elle s'enflamme tout à coup et voudrait ne plus jamais cesser de jouir. Son ardeur effraie l'amant qui s'enfuit : fini le chapelet d'orgasmes ; du coup l'incendie se porte partout : il faut qu'elle se consume ou qu'elle se libère et qu'elle aille rejoindre le séducteur effarouché ; qu'à cela ne tienne, elle empoisonne tous les membres de sa famille, un mari benoît, deux enfants à l'âge tendre. Bien inutilement puisque son bien-aimé, dans l'entre-temps, s'est marié et le lui fait savoir du fin fond de l'Amérique, où il s'est réfugié. La voilà scélérate et délaissée : le crime ne paie pas. Mazza n'a plus qu'à s'empoisonner.

En ce bref et très remarquable ouvrage, Gustave nous fait voir *une personne* : universalisée par l'apparition brusque, en elle, d'un besoin animal, elle est individuée par l'intensité peu commune et la spécification rigoureuse de cet « instinct ». Comme dit galamment Baudelaire de toutes les femmes : « Elle est en rut et veut être foutue. » À tout moment, d'accord. Mais par le même : celui-là seul peut la foutre qui sut la mettre en rut pour la première fois. À cette absurde préférence — car le séducteur est abject — tient tout son malheur et toute sa singularité. Elle a vécu, elle vit, quelque chose lui est arrivé, elle en mourra. Cette personne est une histoire, une aventure irréversible et qui se termine très mal. Mazza n'est rien tant que rien ne lui arrive. Une dormeuse. Et puis voici l'événement : un homme, lentement, par des ruses éprouvées, la transforme en bacchante et, quand il y parvient, prend la fuite, terrorisé par l'incendie qu'il a lui-même allumé. Par cet accident Mazza est faite : brûlante et, du même coup, frustrée. La bonne épouse tendre et glacée, ce n'était qu'une oie blanche, qu'une sotte. Sans la rencontre qui la jette dans les bras d'un séducteur, elle fût demeurée vertueuse. Et nulle. Car, Flaubert ne nous l'envoie pas dire, sa supériorité sur nous lui vient de son sexe vide et *ravagé par l'infini désir*. D'où vient cela? Ces exigences insatiables sont-elles à la portée de tous? La rencontre eut-elle lieu dans des circonstances particulières? L'auteur ne le dit pas. Dans un passage curieux il suggère que l'amant est d'abord fasciné par cette violence et qu'il manque s'enflammer lui aussi : peut-être prend-il peur de lui-même plus encore que de sa maîtresse; on a le sentiment, en tout cas, qu'il lui faut un effort pour se détourner d'elle. Il faudrait croire alors que l'instinct nu est le même chez tous mais que la plupart des gens en ont si peur qu'ils l'étouffent. Le mérite de Mazza — aussitôt puni par le malheur — serait de s'y abandonner. Et puis, à d'autres pages, il semble simplement qu'elle soit trop richement douée. Peu importe : que ce tempérament lui soit propre ou qu'il soit commun et qu'elle ait su le développer, elle l'eût ignoré sans le hasard qui mit sur sa route un séducteur. L'histoire et les dons innés se combinent pour chauffer à blanc ses douleurs. Comblée, elle connaissait d'indicibles jouissances; délaissée, ses souffrances sont inépuisables. La ligne de cette vie est trop pure, trop nette, pour que nous la réduisions à une succession de hasards. En vérité tout s'enchaîne : la force de son caractère se retourne nécessairement contre elle, met l'amant en déroute, la pousse au crime et du crime au désespoir. Voici donc à la fois une personne qui fait et subit une durée sans retour, une durée qui fabrique irréversiblement une personne et la brise. Des entreprises, leurs suites : la parfaite équivalence d'une femme et de son destin.

Il s'agit, comme on voit, d'une existence entière. Courte mais pleine : ainsi prétendent être *Novembre* et les *Mémoires*; nous savons que Gustave veut dire *tout* en un seul livre et qu'il le fera, d'ailleurs, dans *Madame Bovary*. Par contre, de certains thèmes qui rempliront des œuvres ultérieures — depuis *Les Funérailles* jusqu'à la première *Éducation sentimentale* — nous ne trouvons pas trace dans *Passion et Vertu*. Cela va de soi; imaginons Mazza indifférente ou apathique : il n'y aurait pas d'histoire. Quant au désenchantement que fera paraître le jeune auteur à dix-sept ans, il n'en est pas seulement question quand il en a quinze. Mazza, un instant déçue par l'amour physique, entre aussitôt après dans un enchantement dont elle ne sortira jamais. Le départ d'Ernest la plonge dans le malheur mais elle n'en soupçonne par les raisons et, jusqu'au dernier et piteux message de ce Don Juan — ainsi le nomme Gustave — elle ne cesse de l'aimer ni de vouloir le rejoindre.

Deux motifs pourtant nous sont connus. L'un, qui paraît fort déplacé dans cette aventure brûlante, c'est celui de la vieillesse. L'autre, celui de la passivité. Le premier est si gratuit, si maladroitement introduit qu'il nous révèle du coup son caractère obsessif et son archaïsme. On dirait que Gustave n'a pu se tenir de l'introduire dans un récit où il n'avait que faire. Ernest s'est défilé, Mazza lui court après : trop tard, elle arrive au Havre pour voir une voile blanche « s'enfoncer sous l'horizon ». La voici sur le chemin du retour : « Elle fut effrayée de la longueur du temps, elle crut avoir vécu des siècles et être devenue vieille, avoir les cheveux blancs tant la douleur vous affaisse, tant le chagrin vous ronge car il est des jours qui vous vieillissent comme des années, des pensées qui font bien des rides. »

En une nuit ses cheveux avaient blanchi : on a raconté cela devant le petit Gustave. À plusieurs reprises : il a écouté passionnément. Quelle chance s'il pouvait, après quelque humiliation intolérable, rejoindre les siens, au petit déjeuner, avec une chevelure de neige. On ne s'en apercevrait pas tout de suite et puis, brusquement, le silence ! Il lirait l'horreur et le remords dans les yeux de ses parents ; il leur dirait avec une feinte humilité : « C'est qu'il y a des jours qui vous vieillissent comme des années ! » Merveilleux témoignage : quelque chose sur sa tête *signifierait* ses tourments mais il n'y serait pour rien : la métamorphose aurait eu lieu à son insu, de nuit, peut-être même ne s'en apercevrait-il qu'en découvrant la stupeur de ses proches. Activité passive, somatisation du désespoir. Mais Mazza, grande âme féroce, ne désespère pas, elle. Pour rejoindre Ernest, elle a vite fait de comprendre qu'il lui suffira de massacrer sa famille ; elle passe à l'exécution : résultat impeccable et l'on admire sa fermeté à l'égal de son tempérament. Dans *Novembre* la sénilité se liait à l'expérience, à l'usure, à l'anorexie ; on voit la coupure qui sépare les derniers contes du cycle autobiographique : Mazza n'est pas à la fin de son expérience amoureuse, jamais sa passion n'a été si vive, ni l'incendie de son sexe si ardent ; elle n'a rien perdu de sa capacité de souffrir, bien au contraire : ses malheurs ne font que commencer. Jamais la douleur « n'affaissera » cette Médée. Cela est si vrai, Gustave lui-même en est si conscient qu'il n'ose lui blanchir pour de bon la chevelure. Elle *croit* que ses cheveux sont devenus blancs, ce qui n'est guère vraisemblable chez cette femme si peu réflexive, si loin de toute espèce de narcissisme. Cela veut dire simplement que l'auteur a rêvé cette métamorphose, qu'elle est un des thèmes de son onirisme dirigé, un des espoirs de son ressentiment : c'est lui, sûrement, qui, à la suite d'une rebuffade, s'est dit, plein d'espoir : « Cette fois, ça y est » et qui a couru se mirer dans une glace, vainement. Sa plume court et nous dit le rêve de son ressentiment : elle couronne Mazza d'une neige aussitôt fondue. Ce qui nous importe, en tout cas, c'est que le jeune garçon nous révèle à quinze ans une manière de vieillir bien différente de celles qu'il énumérera dans les œuvres ultérieures : on accède à la vieillesse d'un coup par un traumatisme suivi d'une intense douleur.

L'autre motif déjà connu, la passivité, nous fait accéder à des structures plus profondes et plus anciennes encore de cette enfance malheureuse. En vérité, Mazza *subit* son sort. Elle tuera, dira-t-on ; n'est-ce pas l'acte pur ? Ses infanticides, inexpiables, n'ont-ils pas été soigneusement préparés ? Soit : nous y viendrons. Mais observons, pour commencer, qu'elle a été, à proprement parler, enfantée par Ernest. Avant de le connaître, elle dormait, cette âme sans corps attendait, dans l'étourdissement des limbes, qu'on voulût bien la faire naître. Le triste Don Juan s'y emploie : on notera qu'il ne s'agit point d'un coup de foudre ; Ernest est un spécialiste, la séduction est un art, il y a des recettes, on assiège la place dans les règles, il faut du coup d'œil, parfois du génie. Ce thème est propre au XIXᵉ siècle qui l'a hérité du siècle précédent : Hérault de Séchelles donnait, plus généralement, le moyen de manœuvrer tout représentant — mâle ou femelle — de notre espèce. Et Stendhal, dans sa jeunesse, ne se contentait pas de mettre en œuvre la « méthode » de son cousin Martial : il cherchait aussi les moyens rigoureux d'imposer le rire à des spectateurs, indépendamment du sexe et de l'âge. Les résultats furent décevants : Hérault de Séchelles se fit couper le cou, Stendhal n'écrivit pas jusqu'au bout sa comédie ; quant au système de Martial, appliqué consciencieusement à la belle Mélanie, il n'eut pour effet que de retarder la prise d'une citadelle qui se fût rendue tout de suite et sans combat. Reste qu'il s'agissait alors — *Les Liaisons dangereuses* en témoignent — d'une application pratique du déterminisme mécaniste qui semblait alors la dernière conquête de la philosophie scientifique. Si la même cause, en tout temps, produit le même effet, pour obtenir celui-ci il suffira de susciter celle-là au bon moment : voilà le moyen sûr de parvenir ou de s'assurer les conquêtes les plus flatteuses. Mais ce qui intéresse Gustave, ce n'est pas de tirer les ficelles : il déteste les tombeurs et l'arrivisme lui pue au nez. Il se passionne avant tout pour l'inflexibilité du déterminisme : à la fois parce que — son père le lui a cent fois répété — c'est le fondement du savoir, ce qui permet de connaître les hommes, et parce qu'il se sent lui-même *manipulé*. La seconde naissance de Mazza n'est donc pas, à ses yeux, un produit du hasard, elle a été préméditée, un homme l'a voulue, en a fait l'objet d'une entreprise savamment concertée. Il est frappant que la jeune femme ait vécu plus de vingt ans dans un engourdissement sans histoire et vraisemblablement heureux jusqu'à la mutation qui la comble d'abord pour mieux la frustrer ensuite. Cette première période ne correspond-elle pas à l'âge d'or de Djalioh, *avant* la jalousie ? Et, dans l'un et l'autre cas n'est-ce pas à *son propre âge d'or* que Flaubert fait allusion ? À sept ans, quelqu'un l'a tiré des limbes, lui a donné la joie et l'a déçu. Cette conduite était préméditée : l'amour devait être suivi de frustration puisque le Don Juan de *Passion et Vertu*, cela va de soi, n'a jamais eu l'intention de rester fidèle à Mazza toute sa vie : la preuve en est qu'il fait une fin, dans l'Amérique où il s'est réfugié : lassé de ses faciles conquêtes — elles sont *forcément* faciles puisqu'il a la méthode —, ce vieux garçon se marie. Beau mariage, pantoufles, compagne obéissante pour tenir sa maison : ils y viennent tous, les fils de famille, même s'ils doivent briser le cœur d'une maîtresse aimante. C'est du moins ce qui se dit volontiers à l'époque ; la littérature bourgeoise traite cent fois le sujet, depuis le début du siècle jusqu'au début du suivant (*La Femme nue* de Bataille n'en est qu'une variante). Sans doute les violences de Mazza ont contraint Ernest à rompre plus tôt qu'il n'eût souhaité ; de toute manière, il aurait rompu. Bref, sans cet amant providentiel — ou infernal — Mazza fût passée sans y prendre garde du sommeil à la mort. Il l'éveille et, du coup, lui donne un Destin : l'*histoire* de Mazza, cette aventure qui se temporalise en elle jusqu'à son suicide, elle est prévue par Ernest et, pour la malheureuse, la vivre c'est la subir de bout en bout.

Un seul imprévu pour Ernest : il n'avait pas songé, avant de passer aux actes, que cette jeune somnambule si chaste se changerait, sous ses mains expertes, en furieuse. Cette fois, on dirait que les rôles s'intervertissent : elle lui fait peur. Pourquoi ? Croit-il sa santé en péril ? Il ne le semble pas : la jeune femme, nous dit-on, demandait à son amant un effort trop souvent renouvelé mais non point insupportable : femme d'intérieur, elle devait ses soins à son mari, à ses enfants ; donc il avait du temps pour « récupérer ». Non : c'est la passion nue qui l'a terrifié ; ce médiocre — petites vanités, petites jouissances — a découvert soudain le cratère d'un volcan en éruption. Il n'y a pas de danger mais notre Lovelace, un instant fasciné, tient à rester à la surface de lui-même, et nier chez lui comme chez les autres les « profondeurs épouvantables » dont Gustave nous parlera dans *Novembre*. En un mot, tout est *historique*, tout dépend de la relation qui s'est établie au départ entre les deux amants et qu'ils vivent chacun telle qu'elle est définie par l'autre : la peur et la débandade d'Ernest, c'est la puissance tellurique de Mazza vécue par ce pauvre homme comme un péril fascinant et mortel. Reste que, cette violence chthonienne, c'est lui qui l'a déchaînée. Il faut dire plus : Mazza — comme le titre l'indique — c'est la Passion même, avec majuscule. Ce n'est point par un acte imprévu qu'elle décontenance Don Juan. Ni par je ne sais quoi dont on puisse la tenir pour responsable : c'est par les orages qui troublent sa chair, c'est par le besoin fou qu'elle subit — comme les Mercenaires, dans le défilé de la Hache, subiront leur faim, cette faim que l'ennemi leur impose. Oui : Mazza est *affamée*. Affamée par Ernest et c'est ce qui épouvante le séducteur qui décide de la laisser sur sa faim. Y avait-il, chez l'enfant Gustave, un amour filial d'une semblable violence : a-t-il effrayé son géniteur par les manifestations de sa tendresse ? On le dirait : car c'est au moment de la frustration que Mazza l'incarne sans ambiguïté. L'humeur de la jeune abandonnée s'aigrit : elle devient folle d'orgueil et de méchanceté ; elle vient à la rage, à la haine. Contre qui se déchaînera-t-elle ? Contre son bourreau ? Jamais : il est hors de cause. Et pareillement le mari, les enfants : ce sont des traverses, il faut les ôter, voilà tout. Mazza réserve son mépris et son abomination aux gens qui l'entourent : leur bonheur mesquin s'est bâti sur des mutilations préméditées. Ont-ils seulement des sexes ? Personne ne jouit ; des enfants naissent, il est vrai, mais on leur transmet une vie rabougrie qui refuse le plaisir par crainte de la douleur. Mazza maudit ses « semblables » sans s'apercevoir — mais l'auteur en est fort conscient — qu'elle déteste en eux la mesquinerie de son amant fuyard. La *petitesse* calculée d'Ernest est un crime général de l'espèce ; mais l'important c'est que Mazza le découvre à travers sa malchance particulière, à travers *son* histoire et son « rut » doucement éveillé puis brutalement frustré et, du coup, inextinguible. Cette frustration particulière et *datée* — un jour, j'osai jouir, je souffre en conséquence — lui donne l'orgueil fou de se croire une aristocrate du malheur : jouissance ou tourment, l'infini passe entre ses cuisses. Mais cet orgueil lui-même est né d'un malheur singulier : car enfin l'infini, Mazza n'en doute pas, c'est le membre d'Ernest. Qu'il la pénètre, c'est la plénitude de l'Être ; qu'il se refuse, elle découvre en son ventre le vide où Smarh, dans trois ans, va « tournoyer ». Le désespoir et l'orgueil de cette femme mesurent, sans qu'elle s'en doute, l'incroyable disproportion de l'infini désir et de son infinitésimal objet. Thème cher à Gustave : ce qui est beau dans l'amour absolu, c'est qu'il n'est pas justifiable et jamais mérité par la qualité de l'être aimé. Orgueil et ressentiment, les parents Flaubert ne valaient, nous dit-il, ni tant d'amour ni tant de souffrances. De toute manière, la haine et le mépris de Mazza pour le genre humain ne vont pas sans fascination ni jalousie : adultère, délaissée, bientôt criminelle, elle est au ban de la terre. Ses congénères ne le savent pas encore et elle se dépêche de mépriser ses semblables par crainte de les envier. À l'origine de sa méchanceté nous ne trouverons aucune de ces causes universelles que l'auteur indiquera dans les œuvres ultérieures mais des événements précis, les décisions d'un Lovelace en déroute, une situation singulière engendrant l'envie, la rage et la honte. Tout est là, pourtant : l'infini désir comme négation de l'Être et la nécessité de l'inassouvissement. Mais ces allégories qui prendront tant de place dans les autobiographies, l'auteur nous les suggère et nous ne pouvons décider si elles nous manifestent le sens profond de la fable ou s'il faut les tenir pour des « superstructures » abstraites qui expriment à leur manière une aventure individuelle. Gustave est plus sincère à quinze ans qu'à vingt. Plus profond, aussi — n'ayons crainte, il le redeviendra — car c'est dans la vie totale d'une personne conditionnée par autrui avant même que de naître et jusque dans ses comportements physiques, jusque dans ses besoins, qu'il cherche les motifs des actions et des pensées dans leur singularité. À travers Mazza, nous découvrons l'Ego de Gustave, c'est-à-dire — il en est conscient — son Alter Ego.

Que n'a-t-il dit de cette première Bovary ce qu'on prétendra qu'il a déclaré de l'autre : « C'est moi ! » On eût compris ce que cet adolescent criait dans le silence : « J'ai mon vautour, né avec moi, prévu dès avant ma naissance par un Jupiter coriace ; je suis ce qu'on m'a fait, un cadet de famille ; entre une prédestination qui m'a défini dans mon essence bien avant que je sois conçu et la fin terrible qu'on m'a assignée, j'avance à pas comptés, torturé par mes passions familières, aussi réelles et matérielles que le besoin sexuel ou qu'une rage de dents. » Gustave est en crise, il souffre à hurler ; écoutez-le : « Ernest se portait à ravir (au Mexique où il s'était enfui) dans cette atmosphère embaumée d'académies savantes, de chemins de fer, de bateaux à vapeur, de cannes à sucre et d'indigo. Dans quelle atmosphère vivait Mazza ? Le cercle de sa vie n'était pas si étendu mais c'était un monde à part, qui tournait dans les larmes et le désespoir et qui, enfin, se perdait dans l'abîme du crime. »

Ce n'est pas par hasard que nous retrouverons dans l'œuvre et dans la Correspondance de nombreux échos de cette dernière phrase : l'image du *cercle étroit* n'est pas un symbole passager, chez lui ; elle fait partie de sa mythologie. Dans la première *Éducation*, écrite avant et après la crise de 44, Jules, aux dernières pages, définit la vie passionnelle — sa vie *avant* la chute — comme un manège serré où l'on tourne sans répit. Et, quinze ans plus tard, il écrit, dans la colère : « Je me suis réservé dans la vie un très petit cercle, mais une fois qu'on entre dedans, je deviens furieux, rouge[1]. »

Dans *Passion et Vertu* Gustave ne se soucie pas — au contraire de ce qu'il fera dans le cycle autobiographique — d'universaliser son expérience. Il ne dit point : « Je suis un certain homme comme vous êtes tous » — ce qui, nous le verrons, fait partie d'une auto-défense qui, à quinze ans, n'est pas encore au point. Au contraire il en reconnaît l'étroitesse et la particularité : « C'était un monde à part. » Peut-on mieux dire que cet univers serré mais abyssal se limite à sa maison ? On aura noté que « ce monde à part » — qui s'oppose aux misérables soucis publics d'Ernest comme l'intimité la plus privée — est caractérisé par la répétition : il tourne et les mêmes douleurs reviennent sans cesse, cela veut dire que le malheur de Gustave est structural et non point accidentel : bonne définition d'une vie qui ne cessera pas de se dérouler dans le cadre familial.

Mazza commet un crime, ce qui la singularise encore. Non seulement par la grandeur du forfait mais par ses victimes qui sont désignées d'avance. Désignées — sans qu'il l'ait voulu d'ailleurs — par l'animateur de cette Galatée et par le destin qu'il lui a donné. Elle supprime *sa famille*. L'auteur n'ira jamais si loin que sa créature mais il l'a mise au monde tout exprès pour qu'elle accomplisse l'action qu'il n'ose entreprendre : l'écriture objective les fantasmes, elle les groupe et les conséquences se tirent d'elles-mêmes : écrits,

---

1. 4 septembre 52.

ils prennent une consistance qui se refuse au rêve sans devenir pour autant des réalités. En Mazza, Gustave fait cette expérience pour voir : l'extermination de la famille Flaubert. C'est ce qu'il avait tenté déjà, nous le verrons, dans *La Peste à Florence*, c'est ce qu'il réussira pleinement — sur le papier — à la fin de *Madame Bovary*. C'est qu'il y rêve depuis longtemps : il nous l'a dit, nous y reviendrons. L'insignifiance de ce mari trop confiant, l'âge tendre des deux enfants ne doivent pas nous égarer : c'est une ruse. L'essentiel n'est pas dit. Ou plutôt il ne l'est qu'à moitié : ces bonnes gens n'humilient pas Mazza, ils ne la font pas délibérément souffrir mais ils *gênent*, du coup la voilà enracinée malgré elle et sa rage, ses douloureuses fureurs viennent de sa famille, indirectement. Il n'est que de feuilleter la Correspondance pour voir combien Gustave souffre de son enracinement — sans avouer, toutefois, qu'il le réclame autant qu'il le subit. Cette fois, il s'accorde la permission de s'arracher au terroir familial. Du coup, il satisfait son ressentiment : ces trois innocentes victimes, ce sont les déguisements de trois coupables qui sont abattus sans autre forme de procès. Bien sûr, il n'en souffle mot. Mais lisons ce qu'il écrit des sentiments de la mère après l'extermination ; nous serons édifiés : pas un remords ; bien au contraire, de la joie, le bonheur dans le crime : « Elle allait quitter la France après s'être vengée de l'amour profané, de tout ce qu'il y avait eu de fatal et de terrible dans sa destinée, après s'être raillée de Dieu, des hommes, de la vie, de la fatalité, qui s'était jouée d'elle un moment, après s'être amusée à son tour de la vie et de la mort, des larmes et des chagrins et avoir rendu au Ciel des crimes pour ses douleurs. »

Vengée ? Sur des innocents. Quand le seul Ernest est coupable. Il est vrai qu'elle n'en sait rien. Mais, dans ce cas, où est l'offense ? Ces meurtres, longuement prémédités, n'avaient pour but, au départ, que de la rendre libre : on comprendrait qu'elle se réjouisse, criminellement, certes, mais avec une espèce d'innocence due au monstrueux égoïsme de sa passion : ces obstacles ne comptaient pas pour elle sinon parce qu'ils l'empêchaient de rejoindre son amant ; elle les a écartés, elle devrait n'y plus penser, prendre joyeusement des mesures pour voler vers Ernest : cela seul devrait compter. Ou bien même, sûre d'elle et de son droit, elle pourrait s'offrir le luxe de verser une larme sur les tombes : pauvres enfants, j'ai dû vous tuer, vous ne méritiez pas cette mort prématurée mais le ciel l'a voulu. Mais non : elle se félicite *de son crime* et ce qui transparaît dans les quelques lignes précitées, c'est la haine satisfaite. Bien entendu, la joie de retrouver Ernest nous est donnée pour essentielle; la satisfaction du ressentiment, le jeune auteur prétend la signaler en passant. Elle ne serait qu'une réaction secondaire. En vérité l'histoire la voudrait telle. Mais à peine apparue, elle prend toute la place : l'infinie frustration a rendu Mazza méchante (nous verrons que c'est un caractère que le jeune auteur donne à tous ses héros et qu'on retrouvera chez Emma Bovary). Méchante infiniment. Nous savons à présent *contre qui* elle a si longtemps ruminé sa vengeance : contre celui qui l'a tirée du néant avant même qu'Ernest la fît renaître, contre celui à qui — dans l'ignorance où elle est encore de la vérité — elle attribue tous ses malheurs et qui les a produits intentionnellement par une planification rigoureuse : elle se venge de Dieu le Père. Cela est dit en toutes lettres : « Elle se raille de Dieu... rend au Ciel des crimes pour ses douleurs. » Quoi de mieux : ce n'est pas « le bonheur dans le crime » dont parlera plus tard Barbey d'Aurevilly et qui naît d'une inconscience très particulière; c'est la *joie du crime*. On notera qu'en rendant le mal pour le mal, elle est convaincue qu'elle échappe à son Destin préfabriqué : la fatalité, nous dit-on, s'est jouée d'elle; c'est elle, à présent, qui « se raille » de la fatalité. Notons au passage cette conviction de Gustave : pour chacun, les jeux sont faits, avant la naissance : on ne peut y échapper à moins de choisir le Mal radical. Ce Mal, il existe déjà puisque la créature en est la victime, puisqu'elle est condamnée à souffrir jusqu'à la mort : il ne s'agit donc pas de l'inventer ni de l'introduire dans le monde mais de l'assumer : la victime échappe à ses bourreaux en optant à son tour pour la méchanceté — qui n'est autre que la souffrance consciente de soi et comprenant qu'il est dans sa nature d'être injustement *infligée*. Mazza se range du côté de ses tourmenteurs — ou plutôt du Grand et Unique Tourmenteur — en refusant de jouer le jeu, c'est-à-dire de rester vertueuse et d'être torturée en proportion directe de sa vertu : elle se fait bourreau pour briser son destin; puisque le Mal règne sur le monde, elle échappe au malheur en optant pour le Mal : c'est se mettre du côté de ceux qui tirent les ficelles. Cela n'ira pas, certes, sans scandaliser le Créateur qui, en bon disciple de Sade, a décidé que Mazza serait punie pour ses vertus et par elles. Mais c'est un plaisir de plus que de scandaliser le Méchant en chef en dénonçant son hypocrisie : Mazza c'est une Justine qui se transforme délibérément en Juliette pour avoir compris cette loi universelle de la Création : les bons sont châtiés et les méchants récompensés. Son orgueil n'était puisé d'abord que dans son infinie souffrance ; à présent il s'affirme contre le Père éternel : c'est le Vice assumé, fier de soi et sans remords. Le Mal radical, selon le jeune auteur, c'est la souffrance refusant d'être plus longtemps subie et se tournant en *praxis*. À lire entre les lignes, nous trouvons que Mazza a deux pères : l'un c'est l'insignifiant Ernest, simple instrument de la Providence, qui a mis l'enfer dans son vagin ; l'autre, c'est Dieu, qui avait tout prévu, tout préparé. Deux figures, somme toute, du docteur Flaubert : le Géniteur, d'abord, le Père symbolique, plus puissant que le Moïse de Freud, puisqu'il ne se borne point à donner la Loi mais qu'il dote avant tout Décalogue, avant la naissance, avant même la conception, son second fils d'un Destin préfabriqué et le condamne à souffrir jusqu'à la mort ; l'autre, Achille-Cléophas, c'est l'exécuteur des hautes œuvres, le représentant sur terre du premier, celui qui a suscité chez l'enfant une aveugle passion tout exprès pour le frustrer ensuite (vers sept ans). De là cette folle rancune du jouet passif, de la marionnette contre l'Autre — Père symbolique et père frustrant —, de là le rêve de tuer *toute la famille*. Cela veut dire, si on lit bien, le père et les *deux* frères. Car Mazza a enfanté deux petits mâles. Gustave, dans son rêve homicide, *n'ose pas survivre* à l'hécatombe. Il tuera Achille-Cléophas, Achille et se tuera sur leur tombe.

C'est ce que confirme la fin du récit. La vertu est punie inexorablement. Mais le vice l'est aussi. Meurtres et suicide ne suffisent pas : ces trois malheureux passent de vie à trépas sans même s'en rendre compte. Ce serait trop beau : entre le parricide, le fratricide d'une part et le suicide de l'autre, il faut qu'un certain temps s'écoule, pour laisser place au châtiment. Autrement dit, quand l'adolescent caresse en pensée cette vengeance interdite, l'Autre, en lui, s'indigne et frappe : ce rêve joli de massacre s'achève dans l'angoisse ; le Sur-Moi de Gustave, scandalisé, l'oblige à plonger Mazza dans le désespoir : le lendemain de son triomphe, une lettre d'Ernest lui fait savoir qu'il est marié depuis six mois et ne la reverra jamais : « Que faire ? s'écrie-t-elle. Que devenir ? J'avais une seule idée, une seule chose au cœur, elle me manque ; irai-je te trouver ? Mais tu me chasseras comme une esclave ; si je me jette au milieu des autres femmes, elles m'abandonneront en riant, me montreront du doigt avec fierté, car elles n'ont aimé personne, elles, elles ne connaissent par les larmes. »

La pauvre femme n'a plus qu'à mourir ; mourir, pour Gustave, c'est laisser sa dépouille aux mains des autres : un commissaire de police force la porte et son regard souille ce beau corps sans voile, que la mort a rendu plus que nu. Ernest, cependant, continue de vivre : Dieu ne récompense ni la vertu ni le vice, il n'a de faveurs que pour la médiocrité. Voilà le vrai mal : un regard obscène sur une morte abandonnée, le bonheur dans la mesquinerie ; les *autres* triomphent sur toute la ligne.

Dirons-nous que Mazza en empoisonnant sa famille a cessé de subir, qu'elle est pour de bon passée aux actes ? Non : ces assassinats étaient prévus et tout aussi bien son suicide. On l'y a menée par la main. Il était prévu que sa violente passion épouvanterait Ernest et que celui-ci décamperait sous un prétexte, il était prévu que Mazza se duperait elle-même et prendrait ce prétexte pour argent comptant. Dès lors, inflexiblement, elle *devait* se convaincre qu'il l'attendait, que sa famille, seule, l'empêchait de le rejoindre et, folle de malheur et de méchanceté, elle *devait* supprimer froidement cet obstacle. À cet instant, libre de disposer d'elle-même, elle *devait* découvrir que l'unique raison de sa longue frustration était la décision de son amant. Sa folle passion avait tout à la fois mis en déroute Ernest et versé le poison dans les verres de son mari, de ses fils par sa propre main téléguidée. Un acte ? Non : une conduite provoquée, très attendue ; le rusé Créateur, en lui faisant accroire qu'elle échapperait par un crime à ses fatalités, la conduisait, en fait, à réaliser jusqu'au bout son destin.

Donc on n'échappe jamais à sa Destinée ? C'est la question que se pose Gustave avec insistance en ces années d'adolescence, c'est celle qui se posera avec une urgence croissante jusqu'en janvier 44. Il veut donc changer de vie ? Oui. Et changer d'être. Pourquoi ? Il ne l'a pas encore clairement compris. Ce qui apparaît, en tout cas, dans ce récit, c'est que, si cette mutation devait être possible, elle exigerait qu'il recoure aux plus grands moyens. Mort et transfiguration : c'est le seul chemin à suivre. Si Mazza échoue, c'est qu'elle est restée dans le cercle étroit des passions et qu'elle y a tourné sans cesse. Gustave y tourne aussi. Sans espoir. Il ne sait pas encore que c'est lui qu'il faut tuer et que la mort aux passions peut seule le faire renaître.

Deux mois plus tôt, dans *Quidquid volueris*, il avait développé les mêmes thèmes avec plus d'insistance et, d'une certaine façon, plus de clarté : le personnage de l'anthropopithèque, à l'époque, convenait mieux, peut-être, que celui de Mazza à ses intentions profondes ; il manifeste, par sa seule existence, plus nettement peut-être que Gustave ne le sait, les sentiments confus que nourrit le jeune auteur sur la préfabrication et l'historicité. Nous ne reviendrons pas sur la description que Gustave donne de lui-même : ce portrait de l'artiste enfant — mutisme, analphabétisme, poésie —, nous l'avons décrit plus haut. Mais nous avions cité, dans le même chapitre, un passage d'une lettre à Mlle Leroyer de Chantepie, où Gustave parlait de sa « mélancolie native » (donc constitutionnelle ou héritée) et, pour expliquer celle-ci, faisait allusion à une « plaie profonde et toujours cachée » (donc à un événement de sa protohistoire). Nous nous étions demandé alors, sans pouvoir encore répondre, ce que signifiait pour lui cette saisie, en apparence contradictoire, du *constitutionnel* comme *caractère constitué*. L'*éveil* de Mazza nous a mis sur le bon chemin : toutefois sa nouvelle naissance de Belle au bois dormant n'est qu'une métaphore : quand elle rencontre Ernest, elle est épouse et mère ; il lui révèle ses sens mais il ne la crée par *ex nihilo*. Du coup le thème s'enrichit et se brouille ; dans *Quidquid volueris*, au contraire, l'heureuse incarnation de Flaubert en Djalioh livre les sentiments de l'auteur sans les déguiser ; l'anthropopithèque, en effet, ressemble à l'homme de Pascal après la Chute : celui-ci ne peut faire l'objet d'un concept puisqu'une aventure historique l'a fait déchoir et que, tout en gardant certains caractères que Dieu a mis en lui, il en a perdu d'autres — par exemple l'innocence — par suite d'un acte défendu — c'est-à-dire qui n'entrait pas dans les plans du Créateur. Et sans doute c'est le seul Adam qui a déchu. Mais puisque nous naissons de lui, par personnes interposées, il nous a transmis sa faute, sa chute et son exil, bref son historicité. Adam n'est point *définissable* : il est à la fois ce qu'on l'a fait être et ce qu'il a fait de ce qu'on a fait de lui, déjouant et déviant la planification divine : c'est l'histoire seule qui permet de *comprendre* le père des hommes et tous les hommes qui sont nés de lui. Aussi, pour Pascal, notre *réalité humaine* est à la fois constitutionnelle et constituée. Avant la Chute, notre espèce n'existait pas : c'est Adam qui s'est fait homme par le péché et en attirant sur lui cet acte très singulier : la malédiction divine. À quinze ans, Gustave assigne à la naissance de Djalioh la fonction que Pascal assigne à la Chute : celle d'un commencement absolu. Ni ange ni bête, dit l'un : l'ange et la bête correspondent à des concepts puisque ni l'un ni l'autre n'ont fauté. Et Flaubert : ni bête ni homme. Par son origine, en effet, Djalioh, fils de la femme, échappe à l'*essence générale* qui caractérise les orangs-outangs ; fils de singe, il échappe à ce que le jeune auteur croit être la *nature* humaine. Nous avons vu, nous verrons Gustave, dans les œuvres autobiographiques, recourir aux fréquentatifs, aux généralisations. Ici, plus sincère, puisqu'il avance masqué, il refuse — comme il fera pour Mazza — de distinguer le héros de son aventure. C'est qu'il s'agit d'un monstre, c'est-à-dire d'un être singulier, par définition.

Ce rapprochement de Flaubert et de Pascal est d'autant plus justifié que Gustave aime à répéter : « Je crois à la malédiction d'Adam. » Qu'est-ce que cela veut dire sinon que, chez l'homme, l'existence précède l'essence ? Il y a toutefois une différence capitale entre les deux conceptions ; pour Pascal, la malédiction vient après la faute : le Seigneur avait créé l'homme à son image, il le destinait à faire le Bien et à chanter Sa gloire ; la faute est venue d'Adam lui-même, c'est-à-dire de cette partie d'ombre et de néant qui existe en toute créature et sur laquelle le Tout-Puissant ne peut rien, étant la plénitude de l'Être. Pour Gustave, la malédiction d'Adam est un levain qu'on met dans la pâte même, dont on le pétrit. Il naît maudit et pèche — comme le Créateur l'a prévu — pour justifier la malédiction. L'historicité de l'homme ne naît point de son projet, de la praxis qui en résulterait : tout au contraire, la prétendue praxis n'est autre que la réalisation par l'homme, providentiellement guidé, du Destin que l'Autre lui a assigné. L'Histoire, c'est l'Autre : chacun naît avec la sienne, gravée dans son corps, comme une plaie inguérissable : il n'a plus qu'à la *réaliser*, c'est-à-dire, misérable et méchant, qu'il doit légitimer *a posteriori* la sentence et du même coup la réaliser en courant, quoi qu'il fasse mais par ses actions même, au-devant des plus grandes souffrances. Donc coupable et puni : et pourtant innocent, irresponsable puisque l'Autre lui a fait commettre les forfaits qui recevront leur châtiment. Ne nous étonnons pas de ces conceptions : elles étaient à la mode. Le *Caïn* de Byron maudissait Dieu et lui reprochait d'avoir tout prévu jusqu'au fratricide qui le damnait. Alfred Le Poittevin, qui, vers le même temps, initiait Gustave à la philosophie, ne détestait pas, en ses *Poèmes*, braver le Créateur et blasphémer joyeusement. Ces belles fureurs s'appuyaient sur les raisonnements des Encyclopédistes, de Diderot, de Voltaire : ou tu m'as créé en *sachant* que je tuerai mon frère, que je livrerai le Christ, alors tu es criminel, ou tu ne le savais pas, alors tu n'es pas le Tout-Puissant. Mais ces jeux d'esprit n'ont influencé Gustave que dans la mesure où ils servaient son sentiment profond. Et le jeune garçon, quand il planait avec Alfred à ces hauteurs métaphysiques, s'emportait contre Dieu parce qu'il voyait en lui, confusément, l'image de son père.

Voyez Djalioh : en un sens, personne ne l'influence ; ses pulsions, ses désirs, ses passions restent, jusqu'à sa mort, spontanés. Cela signifie qu'ils n'expriment rien d'autre que *son être*. Mais, justement, cet être-là ne lui appartient pas puisqu'il a été fabriqué par un autre. M. Paul, biologiste amateur, a voulu faire une expérience — pour mettre tous les savants dans le bain, le jeune auteur souligne que l'Académie des Sciences réclamait depuis longtemps qu'on tentât ce croisement d'un si grand intérêt et que seuls, jusqu'alors, les moyens manquaient. Notons au passage qu'Achille-Cléophas est un homme de science et que la Science est dénoncée ici — entre les lignes, cela va sans dire — pour son inhumaine cruauté. Bref M. Paul a eu l'intention expresse de croiser le singe et l'homme : par curiosité et, certainement, par sadisme. S'il réussissait, le produit du croisement mènerait en quelque sorte une *vie expérimentale*. Il restituerait par sa constitution et son comportement une étape importante de l'évolution. Il tente le coup et l'on notera — Flaubert n'est pas sans malice — l'ignoble brutalité du procédé : on enferme une esclave noire avec la bête énorme et furieuse qui la viole et l'engrosse. Le produit de cet accouplement, enfant de la rage et de la terreur, du rut et de la souffrance, maudit sans aucun doute par sa mère (cela n'est pas dit mais, précisément, c'est une lacune suspecte : croit-on que Gustave n'ait pas rêvé aux sentiments de cette femme envers la bête qu'elle portait en son ventre ?), c'est Djalioh, ni homme ni bête mais dont la complexion physique et les comportements expriment à la fois sa réalité quasi humaine et sa bestialité. Croit-on que ces deux caractères se marient harmonieusement ? C'est tout le contraire : ce monstre, à tout instant, est déchiré par leur irréductible contradiction. Contradiction voulue : on l'a fait tout exprès pour qu'il reproduise sans cesse l'indépassable opposition de la Nature et de la Culture. *Né pour souffrir* : cela aussi a été prémédité ; il *faut* qu'il souffre et que ses conflits le déchirent pour qu'il devienne pleinement l'anthropopithèque que la Science veut mettre en observation : cela signifie qu'on a tracé d'avance le chemin rigoureux qui le mènera au crime et au suicide. Cette fin tragique, M. Paul ne la prévoit pas dans ses détails mais elle ne le surprendra pas : ce qui caractérise ce monstre hanté, il n'ignore pas que c'est l'*impossibilité de vivre*.

Il est très significatif que Gustave ait donné à ce savant amateur l'entière responsabilité de l'expérience et de son résultat. *Quidquid volueris* est un acte d'accusation. Si l'auteur, en effet, avait simplement tenté de se peindre ; si l'image de l'homme-singe l'avait uniquement séduit parce qu'elle rendait compte de ses difficultés, de ses carences et des élans poétiques qui les compensaient, si le ressentiment n'était pas la source principale de cette invention, il n'aurait pas jugé nécessaire de mettre M. Paul à l'origine de ce coït contre nature. En effet, le récit tiendrait encore si l'on nous donnait le viol de l'esclave pour l'effet du hasard. Un orang-outang a ravi une jeune Noire, l'a violée puis relâchée ; M. Paul, venant à passer par là, apprend l'histoire, adopte le petit monstre et l'emmène en Europe pour le montrer aux académiciens. Qu'est-ce que cela changerait : la solitude de l'homme-singe parmi les hommes, ses conflits intérieurs, sa sensibilité, son défaut d'intelligence, sa jalousie, ses fureurs, ses violences criminelles et sa mort, tout serait conservé. Tout sauf une chose : la culpabilité du géniteur. En vérité si Gustave a fait de son Djalioh un enfant de laboratoire, s'il lui a plu de présenter cette vie spontanément vécue et soufferte comme le déroulement d'une « expérience pour voir », c'est qu'il ne lui suffisait pas de réclamer, dans la honte et l'orgueil, le titre de monstre : il voulait qu'une volonté mauvaise fût à l'origine de son être. Tout s'est établi si rigoureusement dans sa tête qu'il a voulu, pour resserrer l'intrigue, que l'enfant d'un viol périsse en commettant un viol. Djalioh-Gustave prend de force et tue — involontairement — Adèle, la toute jeune femme de M. Paul qui n'en est pas autrement affecté. Après quoi, fou de rage et de douleur, il se frappe la tête contre les murs avec tant d'entrain qu'il meurt assommé. La mort de Mazza ne la sauvait point des Autres : le commissaire jouissait paisiblement de sa nudité. Le pauvre anthropopithèque, plus infortuné encore, n'échappe ni à M. Paul ni à la Science ; on l'empaille, on le met dans un musée : chaque étudiant peut aller l'y voir. Quant à l'amateur sinistre — un automate qui serait démiurge —, il reste bien entendu — comme Ernest — le seul survivant.

Nous remarquerons ici, comme dans *Passion et Vertu*, une multiplication des paternités. Le vrai père de Gustave-Djalioh, c'est Paul. Auteur éclairé du *planning* familial, c'est lui qui a décidé, en toute science et conscience, méthodiquement de créer, pour les exigences d'un savoir inhumain, cet enfant de laboratoire, cet anthropopithèque : un cadet. Mais, dès qu'il s'agit de réaliser l'expérience, il se dédouble et se transforme en orang-outang : Dr Jekyll et Mr. Hyde. Double sujet de rancune : envisagez ce coït du point de vue de l'organisateur, c'est une entreprise cruelle mais rationnellement concertée qui vise des objectifs sérieux, un acte impitoyable mais froid et réfléchi. Envisagez-le comme un événement singulier qui a eu lieu une certaine nuit de 1821, en mars probablement, c'est une obscène violence, absurde, subie dans l'horreur, dans la douleur, sans doute, par la femme qui en est victime, vécue comme une obscure fureur animale par le mâle en rut. Comme si un dégoût profond, dont les racines se logent dans la protohistoire, s'exprimait enfin : quels que soient les mérites, l'intelligence, le savoir du géniteur, même si un juste calcul utilitaire lui a montré à l'évidence qu'il était de son intérêt d'accroître la famille, la procréation — ce passage nécessaire de l'homme de culture au relais *naturel* — ne peut être qu'ignominie. Deux créatures humaines — dont l'une changée en bête de proie — font la bête à deux dos, se roulent ensemble dans la boue et le sang : le produit de cette monstruosité, qui tient de l'assassinat, porte en lui, comme sa nature profonde, cette nuit où un savant vénérable, changé en singe, a violé son esclave ; rage et terreur, fange sanglante, voilà sa contradiction *naturelle* : n'est-il pas le fruit d'une violence obscène et d'un abject consentement ? N'a-t-il pas nécessairement intériorisé l'une et l'autre ? C'est un fantasme, bien sûr, mais qui tient dur : quelques années plus tôt, dans les scénarios de mélodrames qui nous sont restés, Gustave se plaît à nous montrer des mères coupables, cruellement traitées par des séducteurs, qui les violent ou les dupent, en tout cas les abandonnent. Nous aurons à revenir, quand nous aborderons la sexualité de Flaubert, sur cette première imagerie : mère violée, déchue, châtiée. Il y a chez lui, tout ensemble, du sadisme et de la pitié. C'est l'homme qui est impardonnable. Curieusement, on pourrait dire que la tare de cet être de calcul, même quand il entre en rut et se change en bête de proie, c'est qu'il *ne jouit pas assez*. Pour Gustave — nous y reviendrons — il appartient à la femme de ressentir la volupté (à la condition, bien sûr, de n'être pas violée) et nous aurons l'occasion d'étudier ce souhait qu'il inscrit deux ou trois ans plus tard dans son carnet, rêvant d'être femme pour connaître le plaisir charnel. Mais Flaubert, dans son adolescence, n'en fait pas reproche au beau sexe : bien au contraire, il envie la passivité de la maîtresse qui gémit sous les caresses et l'extase passive qui s'ensuit, si proche de ses hébétudes et de ses ravissements. Un peu plus tard, cependant — après *Quidquid volueris*, avant la note qu'il a jetée sur son cahier —, convaincu que la femme incite, pour sa propre jouissance, son mari à faire l'amour, il décrit en renversant les termes, dans les *Mémoires d'un fou*, la copulation : de toute manière, l'homme reste bestial ; mais ce n'est pas le rut qui l'abêtit d'abord, c'est la boisson ; la femme profite de son ivresse pour l'allumer : il la prend, elle jouit, c'était le but visé, il n'y en avait pas d'autre ; aussi l'enfant, « doux gage d'amour » qui naît neuf mois plus tard, n'ayant été voulu ni par l'un ni par l'autre des conjoints, est le fruit du hasard : surnuméraire, gêneur, reflétant par sa contingence affreuse l'accident fortuit qui l'a tiré du néant, il sera, on l'imagine, un *mal-aimé*. Bref, le crime de l'avoir enfanté, c'est à la femme, à présent, qu'il est imputé. Rien d'étonnant : il vient de raconter, dans les pages précédentes, son amour malheureux pour Mme Schlésinger. Il lui en voulait si fort de tenir à Maurice, ce grotesque, si vulgaire et si vil, qu'il décidera, une fois pour toutes, que les femmes ont une préférence marquée pour les fats et les sots. Dans ces conditions, pourquoi ne pas forcer la note : Mme Schlésinger, conformément à son sexe, est perpétuellement en rut et saoule Maurice pour pouvoir se glisser sous lui et se faire foutre ; le résultat, c'est que son ressentiment contre Elisa brouille les pistes et masque son horreur originelle pour le coït qui l'a engendré. De fait, insistant sur le hasard de la procréation, il en cache, à son insu, l'autre aspect qui, dans son cas et à ses yeux, demeure fondamental : la préméditation. L'interférence des deux motifs, dans les *Mémoires*, est d'autant plus manifeste que *rien*, dans l'austère maintien de Caroline Flaubert, ne pouvait trahir la vertueuse bacchante qui se déchaînait la nuit, toute porte close, entre les mains du Géniteur. Du reste, à l'Hôtel-Dieu, le *planning* familial était ouvertement déclaré : on faisait des enfants, il en fallait ; quand l'un d'eux crevait, on recommençait. Elisa, d'ailleurs, figure dans *Quidquid volueris*, écrit après les fameuses vacances de Trouville : c'est Adèle, qui, passionnément aimée de Djalioh, a, *parce qu'elle est femme*, la sottise d'adorer son mari, le robot. Ainsi le thème de cette nouvelle est plus riche, plus complet, plus directement lié à la protohistoire que les déclarations des *Mémoires*. Le grief essentiel de Gustave contre ses parents ne porte pas sur le hasard de sa naissance. Certes, il le sent, ce hasard, c'est la facticité, c'est le goût singulier du vécu en tant que celui-ci dans son originalité irréductible mais « indisable » exprime la violence incontrôlée d'une copulation : abandon des époux aux sales cuisines de la Nature. Mais, ce n'est pas tant cette brève folie qu'il déteste : c'est tout au contraire la préméditation. Non, l'anthropopithèque n'est pas le produit du hasard : il a été voulu de longue date et voulu *précisément tel qu'il est*. Achille-Cléophas avait décidé qu'il engendrerait Gustave et c'est en effet

Gustave qu'il a engendré. *Quidquid volueris* est une longue et riche méditation sur la naissance. Un petit d'homme se demande : « Pourquoi suis-je né ? » Et cette réflexion n'a rien de métaphysique : l'adolescent se demande ce que peut signifier le fait d'avoir un homme pour père, un homme fait, avec ses habitudes, ses partis pris, son idéologie, ses connaissances ; qu'est-ce que cela veut dire d'être le fils cadet du docteur Flaubert ?

La réponse est claire : je ne suis pas le produit d'un coup de queue donné à l'aveuglette — ou, du moins, je ne suis pas seulement cela. Je suis avant tout l'enfant d'une idée. Mon père m'a *inventé* bien avant de m'engendrer. Il ne m'a point conçu pour moi-même, pour mon bonheur, pour me donner son amour : je n'ai pas été, dans son esprit, une fin mais un moyen de réaliser ses plans, un instrument de son arrivisme familial ; pour parvenir à ses fins, il lui a paru nécessaire que je fusse un *inférieur* ; en d'autres termes, il ne pouvait ignorer, ce rural, créateur d'une famille domestique régie par le droit d'aînesse, il ne pouvait ignorer qu'il créerait un *cadet*, de neuf ans plus jeune que son frère ; je l'accuse de m'avoir voulu non pas malgré ce handicap mais *à cause de lui* et de m'avoir, en conséquence, fait sciemment pour mon malheur.

Ainsi, bien que le jeune garçon soit conscient de son tempérament passif, de son instabilité, de ses hébétudes, de son mauvais rapport avec le langage, de son incapacité d'agir [1], il est bien loin d'en attribuer la responsabilité aux premiers soins donnés par Caroline Flaubert : il bondit à pieds joints par-dessus sa naissance et va chercher les causes de son « anomalie » dans sa préhistoire et, plus loin encore, dans un *Fiat* prononcé par l'Autre absolu. Qu'on ne voie surtout pas dans cet acte d'accusation l'effet d'une humeur passagère ou quelque paradoxe d'adolescent. La rancune de Gustave est si tenace qu'elle détermine en lui *pour toute sa vie* un dégoût radical de la procréation, une option déclarée pour la stérilité. Un exemple suffit à le montrer : en 52, Louise annonce à Flaubert qu'elle croit être enceinte de lui. Quelques jours se passent et elle le « rassure » : fausse alerte. Voici ce qu'il lui répond le 11 décembre :

---

1. Plus encore que dans *Passion et Vertu* la violence finale, meurtres et suicide, apparaît comme purement pathétique. Djalioh n'a pas voulu violer ni tuer Adèle : il l'a déchirée de ses griffes quand il ne songeait qu'à la caresser ; de la même manière, il n'a pas même eu l'idée de se tuer : c'est l'orage, en son corps, un orage *subi* qui l'a jeté, tête en avant, contre un mur. Bref il n'a rien *fait* ; cette explosion destructrice n'est pas même un refus : c'est la somatisation de l'impossibilité de vivre.

« Je commence par te dévorer de baisers, dans la joie qui me transporte. Ta lettre de ce matin m'a enlevé de dessus le cœur un terrible poids. Il était temps. Hier je n'ai pu travailler de toute la journée... A chaque mouvement que je faisais (ceci est textuel) la cervelle me sautait dans le crâne et j'ai été obligé de me coucher à 11 heures. J'avais la fièvre et un accablement général. Voici trois semaines que je souffrais horriblement d'appréhension... Oh! oui, cette idée me torturait ; j'en ai eu des chandelles devant les yeux deux ou trois fois, jeudi entr'autres... L'idée de donner le jour à quelqu'un *me fait horreur*. Je me maudirais si j'étais père. Un fils de moi! Oh! non, non, non! Que toute ma chair périsse et que je ne transmette à personne l'embêtement et les ignominies de l'existence! »

Que d'agitation, que de frénésie! Je sais : il ne souhaitait pas s'attacher à Louise, déjà fort encombrante à ses yeux, par un lien supplémentaire ni lui donner les droits de la mère quand il lui refusait ceux de la maîtresse. Et puis, fût-elle restée discrète, il craint de s'embourgeoiser : ... « Cette paternité me faisait rentrer dans les conditions ordinaires de la vie. Ma virginité, par rapport au monde, se trouvait anéantie et cela m'enfonçait dans le gouffre des misères communes. » Mais ces considérations pouvaient lui donner du souci, à la rigueur du tourment, elles ne suffisent pas à motiver ses angoisses. Il faut qu'il nourrisse en lui la *haine de la paternité*. Et que les raisons en soient autrement profondes. « *Je me maudirais si j'étais père* », cela ne peut s'expliquer que par ce sous-entendu : « Parce que j'ai maudit mon père. » Un peu plus loin, il ajoute : « Je me sens calme et radieux. Voilà toute ma jeunesse passée sans une tache ni une faiblesse. » Engendrer, c'est une tache? une faiblesse? Alors le docteur Flaubert est coupable qui a « transmis (à Gustave) l'embêtement et les ignominies de l'existence ». Flaubert, victime d'un père abusif, refuse de se délivrer en devenant *ce* père à son tour : ce qui lui fait horreur dans le fils dont on le menace, c'est lui-même. Un mot frappe : virginité. Cet homme de trente et un ans a eu plusieurs liaisons ; n'importe : si le coït est stérile, sa pureté n'est pas entamée ; ce ne sera que le contact sans mémoire de deux épidermes. Qu'il y ait procréation, l'homme est souillé par les ignobles chimies qu'il a provoquées dans le ventre de sa femme ; l'amour s'apparente alors à la défécation : Gustave aurait *fait une ordure* — parce que son père en a fait une quand il l'a engendré.

À cet instant la malédiction se retourne : Gustave maudit son père parce que son père l'a maudit [1].

Il faut noter ici que Djalioh — c'est une habileté de Gustave — ne semble pas en vouloir à Paul de l'avoir mis au monde. Mieux : la nouvelle fait état d'un âge d'or précédent le malheur et la mort

1. Un passage que nous avons déjà cité ne laisse pas de doute sur l'identité fondamentale de M. Paul : c'est, dit-il, « (un) monstre ou plutôt cette merveille de la civilisation et qui en portait tous les symboles, grandeur de l'esprit, sécheresse du cœur ». Pourtant le parallèle entre les deux monstres : « Voici le monstre de la nature en contact avec cet autre monstre... », en même temps qu'il s'impose, a tendance à dévier, à masquer le symbole : Gustave part battu d'avance, cela veut dire qu'il n'osera jamais se comparer longtemps et explicitement à son Créateur. Cela se comprend : entre un père autoritaire et son fils, les relations sont univoques ; pour établir une comparaison, il faut que les rapports de réciprocité soient au moins théoriquement possibles. Par cette raison, Gustave peut maudire en secret son Géniteur mais il lui est interdit de se placer au même niveau que lui : Achille-Cléophas, Dieu pervers, reste sacré jusque dans ses exactions. Dès l'instant où Djalioh et M. Paul sont mis en parallèle, celui-ci change de personnalité. De fait, la plupart du temps, c'est un gandin, un oisif, un imbécile alerte et méchant, dépourvu de sensibilité. Ce savant n'est qu'amateur et ne se plaît que dans les salons, dans la compagnie de crétins « en gants jaunes et azurés, avec des lorgnons, des fracs en queue de morue, des têtes Moyen Age et des barbes » qui peuvent être des petits-maîtres ou des industriels rouennais mais qui ne sont sûrement pas des académiciens. Paul, en ces passages, n'est qu'une première mouture d'Ernest, le piteux Lovelace dans *Passion et Vertu*. Du reste il a deux fonctions bien distinctes dans l'intrigue : c'est le terrible Démiurge, merveille de la civilisation, qui réussit une expérience très attendue en créant, dans la sécheresse de son cœur, une chair à souffrance dont l'indéniable destinée est de mourir de chagrin ; et c'est aussi un rentier « dans le vent » qui fréquente les snobs, se fait voir le matin « au Bois de Boulogne » et le soir « aux Italiens », surtout c'est le mari aimé et très indifférent d'Adèle que convoite désespérément Djalioh. Entre Paul I — qui explore le monde et sert la science — et Paul II, aimable produit du Tout-Paris, pas de liaison apparente. Mais pas non plus d'incompatibilité : ce biologiste *amateur* pourrait être l'un et l'autre à la fois ou successivement ; cela s'est vu. Si c'était le cas, toutefois, il devrait fréquenter les hommes de science, observer avec eux sa créature, bref pousser l'expérience à son terme. Mais non : il n'en fait rien. Ou, s'il le fait, on s'est gardé de nous le dire. Gustave note en passant le vif intérêt des naturalistes pour le monstre. Mais Paul II, le croisement réussi, semble se désintéresser du résultat : il traîne l'anthropopithèque partout, indifférent, vaguement méprisant, comme un domestique qui lui serait tout dévoué, comme une curiosité qui fera rire en société. Surtout, sa grande « sécheresse de cœur » l'aveugle au point de lui cacher l'amour et les mérites de la femme qui ne vit que pour lui. Paul II ne serait-il pas Achille, l'usurpateur, le froid bénéficiaire d'un amour paternel qui eût comblé Gustave s'il en eût fait l'objet ? Oui, sans aucun doute, il l'est : et la comparaison peut s'instaurer entre les deux frères dont l'aîné s'entend si bien aux liaisons logiques et le second aux raisons du cœur. Adèle, à prendre ainsi les choses, c'est, au premier chef, la faveur du Père, donnée au premier fils, refusée au second. Mais n'oublions pas que la nouvelle est écrite après la rencontre de Trouville : cela signifie que la jeune femme reçoit un autre office qui est de représenter Elisa. La jalousie de Flaubert est à deux étages : il est jaloux de son frère et de Maurice Schlésinger ; de sorte que M. Paul, dans la mesure où Adèle incarne le fantôme de Trouville, doit offrir quelques traits de Maurice, amant indigne et tiède, comme le sera Arnoux dans la seconde *Éducation*.

de l'anthropopithèque, alors que, dans *La Peste à Florence*, Gustave a été jusqu'à refuser au héros cette enfance heureuse. La faute — ou l'erreur — semble plutôt de l'avoir emmené en Europe et confronté aux hommes : de là viendrait le premier malaise. Et puis le drame éclate quand Paul, comme c'est son droit, épouse Adèle, suscitant chez sa créature une impuissante et féroce jalousie. *Qui* peut se plaindre ? Personne. Il est évident que la jeune fille ne peut épouser qu'un *homme*, c'est-à-dire un membre de son espèce ; le genre humain peut tolérer à la rigueur qu'on fasse couvrir une esclave noire par un singe : la victime est à la lisière de l'humanité ; mais pour une Blanche, pour une bourgeoise, pour une Française, les mésalliances sont interdites ; au reste, Adèle n'imaginerait pas sans horreur de s'abandonner aux étreintes de Djalioh, ce sous-homme dont l'infériorité — aux yeux du monde — est manifeste. Bref, ce rival disgracié est éliminé d'avance *en toute justice humaine* ; mieux : on ne remarque même pas son amour. Sans doute Djalioh l'emporte sur ses misérables supérieurs par l'immensité de son amour. Mais quelle échelle de valeur *humaine* met la sensibilité au-dessus de l'intelligence ? À qui le monstre en appellerait-il du jugement porté sur lui ? Le ciel est vide, Dieu n'est pas. Et puis, s'il existait ce serait un Père, il donnerait raison aux hommes. Ainsi, l'Autre a gagné *depuis toujours*, bien avant que Paul ait eu l'idée de faire son expérience ; Djalioh a déjà perdu lorsqu'il commence d'aimer : il souffre d'une frustration, c'est vrai. Mais d'une frustration *légitime* et qu'il tiendrait pour telle s'il savait raisonner. C'est ce qu'a voulu l'auteur : mettre tout contre soi, la Raison, la Loi, l'Amour même (il est *normal* qu'Adèle aime M. Paul) ; cela revient à reconnaître qu'il est un monstre, un sous-homme, incomparable à son frère et que, par voie de conséquence directe, il ne mérite rien de ce qu'il désire. Ensuite de quoi, laissant Djalioh, égaré, se débattre contre ces aveuglantes évidences, Gustave se retourne prestement vers son père : oui, je suis sans valeur, sans mérite et sans droit, pourquoi m'as-tu fait tel ? En fait, il faut s'entendre : le petit Gustave incarné par Djalioh n'a, pas plus que celui-ci, les moyens d'avoir et de manifester de la rancune ; il faut qu'ils vivent avec zèle et dans l'innocence la condition qu'un autre leur a faite : la catastrophe finale — qui est inscrite dans leur destin — sera d'autant plus bouleversante qu'ils ne l'auront ni prévue ni comprise. Plus profondément, le fils cadet d'Achille-Cléophas, en vertu de la complexion passive qu'on lui a donnée, ne peut ni ne veut se révolter — nous en reparlerons : chez lui la spontanéité doit être obéissance et foi ; ainsi réalisant par lui-même ce que l'Autre a prescrit, il abdique toute responsabilité dans les malheurs qui lui arrivent conformément au plan établi : c'est son Créateur qui s'est glissé en lui pour le manœuvrer. Il n'y a donc qu'un seul coupable : c'est le père tout-puissant. Coupable aux yeux de qui, puisqu'il n'y a pas de juge ? Voilà où Gustave nous attend : par le récit, il se dédouble ; le conteur est *un autre* que l'enfant possédé. Tandis que celui-ci souffre dans l'ignorance, incapable d'en vouloir à quiconque — en partie parce qu'on l'a fait tel que les liaisons logiques lui manquent —, l'auteur se dégage de lui et témoigne ; mieux, il fait de sa nouvelle un acte d'accusation. Discret, voilé, tortueux, ce réquisitoire n'en est pas moins objectif. Jamais, bien sûr, l'auteur ne dit « J'accuse » ; n'importe, l'exposé des faits se veut tendancieux : tout se passe comme si le petit Gustave, tout occupé à vivre, disait de bonne foi : « Si je souffre, c'est ma faute. Je ne peux accuser que moi et je remercie les grandes personnes de leurs bons offices : je sais qu'elles servent des intérêts supérieurs et je leur fais confiance de tout mon cœur », cependant qu'une conscience anonyme et réflexive transcendait cette ignorance et rétablissait l'horrible vérité, le crime d'Achille-Cléophas. De quoi l'on peut conclure, en premier lieu, que l'attitude de Gustave envers sa famille est fixée : pas de résistance ni de révolte, une foi profonde et affichée mais une obéissance gouvernée qui provoque les pires catastrophes en obligeant les adultes à reconnaître que ce sont eux qui, par leurs desseins cruels ou stupides, en portent l'entière responsabilité ; je décrirai plus loin cette tactique sous le nom de « vol à voile », on verra que c'est la praxis de la passivité. En second lieu, la tentative de dédoublement nous renseigne sur le comportement littéraire du jeune écrivain : rien n'est gratuit, dans ses récits. Beaucoup d'auteurs qui, en leur âge mûr, ont longuement parlé d'eux, se sont enchantés, en leurs débuts, de conter simplement de belles histoires ou d'écrire des poèmes de convention sur la mort, sur l'amour, sur de grands sentiments qu'ils n'éprouvaient pas. Gustave, à quinze ans — à treize aussi, nous le verrons bientôt —, écrit *pour se comprendre* et *pour se venger*. Il rumine sans cesse sa situation, la prend sous un biais, sous un autre mais, pour des raisons qui n'apparaissent pas encore clairement, il ne peut s'élever à la réflexion qu'en méditant sur un personnage imaginaire qui serait, si l'on veut, un Gustave possible — réalisé, peut-être, mais dans un autre temps ou dans un autre monde. L'essentiel, somme toute, c'est que les rapports soient les mêmes et que les singularités maté-

rielles diffèrent. Cette *réflexion qui imagine,* nous aurons l'occasion de voir cent fois, au cours de cette étude, qu'elle est caractéristique du comportement de Flaubert envers soi. N'allons pas
croire, en effet, qu'il saisit le vrai — son vrai sentiment, sa vraie
vision de son passé, de sa propre histoire — et qu'il le déguise ensuite
par prudence — comme Pepys inventant de coder son journal de
crainte qu'il ne tombe en d'autres mains. Non : Gustave, certes,
est tourmenté par l'urgent besoin de se connaître, de déchiffrer ses
passions tumultueuses et d'en trouver les causes. Mais il est ainsi
fait qu'il ne se comprend qu'en s'inventant. Ainsi, dès cette époque, la littérature est son salut puisqu'il n'invente jamais que lui-
même et parvient, en écrivant ses fantasmes, à dominer confusément les désordres de son cœur, à survoler irréellement sa situation réelle. Mais si la fiction parvient à l'arracher à l'immédiat, s'il
se passionne pour ses premières œuvres, c'est que le besoin de se
connaître ne lui apparaît jamais, dans la pénombre du premier âge,
que comme une irrépressible envie de créer d'autres personnages.
  Voici donc M. Paul accusé. À ce niveau, plus n'est besoin de
chercher un juge : qui donc serait mieux qualifié pour porter sentence que son propre créateur. Par ce biais, Gustave a la suprême
jouissance de créer lui-même, après coup, celui qui l'a créé et de
l'affecter, dans l'imaginaire, d'une volonté radicalement mauvaise.
La création littéraire ou la vengeance de la créature.
  Ces remarques nous permettent d'entrer plus à fond dans le réquisitoire de *Quidquid volueris.* Nous avons vu, en effet, que Djalioh,
avant sa déchéance, a connu un âge d'or. Ces premières années au
moins, dira-t-on, il faut en tenir compte pour juger équitablement
M. Paul. Mais faut-il vraiment croire que Djalioh vivait alors dans
un paradis sans nuages? Certes le fils du singe et de la femme « recevait » alors des extases. Mais celles-ci, à bien les regarder, ont je
ne sais quoi de suspect. Je ne parle même pas des mélancolies léthargiques où elles se perdent régulièrement ni des tremblements qui
les accompagnent. Je propose simplement de relire le portrait que
Gustave fait de lui *avant* le départ pour l'Europe :
  « Sa jeunesse était fraîche et pure, il avait dix-sept ans ou plutôt
soixante, cent et des siècles entiers, tant il était vieux et cassé, usé
et battu par tous les vents du cœur, par tous les orages de l'âme.
Demandez à l'océan combien il porte de rides au front ; comptez
les vagues de la tempête ! Il avait vécu longtemps, bien longtemps,
non point par la pensée mais... de l'âme et il était déjà vieux par
le cœur. Pourtant ses affections ne s'étaient tournées sur personne

car il avait en lui un chaos des sentiments les plus étranges *(sic)*…
La nature le possédait sous toutes ces forces, volupté de l'âme, passions violentes, appétits gloutons. C'était le résumé d'une grande
faiblesse morale et physique, avec toute la véhémence du cœur, mais
d'un fragile qui se brisait d'elle-même à chaque obstacle… »

Il ajoutera plus tard qu'il aimait Adèle, avant que la jalousie ne
le jette à la désirer passionnément, « comme la nature entière, d'une
sympathie douce et universelle ». De fait son cœur « était vaste et
infini car il comprenait le monde dans son amour ». On ne s'étonnera pas, certes, de voir reparaître ici le motif de la vieillesse : ce
qui paraîtra plus curieux c'est qu'il s'applique à l'enfant pendant
sa protohistoire, autrement dit, *pendant l'âge d'or*. Mazza, c'est
le paroxysme du malheur qui manque lui blanchir les cheveux.
L'enfant Djalioh, au contraire, ce sont des extases répétées, des
passions sans larmes qui l'ont transformé en vieillard. Tout se passe
en effet comme s'il nous disait à deux mois de distance : « au sortir de l'enfance le malheur m'a *cassé* » et « enfant, j'étais heureux,
le bonheur m'a vieilli ». De l'une à l'autre nouvelle, le symbolisme
est renversé. L'obstination de Gustave à ramener chaque fois le *leitmotiv* de la sénescence et l'usage contradictoire qu'il en fait, il n'y
a qu'une manière de les expliquer : ces significations de surface
recouvrent un sens profond ; l'auteur tente de le suggérer ; s'il
échoue c'est à la fois qu'il s'égare en soi-même et manque d'instruments appropriés. À la fin de ce chapitre, nous essaierons
d'éclaircir ce symbole polyvalent. Pour l'instant, il faut avancer
prudemment.

Vieux, Gustave l'a cent fois répété à Louise, cela veut dire : apathique, anorexique. Bref, moribond ou mort. C'est du moins le sens
qu'il donne au mot dans sa vingt-cinquième année. À quinze ans,
c'est tout autre chose : la preuve en est que Djalioh, l'enfant-
vieillard, n'a rien perdu de sa capacité de souffrir. Ni de désirer.
Qu'Adèle vienne à paraître et ce sera l'Enfer. Que signifient donc,
ici, les mots « battu, usé, cassé » ? Pourquoi veut-on faire de ce jeu-
not un centenaire ? Cela déconcerte d'autant plus que Gustave, en
tant qu'il s'incarne dans ce personnage, vise à donner un raccourci
de ses sept premières années. Oui, le bonheur du petit garçon a duré
sept ans et puis le malheur a fondu sur lui : il a connu la honte
d'être un monstre et la féroce jalousie. Mais la foudre n'a frappé
qu'une tête chenue. Que peut-il vouloir dire ? Bien sûr, il peut rationaliser cet étrange fantasme ; ce n'est, peut-il déclarer, ni la douleur en soi ni la joie prise en elle-même qui usent l'âme et le corps :

c'est leur intensité. Positive ou négative, la passion nous vieillit, à tout âge, à proportion de sa violence. Ne nous dit-on pas de Djalioh que la nature « le possédait sous toutes ces forces. Volupté de l'âme, passions violentes, appétits gloutons » ? Le cœur de l'homme-singe serait, dès la naissance, un pandémonium. Mais ces quelques lignes surprennent : elles détonnent à ce point qu'on les croirait surajoutées. Quand Gustave, en effet, se mêle de nous peindre l'amour naissant de Djalioh pour Adèle, il écrit : « Où l'intelligence finissait, le cœur prenait son empire, il était vaste et infini car il comprenait le monde dans son amour. Aussi il aimait Adèle (avant la jalousie) mais d'abord comme la nature entière, d'une sympathie douce et universelle puis peu à peu cet amour augmenta, à mesure que sa tendresse sur les autres êtres diminuait. En effet nous naissons tous avec une certaine somme de tendresse et d'amour... Jetez des tonnes d'or à la surface du désert, le sable les engloutira bientôt mais réunissez-les en un monceau et vous formerez des pyramides. Eh bien il concentra bientôt toute son âme sur une seule pensée et il vécut de cette pensée. »

Description remarquable sous une plume de quinze ans. Et juste. Non seulement dans sa généralité mais surtout quand on l'applique à l'auteur lui-même. Il n'est pas loin le temps où Gustave dira : « Ma vie, c'est une pensée. » Mais la vérité même de ce passage dénonce l'« amphigouri » de celui qui concerne la vieillesse. Avant de « réunir en un monceau » les tonnes d'or et d'amour qu'il possède, Gustave les épandait dans le désert et le sable les engloutissait. De violences point. Ni d'orages : cette âme éparse ne donnait à l'Univers qu'une affection douce. Pour la concentrer il faudra cette malchance double : un objet fini concentre sur soi l'infinie puissance d'aimer (ici Djalioh rejoint Mazza) ; au même instant un autre se l'approprie, et la frustration exaspère le désir. Comment concevoir, dans ces conditions, que les « vents de la passion », au moment de l'innocence et de la sympathie cosmique, aient pu ballotter un cœur au point de le briser ? Et l'« usure », d'où vient-elle ? D'où la vieillesse ? Le lecteur ne marche pas ; l'inépuisable et géniale réceptivité de Djalioh évoque l'enfance et ses ressources infinies. Est-il possible qu'un enfant soit dégradé par l'expérience poétique même si son quiétisme bouleversé lui fait éprouver sans retenue les agitations de l'âme, des extases à n'en plus finir, fussent-elles angoissées sur les bords ? D'autant que Djalioh *ne tient pas* ses sentiments. Le jeune auteur a la malice d'insister sur ce lieu commun : la ver-

satilité est un trait spécifique des singes supérieurs. Rappelez-vous,
à la fin du siècle dernier, l'inexcusable Zamacoïs :
« C'est qu'entre vous et sa colère un papillon vient de passer. »
L'anthropopithèque conserve l'inconstance du singe : ses affections
les plus intenses le saisissent et, tout à coup, le lâchent et disparaissent. « C'était le résumé d'une grande faiblesse morale et physique, avec toute la véhémence du cœur, mais d'un fragile qui se
brisait d'elle-même à chaque obstacle comme la foudre insensée
qui renverse les palais... et va se perdre dans une flaque d'eau. »
Ces lignes étranges dont l'incorrection souligne la profondeur, il
faut y voir un aveu concerté de l'auteur : Gustave est visité par des
ravissements et par des désirs qui l'occupent un moment et s'effondrent au moindre obstacle. Il s'abandonne plutôt qu'il ne conquiert :
avant le malheur qui rassemblera toute sa puissance de souffrir,
il reçoit ses passions mais ce qui lui fait défaut, c'est le minimum
d'activité synthétique qui lui permettrait de les prolonger un
moment et de les intégrer à l'unité de sa personne.

Peut-on imaginer un pareil effritement de l'expérience sans
détruire l'idée même du sujet? Oui et non. Le défaut de la question c'est qu'elle reste posée en termes intellectualistes et kantiens.
Si nous demeurons sur le terrain affectif, comme l'auteur nous y
invite, il est beaucoup moins difficile d'admettre, en dépit d'une
unification plus profonde sans laquelle une vie d'homme serait
impossible, que des blocs puissent s'isoler dans l'écoulement du
vécu. Gustave y insiste si souvent qu'il faut l'en croire : il a eu *des*
vies; entendons que son enfance se caractérise à ses yeux par le surgissement d'épisodes sans liens avec l'ensemble réel de ses perceptions : rêves éveillés, hébétudes ou sentiments inclassables qu'on
subit sans pouvoir les identifier. Ces déterminations subjectives ont
deux traits complémentaires — bien que ceux-ci semblent
s'opposer —, la répétition et la nouveauté. Émanant des profondeurs d'une même personne, ils se reproduisent fréquemment, sous
un déguisement ou sous un autre; mais puisque leur essence est la
labilité, puisque les âmes passives qu'ils visitent les éprouvent sans
pouvoir les retenir, ils paraissent toujours neufs et toujours singuliers. C'est à ces fragments désunis ou mal unis de son expérience
qu'il fait allusion dans *Quidquid volueris* et, plus tard, quand il
écrit dans *Novembre* : « J'ai vécu plusieurs vies, des milliers de
vies. » Ces illuminations répétées qui l'éblouissent et s'éteignent sans
qu'il sache trop bien ce qu'elles éclairent, d'où elles viennent ni s'il
existe un chemin pour rejoindre leur source, elles le frappent sur-

tout par leur nouveauté ; la trame subjective du vécu — lent écoulement de « synthèses passives » — est trop lâche, sa *persona* trop indistincte, le sens du réel est en lui trop vague pour qu'il considère ces états comme de légers vacillements tout anecdotiques de son entreprise de vivre : ils l'occupent autant que ces formes organisées que *les autres* appellent la réalité. Leur apparition, pour lui, c'est chaque fois une naissance et, quand ils disparaissent, il lui semble mourir. Ainsi peut-il, sans métaphore, voir en chacun d'eux toute une vie : à chaque fois, ne se sent-il pas devenir *un autre* ?

Voilà pourtant ce qu'il appelle *vieillesse* dans *Quidquid volueris* : il a beau voir en elle une *accumulation* d'expériences insolites et singulières, elle marque en vérité une désintégration perpétuelle, conséquence de sa passivité. L'image même de l'Océan, unité multiple et « toujours recommencée », est significative : elle colle mal avec l'objet qu'elle est supposée symboliser ; si mal qu'elle fait sentir l'incertitude de la pensée. Le continent liquide est vieux, nous dit Gustave. « Les vents le rident. » C'est vrai mais ses rides ne cessent de changer ; par calme plat, elles disparaissent. Et faut-il appeler rides le hérissement de la mer par un typhon ? Unité désunie, multiple hanté par l'Un, synthèse effondrée, l'Océan balayé chaque jour par les mêmes tempêtes *n'accumule jamais* ; il gardera jusqu'au bout sa disponibilité : en dépit de Neptune et de sa barbe blanche, rien n'est moins propre que ce recommencement toujours jeune à donner l'image de l'usure. Par contre le mouvement marin, reploiement déployé, représente assez bien le flux et le reflux du vécu et son pseudo-pluralisme chez le petit Gustave. Plus tard, par humilité autant que par goût des métaphores ajustées, Flaubert fera, dans la pénombre, un reclassement de ses images ; à Louise, dans une lettre que nous avons lue, il se décrit tel que le malheur et la maladie l'ont fait : un étang calme et putride avec des bas-fonds inquiétants. À ne jamais agiter. Et il ajoute : « C'est à l'Océan que conviennent les tempêtes. » Le sens est clair : je suis — on a fait de moi — une petite nature : mon calme est mortuaire ; si vous m'agitez, je pue ; les grandes natures sont faites pour les grandes passions. La mer est inépuisable comme la jeunesse.

Dans *Quidquid volueris*, pourtant, il est conscient de sa faiblesse ; en même temps qu'il nous parle hyperboliquement des orages qui ont cassé son enfance, il reconnaît la nature parasitaire de ses extases ; pour un peu, il les expliquerait tout uniment par l'action du monde extérieur : « Son âme se prenait à ce qui était beau et sublime... s'y cramponnait et mourait avec lui. » Par lui-même, Gustave n'est plus rien : tout juste un vampire qui a besoin du sang des autres pour vivre quelques heures et qui meurt au chant du coq. Une âme nouvelle, c'est un objet neuf ; quand l'objet disparaît du champ perceptif, cette âme s'abolit. Et que se passe-t-il entre la disparition du stimulus extérieur et l'apparition d'un nouveau stimulant ? *Rien*, semble nous dire Gustave. Rien, cela veut dire la nappe indéfinie de l'ennui natal ou le retour au tombeau du vampire, anéanti jusqu'au prochain minuit. Cette fois nous pouvons comprendre le véritable sens qu'il donne au mot « vieillesse » — qu'il lui donne *dans ce conte, à cet âge* ; son office est de marquer sa passivité, son « *être relatif* » et l'incapacité où il se trouve d'être *par lui-même* à l'origine de ses enthousiasmes. Quand il se disait *usé, cassé* par des orages, il mentait : les tempêtes ont épargné son âge d'or. Mais *il est vrai* qu'il se rappelle cette enfance *à la fois* comme un émerveillement et comme une apathie anorexique : il vivait peineusement, noyé d'ennui, sauf quand une circonstance extérieure l'éveillait. La vieillesse a pour office de le rassurer : elle rend compte à la fois du pullulement sans consistance d'émotions disparates et du froid consentement qui les soutient à l'être sans les relier entre elles. Mais cette métaphore est un aveu : l'âge d'or de Gustave a dû être sinistre. Enfant étranger à lui-même, il roule en soi des vies étrangères, intuitions qui le surprennent par leur étrangeté, sont subies dans la stupeur et disparaissent en ne laissant que des souvenirs brouillés. On sera frappé avant tout par leur caractère quasi pathologique. Plutôt que de *faire* l'expérience tout en la subissant, il s'y abandonne. L'ipséité demeure mais comme un malaise, comme une tâche impossible.

D'une certaine manière, on peut tenir Caroline Flaubert pour responsable de l'*estrangement* qui fait éprouver à Gustave l'unité de son expérience comme une pluralité de synthèses inertes : n'est-ce pas elle qui l'a *constitué passif* ? Mais Gustave ne semble pas comprendre le rôle exact que sa mère a joué dans sa formation : ce qu'il découvre de *déjà désolé* dans son âge d'or, l'adolescent, à quinze ans, en fait porter la responsabilité au seul Achille-Cléophas. Cela n'est pas dit : faiblesse et véhémence, voilà le lot de Djalioh, rien de plus. Et, nous l'avons vu, ce n'est pas, tant qu'on ne l'arrache pas à son pays natal, à la forêt vierge, à l'Océan, un si mauvais lot. Ou, du moins, Gustave s'efforce d'en montrer l'aspect positif. Mais il suffit de prendre garde aux images qu'il emploie pour deviner sous l'émotivité tout apollinienne de l'enfant Djalioh, une violence fondamentale et masquée. Nous avons cité, tout à l'heure, une phrase qui semblait assimiler les hébétudes de l'anthropopithèque à des accès de vampirisme. Mais nous l'avions tronquée : il convient à présent de la restituer dans son intégralité, c'est-à-dire avec les comparaisons dont le jeune Gustave est si friand ; on va voir qu'elle grince : « Son âme se prenait à ce qui est beau et sublime, comme le lierre aux débris, les fleurs au printemps, la tombe au cadavre, le malheur à l'homme, s'y cramponnait et mourait avec lui. » L'âme se prend au sublime comme la tombe au cadavre, comme le malheur à l'homme ? Ces images sembleront incongrues mais Flaubert ne les a pas choisies au hasard. Dira-t-on qu'il subit tout simplement l'influence d'un certain romantisme et que Pétrus Borel en a fait de bien pires ? Sans doute mais pourquoi ce romantisme-là ? « Enfer et damnation ! » C'est la mode. Et après ? Les Goncourt reprocheront plus tard à Gustave, adulte et célèbre, de vouloir « épater le bourgeois ». Nous en reparlerons : mais quel bourgeois épaterait-il, cet enfant qui ne souhaite qu'un lecteur [1] ? En vérité, à l'époque, sa plume adolescente ne cesse pas de courir : plutôt que de s'attarder à chercher l'expression ou la métaphore adéquate, il préfère, dans l'unité d'un mouvement oratoire, jeter sur le papier, pour exprimer une même pensée, des approximations diverses, parfois contradictoires, qui abordent l'idée à rendre par différents biais et se corrigent les unes les autres en s'opposant. Le sens n'est pas donné par une seule image : il apparaît, dans sa complexité, comme un au-delà de *toutes* bien que chacune prétende le livrer en entier. Cette élaboration, par repentirs successifs, n'apparaît nulle part mieux qu'en ces quelques lignes. La première image, spontanée, immédiate, jaillit du besoin qu'a l'auteur de marquer fortement le parasitisme des extases : que peut-il faire de mieux, Gustave, pour exprimer le caractère relatif de cette âme et la nécessité où elle est *pour vivre* de s'accrocher au monde extérieur, que de la comparer à une plante parasitaire. Est-ce même une comparaison ? Le parasitisme est la structure dominante de l'idée qu'il faut rendre mais il est aussi le genre dont le lierre est une espèce. Le choix du végétal a pour unique office de donner à ce concept une existence matérielle ; il devient force végétative. Mais, comme il arrive souvent, l'idée se trouve débordée par sa matérialisation : celle-ci comporte, en effet, une détermination négative que Gustave juge, au premier abord, dépla-

---

1. Deux, à la rigueur, quand il aime encore Ernest. Il sera formel sur ce point, un an plus tard, au début d'*Agonies*.

cée : le lierre est beau mais non les « débris » ; en sorte que la signification se trouve renversée : ce n'est point le monstre qui s'accroche à la beauté, c'est une plante aimable qui, fleur du Mal, tire
sa subsistance des rebuts, des déchets. Le mot de « ruines » eût
mieux convenu ? Peut-être ; ce n'est pas sûr : sa charge négative est
forte. En tout cas, Gustave ne biffe rien ; il ne lui vient même pas
à l'esprit que les vrais parasites vivent en rongeant d'autres vies :
il a songé d'abord à ficeler sa plante grimpante autour d'un minéral. Cette première approche, à peine l'a-t-il tentée, elle le gêne,
et, du coup, pour la corriger, il se jette dans l'extrême opposé, c'est-
à-dire dans le conventionnel : les « débris » sont remplacés par le
« printemps », plus digne, selon le folklore universel, de représenter la douce puissance de la Beauté renaissante. Mais, du coup, c'est
le premier terme de la comparaison qui s'altère, transformé par le
second et par la banalité du sens commun : si l'objet est beau ou
sublime, la relation de l'âme à celui-ci doit être positive et cela ne
se peut, dit l'anonyme bêtise du plus grand nombre, que si celle-
là, comme celui-ci, s'incarne en quelque réalité *esthétique*. Au printemps correspondront les âmes-fleurs. Image apollinienne : des par-
terres de roses éclosent sous la tendre chaleur printanière ; c'est la
seule qui ne choque point par la simple raison qu'elle est banale.
C'est aussi la plus facile, la plus négligée : peut-on dire pour de
bon que les fleurs « se prennent au printemps » et s'y crampon-
nent ? qu'elles vivent en symbiose avec le soleil ? Reste qu'elles se
produisent dans certaines circonstances extérieures constituant un
milieu favorable pour la métamorphose du bourgeon : la nuance
« activité passive » est donc conservée. Le *stimulus* vient du dehors,
ne fût-ce que pour permettre l'actualisation de ce qui est en puissance ; en retour la plante se *cramponne* aux facteurs externes qui
conditionnent son existence : une énergie mystérieuse et quasiment
inerte lui permet d'absorber la lumière et d'en faire l'instrument
de sa croissance. Est-ce vampiriser le soleil ? Certainement pas :
celui-ci, pour observer jusqu'au bout la métaphore populaire, ressemble à la cause stoïcienne qui agit sans que la production de ses
effets entraîne une déperdition ou une simple altération de sa substance ; il est don, générosité. Par cette figure apollinienne, le jeune
Gustave semble témoigner d'un optimisme qu'il est bien loin de
ressentir. Comme si, par un jeu de bascule qui le déconcerte, il ne
pouvait agir sur l'un des termes sans entraîner par là même une
modification de l'autre qui dévie sa pensée. De fait, la conception
profonde du jeune garçon, ce serait — s'il pouvait l'exprimer

exactement — un platonisme radicalisé. L'amour de la Beauté, fils de Pénurie, Gustave le tient pour une exigeante lacune, pour un non-être honteux et désespéré, conscient de sa laideur profonde. Cette oscillation de « lierre-débris » à « fleurs-printemps », c'est-à-dire d'un malaise à un autre, a pour effet de découvrir à Gustave, à travers cette double inadéquation, l'intention — obscure encore mais fondamentale — qui a tenté par deux fois de se manifester et que, par deux fois, la lourdeur des mots écrits a trahie. Laquelle? Eh bien, nous l'apprendrons en même temps que l'auteur lui-même. Constatons, pour commencer, que la troisième comparaison surgit comme une négation violente de la seconde : l'optimisme de la relation « fleurs-printemps » était induit ; à peine écrite, cette vulgarité poétique lui répugne : elle ne lui appartient pas, il ne peut s'y reconnaître, c'est un produit anonyme de la Bêtise qui se sera glissé en lui sans qu'il y prenne garde. Il réagit — nouveau repentir, nouvelle correction — en poussant tout au noir : le couple « tombe-cadavre » correspond à un retour en force du pessimisme absolu : l'objet splendide ou sublime qui fascine Djalioh, Flaubert ne l'épargne pas plus, cette fois-ci, que l'âme du pauvre anthropopithèque. L'inessentialité de celui-ci est conservée : c'est le cadavre qui crée le tombeau. Mais quel étrange propos que de faire incarner l'incorruptible Beauté par une charogne? Elle en restera souillée. Pourtant la troisième comparaison marque un progrès sur les deux précédentes : l'accent négatif est d'abord mis sur l'âme : elle était lierre et parterre de roses, la voici maléfique et lacunaire. La tombe, bien sûr, c'est, au propre, une cavité sombre et vide aux trois quarts ; que contient-elle? Un air rare et vicié qui ne se renouvelle jamais, un corps dans un cercueil. Encore celui-ci n'y est-il pas toujours : il y a des tombeaux qui *attendent* leur futur habitant. Au figuré, ce lieu-dit représente la Mort, inflexible nécessité, terme ultime que la vie porte en elle et nourrit comme son ultime événement intérieur et son accomplissement : la Mort, parasite de la vie, voilà ce qui convient à Flaubert. Ne pense-t-il pas, le cadet, à ces caveaux de famille où la place des enfants est marquée dès la naissance entre les parents encore vifs et les grands-parents décédés? L'âme, en tout cas, devient mortuaire. Elle est la Mort et elle est morte : le lierre et les roses, leur existence était relative, empruntée ; au moins vivaient-ils en suçant d'autres vies. Mais, sous ce nouveau jour, l'âme de l'anthropopithèque apparaît *en lui* comme le principe rongeur qui le dissoudra ; vue du dehors, c'est le tombeau de la Beauté. Son attente n'est même plus passi-

vement vécue : elle est totalement inerte ; c'est une caverne, un vide
matériel ; œuvre de l'homme, la tombe attend l'homme mort qui
la justifiera et, quand elle l'a reçu, elle le laisse se décomposer en
elle sans en tirer le moindre profit : pas de symbiose pour Djalioh ;
la Beauté, quand il la rencontre, ne fait qu'actualiser ce contenant
dévitalisé en s'y corrompant en vain. Pour tout dire, elle aussi, c'est
la Mort : ce n'est pas sans raison que Gustave la compare à un cadavre et nous verrons, beaucoup plus tard, que cette métaphore boi-
teuse enferme une intuition prophétique des idées que Flaubert,
adulte, appliquera dans son art sans pouvoir les expliciter clairement. Ainsi s'explique l'étroite union du futur artiste et de la Beauté
comme « eidos » subjective. Le lien de l'un à l'autre, nous le verrons, c'est le « point de vue absolu » que Gustave appellera aussi
le style et que nous définirons comme le point de vue de la mort
sur la vie. Pour l'instant, nous chercherons dans cette nouvelle
image d'autres renseignements sur le jeune auteur : elle nous montre en effet l'âme de l'enfant Djalioh, *pendant les extases*, comme
lacunaire : avide et méchante, elle attend avec une inerte impatience
la destruction en elle d'une vie — celle du malheureux qu'elle
possède — et, par l'irruption de la Beauté, celle de toutes les vies.
Du coup, la quatrième comparaison, nouveau repentir, dévoile en
pleine clarté son sens et ses motivations. Gustave n'a pas pu se satisfaire du couple « tombeau-cadavre ». L'inertie d'un sépulcre n'est
pas un heureux symbole de l'activité passive et l'on ne peut admettre qu'il « se cramponne » au cadavre qu'il contient. D'autre part,
Gustave est encore bien loin de comprendre la géniale prophétie
qui nous fait entrevoir sa future esthétique de la Mort, il se scandalise lui-même : le Beau, pour l'adolescent, dans la mesure où il
est, en surface, comme chacun, plus que chacun, la proie des lieux
communs de son époque, il faut, puisque c'est la valeur suprême,
le représenter, sur le terrain « ontique », par le bien suprême des
vivants, par la vie. Voici donc le deuxième terme, l'homme, ressuscité : ce Lazare qui sentait déjà, on lui ôte ses bandelettes, il se
lève et quitte la fosse où on allait l'ensevelir. Pour une fois, Gustave le misanthrope fait une fleur à ses congénères : c'est l'« être
humain », vivant, méditant et souffrant qui incarnera l'objet esthétique et, du coup, deviendra la mesure de toute chose. À condition
d'être un *sans-espoir*, autrement dit, de naître en enfer. La comparaison tient, cette fois : le malheur se jette sur le nouveau-né,
se cramponne à lui et, puisque c'est un destin singulier, il meurt
avec sa victime pour ressusciter ailleurs, à l'occasion d'une nou-

velle naissance. Le malheur, c'est donc l'âme ? Précisément : l'âme est en chacun de nous le principe singulier de la souffrance. Sans le corps, elle ne saurait vivre ; mais cette parasite s'accroche à l'organisme et le tourmente jusqu'à ce qu'il en meure. Alors elle s'abolit. Qu'est-elle au juste ? Une blessure subie, inguérissable, la « plaie profonde » dont Gustave fait mention dans une lettre à Mlle Leroyer de Chantepie ? Ou bien une intention maligne, un acharnement à nuire ? Faut-il y voir l'intériorisation du Mal qu'on nous a fait ou le Mal lui-même, celui que nous faisons, que nous nous faisons ? Pour Gustave l'un ne va pas sans l'autre. Nous intériorisons en blessure l'injustice des Autres, nous la réextériorisons en méchanceté. Il est curieux qu'il se plaigne *dans les mêmes termes* au début des *Mémoires d'un fou* et, après plus de trente-cinq ans, quand, en 70, la capitulation de Sedan est suivie de l'invasion prussienne et du rétablissement de la République : moi qui étais si tendre, les hommes m'ont rendu sec et mauvais. Finalement, les extases elles-mêmes changent de signe : dans cette *anima*, obscure et passive, qui attend la rencontre du Beau pour s'actualiser, on devine, par le choix même des symboles, je ne sais quoi de sinistre, la présence ambiguë du Mal et du Malheur confondus. Dirons-nous que le jeune auteur, après trois tentatives avortées pour rendre sa pensée, y est enfin parvenu à la quatrième et que la dernière comparaison est la seule valable à ses yeux ? Certainement pas : en ce cas n'aurait-il pas effacé les autres ? Le couple « malheur-homme » correspond sans aucun doute à un approfondissement de l'idée : Gustave entrevoit ses intentions. Mais il garde toute l'imagerie malgré son imperfection : c'est que les autres métaphores ajoutent des nuances indispensables au *sens* qu'il prétend exprimer. Il est bon que l'on puisse définir l'âme par le malheur. Mais cette comparaison, à elle seule, ne rend pas compte de l'engourdissement et de la passivité que suggère le couple « tombeau-mort ». Sans celui-ci, on pourrait imaginer la souffrance de Djalioh-Gustave comme le taon de la légende, bourreau vif et forcené de la pauvre Io. On perdrait le parasitisme au profit d'une frustration qui, de ce fait même, pourrait apparaître comme un principe actif et frénétique. On oublierait enfin ce sinistre tunnel, la Mort, la discontinuité des hébétudes et peut-être des souffrances. Et les fleurs au printemps ont aussi leur office : si le fond des extases est violence, « aigre » désolation funèbre, elles n'en sont pas moins, en surface, des ravissements. L'ensemble des comparaisons tend à les montrer comme des joies suspectes qui plongent l'enfant dans un *estrangement* terrifié : il les subit goulûment, il s'y accroche mais, en même temps, il a le sentiment que le remède est pire que le mal ; au reste, il n'est pas rare qu'il tremble et que tout se termine par une tristesse affreuse et par une fausse mort ; quand l'objet sublime a disparu, Gustave-Djalioh *endure* la mort sous forme de léthargie.

Comme je l'ai dit, le sens est au-delà de ces métaphores contrastées et nous avons saisi sur le vif le cheminement de la pensée chez le jeune auteur qui veut suggérer l'« indisable » par leur juxtaposition. Ce procédé n'est, en somme, que l'exploitation littéraire de la passion. Un écrivain *actif* se serait acharné à trouver la formule exacte, précise, unique qui dit tout ce qui est à dire et rien de plus. Flaubert, au contraire, produit ses comparaisons par jets successifs ou plutôt elles se produisent en lui, il les subit et les transcrit sans pouvoir les dominer par des actes, chacune d'elles se referme sur soi et du coup motive une réaction passionnelle qui sera une approximation nouvelle. Quant à choisir, non : précisément parce qu'elles ont jailli sous sa plume comme le sang d'une artère tranchée, chacune est garantie aux yeux de l'enfant par sa spontanéité. Reste que cet effort hésitant, déjoué par sa passivité même, ces hésitations corrigées par d'autres à-peu-près, ces coups de barre qui précipitent l'auteur d'une image à l'autre, tout concourt à nous faire entrevoir, derrière l'innocence et la ductilité de cet enfant « tranquille » et malgré l'apparente discontinuité de sa vie intérieure, une violence ininterrompue qui l'oppose à lui-même et à l'Autre, une intention maligne qui le condamne comme méchant pour mieux porter sentence sur le responsable de son malheur. N'oublions pas en effet que descriptions et comparaisons se réfèrent à l'époque d'innocence qu'il nous présentera dans *Passion et Vertu* deux mois plus tard comme une somnolence douce et sans histoire dans un univers de répétition. Est-il donc malheureux et méchant dès l'âge d'or ? Cela ne serait pas vraisemblable s'il se reportait seulement à sa constitution passive telle que la lui a donnée sa mère : celle-ci, bien sûr, se manifeste par une mauvaise insertion dans le milieu du langage, qui traduit elle-même une interrogation perpétuelle ; le Mal-aimé, faute d'avoir senti que sa naissance comblait une attente, ne peut comprendre ce qu'il fait dans ce monde. « Nous sommes de trop, nous, les ouvriers d'art », s'écriera-t-il en 70. Et c'est bien ce qu'il ressent à chaque instant de sa protohistoire : un homme de trop, leitmotiv d'une vie entière. Mais, à quatre ans, il ne formule pas la question : disons que ses sensations sont par elles-mêmes d'essence interrogative. Il en résulte un malaise qui, sans nul doute, peut être quelquefois difficile à supporter — mais l'enfant dispose de deux compensations jusqu'à sept ans : l'une, c'est l'oubli de soi, le passage de l'hébétude à l'extase ; l'autre, dont nous n'avons pas encore parlé, c'est la faveur paternelle ; nul doute que Gustave, en ses premières années, n'ait fait l'objet de l'amour d'Achille-Cléophas : nous y viendrons quand nous reprendrons la voie royale de la synthèse progressive. Il est vrai que cet amour — du seul fait que c'est celui du Père — intervient trop tard dans sa protohistoire, c'est-à-dire après que l'enfant se soit peu à peu découvert et *fixé* sous les mains expertes qui l'ont constitué. Le docteur Flaubert *aime le Mal-aimé*. C'est capital, ce n'est pas assez. Ce le serait peut-être sans l'inconstance capricieuse d'Achille-Cléophas (c'est-à-dire, bien entendu, ce que Gustave prend pour des caprices) qui précipitera le petit favori du haut de sa grandeur empruntée pour le remplacer, après cette affreuse disgrâce, par un indigne, par l'usurpateur Achille. N'importe, malgré son insuffisance, la tendresse du père est vécue, dans les premières années, comme un bonheur de gloire qui justifierait *presque* la naissance inopportune de son fils cadet : la preuve en est, nous le verrons, que Gustave a gardé de sa petite enfance quelques souvenirs éblouissants. À cette époque, le petit garçon ne peut encore prévoir que le chirurgien-chef sera le facteur principal de sa frustration prochaine : en conséquence il ne peut, semble-t-il, *vivre* ses extases telles qu'il nous les décrit dans *Quidquid volueris*. Cela signifie-t-il qu'il les décrit à quinze ans *autrement* qu'il ne les a ressenties à cinq ? Dans l'entre-temps d'autres événements se sont produits, il a de soi-même et de la famille une expérience plus profonde et plus douloureuse : ne projette-t-il pas, rétrospectivement, la frustration, née de la disgrâce, dans un âge où il n'en souffrait pas ?

La vérité, c'est que Gustave, dès ses premières œuvres, marque clairement qu'il garde une mémoire fort ambivalente de ses premières années : la preuve en est qu'il les décrit tantôt comme un sommeil heureux (Mazza), tantôt comme un incessant tourment (Garcia), tantôt, comme dans *Quidquid volueris*, comme une époque ambiguë où la terreur et la volupté calme coexistent dans une même extase. Ce qui nous importe, pour l'instant, c'est qu'il attribue son malheur de berceau *à son père* et non pas à Caroline : l'auteur de ses jours a tout préfabriqué. Jusqu'à sa passivité sombre. Très exactement, il lui a *donné une âme*, c'est-à-dire un déchirement intérieur. De fait l'âme de Djalioh, sa plaie profonde, n'est que la contradiction en lui de la postulation animale et de la postu-

lation humaine : c'est le désarroi profond de la bête hantée par la
moitié d'homme qu'on a mise en elle et par les hommes entiers qui
l'environnent et l'observent et la testent, c'est l'obligation inéluctable, le désir et l'impossibilité de s'élever au niveau de l'humanité, c'est la contestation de la Nature par la Culture et de celle-ci
par celle-là. Par cette raison, on peut la concevoir tantôt comme
une lacune tout à fait inerte, comme un tombeau, en ce sens que
sa détermination d'animalité — quoique déjà contestée dans sa réalité immédiate — demeure une frontière infranchissable, ce qui
constitue la culture, en elle, comme un pur vide qu'on ne peut
combler, comme un *ailleurs* au cœur de la présence, bref comme
un trou dans l'âme dont le pur être-là, immobile, inamovible a tous
les caractères de la matérialité inerte. Et tantôt, si l'on prend en
considération la réalité intrinsèque de l'animalité qui *se* conteste
au nom d'un au-delà qu'elle ne peut même imaginer, on concevra
l'âme sous l'aspect de ce que Hegel nomme la conscience malheureuse — à ceci près que la contradiction de l'universel et de la singularité empirique est donnée — dans la *Phénoménologie de la
Conscience* — comme un certain moment du procès dialectique (ce
qui veut dire à la fois qu'il se pose pour soi, se manifeste comme
dépassable et sera ultérieurement dépassé) au lieu que le malheur
de Djalioh ne peut se poser pour soi, en raison de l'absence d'un
des termes de la contradiction, donc qu'il se vit aveuglément et que,
pour le même motif, il n'est en aucun cas susceptible de dépassement. À la considérer, toutefois, sous l'un et l'autre aspect, l'âme
apparaît comme *subie* par le corps auquel elle se cramponne et
comme *advenue* à l'homme et à elle-même, soit qu'on y voie une
interdiction fixe et *soufferte* — inerte limite infranchissable du vécu
— soit qu'on l'envisage comme *pathos*, c'est-à-dire comme impuissance *ressentie* à travers de vains déchaînements. En d'autres termes, Gustave tient — à tort mais explicitement — le docteur
Flaubert pour responsable de sa constitution passive. Il n'a ni les
moyens ni l'envie d'expliquer celle-ci par les conduites maternelles. Par contre M. Paul est à l'origine de la passivité de Djalioh :
en créant délibérément l'anthropopithèque, il lui a donné pour
essence le *pathos*; cet animal pathétique aura la sensibilité la plus
exquise : cela signifie qu'il pousse à l'extrême la *réceptivité*; donc
on peut le faire souffrir plus qu'un autre en tant qu'il est bestial,
c'est-à-dire qu'il ne réagit aux agressions préméditées que par de
la *passion*; mais, par cela même, et c'est sa frustration originelle,
il se montre au-dessous de la praxis, qui est, par définition,

humaine : il faut, pour établir un rapport rigoureux entre l'objectif à atteindre et les moyens dont on dispose, posséder des « liaisons logiques » et une fermeté prospective qui permette de fixer et de tenir un projet même quand les raisons qui l'ont déterminé connaissent une éclipse provisoire. En un mot, outre la puissance affirmative, ce qui manque à Djalioh pour toujours c'est ce que les Américains appellent *postponement*. Gustave l'a *voulu*, Djalioh est passif parce qu'il est singe aux trois quarts ; il en souffre parce que pour un quart il est homme : et ce mélange détonant a été voulu par son créateur. Nous n'appellerons pas cela son essence : cela supposerait que cet être contradictoire peut faire l'objet d'un concept. Mais l'indépassable contradiction qui a été délibérément produite en lui par un Autre, dans la mesure où elle est souffrance consciente de soi, c'est justement sa vérité historique, son âme ; et l'âme de Gustave est née avant lui, comme un projet d'Achille-Cléophas qui n'a pas craint d'engendrer cet anthropopithèque : un cadet. Car il est cadet, Gustave, irrémédiablement, comme Djalioh, produit de l'homme, est irrémédiablement bestial. Et la passivité du petit d'homme vient justement — à ce qu'il croit — de son impuissance fondamentale à modifier une situation qui lui fait horreur : dût-il assassiner Achille (nous verrons qu'il y a songé) il ne serait jamais qu'un cadet assassin. Flaubert y reviendra cent fois, par la suite : l'âme, c'est l'instinct. Et l'instinct, comme contestation passionnelle de la finitude imposée, est fondamentalement pulsion religieuse. Si l'impuissance, en effet, tente de s'arracher au désespoir, que peut-elle faire sinon rêver à la praxis suprême et surhumaine, au miracle, don d'amour qui a, par-dessus le marché, l'avantage de bouleverser d'un tournemain les lois scientifiques que les Achille-Cléophas prennent tant de mal à établir. Mais cette postulation du Tout-Puissant par l'impuissance doit rester un vain appel : dès qu'elle prend forme, c'est momerie. Voici donc l'étrange instrument de supplice que le père a forgé pour son fils : l'âme, ce Mal fondamental, malheur et méchanceté inséparables, déterminée par une insurpassable contradiction historique, l'âme, impuissance consciente, vain appel à un miracle de bonté qui, seul, pourrait faire renaître Djalioh tout à fait homme ou tout à fait singe et, rejetant à 1810 la naissance de Gustave, transformer un cadet en l'aîné de son aîné. N'a point d'âme qui veut : il n'y en a que pour les plus malheureux, qui sont les plus grands coupables. Elle naît de l'exil, d'un refus familial, d'une malédiction : elle est faite — souffrance et cruauté — d'une négation de cette négation première. Mais la négation d'une négation, pour lui, c'est une négation pure ; et la raison en est que cet agent passif ne saurait achever cette négation par un acte — refus radical ou révolte. Aussi faut-il y voir la mort vécue, la vieillesse sans cesse recommencée, l'appel simultané à Dieu et au Néant : l'âme est négation *pathétique* et *vaine*, endurée dans un bouleversement de tout le corps, jamais extériorisée en conduite d'opposition déclarée. Ainsi peut-elle apparaître, au cœur de la matière vivante, comme un entortillement inextricable de masochisme et de sadisme ; en même temps c'est une lacune, une fuite et un pourchas qui tente de vampiriser les choses du monde et, faute de sang frais, tout tombe dans ce vide où bientôt Smarh va tournoyer pour l'éternité. Ceux qui ne voudraient pas voir dans *Quidquid volueris* un exposé d'amertume et dans cette *anima* toute féminine l'intériorisation de la malédiction paternelle, je les invite à relire avec moi *Rêve d'enfer*, ce « conte fantastique » que Flaubert a terminé le 21 mars 1837, à quinze ans et trois mois et que je tiens, malgré un « amphigouri » romantique, pour le plus profond de ses premiers récits.

Rêve d'enfer. Encore des duettistes : le duc Almaroës et Satan sont fils d'un même père. Et le rôle du *pater familias* est tenu cette fois par Dieu lui-même. Le duc est un engin électronique « jeté sur la terre comme le dernier mot de la création ». Le Père éternel, mécontent de sa création précédente, l'homme, a réalisé ce prototype d'après des plans très étudiés. Il a tenu à lui conserver — qui sait pourquoi ? — la forme humaine mais, écœuré de cette malformation, l'âme, il s'est dispensé de lui en donner une, préférant le concevoir sous la forme d'une machine à *feed back*. Le robot n'a pas été mis dans le secret : comme il possédait les traits généraux de notre espèce, il s'est tenu pour un *Superman* jusqu'au jour néfaste où il lui a bien fallu reconnaître qu'il n'était qu'un automate, qu'un bout de matière discipliné. Voici comment il raconte sa découverte et sa déception :

« Peu à peu ces rêves que je croyais retrouver sur la terre disparurent comme songe ; le cœur se rétrécit et la nature me parut avortée, usée, vieillie comme un enfant contrefait et bossu qui porte les rides du vieillard. Je tâchai d'imiter les hommes ; d'avoir leurs passions, leur intérêt, d'agir comme eux, ce fut en vain, comme l'aigle qui veut se blottir dans le nid du pivert. Alors tout s'assombrit à ma vue, tout ne fut plus qu'un long voile noir, l'existence une longue agonie... Je me dis : "Insensé qui veux le bonheur et n'as point d'âme ! insensé... qui crois que le corps rend heureux et que la matière donne le bonheur ! Cet esprit, il est vrai, était élevé, ce corps était beau, cette matière était sublime, mais pas d'âme ! pas de croyance ! pas d'espoir ! '' »

On voit apparaître, *pour la première fois*, le thème de l'insatisfaction et de l'ennui : nous verrons en effet que les personnages des œuvres antérieures, frustrés et rancuneux, sont beaucoup trop tourmentés pour s'offrir le luxe de s'ennuyer. Ici même, l'autre duettiste, Satan, sera le jouet des passions les plus douloureuses, remords et rancune mêlés l'occuperont sans relâche : indisponibilité parfaite. Ce leitmotiv va disparaître des contes postérieurs : Djalioh et Mazza, loin d'être des blasés, se butent sur leur frustration. Et quand il reviendra, dans le cycle autobiographique, l'insuffisance du monde extérieur sera donnée comme une des raisons du vieillissement précoce de l'auteur. Ici, curieusement, c'est la Nature qui est frappée de sénilité. Encore lui reproche-t-on simultanément sa puérilité. Elle est « vieillie comme un enfant contrefait... qui porte les rides du vieillard ». De fait, cet univers raté est éternel, l'éternité lui conserve l'enfance continuée de l'œuvre qui sort des mains du Créateur ; elle lui conserve aussi sa sénilité, ses rides qui n'ont rien à faire avec l'âge et marquent simplement que le Démiurge a raté son coup.

Mais les premières œuvres de Gustave sont là pour témoigner que le petit monstre contrefait, avec ses rides précoces, n'est autre que l'auteur lui-même. C'est lui qui voit son enfance comme une vieillesse *constituée*. Pourquoi est-ce la *Nature* qu'il accuse ici de sénilité ? La raison en est qu'il ne sait pas très bien, au départ, où il veut en venir. J'ai dit qu'il écrit, à l'époque, pour s'éclairer indirectement sur son *estrangement* en l'incarnant dans un personnage qui le lui re-présente à distance. Le thème de l'insatisfaction, tout neuf et tout obscur, est à l'origine de ce nouvel écrit. Mais à l'instant qu'il fait son entrée dans l'œuvre de Flaubert, où il s'apprête à remplir un office capital, il ne s'est pas encore dégagé d'un motif plus archaïque et sans doute plus profond ; l'auteur hésite et ne décide pas, tout d'abord, si notre triste séjour n'est pas assez bon pour Almaroës le Superman ou si, tout au contraire — thème de la culpabilité — une âme est nécessaire pour désirer les biens de ce monde. Ou, si l'on veut, l'autojustification, réponse à une auto-accusation plus profonde, est tout entière pénétrée, en ce premier moment, de cette culpabilité dont Gustave veut se guérir. Pourquoi donc est-ce que je ne sens rien ? Réponse n° 1 : parce que je suis, au fond de moi-même, un vieillard de naissance. Réponse n° 2

— premier produit d'une autodéfense : parce que le vieillard constitutionnel, ce n'est pas moi, c'est le monde. Quoi donc ? Gustave se refuserait, sous le nom d'Almaroës, cette sensibilité exacerbée qu'il se donnera quelques mois plus tard, sous le nom de Djalioh ? À cette question, je réponds qu'il faut attendre : le jeune auteur ne sait où il va, il construit ce héros : l'homme insensible. Pour voir. Et son incertitude est telle — au moins dans les premières pages — qu'il va jusqu'à concéder par inadvertance à son robot l'*anima* qu'il lui déniera dans les pages ultérieures. Il écrit : « (C') était un esprit pur et intact, froid et parfait, infini et régulier comme une statue de marbre qui penserait, qui agirait, qui aurait une volonté, une puissance, *une âme enfin*[1], mais dont le sang ne battrait point chaleureusement dans les veines, qui comprendrait sans sentir, qui aurait un bras *sans une pensée*[2], des yeux sans passion, un cœur sans amour. Arrière aussi tout besoin de la vie, toute réalité matérielle ! tout pour la pensée, pour l'extase, mais pour une extase vague et indéfinie qui se baigne dans les nuages... et qui tient de l'instinct et de la constitution. » En vérité, plus qu'à la matière nue, cette description fait songer à quelque entendement parfait. Ce n'est certes pas *Anima* mais c'est *Animus*, son mâle, l'Esprit, l'Intelligence en acte.

Les mots, ici, révèlent clairement les influences : « la statue de marbre » rappelle très précisément Condillac et, à un moindre degré, La Mettrie ; ces philosophes lui sont évidemment connus par son père. L'homme est un animal-machine puisque la Raison est doublement conditionnée : de l'intérieur par le déterminisme psychologique, à l'extérieur par les liens inflexibles des séquences objectives. Mais Gustave ne peut se retenir de transcender cet auto-

---

1. C'est moi qui souligne.
2. *Id.* L'hésitation du jeune auteur est telle qu'il écrit ici « un bras sans une pensée » et deux lignes plus bas « tout pour la pensée ». Il n'y a cependant contradiction que dans l'*expression*. Les significations restent compatibles : la pensée qui manque au bras séculier, c'est le grand rêve constructif dont les racines plongent dans l'affectivité ; c'est aussi ce pressentiment pathétique de la vie que Flaubert entendra marquer, dans le cycle autobiographique, quand il écrira : « Ma vie, c'est une pensée. » Mais lorsqu'il définit Almaroës par ces mots « tout pour la pensée » il oppose *d'abord* l'entendement — système rigoureux d'informations scientifiques — aux besoins organiques et aux passions. L'ambivalence est claire ici : plus tard Gustave prendra nos besoins trop humains en horreur (et sans doute lui répugnent-ils dès à présent) mais l'absence de besoins est présentée dans ce texte comme une infériorité, c'est le défaut de la cuirasse. L'apparente opposition des deux membres de phrase vient, en tout cas, de la pauvreté du vocabulaire. La plume toujours courante de Gustave assigne au même terme deux offices peu compatibles entre eux.

matisme de précision en faisant tout à coup de la pensée le synonyme de l'extase « vague » ou, si l'on préfère, en donnant celle-ci pour le *terminus ad quem* de celle-là. Qu'elles lui siéent mal, au robot, ces extases — qui caractériseront l'*Anima* de Djalioh d'ici quelques mois ! Du reste, l'adolescent ne les vante guère. Dans *Quidquid volueris*, il insistera sur leur aspect cosmique : l'âme s'élargit jusqu'à faire entrer en elle l'infini ; elles sont, au moins en surface, la fierté du monstre et elles donnent sa grandeur à cet analphabète douloureux. Dans *Rêve d'enfer*, c'est l'aspect privatif qui est d'abord éclairé : l'infini devient l'indéfini, ces ravissements sans contenu se perdent dans le vague, dans les nuages ; sous cette forme, ils paraissent bien proches des hébétudes primitives. N'importe : même s'il dénonce leur insuffisance, peut-on vraiment voir, dans ces états mystiques, l'intelligence suprême ou, si l'on préfère, le dépassement de l'entendement analytique *par lui-même* vers un syncrétisme qui devrait, au contraire — selon les normes du temps — précéder l'analyse et lui fournir ses matériaux ? Gustave est d'ailleurs convaincu que la précision mathématique ne peut produire ces déterminations floues du vécu. La preuve en est qu'il réintroduit tout à coup l'« instinct » et la « constitution » (passive) pour en faire la source véritable de ces états. C'est rétablir l'âme, en deçà et au-delà de la Raison, comme fondement de toute irrationalité et particulièrement du désir fou d'être *ailleurs* et de briser les chaînes de la finitude.

Pourtant cet étrange portrait est celui de Gustave et nous en comprendrons les contradictions, si nous en décelons l'intention primitive. Elle est claire, du reste : Flaubert a prétendu y mettre *à la fois* les instincts primitifs, le Désir originel, les hébétudes *et* le dessèchement que la philosophie mécaniste de son père a provoqué en lui. Cette intelligence merveilleuse qu'il donne à son héros, ce n'est point la sienne mais celle d'Achille-Cléophas ou, plus exactement, celle qu'Achille-Cléophas possède et voudrait lui donner. Et quand il déprécie ses extases, c'est le regard de son père, en lui, qui les dévalorise. Inversement, l'idée fait son chemin, en lui, que cette hyper-rationalisation de son être, si elle devait s'achever sous le contrôle du chirurgien-chef, n'aurait d'autre effet que de lui arracher son âme et de la remplacer par un système rigoureux qui ne serait conforme ni à l'« instinct » fondamental du cadet ni à sa constitution.

Entre ces traits divergents, fruits d'une crise profonde que traverse l'adolescent, un seul lien : la *froideur*, désignation approxi-

mative *mais non symbolique* d'une expérience intime. Qu'il se livre
au calcul opérationnel ou qu'il baigne dans les nuages, Almaroës
se sent, en lui-même et immédiatement, un être « dont le sang ne
battrait point chaleureusement dans ses veines, qui comprendrait
sans sentir... qui aurait un cœur sans amour ». Cela signifie que
le duc peut réduire les objets extérieurs ou les sentiments d'autrui
à leurs éléments ou se perdre dans la totalisation panthéistique du
cosmos mais qu'il est incapable — à la différence des hommes —
de désirer les biens de ce monde un à un et dans leur singularité.
Le Superman a ceci de commun avec le sous-homme, Djalioh, que
ni l'un ni l'autre ne peuvent partager les fins humaines. Mais Flaubert semble avoir expérimenté « pour voir » : en s'incarnant la bête
est rongée par son âme, elle n'a que trop de cœur; le robot sait
tout sur notre planète et sur les autres, il a la science infuse : Dieu
l'a fait tel; à certains moments, il semble qu'Almaroës tire ses
connaissances de soi seul : il suffit qu'il soumette ses idées innées
à une combinatoire dont le Tout-Puissant lui a donné le secret. Mais
ce qui l'empêche à tout jamais de connaître les humbles joies des
hommes et leurs vastes souffrances, c'est qu'il n'a point de sensibilité. Tout entier savoir et praxis, le *pathos*, en lui, s'est atrophié.

Dans les pages qui suivent immédiatement cet autoportrait, Flaubert hésite encore entre la superbe et l'humilité. La première explication de cette splendide anorexie, c'est l'orgueil qui la lui souffle :
il est trop grand pour ce monde : il s'enflammerait d'un coup — et
quel brasier ! Mais rien n'en vaut la peine : Almaroës « arrivé au
milieu des hommes sans être homme comme eux... et d'une nature
supérieure, d'un cœur plus élevé et qui ne demandait que des passions pour se nourrir... était rétréci, usé, froissé par nos coutumes
et par nos instincts... les chauds embrassements d'une femme
(l'auraient-ils) fait palpiter un matin, lui qui trouvait au fond de
son cœur une science infinie, un monde immense ?... Nos pauvres
voluptés... toute la terre avec ses joies et ses délices, que lui faisait
tout cela à lui qui avait quelque chose d'un ange... Toute cette
nature, la mer, les bois, le ciel, tout cela était petit et misérable.
Il n'avait point assez d'air pour sa poitrine, point assez de lumière
pour ses yeux et d'amour pour son cœur ». Cette fois, nous sommes fixés : Gustave ne demanderait qu'à désirer les voluptés terrestres : tout son malheur vient de ce qu'elles ne sont pas désirables.
On croirait lire — déjà — une page des *Mémoires* ou de *Novembre* : la tactique défensive — rejeter toute la responsabilité sur
l'Autre — amorce le passage à l'objectif et à la volonté d'univer-

salisation, bref à l'insincérité des autobiographies. De fait ses explications passent d'elles-mêmes du particulier à l'universel mais, à mi-chemin, elles s'arrêtent. Il en viendra, dans *Novembre*, à considérer le caractère le plus général et le plus abstrait de tous les hommes et de toutes les choses, leur *Être*, comme une tare : pour lui, l'existence est un défaut du Néant. Mais, dans *Rêve d'enfer*, il ne s'élève pas à une contestation si radicale : microcosme et macrocosme sont liés et tous deux sont bien particuliers ; il y a cet anormal, le duc Almaroës, produit d'un *Fiat* singulier, et puis il y a cette petite Création miteuse : la terre avec sa faune et sa flore, espèces définies, dénombrées, classées, toujours pareilles à elles-mêmes et se reproduisant sans jamais surprendre, dans un cycle ennuyeux de répétition, chacune imparfaite dans sa monotonie et, bien qu'elle ait fait l'objet d'un décret spécial, puisant dans sa facticité une nauséabonde apparence de hasard. Terre mal cuite, molle par places, brûlée ailleurs, entourée de son manchon de gaz pauvres, le ciel. Ce petit monde, produit d'un méchant Démiurge, l'auteur nous le présente comme un mauvais tableau *signé*, surtout comme un mauvais enfant, loupé : un certain peintre, un certain père ont manqué leur coup. Erreur historique et datée. L'homogénéité du microcosme — Almaroës tenant lieu de Gustave — et du macrocosme — notre système planétaire — est établie : ce sont deux produits singuliers d'une même volonté, le premier en date étant fait pour servir de cage au second. Dans *Rêve d'enfer* Gustave semble féru d'artificialisme : c'est qu'il refuse tout net d'être un produit de cette Nature ignoblement féconde qu'il méprise. Les matériaux viennent d'elle mais il a fallu une Intelligence et une Volonté supranaturelles pour les assembler et les retravailler. « C'est, dit-il d'Almaroës, le dernier mot de la Création. » Bref il affronte cet univers périmé avec un sentiment de supériorité : entre la production peineuse de la Terre, des misérables organismes qui y végètent et la fabrication d'Almaroës, l'usine s'est modernisée. Gustave ose enfin se venger des Autres et de cette anomalie qu'ils condamnent : il prend leurs quolibets et les leur retourne : « (Je suis) rétréci, usé, froissé par vos coutumes et vos instincts ! (Mon anomalie c'est la normalité même puisque je la dois à) une nature supérieure, à un cœur plus élevé. » Et si je ne daigne pas m'intéresser à la marche du monde, c'est que je ne veux point m'abaisser comme ils font en rabattant mes exigences. Robot sublime, je réponds du tac au tac à mes accusateurs : vous m'accusez de manquer de cœur quand je suis rongé du grand Désir de Tout ? C'est vous, les atro-

phiés du cœur, dont les désirs se sont peu à peu réduits et stéréoty-
pés. Dès quinze ans, Gustave est à deux doigts de découvrir une
des valeurs clés de son univers : la grandeur de l'homme se mesure
à son insatisfaction. Ce qui l'en détourne provisoirement, c'est le
caractère particulier du reproche qu'on lui fait alors : les parents
Flaubert doivent s'inquiéter de son anorexie : « Ce garçon, dit-on
alors, n'a de goût pour rien ; rien ne l'intéresse. » Mais cette absence
de sentiments et de désirs est privation pure : elle ne comporte par
elle-même, ni en Gustave ni pour les témoins de sa vie, aucun
malaise, aucune souffrance : l'enfant n'est pas un Dieu déchu qui
se souvient des cieux. Il se sent malheureux, ce n'est pas douteux,
mais pour d'autres raisons — comme nous le verrons dans ce même
conte. Quant à son indifférence, ce sont les autres qui la remar-
quent et la lui font remarquer : il n'aime pas sa grand-mère, peut-
être, ou pas assez, il ne se passionne pas pour ses études, il n'est
pas attiré par les jeux bruyants et brutaux de son âge, on le trouve
d'abord difficile, il éprouve rarement de la sympathie pour les amis
de sa famille ? Et après ? Cela ne fait pas souffrir, ce n'est à la lettre *rien* et l'on ne peut imaginer qu'il s'en désole *sauf* si les autorités sacrées dénoncent ce rien comme une carence. C'est à cette
dénonciation qu'il répond en l'arrachant de lui et en la relançant
contre l'accusateur. Avant d'être ressentie et pleinement consciente
de soi, l'insatisfaction, même si, obscurément, elle trouve dans les
profondeurs quelque répondant, naît *sous la plume* de Gustave
comme une autojustification et un argument *ad hominem*. Rien
ne le fait mieux sentir que cette accusation de sénilité brusquement
portée contre le monde ; Gustave croit entendre une rumeur : enfant
vieillot, contrefait, âme ridée ! Il se raidit et crie à l'Univers : Vieillard toi-même ! Vieillard en enfance ? Pourquoi pas ? Nous verrons
bientôt que cette défense hargneuse, encore abstraite et non exempte
de verbalisme est, comme il est de règle chez Flaubert, oraculaire.
Ce n'est pas seulement son attitude future qu'il prophétise, c'est
aussi celle de son siècle ou plutôt de *son* demi-siècle, qui commence
en 1848 et se prolonge après sa mort, marqué par lui à l'encre indélébile.

Toujours est-il que l'idée n'est point mûre ; aussi Flaubert tourne-
t-il court. À la première apparition de Satan, changement à vue.
Almaroës confesse au Démon, fort sceptique, que, n'ayant point
d'âme, il ne saurait aimer. Ce brusque changement de signe ne peut
manquer de frapper ; Almaroës, au début du récit, semblait posséder une âme : on la lui retire ; par un réflexe d'orgueil, Gustave

expliquait son vide, son ennui, son insensibilité *par excès*. À présent, on dirait qu'il a brusquement décidé de plaider coupable, il explique la froideur de son sang *par défaut*. Si le robot manque de chaleur, c'est qu'il *n'est pas assez* pour aimer. Il semble que l'auteur, par un coup d'inspiration, ait découvert à cet instant le sens du conte qu'il avait entrepris à l'aveuglette et trouvé, pour rendre son idée brumeuse et profonde, un nouveau symbolisme. La preuve : nos duettistes, dès ce moment et jusqu'au bout, seront chargés d'opposer l'âme pure — qu'incarne le Démon — à la pure matière, à quoi finalement se réduit le duc surhumain. De fait Almaroës dont on venait de nous apprendre qu'il avait « quelque chose d'un ange » se transforme d'un coup en un « automate froid », on lui prête l'insensibilité parfaite du minéral. Le Diable expose le thème : « Tu ne désires rien, Arthur, tu n'aimes rien, tu vis heureux car tu ressembles à la pierre, tu ressembles au néant. » Ces mots seront repris, plus tard, dans *Novembre* : « ... Ces longues statues de pierre couchées sur les tombeaux : leur calme est si profond que la vie ici-bas n'offre rien de pareil... on dirait qu'ils savourent leur mort... s'il faut encore (après la mort) sentir quelque chose, que ce soit son profond néant. » Un jour, plus tard encore, vers la fin de sa vie, Flaubert nous dévoilera la positivité cachée de cette négation : son dernier Antoine, aux dernières lignes de la dernière *Tentation*, soupirera ce vœu de toutes les lassitudes : « Être la matière. »

A-t-il dit vrai, Satan, et l'exfoliation de l'âme a-t-elle pour effet de donner sinon le bonheur — où le prendrait-on ? — du moins l'ataraxie à l'automate sublime ? On le dirait parfois. A lire ce passage, par exemple : « Eh bien, cet homme qui paraissait si infernal et si terrible, qui semblait être un enfant de l'enfer, la pensée d'un démon, l'œuvre d'un alchimiste damné, lui dont les lèvres gercées semblaient ne se dilater qu'au toucher frais du sang, lui dont les dents blanches exhalaient une odeur de chair humaine, eh bien cet être infernal, ce vampire funeste, n'était qu'un esprit pur et intact, froid et parfait... » La froideur et la perfection : voilà du moins qui, sans rien donner de positif, ôte toute possibilité de souffrir. La machine ne désire rien : pas de frustration possible. Elle ne se dérègle jamais : donc elle ne connaîtra jamais l'angoisse de la paralysie ni celle de tourner à vide ni l'affolement de se sentir, en réponse à des *stimuli* précis, donner des informations fausses. Mais, en y réfléchissant, un doute nous vient : cet esprit pur, intact, froid, pourquoi lui avoir donné de si funèbres apparences : était-il nécessaire qu'il apparût aux autres comme l'« œuvre d'un alchimiste damné »? Pourquoi les dents de ce minéral — qui ne se nourrit point puisqu'il ignore les besoins — exhalent-elles une odeur de chair humaine? Almaroës n'est pas même misanthrope : pourquoi cet aspect d'anthropophage?

Remarquons d'abord que l'aspect physique du robot est explicitement donné pour un déguisement. On nous apprend que « cet être étranger et singulier, arrivé au milieu des hommes sans être homme comme eux, a leur corps *à volonté*, leurs formes, leur parole, leur regard ». Donc il est responsable de ses traits, de son allure : « Le regard de plomb, le froid sourire, les mains glaciales, la pâleur... », *il se les donne* tout autant que la douceur satinée de sa peau « blanche comme la lune » ou que ses cheveux bleus. En un mot, il a choisi le corps comme symbole de son état subjectif. Ces mots « à volonté » n'ont pas été mis là par inadvertance : ce propos reçoit les confirmations les plus diverses. Celle-ci d'abord : « Il passait vite au milieu des paysans silencieux... se perdait à la vue, rapide comme une gazelle, subtil comme un rêve fantastique, comme une ombre, et peu à peu le bruit de ses pas sur la poussière diminuait et aucune trace de son passage ne restait derrière lui si ce n'est la crainte et la terreur, comme la pâleur après l'orage. » Un peu plus loin l'auteur nomme ces promenades « courses ailées ». En vérité, ce robot laisse des traces de pas quand il veut : la forme la plus sublime de la matière se caractérise par la libre dématérialisation. Almaroës, nous dit-on, n'a pas d'âme : soit. Mais, dans ces premières pages, il n'a pas de corps non plus à moins qu'on entende par là ce fantôme dépondéré, simple image de sa frustration. Quand le duc et le Diable font une brève visite à Julietta, on les aperçoit « collés contre la muraille »; le chef de famille décroche son fusil, les ajuste et tire : en vain; les balles se logent dans le mur, à la bonne place, et « les deux fantômes disparaissent ». Que Satan soit fantôme, à la bonne heure : ce n'est qu'une âme. Mais le duc, ce fragment de la matière, n'en a pas même l'impénétrabilité. À mesure, toutefois, que le contraste s'accuse entre les deux duettistes, on insiste sur la matérialité d'Almaroës : déjà, après son entrevue avec Satan, « Arthur ouvre ses immenses ailes vertes, déploie son corps blanc comme la neige et s'envole vers les nues ». Des ailes; un équipement d'oiseau : voilà qui est mieux. Bien sûr, c'est la meilleure métaphore pour *donner à voir* l'extase : et les mots d'envol ou d'envolée ne cesseront plus de revenir sous la plume de Gustave. Mais, dans le contexte, il faut *aussi* prendre les termes au sens propre : Arthur pèse sur l'air ; s'il s'élève jusqu'aux nues c'est que l'air le soutient ; ce moyen de transport n'est plus magique mais physique. Dans la dernière bagarre avec le Démon, Almaroës reçoit enfin la force et l'impénétrabilité : « Le souffle bruyant qui s'exhalait de sa gorge repoussait Satan, comme la furieuse vibration d'une cloche d'alarme qui bondit dans la nef, rugit, ébranle les piliers et fait tomber la voûte. » Ainsi ce Protée représente les avatars infinis de la matière : tantôt il semble fait, comme les Dieux d'Épicure, d'un ruissellement d'atomes si subtils qu'on ne le distingue pas d'un fantôme inconsistant ; et tantôt, parlant de son « corps léthargique », l'auteur n'hésite pas à lui prêter la « morgue hautaine de la matière brute et stupide » sans perdre de vue qu'il lui donnait, quelques lignes auparavant, un foudroyant génie. Bref, Almaroës se donne l'extérieur qui convient à ses dispositions intimes : s'il fuit les hommes, il court sans toucher terre ; s'il cherche l'extase, le voici lourd comme un ange, comme un avion qui décolle et rentre son train d'atterrissage ; pour le quotidien ce mouvement perpétuel et inusable a *choisi* un organisme usé, un visage ridé, des yeux creux de la même manière qu'il a élu domicile dans un château ruineux : au point qu'on ne sait qui des deux mime l'autre, de cet alchimiste émacié ou de cette pierraille que le lierre retient mal de s'effondrer. L'influence de Goethe sur cette imagerie ne peut échapper : ce savant « au front pâle... aux yeux creux et rougis... à la peau blanche et tirée... aux mains maigres et allongées », c'est Faust, avant sa rencontre avec Méphisto, de même que Julietta, troisième protagoniste, est directement inspirée de Gretchen. C'est le souvenir de *Faust* qui dévie parfois les intentions de Flaubert et qui transforme, par exemple, en *chercheur* le duc de fer qui connaît tout d'avance. Mais la raison profonde qui pousse le jeune homme à donner au robot l'aspect d'un vieillard, elle vient du plus profond de lui-même : écoutons-le, plutôt, décrire son personnage au moral : « L'existence (ne fut plus) qu'une longue agonie... après avoir vu passer devant moi des races d'hommes et des empires, je ne sentis (plus) rien palpiter en moi... tout fut mort et paralysé à mon esprit. » Et Flaubert dit ailleurs : « Il aimait les longues voûtes prolongées où l'on n'entend que les oiseaux de la nuit et le vent de la mer ; il aimait ces débris soutenus par le lierre [1], ces sombres corridors

---

1. Le thème du lierre, ici présent, six mois avant son emploi dans *Quidquid volueris*, livre assez clairement ses éléments négatifs. En somme, dans *Rêve d'enfer,* les relations sont renversées : le lierre est le sujet *pratique* : il retient ensemble des matériaux inertes qui s'éparpilleraient sans son effort synthétique. Mais, bien entendu, le mot « débris »

et toute cette apparence de mort et de ruine [1] ; lui qui était tombé de si haut pour descendre si bas, il aimait quelque chose de tombé aussi ; lui, qui était désillusionné, il voulait des ruines, il avait trouvé le néant dans l'éternité [2], il voulait la destruction dans le temps. » Almaroës n'est pas insensible : voilà qui surprendra. Comment une machine peut-elle souffrir ? Elle n'a pas d'âme : Satan le lui a bien dit : c'est sa chance inouïe. Pas d'âme, pas de souffrance. Sauf une, que le Démon ne peut pas connaître : l'entendement pur, privé d'âme, souffre justement de n'en avoir pas. C'est sa frustration première, confessée dans la honte et claironnée dans le ressentiment : « Pas d'âme, pas d'espoir ! » Le reproche le plus visible sinon le plus profond que l'adolescent adresse à son père c'est de lui avoir fait perdre la foi : cette apathie que vous nommez sénile, vous me l'avez donnée en m'affectant d'agnosticisme. Nous retrouvons ici le juge-pénitent qui confesse volontiers ses crimes pour pouvoir en dénoncer le véritable auteur, celui qui a guidé sa main ; la mort de Dieu n'est pas un déficit localisable : aux yeux de Gustave c'est la métamorphose radicale de Tout en Rien ; son indifférence ne représente en somme que l'intériorisation du Néant. C'est ce qui explique ces mots « tombé de si haut... si bas » qui, à première vue, semblent évoquer la réminiscence platonicienne, le souvenir hallucinant et vague d'un séjour aux Cieux. Nous le savons, le contexte

ne vise pas ici le beau ni le sublime : il désigne simplement les éléments accolés d'une expérience involutive. L'activité synthétique prolonge l'agonie des ruines ; pis : c'est elle qui les dégrade. Nous constatons une fois de plus qu'il y a, chez Flaubert, des motifs tenaces, schèmes opérationnels qui passent d'une œuvre à l'autre et, dans une perspective générale qui ne varie pas, peuvent exprimer l'aspect positif de cette expérience aussi bien que ses déterminations négatives. L'étroite affinité « lierre-débris » est une ligne de force, c'est un pli de l'imagination créatrice ; le verbe décidera de la réalité symbolisée : que le lierre *soutienne* ou qu'il *s'accroche*, tout change. Bref on dirait d'une synthèse passive dont la signification opératoire est chaque fois déterminée au niveau de l'intention pratique. Cela ne veut pas dire que l'agglomérat n'ait pas, en lui-même et avant toute intervention, une valeur indicative. Mais celle-ci n'est pas en elle-même *expression*, elle est, plus profondément, l'indistinction de la structure et du dépassement. Ce qu'elle donne, ce n'est jamais la *signification* mais le *sens* : nous y reviendrons bientôt.

1. Ce château, nul n'en doutera, c'est la transposition de l'Hôtel-Dieu : mais, ici, le symbolisme est explicite.

2. Pour tout dire, sur cette éternité elle-même Gustave n'est pas trop fixé. Parfois il prend le mot dans le sens d'*immortalité* : « car il était condamné à vivre » et cette vie sans terme est conçue, par définition, comme un processus temporel. D'autres fois, il s'agit bien de la négation de toute durée — par exemple : ici même. Et il arrive aussi qu'Almaroës envisage sa propre mort : « Il savait qu'un jour viendrait où le néant emporterait ce Dieu, comme ce Dieu l'emportera un jour. » « Condamné à vivre » signifierait, en ce cas, qu'il ne peut se tuer de ses propres mains mais que le Tout-Puissant l'a réglé comme une horloge : il finira par s'arrêter. Dans ce même passage, un peu plus loin — d'autres, dans la même nouvelle, le contredisent —, Dieu même est mortel, ce qui, s'il en était besoin, achèverait de démontrer qu'il incarne le *pater familias*.

interdit cette interprétation lamartinienne ; le robot, créé par un travail opéré systématiquement sur des prélèvements de matière cosmique, a surgi *dans le monde* : c'est l'âme, pour Lamartine et pour Platon, l'âme seule qui peut se rappeler l'existence *spirituelle* qu'elle a connue *avant* de tomber dans le corps. Le corps d'Almaroës, tel que Gustave le conçoit, ne peut avoir qu'une mémoire matérielle et qui ne porte que sur la matérialité du Cosmos. En conséquence, il semble à première vue qu'il ne puisse être tombé de nulle part. Mais le contexte nous éclaire : c'est la « désillusion » qui est symbolisée par la chute. Arthur croyait avoir une âme : il s'est détrompé. Il est, du coup, *blasé* : Dieu est mort, l'âme s'est du même coup abolie ; reste un monde décoloré qui vend ses drogues et ses plaisirs à la petite semaine mais qu'on ne transcendera plus jamais vers l'Absolu. Car, pour Almaroës, l'âme, si elle existait, *se constituerait comme trans-ascendance*, à partir de l'insatisfaction. Mais, comme originellement, il se plaint de ne pouvoir convoiter les maigres biens de ce monde et qu'il attribue cette anorexie à la carence de son *Anima*, nous comprenons ce que Flaubert veut nous dire : ce qui fait défaut, chez Arthur, c'est le Grand Désir, celui qui brûlera Mazza, le pouvoir de réclamer l'Infini à travers le fini. Conception toute chrétienne : c'est, en fin de compte, à Dieu que s'adresse l'amour que nous portons — fût-il charnel — à ses créatures. Et, inversement, si nous n'aimions pas Dieu, même à notre insu, nous ne pourrions rien aimer, fût-ce un corps de femme. Almaroës n'est pas privé de Dieu car il est convaincu de Son existence ; mais c'est le Créateur qui, en le privant d'âme, l'a rendu incapable d'aimer Sa Toute-Bonté, Sa Toute-Puissance et, conséquemment, d'aimer quoi que ce soit. C'est qu'il y a eu télescopage entre deux systèmes symboliques : Dieu est tout à la fois le *pater familias* soucieux d'engendrer dans les règles un fils parfait, c'est-à-dire un surhomme, mais ce même Père symbolique, craint, admiré, maudit a voulu, pour parfaire son œuvre, enseigner l'agnosticisme à sa créature. Derrière le duc magnifique, nous entrevoyons le pauvre Djalioh ; Gustave s'adresse en douce à Achille-Cléophas et lui dit : Vous avez voulu faire de moi votre disciple et votre émule, un savant impassible et froid. Grand merci mais, voyez-vous, je n'étais pas digne de ce projet grandiose : j'étais passion, j'étais instinct, ma constitution me portait à croire plutôt qu'à connaître et, par cette raison, j'inclinais à devenir croyant. Vous avez refoulé, bridé ma nature religieuse et vous avez voulu substituer à mes vagues extases de sèches évidences que je ne comprenais pas faute de posséder cette puissance affirmative et négative qui vous est propre et qui a rendu si glorieuse notre famille. De tout cela, que reste-t-il ? Un système complet de *connaissances* dont chacune doit engendrer la suivante, que je récite par cœur sans les *connaître* ; et puis un cœur fruste, bardé d'interdits, dont les élans sont cassés net dès le départ, et le sentiment que tout est absurde, à commencer par la Science, dans ce monde désert où je traîne mon délaissement. Cette traduction nous permet d'interpréter certaines contradictions déjà relevées chez Almaroës : cet esprit pur et mathématique connaît des ravissements vagues, en général ignorés des mathématiciens ; il est heureux tant qu'il croit posséder une âme, il agonise lorsqu'il s'est aperçu qu'il n'en avait point. Le jeune garçon, bien qu'il s'incarne en Almaroës, ne peut s'identifier entièrement à son personnage : le docteur Flaubert n'a pas *supprimé* l'âme de son fils cadet ; il l'a simplement refoulée, enfoncée au plus profond de l'être : l'enfant se sent coupé d'elle par cet instrument de torture, *Animus*, les évidences des autres, ce système dont on a, du dehors, obéré son esprit mais où il ne se reconnaît pas ; cachée, brimée, la meilleure et la plus intime partie de lui-même n'en subsiste pas moins : c'est elle qui lui envoie des signaux indéchiffrables, qui, parfois, perçant à travers le mur d'acier des connaissances acquises, le provoque à de tristes extases, ressenties à la sauvette, honteusement. C'est elle enfin qui, dans les ténèbres, se désespère sans qu'il ait même le droit d'assumer ce désespoir et de le reconnaître pour sien.

Mais les pensées sont des pyramides : bien avant l'apparition de Satan, le duc connaît sa destinée : « Rien pour lui désormais ! tout était vide et creux ; rien qu'un immense ennui, qu'une terrible solitude, et puis des siècles à vivre, à maudire l'existence, lui qui n'avait pourtant ni besoins ni passions ni désirs ! Mais il avait le désespoir ! » Désespoir usurpé : d'où viendrait-il ? Eh bien, à la fois de ce qu'Arthur est trop grand pour ce monde et de ce qu'il endure la frustration fondamentale : on lui a refusé justement le pouvoir de souffrir. Or si l'âme est frustration, la frustration d'un corps est une âme. La « matière brute et stupide », dans sa compacte impénétrabilité, est l'Être pur et le *manque d'un manque*. Cette absence du négatif au sein de la positivité plénière devient, sentie, une âme à l'envers, négation d'une négation qui échappe. Désespoir de ne pas aimer, de ne pouvoir convoiter. De toute manière le désespoir est un trait constitutionnel de l'âme. L'ennui, c'est l'Être pur dans son équivalence universelle ; mais à la longue l'ennui désespère. Bref il y a dans la matière un obscur *conatus* vers le Néant et cette lacune au sein de la plénitude réintroduit chez le duc-robot tous les sentiments négatifs. Simplement ils sont du second degré : il désire désirer, souffre de ne pas souffrir ; par là nous atteignons le niveau de la réflexion. L'âme sera un malheur immédiat, spontané chez Djalioh ; chez Arthur, elle est réfléchie. Par le fait, en dépit des influences d'un romantisme de pacotille et d'une tendance irritante à l'hyperbole, *Rêve d'enfer* est une œuvre riche et profonde qui doit son intérêt à ces deux caractères, opposés partout ailleurs, ici complémentaires : c'est la dictée d'un onirisme à peine dirigé, qui d'abord ne sait où il va, et le premier affleurement de Gustave à la conscience réflexive. C'est le rêve, en effet — le rêve d'enfer — qui, par ses sinuosités et son apparente inarticulation mais, en même temps, par je ne sais quelle monition, pose à Gustave les questions auxquelles celui-ci tente de répondre non pas en forgeant un nouveau mythe mais en tentant de réfléchir sur ce cauchemar. N'entendons pas par là que la réflexion le réveille : on réfléchit en rêve. À ce niveau, qui n'est plus éthique mais ontologique, la plénitude de l'Être est hantée par l'impossible Néant. L'origine de cette signification infra-structurelle, on l'a déjà deviné : c'est l'impossibilité de dire non, vécue par Gustave comme l'insupportable plénitude d'un agent *constitué passif*. Almaroës, le roi de la Praxis, ne fait, en vérité, qu'obéir à l'artisan qui l'a fabriqué : la révolte contre sa condition lui est interdite. Et cette révolte interdite donc *inconcevable, indisable*, noyée sous la docilité, indestructible, cependant, puisqu'elle est *produite par l'être* comme son impossible désir d'abolition, c'est l'âme de l'esclave, c'est la spiritualité de la matière.

Voilà donc ce qu'Arthur entend manifester par l'aspect physique qu'il se donne : non l'éternelle jeunesse de la matière et de l'entendement mais la vieillesse éternelle d'une désolation qui n'ose pas dire son nom et qui n'est autre que l'âme. Le texte est clair : le duc ne souffre d'aucune privation terrestre puisqu'il n'a point de désirs. Il maudit son existence dans sa totalité. L'ablation de l'organe spirituel a les mêmes effets que celle de la prostate : la sénescence de tous les tissus. Quant à l'épouvante qu'il provoque, ce monstre d'enfer, quant à l'odeur de sang fraîchement bu qui s'échappe de sa bouche, elles sont spécialement destinées par Almaroës et, à travers lui, par l'auteur, à montrer que cet esprit parfait connaît tous les luxes noirs, même la haine. Montrant au Démon la mer : « Voici ce que j'aime, dit-il, ou plutôt ce que je hais le moins. » Ce qu'il hait le plus : Dieu. Il « a passé des siècles à le maudire » et rêve parfois d'anéantir la création tout entière. Eh quoi, la haine n'est-elle pas une passion ? Si, justement et, chez Almaroës, elle n'est que cela. Au lieu que, dans la réalité, ce sentiment complexe ne trouve de consistance que dans la vigilance qui l'accompagne et que dans les menées patientes qui, surgissant de lui, le transforment en volonté de nuire et lui donnent le statut objectif d'une entreprise. Une haine qui ne se dépasse pas en un acte qui l'affirme n'est qu'un rêve de haine. Disons que c'est le contenu fantôme de l'âme virtuelle qui hante la matière ; magnifique et puérile vision métaphysique d'un enfant malheureux, Almaroës, c'est l'Univers, cette passivité matérielle que Dieu a tirée du Néant et sculptée pour sa gloire et qui *subit* à la fois les lois inflexibles du Créateur et la haine impuissante qu'il Lui voue, trame secrète de son être. Chez Gustave, c'est, engendrée et dissimulée par l'ennui, une méchanceté secrète et inefficace que nous aurons plus tard à décrire sous le nom de ressentiment.

Or le principe spirituel a été la première création, très archaïque et depuis longtemps abandonnée, du Démiurge : avant Almaroës, il avait fait les hommes ; avant les hommes, les anges ; âmes pures, c'est-à-dire privées de corps : l'un d'eux a mal tourné ; c'est le Malin. Le propos de Flaubert est d'opposer, en un duel sans merci, le corps sans âme à l'âme sans corps. Satan, roi des âmes terrestres, s'est convaincu pour son malheur que le duc de fer était un homme et qu'une de ses sujettes s'est cachée dans cette machine à calculer : il veut l'en arracher et l'entraîner en enfer, s'entête, malgré d'obligeants démentis, se dépense sans compter, kidnappe la plus jolie fille du monde, la rend folle d'Arthur et la jette aux pieds du robot : pour le tenter, sans résultat appréciable, comme bien on pense ; désespéré par son échec, il souffre mille morts, grince des dents, hurle, pleure et n'a d'autre consolation que de damner, en passant, la pauvre amoureuse : « Non, non, tu n'as pas d'âme, je me suis trompé mais j'aurai celle-là. » Un peu plus tard, c'est la bagarre : le Diable perd la tête et veut sauter dans les plumes d'Arthur : « C'était deux principes incohérents qui se combattaient en face... il fallait les voir en lutte, l'âme et le corps. » L'issue du combat n'est pas douteuse : le duc envoie Satan au tapis, aussi sec, et s'en va traîner ailleurs son *spleen* et son désintérêt.

On sera tenté de prendre cette confrontation pour un simple exercice de rhétorique : « Vous opposerez la détresse de l'âme sans corps à l'indifférence léthargique du corps sans âme ; vous conclurez en insistant sur la nécessité de les unir. » Or, justement, il n'en est rien. D'abord parce que cette union — deuxième essai du Créateur — a donné naissance à l'homme qui s'est montré, comme on sait, très inférieur à ce qu'on attendait de lui. Ce second ratage est représenté dans la nouvelle : c'est la pure Julietta qui passe, comme fera Mazza, d'un chaste sommeil à l'enfer de l'amour et qui finit damnée. Et puis, lorsque les deux monstres en viennent au pugilat, Gustave s'écarte un peu, pour leur laisser du champ, et médite : « Qu'ils étaient grands et sublimes, ces deux êtres qui réunis ensemble auraient fait un Dieu : l'esprit du mal et la force du pouvoir. » Ainsi, l'union est envisagée mais elle ne supprimera, à supposer qu'elle puisse avoir lieu, ni le malheur ni la méchanceté. Sans doute les deux combattants sont l'un et l'autre frustrés et nous verrons Satan se plaindre amèrement de n'avoir pas de corps. Mais, on s'en apercevra, ce n'est pas cette frustration-là qui fait son malheur : s'il avait la chance de s'insérer dans un organisme, loin de s'adoucir, il aurait l'âcre jouissance criminelle de joindre le Mal physique au Mal spirituel. Un Dieu né de l'union de la force brutale et de la méchanceté ? De ce Dieu-là, Dieu nous garde : il n'aurait d'autre but que de faire sauter le monde. Du reste, nous l'avons vu, Almaroës n'est pas dépourvu d'une certaine sorte d'âme. Inversement, Satan possède des pouvoirs physiques, plus efficaces qu'il ne le dit. Par cette raison, Flaubert y insiste, ces deux principes ne sont pas complémentaires mais « *incohérents* ». Il convient donc, pour comprendre le sens du conflit qu'il a imaginé, d'étudier Satan, l'*Anima*, comme nous avons fait Arthur, l'*Animus*. Lisons.

« Qu'as-tu qui fasse ta gloire et ton orgueil, l'orgueil, cette essence des esprits supérieurs ? Qu'as-tu ? (répète le duc). Réponds !

« — Mon âme (dit le Démon).

« — Et combien de minutes dans l'éternité peux-tu compter que cette âme t'ait donné le bonheur ? »

Satan, dans ce dialogue, prétend s'enorgueillir d'*avoir* une âme. Mais il confesse ailleurs « je n'ai *que* l'âme » ; ces mots mêmes sont impropres : l'homme chrétien, ce composé, peut déclarer qu'il *a* une âme et, tout aussi bien qu'il *a* un corps, c'est qu'il se place en chaque cas du point de vue de la totalité hétéroclite qu'il *est*. Mais Satan, lui, qui « ne peut ni prendre ni toucher », faute d'organes physiques, *n'est* qu'une âme ou plutôt, puisqu'il s'agit d'un mythe délibérément choisi pour son amplitude, il *est l'Âme* et rien d'autre (malgré certains pouvoirs que nous découvrirons bientôt). Peut-il, dans ces conditions, prétendre que son âme « fait » son orgueil ? Non mais qu'elle *est* son orgueil. Ou plutôt, que l'orgueil *est* son âme, qu'il s'en fait le levain. Le thème de l'orgueil, que nous retrouverons dans les autobiographies et dans les carnets, fait ici sa première apparition explicite ; Flaubert, plus malin ou plus profond que le Malin, fait dire à Almaroës que l'orgueil est l'*essence* des esprits supérieurs. Nous avons bien lu : non pas « le propre des esprits supérieurs » mais leur *essence*. C'est lui, somme toute, qui les produit dans leur supériorité, c'est-à-dire dans leur être même. Nous avons rencontré cette idée — mais plus enveloppée — dans *Passion et Vertu*. Mazza est folle d'orgueil. Mais il faut noter qu'elle ne l'a point toujours été : il a fallu qu'Ernest la fuie pour que son malheur démesuré provoque en elle cette altière fierté qui lui fait mépriser le monde. L'orgueil, valeur suprême, apparaît quand la souffrance est infinie ; il n'est autre que la conscience inébranlable et fixe, à travers la douleur vécue, de la capacité de souffrir qu'elle suppose. Malheur et orgueil sont à l'origine de l'âme. Le premier crée la « plaie », le second, refusant les remèdes, en explore la contenance, autrement dit la somme de malheur qui peut y entrer. C'est pour cela que Satan, après cette fière déclaration, ne cesse de gémir et, du coup, paraît se contredire sans cesse.

... « Je n'ai que l'âme, l'âme souffle brûlant et stérile, qui se dévore et se déchire lui-même ; l'âme ! mais je ne peux rien, je ne peux qu'effleurer les baisers, sentir, voir et je ne peux pas toucher, je ne peux pas prendre... Que ne suis-je la brute, l'animal, le reptile... ses désirs sont accomplis, ses passions sont calmées. Tu veux une âme, Arthur ? Une âme, mais y songes-tu bien ? Veux-tu être comme les hommes ?... maigrir de désespoir, tomber des illusions à la réalité ? Une âme ! mais veux-tu les cris de désespoir stupide, la folie, l'*idiotisme* [1] ?... Tu t'abaisserais jusqu'à l'espoir ? Une âme : tu veux donc être un homme, un peu plus qu'un arbre, un peu moins qu'un chien ? »

Il y a quelque incohérence dans ces lamentations : dans la première partie de sa complainte, Satan dénonce le malheur de « n'avoir qu'une âme » et de n'être pas lesté par la pesanteur matérielle du corps ; dans la deuxième partie « Veux-tu être comme les hommes ?... maigrir de désespoir, tomber des illusions à la réalité... » il tient *Anima en tout cas* pour le principe absolu de la souffrance. S'adressant à Almaroës, qui prétend être tout entier corps, le Démon tente de lui faire comprendre que, si parfaite que soit

---

1. C'est moi qui souligne.

l'organisation matérielle du robot, il *deviendrait homme* (un peu plus qu'un arbre, un peu moins qu'un chien) par la simple insertion d'*Anima* quelque part en sa lourde masse. D'une certaine manière, les deux frustrés n'ont pas la même conception de ce principe spirituel.

Pour le duc, c'est simplement ce qui manque à sa perfection : la sensibilité. Pour l'Autre, c'est, en tout état de cause, un mal : dès qu'elle compose avec un corps, elle ne fait que le tourmenter ; c'est une douleur qui souhaite être calmée ; alors le malheureux, las de souffrir, *espère* : rien de plus dégradant que de s'abuser au point de faire humblement confiance à un univers où le pire est toujours sûr. Aussi connaîtra-t-il la désillusion. L'espoir est son péché. Son avilissement aussi ; thème byronien : celui qui ne maudit pas Dieu ne mérite pas de vivre. Le désespoir, réponse du cosmos, ce broyeur d'espérances, c'est le retour de l'homme à sa vérité. Mais, selon Gustave, il ne peut y demeurer : il faut qu'il meure ou qu'il revienne à espérer. Satan seul est le Mal radical, parce qu'il est l'*Anima* pure et seule, dépourvue d'équipement matériel et le sachant, sachant qu'elle en est privée pour toujours et que la mort tant rêvée lui est interdite. Privée de la pesanteur terrestre qui la lesterait, qui absorberait un peu de son énergie, alentissant la vivacité de ses mouvements internes, elle est présente à elle-même sans la moindre opacité. Pure conscience réflexive d'une douleur infinie, elle tire son orgueil de son désespoir : ce n'est pas elle qui se laisserait amuser par des illusions ; son savoir d'elle-même l'a depuis longtemps convaincue qu'elle est condamnée pour l'Eternité.

Condamnée à quoi ? et pour quel forfait ? On dirait, à première vue, que Satan symbolise le désir infini, toujours en acte et, faute d'organes, toujours frustré : voyez comme il ne cesse de réclamer un corps : « Oh ! si j'étais un homme ! Si j'avais sa large poitrine et ses fortes cuisses... aussi je l'envie, je le hais, j'en suis jaloux : je ne peux rien, je ne fais qu'effleurer les baisers, sentir, voir et je ne peux pas toucher, je ne peux pas prendre : je n'ai rien, rien, je n'ai que l'âme. Oh ! que de fois je me suis traîné sur les cadavres de jeunes filles encore tièdes et chaudes ! que de fois je m'en suis retourné, désespéré et blasphémant ! » Le sens rhétorique n'est pas douteux : le corps sans âme ne connaît pas le désir mais l'âme sans le corps est un désir sans assouvissement, pour jouir il faut posséder, pour posséder il faut prendre. Mais, à mieux la regarder, la symétrie paraît forcée. Sans la matière, est-ce la seule jouissance qui se refuse au désir ? N'est-ce pas, plus radicalement, le désir lui-même, conjointement avec la *réalité*? L'âme n'est pas une inerte lacune et pas davantage un vide qui se creuse dans le néant; Flaubert ne la conçoit pas non plus comme une substance spirituelle — ce qu'il ne pourrait faire sans lui concéder quelque suffisance; non : à ses yeux c'est un défaut de l'Être, un tourment de la matérialité. Par cette raison, il la symbolise par Satan dont les Pères de l'Eglise ont dénoncé l'existence parasitaire. L'âme n'a pas de consistance propre, elle est relative au corps comme l'image au réel, comme le Mal au Bien. C'est le désir insatiable de Mazza, absence, *en son sexe*, du sexe d'Ernest. Cette invisible fissure suppose l'unité du Cosmos; supprimez la matière qu'elle travaille, il reste un fantôme. Plus exactement : un désir imaginaire. Que nous dit Satan? qu'il ne peut pas *prendre*? Mais prendre est à la fois l'acte et sa fin, la convoitise et le plaisir. Un homme, c'est avec sa large poitrine, ses fortes cuisses, ses bras, ses mains, son sexe qu'il « prend » une femme; mais ce sont les mêmes organes qui donnent au désir sa réalité. Quand Satan se traîne sur des cadavres de jeunes filles, que peut-il vouloir? Entrer en elles ou posséder l'organe qui lui en donnera inséparablement l'envie et la possibilité? Ainsi la condamnation d'*Anima* porte sur son essence qui est de se dévorer soi-même et de se perdre dans les contradictions. C'est l'infini désir, certes, mais dévitalisé par une castration fondamentale. Désir identique à l'inassouvissement parce qu'il est, en soi, glacé d'insuffisance. Ainsi l'âme est un *imaginaire* — à moins de s'accrocher à un corps; elle est *désir de désirer* et, faute de donner un corps particulier à sa convoitise, elle rêve d'être le désir de tout. Nul doute que Flaubert ne veuille parler ici de cet « inarticulable » dont il dira, dans *Novembre* : « Vaguement je convoitais quelque chose de splendide que je n'aurais su formuler par aucun mot ni préciser dans ma pensée sous aucune forme... » Convoitise « *incessante* », ajoutera-t-il. Incessante déchirure, brûlante et stérile, sans nom, dont la contradiction profonde est de se nier en s'affirmant, dont la souffrance n'est que la manifestation subjective de son inconsistance ontologique. En ce cas dira-t-on, cette souffrance est elle-même imaginaire? Pourquoi pas? *Celle-ci*, du moins, n'a pas plus de réalité que le désir. Nous verrons bientôt qu'elle en dissimule d'autres qui sont bien réelles.

Et de quoi le punit-on, l'ange déchu? De sa révolte? Il est bien incapable de rébellion. Pour tout dire, nous découvrirons, au terme de cette analyse, qu'on l'a puni sans raison. Mais ce qu'on peut montrer à l'instant, c'est que la victime est aussi bourreau. Pour commencer, l'Orgueil, chez Gustave, est un *sentiment noir*. La raison en est qu'il vient, comme dit Genet, *après*. Il n'a rien à voir avec l'assurance que certains hommes doivent à la certitude vécue d'avoir été *attendus* dès avant leur naissance donc inconditionnellement *reconnus* puis *constitués* par l'amour créateur d'une mère. Cette tranquille aisance, due à un bonheur de berceau, est *blanche*. Elle n'est pas même incompatible avec la modestie. Chez Flaubert comme chez Genet, c'est tout le contraire : l'orgueil naît sur des ruines ; ce n'est pas même une compensation ; c'est une attitude qui naît d'une absence (chez le Voleur, la mère, inconnue, représente une lacune profonde et profondément vécue) ou d'une indifférence (les froids empressements de Caroline n'ont point donné à Gustave le sentiment d'être venu au monde pour exaucer un vœu, répondre à un appel). Loin de combler ce vide essentiel ou d'en détourner l'attention, l'Orgueil noir est ce vide lui-même, conscient de soi et affirmant la supériorité radicale du négatif sur le positif, du Néant sur l'Être, de la privation sur la jouissance. C'est l'Exilé, méprisant du haut de son exil les agissements misérables des intégrés, c'est l'Inconsolé, préférant sa frustration radicale aux médiocres jouissances de ses congénères qui se contentent de si peu. En d'autres termes l'Orgueil noir naît dans le cœur de qui prétend *choisir* le malheur qu'on lui impose. D'où l'ambivalence de Gustave par rapport à son propre orgueil : celui-ci, par rebondissement, l'arrache à bien des humiliations mais il fait en même temps son tourment perpétuel puisque, refusant les satisfactions médiocres, il a choisi de se fonder sur l'absence de tout, c'est-à-dire, à la lettre sur *rien*, sur une pauvreté essentielle et subie. Si l'on n'a point *tout le désirable*, mieux vaut n'avoir rien, n'être rien en rien. La souffrance démontre que l'âme était assez large pour contenir le monde ; soutenue, continuée, elle prouve que celle-ci a fait une éthique de la frustration assumée. Mais quelle honte, pour ces orgueilleux, quand de beaux esprits ou des fats se vantent devant eux de leurs minces avantages : les fils du Diable n'auront que leur dénuement à leur opposer. Nous y reviendrons : pour l'instant, notons que, pour Satan, l'orgueil, choix du non-être, donc de la blessure, et l'âme ne faisant qu'un, cette attitude d'esprit apparaît à la fois comme le fondement d'une morale aristocratique et comme le Mal radical : puisque l'Orgueil *noir* choisit le Mal qu'il endure, la conséquence en est un renversement des valeurs — les plus hautes étant les plus proches de l'absolu Non-Être —, ce qui revient non point à supprimer l'Éthique mais à la fonder sur une table d'antivaleurs. Sans doute le Mal est subi, c'est l'Autre qui en a affecté Satan. Mais puisque l'Orgueil n'est que l'assomption de cette iniquité, l'âme entière s'enténèbre, comme si le fondement de son existence était le choix intelligible du Mal radical.

De fait, tout découle de cette première option : la méchanceté de Satan n'est qu'une autre face du Mal assumé. L'envie, d'abord : elle naît de la comparaison entre la pénurie dont Satan se réclame mais dont il souffre et les plénitudes mineures (petits talents, petits plaisirs) qu'il méprise chez les autres sans pouvoir se retenir de penser qu'elles sont injustement partagées. La cruauté suit : Satan est victime du Mal absolu dont l'auteur véritable est Dieu ; mais, en le revendiquant dans la rage, il n'y voit pas seulement le Mal à endurer mais aussi le Mal à faire. Souffrante, l'âme fait souffrir, les souffrances et la cruauté des âmes humaines mettent un baume sur ses douleurs : « Quand je vois, dit Satan, les âmes des hommes souffrir comme la mienne, c'est alors une consolation pour mes douleurs, un bonheur pour mon désespoir. » Mais n'oublions pas que la nuisance du Démon est fondamentalement éthique. La Grande Diablesse — Satan est femme sur les bords, voyez comme il « traîne ses mamelles sur le sable » — règne sur les âmes, elle a sur ses sujettes une autorité sacrée dont elle use pour les conduire minutieusement à leur perte, toutes, pour se venger sur elles du malheur qui la brûle mais aussi pour le leur faire partager : le Mauvais, dès sa première option, a décidé implicitement de généraliser le Mal, d'en faire la loi-cadre de l'ordre spirituel qu'il régit.

Voici donc l'adversaire que Gustave veut opposer à son duc : le Non-Être, l'Impuissance orgueilleuse, la Souffrance, les pulsions *imaginaires* du Grand Désir, la volupté de nuire. Toutes les âmes rôtiront. Toutes mais non point tous les hommes : il en est qui n'ont pas d'âme, tout comme Almaroës : pas d'enfer pour Ernest. Ni pour M. Paul. Les damnés seront Mazza, Djalioh et cette pauvre Julietta qui n'a fait d'autre crime que d'aimer passionnément — sous l'influence du Diable — un robot.

Cette emprise du Malin sur cette plaie secrète, ce néant, qui se cache au fond des organismes et dont l'unique vertu est de déborder le déterminisme non pas en changeant le cours des choses, mais en le contestant par la souffrance, il ne peut l'exercer pratiquement sans qu'on l'ait doté de quelques moyens. Quand l'âme est une fêlure du corps, on agit sur le corps pour agir sur elle ; et comment modifier un système matériel sans être au moins pourvu d'une matérialité embryonnaire ? C'est ce que Dieu et Gustave ont concédé au Prince des Ténèbres : notons pour commencer que ce Grand Funeste qui proclame boudeusement : « Je n'ai de pouvoir que sur les âmes », s'il est en effet privé du toucher et d'organes préhensifs — mains, crochets, pinces, peu importe —, reconnaît toutefois qu'il jouit d'une excellente vue. Est-ce que Gustave tient le regard pour la moins matérielle des communications intersubjectives ? Ou bien ne faut-il pas nous rappeler cette confidence de quelques années postérieure : « enfant, j'aimais ce qui se voit » ? Le Diable ressemblerait à ce bel enfant dégingandé, un peu gauche, guindé dans ses mouvements, répugnant peut-être aux contacts comme à une trop compromettante proximité mais dont le regard ricochait sur les vagues et se perdait à l'infini ? Son premier rapport avec Almaroës, en effet, c'est la *vision*. Et comment communiquer avec cette opacité matérielle sinon par les sens : Dieu, sans doute, maître calculateur, peut le concevoir et deviner ses conduites par le seul entendement ; mais si Satan en était capable, s'il savait effectuer les opérations savantes que l'Ingénieur suprême a *inventées* pour prévoir à l'infini les comportements de son robot, il saurait qu'Almaroës n'a pas d'âme et que c'est perdre sa peine que de vouloir le damner. En fait *Anima*-Satan se place dans l'étendue, face à *Animus*-Arthur et l'observe *du dehors*, comme ferait un savant, servi et, tout à la fois, dérouté par la compacte impénétrabilité de cet organisme. Ce ne serait rien : mais le Malin a, dans son sac, plus d'un tour de physique amusante : si vous tirez sur lui, il escamote la balle, l'emporte à travers le mur et la renvoie tout à coup, du dehors, par une fenêtre dont il casse les vitres. À présent, il veut damner la petite Julietta : d'où vient ce bras qui sort d'*Anima* et qui lui permet de l'« attirer d'une main puissante » ? Plus tard, il l'emporte dans les airs comme feront et comme ont fait immanquablement tous les Satans que Gustave a conçus et concevra, jusqu'au dernier *Saint Antoine*. Si diaphane que soit la fillette, elle pèse : il faut donc que son ravisseur fasse un miracle ou, soumis lui-même aux lois de la pesanteur, soit en possession d'une paire d'ailes et puisse les déployer quand il faut. Les miracles eux-mêmes, du reste, montreraient qu'il est en prise directe sur la nature. Or il ne se prive pas d'en faire. Avant d'en venir aux mains, les deux monstres se défient — comme Moïse et les sorciers d'Egypte ! « Satan, demande Arthur, peux-tu arrêter une vague ? Peux-tu pétrir une pierre entre tes mains ? » Et le triste Sire lui répond « Oui » sans commentaires. Eh quoi, il peut se donner des mains plus fortes que des tenailles pour malaxer un rocher comme un autre fait la glaise et il ne pourrait s'en doter pour pincer la taille d'une fille ? Serait-ce que Gustave déplore sinon son impuissance, du moins sa frigidité ? En tout cas, voici que « ces êtres surhumains » s'affrontent. Comment ? Une âme peut-elle faire des prises de judo ? Pour que le combat puisse avoir lieu, quelle qu'en soit l'issue, il faut un contact donc une certaine homogénéité. Et si le duc électronique l'emporte, ce n'est point qu'il se soit opposé, matière, à une puissance spirituelle que, de toute manière, il n'eût pu ni saisir ni même concevoir ; c'est pour avoir opposé à un adversaire moins bien équipé la cohésion indestructible de ses particules : le meilleur a gagné. Satan *voit* ; il est *visible* ; il enlève les donzelles d'un bras de fer mais un bras d'acier peut lui faire mordre la poussière : en un mot il y a une matérialité d'*Anima* qui, loin d'apparaître comme une donnée première, se présente comme son produit, comme une carapace provisoire que celle-ci sécrète en cas d'urgence pour affronter, inertie manipulée, la résistance passive de la matière extérieure. Le corps de Satan est un dépassement du Néant vers l'Être au même titre que l'*animula vagula* d'Almaroës est l'imprévisible dépassement de l'Être vers le Néant.

Nous n'avons pas affaire à deux principes incohérents et séparés mais, en l'un et l'autre cas, à Gustave tout entier méditant sur ce qui lui paraît être son incohérence propre. Ce dédoublement de Gustave équivaut à une double interprétation simultanée de son expérience intime. *Rêve d'enfer* est une surprenante tentative de l'adolescent pour appliquer à sa vie deux clés différentes : dans chacun des deux cas il se montre dans sa totalité, en supposant seulement qu'une des parties qui le composent est plus ou moins atrophiée et, pour finir, à l'occasion du duel longuement préparé, il tente de montrer sa vérité dans une opposition de lui-même à lui-même tout entier.

À comparer les deux monstres, en effet, nous constatons qu'ils ne sont pas si différents : l'un et l'autre ont été intentionnellement produits. Et par le même père. On notera l'absence de la mère : dans les nouvelles que nous étudions, les fils sont engendrés mais non pas enfantés. Un homme réveille Mazza d'un sommeil léthargique. Un homme décide du croisement qui produira Djalioh : l'esclave noire, réceptacle indispensable, disparaît après la parturition. Dans *La Peste à Florence* le conflit familial oppose le vieux Cosme à ses deux fils : de la mère, pas un mot ; sans doute le *pater familias* est-il veuf. *Rêve d'enfer*, en faisant procéder directement ses personnages du Créateur, se dispense évidemment de recourir à la médiation d'un ventre féminin. Reste qu'ils sont frères, les deux ennemis, fils de l'Homme et non de la femme : peut-être est-ce la raison qui explique leurs frustrations. Celles-ci, d'ailleurs, distinctes en nature, sont-elles si différentes en leurs effets ? Le Diable est malheureux ; Almaroës l'est aussi.

Au fond les frères ennemis souffrent de la même anorexie qui les rend tous deux inhumains, l'un par la supériorité de son organisation (mais nous savons qu'elle dissimule une infirmité fondamentale — ainsi le Superman est sous-homme en secret) ; l'autre par l'infériorité de son équipement (mais nous savons que Satan, le sous-homme, dépasse les plus grandioses représentants de notre espèce — c'est-à-dire les plus malheureux par son inégalable capacité de souffrir : ainsi le rapport se renverse et le sous-homme acquiert le droit de régner sur les âmes, c'est-à-dire sur la souffrance des hommes). D'où vient pourtant leur différence ? Pourquoi le désespoir de Satan, au lieu de colorer son anorexie, s'actualise-t-il en permanence comme la détermination *réelle* de cet Imaginaire ? La raison en est que cette désolation perpétuelle est un rapport fixe avec une très ancienne catastrophe ; cette âme se définit, dans sa pureté de *mémoire*, comme la rumination inconsolée d'un châtiment originel — fût-il ou non précédé d'un crime —, de la sentence de foudre qui détermina sa Chute. Almaroës-Gustave n'est pas tombé : c'est par cette raison que son âme reste virtuelle et que sa haine de Dieu semble un rapport objectif et pratique à l'Être suprême. Gustave-Satan, à une date protohistorique, s'est vu arraché du Paradis et précipité dans les abîmes, il ne cesse de tomber : ce rapport historique et pascalien à un événement irréversible est à l'origine de sa subjectivité. C'est cela, dirai-je, qui fait de lui une âme : ce lien a un passé aboli et virulent tout ensemble ; c'est aussi la raison de son anorexie : comment cette âme blessée — nous pourrions l'appeler *Chute remémorée*, car elle n'est que cela —, rongée d'humiliation, de ressentiment, de remords et de regrets, pourrait-elle s'amuser aux bibelots de notre monde ; où prendrait-elle le temps de les désirer ? En vérité la Grande Diablesse, rongée par son historicité, est *indisponible*. Quand elle envie les hommes, qui peuvent convoiter un corps de femme, c'est leur disponibilité qu'elle jalouse, c'est leur possibilité permanente d'échapper à l'Histoire et de vivre au présent. Ce Diable pascalien est le frère aîné de Djalioh.

Dirons-nous qu'Almaroës est celui de M. Paul ? C'est plus compliqué : le duc devrait, comme l'automate de Vaucanson, représenter le présent pur, même si l'on admet qu'un Entendement surhumain a présidé à sa confection. C'est d'autant plus nécessaire que, nous l'avons fait remarquer, il n'a point séjourné au Ciel : le Créateur a prélevé des minéraux sur terre et l'y a constitué par un *Fiat* souverain. Tout au plus peut-on admettre qu'il a cru, à son apparition, posséder une âme et qu'il a — Gustave nous l'affirme — gardé l'atroce souvenir de sa désillusion. Mais alors? Le Malin n'a rien à lui envier! Quand il le félicitait d'être pure matière, Satan disait au duc : « Tu veux une âme? Veux-tu tomber des illusions à la réalité? » Amère ironie, devait penser le jeune auteur : si l'âme se définit par la *chute* (le mot « tomber » n'est pas là par hasard) alors qu'est-ce donc qu'Almaroës dont la vie tout entière s'explique par une chute originelle, par une déception dont il ne s'est pas relevé? Mais Gustave va plus loin : emporté par sa plume ou pour brouiller les cartes, il va, en plusieurs passages, jusqu'à prêter au duc les réminiscences platoniciennes que, seul, l'Ange déchu peut retrouver en soi. Arthur nous confie que sa naissance fut une dégringolade; avant de voir le jour il connaissait la volupté des choses incréées : « En effet, je me souviens qu'il fut un instant où tout passait derrière moi et s'évaporait comme un songe. Je revins d'un état d'ivresse et de bonheur pour la vie et pour l'ennui : peu à peu, ces rêves que je croyais retrouver sur la terre disparurent comme ce songe; le cœur se rétrécit. » C'est à Satan, bien sûr, de nous faire ces confidences : d'abord parce qu'il est ange, parce qu'il avait aux cieux sa résidence, ensuite parce que son châtiment consiste à garder la mémoire du séjour céleste dont il est banni sans retour. Or, il n'en souffle mot, sinon négativement : on dirait qu'il a peur d'en parler. D'où vient cela? Pourquoi Gustave déguisé en Almaroës se permet-il des allusions aux hébétudes de l'âge d'or qu'il s'interdit quand il entre dans la peau du Diable? La raison en est simple et nous fera pénétrer plus avant dans les intentions de l'auteur : Arthur *n'est coupable de rien*; Dieu l'a conçu, fabriqué, raté. Ou plutôt non : réussi, hélas. L'erreur était dans la conception même. C'est au Tout-Puissant à rendre des comptes. Almaroës, noble victime du Créateur, sacrifié à Son dessein imbécile de perfectionner Son vieil ouvrage ruineux plutôt que de l'abolir et de recommencer à zéro ou, mieux encore, de rentrer avec lui pour toujours dans le néant, se dresse contre son Seigneur; d'égal à égal, il le juge, le défie et la haine farouche qu'il lui porte ne diffère point, dans son objectivité, d'une condamnation légitime prononcée par un corps constitué. Ce martyr a la douleur aristocratique : c'est là son stoïcisme : n'ayant jamais fauté — comment l'aurait-il pu, cet automate dont les ressorts et les rouages ont été combinés de telle sorte par l'Autre, qu'ils ne peuvent produire que des effets prévus ? — il n'a rien à cacher : c'est donc à lui que Gustave confie le soin de rappeler les vagues extases de sa protohistoire ; dans la bouche du robot sans tache et sans reproche ces rappels sonneront comme une condamnation du Père. Traduisons : l'âge d'or fut celui des ravissements et de la Foi : le petit, sous l'influence de la religiosité maternelle, croyait avoir une âme immortelle qui rejoindrait un jour ses frères morts au Paradis. Mais, dans les familles domestiques, à partir d'un certain âge, le petit garçon appartient à son père. Achille-Cléophas intervient, expose l'idéologie mécaniste, les bulles crèvent : voici le scientisme. Il ne s'agit, bien sûr, que d'une aberrante métaphysique mais Gustave ne peut manquer d'y croire : ses anciens espoirs ne cessent pas de le hanter mais il n'y voit plus que des fantasmes : on notera que *Rêve d'enfer* ne conteste pas que l'animal-machine, Arthur, ne soit parfait en son genre. Cela veut dire que Gustave, sans pouvoir s'en *convaincre*, ne conteste pas l'idéologie paternelle : sans doute est-ce la vérité ; il le faut puisque le Père le dit : mais cette vérité-là n'était pas bonne à dire. Gustave réagit comme un cancéreux qui ne pardonnerait pas à ses proches de lui avoir révélé son état. L'âme du jeune garçon, c'était son ignorance : le savoir la dissipe, reste ce produit hasardeux, le corps, agrégat d'atomes environné d'autres agrégats. Dans les « autobiographies », le thème évoluera : il va devenir impersonnel et abstrait, Gustave fera passer son désenchantement pour un effet de sa propre expérience. Mais *Rêve d'enfer* est catégorique : on dénonce Dieu le Père, symbole transparent ; voilà le responsable.

La différence profonde qui sépare Arthur de Satan ne réside, nous l'avons vu, ni dans la nature profonde de la frustration ni dans ses conséquences. Le Malin, bien sûr, est très méchant ; mais qu'on n'aille pas s'imaginer qu'Arthur soit bien bon. Le premier dit : « Quand je vois les âmes des hommes souffrir comme la mienne... c'est une consolation pour mon désespoir. » Et du second, il est écrit : « Lui qui était tombé de si haut... il aimait quelque chose de tombé... lui qui était désillusionné, il voulait des ruines... (lui qui) avait trouvé le néant dans l'éternité, il voulait la destruction dans le temps. » Je reconnais qu'il est surtout question en ce texte de châteaux délabrés et qu'il est moins grave de prendre plaisir à la vue d'une pierre tombée qu'à celle d'une « femme qui tombe ». Il n'empêche que cet amour *motivé* d'un *indestructible* pour la

« destruction dans le temps » ne laisse pas d'inquiéter : un homme aussi, cela se détruit dans le temps ; qui sait si Almaroës, un jour d'ennui, ne s'avisera pas de prendre un représentant de l'espèce et d'en accélérer le délabrement ? De toute manière il conserve, tout au long de la nouvelle, une indifférence teintée d'hostilité envers ces êtres inférieurs dont il a pris l'aspect physique. Non : si Satan diffère d'Arthur, c'est que l'Ange déchu est *coupable*. Almaroës est tombé de haut : la faute en est à Dieu. Satan, si on l'a précipité du Ciel, la faute en est à lui, tout le monde le sait. Non qu'il ait été puni pour sa méchanceté ; celle-ci, nous l'avons vu, vient après : c'est l'Orgueil ou le Mal assumé. S'est-il donc révolté, comme le veut la légende ? Flaubert n'en souffle pas mot : mais il est peu vraisemblable qu'il ait imaginé une insurrection d'anges ; la révolte n'est pas son fort. Non : le Diable est le Diable parce qu'il est puni, voilà tout. La culpabilité est dans son essence : on voit qu'il n'y a pas de quoi se vanter. Aussi le pauvre Démon ne se vante-il guère : à peine a-t-il affirmé son orgueil, très sollicité par le duc de fer, qu'il se répand en gémissements. Il va de soi qu'il nourrit contre son Créateur un fort ressentiment et le fait est que Dieu ne sort pas blanc de toute cette histoire : s'Il est tout-connaissant, il a connu la faute et le châtiment *avant* de tirer le mauvais ange du Néant. Mais, quand Almaroës brave le Démiurge avec insolence, Satan, créature sournoise, timide, respectueuse, nourrit contre le Père éternel une haine furtive, écrasée par une involontaire admiration : il lui arrive même de supplier l'Auteur impitoyable de ses maux : ne dirait-on pas que le Maudit souffre d'un inguérissable amour pour son bourreau ? La vérité, c'est que sa culpabilité — quel qu'en soit le responsable — lui fait honte : sa haine infinie reste sans force ; mieux, elle se retourne contre lui, autopunitive, et le rend « maso ». Voyez-le, après la grande déculottée que lui inflige Almaroës, humble, jouissant de sa défaite, presque donné : « Quand il eut savouré longtemps le râle qui s'échappait de sa poitrine, quand il eut compté les soupirs d'agonie qu'il ne pouvait retenir et qui lui brisaient le cœur, enfin quand, revenu de sa cruelle défaite, Satan leva sa tête défaillante vers son vainqueur, il trouva encore ce regard d'automate froid et impassible, qui semblait rire dans son dédain. »

On conçoit que, dans ces conditions, le Maudit ne souhaite pas revenir sur le passé ; il pense sans cesse à ses années de bonheur, il les rumine. S'il n'en dit rien, c'est que sa disgrâce lui déchire le cœur. L'humiliation l'étouffe : il se sent condamné pour insuffisance d'être. Ne le dit-il pas sans cesse : je n'ai que l'âme ! Je n'ai

que l'âme! Et certes, cela veut dire : je n'ai point de corps. Mais
aussi : l'intelligence me fait défaut; c'est par là que je n'ai pas su
plaire. Ou par mon apathie, peut-être? Cette absence de corps, ne
serait-ce pas aussi un symbole de la passivité de Gustave? Pas
d'équipement, pas d'outil : la praxis est impossible. Bref il n'a rien
fait — et pour cause — qui puisse déplaire au bon Dieu; s'il déplaît,
c'est par l'être que celui-ci a donné : être déplaisant s'il en fut; Satan
est bien forcé de le reconnaître; Dieu étant le point de vue de
l'absolu, s'il lui répugne, Satan, c'est qu'il *est* répugnant absolument. Aussi l'argument — valable — qu'il retourne contre son créateur (Pourquoi m'as-tu fait tel que je doive te décevoir?) est-il
affaibli par le fait que l'*être* n'est pas seulement rapport à Dieu
mais rapport à soi-même en Dieu : et puisqu'il *est* monstre, son
rapport à soi est immédiatement le dégoût. Parbleu : quand la malfaçon est à ce niveau de profondeur, il faut la vivre ou, comme
on dit si bien aujourd'hui, il faut se la faire : le concret, l'immédiat doivent *se réaliser et se subir* dans l'horreur. Après cette hallucinante opération, qui s'appelle tout simplement le vécu, toute
tentative pour rejeter la responsabilité sur le Créateur, bien que justifiée, ne peut être qu'un effort discursif, abstrait et secondaire.
De fait c'est de son *être-objet* qu'il se plaint à Dieu : mais ce qu'il
rencontre dans une intuition continuée, c'est son existence même;
quand Flaubert dira, beaucoup plus tard : « Moi, je ne me sens pas
libre! » il voudra faire entendre qu'il subit l'être qu'un Démiurge
englouti lui a donné. Soit. Mais la manière de le subir, cet être,
l'agent le plus passif ne peut y échapper, c'est de le voir venir à
soi comme si — irresponsable de l'ensemble et de la création *ex
nihilo* — nous le produisions continuellement en détail, avec la grâce
de Dieu pour le soutenir et lui conserver son goût amer ou fade.
Bref le Diable, sujet pur mais fort peu *individué*, « existe » son
dégoût de soi et, pour conserver dans les termes le chosisme catholique de Gustave, définit son être-objet (conçu comme ce qu'on l'a
fait être mais aussi ce qui le fuit, ce qui n'apparaît qu'aux yeux
du Tout-Puissant) à partir de ce qui lui est accessible, de son être-
sujet. Satan, transcendance transcendée, pose à l'origine de ses malheurs son Être-pour-l'Autre, c'est-à-dire son Être-Autre, insaisissable culpabilité objective. Car ce Dieu qu'il cherche à condamner
(« Pourquoi m'as-tu fait monstre? »), le Prince des Ténèbres n'a
garde d'oublier qu'Il est principe de toute plénitude et de toute
ordonnance, bref qu'il est le Vrai, le Réel, le Bien! Si le Démon
a été façonné pour être condamné, pour ressentir dans le désordre

de son âme une honte qui n'aura pas de fin, c'est que cette dissonance était nécessaire à l'harmonie universelle. Rogneux mais vaincu d'avance, on dirait qu'il se sent victime d'une juste injustice ; quand il s'avise de protester contre le Mal qu'on lui a fait, il s'est *déjà* aperçu que ce Mal n'était autre que le Bien et qu'il n'a rien à opposer à l'adorable décision qui l'a donné, par la raison que l'Être, au cœur de sa luminosité, a besoin de sa part de nuit et que cette part obscure, ce Mal absolu mais localisé, réduit à l'impuissance, c'est lui, la victime et le coupable.

Que faire, en ce cas, sinon vouloir impitoyablement, orgueilleusement et *pour tous* le non-être, le désordre, le vice et le malheur ? Si le Mal est son royaume, le Malin n'a d'autre ambition que de l'étendre. *Condamner* le Bien ? Impossible. Mais on peut tenter de l'affaiblir et de le ronger. Ce Diable maniaque et larmoyant a la partie belle : Dieu lui abandonne les âmes. Son pouvoir sur elles est absolu. Voyez la pauvre Julietta : à peine se montre-il, elle veut fuir ; en vain : « Elle ne put se lever... elle s'efforça encore mais rien ne put lui faire faire un mouvement, sa volonté de fer se brisait devant la fascination de cet homme et son pouvoir magique... » Il sait lui inspirer de l'amour. Malheureusement pour la pauvre âme, le Démon n'use de son pouvoir magnétique que pour la fasciner sur Almaroës — lequel s'en fout, comme on pense bien. Bref le triste Sire aime les âmes et pourrait se faire aimer d'elles mais ne s'en soucie pas : il ne veut que les perdre. Étrange passion solitaire : c'est repousser, casser, détruire, refuser la communication, la réciprocité. Rien de plus orthodoxe, bien sûr : le Mal est aussi rigoureux que le Bien ; si l'on se met à son service, on ne peut vouloir que lui. La mauvaise volonté, inconditionnelle comme la bonne, a pour but unique de réaliser le pire. *Donc* les désirs et l'amour ne sont que des moyens : Satan pleurniche mais, qu'il le veuille ou non, il est mené par son impitoyable entreprise. Qu'on ne vienne pas nous dire, alors, qu'il trouve du loisir pour nourrir d'autres passions : pas de *hobby* pour le Diable. En d'autres termes, lors même qu'il est dans son empire, tout-puissant, lorsqu'il pourrait sinon aimer du moins imaginer qu'il aime et se faire aimer pour de bon, jouir de l'immense adoration des âmes, la négativité triomphe : il veut le Mal comme Arthur veut le Néant et n'a qu'un seul vrai désir : universaliser le Malheur et le Péché. Pour que son entreprise ne le déroute jamais, pour qu'il ne s'accorde pas un répit, pour qu'il cherche inflexiblement, à chaque battement de son cœur, à faire le plus grand Mal, à se faire le plus de mal, il faut le divin

concours de son gracieux Maître ; il faut qu'une grâce efficace soutienne son impuissance, bref qu'il soit mandaté. Il l'est en effet et
ne l'ignore pas : quand il s'acharne, contre l'ordre providentiel, à
réaliser le désordre, il ne fait que suivre sa nature, c'est-à-dire se
conformer à l'essence que Dieu lui a donnée. En ce sens, il n'est
pas même le maître de son entreprise, c'est elle au contraire qui
le possède et le manœuvre impitoyablement. Quand il va « de mal
en pis », il se borne à accomplir la mission que le Tout-Puissant,
dans sa toute-bonté, lui a assignée : exécuteur des basses œuvres,
quand il assume sa nuisance et renchérit sur elle, il se conforme
en cela aussi aux desseins du Très-Haut : en faisant du Mal son
but unique, un objectif délibérément visé, il décharge le Créateur
de ses responsabilités.

Traduisons. Satan, c'est aussi, c'est surtout Gustave, ce cadet
frustré qui, en ce temps-là, se dit volontiers méchant. Que nous
fait-il entendre ? Ceci : je ne puis aimer que ce ne soit explicitement
pour le malheur de ceux que j'aime. Car Satan aime les âmes, ses
sujettes : que ne donnerait-il pour prendre celle d'Almaroës tant
qu'il croit que le robot en possède une ? Mais il les aime *pour les
perdre* et tire son aigre bonheur de leur malheur éternel. Ainsi suis-
je : l'orgueil et l'envie me font souhaiter mille morts à chaque instant à tous les membres de ma famille. Je me complais à des imaginations macabres. Il est vrai que je ne fais pas grand mal. Du
moins, c'est l'apparence. En fait mes exercices spirituels ont, à mes
yeux, l'office d'incantations magiques : sans mains, sans bras
— puisque l'action m'est interdite —, les infortunes imaginaires
dont j'accable mes proches ont une influence directe et maléfique.
Ce n'est point ce qu'il *dit* dans *Rêve d'enfer*. C'est ce qu'il veut
dire : une lettre de 1853[1] le confirme :

« L'homme qui n'a jamais été au bordel doit avoir peur de l'hôpital. Ce sont poésies de même ordre. Il ne voit pas la *densité morale*
qu'il y a dans certaines laideurs... Ces belles expositions de la misère
humaine... ont quelque chose de si cru que cela donne à l'esprit
des appétits de cannibable. Il se précipite dessus pour les dévorer,
se les assimiler. Avec quelles rêveries je suis resté souvent dans un
lit de putain regardant les éraillures de sa couche. Comme j'ai bâti
des drames féroces à la Morgue, où j'avais la rage d'aller autrefois, etc. ! Je crois d'ailleurs qu'à cet endroit j'ai une faculté de
perception particulière ; en fait de malsain je m'y connais. Tu sais

---

1. 7-8 juillet 53, Croisset. À Louise Colet.

quelle influence j'ai sur les fous et les singulières aventures qui me sont arrivées. Je serais curieux de savoir si j'ai gardé ma puissance... La folie et la luxure sont deux choses que j'ai tellement sondées que je ne serai jamais (je l'espère) ni un aliéné ni un de Sade. Mais il m'en a cuit, par exemple, ma maladie des nerfs a été l'écume de ces petites facéties intellectuelles. »

Inclination vers le « malsain » délibérément cultivée, « facéties intellectuelles » que la volonté répète systématiquement, « cannibalisme » de l'esprit mis en appétit par la « densité morale » des laideurs et de la misère, rêveries dirigées sur la prostitution, la maladie et la mort, voilà l'*imagination du Mal*, conçue comme une entreprise. On notera l'assimilation frappante de la luxure et du sadisme : « j'ai tant sondé la luxure (*en imagination : facéties intellectulles, et, sans aucun doute, masturbations*) que je ne risque pas de devenir un de Sade ». Les rêveries sexuelles de l'adolescent symbolisent exactement avec les amours platoniques de Satan : aimer les âmes, c'est les perdre ; jouir d'un beau corps, c'est le faire souffrir. Et, surtout, Gustave fait entendre à Louise que ces exercices avaient une fonction protectrice : il se défoulait par des rêveries malignes, il y épuisait son ressentiment : frôlant par décision la folie, il évitait d'y tomber pour de vrai. Cette exaspération perpétuelle lui a pourtant, ajoute-t-il, détraqué les nerfs. Bref la rage l'obsède, il tente de l'assouvir par une méchanceté imaginaire, qui s'étend à l'espèce entière et ne fait de mal à personne. Voici l'âme, voici le Diable ; pas l'ombre d'un désir sensuel : la mémoire d'une ancienne frustration, des hontes renouvelées, entretiennent l'envie de mordre, de griffer, de tuer, un sadisme qui se satisfait par des « rêves d'enfer » qui l'effraient ; la conscience de sa culpabilité, cause originelle de sa chute, ne le quitte pas davantage, exaltant par contre un masochisme qui se manifeste dans tous ses contes et qui, plus radical que celui du Marquis, construit toujours leurs intrigues de manière que le criminel terrible soit le Juste et qu'il *ait raison* au lieu que l'innocente victime est, plus profondément, coupable et que les tourments iniques qu'on lui inflige sont un châtiment mérité.

Cependant nous avons vu que l'autre Gustave, le duc de fer, peut lever haut la tête et regarder son Père dans les yeux. Il faut reconnaître qu'il joue perdant lui aussi puisqu'il commence par accepter la philosophie désolante qu'on lui administre. Le Père est juste quand il châtie le Diable ; quand il désenchante Almaroës, il est vrai. Vrai ? Pas tout à fait, cependant : il a voulu priver d'âme sa créature et ne s'est pas aperçu que l'âme n'était autre que cette privation. Surtout, Arthur est un monstre sans tache et son bon Maître ne peut nier ses responsabilités, bien que cette immense plénitude de l'Être qu'est la matérialité cosmique ne laisse place qu'à une négativité fantôme, qu'à un rêve de frustration. D'où vient que ces deux incarnations de Flaubert soient, de ce point de vue, si différentes ? D'où vient qu'il ait raconté son histoire *entière*, de la naissance à la Chute, deux fois dans le même conte, la première en clamant son innocence, la seconde en plaidant coupable ? D'un côté Gustave est un savant ramas d'atomes « stupides » ; on lui a donné l'énergie matérielle, l'instant et l'éternité. Si son existence véritable déborde un peu le Plan initial, s'il possède une âme fantôme, s'il a des souvenirs, si la matière est hantée chez lui par la mémoire, ce n'est certes pas la faute de son Géniteur. D'un autre côté, le voici pourvu d'une histoire par un instant de foudre, irréversible, inoubliable, la Chute ; par l'historicité, il échappe au concept : son âme est une mémoire entièrement mobilisée par la rumination d'un incident de famille et par l'âpre conscience d'une faute dont il est justiciable sans l'avoir jamais commise. Historicité, a-temporalité de l'instant mécaniste : deux pôles, deux interprétations « incohérentes » de la même existence. Il faut donc, dira-t-on, que Gustave choisisse l'une ou l'autre. Mais non : il est si loin de choisir qu'il les *met en rapport* dans un même récit et montre chacune d'elles sous les traits d'un personnage en lutte avec l'autre. Alors ? Coupable ou non coupable ? Que décide-t-il ?

Rien. Ce « conte fantastique » n'a pas de conclusion : Satan, cela va de soi, ne peut rien contre Almaroës mais Almaroës, que peut-il contre Satan ? Le pêcheur d'âmes pêchera celle de Julietta sous l'œil morne de son ancien adversaire ; après quoi, il reprendra ses jérémiades. L'automate, cependant, reprendra ses travaux d'alchimie et ses promenades solitaires : à part la mort et la damnation d'une fillette, il ne s'est rien passé. Mieux : il ne *pouvait* rien se passer. À la lumière des récits postérieurs, pourtant, on peut interpréter celui-ci, chercher un sens à l'indécision de Gustave. Il est certain, en effet, que Flaubert s'est mis simultanément en deux personnages parce qu'il ne lui paraissait pas possible de se peindre en un seul. Il me paraît même probable que Satan fut introduit en cours de route, quand Almaroës parut incapable d'incarner *tout* Gustave, en particulier son ressentiment et sa culpabilité. Nous avons donc affaire, ici, à un doublet typique : l'auteur est tout entier le personnage et tout entier le double qui s'engendre à partir du premier. Cette structure *duelle* du récit est caractéristique d'une aliénation profonde : l'auteur, habité par l'Autre, tente de résister à la division interne qui le menace en rétablissant dans ses écrits une liaison unitaire entre son Ego et son Alter Ego. Mais, à considérer *Quidquid volueris* et *Passion et Vertu*, nous nous apercevons que le doublet s'est *dédoublé*; autrement dit les couples « Djalioh-M. Paul » et « Mazza-Ernest » sont constitués par deux personnages dont l'un seulement représente l'auteur.

Pourtant M. Paul correspond à Arthur autant que Djalioh à Satan. N'est-il point une « merveille de la civilisation »? A coup sûr, on l'a privé d'âme : quand l'anthropopithèque viole et massacre sa femme presque sous ses yeux, il garde la même tranquillité qu'Almaroës quand Satan plonge sa patte crochue dans la gorge de Julietta. C'est un savant, par contre : il explore le monde et reproduit, par une expérience géniale, l'intermédiaire — si utile à la science — entre le simiesque et l'humain. Savoir et praxis, insensibilité parfaite : ce sont les principales caractéristiques d'Almaroës. Pourtant M. Paul — composé hybride d'Achille-Cléophas, d'Achille et des petits-maîtres parisiens qui soupent chez Tortoni, n'a plus rien de commun avec Gustave — sinon cette expérience bouffonne qui a fait de celui-là le Géniteur de celui-ci. Par quelle raison Gustave refuse-t-il de se reconnaître en cette perle de culture? Il ne la donne point mais elle est évidente : M. Paul n'a point d'âme *mais il n'en souffre pas*. Bien au contraire, cette absence lui allège la vie : loin qu'elle l'empêche de désirer les biens de ce monde, elle lui permet au contraire les joies de la vanité. Le créateur de Djalioh est une forte tête, les « liens logiques », en lui, sont fortement ancrés; au besoin, il sait agir. Pourtant, ce n'est qu'un robot. En écrivant *Rêve d'enfer*, Gustave a entrevu, somme toute, une conception profonde — mais sans vérité — du savoir qui ne pouvait se dévoiler qu'à un enfant perdu, passif, considérant la Science du dehors : si l'Être n'est que matière, si des lois rigoureuses régissent la matérialité du cosmos de telle sorte que toute chose a sa raison suffisante hors d'elle-même en quelque facteur conditionné lui-même de l'extérieur, s'il n'en est pas autrement pour les hommes, ces concrétions singulières de la matérialité, si, chez eux, le savoir apparaît quand le déterminisme psychologique se trouve, par hasard, seconder la nécessité logique et si ce savoir n'est autre que la loi naturelle elle-même, telle que le concours du déterminisme et de la nécessité lui permet de se poser pour soi à travers la détermination d'un cerveau, alors la connaissance, comme les autres faits de l'Univers, est un produit rigoureux des lois de nature et d'abord de celles qui, comme la mécanique newtonienne, régissent du dehors les systèmes en mouvement. L'homogénéité de la connaissance et du connu est alors telle, que les prétendues démarches du savant sont opérées en lui du dehors par l'ensemble des séquences naturelles. En d'autres termes, la Science n'est point une quête autonome de la vérité : il faut y voir l'Univers tout entier se transformant dans un cerveau en représentation de lui-même. Loin que l'intelligence scientifique soit une quête, un désir, un appel, elle se confond avec le pur mouvement de la matière ; si les circonstances sont telles que toute addition étrangère est écartée par l'enchaînement des déterminations psychiques, les pensées du savant — extérieures à elles-mêmes — ne sont rien d'autre que l'Univers lui-même se réalisant par les « liens logiques » à travers un microcosme que les facteurs externes ont rendu — par le refoulement systématique du *pathos* et de l'instinct — stupide et rigoureux comme la matière, cette matière dont il est fait. Ou, si l'on préfère, si le monisme mécaniste est vrai, la science n'est rien d'autre en l'homme que le pur mouvement de la matérialité, rendue à elle-même par la suppression de tous les songes. C'est cette conception — assimilant les liaisons logiques aux lois de la Nature et faisant, au sein d'un monisme rigoureux, du savoir l'équivalent de la matérialité nue — qui permet à Gustave, dès *Rêve d'enfer*, d'assimiler l'entendement surhumain d'Arthur à la « stupidité » de la matière : on a pu, tout à l'heure, en lisant les paragraphes que j'ai cités, le taxer d'inconséquence : rien n'est plus faux. Il est logique avec lui-même et, pardessus le marché, avec le mécanisme paternel : si la connaissance ne se constitue pas à travers un dépassement synthétique et pratique du connaissable, la subjectivité de l'expérimentateur doit être éliminée d'urgence pour laisser les associations empiriques et les liaisons logiques se développer comme un morceau de matière régi par ses lois propres en extériorité. L'être et la connaissance sont identiques. Mais *par ce biais*, il en arrive fatalement à considérer que la pure intelligence — système matériel déterminé par des causes extérieures — est assimilable à la plus épaisse bêtise. Celle-ci, en effet, nous verrons qu'elle est d'abord l'invasion de l'esprit par la pesanteur du lieu commun ; mais qu'est-ce qui est plus sot ? laisser entrer en soi les proverbes et locutions proverbiales, ces culs de plomb de la sagesse universelle, ou s'abandonner à son propre poids, abandonner l'esprit à sa pure matérialité et aux forces physiques qui produiront en lui, mécaniquement et prévisiblement, le savoir, c'est-à-dire la matière universelle se posant pour soi ? Nous

pourrons comprendre, plus tard, que Gustave tienne M. Homais
pour un homme intelligent — le seul intelligent du roman, à part,
fugitivement entrevu, le docteur Larivière — et, tout en même
temps, pour un parfait idiot, digne pendant de l'abbé Bournisien :
le curé s'abandonne à la bassesse matérielle des besoins mais
Homais a fait de son cerveau une machine à calculer. Peut-on
échapper à ce dilemme : abêtissement par le corps ou par l'intelligence ? Non. Ou plutôt si. Par une seule issue : l'insatisfaction. Ce
mouvement négatif, ce décrochage, nous savons bien qu'il ne peut
trouver sa source dans la plénitude de l'Être. Ne comptons pas non
plus qu'il puisse *agir* sur la matérialité qu'il conteste par sa simple
souffrance : il lui faudrait des pinces *réelles* pour changer la réalité. Il ne *sauve pas* non plus : puisque Achille-Cléophas a dit la
vérité, le salut n'a pas de sens. Il fait notre valeur. C'est tout. Almaroës n'est pas plus sympathique que Satan (nous le verrons : *jamais*,
sauf en deux cas, les personnages qui incarnent Gustave n'éveillent notre sympathie ; c'est lui qui le veut ainsi). Mais il *vaut* autant
que la reine des âmes : par-delà la puissance indestructible et
l'obtuse inertie de sa pensée, régie du dehors, pur bloc de matérialité, une âme lui est née : un fragile désespoir. Qu'est-ce que ce désespoir ? Une humble dénégation allusive ; il y a *une autre* vérité ?
Difficile à croire : il faudrait qu'il y eût un autre Démiurge, plus
puissant, qui prendrait le nôtre pour dupe. Ou peut-être, un effet
sans cause : l'effet Flaubert ; la matière serait traversée d'une invisible faille par la seule raison que la plénitude de l'être matériel
ne peut se poser pour soi sans un rapport fondamental à quelque
manque ? Rien n'est expliqué, dans *Rêve d'enfer* ; simplement Flaubert dit : ce duc immémorial et farouche, c'est moi. En fait, ce n'est
pas lui tout à fait : ce qui distingue Gustave, à l'époque, ce n'est
certainement pas sa précellence dans les sciences exactes. Arthur,
en vérité, c'est ce que Gustave craint de devenir ; il y a eu les entretiens avec le Père, l'exposé patient d'une philosophie qui dépoétise
le monde en le réduisant à ce qu'il est : voici le cadet de famille
atomisé. Les fureurs d'Almaroës se découvrant dans sa vérité de
système matériel ne font que traduire la juste indignation du jeune
auteur. Et puis il a rêvé, sans doute, sur sa carrière : le Père a dû
lui vanter le métier de savant. Gustave s'est fasciné d'horreur sur
cette perspective : être savant, c'est renchérir sur sa propre matérialité. Ce n'est donc point assez que de se savoir moléculaire et
conditionné jusque dans ses moindres options : il faudrait n'avoir
plus d'intérêt que pour les molécules et, se dépouillant de sa sensi-

bilité, s'appliquer à n'être plus qu'une machine de précision produite par l'aveugle Univers et conditionnée par lui à usiner le savoir,
mieux à *être* le savoir c'est-à-dire le déterminisme cosmique se
posant pour soi dans son universalité sur la disparition de toute
singularité. Médecin, Gustave perdrait-il son âme ? Il s'en inquiète
et c'est un des sens de *Rêve d'enfer.* Peut-être aussi ces conversations philosophiques lui ont-elles rendu — malgré son ressentiment
profond — quelque chaleur à l'égard d'Achille-Cléophas, ce chirurgien rigoureux et — aux yeux de ses fils — omniscient, que son
scientisme ne protégeait pas contre une morosité profonde, des colères et mêmes des crises de larmes. Il faudrait, en ce cas, voir aussi
dans Arthur le portrait embelli du *pater familias* : il n'est qu'un
agrégat d'atomes, une machine à faire de la science, il le sait, il
le dit avec orgueil et pourtant il pleure : aurait-il une âme ? Il convient en outre de se rappeler que, vers cette époque, la philosophie
scientiste du bonhomme Flaubert ne déplaisait pas au cynisme
d'Alfred Le Poittevin. Le docteur, sans aucun doute, présentait
son mécanisme sans pathétique : c'était comme cela, voilà tout. Il
n'en tirait qu'une conclusion : c'est que la morale est une duperie,
ce qui ne le gênait guère ni ses proches ni ses clients puisqu'il était
« vertueux par complexion ». Mais ces mêmes idées, le jeudi, Alfred
s'amusait à les reprendre : elles ne correspondaient pas entièrement
à ses pensées, nous le verrons, mais il en nourrissait pour quelques
heures, pour quelques mois son nihilisme pratiquant : son jeune
interlocuteur sortait de ces discussions épouvanté. Le scientisme
incolore d'Achille-Cléophas devenait dans la bouche d'Alfred une
horrible négation de tout ; c'est Alfred qui montrait à Gustave « le
Néant dans l'Eternité ». Pour cela, je suis enclin à penser que Gustave, en créant le couple « Almaroës-Satan », a eu l'intention de
marquer ses réserves légères d'adolescent malheureux et inquiet par
rapport aux exécutions sommaires et universelles que Le Poittevin
pratiquait chaque semaine, avec tant de brillant et d'alacrité. C'est
comme s'il lui disait : « Libre à toi de m'ôter mes dernières raisons
de vivre : tu as la force, tu as les idées, les liaisons logiques. Mais
je ne suis, moi, qu'un enfant frustré : tes raisons de désespérer sont
universelles et gaies. Sans doute maudis-tu Dieu. Mais c'est pour
avoir créé le monde. Moi, je suis malheureux sans comprendre, à
cause de mon insupportable singularité. » Cette dernière conjecture expliquerait que Flaubert, qui dans les autres contes — *Passion
et Vertu* mis à part — se peint sous des couleurs assez minables,
ait paré Almaroës, sa créature et son incarnation, de tant de quali-

tés surhumaines : c'est *aussi* cet Alfred qu'il aime, qu'il voudrait bien *être* mais dont il pense alors qu'il n'aura jamais la force de le suivre jusqu'au bout.

Bref, Almaroës serait Gustave l'inorganique tel que le mécanisme du Père et le nihilisme d'Alfred[1] le dépeignent à ses propres yeux, suscitant chez cet enfant, qui a besoin de la Foi parce que sa passivité le porte à croire plus qu'à connaître, une horreur désenchantée et fixe qui n'est autre que son âme ; c'est le même Gustave, fasciné par la gloire du chirurgien-chef, une dernière fois tenté de suivre sa carrière et terrorisé à l'idée de la pure *extériorité* que le savant doit rejoindre pour laisser le mouvement de l'extérieur se développer en lui ; et c'est encore Gustave se parant en rêve des qualités terribles qu'il admire en Alfred et se pénétrant du même coup de son infériorité (Alfred « a des idées », moi je ne peux que sentir) qu'il revendique, par un rebondissement d'orgueil, comme ce qu'on pourrait appeler sa supériorité négative ; du même coup le robot souffrant de son automatisme présente en rêve l'image du père sauvé par son inquiétude, et la puissance démoniaque de l'ami magnifique et inquiétant dont la parfaite nonchalance suicidaire peut être aussi symbolisée par l'anorexie d'Arthur. Mais il est vrai aussi que ce personnage fantastique, dans lequel l'auteur a voulu enfermer et télescoper plusieurs variations possibles de son être entre ces deux extrêmes, le Père et l'ami, figure aussi pour Flaubert sa propre anorexie. C'est Gustave qui n'arrive pas à partager les fins humaines, qui n'a point de désir pour les biens de ce monde et qui, par cette raison, se sent, dans le malaise, différent de tous les autres sans pouvoir leur opposer, dans la superbe, un Ego qui serait *le même que soi* ; c'est Gustave qui, en Almaroës, déguste la fadeur et la fausse plénitude de l'Être, c'est Gustave qui s'ennuie à perdre haleine, sans autre compensation que, de plus en plus rarement, les vagues extases que son Créateur n'avait pas prévues ; c'est Gustave, enfin, qui se représente à soi comme un automate, autrement dit comme un petit d'homme engendré et mis au monde pour accomplir, quoi qu'il fasse, un Destin préfabriqué. Automate aujourd'hui, demain anthropopithèque : deux symboles différents pour désigner allusivement la même plaie profonde.

Ces efforts pour *construire* Almaroës ont eu pour effet d'inciter

---

1. Au cas où ces allusions à Le Poittevin paraîtraient obscures et dénuées de fondement, je renvoie au chapitre qui traite de la relation entre les deux amis.

l'auteur à lui adjoindre Satan ; le malaise du jeune auteur, c'est qu'il n'entre pas tout à fait dans son personnage : où mettra-t-il son effroi devant les paradoxes de son ami ? où les écrasants chagrins qui le jettent sur son lit, tantôt inerte, mort de désespoir et tantôt mugissant, pleurant, se débattant contre ses fantômes, en vrai damné ? Où l'envie, la sombre ambition jalouse qui le tenaille ? où l'infini désir inassouvi ? Almaroës peut bien incarner le stoïcisme de Gustave et son anorexie. Mais il ne rend pas compte de son âme immense et boulimique qui voudrait manger l'Univers. Surtout Gustave se tient pour une aventure singulière, une histoire : nous savons qu'il est, sur ce point, un pascalien résolu. Or, malgré quelques allusions à un *passé* d'Almaroës — allusions tout inconséquentes, nous l'avons vu — il lui est impossible d'introduire dans l'instantanéisme de la matérialité (telle que l'idéologie mécaniste la lui présente) la temporalisation d'une destinée. Enfant oraculaire, son angoisse est historique dans la mesure où, pour lui, l'Histoire est prophétique. Le temps de la prophétie — « le pire arrivera, c'est sûr, il est en train d'arriver, chaque instant est plus insupportable que le précédent, ce qui permet de prévoir l'exquise torture qui s'achèvera par l'abolition » — voilà ce dont il a besoin, voilà ce que le système mécanique baptisé Arthur ne peut lui donner. Cet automate, si l'on veut, est préfabriqué mais le Destin lui manque, c'est-à-dire une temporalité fondée sur une mémoire cumulative. Par cette raison nous l'avons vu, il peut, comme une horloge, être connu par concept.

Le Diable, en un sens, n'a pas plus d'histoire, présentement, que le duc puisqu'il est condamné pour l'éternité au même malheur. Pourtant son histoire *a eu lieu* : il a joui de la faveur divine et puis il l'a perdue. Et l'âme de Satan n'est pas autre chose que la rumination perpétuelle de ce drame historique : cela veut dire qu'elle le ressuscite à chaque instant, que, par elle, ce mystère sacré, la gloire et la chute, ne cesse de se temporaliser[1]. Il est à la fois l'événement archétypique auquel toutes les pensées du malheureux se réfèrent et, dans le moment que celui-ci le vise en son passé, une répétition concrète, par le remords et le ressentiment, du mouvement temporel qui l'a fait goûter aux joies du Ciel pour l'en priver ensuite éternellement. En d'autres termes, le souvenir du bonheur perdu est lui-même en mouvement : Satan renouvelle sa chute en y pensant ; cela signifie que Grâce et Disgrâce sont, dans leur contra-

1. Il le renouvelle chaque fois qu'il s'empare d'une âme.

diction et leur unité temporelle, la détermination permanente de cette âme. Une chute qui n'a pas de fin, cela ne signifie pas, en l'occurrence, une dégringolade constamment accélérée mais le retour indéfini de la même : le désespoir du Maudit n'est pas un état fixe mais un processus constamment renouvelé (tout était si beau, je me sentais si heureux, si fier ! Deuxième temps : pourquoi a-t-il fallu, etc., etc.). Non que le Diable passe sans répit de l'espoir au désespoir — encore que certaines de ses remarques donnent à penser qu'il n'est pas immunisé (à la différence d'Almaroës) contre la tentation de l'espérance : « Dieu se laissera fléchir, un jour je serai pardonné », quitte à se reprocher plus tard comme une « bassesse » d'y avoir cédé — mais il doit recommencer, à chaque battement de son cœur, l'insupportable remémoration des joies anciennes (empoisonnées déjà par la connaissance de ce qui les a suivies) pour aller de là, dans la honte et la rage, à la prise de conscience de sa damnation.

En un mot, Satan est une mémoire pure, indisponible, fermée sur des griefs anciens qu'elle s'épuise à contempler. C'est aussi une interrogation sans réponse : je l'ai dit, le remords et le ressentiment se disputent son cœur. Cela veut dire qu'il se demande sans cesse, dans la stupeur : de quoi suis-je coupable ? Pas un instant, Gustave-Satan ne plaide l'innocence : le *pater familias* n'est jamais condamné entièrement ni jamais sa sentence attribuée au caprice. De la même manière, jamais Gustave-Arthur ne songe à mettre en doute la philosophie paternelle. Mais, de même que celui-ci reproche au chirurgien-chef de lui avoir dit la vérité — position de faiblesse : c'est partir battu —, de même le Démon, sans nier sa faute, tient grief à Dieu de l'en avoir puni. Le Père Éternel ne s'est pas rappelé qu'il avait aimé son Ange ; il n'a pas songé, au nom de cet amour, la veille encore si vivace, qu'il pouvait pardonner ; ou bien, étant admis que tout péché doit être châtié, il a frappé trop durement le coupable et s'est retiré de lui, en lui laissant la honte en partage ; la honte et la connaissance terrible de son *insuffisance d'être*. Satan symbolise cette culpabilité interrogative et rancuneuse, il s'est imposé au jeune auteur parce qu'il lui permettait d'exposer allusivement ses méditations sombres sur la Prédestination. Cette mémoire, close comme une huître, ne vit au présent que pour y présentifier le passé. Déplorable victime d'une justice atroce et sacrée, c'est l'iniquité du Dieu de bonté qui l'a, à proprement parler, châtré. Autrement dit, la récrimination ôte le pouvoir de jouir du présent. Pourtant, nous l'avons vu, Satan se prétend la proie de désirs infinis et inassouvissables : seuls, nous dit-il, les organes lui feraient défaut. Il se vante : en vérité il s'affecte de désirs imaginaires parce qu'il désire désirer. Et pourquoi le voudrait-il ? Pour s'arracher aux ruminations qui le déchirent, à l'emprise du passé, à cette passion rétrospective qui le fait avancer à reculons, le regard fixé sur une enfance à jamais perdue. Pour nier son anomalie, « être comme les autres », goûter les voluptés présentes, être au monde, être actuel. Plus encore, pour nier le cercle étroit et profond où tournent ses passions, pour opposer au carcan de sa finitude — plus pesant pour lui que pour quiconque puisqu'il n'est rien d'autre que le souvenir corrosif d'un événement archétypique — l'immense lacune du désir irréel de Tout, c'est-à-dire de l'Infini. Ces remarques devront nous rester présentes quand nous étudierons les structures imaginaires du vécu, chez Flaubert. Pour l'instant, bornons-nous à noter que cet adolescent traqué, morose, féroce et misérable veut prendre et refuse de se donner la liberté de désirer, d'aimer, en un mot de vivre. La famille l'investit et l'occupe, il ne voit qu'elle, ressasse ses griefs et n'a d'autre ressource, s'il veut quelque répit, que de *rêver large* contre l'étroit Destin qu'on lui ménage et que, déjà, il prophétise.

De *Rêve d'enfer* à *Quidquid volueris* un changement s'opère dans l'esprit de Flaubert : il conserve le sentiment de son infériorité mais ses remords s'atténuent dans la mesure exacte où son ressentiment s'accroît. Le Géniteur perd l'*aura* sacrée qu'il conservait jusque dans son iniquité : il était Dieu, il devient M. Paul. Ce robot n'a plus rien de commun avec Gustave. Djalioh, lui, est sous-homme par défaut d'intelligence : ce sera cela, sans doute, pense Gustave, qui aura dégoût de moi mon père. Mais il passe aussitôt agressivement à la contre-attaque : 1° le pauvre anthropopithèque est « réellement inférieur » sur le terrain de la logique. Mais la culpabilité qui tourmentait Satan a cédé la place chez le monstre à l'innocence : Gustave dit tout net à son père : « Je suis ce que vous m'avez fait ; vous êtes l'unique responsable. » 2° Dans l'opposition de la Logique et de la Sensibilité, Flaubert marque nettement son dégoût de celle-là et sa préférence pour celle-ci ; il a pu hésiter un instant mais, à présent, son parti est pris : il sera poète. Je ne prétends pas qu'il y ait eu conversion ni même décision brusque et définitive après d'amples oscillations : disons simplement que sa conscience de soi s'est approfondie, qu'il a refoulé sa honte, qu'il étouffe les cris de son cœur coupable et consolide sa table d'antivaleurs, l'Ame et le Mal, le Beau comme choix de l'Irréalité. Et puis il a mis au point

sa comédie de l'Infini Désir : il s'est persuadé qu'il fait partie
de ces grandes âmes assoiffées d'Infini ; Satan devient Djalioh
qui devient à son tour Mazza. Mazza la damnée, dont les passions tournent en rond et qui s'est, elle aussi, butée sur un passé
magnifique qui ne reviendra jamais mais dont l'âcre regret, au
lieu de se porter sur une enfance perdue, vise hardiment les
voluptés que lui dispensait Ernest. L'âme est, dans *Passion et
Vertu*, restée mémoire et frustration. Mais elle a acquis ce qui
lui manquait dans *Rêve d'enfer* en devenant insatiable désir.
Nous avons vu, plus haut, par quel tour de passe-passe Gustave a pu conserver le vaste regret de Tout et le faire représenter par la nostalgie précise qui ronge un sexe de femme : c'est
qu'il s'est persuadé, très chrétiennement, qu'à travers chaque partie de la Création on désire celle-ci tout entière et, au-delà d'elle,
le Créateur. Ainsi pourra-t-il à son gré défendre son anorexie
en prétendant que le doux amour qu'il porte au Monde entier
est exclusif de toute convoitise particulière (ainsi Djalioh, avant
la jalousie — qui est sa Chute — porte à Adèle une affection
lumineuse et tranquille, celle qu'il a pour toute chose du Cosmos) ou magnifier ses désirs les plus singuliers, s'il en éprouve,
en déclarant qu'ils s'adressent à Dieu — absent, caché ou
inexistant — à travers ses créatures et qu'ils resteront comme tels
à jamais inassouvis. L'accent est mis alors sur le subjectif :
Ernest, pâle copie de M. Paul qui est lui-même un Almaroës
déchu, ne vaut pas, par lui-même, un seul instant de regret :
mais la Grande Diablesse Mazza n'aime en lui rien d'autre que
le Cosmos qui l'a produit, le gandin n'est pour elle qu'un prétexte : ce feu qui lui mange le ventre et qui fait sa grandeur,
c'est d'elle seule qu'il vient.

Au temps de *Rêve d'enfer*, Gustave est plus sincère et plus désem-
paré. Entre Almaroës, l'anorexique, et Satan, faussement
concupiscent, il hésite. S'il a créé le second, c'est qu'il a honte d'une
apathie que sans doute on lui reproche ; s'il fait triompher le premier, c'est aussi qu'il en est fier. La lutte des deux monstres offre,
de ce point de vue, un grand intérêt. Il va de soi qu'elle s'inspire
du premier *Faust*. Comme, d'ailleurs, l'idée centrale : la *tentation*,
qui apparaît ici pour la première fois et qui deviendra un des thèmes essentiels de notre auteur. Il ne faudrait pas, cependant, n'y
voir qu'une simple imitation sans originalité. Les deux protagonistes, dans *Rêve d'enfer*, sont l'un et l'autre des incarnations
de Gustave et celui-ci en a conscience plus ou moins confu-

sément[1] ; ainsi la saveur particulière de ce conte fantastique, c'est que Gustave s'y tente lui-même et qu'il échoue dans son entreprise, non par excès mais par défaut. Si nous écartons en effet la « damnation » qui n'est ici qu'une hyperbole à la mode — du reste Almaroës est déjà damné puisque son Créateur lui a fait cadeau d'un désespoir éternel — il reste qu'un certain cadet, rendu méchant par des malheurs de famille, entreprend d'éveiller le désir — sous sa forme la plus immédiate et la plus profonde — chez le fils blasé d'un chirurgien mécaniste et qu'il n'y parvient pas.

Pas de conclusion, je l'ai dit. À présent nous savons pourquoi. Le Démon ne peut tenter Almaroës : pour susciter en celui-ci des désirs, il faudrait que le tentateur soit capable d'en éprouver ; or, c'est impossible, il est trop *mobilisé* ; fût-il plus disponible, d'ailleurs, il perdrait sa peine : Almaroës ne s'attribue pas assez d'importance pour prendre au sérieux ses désirs. Ce qui manque à *Rêve d'enfer* : la théorie du Grand Désir, que Gustave forgera par la suite, dans l'insincérité la plus entière. Ce qui en fait le prix : l'inquiétude de l'auteur, la quasi-sincérité avec laquelle il formule ses problèmes sans leur donner de solutions. *Je suis deux*, pense-t-il. Et il le dit : il m'est impossible d'être à la fois Satan et Almaroës, ces deux principes incohérents. En fait, nous l'avons vu, les deux monstres ne sont pas si différents : l'un et l'autre sont désespérés, donc ils ont l'un et l'autre une âme ; l'un et l'autre peuvent agir sur la matière donc ils ont l'un et l'autre un corps. L'incohérence ne peut être envisagée comme une irréductibilité *interne* de leurs natures : elle vient du dehors ; c'est l'environnement qui produit tantôt l'un tantôt l'autre : Gustave est Satan *en famille*, il est Almaroës *en société* et par rapport aux biens de ce monde. Ce qui signifie qu'il

---

1. Nous aurons à étudier plus tard ce que signifie pour le jeune Gustave l'*incarnation* : mais le lecteur a compris, dès à présent, que l'adolescent, bien que tourmenté continuellement par les mêmes problèmes et n'écrivant que pour leur trouver des solutions, n'a *jamais* l'intention délibérée de se peindre : les personnages qu'il invente, les situations où il les met ne sont jamais de simples déguisements de l'auteur. Ou, s'ils le sont, l'adolescent ne le sait pas complètement et ne l'a jamais *voulu* : l'histoire qu'il invente, il croit souvent qu'elle l'a séduit par sa richesse ou son pathétique. Tout dépend du sujet, de l'inspiration, du moment : au mieux, une mince pellicule à demi translucide le sépare de ses protagonistes ; dans d'autres cas, comme la conscience, chez Hegel, il se projette, s'objective, s'aliène et *ne se reconnaît pas* dans ce qui n'est que sa re-présentation extérieure. C'est que le motif profond mais implicite de chaque récit, c'est le désir de se voir comme Autre — c'est-à-dire comme le voient les Autres — par la raison qu'il prend son être-Autre pour sa vérité. Mais du coup, produisant un Autre c'est-à-dire un étranger, dans la conception même l'intention fondamentale s'altère et cet étranger *se pose pour soi* dans une indéchiffrable opacité.

est en vérité l'unité dialectique de l'un et de l'autre : en fait — et malgré ce que croit le jeune auteur — quand il se sent Almaroës, il ne cesse pas, pour autant, d'être Satan en profondeur. La raison en est que la philosophie de son père n'est qu'un facteur secondaire de son anorexie : le principal est sa très ancienne disgrâce. C'est parce qu'on l'a fait Satan qu'il est devenu Almaroës.

Ces deux principes, du reste, le Créateur les a une fois au moins réunis. Entre sa production première, l'âme, et le dernier mot de la création, la machine, il a créé cet être composite, l'homme. Le jeune auteur, systématique comme on l'est à son âge, n'a pas oublié d'introduire dans son récit un représentant de notre espèce. Cette œuvre de Dieu, on s'en doute, n'est pas une réussite. Julietta est, comme dit Satan, « un peu plus qu'un arbre, un peu moins qu'un chien ». Son office est de représenter la passion. Au commencement, il y a bien sûr l'innocence, l'eau qui dort. Mais dès que Satan s'empare d'elle, Julietta se met à souffrir. « Comme une damnée. » Lisez plutôt :

« Il y avait tant de passion dans ces cris, dans ces larmes, dans cette poitrine qui se soulevait avec fracas, dans cet être faible et aérien qui se traînait les genoux sur le sol, tout cela était si éloigné des cris d'une femme pour une porcelaine brisée, du bêlement du mouton, du chant de l'oiseau, de l'aboiement du chien qu'Arthur s'arrêta, la regarda un instant... et puis il continua sa route.

« — Oh ! Arthur, écoute de grâce, un instant ! Car je t'aime, je t'aime ! Oh ! viens avec moi nous irons vivre ensemble..., loin d'ici ou bien tiens ! nous nous tuerons ensemble. [...]

« Elle tomba à genoux, à ses pieds, en se renversant sur le dos comme si elle allait mourir. Elle mourait, en effet, d'épuisement et de fatigue, elle se tordait de désespoir et voulait s'arracher les cheveux et puis elle sanglotait avec un rire forcé, des larmes qui étouffaient sa voix ; ses genoux étaient déchirés et couverts de sang... car elle aimait d'un amour déchirant, entier, satanique, cet amour la dévorait toujours, il était furieux, bondissant, exalté. »

Au contraire de Marguerite, Julietta ne connaîtra jamais la plénitude : il faut qu'elle aime entre tous celui qui ne peut l'aimer. Quand je dis qu'il le faut, je ne mets pas en cause la volonté du Malin — pour qui la pauvre fille n'est qu'un moyen de perdre Almaroës — mais celle de Flaubert lui-même — qui fera remarquer, beaucoup plus tard, que deux amants ne s'aiment jamais *en même temps* et qu'il en est toujours un sur les deux à souffrir d'amour. De toute façon, cette passion sauvage ne dépassera jamais le stade

de la *privation*. À la voir se rouler par terre en hurlant, nous reconnaissons en Julietta une figure familière : cette enfant de seize
ans semble une première mouture de Mazza ; elle en a la violence
et l'impudeur superbe. Seule sur une falaise, elle attend Almaroës
comme sa sœur cadette attendra bientôt le retour d'Ernest. Il vient.
Elle se couche sur lui : « Elle se traîna sur sa poitrine, elle l'accabla
de ses baisers et de ses caresses... il restait toujours calme sous les
embrassements, froid sous les baisers. Il fallait voir cette femme
s'épuisant d'ardeur, prodiguant tout ce qu'elle avait de passion,
d'amour, de poésie, de feu dévorant et intime, pour vivifier le corps
léthargique d'Arthur qui restait insensible à ces lèvres brûlantes,
à ces bras convulsifs[1]... » Bref, elle s'acharne en vain : il reste
impuissant sous les caresses — par indifférence —, elle reste vierge
à son corps défendant. Pour le « feu dévorant et intime », Gustave
le localisera, dans *Passion et Vertu*, plus précisément.

Toutes les issues sont donc barrées. Trois créatures : deux mau-
dissent le Créateur et la troisième se prosterne stupidement devant
lui sans éviter pour autant la Damnation dans ce monde et dans
l'autre. Trinité d'incarnations : si vous n'avez qu'un corps, vous
ne saurez point ce qu'est le désir ; si vous n'avez qu'une âme, vous
ne serez qu'un éternel ressentiment ; si vous avez l'un et l'autre vous
souffrirez l'enfer et vos malheurs seront strictement proportion-
nels à la force de vos passions. Trinité d'attitudes, également impossibles : le stoïcisme engendre l'ennui, la révolte est vaincue dans
la honte, l'amour conduit au désespoir. En d'autres termes il n'est
pas d'attitude *tenable*. Ce que Gustave veut prouver dans ce conte
philosophique, c'est, pour un être conscient, l'impossibilité d'exister. L'existence, en effet, se produit comme insupportable douleur
et du même coup se supprime à plus ou moins long terme.

Gustave existe, pourtant ; il *tient*. S'il pense et sent ce qu'il écrit,
pourquoi la rage et la souffrance ne le font-elles pas éclater ? Revenons au personnage de Julietta : par ce qu'il montre et surtout par
ce qu'il cache, il nous instruira sur la sensibilité et les truquages
de l'adolescent. Chez Julietta — comme plus tard chez Mazza —
la passion est suscitée. Encore nous laissera-t-on entendre que la
maîtresse d'Ernest jouit d'un fort tempérament et que le séducteur

---

1. On notera la position d'Almaroës : il est couché sur le dos, indifférent, inactif.
C'est la femme qui s'étend sur lui, qui le manipule, le caresse et, par sa main ou sa bouche, tente d'allumer son ardeur. Gustave décrit là non sans plaisir la posture érotique
qui convient le mieux à sa passivité et ressuscite les manipulations maternelles. Nous en
reparlerons.

n'aura qu'à l'éveiller. Pour l'amante transie d'Arthur, il en va autrement : *avait-elle des sens* ? Nous n'en saurons rien puisque l'artifice du Démon est basé sur la suggestion, l'hypnotisme : « C'était
bien un amour inspiré par l'Enfer, avec ses cris désordonnés, ce
feu brûlant qui déchire l'âme, *use le cœur* ; une passion satanique,
toute convulsive et toute forcée, si étrange qu'elle paraît bizarre,
si forte qu'elle rend fou[1]. » L'accent est mis sur le parasitisme du
sentiment : loin de le produire spontanément, l'âme en est infectée
du dehors, il se nourrit d'elle, elle le subit comme une maladie mortelle. En même temps ces impressions si vives ont je ne sais quoi
de suspect : de fait tout ce qui vient du Diable est inconsistant par
essence : les écus, quand il en donne, se changent en feuilles mortes. On dirait que ces peines d'amour sont à la fois des brûlures
insupportables et de faux-semblants : elles *manquent d'être*. Et
l'Autre, en Julietta, pare à cette insuffisance par les cris désordonnés qu'elle pousse sur ses ordres, par les convulsions où il la jette.
Cette douleur insoutenable et fantôme, l'ensorcelée ne la ressentira qu'en l'exagérant : c'est un jeu, en quelque sorte, mais qu'elle
ne peut s'empêcher de jouer ; il lui faut sans cesse *forcer*, se jeter
d'un excès dans un autre, passer de la gesticulation au tétanos et
du tétanos à la gesticulation pour se cacher l'insuffisance du sentiment. Nul doute que Gustave ne décrive ici son expérience personnelle : c'est lui qui se plaint de souffrir à la fois trop et pas assez,
c'est lui qui épie ses sensations et qui les déclare « si étranges qu'elles
paraissent bizarres ». Ce dernier membre de phrase risque de faire
rire. À tort. Comme toutes les fausses naïvetés de plume qui fourmillent dans les premières œuvres, il a une signification précise.
Tout se passe comme si l'auteur avait écrit : « *si étrangères* », voulant indiquer par là l'*altérité* du vécu. Le propre des souffrances
diaboliques est qu'elles sont plus faites que souffertes et qu'on *se*
contraint *soi-même* à les faire. Mais l'*Alter Ego* qui contraint est
autre que le moi haletant qui s'épuise dans les soubresauts. Tout
se passe comme si l'amour infernal était une *confrefaçon*, une hallucination de la sensibilité, une exaspération des conduites émotionnelles. Flaubert veut-il décrire un fait d'autosuggestion ? Nous
ne pouvons en décider pour l'instant. Mais, de toute manière, nous
ne doutons pas que les possédés souffrent. Pour avancer, il faut
continuer notre lecture.

Donc Julietta, repoussée, s'abandonne au désespoir. Pas long-

---

1. C'est moi qui souligne.

temps : « ... au désespoir avait succédé l'abattement, aux cris furieux les larmes ; plus d'éclairs de voix, de profonds soupirs mais des sons dits tout bas et retenus sur les lèvres de peur de mourir en les criant. Ses cheveux étaient blancs car le malheur vieillit ; il est comme le temps, il court vite, il pèse lourd et il frappe fort. » Quelle curieuse prudence, chez cette désespérée : elle se retient de crier par crainte de mourir. Il est vrai qu'elle est devenue vieille. Le malheur l'a rendue telle. Celui-ci n'est, nous l'avons déjà vu, qu'une contraction du temps : plus il est fort moins il a besoin de durer ; infini, il écrase sa victime en un instant ; résultat : si elle vit encore, elle ne souffre plus. Le personnage de Julietta est d'un vif intérêt, du fait que Gustave s'incarne aussi en elle. En Satan, en Almaroës, il parle de sa souffrance, il en dit les causes ; en Julietta il la *décrit*, il tente de nous donner la saveur de ce *vécu*. Or l'accent est mis *sur le geste* : des larmes, des soupirs, des murmures. Crier, c'est souffrir, mourir peut-être ; on ne crie plus, c'est ne plus sentir ; se retenir de crier, c'est se calmer *de l'intérieur*. L'abattement qui succède au désespoir, on croit y voir je ne sais quelle ataraxie sinistre fondée sur l'anorexie des vieillards. Étrange confusion du vécu avec ses signes : au départ, cette passion malsaine et forcée s'est manifestée par des hurlements et des convulsions comme si Julietta cherchait à compenser je ne sais quelle insuffisance de son mal par la violence exagérée des troubles *physiques* qui l'expriment : on jurerait que Flaubert, après quelque vexation amère, s'est réfugié dans sa chambre et trouvé contraint de mimer solitairement (mais non sans quelque témoin secret : nous verrons qu'il se sent en permanence *visible*) l'émotion dont il se croit affecté. Tout commence alors par une crise de possession : il tombe, se débat, soubresaute, jette les bras et les jambes dans tous les sens, hurle, s'il est sûr de n'être pas entendu, et, sinon, emprunte les halètements de Satan ou les soupirs de Julietta. Le résultat, c'est un prompt vieillissement : entendons qu'il s'épuise ; fourbu, il fait le mort et n'a plus la force de sentir ; hors de souffle, il a même perdu celle de crier. Et puis ? Eh bien, il se relève, morne mais calmé : le vanne est encaissé, l'ennui reflue sur lui, écœurant et douillet. S'est-il donc menti ? A-t-il joué la comédie de la souffrance, sans souffrir un instant pour de vrai ? Je ne le crois pas. Une relation objective et complexe de l'enfant avec sa famille constitue la situation originelle ; celle-ci est structurée de telle sorte qu'elle produit et refuse Gustave simultanément ; mieux : qu'elle le produit et le reproduit sans cesse à ses propres yeux comme un rebut. D'une certaine manière, il s'agit d'une structure abstraite de la « cellule sociale » ; n'empêche que l'enfant la redécouvre au fond de chaque opprobre concret, de chaque dégoût essuyé, comme le sens général de son existence. Dans une remarque blessante de son père agacé, Gustave reconnaît donc son malheur originel. Il le reconnaît mais sans trop le comprendre : c'est cela pourtant, c'est la « scène primitive » qui lui rend insupportable la rebuffade paternelle — celle-ci, en effet, glisserait sur lui sans laisser de traces si elle ne lui paraissait pas un symptôme du mal qui le ronge, du « désastre obscur » qui l'a fait ce qu'il est. Fasciné, il ne peut faire qu'il ne se remémore la catastrophe, ne l'explore et ne s'en pénètre, qu'il ne la réalise au passé *et au présent* comme le sens permanent du vécu. Mais, d'un même mouvement, pris de terreur, redoutant de découvrir une fois encore que la détermination première de son être n'est autre que la malédiction paternelle, il tente de lui échapper. La nier ? Impossible : ses rancunes sont trop fortes, trop vigilantes ; il n'est pas même question de se la masquer puisque, peu de temps auparavant, dans *La Peste à Florence*, il en a parlé à découvert. Que faire alors sinon s'absorber dans l'expression de sa douleur au point de transformer celle-ci en un rôle ? Souffrant, il joue la souffrance pour ne plus souffrir : cris et gesticulations l'en divertissent tout en prétendant la signifier ; il se dépense jusqu'à s'épuiser. Le but ? Puisqu'il ne peut échapper à son Destin calamiteux et puisqu'il met son orgueil à se déchirer — comme l'exige aussi son ressentiment — il fera en sorte que le malheur poussé à son comble (c'est-à-dire, en vérité, mimé avec vigueur) se transforme de soi-même en morne indifférence. La pseudo-intériorisation de l'intolérable n'est, en fait, qu'une extériorisation poussée à l'extrême qui, dans un premier temps, divertit le jeune martyr et, dans le second, fatigue sa souffrance au sens où l'on dit qu'on fatigue la salade. C'est fuir en avant. Étrange comportement : un vrai malheureux souffre dans l'insincérité. Ne nous étonnons pas trop, cependant : on peut mourir de chagrin, mais nul ne souffre sans truquer.

Toutefois la gymnastique de Gustave ne peut lui suffire : comment s'avouerait-il qu'il en use pour se calmer, lui qui « ne veut pas être consolé » ; Il faut établir que l'insensibilité est pire que la douleur. C'est à quoi sert ici le mythe de la vieillesse. Les supplices indéfiniment répétés, nous dit Flaubert, deviennent de moins en moins pénibles mais cette anesthésie progressive n'est pas un moindre mal, au contraire, puisqu'elle vient de la décrépitude. Il ne s'agit pas d'accoutumance : les tortures infligées échappent à notre claire conscience pour se couler dans l'organisme et tarir peu à peu les sources de notre vie. La totalisation du malheur, c'est la mort par usure, abolition radicale du condamné; la vieillesse, cette incapacité de sentir, la préfigure. Ainsi, la pauvre Julietta vieillit à seize ans, avant de mourir d'amour. Ainsi, l'infortuné Gustave, quand la rage et la rancœur l'étouffent, prend un petit coup de vieux pour se tirer d'affaire. Mais il ne suffit pas de jouer la comédie, il faut être capable de la prendre au sérieux. Gustave tient qu'on l'écorche vif et que rien n'est pire que son sort. En même temps il a conscience que ses souffrances — en partie par ses soins — sont sans commune mesure avec son malheur objectif. Un des offices du vieillissement sera de combler le vide qui sépare les unes de l'autre : le corps vient relayer l'âme; ainsi l'adolescent peut-il témoigner de ses tourments dans la mesure même où il s'épargne de les ressentir : encore faut-il y croire. Nous découvrons ici, pour la première fois, une ligne de vie majeure : l'autosuggestion. La sénescence, ce n'est qu'une solution verbale *à moins* que Gustave ne la ressente dans ses os; à moins qu'il ne l'endure non comme un épuisement passager mais, chaque fois, comme une somatisation de sa douleur psychique.

Rêve d'enfer, c'est un acte d'accusation en règle. L'accusé : Dieu, pseudonyme d'Achille-Cléophas. Son premier crime : il exige l'amour et d'ailleurs il est aimable mais il désespère ceux qui l'aiment. La pauvre Julietta en fait la triste expérience. Cette créature est d'un bon naturel; elle rend un culte à son Créateur; au comble du désespoir elle écarte l'idée du suicide pour ne pas lui déplaire : « Elle croyait à Dieu et elle ne se tua pas. Il est vrai que souvent elle contemplait la mer et la falaise, haute de cent pieds et puis qu'elle se mettait à sourire tout bas avec une grimace des lèvres qui faisait peur aux enfants. Bien folle, en effet, de s'arrêter devant une idée, de croire à Dieu, de le respecter, de souffrir pour son plaisir, de pleurer pour ses délices. Croire à Dieu, Julietta, c'est être heureuse ; tu crois à Dieu et tu souffres ! Oh ! tu es bien folle en effet. » Dieu, dans ce texte, est à la fois une idée — celle qu'Achille-Cléophas a détruite chez son fils — et un être vivant, un père qu'on respecte. C'est ce qui explique la phrase curieuse : « Croire à Dieu c'est être heureuse, tu crois à Dieu et tu souffres. » Gustave, quand il pense à Dieu pour de vrai, pourrait écrire, en effet, que la Foi donne le bonheur. Mais il ajouterait que son père a si bien fait qu'elle a disparu pour toujours : « Je ne crois plus à Dieu et j'en souffre. » Par contre si le Père Eternel est un prête-nom pour Achille-Cléophas, l'énoncé est correct car il faut entendre : avoir un père, le respecter, souffrir pour son plaisir, pleurer pour ses délices, c'est être heureux ; j'ai un père et je souffre. On trouvera suspect ce Géniteur qui se repaît des larmes de ses enfants, même s'il les rend heureux. Mais Gustave n'y voit pas de mal : il pleurerait de bonheur, lui, et pour le seul plaisir du docteur Flaubert si seulement celui-ci s'intéressait à lui. Mais non, justement : il a un père *et* il est malheureux ; le Géniteur, pense-t-il, s'est détourné de lui parce qu'il reproche à sa créature d'être telle qu'il l'a faite intentionnellement.

Car c'est le deuxième crime du Tout-Puissant. Il ne s'intéresse qu'à Sa Gloire et n'a qu'une marotte, l'Univers pris dans son ensemble, et sacrifie au Plan ses créatures par un volontarisme imbécile et cruel ; jamais il n'a égard à celles-ci prises en elles-mêmes et individuellement : le Planning familial, c'est tout ; chacune d'elles reçoit une essence, formule originale qui la définit en fonction de toutes les autres et lui assigne des objectifs qu'elle atteindra au prix de son bonheur et de sa vie. Ce Démiurge adorable mais têtu, méchant et gaffeur, ne parvient qu'à se faire haïr. Et son troisième crime — car la bêtise est criminelle — c'est de n'avoir pas compris que la Création, son *hobby*, n'était qu'un immense naufrage et de s'obstiner à l'améliorer quand il faudrait la détruire et, surtout, ne l'avoir pas même entreprise. D'où l'amère supplique finale de Satan :

« Il y avait dans l'air comme un bruit étrange de larmes et de sanglots, on eût dit le râle d'un monde.

« Et une voix s'éleva de la terre et dit :

« — Assez ! assez ! j'ai trop longtemps souffert et ployé les reins, assez ! Oh ! grâce ! ne crée point d'autre monde !

« Et une voix douce, pure, mélodieuse comme la voix des anges s'abattit sur la terre et dit :

« — Non ! Non ! c'est pour l'éternité, il n'y aura plus d'autre monde ! »

Nous retrouvons ici, sous une forme très explicite, l'horreur de Gustave pour la fécondité : ça n'est donc pas fini ? Tu nous a tous ratés : Achille, cet automate, et les deux autres qui sont morts et moi, l'homme-singe, et mon cadet mort en bas âge et cette sœur dont je sais déjà qu'elle va mourir[1]. Cela ne suffit pas ? Non ? Tu

---

1. Il écrira quelques mois plus tard *La Dernière Heure*, œuvre curieuse qui représente le passage de la fiction à l'autobiographie. Le héros dit « Je » comme dans les *Mémoires* et il est censé, avant de se tirer un coup de pistolet, résumer sa vie entière. Autant qu'on en peut juger (l'œuvre est restée inachevée) c'est la vie du jeune Gustave. Un seul élé-

ne vois donc pas que tu ne crées jamais que du malheur : des cadavres ou des souffre-douleur ? Chaque expérience nouvelle n'est pour
toi qu'une invention capricieuse et bâtarde, réalisée dans un coup
de rut mais pour celui que tu arraches ainsi du néant, c'est une coupe
d'amertume qu'il faut boire jusqu'à la lie, une sentence capitale
dont il est à la fois l'exécuteur et la victime.

À qui s'adresse-t-il ? Au chirurgien-chef, sans aucun doute ; mais,
à travers lui, il condamne la vie sous toutes ses formes : d'où qu'elle
vienne, c'est un mandat de souffrir délivré par la volonté froide
ou sadique d'un créateur. Bref, le reproche est généralisé : à travers son père, c'est à tous les pères qu'il s'adresse. Ou, si l'on préfère, ce qui lui inspire l'horreur la plus concrète c'est la nécessité
pour l'homme d'être fils de l'homme, de naître avec un passé déjà
constitué, avec un futur hypothéqué, d'apparaître dans le monde
comme un ensemble de moyens agencés d'avance pour atteindre
une certaine fin qu'il intériorise et qui est, en lui, celle de l'Autre.
C'est ce que signifie la réponse teintée d'humour noir que lui fait
Dieu : rassure-toi, il n'y aura qu'un monde, celui-ci *pour l'éternité.*
Traduisons, cela veut dire : une seule famille Flaubert, pas d'autres
membres mais *ceux-ci* pendant ton existence entière.

Le sens le plus évident de *Rêve d'enfer* pourrait se résumer en
une seule phrase : « Je maudis le jour où je suis né. » Gustave le
maudit, ce jour, parce qu'il est convaincu qu'une malédiction est
à l'origine de sa naissance : il se voit et voit sa route de misère ;
il sent derrière lui le terrible Jéhovah qui l'a tiré du limon pour
qu'il y eût un homme sur terre et qui commît le péché originel. Destiné à faire une faute impardonnable, il est, par cela même, détesté
par l'auteur de ses jours, puni d'avance, d'avance chassé du Paradis, il est créé pour le crime et pour le malheur : donc maudit. Gustave est un enfant maudit : on l'a fait pour qu'il témoigne de son
indigence et pour qu'il en soit puni par les affres de son orgueil
et de son ambition. Dans *Rêve d'enfer*, il retourne la malédiction
contre son Créateur.

En novembre 36 Gustave n'a pas quinze ans. Il vient de terminer *Bibliomanie* dont voici les premières lignes :
« Giacomo le libraire... avait trente ans mais il passait déjà pour

ment de fiction — mais considérable : le héros vient de perdre sa jeune sœur qu'il adorait. De fait, Caroline, fille de Caroline, était de santé délicate : Gustave a dû rêver souvent qu'elle mourait. Dans *La Dernière Heure*, il la tue, prophétiquement.

vieux et usé; sa taille était haute mais courbée comme celle d'un vieillard; ses cheveux étaient longs mais blancs; ses mains étaient fortes et nerveuses mais desséchées et couvertes de rides... il avait l'air gauche et embarrassé, sa physionomie était pâle, triste, laide et même insignifiante... Cet homme n'avait jamais parlé à personne... il était taciturne et rêveur, sombre et triste, il n'avait... qu'une passion : les livres. »

Dès qu'il en voit un, il se transforme :

« Ses yeux s'animaient... il avait peine à modérer sa joie, ses inquiétudes, ses angoisses et ses douleurs... »

Donc ce n'est pas encore l'insensible Almaroës : le feu n'est pas éteint, la passion brûle Gustave. Le cadet de famille se tord comme un sarment dans la flamme... Qu'il paraît mesquin, pourtant, ce foyer d'incendie : le libraire a tout investi dans une manie :

« ... ce n'était pas la science qu'il aimait, c'était sa forme et son expression; il aimait un livre parce que c'était un livre, il aimait son odeur, sa forme, son titre. Ce qu'il aimait dans un manuscrit, c'était sa vieille date illisible, les lettres gothiques bizarres et étranges, les lourdes dorures qui chargeaient ses dessins; c'étaient ses pages couvertes de poussière, poussière dont il aspirait avec délice le parfum suave et tendre; c'était ce joli mot *"Finis"* entouré de deux Amours, porté sur un ruban... ou reposant dans une corbeille entre des roses... Il passait dans Barcelone pour un homme étrange et infernal, pour un savant ou un sorcier.

« Il savait à peine lire. »

Tiens! voici la première allusion précise aux difficultés que Flaubert a éprouvées, vers sept ans, pour apprendre ses lettres! Par cette raison, la passion du bonhomme n'est médiocre qu'en apparence : elle renvoie, j'en suis sûr, à un merveilleux souvenir d'enfance : au temps où le père Mignot lui lisait *Don Quichotte*, l'enfant Gustave rêvait sur la beauté du livre. Qui n'a de semblables réminiscences? À cet âge, je lisais les ouvrages de Jules Verne sans trop d'engouement mais j'étais foudroyé par la beauté de la reliure rouge et or, par les images, par les pages dorées sur tranche. Devant cet objet prestigieux, on hésite : n'est-il qu'un moyen de communication? Si c'était la fin, au contraire? Si l'histoire contée n'était qu'un moyen nécessaire pour produire tant de beauté formelle? Pour Gustave, cette magnificence recouvrait un mystère : un objet si parfait avait par-dessus le marché *un sens*, c'était un message à déchiffrer. Il rencontrait d'abord la forme, qui se posait pour soi, et puis, quand Mignot commençait à lire, le contenu, l'idée. On n'a pas

donné assez d'attention à cette nouvelle qui nous livre un des facteurs du formalisme — tout relatif — de Flaubert : pour ce petit
garçon profond mais perdu qui n'a pas su lire quand ses parents
avaient décidé de lui enseigner l'alphabet et qui se défendait contre
leur blâme en disant : « Pourquoi lirais-je ? le père Mignot le fait
pour moi », le sens est apparu d'abord comme une beauté secrète
et supplémentaire de la forme : le livre s'affirmait, c'était un objet
maniable, une petite architecture qui se suffisait presque. Après
cela, d'autres pouvaient en tirer des phrases, un récit. *Bibliomanie*
prouve que cette impression lui est restée : plus tard, beaucoup plus
tard, après des déceptions, cent péripéties, c'est elle qu'il retrouvera — à ceci près que l'objet de son artisanat se présentera comme
une architecture de paroles. Des sons transcrits et harmonieux, denses et brillants comme une page dorée. On les écoute pour leur
beauté. Et par eux, sans qu'on y prenne garde, le sens pénètre en
nous, mystère singulier et sacré qui — à la différence de toute autre
information — n'est pas séparable de la forme verbale qui
l'exprime, n'est que l'« arrière-monde » pressenti à travers *ces mots-
là*. Selon toute vraisemblance les beaux « in-octavo » que feuille-
tait Mignot n'ont guère troublé Gustave en son âge d'or : ils sont
devenus des objets d'art ou plutôt des émanations de la Beauté
céleste en même temps que des instruments de supplice quand le
petit garçon a compris qu'on attendait de lui qu'il les déchiffrât
et quand il a senti la résistance maligne que lui opposait leur splendide matérialité. C'est alors qu'il les a aimées, douloureusement,
ces pages superbes qui lui opposaient cruellement leur mutisme,
c'est alors, peut-être, que s'est formée, fruste, informulée, obscure
à soi-même, l'intention d'écrire pour une élite de *lecteurs analphabètes* ou, plus justement, pour transformer un moment les membres de cette élite en analphabètes émerveillés, en faisant de la
Beauté des mots, des phrases et de leur architecture l'équivalent
de la résistance que la matière imprimée lui opposait.

Mais, à quatorze ans, il n'a fait qu'entrevoir le sadisme de la
Beauté. Ce qu'il veut exprimer simultanément, c'est sa passion et
son ressentiment. L'anomalie du jeune auteur constitue l'essence
même de Giacomo. Elle n'est point dépeinte comme un état ; c'est
un désir, bref une privation ; elle l'« absorbe tout entier » au point
de supprimer — ou presque — les besoins organiques — dont Gustave a horreur. « Il mangeait à peine, il ne dormait plus mais il rêvait
des jours entiers à son idée fixe, les livres. » On notera la rancune
de Flaubert envers le Savoir et toute forme de culture. Ce que Gia-

como chérit dans les livres, c'est l'*artificiel*. Mais n'allons pas croire
qu'il apprécie en eux le travail des hommes, leur volonté de communiquer par des signes : sa perversion (Flaubert la donne pour telle
mais n'y voit pas de mal, bien au contraire) consiste à traiter ces
produits d'un travail humain comme si c'étaient des fruits de la
terre et, singulièrement, à nier les fins humaines en vue desquelles
on les a manufacturés. Ce parasite de notre espèce vole les livres,
même lorsqu'il les achète honnêtement, puisqu'il les détourne de
leur office véritable et les collectionne comme des papillons. Double négation : à la Nature, il préfère l'anti-physis et les créations
humaines à la condition de traiter celles-ci comme des objets naturels qui n'auraient pas d'auteurs et ne serviraient à rien. C'est nier
l'homme dans son produit, asservir la Science et les relations humaines à cet unique office : servir de prétexte inessentiel à la création
d'objets beaux mais non signifiants. Giacomo *refuse d'être homme*,
c'est-à-dire de partager nos fins : il se choisit un objectif qui disqualifie tous les autres et lui reflète sa singularité. Rien d'étonnant,
après cela, si le bon moine est réputé méchant. Certes il n'a fait
de mal à personne mais sa passion est par essence malignité. Et
ce n'est pas moi qui le dis ; lisez : « (Giacomo) avait l'air traître
et méchant. » C'est qu'il vit en étranger dans notre monde. « Pendant qu'il allait par les rues, il ne voyait rien de tout ce qui l'entourait, tout passait devant lui comme une fantasmagorie dont il ne
comprenait pas l'énigme, il n'entendait ni la marche des passants
ni le bruit des roues sur le pavé ; il ne pensait, il ne rêvait, il ne
voyait qu'une chose : les livres. » Cette description remarquable ressemble à un aveu : Gustave reconnaît ici ce que sa nièce appellera
sa « naïveté ». Elle le montre dupé par les adultes et saisi par
l'*estrangement*, « entrevoyant un mystère ». Il se peint en Giacomo
avec les mêmes couleurs : distrait, le monde lui apparaît comme
« une fantasmagorie dont il ne comprenait pas l'énigme ». Etonn-
ement vague mais permanent, question obsédante, informulée à
laquelle il ne veut pas chercher de réponse. Fondamentalement, on
le sait, ce n'est pas le monde qui étonne mais notre présence au
monde si notre petite enfance ne l'a pas *(faussement)* justifiée. Gustave est et restera jusqu'à sa mort un ahuri, ce qui ne convient pas
mal à cette bête surnuméraire, l'homme. Mais, dans cette nouvelle,
il attribue cet ahurissement — dont l'origine est à chercher dans
les structures de la famille Flaubert — au monoïdéisme de la passion. Quant à celle-ci, je la dirais *homicide*, s'il faut lui donner un
nom tant les songes de Giacomo — les plus beaux surtout — sont

.

inhumains ou, plus exactement, anti-humains. Le voici en train de rêver qu'il possède la bibliothèque d'un roi :

« Comme il respirait, à son aise, comme il était fier et puissant lorsqu'il plongeait sa vue dans les immenses galeries où son œil se perdait dans les livres ! Il levait la tête ? des livres ! il l'abaissait ? des livres ! à droite, à gauche encore. »

Il y a je ne sais quelle force sombre dans cette évocation ; on imagine ces « immenses galeries » *désertes* : un colombarium ; les livres en sont les urnes ; un cataclysme aura sans doute englouti l'humanité ; infiniment seul, le roi Gustave exerce sa toute-puissance sur des choses vaguement ensorcelées. Du reste sa passion ne se borne pas à le retrancher du monde ; elle l'oppose violemment à ceux qui la partagent. Comme il les hait ! comme il voudrait les meurtrir ! Il n'a de rapports humains, somme toute, qu'avec des ennemis mortels.

Et surtout avec *un* ennemi mortel, avec Baptisto, plus riche, qui lui prend tout. Le conte est bâti sur le thème de la jalousie comme les précédents et comme les suivants : nous ne saurons pas grand-chose de Baptisto sauf qu'on l'a mis là tout exprès pour tourmenter Giacomo. L'important, pour Gustave, c'est de particulariser sa douleur et de trouver quelqu'un qu'il puisse en rendre responsable : son rival, bien qu'il ait plus de moyens, est très exactement son semblable, son frère. En acquérant sous le nez de Giacomo les incunables que celui-ci convoite, Baptisto le torture par la frustration. Et certes Satan, âme sans corps, Almaroës, corps sans âme, seront eux aussi des frustrés. Mais le frustrateur est celui qui les a créés, donnant à chacun son anomalie particulière. Ici, Gustave ne s'inquiète pas d'expliquer l'anomalie du moine : il est ainsi fait, voilà tout ; il pourrait même être comblé s'il avait de la fortune. Les choses étant ce qu'elles sont, c'est un égal, un pair qui le frustre ; c'est lui que Giacomo doit haïr. De *Bibliomanie* à *Rêve d'enfer* on voit combien le thème s'est enrichi mais aussi comment sa signification première s'est oblitérée : en un sens, en effet, Arthur et Satan sont des rivaux, des pairs et la victoire du premier fait le malheur du second. Mais, pour de vrai, le Diable, qui est le Mal et le Désespoir, serait aussi malheureux s'il n'avait pas rencontré Almaroës : le vrai coupable, c'est le Père Eternel. Du coup, chacun des duettistes incarne Gustave à sa manière. Le Père Eternel ne s'est pas fait représenter dans *Bibliomanie* ; et Baptisto *n'est pas* Gustave. Il n'est d'ailleurs personne puisque le jeune auteur a négligé de le peindre : disons que c'est simplement l'*Autre*. En tout

point semblable à Giacomo (même manie, donc, vraisemblablement, même caractère et physionomie analogue) sauf en ceci, justement, qu'il s'oppose au moine dans son altérité matérielle, qu'il
entre en compétition avec lui et sort chaque fois vainqueur. Nous
découvrons ainsi que la gémellation de Gustave dans *Rêve d'enfer*
recouvre un thème plus archaïque où les duettistes, loin d'incarner, chacun à sa façon, l'auteur, se partagent les rôles, l'un représentant Gustave et l'autre son bourreau.

Voyez-le, ce Giacomo qui, à trente ans, paraît « vieux et usé ».
Qu'est-ce qui le ronge? Sa manie? On nous dit au contraire qu'elle
le rajeunit : qu'il aperçoive un incunable, il aura dix ans de moins.
Ses malheurs? Au commencement du récit, ce ne sont encore que
des contrariétés. En fait, puisqu'il suffit d'un livre pour lui faire
perdre son allure sénile, sa gaucherie, sa morosité, puisqu'il reprend
ses rides et son maintien dès qu'il a quitté sa bibliothèque, on doit
conclure que l'âge ne dépend pas ici des années ni des épreuves :
il marque l'*indifférence*. C'est par ce même caractère que Flaubert
définira, dans les lettres à Louise, sa sénilité précoce : il survit à
sa jeunesse et ne sent plus rien. La raison en est, dit-il, une longue
suite de malheurs indisables. Rien de tel en 1835 : il ne s'agit pas
d'une apathie acquise mais d'un désintérêt constitutionnel : l'âme
de Giacomo, occupée par une seule passion, ne nourrit aucun autre
désir. Abandonné, presque dépourvu de besoins, l'organisme se
consume par places et se dessèche en d'autres. De même, la vieillesse d'Arthur était le résultat de son anorexie. Toutefois les confidences de Gustave à la Muse nous invitent à la prudence :
l'indifférence à tout que nous constatons chez le moine, l'auteur
la tient-il pour un trait de caractère inné comme il souhaite nous
en convaincre? Il est frappant que cet homme de trente ans n'ait
aucune famille — alors que les rapports familiaux tiennent tant de
place dans les nouvelles de Flaubert *avant* les premières œuvres
autobiographiques. Est-il né de l'air du temps? En fait, c'est Satan,
conçu peu après, qui nous donne la réponse : le Démon a été fait
et défini par une longue histoire de famille; il n'est rien de plus
qu'une mémoire et ce que cette mémoire se refuse, c'est la vacance
du cœur. N'en est-il pas de même pour Giacomo? Mais, dira-
t-on, Giacomo brûle, la bibliomanie le consume. Et Satan? Ne
collectionne-t-il pas les âmes? Il y a l'aventure familiale de Gustave; elle le blesse, le voilà fissuré. Mais cette fissure qui, rapportée au passé, n'est que l'expression permanente d'une antique
disgrâce, il faut bien l'envisager aussi comme une détermination

rigoureuse de l'avenir : la privation entraîne sans aucun doute l'indisponibilité et, par conséquent, l'indifférence mais, étant soufferte comme un manque, elle se définit, en tant que détermination rigoureuse de l'avenir, comme le *désir d'un certain objet*. La malédiction de Satan, sa plaie, lui prescrit ses objectifs futurs, la généralisation du Mal et la damnation des âmes : l'impossible pardon, autrement dit, l'irréversibilité du passé entraîne le désespoir ; mais cette irréversibilité reconnue et vécue désespérément entraîne l'inextinguible ardeur de nuire. Dans ce cas précis, la parenté de la frustration et du désir né d'elle est presque trop évidente. Mais, d'ordinaire, entre ce qui a été refusé à une âme et ce qu'elle veut s'approprier, la relation n'est pas une réciprocité de reflets symboliques : trop d'éléments entrent en jeu, chez Giacomo, pour qu'on puisse reconnaître le manque originel dans la manie explicitée. Observons toutefois son désir de tuer l'homme dans son œuvre et de faire du savoir un moyen de produire la Beauté inhumaine de ces objets qui n'appartiennent point à la Nature sans qu'il veuille y reconnaître cependant la marque du travail humain : peut-il apparaître d'abord et seul ? N'est-il pas, sous une autre forme, la naissance même qui, chez le Maudit, naît de sa malédiction ? La passion de Giacomo — par son aspect destructeur — nous oblige à chercher ses origines dans un antique ressentiment, comme la misanthropie que Gustave affiche dans ses lettres vers le même moment : le moine aime les livres contre les hommes, donc la haine des hommes est venue d'abord. On ne nous le dit point : il nous est montré, surtout, dans son indifférence ; ni philanthrope ni misanthrope, aucun rapport avec l'espèce. Mais il reste la malignité, la perversité, le sadisme de sa manie. Pour Gustave, l'âme est à double face : l'avers est exigence et le revers blessure. La disponibilité, perpétuel présent, ce serait la jeunesse ; les appétits et les nourritures terrestres n'ont pas d'histoire. Inversement, celui qu'une enfance trop singulière a blessé fait preuve d'indifférence à tout sauf à l'appel d'une vocation trop rigoureuse et trop exclusive qui n'est autre que cette enfance elle-même transformée en Destin : il est vieux d'avance et sa vie est si prévisible qu'elle paraît déjà vécue.

Donc Giacomo est bien fou, bien méchant, tout inhumain ; ses goûts, à la fois infantiles et séniles, découragent la sympathie. Gustave insiste tant qu'il peut sur les torts du bon moine et, n'en doutons pas, souhaite que nous le condamnions : c'est qu'il prend souvent ses lecteurs pour des adultes sérieux, pondérés, savants, pour des philanthropes, bref pour des cons ; c'est à ces gens-là qu'il confie — sûr de les scandaliser — que le moine est presque analphabète et ne fait jamais l'aumône. Mais, à peine aurez-vous jugé son personnage, le jeune auteur vous demandera : de quel droit, au nom de quoi ? De fait, à la fin du conte, il parle du libraire comme d'un de ces hommes singuliers et étranges dont « la multitude rit dans les rues parce qu'elle ne comprend point leurs passions et leurs manies ». Tout se passe — c'est ce qui donne à ces récits leur ton si particulier — comme si, après avoir accablé ses héros — et celui-ci plus que d'autres —, il prétendait marquer je ne sais quelle *positivité* du *négatif*. Par là je n'entends pas qu'il pose la négation pour pouvoir ensuite la nier. Non : la bibliomanie reste un absurde projet contre nature et inhumain. C'est plutôt qu'il y a un *fondamental* de la privation ; le « manque » — quel qu'il soit — contient en lui je ne sais quelle affirmation souveraine du droit de la créature sur la création et par conséquent sur le Créateur. Les objets de nos passions sont équivalents. Seule l'*intensité* compte : il suffit de se mettre jusqu'au bout dans son tort pour avoir finalement raison. Giacomo, heureux et déchiré, devient magistral quand il vole la bible de Baptisto. Magistral et coupable : cet acte autopunitif reçoit un prompt châtiment : la mort — les héros du jeune Flaubert, ces méchants, s'accomplissent en s'anéantissant. Tout se passe comme si l'enfant *devait jouer perdant*, du fait d'une condamnation originelle et irrémédiable qu'il n'avait ni le droit ni le pouvoir ni l'envie de contester. Ainsi la défensive ne pouvait commencer qu'après la défaite, quand l'ennemi est dans la place depuis longtemps, occupe les lieux stratégiques et que la résistance armée n'est pas même concevable. Que faire, pour Gustave ou pour ceux qui l'incarnent, sinon *plaider coupable*, exposer les faits au procureur plus qu'à l'avocat, puis, arrivé au bout du rouleau, retourner l'argument, montrer dans cette culpabilité irréfutable, dans cette misère mentale qu'ils reconnaissent hautement, la marque d'une infinie lacune, d'une blessure qu'un géniteur criminel leur a faite en les engendrant et d'une aspiration, quelle qu'elle soit, qui, assumant leur blessure, fait leur invisible grandeur, la seule qui soit possible en ce monde.

En ce sens, le titre de la nouvelle est trompeur : au lieu de *Bibliomanie*, c'est *Graphomanie* qu'il faudrait lire. L'auteur s'acharne sur lui-même avec une humilité rageuse : il écrit parce qu'il ne s'aime pas mais la conséquence en est qu'il n'aime pas ce qu'il fait. Il griffonne ; il dira un peu plus tard qu'il ressemble aux numismates, aux philatélistes. Naturellement il trouve dans son malheur même un horrible salut ; médiocre écrivassier, il se fait ronger le foie par ce vautour : le désir d'être un grand écrivain ; le génie devient sa privation fondamentale. Ou plutôt, si l'âme se définit comme un certain désir creusé par une certaine histoire, la sienne est une privation double. Par sa face d'ombre, mémoire tournée vers l'Être, elle est méditation d'une catastrophe irréversible ; par l'autre face, elle est appel, vocation, mais personne n'est là pour l'appeler : c'est l'avenir qui lance l'appel, déterminé par la frustration — qui exige d'être effacée. La possibilité fondamentale de Gustave n'est autre que sa plaie réclamant le seul baume qui la puisse combler, la gloire, humiliation compensée. Mais, si l'on a compris les démarches de cette pensée négative, on devine que le jeune auteur se persuade d'être, par là même, voué au désespoir : *il aurait fallu* du génie. Parbleu ! Si le désir, infini mais singulier, est une mémoire retournée en prophétie, la frustration, en même temps qu'elle définit dans l'avenir la seule plénitude qui pourrait combler son vide, est en même temps vécue dans le ressentiment, dans la bouderie, comme un martyre qui doit aller de lui-même à l'extrême du dénuement et de la souffrance. Cela signifie qu'elle n'envisage sa possibilité fondamentale que sous la forme d'une fondamentale impossibilité. La *gloire impossible* est l'expression future de l'irréversible disgrâce passée. Elle est impossible *parce qu'elle est nécessaire*. Le malheur subi dans la culpabilité se projette, futur, comme l'échec de la seule action que Flaubert puisse et veuille entreprendre. L'adolescent est damné : sa seule grandeur, dans le mesquin naufrage qui l'abolira, c'est l'immensité du génie qui le hante et lui est refusé. *Bibliomanie* dissimule la frustration mais ne peut cacher le ressentiment ; le sens en est clair sinon pour Gustave du moins pour nous, ses lecteurs : manipulé dès la naissance, vieilli par une chute mémorable, on ne m'a donné qu'un désir, grinçant, amer, inassouvissable ; à part ça, je me fous de tout.

Sur un autre point, cette œuvre fruste et profonde se montre plus explicite que ne feront les ouvrages ultérieurs : elle insiste fortement sur le caractère répétitif des malheurs de Giacomo : ils ne sont rien moins qu'imprévus, chacun étant la reproduction du précédent, le moine *s'y attend*. Baptisto « lui enlevait depuis quelque temps... tout ce qui paraissait de rare et de vieux... Cet homme lui devenait à charge, c'était toujours lui qui enlevait les manuscrits ; aux ventes publiques, il enchérissait et obtenait. Oh ! que de fois le pauvre moine, dans ses rêves d'ambition et d'orgueil, que de fois il vit venir à lui la longue main de Baptisto, qui passait à travers la foule comme aux jours de vente, pour venir lui enlever un trésor qu'il avait rêvé si longtemps, qu'il avait convoité avec tant d'amour et d'égoïsme. Que de fois... il fut tenté de finir avec un crime ce que ni l'argent ni la patience n'avait pu faire ; mais il refoulait cette idée dans son cœur, tâchait de s'étourdir sur la haine qu'il portait à cet homme et s'endormait sur ses livres. »

Le pauvre libraire *s'attend* à son infortune par la bonne raison que celle-ci renaît sans cesse et le frappe chaque fois de la même façon. Le cérémonial en est fixé pour toujours : la vente commence, le rival apparaît, on ouvre les enchères, l'espoir et le désespoir alternent, Giacomo découvre « avec horreur que son antagoniste s'enflamme à mesure que le prix monte », il commence à craindre, et puis il ne craint même plus : il sait. Il lutte encore. Vainement : les jeux sont faits. À peine recule-t-il d'un instant le triomphe de l'ennemi, l'humiliation publique et la frustration : « On se passe le livre de main en main pour le faire parvenir à Baptisto ; le livre passe devant Giacomo, il en sent l'odeur, le voit courir un instant devant ses yeux puis s'arrêter à un homme qui le prend et l'ouvre en riant. » Supplice à répétition. C'est un « gag roulant » : le retour éternel des mêmes souffrances. À peine amorcée, la scène lui est déjà présente avec tous ses détails : il n'y a plus qu'à la vivre, qu'à la re-vivre, plutôt ; désespéré d'avance et jusque dans les moments d'espoir, le moine s'illusionne sans illusion, par force, parce que c'est le moment fixé pour se laisser prendre au piège ; étrange saveur du vécu : nécessaire et pourtant absurde — puisque l'évidence de sa nécessité ne vient pas d'une logique interne mais de son inutile répétition —, il se déguste fastidieusement mais la rigueur de l'étiquette est tellement inexorable que chaque impression particulière est ressentie — atroce jouissance masochiste, volupté de la douleur — comme l'identité de la réminiscence et de la prévision.

On aura noté que le moine est frappé « dans ses rêves d'orgueil et d'ambition ». On ne saurait mieux dire que l'auteur nous parle en vérité de tout autre chose que de ce dont il prétend nous entretenir. Et, certes, il y a de l'ambition, chez un collectionneur, de la vanité aussi, la satisfaction de posséder, seul au monde, la pièce la plus rare. Mais le *ton* de Gustave nous avertit : sa gravité, la connivence qu'il affiche avec l'orgueil et l'ambition du libraire marquent assez qu'il a voulu incarner dans une manie dérisoire — pour tromper le lecteur éventuel et surtout pour se moquer de lui-même — ses deux passions fondamentales. Le caractère « compensateur » de l'une et de l'autre — autant que l'aspect rituel et l'éternel retour des supplices qu'on lui inflige — nous donne une précieuse indication sur la nature de ces tourments inlassablement répétés ; j'y vois deux ordres de misères en un seul confondus. Le lieu de la répétition cérémonieuse ne peut être que la famille : le père est grand ordonnateur, il établit l'étiquette et se charge de la faire respecter ; la mère l'assiste et les enfants jouent les rôles qu'on leur a distribués depuis la naissance : Achille, celui de l'aîné, Gustave, celui du cadet ; la petite Caroline interprète celui de la petite sœur bien-aimée. Ce que sont ces événements réglés qui reviennent sans cesse, nous ne pouvons, pour l'instant, le déterminer si ce n'est formellement et dans la généralité : il s'agit des fêtes, bien sûr, des anniversaires et puis on devait célébrer, non sans quelque faste, les brillants succès scolaires d'Achille. Mais il y avait aussi les vacances, le départ, chaque année, de la famille Flaubert pour Yonville ou Trouville, la quinzaine qu'elle passait chez la mère d'Achille-Cléophas ; plus quotidiennement, c'étaient les repas qui, à certaines époques, réunissaient parents et enfants au complet : heures fixes, rituel invariable que le père imposait en fonction de ses obligations professionnelles ; il y avait les soirées aussi : la fillette et le cadet n'y restaient qu'un moment, on les envoyait se coucher de bonne heure et, quand Achille était là, le docteur Flaubert devait s'attarder un moment pour parler « entre hommes » avec son fils aîné. Encore faut-il ne voir en tout cela qu'un cadre : les vraies répétitions — plaisanteries consacrées, récits cent fois redits d'événements anciens, anecdotes sues par cœur et qu'il fallait réentendre les jours où Achille-Cléophas était de bonne humeur, jugements de valeur invariables portés, hiver comme été, sur les mêmes actions ou les mêmes personnes, etc. — étaient le produit de la mémoire familiale ; à travers elles, la cellule Flaubert affirmait son identité, la pérennité de ses structures et de sa hiérarchie : c'était là, bien entendu, ce que le petit Gustave ne pouvait supporter ; un bon mot, une moquerie, l'évocation d'un souvenir lui faisaient redécouvrir par leur circularité répétitive l'irréversibilité de sa chute et, simultanément, un ordre immuable dont il était la victime. *Bibliomanie* nous apprend pourquoi la passion de Mazza, encombrée par sa famille, tournera en rond, dans un cercle étroit mais profond. Ce que Gustave décrit par là, c'est le cycle de la répétition familiale qui, à travers le retour éternel des cérémonies, le ramène sans cesse à réaliser, en profondeur, l'événement archétypique et les structures fixes de la cellule Flaubert en tant qu'elles sont vécues par le cadet comme sa propre impossibilité de vivre.

Donc, un carrousel d'offenses prévisibles : voilà l'ordre fondamental de ses malheurs. Un autre s'y superpose, secondaire, cyclique encore : à chaque vexation, il réagit *par l'écriture*. Il s'enferme,
il raconte son histoire pour s'en délivrer et pour s'y venger de ses
persécuteurs. C'est chaque fois un échec ; nous le devinons ici, nous
le verrons plus tard à l'évidence : Gustave n'est pas content de ce
qu'il écrit. Ses foudres ne sont à ses yeux que des pétards mouillés.
L'offense familiale est insupportable mais l'exposé d'amertume qui
la dénonce, Flaubert le tient pour médiocre. La malédiction du père
l'atteint jusque dans les secteurs qui auraient dû, par principe,
échapper au médecin. Nouvelle circularité : il souffre mais, chaque fois qu'il en veut témoigner, il manque son coup. Personne
ne connaîtra ses souffrances, qui sont « indisables » à moins d'être
un génie. Chaque nouvelle est un procès entamé contre ses persécuteurs et perdu : l'Autre triomphe sur toute la ligne.

Comment Gustave-Giacomo réagit-il à ces agressions perpétuelles, à ces perpétuels « ratés » de sa défensive ? À la manière de
Julietta, en renchérissant sur les manifestations de son malheur pour
moins le ressentir ? Pas du tout : ou bien l'adolescent, à quatorze
ans, ne s'est pas encore avisé de recourir à ces pratiques ou bien,
tout simplement, il est moins *construit*, plus sincère. Lisons. Giacomo convoite une bible latine avec des commentaires grecs ; un
rival la lui souffle ; frustré, le libraire commence romantiquement
par se déchirer la poitrine de ses ongles. Mais il quitte la salle des
ventes et bientôt sa douleur prend un autre tour :

« Sa pensée n'était plus à lui, elle errait comme son corps, sans
avoir de but ni d'intention ; elle était chancelante, irrésolue, lourde
et bizarre ; sa tête lui pesait comme du plomb, son front le brûlait...

« Oui, il était ivre de ce qu'il avait senti, il était fatigué de ses
jours, il était saoul de l'existence. »

À peine l'aigre émotion de la défaite lui a-t-elle pincé les nerfs,
elle s'évanouit. Trop lourd, le sentiment l'écrase et se change en
accablement égaré. La pensée même, cette flaireuse, s'est perdue :
dans la vappe. C'est un échange instantané : le corps absorbe la
souffrance et rend la décrépitude. Cette description convaincra
d'autant mieux qu'elle est moins attendue. Souffrir, le plus souvent, c'est *mettre en ordre, réaliser* : on intériorise la catastrophe
par le travail de la rumination ; l'esprit s'acharne minutieusement
sur les souvenirs les moins supportables et les enflamme. C'est le
« monologue », qui deviendra bientôt un comportement familier
de Gustave. À Giacomo, ce vieux libraire de quatorze ans, rien n'est

plus étranger que cette obsédante présence à soi. Malmené par le sort, il s'absente, plus personne; la rue le traverse, cette âme vacante est un carrefour de rires, de conversations, de chants qui lui demeurent étrangers : « Mais il lui semblait que c'était toujours le même son, la même voix, c'était un brouhaha vague, confus, une musique bizarre et bruyante qui bourdonnait dans son cerveau et l'accablait. » Il erre au hasard, rentre chez lui « épuisé et malade », « se couche sur le banc de son bureau et dort ». Heureuse douleur qui conduit au sommeil par l'épuisement. Il est vrai que le moine s'éveille avec la fièvre. « Un horrible cauchemar avait épuisé ses forces... » Il en avait donc encore? Deux lignes plus haut, on nous disait qu'il ne lui en restait plus. Un peu plus tôt, d'ailleurs, Giacomo, à la suite d'une grave déception — un bouquiniste lui apprend qu'il vient de vendre *Le Mystère de saint Michel* pour huit maravédis — « tombe sur la poussière comme un homme fatigué d'une apparition qui l'obsède ». Rien de plus clair : menacé, Giacomo se met en veilleuse ; cet absentéisme défensif est pratiqué par les insectes : on le nomme alors, improprement, réflexe de la fausse mort.

D'où vient cela? Pourquoi la mise en ordre est-elle ici remplacée par un désordre *éprouvé*? Il ne veut pas souffrir? Bien sûr. Mais qui le veut? Encore faut-il pouvoir s'en empêcher. S'il échappe quelquefois à l'exaspération, cette folie des nerfs, c'est que son malheur objectif le lui permet. Le seul avantage de maux trop prévisibles, c'est qu'on peut, en truquant, se prémunir contre eux. Le petit Gustave doit au comportement maternel sa passivité, ses hébétudes, d'écrasantes fatigues. Il va les exploiter : dès l'âge d'or, sa pensée fait des fugues; il en usera : ce seront des absences aménagées. N'entendons pas qu'il les fait naître à sa volonté : celle-ci, consciente, délibérée, ne pourrait se montrer sans que le patient échafaudage ne s'écroule; et puis Gustave, le plus têtu des écrivains, n'a pas les moyens de vouloir, c'est-à-dire de s'engager délibérément dans une entreprise. Tout au contraire, il faut, pour se défiler en douce, une *option passive* — cela veut dire, nous l'expliquerons plus tard, le choix passif de la passivité : on s'abandonne aux trous d'âme, aux brouillards et, pour y avoir obéi sans réserve, en déclinant toute responsabilité, on finit, à tâtons, par guider ses propres fatalités. Aux pires douleurs *attendues*, il oppose d'avance l'épaisseur molle de son abrutissement : c'est l'anniversaire d'Achille? Parfait : l'âme est congédiée, elle reviendra demain. Voici les cris, les embrassements, le digne successeur d'Achille-Cléophas est félicité, déclaré hoir d'honneur sous les yeux de Gustave : rien ne vibre, chez le cadet ; les agressions s'émoussent dans la ouate intérieure, la stridence des nerfs pincés se transforme en ondulations pâteuses, alenties par la substance non pensante dont son cerveau s'est empli. Entre les agressions, Gustave monologue ; nous avons vu qu'il *se dit* : je tuerai mon rival. Ainsi font tous les récriminants. Mais pendant qu'on l'agresse, il ferme boutique : plus personne ; dans la maison déserte on entend des voix, des bruits mais ils viennent du dehors ; nul ne peut, dans les chambres désertes, les reproduire ni les comprendre. Plus tard, quand le locataire reparaît, le pire est déjà passé. Seulement voilà : c'est le corps qui a tout pris. Il est épuisé, il prend la fièvre, il s'effondre en un sommeil malsain, troublé par des cauchemars. L'absentéisme défensif a pour résultat d'accentuer l'involution physiologique. Cent fois répétée, une agression provoque des lésions nerveuses. Le *stress* — c'est ici la symbiose de l'attaque et de la défense — ne fait que les exagérer. Nous retrouvons la trinité dialectique : intériorisation du Mal, éclipse de l'âme, usure du corps qui joue son propre rôle et celui de l'absente. C'est elle que Flaubert désigne par ce concept unique : le vieillissement. Alfred veut « vivre sans vivre » ; Gustave, lui, prétend *souffrir sans souffrir* : à l'en croire, c'est vieillir.

A-t-il tout dit ? Non. *Bibliomanie* nous a clairement montré que l'appareil verbal et conceptuel de Flaubert se rapportait à une intention profonde. Mais quoi ? Quelle est cette intention ? La « plaie profonde », quelle est-elle ? Qui est Baptisto, ce rival toujours vainqueur et tant détesté ? Pour retrouver le contenu matériel et concret de ces évidences un peu abstraites, il faut continuer la recherche, remonter jusqu'à ses premières œuvres, plus ouvertes ou plus naïves. *La Peste à Florence* est de septembre 36 : Flaubert a quatorze ans et neuf mois. *Un parfum à sentir* est daté d'avril : quatorze et quatre. *Un secret de Philippe le Prudent* aurait été composé, lui aussi, en septembre 36, d'après l'édition Charpentier. Mais, dans la même édition, il figure *avant Un parfum à sentir*. Pour ma part, je tiens qu'il fut composé en 35 : les thèmes fondamentaux de Gustave y sont, en effet, présents mais non point « sortis », il les subit sans les dominer, ce qui nous permettra, d'ailleurs, de distinguer radicalement deux motifs que la réflexion de Flaubert a liés par la suite (en particulier dans *La Peste à Florence*). Je parlerai donc de ce troisième récit après les deux autres. Cela dit, on connaît trop les régressions qui menacent à tout instant un écrivain, les pièges qui l'égarent en lui-même et lui dérobent temporairement les évidences qui le guidaient, l'effort qui nous est demandé à tous pour être simplement fidèles intellectuellement à notre propre pensée : si *Philippe le Prudent* est postérieur à *Un parfum*…, il y a involution provisoire de Flaubert et de sa problématique; or, chez tous ceux qui se cherchent, ces involutions sont si fréquentes que je ne peux voir dans les incertitudes de *Philippe le Prudent*, une preuve absolue de son antériorité. De toute façon, l'affaire est sans importance.

La Peste à Florence commence par une prophétie. Les deux fils Médicis, François, l'aîné, et Garcia, le cadet, sont allés chez la voyante. Celle-ci, une vieillarde, naturellement, grande dame dans sa jeunesse, à présent décrépite, avec « une magnifique chevelure blanche », dit au premier : « Tes projets vont bientôt réussir mais tu mourras par la trahison d'un de tes proches », et au second : « Le cancer de l'envie et de la haine te rongera le cœur et… tu trouveras dans le sang de ta victime l'expiation des humiliations de ta vie. » La prédiction se réalisera point par point. Nous savons qu'elle est liée, pour Flaubert, à des déterminations rigoureuses : les structures de la famille Médicis ne peuvent se vivre dans l'histoire individuelle de chaque membre que sous forme de répétition. Le droit d'aînesse, par exemple, est une structure permanente qui renvoie aux institutions sociales; celle-ci se manifeste à Garcia le cadet par le retour quotidien de ses humiliations. Mais cette répétition est orientée : l'aventure individuelle va de la naissance à la mort; le retour fixe de la constellation fatale use les forces, cela signifie que les crises ont le même contenu mais non la même intensité; leur sens même varie en fonction de l'ordre temporel : chacune hâte la fin du procès mais les premières préparent à l'aveuglette l'éclatement terminal — ou la sénescence et l'usure; au lieu que les suivantes nous donnent à voir dans sa singularité l'inévitable trépas dont elles nous rapprochent. Nulle part — sauf dans *La Légende de saint Julien l'Hospitalier* écrite à cinquante-quatre ans — il ne montrera si clairement, par la suite, le lien rigoureux de la vie en famille et de l'angoisse prophétique : la vieille Béatricia n'est qu'un accessoire romantique; en vérité c'est Garcia lui-même qui saisit la nécessité intemporelle de la structure à travers sa propre temporalisation. Il le reconnaît, d'ailleurs : deux jours plus tard, au moment d'assassiner François, il lui rappelle l'oracle avec une jubilation rageuse : « Va, la prédiction est juste… vois-tu les places de ma tête où manquent les cheveux?… Vois-tu comme ma vue est cassée et affaiblie. Car... j'ai passé les nuits à crier de rage et de désespoir. » Tout est lié : famille, structure, histoire, pouvoir divinatoire et vieillissement.

Deux jours de larmes suffiraient à casser la vue ? Garcia exagère : il est vrai qu'il en a bavé pendant ces quarante-huit heures ; mais la voyante n'a rien dit qu'il ne sût depuis l'enfance. Depuis l'enfance, le cadet Médicis voit François draguer la faveur paternelle, les honneurs : à l'aîné reviendra le patrimoine, c'est l'hoir ; *destiné* par sa naissance à prendre la succession de Cosme, *il se fait le destin* du cadet qu'il dépouille. L'avenir de Garcia se révèle à lui chaque jour à travers des humiliations mineures : c'en est le sens, elles le réalisent au présent ; une institution sociale, raison permanente de son malheur, s'incarne en François, se manifeste à travers les marques d'amour prodiguées par le père au futur chef de famille. Ainsi chaque épreuve est nouvelle — car la chance du beau François se découvre à travers des circonstances qui varient sans cesse et l'acheminent peu à peu vers cet ultime succès : la mort du père et la passation des pouvoirs — et chacune, en même temps, est connue par ses causes, prévisible et prévue, ce qui n'empêche pas qu'elle doive être vécue, soufferte minutieusement et jusqu'au bout. Pauvre Garcia : on ne lui fait pas grâce d'un détail. Il arrive aux auteurs dramatiques de couper, dans leurs œuvres, des scènes inutiles et fastidieuses qui, dit-on, « font double emploi ». Mais le Créateur des Médicis et du monde n'a pas ce souci : au contraire, il se complaît aux redites, aux scènes « qui n'ajoutent rien » : François part gagnant, on le sait, on réclame des coupures ; le Tout-Puissant s'obstine ; c'est la *répétition* qui l'intéresse : à chaque instant, l'aîné doit rafler la mise ; pour Garcia comme pour Giacomo, prévoir et ressentir ne font qu'un ; promise à des reproductions indéfinies, la sensation du cadet s'exaspère d'avoir été prédite et d'être prédiction.

Gustave n'est pas Dieu ; artiste, il *suggère* ces redites fastidieuses qui font la trame de la vie de Garcia mais il nous propose un événement capital, résumé de tout ce qui a précédé, prédiction de tout ce qui suivra : voici le triomphe du droit d'aînesse. François vient d'être nommé cardinal : le pape a signé la nomination. Le symbole est clair, Gustave n'a pas eu le souci de transposer ; c'est tout au plus s'il consent à remplacer le nom de Flaubert par celui de Médicis ; mais on remarquera tout de suite qu'il a gardé l'essentiel. D'abord le vieux Cosme ne se soucie pas, en cette occasion, de faire une avance d'hoirie à son fils aîné : il *ne lui donne rien de ce qu'il possède.* Cela tient à ce qu'Achille-Cléophas — Gustave ne l'ignore pas — doit répartir équitablement sa fortune personnelle entre ses héritiers. Par contre le chef des Médicis intrigue auprès du pape pour obtenir de lui qu'il donne à l'aîné de la famille une dignité prestigieuse : ainsi fera le docteur Flaubert lorsqu'il s'arrangera pour que les pouvoirs publics donnent à Achille sa charge qui ne lui appartient pas, n'étant pas héréditaire. C'est de cette façon que le chirurgien-chef pratique le droit d'aînesse et Gustave est outré par ces vertueuses menées et par la prédilection qu'elles supposent. Il s'est si peu soucié de déguiser sa rancune qu'il a, paradoxalement, fait donner à François une dignité religieuse et que le cadet, Garcia, sert obscurément dans l'armée avec le brevet de lieutenant quand chacun sait que, sous l'Ancien Régime, l'aîné prend l'épée et devient militaire et que le cadet, souvent, entre dans les ordres. La raison saute aux yeux : François, bien que rompu à tous les exercices du corps, sera *clerc* ; cela signifie qu'il fondera sa dignité sur le *savoir* comme Achille dont un père injuste veut faire un prince de la science. Garcia, chétif, Cosme le fait soldat pour se débarrasser de lui : à lui la violence et l'action, à lui l'ignorance. Il exercera toute sa vie un métier qu'il déteste et pour lequel il n'est point fait. Flaubert, cette fois, donne ouvertement la raison de son ressentiment — ou plutôt l'une de ses deux raisons d'en vouloir à son père : ressuscitant abusivement un droit d'aînesse aboli, le docteur Flaubert veut privilégier son fils aîné et lui offrir la plus belle carrière médicale de toute la Normandie ; il l'invite à marcher sur ses traces, à partager sa gloire et même à l'accroître, il lui offre une clientèle riche et huppée, tous les grands noms de Rouen ; il l'aime assez, ce fils merveilleux, pour ne vouloir survivre qu'en lui.

Sans doute la nouvelle fut écrite dans la fièvre : elle a remplacé, peut-être, un bouleversement qui eût brisé Gustave pour longtemps. J'en conclus qu'un événement particulier a ressuscité sa fureur : nous n'en saurons jamais plus. Rappelons-nous seulement qu'Achille a vingt-trois ans à l'époque et qu'il est fort près de terminer ses études. *La Peste* est de septembre : le futur médecin passat-il brillamment quelque examen ? Y eut-il, à cette occasion, en juillet, en août, des réjouissances familiales ? Tout ce qu'on peut dire, c'est que Cosme de Médicis compte donner des fêtes magnifiques pour célébrer la nomination de François. Florence est en liesse ; la présence du fils cadet est indispensable. Voici le comble du sadisme ; dans *Bibliomanie* la victime était contrainte d'assister au triomphe de son bourreau; dans *La Peste* il faut en outre qu'elle y applaudisse. Pour Garcia, ce coup du sort est prévu, inévitable, inacceptable. Rien de neuf, pourtant; il en a vu d'autres mais il arrive qu'un symbole fasse plus de mal que l'objet symbolisé : des années se ramassent en une nuit, l'invisible est offert à la vue, une abstraite malédiction s'incarne et tyrannise. Par les mille feux du cortège et du bal la dignité de cardinal éblouira le cadet. « Quand on verra dans les rues de Florence la voiture de Monseigneur qui courra sur les dalles, si quelque enfant... demande à sa mère : ''Quels sont ces hommes rouges derrière le cardinal ? — Ses valets. — Et cet autre qui le suit à cheval, habillé de noir ? — Son frère...'' Ah ! dérision et pitié ! Et dire qu'il faudra... l'appeler Monseigneur et se prosterner à ses pieds ! » La conclusion s'impose : il s'écrie : « Je n'assisterai pas à ces fêtes ! »

Il est présent pourtant à la cérémonie : « Il contemple tout cela d'un air morne et triste... comme le mourant regarde le soleil sur son grabat d'agonie. » *Agonie* : le mot que Gustave doit reprendre à dix-sept ans, pour en faire le titre de sa première autobiographie. Quant au « mourant qui regarde le soleil sur son grabat », il se retrouvera, nous le verrons, dans les dernières pages de *Novembre*. Par chance, le malheur — comme il fera de Giacomo — vieillit Garcia d'un coup et cet affaiblissement commence par l'empêcher de ressentir vraiment sa fureur. Tout de même les passions sont trop fortes. Elles se déchaînent, il rage un bon coup :

« La vue de son frère l'irritait à un tel point... qu'il était tenté de déchirer avec ses ongles la femme dont la robe l'effleurait en passant. » De même Djalioh, quand la jalousie le brûle, griffe Adèle avec ses ongles de fer; et Giacomo, nous l'avons vu, se fait saigner la poitrine. S'agit-il d'un pur motif littéraire ou bien les rages de Flaubert lui inspiraient-elles le désir féminin d'égratigner l'ennemi ? En tout cas cette impulsion furibonde marque — dans tous les cas que je viens de citer — le paroxysme de l'agressivité et le début de son foudroyant déclin. François s'aperçoit de ce malaise, s'approche, interroge son frère avec une condescendance qui pousse le malheureux à bout, Garcia va-t-il tirer son épée ? Plonger sa dague dans le ventre du cardinal ? Pas du tout : François s'éloigne. Un peu plus tard :

« Un homme venait de s'évanouir sur une banquette, le premier valet qui passait par là le prit dans ses bras et l'emmena hors de la salle... C'était Garcia. »

Dans *La Peste* il n'invente rien, c'est clair. Au contraire la mode eût exigé que Garcia tirât son épée. Mais non : il est trop lâche pour dégainer contre son frère. Trop lâche ? Alors *il faut* qu'il s'évanouisse. L'adolescent, sans s'aviser de cette criante contradiction, a choisi pour y loger ses propres défaillances une époque de violence et de sang ; son héros doit tuer ou mourir, dira-t-on, et puis un peu plus tard il tue : François périra de la main de son frère. Nous verrons plus loin ce qu'il faut penser de cet assassinat.

Revenons, pour l'instant, sur cette folle haine qui s'achève par un effondrement. Garcia perd l'esprit ; cette fausse mort est un départ à l'anglaise. Ajoutons : un pari tenu : « Je n'assisterai pas à ces fêtes. » Et encore — qui sait ? — une sentence que le coupable exécute lui-même. En tout cas, le cadet Médicis ressemble au héros de *Novembre* en ceci qu'il se supprime par la pensée — cela veut dire : sans remuer un doigt. Moins heureux et moins systématique, il n'obtiendra qu'un décès provisoire. Mais, après tout, l'attaque de Pont-l'Évêque, qu'est-elle d'autre ? Ce qui frappe ici, c'est qu'il ait eu de si bonne heure un sens exact de ses constantes émotionnelles. Dans l'adversité, le corps de cet adolescent le sollicitait sournoisement de lâcher prise, de s'abandonner à la pesanteur, de se faire cadavre ou chose inanimée. L'anéantissement toujours proposé demeure à tout instant sa tentation la plus immédiate comme il sera plus tard celle de saint Antoine. Par le fait, la conduite fruste et brutale de Garcia nous fait mieux comprendre les égarements de Giacomo : ce moine, une première fois, *tombe* en syncope, la seconde fois, après des enchères, errant au hasard, privé de conscience, ou presque, il *s'évanouit debout*. Entre la syncope et l'hébétude, entre celle-ci et l'extase, *Bibliomanie*, quand on l'éclaire par *La Peste*, nous fait voir qu'il n'y a qu'un pas. Engourdissements, brumes, apathies : autant de morts récapitulées. Il n'est pas nécessaire, en effet, d'aller jusqu'au bout : quand on se sent filer en arrière ou prêt à choir sur le nez, il arrive que des dispositifs de freinage se déclenchent et que la chute s'arrête. L'essentiel, à chaque retour de malheur, c'est que l'abandon au vide soit possible : ce qui est en cause ici, ce n'est pas la conscience — Gustave nous fait savoir à plusieurs reprises, en des textes *formels* de sa Correspondance, qu'il ne la perdait jamais ; c'est le *degré de présence au monde*. Victime et manipulateur de forces obscures, le jeune garçon, quand le danger pointe, prend des reculs vertigineux. Mais, puisqu'il garde ses sens et se borne à se « *distancier* » de la réalité, dans quel secteur de l'Être cet enfant bien réel peut-il se mouvoir, s'éloigner, se rapprocher du monde, prendre ses distances ? Je réponds tout net : dans le secteur du non-être. Nous apprendrons bientôt que Gustave n'est réel qu'à demi ; nous étudierons en détail les phases du mouvement défensif que j'appelle ici, faute de l'avoir défini, son processus d'irréalisation. Mais nous n'avancerons pas sans remonter d'abord à *Un parfum à sentir*, quitte à revenir ensuite à *La Peste à Florence* pour mettre en lumière les épisodes qui nous restent obscurs.

Sautons d'abord à la fin du récit. Laide à faire peur, malade, abandonnée, un peu folle, Marguerite est au dernier degré du désespoir et de l'abjection. Par-dessus le marché la foule — la « multitude vile » de Baudelaire — la poursuit de sa haine et de ses insultes. En pareille circonstance, il n'est pas étonnant que l'on songe à se tuer. Ce qui surprend, c'est que l'idée du suicide lui vienne *tout d'un coup*, comme une fulguration de génie et qu'elle lui apparaisse moins comme une décision à prendre que comme la découverte d'un secret.

« La folle ! la folle ! criait le peuple en courant après Marguerite.

« Elle s'arrêta, se frappa le front :

« "La mort !" dit-elle en riant.

« Et elle se dirigea à grands pas vers la Seine. »

De qui parle Gustave ? D'Archimède ? Eurêka ! Elle se frappe le front et elle rit ; elle se noiera, bien sûr, mais le texte est fort clair : ce n'est pas à la suite d'un *Fiat* volontaire ; le suicide apparaît comme une conséquence qui s'est tirée seule de sa découverte. De fait elle vient de déchiffrer l'énigme dérisoire de sa vie : cette foule — qui représente un peu le chœur antique — et, plus radicalement, le « monde », dans tous les sens du terme — la refuse impitoyablement. Il ne s'agit pas ici d'exclusion, de mise en quarantaine ni même d'exil : c'est à sa vie qu'on en veut ; elle est condamnée à mort depuis sa naissance et par cette unique raison que sa laideur n'est pas supportable. Voilà son illumination : cette laideur, en tant qu'elle se confond avec l'universel refus qu'elle provoque, c'est son essence. Disons, si l'on veut, que c'est son *essence-autre*, en tant qu'elle se rapporte à ce qu'elle est pour les autres et par eux ; n'importe : en dehors de cela, qu'y a-t-il en elle ? Rien qui ne soit l'intériorisation de ses tares physiques et des réactions qu'elles suscitent chez autrui. Rien sauf un souffle vague, un « parfum à sentir » dont nous ne saurons pas grand-chose puisqu'il se perdra dans la nature sans que personne ait songé à le respirer. Son essence, par contre, se définit rigoureusement comme un interdit : elle est la femme qui porte en elle la négation radicale de son être, celle que frappe l'interdiction de vivre. Elle assumera cette essence par le suicide et se réalisera tout en se supprimant.

Flaubert blâme-t-il la foule de s'attacher uniquement à l'apparence et de négliger ce « parfum à sentir » qui est l'âme de Marguerite ? Non. Dans l'unique phrase où il fait allusion à cet insaisissable parfum, il le met *sur le même plan* que la beauté « à voir » de sa rivale Isabellada insensible et vénale. Peu auparavant, d'ailleurs, un personnage s'est acharné par sadisme sur la malheureuse. Il l'a coincée dans l'embrasure d'une fenêtre : « Elle ne pouvait plus lui échapper, il pouvait lui cracher toutes ces injures à la face, il pouvait lui raconter jusqu'au bout toutes les peines qu'elle avait eues, lui dire combien elle était laide, lui montrer toute la différence qu'il y avait entre elle et la (belle) danseuse (sa rivale)...

« — Oh ! Isambart que t'ai-je fait ?

« — Rien mais tu me déplais... Pourquoi pleurer toujours ? avoir un air si sombre, une démarche si déplaisante, une tournure qui me fait bisquer enfin ? ... Ah ! non, t'es trop laide !... »

Cet homme est bien méchant, sans aucun doute : or, à vingt et un ans, Gustave reprendra délibérément à son compte l'aversion maligne qu'Isambart éprouve pour la laideur. Relisons ce passage de *Novembre* :

« Passionné pour ce qui est beau, la laideur lui répugnait comme le crime ; c'est en effet quelque chose d'atroce qu'un être laid, de loin il épouvante, de près il dégoûte ; quand il parle, on souffre ; s'il pleure ses larmes vous agacent... et, dans le silence, sa figure immobile vous semble le siège de tous les vices et de tous les bas instincts. » Et Gustave ajoute : « Ainsi il ne pardonna jamais à un homme qui lui avait déplu le premier jour. » La laideur est le symbole figé du crime. C'est ce qu'il déclare explicitement en 1842 ; mais, dès 1836, il en est si convaincu qu'il donne au pauvre Garcia, généreusement, la pire noirceur de l'âme, les plus affreux malheurs, et les traits les plus repoussants. Il suffirait de feuilleter les *Mémoires* et *Novembre* pour s'apercevoir que ce dégoût peureux et teinté de sadisme est un de ses traits les plus constants. À plus de cinquante ans, il écrit à Carvalho : « Je suis sorti du théâtre dans l'état d'un Monsieur qui vient de recevoir sur le crâne une volée de coups de canne. Ce n'était pas tout ! En bas, sous la porte, le costumier m'a arrêté, et je fus violemment saisi par la hideur de cet homme. Car le Vaudeville doit me faire éprouver tous les sentiments, y compris ''l'Épouvante'' !

« Comme cette épouvante m'avait glacé (cré nom de Dieu qu'il est laid ! quelle dentition !) je suis arrivé à la Censure avec une physionomie et un caractère tout nouveaux... L'ombre de Flaubert a... tout concédé par lassitude, dégoût, avachissement et pour en finir. » (À Carvalho, janvier 74.)

Récuse-t-il d'ailleurs le sadisme d'Isambart ? Aucunement ; il le peint sans indulgence mais sans colère et je dirai de ce personnage que les sentiments de Gustave sont ambivalents envers lui : cela va de soi puisqu'il représente à la fois l'acharnement des autres contre l'auteur et l'épouvante haineuse que la laideur suscite en celui-ci. Quant à l'ignoble populace, il ne lui reproche pas de haïr ce qui est laid mais plutôt d'avilir la haine comme tous les sentiments qu'elle s'approprie. Le pire sadique, d'ailleurs, c'est Gustave lui-même, qui n'écrit cette nouvelle que pour tourmenter sa créature par d'intolérables supplices et qui a inventé Isambart tout exprès pour pouvoir, par sa voix, s'adresser directement à Marguerite et lui dire toute l'horreur qu'elle lui inspirait. Qu'il en soit ou non conscient, le jeune auteur prend à son tour le rôle qu'il attribue au Père Eternel et au *pater familias* : il a créé délibérément une créature hideuse et s'offre le luxe de la maudire pour les tares dont il l'a affectée. C'est ce qui donne au récit toute son ambiguïté. Car, en même temps, la malheureuse est chargée d'incarner son auteur. Cela ne manquera pas de surprendre si l'on se rappelle que Gustave était beau, qu'on le lui disait et qu'il le savait. C'est pourtant ce ravissant blondinet qui s'acharne sur un laideron : tous les malheurs de Marguerite — trompée, battue, chassée par l'homme qu'elle aime, bafouée, à demi dévorée par un lion, haïe du peuple et n'échappant au lynchage que par un suicide — proviennent de sa triste figure. L'auteur s'est mis en elle mais elle lui ressemble si peu qu'il passe aisément du masochisme au sadisme. Comme s'il lui disait : « Ce n'est pas possible d'être si laide : tu le fais sûrement exprès. » Cela est vrai mais j'en vois la raison dans un coup de génie du jeune garçon : pour être sûr de se montrer impitoyable avec lui-même, pour retrouver en soi la détestation que le monde entier lui porte, pour la comprendre et la partager, pour en faire la source même des maux qu'il inflige à Marguerite, pour se protéger du moindre mouvement de sympathie envers son héroïne, c'est-à-dire envers soi, il a trouvé ce moyen : projeter en elle son anomalie sous la forme du vice — car, pour lui, c'en est un — qu'il déteste le plus ; ainsi pourra-t-il oublier que sa victime n'est autre que lui-même et se traiter comme font les autres, c'est-à-dire en *souffre-douleur*. Que Marguerite le représente, on n'en doutera plus si l'on tient présent à la mémoire : 1° Que les duettistes de *Quidquid volueris* et de *Rêve d'enfer* sont présents dans cette nouvelle comme ils l'ont été dans *La Peste à Florence* et, à titre d'esquisse, dans *Bibliomanie* où Baptisto n'existe que pour maintenir la tension interne propre à tous ses récits (un espace structuré par une opposition entre deux personnes, le frustrateur et le frustré). 2° Qu'il s'agit de deux femmes qui se disputent le même homme et dont l'une, un peu juste pour le *sex-appeal*, possède une âme, c'est-à-dire une capacité infinie de souffrir, donc s'apparente à Satan, à Djalioh, à Mazza, à Emma, tous ces avatars de Gustave Flaubert, tandis que l'autre, belle comme le jour mais sèche, intéressée, sans cœur, est de la lignée des robots, Arthur, Paul, Ernest. 3° Que l'homme est conquis sans effort par la *vamp* — qui, d'ailleurs le laissera vite tomber — et que la pauvre Marguerite, *femme légitime* de l'infidèle, est privée par une usurpatrice d'un amour *qui lui revenait de droit.* 4° Que la souffrance du laideron s'accompagne d'un étrange orgueil et — Gustave le dit expressément — de méchanceté. Il n'en demeure pas moins que, dans *Un parfum*, il a choisi de *se faire horreur.* Bien entendu le thème s'inspire d'un lieu commun du romantisme ; les auteurs du moment se plaisent à jeter des âmes sublimes dans des corps repoussants. Mais Gustave traite le sujet à sa manière, c'est-à-dire *impitoyablement* ; l'âme de Marguerite, au reste, n'est pas sublime sinon par sa capacité de souffrir ; son amour ne nous est jamais montré que sous son aspect négatif, on juge de sa grandeur d'après celle du désespoir qui ronge la pauvre abandonnée. Mais surtout le drame se joue sur deux plans à la fois : au niveau supérieur, il est l'occasion pour Gustave d'introduire l'idée du *Fatum*, nouvellement acquise, j'imagine, sous sa forme philosophique mais qui, depuis longtemps, est apparue au petit garçon comme le *sens* du vécu et son orientation. Au niveau inférieur, qui se cache sous le premier, c'est un règlement de comptes. Or la laideur de Marguerite permet de raconter l'histoire sur les deux plans à la fois. C'est ce que nous allons mieux comprendre en examinant de plus près la tare dont le bel adolescent s'est affligé sur le papier. De fait, si la laideur représente la lèpre dont il se croit atteint, que les autres détestent en lui et qu'il déteste avec eux, tout en les détestant, les caractères principaux du symbole nous renseigneront sur l'objet symbolisé.

Il s'agit, en premier lieu, d'une détermination reçue et constitutionnelle. Entendons que Gustave commence par plaider coupable mais c'est pour paraître aussitôt après s'innocenter : il est né avec un vice de conformation mentale comme Marguerite avec un physique ingrat. Il demande aussitôt : « A qui la faute ? » et répond comme Charles Bovary : « A personne, c'est la fatalité. » Marguerite est hideuse : ce n'est pas sa faute. Et le pauvre Isambart, s'il est un peu sadique sur les bords, ce n'est pas sa faute non plus. Blâmera-t-on la populace ? Eh non : les hommes sont ainsi faits qu'ils détestent la laideur et la misère. Bref tout le monde est acquitté. Cette indulgence, chez un enfant malheureux et plein de rancune, ne laisse pas que d'être un peu suspecte. Elle est affichée pourtant et Gustave y croit ; il y croira toute sa vie. Mais il faut remarquer que les non-lieux ne se fondent pas sur le déterminisme mécaniste — celui que son père tente de lui enseigner — mais sur la Fatalité antique : Flaubert entend ne laisser aucun doute sur ce point puisqu'il donne au Destin, dès les premières lignes de la nouvelle, son nom grec « Ἀνάγκη ». Or le *Fatum*, tel qu'il le conçoit, c'est exactement le contraire du déterminisme. Si nous adoptions les principes du docteur Flaubert, il va de soi que nous acquitterions tout le monde ; et, de son point de vue, nous aurions raison : le monde est un tourbillon d'atomes qui se déplacent, s'unissent et se séparent selon des lois inflexibles ; personne ne l'a créé, personne ne le régit. La laideur de Marguerite, résultat tout fortuit d'une rencontre de séries causales, n'est qu'un fait — d'ailleurs extérieur à elle puisque tout en elle, y compris « elle-même », est extériorité. La beauté, la vénalité d'Isabellada ce sont des faits ; on n'en peut rien dire sinon que cela est. Il n'y a ni Bien ni Mal. Tout juste le Faux et le Vrai. Le savoir a des applications pratiques qui permettent aux hommes de guider en partie leur vie puisqu'il leur apprend à reproduire telle ou telle cause pour obtenir tel ou tel effet.

Le *Fatum*, chez Gustave, c'est la nécessité pour une vie de se vivre jusqu'à une mort définie d'avance, qui l'attend à l'heure dite, au lieu dit, et de se dérouler fastidieusement en une suite d'épisodes dont le plan détaillé a été établi avant sa naissance. D'une certaine manière son père n'y contredirait pas, lui qui devait penser, comme Laplace, qu'une intelligence surhumaine, connaissant les lois de l'Univers et l'état présent des particules qui le composent, serait en état de prévoir la succession de ses états ultérieurs jusqu'à la fin du monde. Mais il y aurait malentendu : pour le chirurgien-chef, on peut modifier une situation en agissant sur les facteurs qui la déterminent ; pour Gustave, non : les actions qu'on entreprend — les plus réfléchies, les mieux calculées, pour modifier le Destin ne peuvent rien faire d'autre que réaliser « ce qui était écrit ». Il n'en faut pas plus pour que nos vies irrémédiables renvoient toutes à des intentions étrangères et pour remplacer en chacun l'extériorité du déterminisme par l'intériorité d'un *serf arbitre*, appliqué en dépit de lui-même, à réaliser l'*intention-autre* qui a décidé de sa destinée. On voit, tout d'un coup, l'idée de culpabilité renaître. Tous innocents? Et si nous étions tous coupables à commencer par ces Autres qui nous ont manœuvrés avant même que nous soyons conçus?

Nous reviendrons sur la question. Pour l'instant, il nous faut comprendre Marguerite. Or, en recourant au *Fatum*, Gustave, après l'avoir proclamée innocente, lui donne la responsabilité de sa laideur. Certes, il ne le dit pas mais ce qu'on peut lire à chaque ligne c'est que la laideur *offense*. Mécaniste, il enregistrerait sans passion l'action de ces structures anatomo-physiologiques sur les comportements de ces animaux rigoureusement conditionnés au moral et au physique, les hommes. Or, il en est bien loin puisque c'est lui *d'abord* qui tient que la disgrâce du corps naît de la mauvaise volonté. Ce jeune esthète la juge *impardonnable*; il croit y découvrir je ne sais quelle visée maligne; on est laid *pour déplaire* : c'est à peu près le langage qu'Isambart tient à Marguerite. Gustave retrouve là, du reste, ce qu'on nomme un « populaire » : ne parle-t-on pas de laideur agressive? Il le sait d'ailleurs et recourt au peuple, dont Marguerite *provoque la colère*, pour porter sentence : Isambart, Gustave et la foule condamnent Marguerite à mort pour *péché de laideur*. Étrange conception : d'un côté, elle fait de la laideur une détermination reçue dont la loi est l'extériorité et qui, résultat passif de l'hérédité, d'accidents intra-utérins, etc., se maintient par passivité — et d'un autre côté, plus archaïque, plus profond, elle tient pour responsables celui ou celle qui en sont affligés. D'une certaine manière, cependant, cette détermination double et contradictoire rend assez bien compte de notre réaction spontanée : en l'homme tout est tout l'homme, un visage, par exemple, est, tout ensemble, donné et vécu : c'est une inertie troublée par des actes de communication, sans cesse dérangée, parcourue, agitée par des expressions qui la reprennent à leur compte et se donnent à voir, par elle, à travers elle, en composant ses traits. Pas un instant la face humaine ne subsiste dans la solitude de l'Être : elle est vécue, comprise, c'est une *physionomie*; le repos même — le calme aux yeux vides des statues grecques — est intentionnel; il signifie l'adaptation de l'intérieur à l'extérieur et, paradoxalement, la mobilisation totale du corps. Du coup le matériau de l'expression devient

lui-même expressif. Doublement ; un nez rouge conditionne un sourire — jusqu'à un certain point : la beauté du sourire peut faire
oublier la rougeur du nez — et, surtout, la physionomie — dans
le sommeil comme dans la veille — devient un air de tête permanent. Labourée par les significations, cette chair leur donne à toutes sa singularité, son irréductible matérialité ; elle participe, du
coup, à l'intentionnalité générale et paraît, dans sa structure même,
la manifestation d'une intention profonde. La physionomie, matière
déterminant la forme, sourire des profondeurs entrevu sous les sourires de surface, on dirait que c'est l'inertie de l'être se manifestant
comme choix. Cette impression n'est pas entièrement fausse, dans
la mesure où l'on a pu dire que chacun, à quarante ans, est responsable de son visage. Et puis il est vrai que le sentiment d'être
laid enlaidit. Mais ce qui nous importe c'est qu'un visage, liberté
enchaînée, matérialité dépassée, justifie apparemment cette confusion de premier mouvement entre l'esthétique et le moral. Beau,
il rassure ; laid, il paraît révéler la hideur d'une âme ; pis, il semble
prophétiser le malheur : un peu partout, les jeteux de sort ont deux
ou trois de ces caractères ; ils sont malheureux, étranges (hors du
commun ou étrangers) et laids. La laideur n'est pas nécessaire mais
quand elle y est, les deux autres caractères sont en elle : une femme
vraiment laide étonne, détonne au milieu de la platitude « qualunquiste » des têtes humaines et nul ne doute qu'elle ne soit malheureuse. C'est à ce niveau qu'il faut prendre le serf arbitre : la femme
laide n'est pas contagieuse à la manière d'un cholérique ou d'un
pestiféré ; ceux-ci ne peuvent transmettre que le mal dont ils souffrent et rien n'empêche en conséquence d'envisager rationnellement
la contagion comme *extériorité* et du point de vue déterministe et
mécaniste. Mais le jeteux de sort ne communique pas *son* mal : ainsi
le Napolitain qui croise un laideron pense que sa femme va mourir
ou, au mieux, qu'il se cassera la jambe tout à l'heure. En ce sens,
il découvre, dans la *jettatrice*, une anonyme malignité qui choisit
ses victimes, appropriant à chacune d'elles la catastrophe qui doit
la frapper. Cette puissance d'ordre spirituel n'appartient pas, certes, à la jeteuse de sort qui, souvent, n'est pas même consciente
du mal qu'elle fait : cependant le pouvoir malin se manifeste *par
elle*, à travers le malheur qui l'a d'abord frappée et qu'elle a dû
intérioriser, vivre au jour le jour, qu'elle entretient, somme toute,
par le seul fait d'exister et de s'en désoler. C'est ici que se fait la
contamination pour la conscience populaire : le principe mauvais
qui a créé cette malheureuse tout exprès pour qu'elle puisse souf-

frir et nuire ensemble, il va de soi qu'il la déborde infiniment mais du seul fait qu'il se prolonge en elle comme la raison suffisante de sa vie et qu'elle se l'approprie comme la substance même du vécu, percevant, ressentant, optant, décidant en tant qu'elle est, qu'elle sait être et qu'elle demeurera la femme irrémédiablement hideuse que le Mal a frappée dans son être, en tant que cette hideur n'est pas une inertie mais qu'elle doit la dépasser et conséquemment l'assumer par chacun de ses choix (en tant par exemple que son goût immodéré des pâtisseries est un substitut, par déplacement, d'un désir sexuel que son physique — elle ne l'ignore pas — l'empêche d'assouvir, en tant aussi que — plus que les miroirs — le regard des autres et leurs comportements lui redécouvrent à chaque instant la tare qu'elle voudrait oublier et que, conséquemment, cette laideur dévoilée est à la base de la relation antagonistique qu'elle entretient avec eux), on dira qu'elle *existe* le Mal dont on l'a frappée, qu'elle l'a intériorisé comme le principe permanent qui règle ses perceptions, ses sentiments et ses conduites, bref qu'elle se le réapproprie et qu'elle en prend la responsabilité. Libre arbitre? Non car elle ne peut faire qu'il ne soit et qu'il ne motive toutes ses conduites. Mais *serf arbitre* certainement : car, tant qu'elle ne se tue pas, elle est complice de la décision maligne qui l'a engendrée; mieux, elle *est* cette décision même se continuant dans la liberté de sa créature mais y demeurant comme Destin pour la pousser toujours, en dépit d'elle-même, au pire : à ce qui lui fera le plus de peine, à ce qui nuira le plus aux autres. En effet la décision prise à tel ou tel instant peut, en surface, lui paraître innocente et sans rapport avec le mal qui la ronge. Mais le Mal est en elle, puisqu'il est sa totalité et son destin, il dévie la conduite choisie vers lui-même, c'est-à-dire *dans tous les cas* vers le pire : de cela aussi, la malheureuse est coupable puisque, même quand elle prétend l'ignorer, elle en est profondément consciente.

Il va de soi que je n'ai pas tenté, ici, une phénoménologie vraie de la laideur : j'ai voulu expliquer, par des raisons que je ne nommerai pas objectives mais intersubjectives, la réaction qu'elle provoque chez un très grand nombre de gens. Gustave, adolescent, est de ceux-là. Nous le savons superstitieux et oraculaire : s'il a prodigué dans *Madame Bovary* les intersignes prémonitoires, ce n'est pas dans le dessein puéril de donner un tour d'écrou supplémentaire au roman en faisant pressentir la fin dès le commencement, c'est, en vérité, qu'il voyait sa propre vie peuplée d'intersignes — annonciateurs du pire, en général. La laideur était l'un d'eux.

Pour un enfant passif et sinistre, convaincu d'être entraîné vers la fin la plus affreuse par un inéluctable destin, la rencontre d'un homme physiquement disgracié était un véritable traumatisme : il faut se rappeler que, dans les périodes où l'on côtoie la dépression mentale, la force manque pour dominer et dépasser l'apparition d'un visage hideux, d'une expression sinistre et forcée : elle s'imprime dans l'esprit et rémane, c'est l'image prophétique de notre Mal. Gustave n'est certes pas, dans sa petite adolescence, au bord de la dépression mais il en offre quelques signes : les mots et les choses s'enfoncent en lui, indigestes, transformés en menaces inertes par sa propre inertie. Par cette raison, il est vrai que la laideur l'offense et l'effraie : c'est son inexorable Destin ramassé en un visage et qui s'offre *complet* à son intuition. Plus nous sommes passifs, en effet, plus la clé du monde, la *praxis*, cette lutte pied à pied contre le destin, a glissé hors de nos mains, plus nous *subissons* la hideur des autres, plus elle nous paraît insurmontable, chez nous comme détermination insoutenable du vécu, chez l'autre, que nous concevons à notre image, comme support inerte, douloureux et responsable d'un atroce Destin[1] et plus elle apparaît comme l'insupportable Vérité de ce monde. Tel est Gustave, tel il restera toujours. Pour lui, Marguerite est *coupable* : cette victime a son serf arbitre, c'est-à-dire que le Destin, déterminisme à rebours, c'est, en elle comme en Gustave, la *liberté pour le malheur*. On lui laisse le choix des moyens mais, quoi qu'elle entreprenne, ils aboutiront à réaliser la fin prescrite qui ne peut être qu'une aggravation de ses malheurs : elle le sait obscurément et c'est sa plus grande faute : elle sait, quand elle tente une démarche, qu'elle ne fait que rapprocher le désastre objectif qui a été décidé en haut lieu. En d'autres termes, l'Être est un choix ; simplement c'est, en chacun de nous, le choix de l'Autre. Il y a donc *deux* coupables : moi qui assume et réalise ce choix mauvais et transcendant par mes options particulières ; l'Autre, créateur sadique, qui m'a fait pour le crime et le malheur. Voilà où Gustave voulait en venir : ce juge-pénitent s'accuse pour mieux condamner l'Autre. D'accord, il n'est pas aimable, il est méchant, il réalise, à chaque battement de cœur, ce mal radical : l'identité du crime et du malheur, la subordination d'un soi-même responsable et conscient à un *Alter Ego* produit en

---

1. La laideur d'un agent pratique et engagé dans une entreprise collective n'intervient guère — ou pas du tout — dans ses motivations. Réciproquement ses camarades ne la notent pas — ou l'oublient. C'est que la praxis a d'autres critères.

lui par l'Autre. Doublement mauvaise, Marguerite, image de l'auteur, est condamnée à être libre — libre pour le mal — c'est-à-dire à intérioriser cette inerte détermination, la laideur — ce qui provoque le Mal extérieur (malveillance, sadisme, scandale, lynchage) et par réaction le Mal intérieur (souffrance, honte, envie, méchanceté); entre l'un et l'autre une relation dialectique s'établit qui ne cessera pas même avec la mort de Marguerite (son cadavre finit sur une table de dissection). Mais l'*Autre*? Celui qui a créé Gustave? Celui que Gustave a imité — sans doute pour mieux le comprendre — en créant Marguerite? N'est-il pas, sous le nom d'« Ἀνάγκη », le premier criminel? Nous voici revenus à la prédestination. Mais cette fois, le cadet est beaucoup plus explicite. Rappelons-nous cet *Eurêka* qui est aussitôt suivi d'un plongeon définitif. Marguerite a compris qu'elle était *refusée* par le tribunal de ses semblables et que cette sentence rigoureuse ne faisait que mettre au jour un vice ontologique qui lui ôtait du premier jour le droit de vivre. Ainsi de Gustave, né coupable, c'est-à-dire un Flaubert inférieur — ce qu'une gloire de la science, justement fier de son aîné, ne saurait admettre — c'est un défaut d'être, un défaut dans l'Être. Or, fût-ce en tant que lacune, ce non-être a un statut ontologique : il *est*. Cela veut dire : inertie, conditionnement en extériorité mais aussi permanence. Ce creux néant, bien sûr, l'enfant doit l'intérioriser sous forme de péché originel. Mais elle ne s'est pas mise d'elle-même, cette fissure, dans la plénitude du réel : il a fallu qu'on l'y mette. Qui donc, sinon le Dieu qui fit Satan et Marguerite, le Père qui fit Achille à son image et Gustave à l'image d'un anthropopithèque ou d'un laideron dépité, débouté de chacun. L'acte originel est décrit : c'est un vice de forme *délibéré* (parlerait-il sans cela de *Fatum*) qui produit une créature pour l'entacher de nullité. La nullité ayant été la fin réelle du projet créateur, le vide qui en résulte, parasite de l'Être, est en soi-même un scandale ontologique, en tant que *non-être qui est*; le scandale cessera si ce néant présomptueux prend conscience de lui-même et qu'il reconnaît, en s'abolissant, qu'il n'a été créé et mis au monde que *pour ne plus être* ou, si l'on préfère, que l'Autre a mis en lui cette fin dernière qui est aussi le développement temporel de son essence : se supprimer. Situation paradoxale : l'auteur de ses jours le refuse en le produisant, il le produit pour le refuser et pour que sa créature prenne en temps voulu ce refus à son compte et se haïsse assez pour s'abolir. C'est bien cela, pourtant, que Gustave a voulu dire : il n'y a ni Père ni Dieu à l'origine de Marguerite. Tout juste le

Fatum. Mais, nous l'avons vu, c'est le jeune auteur lui-même qui a créé la pauvre femme, dans la haine et pour que le monde entier la condamne à mort. Je ne doute point qu'il ait souffert et grincé des dents quand il s'acharnait sur la malheureuse et, surtout, quand il *se* détestait en elle. Ceci dit, que veut-il faire entendre? Que son père l'a aimé puis rejeté? Sans doute. C'est la frustration d'amour qui est au centre du récit. Et puis? Que le même Achille-Cléophas, en l'engendrant, a *voulu* le rejeter? Qu'il lui a donné délibérément une tare inacceptable pour la famille Flaubert, ce qui revient à l'en chasser par l'acte même qui l'y fait entrer? Notons que, dans *Un parfum*, Gustave, créateur, est son propre père mais que le saltimbanque aimé de Marguerite et qui l'abandonne pour Isabellada, c'est Achille-Cléophas, lui aussi. Comme si Gustave disait au chirurgien-chef: « Tu as cessé de m'aimer parce que je t'ai déçu. Ce n'est pas de cela que je t'en veux, car je suis réellement décevant. Mais je te reproche de m'avoir fait tel. » Ce grief ne tiendrait pas debout, en dépit de tous les sophismes que nous venons de rapporter, si Gustave se jugeait victime d'une malformation physique ou mentale: même s'il juge que ceux qui en souffrent finissent à la longue par les intérioriser, il n'ignore pas que ce sont des accidents imprévisibles et que le Père de famille n'a eu ni l'intention ni les moyens de les lui infliger. Quel est donc l'être à la fois naturel et institutionnel qu'il peut en toute conscience reprocher à Achille-Cléophas d'avoir voulu lui donner? *Un parfum à sentir* ne nous le dit pas: par contre la chose est exposée dans un texte extraordinaire de *La Peste à Florence* sur lequel nous pouvons revenir à présent.

« (Garcia) était faible et maladif, François était fort et robuste; Garcia était laid, gauche, il était mou..., sans esprit; François était un beau cavalier aux belles manières... *C'était donc*[1] l'aîné, le chéri de la famille: à lui tous les honneurs, les gloires, les titres et les dignités; au pauvre Garcia, l'obscurité et le mépris. »

On a bien lu: François est avenant, capable, costaud, *donc*, c'est l'aîné. Deux idées sont entrées en collision et s'interpénètrent. L'une et l'autre fort raisonnables: c'était l'aîné, à lui l'héritage; ce beau cavalier faisait la fierté de toute sa famille. Une bonne folie naît de leur enchevêtrement: il avait toutes les qualités donc c'était l'aîné. Et Garcia? Eh bien, elles lui manquent toutes donc c'est le cadet. Pour Gustave le statut d'aînesse — nature et culture tout

---

1. C'est moi qui souligne.

ensemble — détermine les qualités de l'enfant : le premier-né sera le meilleur. Pourquoi ? Parce qu'il est le premier. On voudra dire peut-être que Gustave s'est mal expliqué, que Cosme *reconnaît* ces qualités à François parce que c'est le futur chef de famille mais que celui-ci, en vérité, ne les possède point. Non, non — les idées sont fermes, nettement exprimées, vingt fois répétées dans la nouvelle : il est *vrai* que Garcia est lâche, méchant, faible et laid. De son frère, je n'irai pas jusqu'à dire que c'est un parangon mais par la seule raison que Gustave hait ce genre d'hommes, redoutés, séduisants, brillants dont l'adaptation immédiate et spontanée à toutes les situations s'accompagne nécessairement de ce vice cardinal : la satisfaction. François, c'est Henry, tel qu'il apparaît à la fin de la première *Éducation*. Mais pour la beauté, l'intelligence, le courage et la force, oui, soyons sûrs qu'il les possède et qu'elles font partie de son aînesse. Comme si ces vertus jaillissaient spontanément de son statut d'héritier, de futur *pater familias*.

Est-ce une folie ? J'y verrais plutôt un éclair de génie né de la souffrance et de la haine. Il n'est certes pas vrai que les aînés vaillent mieux que les cadets : mais la faveur du père et, dans les sociétés féodales, la certitude absolue d'être un jour le Maître de la Maison donnent souvent au premier fils une audace tranquille, une heureuse soumission, la conscience de ses devoirs et de ses capacités, bref toutes les chances au départ. Après cela, ce qu'il en fait ne regarde que lui. Le *pater familias* est à la fois son créateur et son maître mais aussi, puisque ce premier-né doit le remplacer, son possible le plus intime. Dans nos familles conjugales l'amour et la confiance de la mère donnent à l'enfant qu'elle préfère — et qui n'est pas, loin de là, toujours l'aîné — ce que j'ai appelé plus haut la souveraineté : il en résulte, quand son favori est le cadet, des compensations, tout un jeu complexe de déséquilibres et de rééquilibrations, une intériorisation par les enfants de l'antagonisme des parents ; les jeux ne sont pas faits. Enfin, pas toujours. Dans les familles « domestiques » le père règne et puisque la hiérarchie des fils est basée sur le droit d'aînesse, il produit, d'un coup de queue, son favori *dans l'objectivité*. Il l'aimera quel que soit son visage mais non pas comme les mères qui préfèrent à tout la chair de leur chair sans rien demander : cet amour objectif, fondé sur un statut social qui exprime lui-même la société entière et l'ensemble des institutions qui assurent l'ordre féodal, il est tout à la fois exigence et générosité. Au reste il ne s'adresse pas à la petite vie hasardeuse et fortuite qui vient de naître mais à l'être social de son

futur remplaçant : ce sera tout un pour le petit favori d'intérioriser cet amour et de prendre conscience de cet être objectif c'est-à-
dire de sa précellence absolue. Ainsi les qualités de François ne sont
rien d'autre que l'heureux développement de ses chances. Il est
habile parce qu'il se sent à l'aise dans sa peau de futur maître ; beau
parleur parce que le langage, comme toute chose, est à lui ; sa
noblesse bienveillante marque qu'il est conscient des responsabilités extrêmes qu'il assumera à la mort du père. Par la même raison,
Garcia, secondaire par essence — c'est-à-dire au niveau du *Fiat*
paternel — manque radicalement de l'amour qui lui eût permis de
s'aimer. À quoi bon s'exercer, apprendre, progresser ? il doit garder son rang, entendons : *vivre à sa place*, jamais plus haut ; voilà
le fondamental. Les deux frères sont aliénés également : en chacun
d'eux, l'existence est soumise à l'être, c'est-à-dire à l'Autre. Mais
l'aliénation sert François, dessert Garcia. La date de sa naissance
prescrit à celui-ci la limite de ses ambitions. Il est mou, nous dit-
on ? Parbleu, c'est son devoir ; qu'il n'aille pas s'aviser d'éclipser
par ses vertus le futur chef de famille ; et puis, pourquoi se fatiguer puisque, de toute manière, les honneurs et l'argent iront au
premier-né ? François a la *suffisance* : il ne dépend que de son père,
c'est-à-dire, en un sens, que de soi. Peu lui importe que le vieux
Cosme, après l'avoir engendré, ait fait des enfants par douzaines :
ses prérogatives ne seront pas entamées. Garcia, cet être relatif, est
conditionné jusque dans son plus secret conseil, jusque dans son
caractère, jusque dans ses os non seulement par son abstraite condition de cadet mais par celui qui la rend concrète et insupportable,
par ce frère qui le voit, qui lui parle et dont les éclatantes vertus
— qui sont des privilèges — ont pour effet direct de susciter les ténèbres du vice dans le cœur du cadet. Car le vice même, chez Garcia,
est relatif : il ne naît point directement de son essence singulière ;
ce n'est que l'envers des vertus de François. L'être de Garcia se
réduit à son être-Autre, c'est une limite *a priori* imposée par
l'Autre : c'est une négation imposée par le Père sous cette forme
impérieuse : « Défense d'aller plus loin » et incarnée par son aîné
dont la plénitude le renvoie sans cesse au non-être. D'où l'unique
et vaine passion du cadet : se substituer au futur chef de famille
en le tuant s'il n'est pas d'autre moyen.

N'empêche : ses passions ont beau s'être inscrites, bien avant sa
naissance, dans son statut de cadet, elles n'apparaîtront pas s'il ne
les réalise ; ses intentions meurtrières ne peuvent découler de son
essence — bien qu'elles y soient comprises — comme des proprié-

tés mathématiques, elles existeront comme des déterminations réelles et datées de sa subjectivité *à la condition qu'il s'en affecte*. Sa lâcheté — pour ne citer qu'un exemple —, il est vrai qu'elle est induite en lui par le courage de son frère mais ce ne serait qu'une virtualité s'il ne lui était arrivé de prendre peur et de fuir les champs de bataille. C'est ici que nous retrouvons le *serf arbitre* de Marguerite et que nous comprenons enfin la laideur symbolique dont l'auteur a voulu l'affecter. Car Garcia, quand il s'enfuit, quand il se ronge d'ambition jalouse, quand il rêve de tuer François se fait totalement responsable de sa réalité subjective ; c'est lui, c'est lui seul qui s'affecte de ces pulsions malignes et qui les fait exister ; le voici donc affreusement coupable. Mais, d'un autre côté, sans l'excuser pour autant, Gustave nous dit clairement que par l'actualisation de ses vices ou la rumination de ses sinistres projets le cadet des Médicis ne fait qu'intérioriser le statut qu'on lui a imposé et qui le définit par privation. Autrement dit, quand Garcia rêve d'assassiner François, il *réalise* sa condition de cadet. Il la réalise *spontanément*. Et tout aussi spontanément quand il tombe évanoui pendant le bal. Mais la spontanéité n'exclut pas l'hétéronomie, bien au contraire. Spontanéité aliénée, liberté dirigée : voilà le serf arbitre. Marguerite était coupable d'intérioriser sa laideur ; en effet, elle le faisait spontanément mais elle était fabriquée de telle sorte qu'elle devait opérer cette intériorisation à l'exclusion de toute autre. Pareillement Garcia a tout juste licence d'intérioriser l'essence imposée de manière à en porter toute la responsabilité. C'est exécuter soi-même et à ses propres frais la sentence prénatale qui le condamne à la médiocrité et à l'envie ; le voilà donc coupable : son âme est noire, une impuissante et jalouse ambition le tourmente, il sue la méchanceté *donc* c'est le cadet. Nous voici ramenés au Mal radical : le jeune homme est puni, dès qu'il est conçu, d'une faute dont on a décidé qu'il la commettra ; plus exactement la faute n'est que l'inévitable intériorisation du châtiment anticipé ; méchant parce que cadet, cadet parce que méchant : ce tourniquet nous découvre le malheur profond de Garcia, c'est-à-dire son âme hantée. Quoi qu'il pense, quoi qu'il éprouve, quoi qu'il entreprenne, il actualise son indépassable condition de cadet.

C'est donc cela que symbolise la laideur de Marguerite ? C'est cela, le crime que Gustave reproche au *pater familias* ? Oui : après *La Peste à Florence* nous n'en pouvons plus douter, c'est cela. De fait, en cette nuit mémorable où il fit Gustave, Achille-Cléophas pouvait craindre que son futur rejeton fût infirme ou malade mais non point le prévoir à coup sûr : il prenait ses risques, voilà tout, et de cela son fils ne pouvait lui tenir rigueur. Par contre, neuf ans après la naissance d'Achille, le chirurgien-chef avait une certitude — formelle mais absolue : quoi qu'il arrivât, son premier fils serait de neuf ans l'aîné du nouveau venu. Le voilà, le ver dans le fruit, le défaut du diamant : *cadet*; l'enfant naîtrait cadet, le père Flaubert le savait et cette certitude ne l'a pas retenu. Mieux, puisqu'il le voulait, ce second fils, c'est *pour avoir un cadet* qu'il l'a engendré. Bah ! dira-t-on, ce n'était pas lui faire un bien grand tort. Qu'on se détrompe : la condition du puîné est variable ; tout dépend de la cellule familiale et de ses structures. De deux frères qui ne sont pas jumeaux il faut bien que l'un soit l'aîné de l'autre ; cette nécessité physique ne constitue pas d'elle-même un destin à moins qu'elle soit doublée d'une détermination culturelle. Passe encore, d'ailleurs, s'il s'agit d'une institution universelle : l'enfant s'y soumet plus aisément parce que « c'est ainsi ». Mais, quand Gustave vient au monde, le droit d'aînesse est aboli. Pourtant, chez les Flaubert, d'une certaine manière il existe. C'est le bon plaisir du Géniteur qui le maintient. La structure familiale est telle que ce régime préférentiel apparaît à la fois comme une détermination objective des mœurs sociales, en principe périmée ou, dans certaines couches privilégiées, passée du droit institutionnel aux coutumes et, dans un milieu en général hostile, comme une libre décision, comme un *Fiat* subjectif du *pater familias*. Dans une société où le droit d'aînesse, supprimé du Code, existe çà et là par îlots, une subjectivité capricieuse et souveraine le ranime en un point particulier et l'affirme en créant un cadet pour l'affecter d'un statut d'infériorité. Autrement dit le père a eu « son idée »; en tout cas, Gustave en est persuadé. Et qu'est-ce qu'être cadet sinon sentir son être — c'est-à-dire son statut — comme *autre*? Entendons à la fois qu'il est voulu par un autre et qu'il fait de Gustave, personnage relatif, un *autre* que les Flaubert — qui sont tous des absolus. Mieux encore : être cadet, c'est différer de soi-même; la spontanéité du vécu tend à s'affirmer souverainement; c'est moi, je vis, je me sens vivre — mais le statut la contient et la nie : dans l'instant où l'enfant s'affirme, il s'éprouve comme secondaire; il vit la contradiction de son *existence* et de son être comme Marguerite celle de son amour et de sa laideur. Cadet, Gustave est inférieur et responsable de son infériorité. On n'est pas « inférieur » dans la famille Flaubert : il faut être digne du père glorieux qui la régit. S'il vous a maudit en vous fabriquant, donc décidé que vous seriez indigne, il n'y a que deux solutions. Pousser à l'extrême la soumission rancuneuse et se *réa-liser* comme néant par l'évanouissement ou le suicide ; pousser jusqu'au meurtre la rageuse rébellion. Deux solutions qui, chez le petit Gustave, n'en sont qu'une. Deux manières de se faire relatif, bien entendu. Mais, surtout, deux façons de vivre la contradiction jusqu'au bout, c'est-à-dire sans rien négliger de chacun des deux termes. Liberté enchaînée, l'absolu n'a qu'une manière de se faire absolument relatif, c'est de s'abolir ; mais, du même coup, l'autre solution est donnée ; si, en se supprimant comme personne indivi-duée, le jeune homme *se réalise* comme cadet, il s'abolira comme cadet s'il décide de survivre *en personne* et de supprimer l'aîné. En fait, nous l'avons compris déjà, un cadet qui s'est délivré de son aîné par un coup de dague, à moins que l'affaire se soit réglée dans le plus grand secret et que rien n'en transpire jamais, risque fort de se désigner à ses juges comme un cadet assassin, ce qui est une manière, entre autres, de se manifester relatif et second, donc d'exprimer spontanément sa pure essence préfabriquée et de la reprendre en charge : condamné à mort, exécuté, il aura, par un détour, rejoint Marguerite dans le non-être qui est son lot. Sans échapper pour autant au verdict éternel et prénatal : morte, Mar-guerite ne cesse d'être laide que pour devenir charogne ; exécuté, Garcia demeurera *in saecula saeculorum* un cadet. Simplement, de ces deux entreprises inséparables, la première représente le mouve-ment pratique de la réalisation et la seconde n'est que son renver-sement imaginaire. Le suicide, bien sûr, Gustave ne l'a jamais tenté pour de bon. Mais il en a délibéré, il y a vu sa possibilité intime : c'est hésiter devant une solution réelle et finalement l'écarter ou plutôt la renvoyer à plus tard ; en principe — même s'il s'est complu parfois à imaginer sa mort, le remords de son père, etc. — cet acte différé, toujours à portée de main, apparaît comme une détermi-nation intime du jeune homme, virtuelle si l'on veut mais non pas imaginaire. Tuer Achille ? C'est un désir fondamental de l'adoles-cent mais c'est un désir irréel qui se manifeste dans les moments où l'écrivain s'abandonne et livre sa plume à un onirisme dirigé : si nous regardons de plus près les dernières pages de *La Peste* nous verrons quelles intentions réelles recouvre ce désir rêvé.

La fausse mort, l'évanouissement, l'enfant n'y atteint jamais : il ne va jamais plus loin que l'hébétude et la mélancolie léthargi-que ; autrement dit il ne perd jamais ses sens ; mais l'histoire de Marguerite prouve que beaucoup de ces hébétudes étaient la consé-quence d'une illumination préalable — toujours la même. *L'idée*

jaillit chez Marguerite et le pauvre laideron va se noyer inconti-
nent. Nous savons ce qu'elle a compris : le refus inflexible qu'on
m'oppose est inscrit d'avance dans l'Être : *c'est moi-même* ; faille
consciente dans la plénitude qui exige, pour se reformer totale, ma
disparition, détestable et détestée, je me déteste jusqu'à me détruire,
c'est mon essence, et mon suicide m'accomplira comme suprême
objet de la détestation universelle (la mienne y compris), par
l'anéantissement qui est *mon* impératif catégorique, je deviendrai
ce que je suis. Le jeune auteur pense et sent de même, moins dra-
matiquement, aussi profondément. Quelle que soit la violence des
passions provoquées par le retour éternel des cérémonies familiales dont chacune le réinstaure cadet, celles-ci ne parviennent pas
à contester en lui l'acceptation *a priori* de la malédiction paternelle
et la conscience de sa propre culpabilité ; cela signifie qu'elles sont
vécues *dans la perspective de l'autodestruction*, ce qui contribue
à rendre compte de leur caractère passif : devant Achille, la rage
peut le bouleverser ; elle sera blanche : désarmée d'avance par un
acquiescement fondamental, elle ne peut que se retourner contre
lui-même, contre son indignité et mimer la mort. Je dis *mimer* parce
que, quand il s'agit du suicide, le jeune auteur, à quinze ans, ne
trouve aucune solution satisfaisante : Marguerite *se donne* la mort ;
l'eau du fleuve est l'instrument nécessaire : c'est gênant ; pour que
sa fin soit pure, il faudrait qu'elle s'abolît d'elle-même à l'instant
où le refus universel, intériorisé, rejoint en elle *l'être-pour-le-refus*
que lui a donné son créateur : l'unité vécue et consciente de cette
double négation devrait être par elle-même la mort sans recours
à un outil matériel. C'est par cette raison que Gustave, quelques
mois plus tard, permet que la rage passive de Garcia — qui correspond à la même prise de conscience — le précipite dans la fausse
mort, évanouissement que l'auteur a souvent frôlé, jamais connu ;
rejeté par Cosme et par l'aristocratie florentine, la conclusion se
tire d'elle-même dans l'existence parasitaire du pauvre lieutenant :
il perd connaissance. Cette fausse mort est un progrès dans la pensée onirique de Gustave : elle est si parfaitement accordée aux exigences de la situation, si spontanée, aussi, si discrète que personne
n'y prend garde. Le bal continue : au petit matin, quand les derniers invités sont partis, on balaie la salle, un serviteur imperturbable le jette aux ordures sans que le monde ait rien perdu de sa
plénitude. Cependant Gustave n'est pas satisfait de ce perfectionnement : l'évanouissement, c'est fort bon ; il y voit la radicalisation de ses hébétudes, leur *sens*. Mais précisément parce que ces

états léthargiques et conscients lui sont familiers, parce que l'abolition momentanée de sa conscience lui apparaît en ces moments de fugue comme sa tentation, il n'ignore pas que cette fausse mort serait, si elle pouvait avoir lieu, suivie de résurrection. Il ira beaucoup plus loin dans *Novembre*, nous le verrons. Mais c'est qu'il est entré dans la phase prénévrotique. Pour l'instant, il n'ose pousser les choses à l'extrême : perdre connaissance, c'est une répétition de la mort. Non la mort elle-même : et puis, pour une fois, il voudrait à la faveur de l'onirisme régler son compte avec Achille. Donc Garcia ressuscite et, dans les derniers chapitres de la nouvelle, on le voit occire François de ses propres mains.

Voici donc la deuxième solution : le crime. Il choque : nous y voyons la faiblesse, en tant que telle et sans aucun secours, avoir raison de la force. Mais il faut comprendre que c'est la seule revanche qui satisfasse Flaubert : si Garcia payait des sbires pour assassiner le cardinal, il aurait recours à la force des autres. Ce que veut le jeune auteur, c'est que son impuissance d'*être relatif* se supprime d'elle-même en venant à bout de l'Autre, de l'absolu qui l'a relativisé jusque dans ses os : cet absolu odieux, il ne suffit pas de le supprimer, il faut avant tout le remplacer : il faut que Garcia, lâche, passif, mauvais bretteur devienne l'aîné en détruisant à lui seul ce costaud, ce balèze rompu au métier des armes dont on l'a fait le cadet. Au reste, lisons cette dernière partie de près, nous verrons qu'elle a tous les caractères d'un rêve : Gustave dormait les yeux ouverts quand il l'a écrite et ses intentions sont moins cachées que dans les nouvelles postérieures.

Tout le monde est parti à la chasse : à cheval. Le cardinal est en tenue de cavalier, donc il porte l'épée. Il « s'écarte pour aller à la piste du cerf » : Garcia « vêtu de noir, sombre et pensif » le suit « *machinalement* ». Le bois « devient de plus en plus épais ». Ils mettent pied à terre et s'asseyent sur l'herbe. « Te voilà donc, Cardinal », dit Garcia, et il tire son épée, ce qui, dans sa position, ne devrait pas aller sans quelque difficulté. François, insulté, met beaucoup de temps à comprendre. À la fin il se lève, pendant que Garcia, toujours assis, sanglote. « Tu es fou », dit-il. Celui-ci répond à des paroles par des paroles : « Fou ? Oh oui, fou ! assassin ? peut-être... » Et le voilà tout à coup dressé : du moins je le suppose. Car l'auteur n'en souffle pas mot. Mais voici le texte :

« (Garcia) sanglotait et on eût dit que le sang allait sortir de ses veines.

« — Tu es fou, Garcia, dit le cardinal en se levant, effrayé.

« — Fou ? Oh ! oui, fou ! assassin ? peut-être ! Écoute, Monseigneur le Cardinal François nommé par le pape, écoute — c'était un duel terrible, à mort, mais un duel à outrage dont le récit fait frémir d'horreur — tu as eu l'avantage jusqu'alors, la société t'a protégé, tout est juste et bien fait ; tu m'as supplicié toute ma vie, je t'égorge maintenant.

« Et il l'avait renversé d'un bras furieux et tenait son épée sur sa poitrine. »

Comment François n'a-t-il pas désarmé son frère ? Comment ne l'a-t-il pas empêché, à tout le moins, de se lever ? Qu'est-ce que ce « *duel terrible* » ? Le cardinal a-t-il à son tour dégainé ? En ce cas, pourquoi se laisse-t-il « renverser d'un bras furieux » ? S'il y a surprise, il ne peut y avoir de duel ; et s'il y a duel, Garcia doit perdre. Gustave, d'ailleurs, semble tantôt nous raconter un combat singulier (c'était un duel..., etc.) et tantôt un meurtre (« assassin ? peut-être »). Le plus étrange, c'est la fin :

« Oh ! pardon, pardon, Garcia, disait François d'une voix tremblante, que t'ai-je fait ?

« — Ce que tu m'as fait ? Tiens !

« Et il lui cracha au visage.

« — Je te rends injure pour injure, mépris pour mépris : tu es cardinal, j'insulte ta dignité de cardinal ; tu es beau, fort et puissant, j'insulte ta force, ta beauté et ta puissance, car je te tiens sous moi, tu palpites de crainte sous mon genou. Ah ! tu trembles ? Tremble donc et souffre, comme j'ai tremblé et souffert. Tu ne savais pas, toi dont la sagesse est si vantée, combien un homme ressemble au démon quand l'injustice l'a rendu bête féroce. Ah !, je souffre de te voir vivre, tiens !

. . . .

« Et un cri perçant partit de dessous le feuillage et fit envoler un nid de chouettes.

« Garcia remonta sur son cheval et partit au galop, il avait des taches de sang sur sa fraise de dentelles. »

Il est dit nommément que *la faiblesse insulte la force* en la maîtrisant. Cela serait possible si Garcia avait organisé un guet-apens. Gustave n'y songe même pas : la querelle doit se vider entre les deux frères. Et puis surtout, il veut l'*impossible* : que la faiblesse reste faiblesse à l'instant même où elle dompte et moque la force. Bah ! direz-vous, un faible peut toujours tuer un fort : il suffit d'un coup heureux. C'est vrai. Mais il n'est pas question de cela dans notre histoire. Et pas davantage que Garcia poignarde son frère dans le dos : ce foutriquet se plante en face du costaud et d'un seul bras, d'un seul — l'autre tient son épée —, du bras gauche, il le renverse. Après quoi il lui met son genou sur la poitrine : il faut donc que les deux hommes aient roulé sur le sol ensemble; il faut que le petit, en quelques passes de lutte gréco-romaine, ait fait toucher des épaules au gros. Où étaient les armes, à cet instant? Garcia a-t-il lâché la sienne? Mais on nous dit qu'il la « tient sur la poitrine » de sa victime. Il l'aura donc ramassée et se sera prestement relevé : cet instrument n'est pas commode pour frapper de si près. À moins qu'il n'ait précipité son frère par terre en restant sur pied. Mais non : ce n'est pas l'épée qu'il tient sur la poitrine de son frère : « je te tiens sous moi, tu palpites de crainte sous mon genou ». Voici donc Garcia debout et agenouillé en même temps; il *égorge* François — en lui plantant une épée *dans le cœur*. Au dernier chapitre, on nous présentera le cadavre du cardinal, il y a des ecchymoses aux genoux. Le malheureux n'était donc pas tombé sur le dos? Pourtant Garcia l'a *renversé*. Ces contradictions prouvent que Gustave ne se soucie pas de nous donner la scène à voir. Nous lisons le discours d'un assassin et c'est par un mot de celui-ci que nous apprenons l'événement : « Tiens ! » dit Garcia. Et cela signifie qu'il frappe. Mais l'acte a lieu dans les coulisses : Gustave l'a remplacé par une ligne de points comme on faisait dans certains romans quand des amoureux couchaient ensemble. Pourquoi cette discrétion, digne de la tragédie classique? Eh bien c'est d'abord que la scène du meurtre n'est pas réalisable; le moindre détail en soulignerait l'invraisemblance. Et puis nous connaissons la passivité de Gustave, son quiétisme contemplatif : il est à son aise quand il décrit l'*exis* (objets, cérémonies, attitudes, habitudes), gêné quand il faut raconter la *praxis*. Mais la raison profonde est ailleurs : pour nous donner à voir le crime, il faudrait qu'il le vît et c'est justement ce qu'il s'interdit : ce serait le vivre donc le commettre. Il souhaite sans aucun doute *avoir tué* Achille mais non le tuer de ses mains.

Voyez en effet comme le goût du détail lui revient sitôt après l'assassinat. Il se plaît à nous dire que Garcia « avait des taches de sang sur sa fraise de dentelles ». Quel maladroit ! Il se barbouille de sang, laisse la victime sur place et rejoint le cortège ! Naturellement, le corps est découvert, rapporté au duc. Ce fratricide imbécile dénonce aussitôt son auteur que Cosme abat d'un coup d'épée. Il s'agit évidemment de ce que les analystes nomment un acte autopunitif dont le but est d'obliger le *pater familias* à tuer lui-même son fils. On voit la malignité de Flaubert — elle étonnerait chez cet adolescent si l'on pouvait la croire calculée ; mais non : c'est l'expression même de la situation originelle — Garcia dit à son père : puisque tu m'as rayé du monde en me donnant le jour, va jusqu'au bout, supprime toi-même cette vie que tu as condamnée à s'abolir. L'enchaînement frappe par sa rigueur : « Un homme ressemble au Démon quand l'injustice l'a rendu bête féroce. » Garcia, produit d'une injustice prénatale, se réalise comme on l'a fait et se conduit comme une bête féroce en assassinant son frère. Le misérable, devenu ce qu'il était, appelle le châtiment qui le supprime et c'est Cosme lui-même, responsable de cette naissance, qui doit assumer la responsabilité de cette mort. Adorable, juste et pourtant coupable, le duc a condamné l'enfant bien avant de le faire : du coup le sens de cette vie est d'obliger le juge à exécuter lui-même la sentence qu'il a portée : si je me réalise enfin tel que tu m'as voulu, tu seras forcé de me tuer. On l'a compris, le crime est un *moyen* de trouver la mort en évitant le suicide ; il n'est pas accompli pour lui-même mais pour déchaîner la vengeance de Cosme. Étrange tourniquet : l'injustice a fait de Garcia un injuste ; injuste, il est juste de le supprimer. De fait, avant de pourfendre son cadet, Cosme déclare « en frappant du pied : Oh oui... que justice se fasse ! Il le faut, le sang du juste crie vengeance vers nous ; eh bien, vengeance ! » Tout se passe comme si le Géniteur réparait sa faute initiale. Enfanter un cadet c'est le destiner à buter son aîné et, conséquemment, s'obliger à le liquider soi-même. Gustave rêve de défier son père mais ce défi suppose un acte irréparable qui répugne à l'imagination de Flaubert. Depuis longtemps en effet, celui-ci est affecté de passivité ; par cette raison le récit du fratricide est bâclé : le raconter c'est presque le commettre. Désire-t-il tuer Achille ? Non : il désire le désirer pour devenir enfin le monstre qu'on prétend faire de lui. L'enfant dénoncera la faute du père en réalisant docilement les intentions de celui-ci : le père aura raison de châtier son fils mais par là même il démontrera qu'il a eu tort de l'engendrer. La faute de Gustave disparaît avec lui ; reste un seul coupable : Achille-Cléophas. Ainsi *La Peste à Florence* est une « expérience pour voir » ; le suicide de Marguerite n'a pas satisfait Gustave ; en particulier sa rancune reste inassouvie ; n'ayant pas encore mis au point la « mort par la pensée », il se risque à tuer Achille, à la sauvette, et se complaît à détailler les conséquences de son crime : la mort par la pensée, ce sera l'*arrêt du cœur* par la conscience de l'impossibilité de vivre ; l'exécution capitale par le père c'est le même *arrêt de mort* dans les dimensions d'altérité.

N'importe, la décharge émotionnelle est trop forte : l'enfant est bouleversé d'avoir osé ce fratricide, fût-ce en imagination. Il n'y reviendra plus : dans les récits suivants les victimes se tueront entre elles mais ne toucheront pas à leurs bourreaux ; Djalioh ne viole et n'étrangle qu'Adèle et son enfant, Mazza n'empoisonne que son faible mari, que ses gosses ; MM. Ernest et Paul, les tortionnaires, jouissent de la considération universelle, survivront aux massacres et mourront de leur belle mort...

Dans *La Peste à Florence* et dans *Un parfum...* nous avons appris l'un des griefs que Gustave nourrit contre son père : celui-ci l'a fait cadet et lui a préféré ostensiblement son fils aîné. Sous cette forme, les torts du père Flaubert risquent de rester un peu abstraits et l'on pourrait s'étonner que Gustave en souffre si fort. Il est à noter, pourtant, que le malheur du petit garçon se redouble du fait qu'il a conscience de son indignité foncière. Il est vrai que, selon lui, elle découle directement de son caractère de puîné. Mais ne s'agit-il pas d'une construction, d'une rationalisation de ses sentiments primitifs ? L'avantage du conte intitulé *Un secret de Philippe le Prudent* c'est que le thème de l'aînesse et celui du père ennemi sont dissociés. Philippe II, père de Carlos, a souffert toute sa vie de se voir préférer son frère. C'est cette injuste préférence, sans nul doute, qui l'a rendu malheureux et méchant. C'est à elle qu'il faut attribuer les tourments qu'il inflige à son fils. Celui-ci, tout jeune encore, est bien entendu un vieillard ; il est séquestré par son père qui l'épie, en compagnie du Grand Inquisiteur, à travers un judas invisible qu'il a fait pratiquer dans la cloison. Carlos ne l'ignore pas : il se sent *visible* et *vu* jusque dans sa solitude ; pas un instant le regard du père ne se détourne de lui : on prend note de ses gestes, on lit dans son âme : il se sait *habité* par ce regard fixe d'un père malveillant qui l'aliène en objectivant, c'est-à-dire en affectant d'altérité, sa subjectivité la plus intime qui devient *autre* pour elle-même parce qu'elle est *autre* pour l'Autre absolu. Le résultat, le voici, c'est le premier portrait du peintre par lui-même : « (Don Carlos) avait de jolis cheveux noirs... ses membres étaient bien proportionnés, sa taille était celle d'un homme de vingt ans ; mais si vous eussiez vu ses joues creuses, ses yeux bleus si tristes et si mélancoliques, ce front chargé de rides, vous eussiez dit : c'est un vieillard. Il y avait dans son regard tant de tristesse et d'amertume, son front pâle était sillonné de tant de rides prématurées que l'on voyait sans peine que cet homme avait souffert des douleurs atroces et inouïes. »

Il semble donc — c'est par cette raison que je crois à l'antériorité du *Secret* par rapport à *La Peste* et au *Parfum* — que les deux
griefs de Gustave contre Achille-Cléophas ont été d'abord vécus
séparément. D'autant que la préférence de Charles Quint pour le
beau Juan d'Autriche, bien que mentionnée, n'apparaît pas comme
une injustice : on dirait que Gustave lui *donne raison*. C'est elle,
pourtant, qui a formé le caractère méfiant et jaloux de Philippe,
c'est son *secret* : mais, à cette époque, le jeune auteur s'embrouille
dans ses mythes. Garcia est méchant parce qu'on l'a, dès sa naissance, accablé de quolibets, parce que son père l'a voulu cadet :
ainsi se trouve-t-il être à la fois innocent et coupable. Philippe, par
contre, bien qu'il ait souffert de l'injuste prédilection de son père
et que, peut-être, celle-ci soit la raison profonde de sa conduite ini-
que envers son propre fils, n'est pas innocenté pour autant. On
notera d'ailleurs que son délaissement demeure affectif et ne
s'accompagne pas d'une frustration d'héritage. Juan est mort archi-
duc ; Philippe est un monarque absolu. Par contre, Gustave se plaint
d'être épié par son père, dont le regard chirurgical le pénètre
jusqu'au fond de l'âme. Il semble donc que ce grief soit le premier
en date et que l'autre, postérieur, s'y soit surajouté avant de se fondre à lui dans une construction savante : avant de se sentir frustré
par son aîné, Gustave a le sentiment que son père le perce à jour
et lit à livre ouvert dans son âme.

Cette hypothèse est confirmée par la lecture de *Matteo Falcone*,
nouvelle écrite vers le milieu de 1835 donc à treize ans et demi. Naturellement l'histoire du petit Albano n'a pas été inventée par Gustave qui l'a empruntée, toute crue, à Mérimée. C'est presque un
plagiat, comme en font les enfants de cet âge : reste à savoir pourquoi, entre toutes les œuvres qu'il lit, le jeune auteur a choisi de
plagier celle-ci. La raison en apparaît clairement quand on lit le
travail de Gustave : chez Mérimée, le héros, c'est le père ; il veut
montrer ce qu'est l'honneur corse, à quelles extrémités il peut pousser un homme. Si Gustave l'a récrite, ce n'est point tant qu'il trouvait de la force ou de la beauté à l'œuvre de son aîné, c'est qu'il
se sentait en désaccord total avec celui-ci. Chez lui, le héros, sans
aucun doute, c'est Albano. Il n'a garde de nier sa faute : ce petit
Corse a livré un proscrit pour une montre. Donc il est criminel.
Oui mais il ne comprend même pas ce qu'il a fait et se cache si
peu qu'il prend la montre et, la posant par terre, « la regarde luire
aux rayons du soleil ». Il s'agit, comme on voit, d'un acte autopunitif comme dans *La Peste à Florence*. Matteo revient, s'informe,

prend son fusil, abat l'enfant. Gustave, si virulent à l'époque quand il s'agit de condamner ou d'absoudre, n'a pas un mot de protestation : au nom de la loi coutumière, cet enfant — qui déshonore sa famille — est punissable. L'idée de l'abolition par le père qui, dans *La Peste*, un an plus tard est « sortie » reste, à l'époque, nous ne pouvons plus en douter, un thème affectif, né de la rancune et du regret, qui circule entre chair et cuir sans avoir reçu tous ses développements. L'enfant ne dit pas encore « Tue-moi, toi qui m'as fait tel », mais ses rêveries moroses se nourrissent d'un vague désir : les pères, comme Ugolin, mangent les enfants ; mange-moi puisque je te fais honte plutôt que de me supplicier comme tu fais. Du reste il ne cache pas que cette justice trop rigoureuse est punissable : la mère d'Albano meurt de chagrin et le père inflexible, responsable des deux morts, reste seul. On notera que c'est la première fois que Mme Flaubert paraît dans une nouvelle : ce n'est d'ailleurs que pour y décéder. Beaucoup plus tard, dans *Novembre*, elle reparaîtra : le narrateur rêvera qu'elle se noie. Vers treize ans, tentant de s'expliquer les malheurs d'une enfance plus ancienne (cela n'est pas douteux : il est pensionnaire au collège et le redoutable Achille-Cléophas ne peut le traquer que deux fois par semaine), il garde encore l'idée d'une mère plus indulgente que Moïse le terrible : elle était froide mais, parfois, le prenait sur ses genoux pour lui parler de Dieu. C'est à elle et à Dieu que le *pater familias* l'a dérobé pour le combler de ses dons, d'abord, et pour le disgracier[1]. Ce que Gustave reproche *avant tout* au docteur Flaubert, c'est cette disgrâce ; mais il part battu puisqu'il a en même temps conscience de l'avoir méritée[2].

Nous finirons par le commencement : à treize ans, Gustave, à lui tout seul, compose un journal littéraire[3]. Nous en avons la « sixième

1. Nous avons de lui des projets de mélodrame, réunis par Bruneau dans son ouvrage admirablement documenté sur *Les Œuvres de jeunesse* de Flaubert. La mère y est constamment présente. Nous les étudierons quand nous essaierons de comprendre la sexualité de Flaubert ou le « complexe d'Œdipe dans une famille semi-domestique ». La plupart sont contemporains des nouvelles que nous venons d'analyser.

2. Je laisse de côté une nouvelle très significative : *L'Anneau du prieur*. Bruneau a montré qu'elle s'inspirait étroitement d'un corrigé de dissertation publié dans un manuel de l'époque. Mais ce n'est pas la raison qui nous la fait écarter puisqu'il reconnaît lui-même que le sens donné par Gustave à l'histoire est entièrement personnel et contraire à celui que proposait le corrigé. Bien qu'il s'agisse encore des rapports de père à fils et du trop cruel châtiment d'un coupable, le thème principal — la totalisation de l'expérience — nous contraint de l'étudier dans un autre chapitre, quand nous nous demanderons pourquoi toutes les œuvres de Flaubert sont des totalisations exhaustives.

3. Ernest y collabore quelquefois.

soirée » — les autres se sont égarées. Gustave y décrit un « Voyage en Enfer », et voici ce qu'on y lit : « Et un homme, un pauvre homme en guenilles, à la tête blanche, un homme chargé de misère, d'infamie et d'opprobre, un de ceux dont le front, ridé de soucis, renferme à vingt ans les maux d'un siècle, s'assit là, au pied d'une colonne. Et il paraissait comme la fourmi aux pieds de la pyramide. Et il regarda les hommes longtemps, tous le regardèrent en dédain et en pitié et il les maudit tous ; car ce vieillard, c'était la Vérité. »

Première œuvre connue, première apparition du thème de la sénilité. Cette fois, dira-t-on, Gustave n'est pas en question ; il s'agit d'une allégorie banale qu'il développe en toute objectivité. En est-on si sûr ? Je remarque que ce vieillard est dit « *un de ceux... dont le front renferme à vingt ans les maux d'un siècle* ». Il a donc des frères ; des sœurs aussi, peut-être : ces personnages vont bientôt apparaître et se nommeront Carlos, Marguerite, Garcia, Giacomo, Djalioh, Julietta, etc. ; à tous la description convient. Mieux : elle va comme un gant au héros de *Novembre* qui se plaint d'être vieilli par le mal du siècle, par l'ennui. À son objet, par contre, elle ne sied guère. Intemporalité, objectivité, impersonnalité : ces caractères sont si manifestes que l'imagerie populaire en tient compte et la sagesse des nations nous montre la Vérité méconnue, travestie mais impassible : jamais elle ne pleure et jamais elle ne rit. On en fait à la rigueur une jeune nudité sortant d'un puits — la jeunesse étant une équivalence de l'éternité — mais personne, sauf Gustave, ne s'aviserait de nous la présenter sous les traits d'un vieux clochard. Quant aux malédictions, elles lui conviennent moins encore : c'est lui prêter des passions, de l'injustice, en un mot c'est l'assimiler à l'Erreur. Par ces raisons, l'allégorie de Flaubert est suspecte : la Vérité se confond avec celui qui la possède et qu'elle accable. L'auteur nous montre des hommes qui s'acharnent sur un des leurs. Ainsi — par une similitude frappante — la « foule » poursuivra Marguerite de ses menaces et de ses insultes. Et pourquoi cette hargne sinon parce qu'il connaît le secret que les hommes se cachent. C'est un traître, un gêneur qui risque à chaque instant de leur révéler le fin mot de l'aventure humaine. On crie pour le faire taire. Il n'est pas jusqu'à sa précoce sénilité qu'ils ne détestent : elle témoigne du mal que leur ferait la Connaissance.

Ce trop jeune vieillard, c'est Gustave lui-même. Écrasé, rejeté, l'enfant possède déjà un « pressentiment complet de la vie ». En ce sens le Vrai est *en lui*. Mais, en un autre sens, il est la Vérité des Flaubert — comme le colonisé celle du colon et l'esclave celle du maître. Tard venu, malchanceux, taré, ses parents détestent en leur produit, croit-il, une image réaliste et peu flatteuse du groupe familial ; l'enfant, par contrecoup, maudit ceux que son malheur accuse et qui ont le front de le lui reprocher. Le vrai comme la laideur est un vice ; du reste entre celle-ci et celui-là Gustave ne fait pas de différence : il s'agit d'une seule et même dénonciation permanente et visible de l'espèce en un de ses membres. Et de la réaction de l'espèce par une condamnation à mort. Ce qui apparaît clairement dans ce « voyage en enfer », c'est qu'un gosse enragé s'est *déjà* glissé dans la peau d'une allégorie et qu'il l'a, du coup, métamorphosée. Depuis quand ? Nous n'en saurons rien. De même il est impossible de décider jusqu'à quel point Gustave a conscience de s'incarner. Non que l'opération se fasse à son insu, dans les ténèbres, mais *au contraire* parce que le projet n'est pas suffisamment déterminé. En fait le rôle du symbole reste encore très ambigu : on entre dans une Idée pour se retrouver dans une personne et *vice versa*. Cela nous permet tout de même d'avancer que l'intuition originelle a trouvé récemment son expression verbale. *Avant treize ans* Gustave se tient déjà pour un vieillard. Il vieillira mais, quel que soit l'âge de ses artères, l'âge de son cœur restera fixe : de treize à cinquante-huit ans, il est, une fois pour toutes, centenaire.

Ce que signifie le mythe de la sénilité précoce, au moment de sa première apparition, nous n'aurons besoin que de quelques mots pour l'indiquer : l'homme assis au pied de la colonne est vieux parce qu'il connaît *la* Vérité. Quelle Vérité ? Celle-là même que Flaubert fait, en conclusion, énoncer par Satan :

« — Montre-moi ton royaume, dis-je à Satan.

« — Le voilà !

« — Comment donc ?

« Et Satan me répondit :

« — C'est que le monde, c'est l'Enfer. »

Si le monde est l'Enfer nous sommes damnés de naissance.

Cela signifie d'abord que la Création est Sentence : engendrer équivaut à condamner. Tel est le sens de la malédiction d'Adam. Mais il est une autre conséquence de cette assimilation : coupables, la volonté du Diable nous promet d'avance aux pires supplices ; nous avons tous un destin ; avec un peu de courage et de lucidité, chacun pourrait prophétiser le sien. Maudit, l'homme-vérité sait qu'il vit en Enfer et qu'il *mérite* son injuste souffrance. Par cette raison les autres damnés le repoussent : ils ne veulent connaître ni leur faute ni leur damnation et s'obstinent à expliquer le mouvement inflexible de la vie par la rencontre de séries causales au lieu de voir en chacune de leurs mésaventures l'effet d'une décision maligne du Souverain. Mais l'intuition prophétique de l'homme-vérité n'a rien d'une évidence rationnelle : c'est le cœur qui l'éprouve comme certitude subjective à l'occasion de chaque souffrance particulière; entendons qu'une *vraie* douleur est totalisante; elle se déguste comme aboutissement prémédité, comme répétition et, tout ensemble, comme promesse de tourments accrus; bref, n'importe quel malheur *ressenti* est un résumé de la vie entière, depuis le Péché originel et la Chute jusqu'à l'exécution capitale. Et, bien entendu, l'abolition peut être remplacée par un simple évanouissement. Mais c'est que l'évanouissement est par lui-même abolition. Flaubert confirme cette idée de sa prime jeunesse dans une lettre écrite à trente et un ans[1] : « Je suis sûr que je sais ce que c'est que mourir. J'ai souvent senti nettement mon âme qui m'échappait, comme on sent le sang qui coule par l'ouverture d'une saignée. » L'évanouissement n'est pas une *image* de la mort, c'est la mort elle-même : d'abord on y perd l'esprit mais *surtout* c'est une conclusion; une vie entière, exaspérée par un malheur singulier, s'y engloutit. Bien sûr on survit, mais ce n'est point ressusciter : c'est vieillir. Après quelques-unes de ces brèves existences, on a cent ans.

Dès treize ans Flaubert associe Vie et Destin, Souffrance et Châtiment, Souveraineté adorable du Père et Diabolique injustice paternelle, Fausse Mort et Survie; il résume tous ces thèmes encore frustes en deux motifs : le Mythe de la damnation originelle qui fait de ce monde l'unique Enfer et celui de l'enfant centenaire. Mourir c'est intérioriser la vérité objective, exécuter la sentence prénatale portée sur chacun par notre père; vieillir, c'est somatiser la souffrance morale et survivre, exsangue, apathique, l'esprit vide et le corps épuisé jusqu'à la prochaine « fausse mort » et, de celle-ci aux suivantes, jusqu'à la totalisation radicale c'est-à-dire jusqu'à l'abolition. Il est frappant que notre régression analytique nous ait fait découvrir un motif profondément enfoui dans les autobiographies et, dans les œuvres qui les ont précédées, caché sous ses propres enrichissements : celui de la Prédestination — entendons : la condamnation prénatale au malheur et à la mort décidée par le père avant même la conception. Si le monde est l'Enfer — idée que Gustave conservera toute sa vie — c'est que Je est un Autre : *avant treize ans* et — nous l'établirons — dès sa septième année, Gustave décou-

---

1. 27 décembre 52.

vre en lui une horrible altérité, assignée de longue date par l'admirable et sadique intelligence d'Achille-Cléophas, qui fait son malheur et sa honte et qu'il doit pourtant vivre jusqu'à la lie puisqu'il n'est rien d'autre qu'elle qui, pourtant, est autre que lui. Par cette raison, il se projette dans ses nouvelles et s'y fait *un Autre*, sans bien comprendre son entreprise, à la fois pour tenir sous ses yeux cet *Alter Ego* qu'il ne peut regarder en soi-même puisqu'il entre déjà dans le regard qui veut le découvrir, à la fois parce que son altérité l'empêche de rien connaître qui ne soit lui-même en tant qu'Autre. Par la même raison, il tente de se dédoubler dans ces mêmes écrits, pour se saisir comme l'un et l'autre : il n'y parvient qu'une fois, pourtant, dans *Rêve d'enfer*; le thème « aîné-cadet » vient brouiller et dévier son entreprise. Il y reviendra pourtant dans ses œuvres majeures : nous trouverons le premier et le second narrateur, dans *Novembre*; Henry et Jules dans la première *Éducation*, Homais et Bournisien dans *Madame Bovary*, dans la seconde *Éducation* Frédéric et Deslauriers, *Bouvard et Pécuchet*, enfin. À l'origine de tous ces doublets — qui sont tantôt deux aspects de lui-même, tantôt lui-même et son contraire, tantôt deux principes opposés — il faut mettre un malaise qui remonte à sa protohistoire et trouve sa première expression dans *Un parfum à sentir*.

L'analyse régressive, par l'étude de l'œuvre de jeunesse, nous a renvoyés aux structures objectives de la famille Flaubert. Ces parents n'étaient pas tendres mais, vertueux par complexion, ils faisaient leur devoir : l'idée surprenante que Gustave, entre chair et cuir, sans trop se l'avouer, se fait de son père, nous savons qu'elle ne peut correspondre à la réalité, Achille-Cléophas était autoritaire, emporté, pleurard quelquefois, certainement surmené; les événements ont fait qu'il a de moins en moins compris son fils cadet; il est regrettable pour le bonheur de Gustave que ce savant ait adopté l'idéologie mécaniste (mais qu'eût-il pu faire d'autre? c'était l'idéologie bourgeoise *donc* progressiste de son temps) et qu'il n'entendît rien à la littérature; nous verrons aussi qu'il n'était pas loin de tenir son fils cadet pour un demeuré, ce qui l'humiliait dans son orgueil de père, et qu'il a commis la faute de le lui laisser entendre. Mais ce n'était pas un ogre, ses étudiants l'aimaient, son fils aîné, sa femme l'adoraient : pour que Gustave ait pu croire qu'Achille-Cléophas l'avait maudit en le procréant, il faut qu'ils aient été victimes l'un et l'autre de cette famille terrible que le docteur avait engendrée et que ses enfants étaient censés perpétuer. En ce qui concerne notre auteur, après cette étude rétrospective qui prouve la sincérité profonde et l'ancienneté déconcertante de sa désolation, de son ennui, de son pessimisme et de sa misanthropie, il semble prouvé que naître à cette époque, dans cette famille et y naître cadet, c'était tomber dans un piège mortel. La tache de la jeune victime était d'intérioriser dans le déplaisir les contradictions de ce produit transitoire et mal équilibré : un groupe semi-domestique fondé et dominé par un mutant dont l'enfance avait été paysanne et qui avait sauté d'un coup dans la couche supérieure des classes moyennes avec le titre de « *capacité* », conservant en lui ce mélange détonant : des traditions rurales et une idéologie bourgeoise. En ce sens l'enfant que nous avons rencontré à travers ses premiers ouvrages n'est rien d'autre que cette famille elle-même, en tant qu'elle est vécue par un de ses membres, défini *a priori* par la place qu'il y occupe, comme la substance réelle de la subjectivité commune. Or ce membre, détermination de l'intersubjectivité, saisit en lui le vécu comme damnation pure et simple, il fait *en vivant* l'expérience de l'impossibilité de vivre. Comment cela peut-il être ? Comment ce rejeton d'une famille heureuse et prospère en vient-il de si bonne heure à haïr l'espèce humaine, à commencer par lui, à voir dans tous les hommes des victimes et simultanément des bourreaux ? D'où vient qu'il ait eu, de si bonne heure, « un pressentiment complet de la vie », ce qui signifie à la fois qu'il a considéré toute existence humaine comme un Destin et qu'il a décidé que le pire était toujours sûr ? Pour en décider, il faut refaire le chemin en sens inverse : nous prendrons l'enfant quand il sort des mains de Caroline Flaubert et nous tenterons, à travers les témoignages, la Correspondance, les mêmes œuvres, prises cette fois comme témoignage totalitaire, de recomposer cette vie comme on l'a faite, au jour le jour. Dans cette synthèse progressive il s'agira de laisser le vécu se développer sous nos yeux comme *stress*, c'est-à-dire comme inséparable unité d'agressions et de défenses, en un mot nous essaierons d'effectuer la restitution compréhensive de cette existence considérée comme totalisation en cours.

B. — LA VASSALITÉ

Pendant les deux premières années qu'il reste aux mains de sa mère, Gustave est une herbe folle ; il vit au hasard, sans savoir pourquoi, il se sent obscurément surnuméraire. Dès qu'il a trois ou quatre ans, le père s'intéresse à lui. L'enfant l'adore aussitôt. Qu'est-ce que cela veut dire ? Comment cette vie morne et superfétatoire va-t-elle réagir aux premières marques d'amour qu'on lui donne ?

L'enfant, bien sûr, n'en a rien dit. Mais si nous interrogeons l'écrivain adulte sur sa toute première jeunesse — celle qui a précédé la chute — nous verrons que ce n'est point le bonheur perdu qu'il regrette mais plutôt ce que Gide appelle ferveur et que Gustave nomme « simplicité ».

Ce qu'il entend par là, un passage inédit de *Madame Bovary* va nous l'apprendre. « Temps heureux de sa jeunesse où son cœur était pur comme l'eau des bénitiers et ne reflétait comme eux que les arabesques des vitraux avec la tranquille élévation des espérances célestes. » « Un cœur simple », « un cœur pur » ne se contrarie pas lui-même, il n'est pas déchiré par le conflit de la Raison et de la Foi : son mouvement naturel le porte vers le haut ; il s'élève en adorant. Qui ? Dieu, un Seigneur, un Père, une Patronne : peu importe ; c'est l'élévation qui compte, quel qu'en soit l'objet. Et cette élévation est une donnée immédiate de l'affectivité. Jules Lemaître, cet imbécile ingénieux, s'est plaint que Félicité fût bête. Où a-t-il pris cela ? Flaubert n'a jamais pensé qu'elle le fût. Pour lui, nous le savons, la pire bêtise, c'est l'intelligence. La « servante au grand cœur » a mis son génie dans sa vie. Elle ne raisonne pas, mais elle *comprend* parce que le dévouement est par lui-même une compréhension. Combien de fois Flaubert n'a-t-il pas répété que les idiots, les enfants et les fous se sentaient en confiance avec lui : « parce qu'ils savent que je suis comme eux ». Et, bien sûr, cela n'est pas vrai, Flaubert n'est rien moins que simple puisqu'on l'a élevé, bien malgré lui, au niveau de la contradiction. Pourtant il garde la nostalgie de l'unité, d'autant plus fortement qu'elle est nourrie par une obscure réminiscence comparable au souvenir d'une autre vie. Il y a un état d'innocence ; certains l'ont perdu pour toujours, d'autres le retrouvent par intermittence, d'autres enfin le gardent de l'enfance à la mort. Et cet état est *toujours* caractérisé par l'adoration. Quand le sujet se considère comme inessentiel et tient pour essentiel son Seigneur, alors il devient « infini » et « profond ». C'est cette indistinction du cœur et de l'esprit unis dans un acte d'amour total qui souffle à Charles ces mots inattendus : « C'est la Fatalité. » D'un seul coup il s'élève au-dessus de Homais et de Larivière lui-même. À cet instant, le véritable crétin, c'est Rodolphe qui trouve ce mari trompé « un peu vil ». Un texte retranché de la version définitive met les points sur les *i* : « Car (Rodolphe) ne comprenait rien à la passion vide d'orgueil, sans respect humain ni conscience qui plonge tout entière dans l'être aimé, accapare ses sentiments, en palpite et touche aux proportions d'une idée pure à force de largeur et d'impersonnalité. » Nous sommes fort loin de l'individualisme bourgeois : tout au contraire, les seuls sentiments qui trouvent grâce auprès de ce misanthrope, ce sont ceux qui font éclater l'individu. À ce niveau, les « humbles », les « imbéciles » sont « illimités » et l'universalité du sentiment leur donne la profondeur de la pensée.

Ce qui marque l'origine infantile de cette conception à la Rousseau de l'innocence native, de l'impersonnalité gâchée, perdue dans le monde social des individus — personnalisés par la propriété réelle et la particularisation des intérêts — mais parfois ressuscitée par un dévouement total, c'est que l'amour le plus pur est, selon Flaubert, parfaitement incapable de protéger l'être aimé : Charles n'a pas sauvé Emma du malheur et de la mort, il n'a réussi qu'à se faire détester d'elle. Félicité, une fois, a défendu les enfants de sa maîtresse contre un taureau furieux. Mais que peut-elle contre les catastrophes qui vont frapper la famille ? Que peut Justin, sinon fleurir une tombe ? Et la petite Roque ? Et Frédéric lui-même, que peut-il pour Mme Arnoux ? Cet amour sublime mais inefficace, c'est celui de l'enfant qui voit ses parents souffrir sans oser faire un geste et sans avoir le moyen de les aider. Pour leur plaire, il se donne entièrement aux menues besognes qu'ils lui confient mais sans illusions. Le lien dont Flaubert se souvient, celui qu'il magnifie dans *Un cœur simple*, c'est la vassalité. Toutefois celle-ci, sous l'Ancien Régime, définissait les conduites sociales du vassal : il devait prêter main-forte au seigneur dans certaines circonstances ; quant à ses sentiments, ils ne regardaient que lui. Dans le monde de l'enfance où Flaubert, durant toute sa vie, rêvera de se replonger, c'est le contraire : un quiétisme dont nous reparlerons abolit les actes. Reste l'élévation du cœur. L'image du bénitier le marque clairement : il faut avoir une âme nue, large, vacante, assez calme pour que le Maître s'y reflète : cette réflexion de l'infini dans le fini, du sacré dans le profane donne à la créature sa pleine dignité. La substance contingente et finie, quand elle est pure, reflète amoureusement et passivement une puissance infinie qui, tout à la fois, fait sauter ses limites et renforce son unité. Il y aura quelque chose de cela, dans le panthéisme de Flaubert et c'est ainsi qu'il comprendra — passionnellement plus qu'intellectuellement — le rapport du mode fini et de l'attribut infini.

Est-ce que tous les fils ont la même adoration pour leurs pères ? Certainement non. Surtout dans les familles conjugales où l'amour s'oppose à l'agressivité. Et, certes, Gustave a, comme on dit, « fait son Œdipe » : nous en reparlerons quand nous étudierons sa sexualité. Mais la structure de cette famille semi-domestique aussi bien que le caractère de Mme Flaubert s'opposaient au classique rapport trinitaire qui se trouve, aujourd'hui, à la base de toutes nos sensibilités. En fait Caroline, faute d'aimer ou, peut-être, d'extérioriser son amour, avait laissé son cadet comme un poisson sur le sable, vivant sans raison de vivre — ce qu'il appela plus tard, amphigouriquement mais non sans justesse : agoniser. Toutes les déterminations de sa sensibilité et jusqu'à cet Ego qui naissait en lui du sevrage étaient frappées de nullité : quand Achille-Cléophas s'intéressa à lui, l'enfant se jeta sur cette raison d'être ; mais, déjà frustré d'amour, il ne pouvait plus trouver sa justification dans le sentiment — d'ailleurs bienveillant mais tiède — que lui portait le Seigneur magnifique : il la puisait dans la permission d'aimer. Le chirurgien couvert de gloire avait, *lui*, sa pleine raison d'être : c'était Dieu, c'était le Roi. Et cette suffisance permettait à l'enfant délaissé de sentir enfin son existence comme un droit : il était né pour adorer son père ; celui-ci l'avait fait pour refléter cette gloire dont il rayonnait à la façon, dont Dieu, paraît-il, nous a créés.

Une lettre curieuse de Gustave va nous confirmer dans ces vues : « Le livre de Vigny m'a un peu choqué... J'y ai vu une dépréciation systématique du dévouement aveugle (du culte de l'Empereur, par exemple), du fanatisme de l'homme pour l'homme. Ce qu'il y a de beau dans l'Empire, c'est l'adoration de l'Empereur, amour exclusif, absurde. Sublime, vraiment humain[1]. » Il a vingt-cinq ans lorsqu'il écrit ces lignes. Comment ne voit-il pas que son idée se détruit par les mots mêmes qui l'exposent et que rien n'est moins « humain » que l'aliénation radicale d'un homme à un autre homme, qui fait venir en chacun l'essence de notre espèce comme son *être-autre* et nous montre notre condition commune comme méprisable chez nous et à nos propres yeux, adorable chez l'étranger ? Je répondrai qu'en fait, il voit tout, et que la preuve en est ce mot de « fanatisme » dont on sait qu'il est fort mal famé : Flaubert l'emploie à dessein, pour choquer, dans l'intention, que nous retrouverons plus tard, de peindre le positif sous ses aspects négatifs. Et n'oublions pas que, pour la même raison, il présente le

---

1. Il s'agit de *Servitude et grandeur militaires*.

principe suprême de son éthique comme une maxime d'ordre esthétique : ce dévouement n'est point *bon*, il est *beau*. Et nous n'ignorons pas que la beauté peut être terrible. N'empêche : il se découvre malgré lui quand ce sentiment l'enthousiasme à ce point qu'il le nomme « vraiment humain » : bien que l'adverbe tente encore d'égarer, renvoie à cette autre norme, la vérité, le mot « humain » découvre tout. Il y a un humanisme de Flaubert qui est le rapport humain de vassalité et qu'il oppose violemment à l'idéologie de sa classe, vers le temps où celle-ci s'organise pour renverser Louis-Philippe. Et le principal souci de cet « humanisme », ce n'est pas seulement de faire éclater l'intérêt particulier, c'est aussi et peut-être surtout d'opposer le dévouement à la fraternité. En un mot, le fils Flaubert, à cette époque, se bat sur deux fronts : d'un côté, l'utilitarisme bourgeois et, de l'autre, le socialisme. Il hait la réciprocité des liens au moins autant que l'atomisme. Ce qui l'agace dans les grandes idées sociales qui pullulent aux environs de 1848, c'est qu'elles nient le *don* aristocratique au nom de la communauté d'espèce : l'homme n'est jamais pour moi ni ne doit être *un autre* puisque c'est précisément *le même*. Ce que je fais pour lui, je le fais pour moi, il le fait pour moi et pour lui-même. Cette vision universaliste ne fait pas de la solidarité un mérite mais le moyen nécessaire de hâter l'avènement de l'humain. Flaubert ne comprend l'entraide que sous la forme d'un sacrifice : quelqu'un donne sa vie pour quelqu'un dans la conviction absolue que cette vie ne compte pas et que l'autre vie est indispensable sur terre. Mais la raison de ce féodalisme est claire : dans la mesure où l'Être est un Droit, Caroline n'a pas donné à son second fils le droit d'exister ; il le trouvera, dès que son père lui sourira, dans la permission que le docteur Flaubert lui donne de refléter son essence adorable ou de s'y perdre. Si l'adoration est sa raison d'être, celle-ci n'existe que comme son *être-autre* dans la mesure où on l'a fait pour se nier au profit d'un autre.

On remarquera que la lettre précitée n'est guère favorable à l'Empire : pas plus à la personne de l'Empereur qu'aux institutions impériales. C'est que Flaubert a vingt-cinq ans ; le petit vassal, depuis longtemps disgracié, n'a plus guère d'illusions sur son seigneur. Ce qu'il regrette, quand il se rappelle son âge d'or, ce n'est point l'ingrat objet de son hommage, c'est l'attitude toute subjective de vassalité. Ainsi, bien qu'admirant le « sublime dévouement » des grognards, il détruit le sens que celui-ci avait pour eux : en Napoléon, ils croyaient trouver le « *mérite adorable* ». Pour Flaubert, qui appartient à la génération suivante, l'objet du sacrifice est douteux — en ce sens, il peut écrire que le dévouement est *absurde* — mais cela n'importe guère puisque le sacrifice seul — quel que soit son objet — peut élever l'âme humaine. Du coup, l'édifice féodal se lézarde et, d'une certaine façon, il se renverse : le Maître n'est que le moyen inessentiel qu'on choisit pour se faire vassal. Ce fanatisme qui enchante Flaubert, nous comprenons maintenant ce qu'il implique et les lointaines origines de son horreur pour l'égalitarisme : deux hommes égaux, ce sont des herbes folles ; en quoi la réciprocité peut-elle changer leurs statuts ? L'égalité c'est la contingence universelle. S'il pense ainsi, c'est qu'il se sent privé de mandat. Pour faire un homme « vraiment humain », c'est-à-dire justifié, il faut en prendre deux qui soient liés hiérarchiquement. Encore n'y a-t-il qu'une certitude : l'inférieur sera sauvé par son dévouement ; pour le supérieur, tout reste indéterminé. Le vassal, d'ailleurs, ne réalise sa plénitude humaine qu'au moment où il s'abîme — vainement — dans la négation de soi au profit de l'autre.

Bref, la vassalité, pour l'enfant Flaubert, c'est le moyen choisi par un être inessentiel pour gagner le droit d'être essentiel en renchérissant sur son inessentialité : elle l'a rassuré pendant son âge d'or en lui dissimulant son délaissement et le vide du ciel ; le monde est plein tant que le Maître demeure l'absolu. De ce point de vue, celui-ci est donateur : il donne sa personne à admirer, à servir ; il a l'extrême bonté de manifester des exigences. Mais le plus beau don, c'est l'autre qui le fera en sacrifiant, s'il le faut, sa vie. Il est vrai qu'elle n'est rien, ne vaut rien et ne sera justifiée que par le sacrifice qui l'abolira. Plus tard nous verrons Gustave, par un renversement classique, se faire volontiers seigneur faute de pouvoir rester dans sa condition de vassal. C'est que, fondamentalement, par des raisons qui viennent de sa petite histoire, l'individualisme bourgeois, cette solitude d'atomes égalitaires, lui fait horreur. Ainsi les pédérastes passifs, en vieillissant, se font actifs et jalousent la soumission de leurs jeunes amants. Mais si Flaubert s'est fixé sur ce lien féodal, s'il a nourri toute sa vie ce fantasme de dévouement qui n'a jamais pu ni se liquider ni se réaliser sauf par des mots écrits et par des comédies, si cet intellectuel petit-bourgeois, d'ailleurs profondément misanthrope et sans amitié pour soi-même, a utilisé contre sa classe, comme une arme agressive, cette idéologie périmée, c'est par un ressentiment profond contre son père, l'homme qui ne s'est jamais laissé tout à fait adorer ; c'est que le bon Seigneur a figé son vassal dans la revendication permanente de la vassalité par une frustration qui remonte aux premières années.

Un jour, dans une lettre à Louise, Gustave s'enthousiasme; quel beau livre on écrirait en retraçant simplement l'expérience de l'homme moderne « de sept à quatre-vingt-dix ans ». À prendre la phrase comme elle vient — ce qui ne veut pas dire : comme elle *se donne* —, on se demandera pourquoi sept ans plutôt que dix, l'âge du collège ou quinze mois, l'âge du sevrage. Et, tout uniment, pourquoi ne pas dire : racontons la vie entière de nos personnages de la naissance à la mort. Mais dès qu'on a pratiqué Flaubert, on sait que ses « axiomes » ont deux sens simultanés : l'un, immédiat, qui vise à l'universalité objective, l'autre, profond, qui gouverne le premier et se rapporte directement à l'auteur et à ses expériences singulières. En vérité, le premier, à la première question, s'effondre car il n'a pas d'existence réelle en dehors de l'autre qui le produit et le soutient : l'axiome, c'est la manière de dire et Gustave le sait fort bien; la politesse ou la prudence lui font un devoir d'exprimer comme vérité objective et abstraite une certaine aperception subjective de lui-même et de sa vie. Flaubert dit en vérité : quel beau livre je ferais si j'écrivais ma vie *à partir* de sept ans! Et, cette fois, nous sommes dispensés de nous étonner : si Gustave écrit « sept ans », ce n'est pas qu'il y ait à ses yeux un caractère général de la septième année ni qu'elle marque le début de ce qu'on appelle aujourd'hui l'hominisation. Mais, *dans son cas particulier, pour des motifs le concernant*, l'âge d'or a pris fin, les « sarcasmes » ont commencé quand il avait sept ans. Ou plutôt, le survivant de Pont-l'Evêque s'est convaincu que sa vie, à sept ans, s'est jouée tout entière. Après quoi, il a fallu la vivre, ourdir cette vie déjà faite et *se détruire* en la réalisant. A sept ans un malheur s'est décidé par un coup de foudre, après quoi il a fallu le temporaliser, le détailler dans un interminable procès. Flaubert pourrait dire, en somme : « Nous sommes contraints de *devenir* sans répit ni retour, mais dans la répétition, ce que nous *sommes*. » Par cette raison nous comprendrons mieux la hautaine confession que le jeune homme fait à sa maîtresse :

« La différence que j'ai *toujours* eue dans les façons de voir la vie avec celles des autres a fait que je me suis *toujours* (pas assez, hélas !) séquestré dans une âpreté solitaire dont rien ne sortait. On m'a si souvent humilié, j'ai tant scandalisé, fait crier que j'en suis venu, *il y a déjà longtemps*, à reconnaître que, pour vivre tranquille, il faut vivre seul[1]... »

---

1. C'est moi qui souligne les trois déterminations temporelles.

De fait, Garcia a été rendu méchant par les « sarcasmes » que sa famille lui décochait *depuis sa naissance*. Devons-nous pourtant prendre tout à fait au sérieux ce « toujours » : pour Garcia, c'est vrai ; mais non pour Djalioh ! ni pour Mazza, pas même pour Marguerite qui n'a, certainement, jamais connu le bonheur puisqu'elle a *toujours* été laide mais qu'on nous fait connaître au moment qu'elle entre en Enfer. Même Almaroës a éprouvé je ne sais quel illusoire contentement tant qu'il a cru posséder une âme. Je reviendrai bientôt sur cette apparente contradiction dont un des termes fait commencer le malheur à la naissance et l'autre à sept ans. Disons, pour l'instant, que Gustave découvre *à sept ans* l'anomalie, la « différence » qui l'a *toujours* séparé des autres. Le premier « sarcasme » fait mouche et lui dévoile tous ceux qu'il méritait par sa malfaçon originelle, qu'on ne lui a pas adressés — par pitié ou peut-être parce que le bourreau attendait son heure — mais qui se résument, essaim de guêpes, en une seule piqûre inoubliable qui définit d'un coup le passé et l'avenir. Quand je dis qu'il n'y eut qu'une seule moquerie, on m'entend : il y en a eu beaucoup au contraire mais en peu de temps et elles ne vinrent ni d'Achille, toujours interne au collège, ni de la petite Caroline qui n'avait que trois ans ni de Mme Flaubert pour qui les mélodrames et les nouvelles témoignent une certaine indulgence : dans *Matteo Falcone* en particulier, incapable de s'opposer à la décision sauvage que l'honneur corse impose au mari, incapable même du plus doux reproche quand son Maître et Seigneur lui a tué son enfant, elle se borne, passive comme l'est Gustave lui-même — à mourir discrètement sans une parole, sans une pensée négative. Reste le Maître lui-même : qu'a-t-il fait ? Il a révélé à son fils sa vraie nature, dans le mépris. Ainsi, comme le montrent les histoires d'Almaroës ou de Djalioh, il importe peu que la découverte honteuse de soi-même soit datée : ce qu'on découvre c'est une tare congénitale : le duc de fer est apparu dans le monde *sans âme*, Djalioh est *de naissance* anthropopithèque. Ces tares, d'ailleurs, ne changeront pas. À sept ans Gustave a connu sa différence *immuable* dont, malgré sa folie d'orgueil, il ne dira pas une fois que c'est une supériorité. Le merle blanc ne voyait pas ses plumes : dès qu'on les lui découvre, mourant de honte, il cherche un trou pour se cacher. La séquestration n'ira pas sans qu'il s'inflige des mutilations sanglantes. Nous y viendrons. Pour l'instant, ce qui compte c'est l'âge de la découverte. Deux ou trois années grises ; Mme Flaubert l'avait pondu mais elle avait oublié de lui donner son visa. Le bonheur vint avec le père et dura de trois à sept ans. Avant de reconstituer la malédiction paternelle, obscur désastre qui le termina pour toujours, il faut tenter de dire ce qu'il fut.

Les premières années, le *pater familias* n'avait ni l'occasion ni l'envie d'exercer son ironie voltairienne aux dépens d'un enfant qui ne l'eût pas comprise ; le regard chirurgical reste au fourreau. Pour tout dire, en ce temps-là, Achille-Cléophas se montrait bon prince, satisfait d'avoir enfin réussi son coup ; il manqua le suivant peu après, ce qui dut l'attacher un peu plus au cadet ; quand il faisait « ses visites » aux environs de Rouen, il se plaisait à l'emmener dans sa carriole. La vassalité n'étant pas contestée, il n'y avait pas alors le moindre motif d'inventer cette folle issue : l'identification. Le lien féodal — qui en est tout juste l'envers — se développait librement : loin de s'approprier l'être du Seigneur en imitant ses conduites, le petit avait deux manières d'intérioriser sa vassalité objective : il se faisait pur miroir des mérites du Maître, ne se reconnaissant d'autre droit que le devoir de les refléter ou bien, soumis, dans ces moments où l'hébétude s'achevait en extase, il se perdait en son Gentil Seigneur, sa particularité se diluait dans l'essence paternelle : non qu'il *devînt* son père ; il connaissait trop ses limites, la distance infinie qui sépare un représentant inutile et hasardeux de la faune mondiale et un homme de droit divin. Annulé par cet hommage mystique, Gustave restait pure différence abstraite sans rien qui différât de la plénitude rencontrée sinon la conscience vide d'être néant et de vampiriser la plénitude de l'Homme, c'est-à-dire la puissance infinie d'Achille-Cléophas. Le père, en le conviant à l'accompagner dans ses tournées, l'avait engendré de nouveau, il voulait bien de cette petite adoration sans statut : il admettait que Gustave fût le miroir de ses vertus ou bien il l'enveloppait, l'absorbait, le résorbait en lui sans lui ôter cependant le sentiment de sa finitude ; l'enfant gardait juste assez de conscience pour profiter de l'accueil triomphal des villageois. Nous le savons puisqu'il l'a décrit : un tourbillon de poussière, le cheval au galop, des acclamations, la foule se presse autour de la carriole, des femmes en pleurs, une d'elles prend la main du docteur. La médecine, c'est ça ; c'est ça, la gloire : une attente comblée, des regards fiévreux et reconnaissants, le respect universel ; jusque dans le moindre village, des inconnus qui souffrent et qui répètent : avec lui, je suis tranquille, il me sauvera. Le petit vassal envisage la gloire comme une vassalité universelle : nous retrouverons ce sentiment, passé au noir, dans ses rapports futurs avec ses lecteurs. A travers le père, pour l'instant, la gloire appartient à l'enfant. Non pas directement, bien entendu, mais en tant que le Seigneur accepte quelquefois que sa créature *en tant qu'autre* — ce qui veut dire : en tant que parasite privé de suffisance — participe à son essence. Les premières hébétudes — qui ont dû passer inaperçues — ont marqué le rapport extatique de l'enfant au père. Les rapports avec les choses sont toujours, originellement, des relations humaines. Le père, n'étant pas souvent à la maison ou, s'il y était, n'ayant guère le temps de s'occuper de l'enfant, le monde — ce miroir du père et de sa divine puissance — le monde où les malades n'existaient que pour être guéris par sa science, fut, un temps, en l'absence du *pater familias*, l'objet des hébétudes de Gustave, dont la source, nous le savons, était sa « constitution » pithiatique et, à travers un mauvais usage de la parole, son rapport à sa mère : déconcerté, il tombait dans l'extase, c'est-à-dire, à l'âge d'or, il fuyait sa mère, amante sévère et frigide, vers son père ou le lieu infini de ses exploits.

Pourtant la famille lui appartient. Et d'abord la Maison. Il est le membre le plus jeune et le plus soumis de la cellule Flaubert : mais s'il se voue au Seigneur et s'il est agréé, celui-ci l'intègre dans l'unité profonde du groupe qui n'est que par lui ; la place de vavasseur que Gustave occupe tout au bas de l'échelle, c'est l'expression de la volonté paternelle : s'y contenir par soumission, c'est une autre manière de vivre le lien féodal et la seule façon de mériter les promenades en carriole : finalement il revient au même de communiquer avec le chef suprême par la voie hiérarchique, en obéissant à tous ou d'avoir le privilège de se perdre en lui ou de le refléter par l'extase, sans intermédiaire. Gustave a noté, cela va sans dire, que le dernier venu de la Maison Flaubert est aussi le seul que le *pater familias* emmène dans sa carriole. Mme Flaubert n'accompagne jamais son mari : elle a suffisamment à faire pour tenir son intérieur. Ni Caroline, la puînée, trop petite. Ni Achille qui est au collège. Quant aux biens réels, c'est le Père qui les possède. Mais Gustave, à travers son Maître, participe à la cérémonie perpétuelle de l'appropriation. Le petit garçon découvre les objets qui se trouvaient là *avant lui* : découvrir pour lui c'est s'approprier, voir ce qu'un regard éminent a tiré, bien avant sa naissance, de l'indifférenciation primitive, toucher ce qu'une main forte et preste a touché avant lui. La Maison le contient et l'enferme mais le Propriétaire l'a dévorée, digérée, assimilée à sa propre substance : en ce sens, elle devient l'image figée du Père. La puissance paternelle s'y manifeste partout : de la cave au grenier, on n'y trouvera rien qu'il n'ait voulu ou tout au moins toléré. Entre les murs, l'espace est sillonné des chemins qu'il a frayés : Gustave se promène dans une volonté matérialisée, omniprésente ; c'est elle qu'il aime en cet appartement, elle qui lui en dissimule la sinistre laideur. Son Seigneur est là, sous ce toit, épars sur ces meubles, inerte, mystérieusement endormi ; le Père s'est fait chose, sans cesser d'entourer, de protéger son enfant, il se donne et le petit garçon le possède à son tour, de l'intérieur. Entre l'hommage du vassal et le don du Maître, il y a réciprocité ; l'un *se* voue à l'autre, corps et âme ; l'autre se donne aussi, d'une certaine manière, mais dans son être matériel : il confie à son féal des biens immeubles qui manifesteront jusqu'au bout *sa présence*.

Depuis la Révolution, la bourgeoisie dresse ses enfants à distinguer soigneusement les relations humaines de la propriété « réelle », lien direct, légal, inconditionné de l'acquéreur avec la chose acquise. Mais Gustave le vassal retrouve sans le savoir les structures de l'Ancien Régime : la possession des biens matériels est une tenure, elle se fonde sur la relation des personnes et la perpétue sous forme de don continué et d'obligations imprescriptibles. Pour le petit Flaubert, l'amour et la propriété ne sont pas séparables : l'une est mesure de l'autre. Mieux, puisque ce petit intrus ne puise son droit d'être né que dans son rapport au Géniteur, il le fonde mêmement sur son rapport possessif avec l'ensemble matériel qui représente celui-ci : la propriété féodale, c'est-à-dire le lien de personne à personne à travers la chose donnée, devient pour Gustave, à l'âge d'or, une structure fondamentale de son droit de vivre. Bien sûr l'enfant ne le sait pas. Les mots lui manquent, comme on peut bien l'imaginer. Et les notions. Et la saisie des rapports : tous les instruments de pensée. Mais il ne faut que vivre : la synthèse est dehors ; il intériorisera l'articulation objective de l'hommage et du fief par cette simple raison qu'elle existe et que ces réalités pratiques ne sont pas séparables. Leur liaison, *vécue*, devient en lui structure subjective. Non qu'elle soit jamais sentie ni soufferte ; c'est une matrice : une infinité de *pratiques* en sortent — actions, affections, idées — suscitées par les situations les plus diverses, elles portent sa marque à leur insu, invisiblement, et, sans jamais se poser pour soi, elles découvrent ou reproduisent la liaison originelle dans les objets qu'elles visent : ainsi le moment subjectif est celui de la médiation ; la relation première est intériorisée pour se réextérioriser en d'autres secteurs — d'ailleurs quelconques — de l'objectivité. Sous cette forme ultime la marque transmise paraît méconnaissable : d'un objet à l'autre, d'ailleurs, tout conspire à la transformer — occasion, lieu, but, structures et liens logiques dans cette nouvelle région de l'Être. Et pourtant ces sigles divers deviennent, à nos yeux, tous le même dès que nous nous rappelons la première structure. Il ne s'agit pas de retrouver une notion universelle dans des exemples particuliers mais de reconnaître la rigueur originelle de l'articulation dans la singularité de ses projections ultérieures : rigueur elle-même singulière ; elle a l'unité et l'individualité d'un « chiffre », c'est-à-dire d'une méthode singulière de déchiffrement.

Je n'en donnerai qu'un exemple : par la permanence de cette liaison première, une étrange obstination de Gustave se trouve éclaircie. D'un bout à l'autre de sa Correspondance, traité de la vaine cupidité, il proclame qu'il voudrait être riche, fabuleusement, qu'il a faim d'or et de pierres précieuses, qu'il meurt de n'en avoir pas. Pas une fois, cependant, il n'envisage qu'on puisse *faire* fortune : la seule richesse avouable est celle qu'on hérite. Bien sûr, c'est une pensée commune, à son époque : la bourgeoisie se dégage mal des anciennes idéologies ; la propriété foncière s'embourgeoise mais elle impose encore ses valeurs ; et puis c'est le temps du capitalisme familial : la fabrique se lègue comme un domaine. Et Gustave, héritier lui-même, ne trouve en soi ni le goût ni les moyens de s'enrichir par le profit et par l'épargne. N'importe : pour refléter exclusivement et constamment cette tendance déclinante, il faut justement qu'il ait été fait lui-même par la liaison objective qui la soutient. D'ailleurs il pousse tout à l'extrême, passionnément, méprise le gain, tout travail qui rapporte, rêve au rajah qui fera de lui son légataire universel ; la rage le bouleverse s'il apprend qu'un de ses amis vient d'hériter : bref il va si loin qu'il se retrouve seul. Ce consommateur pur vivra sur le patrimoine et, par mépris du gain, refusera de l'augmenter. Oublie-t-il que le docteur Flaubert se faisait payer ? Que le domaine de Trouville est acquis, pour la plus grande part, grâce aux honoraires versés par les clients ? Il ne cesse d'y penser au contraire, mais l'origine du patrimoine — que ce soit la sueur ou le sang — n'importe pas : de toute manière l'or est anobli par la *transmission*. Gagnée, la richesse est un être incomplet, hideux encore ; transmise, elle s'épanouit, s'humanise, le don la métamorphose et l'achève, elle atteint, dans les mains de l'hoir, à la plénitude spirituelle. Un maître aboli retombe en pluie d'or sur son serviteur ; celui-ci ramasse ces hosties sonnantes et trébuchantes : par elles, il reçoit mission non d'incarner le disparu mais d'être le dépositaire de sa puissance. À son tour il se transformera : créature du hasard, il vivait sans but ni raison ; une adorable générosité le désigne, un mort lui donne mandat de vivre par une inflexible et dernière volonté qui le pénètre et le fonde : le voilà consacré. On dira que les testateurs ne sont pas si généreux : la naissance, des promesses, de bons et loyaux services donnent en général au futur légataire un droit sur le legs qui lui reviendra. Gustave en serait d'accord à condition que le Seigneur ne soit engagé par rien ; au bout du compte, celui-ci doit tester comme il veut par cette raison que, sans liberté plénière, la générosité n'est pas. Pour que la fortune paternelle revienne au fils — l'eût-il cent fois méritée — comme une préférence et comme un don gracieux, il faut et il suffit que le père, de son vivant, ait toujours eu licence de le déshériter : s'il l'a pu et ne l'a point fait, le testament est un acte d'amour seigneurial : entre les mains du fils sanctifié l'or devient le *pater familias* lui-même avec ses exigences et sa bonté.

L'obsession de Gustave, nous ne perdrons pas notre temps à en souligner le caractère furieusement réactionnaire — j'entends : même pour l'époque ; il saute aux yeux. Mieux vaut rappeler qu'elle a ses racines dans la petite enfance de Flaubert, dans les premières années qui le rendirent à tout jamais incapable de distinguer la propriété du don. On aura deviné que cette incapacité exaspérera, plus tard, son *envie* : l'amour et l'argent, inséparables, le fascineront par leur symbolisme réciproque : l'absence de l'un témoigne qu'il est frustré de l'autre et inversement. Nous verrons les liens étroits de la jalousie et de la féalité. Qu'il suffise de marquer que cette conception de la richesse, qui sauve un enfant de la contingence originelle par le lien domestique qui l'attache, inessentiel, au Donateur par essence, au *pater familias*, contribue dès l'âge de quatre ans à fonder la dignité ontologique de Gustave sur cette postulation fondamentale : *être un rentier*.

La famille lui appartient, elle aussi. Achille existe, pourtant, mais il ne gêne pas ; c'est qu'il paraît naturel comme tout ce que rencontre ce regard naissant : des êtres sont là, immémoriaux, plus familiers que distincts, c'est l'*entourage*, reconnu bien avant d'être connu et qu'on peut appeler aussi première nature puisque l'enfant se fait refléter son être par l'environnement dans la mesure où son corps se définit par ce qui l'environne. C'est aussi la *réalité*, acceptée d'avance pourvu qu'elle soit tolérable : l'enfant, trop absorbé à l'apprendre pour pouvoir la contester, en fait la mesure de l'Être, de la Vérité, du Bien. Les objets qui l'entourent, sans quitter le terrain de la vie immédiate, y reçoivent une existence *de jure*, un statut. Les droits des adultes rassurent le nouveau venu, légitiment sa naissance. Ainsi Gustave, à peine sait-il parler, *reconnaît* en Achille le grand frère. Aîné de fondation : pour le conservatisme respectueux du petit vassal, la hiérarchie des Flaubert, c'est l'ordre. Le père adorable, source de tout pouvoir et de tout crédit, a souverainement décidé que sa femme lui donnerait deux fils, séparés par neuf années : en l'un comme en l'autre, l'acte juridique a engendré le fait ; créatures du même démiurge, il faut que Gustave refuse son propre statut ou qu'il reconnaisse celui d'Achille. Mieux : reconnu, le grand frère obtient la capacité de reconnaître. S'il s'approche de l'enfant, s'il lui sourit ou s'il lui parle, il prend part *pour son compte* à la cérémonie toujours décevante et toujours recommencée de l'accueil ; il déclare que Gustave, loin d'être une herbe folle ou un intrus, est l'hôte souhaité ; c'est le retour éternel de l'acte archétypique qui pourtant n'a pas eu lieu : l'ouverture des portes. Si les deux garçons se suivaient de très près, à un ou deux ans de distance, leurs relations — sans perdre leur base juridique — seraient fort différentes. Passionnelles, certainement. Amicales, peut-être. Mais neuf années — ou presque — c'est un intervalle trop grand. Bien sûr Achille, à la naissance de Gustave, n'est qu'un tout petit garçon. Mais à peine le cadet s'est-il mis à parler, on envoie l'aîné au collège : il y travaille avec zèle, invisible sauf aux jours fériés. Bref, il est d'un autre monde, c'est un adulte en raccourci. L'enfant ne demande qu'à lui obéir : on dit que son frère est un grand garçon, déjà « raisonnable » ; Gustave sait que la Raison n'est pas un privilège : tout juste une question d'âge ; l'aîné la possède, elle attend le cadet. La supériorité d'Achille n'étant que provisoire, il convient de la reconnaître en toute tranquillité. Gustave fera d'autant moins de difficulté que sa soumission l'avantage : absorbé par ses études, lointain, Achille est exilé, la plupart du temps, parmi les Non-Flaubert, espèce inférieure mais innombrable et dangereuse. Gustave, promis au même exil, jouit pour l'instant des commodités de l'enfance : il ne quitte pas le foyer familial, sa mère se consacre à lui ; quand elle lui a donné ses soins, elle le prend sur ses genoux et lui parle de Dieu, Père de tous les pères ; le docteur Flaubert l'emmène dans ses tournées ; les Le Poittevin, amis intimes de ses parents, ne manquent pas de le cajoler : bref il obéit à tous, on le paye par de la tendresse. Un peu juste, cette tendresse, parfois même désolante ; mais, si tiède soit-elle, il la sent, c'est le milieu de sa vie. Mais Achille ? N'est-il pas, lui aussi, un fils chéri ?

Bien sûr que si : Gustave est convaincu que son frère aîné inspire un attachement profond à ses parents par la simple raison que les bons pères doivent aimer leurs enfants. Mais le pauvre proscrit, absorbé par ses études, n'a guère le temps d'*éprouver* la bienveillance du docteur : en somme il a droit à cet amour ; Gustave, plus fortuné, en a aussi la jouissance. Il a compris très tôt que ce privilège lui venait de l'enfance : donc il ne jalouse point Achille qui a la malchance d'en être déjà sorti ; Gustave sait qu'il rejoindra bientôt l'âge et le statut de son frère mais il n'est pas pressé d'abandonner ses prérogatives : il vieillira, c'est son devoir et son droit, mais le plus tard possible. De fait, il a souvent noté, par la suite, qu'une obscure résistance a freiné son apprentissage comme s'il répugnait à quitter son état. Mais ce qui nous importe, en ce moment, c'est la mise en place du dispositif intérieur qui va le supplicier : comme il se croit mieux loti qu'Achille, il oublie de le jalouser. Ce serait un excellent départ si, du même coup, le cadet ne se dupait lui-même : sans défiance, il reconnaît à chacun son statut juridique pour habiliter tous les membres de la famille à reconnaître le sien. Cela veut dire qu'il admet leurs droits : intériorisés, ce seront ses devoirs. Achille est son supérieur par l'âge ; Gustave n'y voit pas de mal, bien au contraire : il y trouve le moyen de s'enfoncer dans l'enfance et de la refermer au-dessus de lui ; il sait, d'ailleurs, que cette hiérarchie n'est pas définitive : le cadet n'atteindra que trop tôt aux tristes privilèges de l'aîné, à la Raison, au collège, à l'exil. Ce qu'il ignore c'est que l'aînesse, chez les Flaubert, est une distinction immuable : non pas cet avantage minime qui s'estompe et disparaît, dans les familles bourgeoises, quand les frères ont l'un et l'autre atteint la condition d'adultes mais le droit octroyé de remplacer le *pater familias* après décès. Le malheureux accepte de respecter Achille et de lui obéir : ce ne sera, pense-t-il, que pour un temps. En fait, il est mystifié : le décalage subsiste jusqu'à la mort du Père ; après 46, inerte et sacré, il sera perpétué par la dernière volonté du défunt. Que peut le cadet contre cela : cette différence quantitative entre les âges il s'est laissé persuader, dès la plus petite enfance, qu'elle symbolisait une différence qualitative mais provisoire entre les mérites ; sur l'heure, il est devenu complice par avance du testateur et des dispositions testamentaires. Il aura beau clamer qu'il n'a pas voulu cela, l'ennemi est dans la place ; l'adolescent frustré livre des combats d'arrière-garde ; pour refuser à l'aînesse sa supériorité il faudrait ne l'avoir jamais reconnue. « Je ne l'ai, répondrait-il, admise que pour un temps. »

Oui mais il n'en faut pas plus : derrière un état de fait il accepte de voir un droit. La démarche essentielle est accomplie. Le statut juridique d'Achille est reproduit, éprouvé par l'enfant lui-même et la puissance sacrée du Père n'a plus qu'à le maintenir et qu'à le consolider.

Et quoi de plus imprudent pour le cadet que de reconnaître au premier-né — autant dire : au premier venu — le droit d'être aimé ? Bien sûr, l'enfant est aveugle plutôt que généreux : il affirme le droit parce que le fait lui échappe. Mais il a donné dans le piège : si jamais l'amour se montre — j'entends l'amour du père pour l'Autre —, cet amour *autre* sera juridiquement fondé. De quoi pourrait-il se plaindre, le petit ? S'il lisait dans les yeux de son Seigneur une tendresse jamais vue et qui ne lui serait pas destinée, pourrait-il la condamner ? crier qu'on l'en dépouille ? Cela se comprendrait si le chirurgien-chef préférait à ses fils des étrangers. Mais il s'agit d'Achille : cette fois, le droit est posé d'abord, comme un principe ; la réalité semble répondre à son exigence et se couler en lui ; la matière brûlante, l'amour, remplit la forme abstraite ; la forme contient la matière brute et la justifie. On peut discuter bien sûr, juger l'amour paternel trop passionné : ces questions sont de moindre importance. En fait, si jamais Gustave découvre que le docteur Flaubert porte un profond amour au fils aîné, il s'est par avance ôté les moyens de protester. On le dépouille. Soit. Mais c'est un vol légitime : au nom de l'Ordre Flaubert, dont Gustave lui-même se réclame, il faut déclarer la plainte irrecevable, débouter le plaignant et l'obliger à se réjouir du sentiment que son père a voué au défendeur. Si le cadet s'incline et se réjouit, cela voudra-t-il dire au moins qu'il se résigne ? Non, mais qu'il perd la tête : la frustration le ronge, d'autant plus âpre qu'elle n'ose plus dire son nom.

Bref, tout est en place : dans les premiers temps de sa vie, l'aîné gênait si peu le cadet que celui-ci a tranquillement intériorisé le droit d'aînesse et, du coup, en a fait une des sources permanentes de ses devoirs familiaux. Le motif de l'intériorisation n'a pas été l'oubli de soi ni je ne sais quel emportement de vertu ; elle était nécessaire : le petit groupe Flaubert est si rigoureusement intégré que chacun de ses membres est à la fois une incarnation de la totalité et une expression de la puissance paternelle, cette force synthétique qui les produit et les rejoint ; ainsi les droits de chacun sont les reflets ou les compléments de ceux de tous les autres : en reconnaissant le statut d'Achille, Gustave affirmait le sien. Le pouvoir sacré du Père étant juridique, aucune de ses créatures n'atteignait à la plénitude prescrite avant de réaliser, en soi par les autres et dans les autres par soi, l'être-Flaubert comme existence *de jure*. Le résultat, c'est que les sentiments de Gustave, unités de pulsions organiques et de revendications juridiques qui s'exaspèrent par leur conditionnement réciproque, méritent pleinement ce nom grec de « pathos » que Hegel donnait aux passions de la tragédie antique.

En son frère donc il reconnaît d'abord la famille comme sujet de droits; il se reconnaît aussi en tant qu'il *est*, comme chacun, la famille entière. Le droit d'être aimé, il n'a pas besoin de le revendiquer directement puisque l'amour est donné; mais quand il le réclame pour son frère en conséquence de ce principe sacré que les bons pères doivent aimer les bons enfants, il parle sans le savoir au nom de toute la famille : celle-ci tient d'Achille-Cléophas son organisation : par les opérations prescrites, par les postes désignés à chacun en vue d'une efficacité *maxima* le Père est en elle, normatif déjà : c'est le milieu même du devoir-être; mais l'ensemble familial exige que cette intégration soit amour. L'amour est un devoir pour le Créateur : il n'y a pas lieu de le dispenser en détail aux créatures, prises une par une; mais le Démiurge doit aimer, en gros, toute Sa Création. Dans ce même amour, obligation fondamentale du Père, unité de l'entreprise par l'affinité originelle de tous ses membres, chacun voit l'ensemble des devoirs communs et, tout aussi bien, ses devoirs particuliers en tant qu'ils se complètent par les devoirs des autres : le droit d'être aimé devient pour chaque partie sa résorption dans le Tout et sa restitution immédiate sous forme de partie validée, fondée. Ainsi n'y a-t-il qu'un amour Flaubert, rapport mouvant du Tout à ses parties. Gustave donne une assise juridique à l'affection que le père lui dispense en la réclamant aussi pour son frère : cet enfant, nous le savons, n'est pas individualiste : il ignore les passions incomparables que suscitent les créatures nonpareilles. Il pose l'amour Flaubert, unité réelle de la mère et des enfants dans le cœur du père. C'est cet amour entier qu'il exige, pour chacun et, par conséquent, pour lui-même. Cette unité indissoluble et vraie du petit groupe va l'embrouiller plus tard et — comme nous allons le voir — lui ôter le pouvoir de dire non. En effet, le favoritisme, s'il est vrai qu'Achille-Cléophas le pratique, ne peut jouer qu'à l'intérieur du petit monde sacré et, d'une certaine façon, paraîtra puissance consacrante aux yeux de sa victime : celle-ci ne pourra ni le blâmer d'aimer trop Achille — a-t-elle qualité pour décider de ce qui est trop? — ni tout à fait l'excuser de n'aimer pas assez Gustave.

Voici le fond de l'affaire : l'amour Flaubert, tel que le petit le ressent, c'est d'une part une synthèse formelle et juridique, une intégration, d'autre part une tendre sollicitude — un peu sèche, parfois, un peu distraite — mais qui ne peut manquer de chaleur tout à fait puisqu'elle s'adresse à un enfant. Le malaise commencera du jour où Gustave croira comprendre que son frère a lui aussi la jouissance du cœur paternel. Bref, c'est le sentiment spontané qui, tout à coup, sera mis en question. Pas longtemps : l'injuste préférence amoureuse renverra tout aussitôt le frère évincé aux dispositions du testament. Autrement dit, la Maison Flaubert — semblable en cela à la plupart des familles domestiques — nommait amour l'aliénation du Père à l'entreprise tout entière et l'ensemble des dispositions qu'il avait prises, qu'il prenait chaque jour pour conserver l'unique objet de son intérêt. Après cela, bien sûr, il n'était pas nécessaire que le *pater familias* aimât — au sens que nous donnons aujourd'hui à ce mot ; ni que des signes trop clairs indiquassent l'émotion ressentie devant un enfant de la Maison. Gustave, dans la mesure où il se savait l'objet d'une attention particulière, avait appris tout aussitôt que cette faveur ne s'adressait pas à sa personne mais tout simplement à son âge — et que la tendresse du père ne survivrait pas à l'enfance du fils. S'il vient à découvrir que le docteur Flaubert éprouve devant Achille, ce jeune homme, les mêmes faiblesses, le petit garçon sera scandalisé. Bref l'âge d'or n'est pas exempt de contradictions. Voici la première — qui est mise en place plutôt que vécue. La seconde, au contraire, est obscurément ressentie.

L'individualisme de la bourgeoisie libérale a les avantages de ses inconvénients : il trouve l'homme isolé, atomisé et renchérit sur cette solitude, tranche les derniers liens : du coup chaque monade est incomparable ou plutôt les relations qui se fondent sur une comparaison restent *extérieures* aux substances comparées. En particulier cette morale bourgeoise dissout en elle tout rapport *organique* — celui, par exemple, qui détermine l'être du cadet par celui de l'aîné. En d'autres termes, Gustave, élevé par des individualistes, souffrirait moins ou ne souffrirait pas : inférieur, soit, *en surface* ; mais, en vérité, unique. Par malheur la famille Flaubert accepte de son nouveau milieu le libéralisme économique et l'atomisme social, elle y puise son utilitarisme mais elle refuse net l'éthique des familles conjugales et du *birth control*, cet individualisme qui mettrait en péril son unité ou sa descendance.

Gustave est *un* fils, *le* frère cadet d'Achille, *le* frère aîné de Caro-

line : il *est* toute la famille, toute la famille est en lui ; pas une pensée, pas une émotion qu'il n'y rapporte : c'est l'axe de référence ;
ses souffrances — que nous verrons plus loin —, ses rares moments
de superbe, même les sentiments qu'il vouera plus tard à Mme Schlésinger, tout est rapporté à la Maison Flaubert : il aime, hait, rêve,
philosophe, enrage *pour ou contre elle.* Cela signifie qu'*il* est le
contraire d'un individu. De fait, quand après sa maladie nerveuse
il obtiendra le *statut* individualiste, Flaubert sera contraint de le
valoriser ; il l'accepte sous des déguisements, il ne peut accepter
d'être monade que s'il est haut dignitaire monadique : anachorète,
brahme ou le « solitaire de Croisset » ; faute d'être de droit familial ou de droit divin, que l'individualité, au moins, ne puisse se
réduire au concubinage de la personne avec elle-même, que cette
présence à soi se vive comme un mariage de souverains. Enfant,
adolescent, Gustave ne se connaît et ne s'apprécie que dans sa réalité familiale, comme une détermination interne de la famille Flaubert. Le pire, c'est qu'il se condamne d'avance : il se jugera selon
les normes que les Flaubert ont adoptées. Même lorsqu'il en inventera d'autres qui lui soient moins profondément hostiles, la nouvelle Table sera fondée sur l'ancienne : celle-là cherchera moins à
renverser celle-ci qu'à forger, au-delà d'elle et dans un autre monde,
plus respirable, des valeurs plus pures et, du coup, *moins réelles.*
La réalité, c'est la Maison ; les valeurs y sont pratiques : je veux
dire qu'elles naissent des fonctions exercées et visent à codifier les
actes fonctionnels. L'utilitarisme, voilà l'éthique Flaubert, celle que
Gustave ne cessera de combattre en lui-même et, par conséquent,
d'accepter, l'hydre dont les têtes renaîtront chaque fois qu'il les
aura coupées. Mais, il ne s'agit pas d'un principe abstrait ; c'est,
au contraire, le plus rigoureux des dispositifs *particuliers*, indissolublement lié à l'économie domestique : cette organisation répartit
les rôles ; aussi bien que les ustensiles, les personnes seront déterminées comme des moyens de continuer l'entreprise : chacune est
traitée par les autres et se traite elle-même comme moyen, jamais
comme fin. Quant au but final, il n'y en a point. Sinon celui-ci
que toute fin, atteinte, devient un moyen d'atteindre une autre fin :
semper exelcior. Cet utilitarisme orienté n'est autre que *l'ambition.*
Par ce dernier terme, en effet, il ne faut pas entendre d'abord une
passion confuse et tombée du ciel par hasard dans tel ou tel cœur :
c'est un processus en cours ; un petit groupe est déterminé pour un
temps par son ascension objective et produit ses moyens de la perpétuer. Le docteur Flaubert est un *mutant*, encore étourdi de sa

mutation : il faut pourtant qu'il l'intériorise. Elle devient en lui *certitude* : le passé cautionne l'avenir, qui poursuivra l'ascension magnifique ; et, tout à la fois, cette certitude est une *règle impitoyable* : Achille-Cléophas doit être le moyen de sa réussite continuée. Sa famille, par ses mains pétrie, est fin et moyen tout à la fois. C'est par elle, c'est pour elle que la réussite sociale d'un fils de vétérinaire doit se poursuivre au-delà d'une génération. Ainsi, dans la pâte familiale, il a mis ce levain double : la promesse inconditionnée du succès, l'impératif absolu de tout y sacrifier. En d'autres termes l'*ambition* est l'essence même de cette famille : elle en est la *raison d'être*, le projet vivant et figé, tout ensemble, la forme de son aliénation au père et, à travers lui, au siècle ; c'est elle qui définit chaque nouveau membre à travers tous et qui resserre à l'extrême l'intégration familiale ; de plus, elle est *vécue* par chacun et par tous comme le mouvement réel de l'entreprise : gains, économie, achats de terre, élargissement de la clientèle, notoriété croissante du médecin-chef, tout est ressenti en commun, tout contribue à donner à la vie commune une détermination vectorielle, un sens : enfants et parents se sentent « décoller », le progrès n'est pas seulement le but et le moyen, c'est l'élément vital, le milieu, c'est, pour chacun, une impression subjective de vitesse — d'autant plus nette que cette vitesse est variable, qu'il y a des à-coups. La force ascensionnelle du petit groupe constitue la substance commune de chaque mode particulier. Pour chacun, elle est devoir — tôt ou tard elle se continuera par ses efforts — mais plus encore amour : en épousant le mouvement, en se laissant porter, en se préparant à la future relève, on entre dans les vues du Père, on s'identifie au Créateur adorable, on chante ses louanges, on sollicite et l'on obtient son approbation. Chacun reflète à tous les autres l'âpre volonté du Seigneur : on s'aime en Lui comme les chrétiens font en Dieu ; cette adoration dissimule aux enfants l'hétéronomie de leur volonté : l'ambition et le Père ne font qu'un ; leur passion ne distingue pas l'une de l'autre. Il ne leur suffit pas d'être des esclaves dociles : ils se feront zélateurs. En d'autres mots, un fils Flaubert est ambitieux de naissance : il respire l'ambition, il la mange, il la sécrète, c'est le mouvement de sa vie, le sens de son amour fondamental, le secret de son importance absolue et de son inessentialité, c'est la particularisation du projet commun par son libre[1]

---

1. Quand je dis : libre, on m'entend. Il y a spontanéité mais à partir d'une essence préfabriquée.

projet singulier. Sans même qu'il le sache, Gustave est donc l'incarnation de l'ambition familiale : son projet fondamental est de s'élever au plus haut pour se jeter dans les bras du Maître, s'identifier à lui, contribuer de ses propres mains à l'élévation de tous : dans sa Maison, c'est la communion des saints perpétuelle, tous les mérites sont reversés de chaque tête sur toutes les autres ; distingué dès le premier âge par les distinctions du père, il glorifiera plus tard la famille entière par sa propre gloire. La pulsion première de l'enfant le porte vers les sommets : c'est là qu'est sa place ; mais il n'attache qu'une importance relative à l'admiration des masses ; la reconnaissance de sa valeur par le genre humain n'est qu'une indispensable condition de sa consécration véritable : inessentiel et célèbre, il se retourne vers les siens ; s'ils lui disent alors : tu as bien mérité de nous, il peut mourir content. Et, bien sûr, l'ambition n'est pas qu'un rêve d'amour ; dès qu'il pense plus précisément à son avenir, elle montre son autre face, une âpre avidité : il faut s'enrichir, accumuler les titres, les honneurs ; mais comprenons bien que cet arrivisme bourgeois n'est autre que celui du *pater familias*. Que de fois, j'imagine, dans l'appartement sinistre de l'Hôtel-Dieu — où la laideur du mobilier indique si clairement la lésinerie utilitaire, le sacrifice de tout à la réussite — la mère de Gustave a raconté au petit garçon les enfances du grand homme, le miraculeux éveil de son génie, sa course vers la gloire, tout record battu. Cette femme, mariée si jeune, avait autant d'adoration pour le Maître que de mépris « glacial » pour les Non-Flaubert : donc elle présentait Achille-Cléophas comme l'unique exemple à suivre ; il était, pour commencer, un devoir puisqu'il fallait lui ressembler, il deviendrait plus tard une récompense puisqu'on finirait, au terme d'un rigoureux ascétisme, par s'approprier ses vertus. Ainsi, comme était l'ambition pour le Père, le Père est à la fois règle et promesse pour l'enfant ; grâce à cela, un arrivisme puritain peut engendrer l'optimisme : à la fin les bons seront récompensés. Cet enfantillage vaniteux, transformant son entreprise en conte de fées, la rendit accessible à Gustave. Toute une vie semblait déjà résumée : il ne fallait que la parcourir au galop, jusqu'à la victoire. L'espoir fou, au cœur du projet, en cachait l'aridité : on enlèverait lestement les redoutes, c'était possible : un autre l'avait fait ; il n'était pas, je le parierais, jusqu'aux premiers succès d'Achille qui, avant de lui porter ombrage, n'encourageassent le cadet. Ce serait facile, très facile : ce que le premier Flaubert avait fait, le second le recommençait sans peine et le troisième, quand il serait dans la course, battrait aisément leurs deux records.

Ici paraît la deuxième contradiction, plus profonde, sans aucun doute, que la première car elle structure pour toujours le mouvement du vécu. Gustave est fils de Caroline autant que d'Achille-Cléophas. Entre ce couple-là, il n'y aura jamais de mésentente puisque la femme ne réclame que le droit d'obéir au mari. Cependant leur fils cadet intériorise une contradiction virtuelle qui n'opposera jamais ses parents. Gustave, en effet, est *d'abord* le produit de Caroline, c'est elle qui le nourrit et lui donne les premiers soins : le docteur Flaubert, qui surveille de loin la première éducation du nourrisson, n'y voit que du feu : tout est en ordre, il loue l'empressement maternel de la jeune femme, l'invite à sur-protéger l'enfant mais ne peut même pas concevoir que ces premières conduites maternelles traduisent dans les faits l'indignation jamais ressentie d'une épouse déçue par son nouveau logement, par le refroidissement récent de son époux, par l'apparition d'un quatrième garçon quand elle attendait une fille, et qu'elles ont pour effet de constituer un garnement surnuméraire, gavé sans amour, tout surpris de survivre à la mort qui avait emporté deux de ses frères. Indésiré, indésirable, sans raison d'être, il se précipite, dès le premier sourire paternel, dans le monde du Père, il s'intègre, pour tirer son statut juridique des exigences de son Seigneur, à l'entreprise Flaubert qui, en lui et hors de lui, est tout à la fois force ascensionnelle, unité familiale, amour, devoir et surtout *praxis*. L'orgueil d'Achille-Cléophas, en effet, n'est pas simplement l'inerte souvenir de la mutation qui a fait de ce rural le plus grand médecin de Rouen — et le plus riche —, c'est cette mutation continuée, par lui et à travers lui, c'est son formidable appétit de savoir qui l'oblige à disséquer sans cesse, c'est son âpreté, toute paysanne encore, au gain qui le fait investir tout ce qu'il a en biens immeubles, c'est l'admiration et l'exigence muette de ses étudiants qui le contraignent, d'année en année, à renouveler ses cours, à les approfondir, c'est la faveur de la haute société rouennaise, sa clientèle, qui commence à lui ouvrir ses salons, c'est son mépris de fer pour les non-mutants, pour les pauvres qui ne s'enrichissent pas, pour les riches qui sont nés dans l'opulence. Bref l'orgueil du bonhomme n'appartient pas au *pathos*; il est vécu *dans les actes*. Et qui donc prend conscience, vers 1835, de cette activité furieuse comme cohésion secrète de la cordée familiale et comme mouvement ascensionnel qui l'entraîne, qu'il a mission d'intérioriser et de réextérioriser par des pratiques qui démontreront, en sa personne, la supériorité des Flaubert sur l'espèce humaine au complet ? Un jeune garçon qui se tient pour un rebut et que l'efficace austérité de sa mère a constitué sans son consentement : à peine entré dans le monde du Père, sans cesser de *se vivre surnuméraire*, il a compris par amour que la gloire était son lot, qu'il lui faudrait, à l'âge d'homme, entrer à cheval ou en carriole dans les bourgs et les villages et galoper entre des paysans prosternés. Cela, c'est l'image paternelle de Gustave qui n'exclut ni l'utilitarisme ni même un soupçon de ladrerie ou, en tout cas, l'art d'économiser. Or l'image maternelle ou plutôt la première coutume de l'enfant y contredit carrément. Non qu'elle soit plus vraie *en soi* ni plus profonde : c'est la trame de sa subjectivité ; le Gustave paternel est l'intériorisation de sa condition objective. Il *sent* en lui, bien sûr, cette force qui l'emporte, il *s'applique à la sentir* pour fuir la stagnation originelle, il *sent aussi* qu'il a le devoir de s'approprier cette force ascensionnelle qu'il n'a fait que subir. Mais ce devoir est d'autant plus impératif que les moyens manquent pour le remplir. Cet enfant, incapable d'affirmer et de nier, qui retrouve sa gratuité dès que son père se détourne de lui et qui ne peut la fuir que dans l'hébétude, cet oubli quiétiste de soi, par quel miracle se ferait-il un savant, un sujet de l'Histoire ? L'arrivisme du petit Gustave est entier — pulsion et obligation tout ensemble — mais se heurte à sa passivité constituée, dès les premiers mois, comme passivité fondamentale au point d'en faire un enfant *parlé* plutôt que parlant, un flux de synthèses passives, véhicules d'intentionnalités qui ne peuvent s'effectuer. Que fera-t-il ? L'ascension Flaubert, il la sent dans son corps ; on la lui décrit chaque jour, le Père la représente. Donc elle est en lui : on l'a fait arriviste. Son orgueil devient *ambition soufferte* — de fait il n'est encore que l'appropriation par amour de l'ambition paternelle mais, chez Gustave, ce qui était *praxis* en Achille-Cléophas devient nécessairement *pathos* ; c'est une activité fantôme qu'il ne peut même pas concevoir et qui hante — comme une inquiétude, comme un remords, comme une sollicitation permanente et irréalisable — l'inerte écoulement du Vécu. Cet orgueil, en outre, intériorisation de celui qui soude tous les membres de la Maison et qui n'est autre, en son principe, que la folle superbe du *pater familias*, il n'a pas grande difficulté à le ressentir quand il reflète la haute figure du docteur Flaubert ou qu'il se perd dans la gloire paternelle : mais c'est qu'il s'oublie et jouit d'un orgueil *autre* ; dès qu'il se retrouve, cette intransigeante audace, affirmation de soi contre tous, disparaît, contredite par l'humilité profonde du Mal-aimé, privée des instruments (exigences hautaines, puissance affirmative, activité) qui lui permettraient de subsister. Ne confondons pas cet *irréalisable* avec l'orgueil douloureux dont témoignent ses premières œuvres : celui-là viendra *après* la chute ; fondé sur la rancune et la frustration, compensation d'une disgrâce injuste et trop juste, il sera le *pathos* de Gustave, le vautour qui lui rongera le foie jusqu'à ce qu'il en meure. Pour l'instant, c'est l'âge d'or : je parle de troubles légers au Paradis. Caroline et les autres hagiographes d'Achille-Cléophas font la joie du petit vassal qui les écoute : simplement, je vois dans leurs récits une des raisons secondaires de son « estrangement » : on lui inculque un langage pratique, *le* langage de la *praxis* mais les significations, sans lui échapper tout à fait (elles s'appliquent fort bien aux comportements des autres), ne sont jamais gagées par sa certitude subjective. Elles le désignent pourtant : il est le fils Flaubert, il imitera son père, sauvera des malades, accroîtra le patrimoine ; mieux encore : les exemples du médecin-chef et d'Achille lui sont si familiers, si quotidiens qu'il est directement mis en cause, puisqu'il participe à la substance familiale. Mais, sans une adhésion qu'il ne peut donner, ces mots restent en lui *lettres mortes* ; il doit *croire* à ce qu'on lui dit faute de pouvoir en réaliser le sens par un projet qui les dépasse. C'est l'avenir de la famille qui se montre, un avenir qui l'enveloppe, lui aussi ; il le veut, il veut contribuer à le faire mais ses rêves, s'il en fait, sont aussitôt dissipés par la conscience trouble mais sûre de son impuissance. On l'a fait ambitieux, soit ; il s'est pénétré de l'arrivisme Flaubert ; mais il ne faudra pas longtemps pour que l'ascension collective ne lui devienne une source d'humiliations continuelles : passif, il se sentira tiré, porté par la cordée familiale ; un poids mort qui ne participe pas à l'effort commun, qui l'alentit peut-être. Un *ambitieux passif*, quoi de plus misérable ?

Tout cela n'est qu'esquissé, pressenti, vaguement vécu : des inquiétudes, peut-être. Mais, dans la carriole du docteur, Gustave est fils de roi. Au reste, s'il devine un malaise, si l'avenir entrevu l'inquiète — parce qu'il est sien en tant qu'autre, parce qu'il est bien entendu qu'il devra s'y montrer un nouvel Achille-Cléophas —, il se défend déjà par la résistance passive, c'est-à-dire en s'abandonnant à ce qu'il est ; voilà une raison — non la moindre — de ses hébétudes : Gustave a peur de *ce qui sera*. Nous verrons, tout au long de cette étude, qu'il ne cessera jamais d'en avoir peur. Un peu plus tard nous le verrons jouer l'Éternité contre le Temps : c'est qu'il veut arrêter son Destin. Il y parviendra d'ailleurs, au prix d'une névrose. Pour l'instant, il ne s'intéresse guère à l'Éternité et le mot lui-même, il n'est pas sûr qu'il lui soit connu : l'hébétude est d'abord un refus de grandir et d'affronter les problèmes du savoir, de la vie pratique : quand l'inquiétude le taquine, il se « fait lourd » et tente de revenir à son passé, c'est-à-dire à un présent sans problèmes. Cette apparente régression est abandon à soi : le présent pur s'identifie au passé et le flux d'aperceptions inarticulées se donne pour une dilution de l'âme dans l'univers sensible. Il s'agit d'abolir simultanément un Ego superflu et l'avenir. À ce niveau, l'hébétude est réponse; l'enfant sait déjà l'utiliser : puisqu'on veut couler de force un ensemble vécu et antérieurement structuré dans un *rôle* pour lequel il n'est pas fait, il se sert des brumes qui souvent l'envahissent pour s'oublier et perdre de vue le rôle qui l'attend.

En ce temps, Gustave a une autre raison de s'accrocher à l'enfance : il pressent obscurément — et bien malgré lui — que l'amour de son père s'adresse moins à sa personne qu'à son âge : en grandissant ne risque-t-il pas de devenir Achille, dont les privilèges ne l'inquiètent pas encore? Mais, bien sûr, il le deviendra : un cadet Flaubert doit passer par ces trois phases, être Gustave le bien-aimé puis Achille l'étudiant de génie pour enfin réincarner Achille-Cléophas dans sa puissance et dans sa gloire. Le petit cadet souhaite vivement — mais dans la terreur — s'égaler un jour au plus grand des Flaubert. Mais il n'est pas pressé de devenir semblable au studieux Achille qui n'est jamais là, qui mène au collège une vie morose et qui connaît l'adorable sévérité du *pater familias* plutôt que sa tendresse et son indulgence. Gustave, pour l'instant, n'est que Gustave : un Seigneur débonnaire lui fait don de sa personne et de ses sourires sans rien demander en échange qu'une obéissance que le petit vassal n'est que trop heureux de donner. Pourquoi ne pas s'établir dans la petite enfance : c'est l'âge d'or, Gustave le sent obscurément, il faut s'y fixer, ne jamais grandir. Nous verrons plus tard que Flaubert a une conception involutive de la temporalité : tout va de mal en pis, c'est l'ordre. Beaucoup de raisons l'ont incliné à choisir ce parti pris, qui n'apparaîtront que plus tard. La Chute en est une, bien sûr. Mais il est bon d'indiquer ici l'option primitive — que nous retrouverons partout, en particulier lors de l'« attaque nerveuse » en 44 : c'est le refus de devenir adulte, autrement dit de se définir, à l'intérieur de la famille, par d'autres rapports avec chacun de ses membres. Tout se tient : Achille, c'est l'image future de Gustave. Mais les relations du Père et du Fils aîné lui paraissent bien desséchées : à partir d'elles, il pressent que le

temps de la praxis sera pour lui celui de l'échec et de l'exil. L'hébétude traduit à la fois l'incapacité consciente et le refus.

Fondamentalement elle naît de la stupeur. Ce caractère, qu'elle
gardera tout au long de cette vie, deviendra lui-même une *fonction*
— qui ne se rappelle les ébahissements de Gustave devant la « bêtise
infinie du Bourgeois »? Nous y viendrons. Mais, pour l'instant,
le fondamental est l'obscure conscience de la contradiction qui
oppose le vécu, enduré plutôt que dominé, à la *persona* qu'on lui
impose par le langage, par des conduites, et qu'il faudrait vivre,
elle aussi, la succession riche et incertaine d'aperceptions sans Ego,
cet Ego visé en lui par d'autres et qui lui paraît celui d'un autre.
À cet incompréhensible malaise, certains enfants réagiraient par
la colère (qui est simplification) ou par une hyperactivité de fuite
(nommée par les mères « surexcitation »). Chacun n'use et ne peut
user que des moyens du bord. Passif, Gustave force sur la passivité : l'estrangement le met au bord de l'évanouissement. Il l'a dit ;
il en a fait dans ses contes, nous l'avons vu, le terme extrême et
le sens de ses hébétudes. Et c'est vrai. À ceci près qu'il ne s'évanouit jamais. L'Ego disparaît mais la pensée, comme libérée, pro-
lifère. Drôle de pensée qui, faute d'être verbalisée, ne se dégage
pas du sentiment, ne s'affirme jamais, traverse en lambeaux mul-
ticolores une conscience que se partagent le plaisir et la peur. La
description que nous a laissée Mme Commanville et qu'elle tenait
de sa grand-mère est significative. Dans ces moments-là, Gustave
avait l'air bête et suçait son pouce. Ces détails suffisent à caractériser une attitude bien connue des pédiatres et qui correspond, selon
eux, à des moments d'« idéation intense »; tous ses fantasmes
l'occupent et, particulièrement, ceux qui concernent son identification aux animaux. Sur ce point, Gustave nous a donné des renseignements précieux dans ses lettres à Louise. Il attire les bêtes
parce qu'elles « savent que je leur ressemble » — cette conviction
est à l'origine d'une des dernières scènes de la première *Éducation* :
Jules ne peut pas se débarrasser d'un chien misérable et crotté qui
est visiblement lui-même ou plutôt sa propre vie. Elle tire sa source
de la croyance assez répandue chez les enfants, particulièrement
forte chez Gustave, qu'ils sont des animaux : gâtés, mignons comme
les bêtes domestiques et, à la fois, comme elles — quand la constellation parentale le réclame — sans visa. Gustave ajoute : *ils me
comprennent*, ils savent que je les comprends. Ce qui importe ici,
c'est l'assimilation profonde de l'idiot à la bête : assimilation défensive car l'idiot, homme manqué, a tort d'être idiot, de ne pas déve-

lopper toutes les qualités de son espèce. Au lieu que le renard a raison d'être renard et le loup d'être loup. C'est comme si Gustave nous confiait : enfant, les adultes me prenaient pour un idiot ; en fait, j'étais un petit animal. La rancune a compliqué le thème dans *Quidquid volueris*, écrit beaucoup plus tard, puisque le singe Djalioh a reçu de force un caractère humain qui fait son malheur. Sous sa forme première, de cinq à sept ans, cette assimilation du petit d'homme, étranger par passivité à la culture, et de l'animal qui exprime pleinement son espèce *dès la naissance* apparaît comme une expression de son refus de grandir et de s'affronter à la culture, déjà figurée par l'abécédaire qui l'attend : plutôt que de l'ouvrir, cet incompréhensible objet qui doit le métamorphoser en homme, Gustave se perd dans la Nature ou se fait lui-même Nature, produit de la terre. L'homme qu'il décrira dans ses premières nouvelles est historique et pascalien : mais ce n'est pas un ange déchu, c'est une bête acculturée ; la culture est la Chute, il le pressent : il aura dans les yeux, comme plus tard le singe de Kafka, cette autre victime d'un père abusif, l'« égarement des bêtes dressées ». Il se plaira à jouer l'idiot ou la force de la Nature pour le simple plaisir de détruire symboliquement en lui, autour de lui, les choses proprement humaines ; les orages, les grêles le raviront : ils abolissent le travail humain, la Nature fait place nette, affirme sa supériorité absolue sur les inventions de l'homme et leurs applications ; elle montre que notre espèce, si vaniteuse de son amphibolie, n'est pas le centre du monde et qu'un cataclysme peut l'abolir comme certaines espèces animales depuis longtemps disparues. En d'autres termes — et bien que l'enfant n'ait aucun moyen de formuler sa pensée comme nous faisons — ce qui lui répugne, en l'homme, c'est l'histoire — qui le rend impensable et contradictoire ; s'il veut rester animal, c'est que les bêtes sont sans histoire et que chacune d'elles est définissable, classable même par la plénitude d'un concept qui la résume toute, sans laisser place aux *anomalies*, la rend semblable à toutes celles de l'espèce et que, quoi qu'elle fasse, elle se borne à *réaliser*. Ainsi l'enfance n'est plus un âge mais une catégorie animale : il y a des singes, il y a des chiens, il y a des enfants. Peut-être, en y regardant bien, l'enfant n'est-il qu'un chien qui s'ignore. C'est le meilleur moyen de s'assurer qu'on ne quittera jamais le premier âge, l'âge d'or, c'est aussi un bon procédé pour s'évader de cette éternelle babillarde, la parole, vers la vérité de l'animal qui est le silence. Naturellement l'opération se fait par des mots. Mais les vocables de « chien », de « chat », de « poussin » ne servent que de schèmes pratiques : ensevelis dans le vécu, ils dirigent, cachés, des fantasmes muets. De toute manière, le sens de ces identifications est clair : la Culture étant reconnue comme la prérogative de l'âge adulte, on la refuse radicalement en se faisant Nature pour toujours ; du même coup l'enfant trouve un mythe pour expliquer ses premières résistances à l'acculturation : il est une bête, les bêtes ne parlent pas. Enfin, en se désignant à soi comme un de ces animaux domestiques qui sont pour les grandes personnes une occasion permanente de manifester leur tendresse, il dit sa faim de caresses ; l'avenir est né : le chien de salon naîtra, sera chiot puis adulte puis un vieux cabot fatigué sans quitter le salon natal, sans rien faire pour mériter un amour qui lui sera largement dispensé ; il trouvera le bonheur dans la répétition et, bien sûr, dans l'adoration religieuse de ces dieux qui se penchent sur lui et lui parlent doucement sans exiger qu'il comprenne ce qu'ils disent.

Voici l'âge d'or de Gustave : le besoin, l'amour donné, reçu, la spontanéité passive et l'ennui, coupé d'absences notables où le petit garçon, se faisant directement nature par extase panthéistique ou indirectement en se jouant pur animal, rêve d'éterniser le présent. Est-il si merveilleux, ce paradis qui va précéder la Chute ? Oui et non. D'abord il se vit au cœur de la mort : père et mère la représentent, chacun à sa manière ; Caroline lui donne l'image de la mort privée : deux petits mâles sont morts avant sa naissance, un troisième mourra peu après ; environné de ces petites aventures singulières qui se sont déroulées vivement de la naissance à l'abolition, Gustave sent, jusque dans ses os, une intimité particulière avec ces trop rapides destins : il est né pour mourir vite et sent obscurément que Mme Flaubert le traite comme un « *moriturus* » : cela ne l'effraie pas, ce sera même, beaucoup plus tard, le fondement de son art. « Je suis né, dit-il après la Chute, avec le désir de mourir. » Ce n'est pas tout à fait exact : ce désir proprement dit lui est venu à sept ans et s'est appuyé sur ce qu'on pourrait appeler « l'être-pour-mourir » de cette nature passive. Ainsi le désir de conserver l'éternité de l'enfance, tel qu'il se présente pendant l'âge d'or, a pu simplement, à cette époque, se confondre avec cette autre éternité, promise par la mère, et mal connue de Gustave, l'éternité *post mortem*. Rien ne défendait toutefois le Mal-aimé, l'Inattendu, de considérer vaguement — comme fera Marguerite en toute hargne et en toute clarté — sa mort vraisemblablement prochaine comme un retour à l'ordre. Et ce vague pressentiment donnait au vécu, même en cette petite enfance, je ne sais quelle saveur sinistre. L'hébétude ou suppression d'un Ego incertain au profit de la bête vivante ou de l'infini vécu, c'était aussi le rêve incompréhensible de sa suppression par la mort. Y avait-il tant de différence : Gustave aboli, les chiens, les chats, les tigres ne cesseraient pas d'exister ni la mer d'éployer l'image de l'infini.

Le docteur Flaubert qui s'acharnait dans un sous-sol à disséquer des cadavres et qui rendait chaque matin visite à des moribonds qui passaient dans l'après-midi, c'était la mort publique : il représentait le droit de la société sur les morts. Ce travail du Seigneur adorable n'inquiétait pas le petit, au contraire, pas plus que les grosses mouches vertes qui s'échappaient du sous-sol pour bourdonner dans le petit jardin où il jouait avec Caroline : la mort était le matériau du génie paternel donc il n'y avait pas lieu d'en avoir peur. Ce que Gustave apprenait, par contre, ce qu'il a vingt fois répété dans ses œuvres, c'est que les morts sont affectés de la nudité suprême, de celle qui n'a pas les moyens — par un geste, par un air de tête, par la grâce ou la beauté — de se défendre, ce qui signifie que le trépas est une horrible survie qui les laisse sans recours aux caprices des vivants. C'est par cette raison qu'il poussera le sadisme jusqu'à suivre Marguerite par-delà son suicide pour la livrer au scalpel de deux carabins et qu'on empaillera le pauvre Djalioh ou qu'on déterrera la belle Adèle, follement aimée par l'anthropopithèque, et devenue charogne[1].

Ces deux conceptions, la mort maternelle et la mort paternelle, s'opposent en son esprit. Vaguement encore puis, avec l'âge, de plus en plus rudement. La première en effet est, pour un monstre, presque désirable : on l'a mal fait, il se défait ; faute d'être aimé, il rejoint le néant dont on l'a tiré par erreur ; la seconde est condamnation à perpétuité : mort ou vif, le monstre est de trop pour l'éternité ; le misérable appartient aux hommes et aux vers qui font de lui tout ce qu'ils veulent : bref le suicide même ne sauve pas les enfants surnuméraires ; il les socialise.

À cinq ans, Gustave ne se formule pas clairement cette contradiction d'autant que, résigné à mourir, il n'imagine même pas de se donner la mort. Disons simplement qu'il est troublé par ce contraste : d'un côté ces pures absences lumineuses, les petits morts de Mme Flaubert, de l'autre ces indiscrètes et volumineuses présen-

---

1. Dans *Agonies* il remet ça et nous montre, d'une manière très invraisemblable mais typique, un « grand homme » déterré — chose innommable — sous les yeux de la foule, de cette foule qui voulait lyncher Marguerite.

ces, les morts du bon docteur. A quelle mort est-il promis ? À la pure abolition — quelque chose qui doit ressembler à ses extases — ou à quelque puante rémanence ? Quoi qu'il en soit, il porte la mort en lui : la surprotection des parents et les deuils de la famille l'y ont mise : c'est à la fois une interrogation sur son avenir proche et le sens de ses hébétudes, cet évanouissement qu'il n'a jamais atteint. Plus tard nous le verrons souhaiter, plutôt que le suicide — qui risque de le livrer aux hommes — la mort maternelle, l'abolition — poussée à l'extrême puisqu'il voudrait non seulement que son corps se résorbe dans le néant mais ne pas même laisser une trace dans la mémoire des hommes. Il n'en est pas là à cinq ans. Mais, passif, il se sent plus proche que les autres enfants de cette absolue passivité, l'anéantissement ; c'est au point qu'il se sent vieux, c'est-à-dire mort d'avance et qu'il conçoit la mort, nous le verrons mieux bientôt, comme une passivité encore soufferte, le degré zéro de la vie.

Par ces raisons, j'imagine que l'âge d'or fut malgré tout, pour Gustave, un estrangement assez sinistre. Passif et fortuit par sa mère, condamné par l'amour de son père à l'hyperactivité, fou d'orgueil par intériorisation de l'ambition Flaubert mais sans trouver dans sa contingence superflue la moindre raison de l'être, malhabile à parler, à comprendre la parole des autres, remplaçant en lui l'évidence par le principe d'autorité, et les premières certitudes par des croyances, taquiné par cette incessante interrogation : pourquoi m'a-t-on fait ? dont le tiraient seules la présence intermittente et la tendresse un peu tiède d'un père surmené (assez présente pour l'enchanter un moment, trop tardive pour le constituer), cet enfant sensible ne craignait rien, c'est sûr : la Maison, les soins efficaces de la mère, ce Dieu dont elle lui parlait quelquefois, le Père magnifique qui lui faisait don de sa tendresse, la justification de sa contingence par la vassalité, le retour harmonieux des saisons et des fêtes familiales et, au cœur de cette répétition, l'inflexible ascension de la cordée Flaubert, tout était comme on dit aujourd'hui « sécurisant ». Restait le contraste « estrangeant » d'un flux vital sans Ego et d'un Ego absent que les autres connaissaient et nommaient Gustave ; et, sur un autre plan, restait cette familiarité prématurée avec la mort qui lui semblait tantôt le tissu de sa vie subjective et tantôt l'altérité absolue qui le jetterait dans les mains des autres comme une chose dont ils auraient le *jus utendi et abutendi* et qui pourtant serait lui. Souci indéterminé, interrogation vague et perpétuelle, cachés sous un empressement de soumission. Restait l'ennui —

commun à tous les enfants, exaspéré chez lui par sa passivité. Les seuls moments — encore ambigus, pourtant — où la joie l'emportait sur une calme inquiétude, c'étaient ces hébétudes qu'il a nommées aussi — mais beaucoup plus tard — extases, où l'*Alter Ego* disparaissait, où l'enfant devenait monde, où le monde devenait enfant[1]. Il les a fort bien décrits dans le premier *Saint Antoine* et nous y reviendrons longuement. Ce qu'il faut dire à présent c'est seulement ceci : ces états ambigus préfigurent la crise de Pont-l'Évêque qui n'est, en fin de compte, que leur radicalisation ; ils sont donc — si le mot a un sens — à la source même du génie de Flaubert et l'un des objectifs de ce livre est de le démontrer. L'autre singularité de cet âge d'or, la voici : quand l'enfant connaît le bonheur, il est déjà façonné pour le malheur qui suivra ; cet heureux est malheureux de naissance ; il ne le sait pas encore mais par la façon même dont il aménage, avec les moyens du bord, la situation où l'ont jeté ses parents, nous allons voir qu'il prépare de ses mains le petit enfer qui sera son lot après la Chute et pour toujours.

C. — L'INSUFFISANCE

Mme Caroline Flaubert tente d'apprendre ses lettres à Gustave. Peine perdue. Tout de suite la meurtrière de sa propre mère se met sur la défensive, repousse d'avance toutes les accusations, comme on voit dans le texte de C. Commanville qui sonne comme un écho de ses protestations : « Ce n'est pas ma faute ; avec Achille j'ai réussi parfaitement. » Plus tard elle ajoute — pour sa petite-fille : « Avec ta mère aussi ! » Si ce n'est elle, c'est donc son fils. La résistance ne peut venir que de l'enfant.

Cette résistance existe : nous en connaissons à présent les raisons.

---

1. Il y a aussi, dira-t-on, les « tournées » du docteur Flaubert, les éblouissements de l'enfant, seul dans la carriole, aux côtés de son père. C'est vrai. Mais je ferai remarquer que le bonheur du petit se fonde en ce cas aussi sur la perte de soi-même. Il n'est que le reflet de l'excellence paternelle ou bien il se dilue en Sa Toute-Bonté. Et puis il est certain que sa joie était rongée par l'inquiétude : quand l'enfant se perd dans le monde, le monde ne demande rien. Le docteur Flaubert, on ne peut ni le refléter dans le calme ni se dissoudre sereinement en lui : c'est le Père terrible, son amour a d'impitoyables exigences que le petit ne comprend pas tout à fait puisque ce Géniteur magnifique est fondamentalement actif et réclame des actes. La peur, Gustave l'oubliera plus tard : en vérité c'est elle, à l'époque, qui avait le pas sur la joie.

Quand on assied Gustave devant un abécédaire, tout se passe comme si on lui montrait deux objets fondamentalement différents en lui déclarant qu'ils ne font qu'un. C'est, dira-t-on, ce qui se produit pour tous les enfants. En effet : mais, pour considérable qu'elle soit, la différence entre lire et parler n'est pas, en général, irréductible. C'est que le langage oral est déjà, dans la plupart des cas, une *activité*.

Dans la plupart des cas mais non dans celui de Gustave. Nous savons déjà qu'il *est parlé* : les mots viennent des adultes, entrent en lui par l'oreille et le désignent comme un certain objet incommensurable avec le flot inerte du vécu. Bien entendu il ne peut être parlé que s'il parle, que s'il *se* parle : il faut bien malgré tout que l'apprentissage de la parole soit une *praxis*; mais la passivité intériorisée de l'enfant ne lui donne pas d'instruments qui lui permettent de *reconnaître* cette praxis. Par la même raison l'activité n'est jamais poussée jusqu'au bout : retenu, déchiffré, enregistré par la mémoire, le mot reste la *parole de l'Autre* et le sens ne se distingue pas du son, c'est-à-dire de la voix qui l'a proféré. A ce niveau le langage oral, pour Gustave, existe comme un syncrétisme : c'est un mode d'être, en lui, qui le vise sans le concerner et où le sens et la matière sont indifférenciés; il se présente par phrases entières plus encore que par mots. Ou plutôt, en ce premier stade, la phrase est mot et le mot est phrase.

La langue écrite s'offre à lui comme un objet radicalement distinct du premier. À cet enfant habité et fasciné par des blocs sonores qui le hantent sans lui appartenir, on présente un ustensile qu'il ne s'appropriera qu'au terme d'une décomposition systématique, suivie d'une recomposition réglée. En d'autres mots, on l'invite à se forger un instrument par une véritable activité dont le premier moment est, comme de juste, une analyse. L'analyse est, pour tout enfant, la difficulté la plus grande. Mais particulièrement pour Flaubert : précisément parce qu'il n'a jamais distingué le sens de la matière sonore, il répugne à une opération qui a pour but de dissocier le Verbe en lettres, c'est-à-dire en éléments *non signifiants*. Le langage est la forme essentielle de son aliénation : c'est ce qui l'empêche d'en saisir le caractère « conventionnel ». La parole, c'est la Mère, en lui, et c'est le Père, tout-puissants; si c'est lui qui en use, il la sent comme une régurgitation. En un mot le bloc sonore est indivisible puisque c'est l'Autre; il n'a pas d'universalité — même potentielle — puisqu'il se donne comme projection d'individus incomparables; ce n'est point une possibilité indéfinie puisqu'il est toujours *actuel* et *impératif*. Ce qu'on lui propose, avec l'abécédaire, c'est un autre langage, où matière et forme — sens et non-sens — sont rigoureusement distincts ; c'est en outre un ensemble de possibilités impersonnelles, qui sont à tous mais ne désignent aucun maître particulier, c'est un champ d'universalité et de réciprocité. Bref c'est le contraire de ce qui lui est ordinairement donné, le contraire du langage Flaubert qui appartient au *pater familias* comme la maison, comme chaque enfant, et qui représente le milieu sonore d'une souveraineté particulière ; c'est le contraire d'une puissance, *prêtée* par le père à chaque membre de la famille, le contraire du mouvement de la vassalité. L'enfant ne peut rien y comprendre : l'idée analytique dérange sa passivité autant que son syncrétisme féodal, le caractère conventionnel des lettres ne s'accorde pas avec son chosisme de la phrase, l'universalisme égalitaire du langage commun scandalise sa pensée, reflet d'un ordre hiérarchique et singulier. Pour apprendre à lire, il faudrait qu'il brisât en lui sa conception du langage, c'est-à-dire qu'il changeât radicalement son rapport à soi et aux autres. Et, bien entendu, cela peut se faire : mais non sans médiation ; l'adulte est capable de semblables métamorphoses si la situation l'exige. Avec de grands efforts, l'enfant y parviendra *à la longue*. Mais l'identification des deux langages restera toujours imparfaite : jusqu'à la fin de sa vie Gustave verra dans le langage écrit un mode inessentiel du Verbe destiné à préparer la forme verbale absolue c'est-à-dire le langage oral. Jamais, pour cet écrivain, l'écriture n'obtiendra son autonomie. Ainsi les difficultés que rencontre le jeune retardataire viennent toutes de ce qu'il ne comprend pas la fonction du langage écrit et de ce qu'il ignore les correspondances du phonème et du morphème. On sait la peine qu'éprouve Djalioh à saisir les relations logiques et que cette inaptitude est la cause de son analphabétisme. Mais le contexte montre que la pensée de Gustave déborde l'expression qu'il en donne : Djalioh ne comprend pas les *articulations* d'où qu'elles viennent. Le lien des lettres qui composent un vocable est purement conventionnel. Reste que c'est un lien : mélangeant l'Autre à soi et le sujet à l'objet dans un syncrétisme passif d'interpénétration, Gustave s'est rendu inapte à l'activité analytique comme à la recomposition synthétique. Il y a là deux langages dont on lui dit — à tort, d'ailleurs — qu'ils ne font qu'un. C'est, pour le petit garçon, une affirmation inintelligible : les phonèmes entrent en lui par l'oreille, s'écoulent, synthèses passives, ou, s'ils ressortent par sa bouche, il *subit* sa propre élocution ; on lui dit à présent que les morphèmes, on doit les *faire*, qu'une activité nommée lecture doit actualiser l'un après l'autre des signes gravés sur le papier, susciter le dernier sans perdre de vue tous ceux qui l'ont précédé et constituer par leur unification systématique un de ces objets tout faits, qu'on nomme les phonèmes, et qui passent de bouche à oreille, inertes bourdonnements qui entourent les hommes et sont le bruit de leur vie. Comment est-il possible que le parleur *soit parlé* et que le lecteur lise et qu'il s'agisse dans l'un et l'autre cas du même langage? Autrement dit, pour le petit Flaubert la difficulté est *de principe* : il ne comprend pas ce qu'on lui demande. D'autant que la lecture se présente aux enfants comme la première praxis rigoureuse, c'est-à-dire concertée et consciente de ses structures universelles : ils ont appris, bien sûr, à marcher, à parler, à manger selon les règles en usage mais c'était plus ou moins par imitation : lire ce n'est pas seulement décomposer et recomposer les graphèmes, c'est apprendre que l'action, quelle qu'elle soit, comporte la décomposition d'un champ pratique et sa recomposition en vue d'une objectif donné. Apprendre à lire, c'est agir. Mais, réciproquement, lire, pour un enfant, c'est apprendre à agir. On conçoit que Gustave, outre qu'il ne comprend pas l'unité des deux langages, se trouve désorienté par l'apparition de cet objet inintelligible : une théorie élémentaire et abstraite de l'action, produite par l'activité elle-même et devenant une indispensable lumière pour orienter l'acte en cours. Il oppose à cette transmutation qui veut bouleverser son être subjectif une résistance passive. Son refus involontaire et spontané d'apprendre à lire, nous verrons qu'il l'opposera toute sa vie aux actions qui se proposeront à lui dans leur nudité impérieuse. Pour un autre enfant, lire ce n'est qu'apprendre : pour Gustave c'est à la fois se donner des moyens qu'il n'a pas et se métamorphoser, abandonner l'inquiète mais douillette inertie du vécu pour devenir le sujet froid et capable d'une entreprise.

Par malchance, au moment qu'on veut lui faire épeler les mots, il aborde l'âge ingrat de l'enfance. À cinq ans, à six ans, certaines mères sont irritées par la timide indépendance qu'elles ont assurée de leurs propres mains à leurs rejetons : ces nouveaux venus vont et viennent sur leurs jambes, mangent ou refusent de manger, manifestent en tout des obstinations, des caprices, une personnalité. Si encore ils se suffisaient! mais ils n'ont perdu ni la dépendance ni la fragilité. On doit les convaincre à présent d'accepter les soins qu'on leur administrait d'autorité. « À cet âge, il faut tout vouloir pour eux! » C'est la créature, en dépit de soi-même, dressée contre le créateur; ces enfants couvés semblent la négation de l'effort maternel : elle se chérissait, en eux, *la même*; à force d'amour, les voilà *autres*. Rien de plus enrageant : la mère redouble de vigilance mais vit au jour le jour cette contradiction; souvent elle s'en offense et s'éloigne un peu. On connaît les effets du sevrage sur le nourrisson; je crois qu'on peut, à l'âge ingrat de l'enfance, parler d'un contre-sevrage de la mère : à cette époque déjà tardive, elle découvre l'altérité radicale de ce qu'elle prenait pour son reflet : un fil est rompu.

Ce n'est pas la faute des enfants : leur corps affirme son autonomie, voilà tout, et sa prétendue révolte lui vient simplement de ce qu'il peut marcher et courir; la « volonté » vient après : elle ne deviendra négativité humaine que pour avoir intériorisé l'indépendance animale. Le petit ne sait rien de cela : il continue sa croissance, lourde et patiente aventure; plus sensible à l'identité qu'aux métamorphoses, il se ressent en profondeur comme *le même*; ce sont les parents qui ont changé. Bref, il n'y entend plus rien, il vit son exil dans l'angoisse, dans l'attente amoureuse d'une réconciliation : il plaisait hier, pourquoi déplaît-il aujourd'hui? Hier les parents riaient de ses mines; pourquoi n'en rient-ils plus? Sa seule défense est de les recommencer : ainsi refait-il intentionnellement ce qui lui échappait par hasard trois ans plus tôt. Il aggrave son cas.

Que faire sinon s'obstiner : puisqu'on blâme aujourd'hui ce qu'on applaudissait hier, c'est que le petit garçon s'est mal fait comprendre. Donc il convient de souligner les effets. Du coup la spontanéité se tourne en comédie; le jeune cabotin déplaît franchement : ne fais pas la bête, ne fais pas l'enfant. Lui-même, sans se l'avouer, il se sent *faux*. Pour se fuir, il se jette dans des comédies nouvelles, il crie, il chante à tue-tête, il « fait le singe », s'éreinte et passe sans intermédiaire de la surexcitation aux pleurs de colère. Tantôt il voudra s'évader du cabotinage par un acte vrai : mais que faire hormis détruire? Il cassera tout et sera puni. Et tantôt l'angoisse le mordra : si tout n'était que mensonge même son amour filial? si ses parents ne l'aimaient pas? Il se jette dans leurs bras pour se rassurer, mimant la tendresse pour la susciter en même temps chez eux et chez lui. En vain : il est trop soucieux de montrer pour pouvoir ressentir; quant aux adultes, ses élans intempestifs ne font que les irriter; tiens-toi tranquille, laisse-moi travailler. Cet enfant est coincé : on lui reproche une autonomie qu'il n'a pas demandée, on le tient à distance et, quand il veut retrouver la servilité perdue, quand il cherche à briser la vitre transparente qui le sépare des siens, on l'accuse tout bonnement de jouer la comédie. Comme il rêve, alors, de se laisser glisser en arrière! comme il voudrait rejoindre sa vie antérieure, le vieux royaume des besoins dont il était l'esclave et le monarque! comme il souhaite retrouver les vérités de la faim et de la nourriture, de l'appel et du don, de la tendresse! Bref, il se laisse couler, il « régresse » sans autre résultat que de pisser au lit[1].

Les enfants chanceux sont pris en main par le père au moment que la mère se détourne un peu d'eux. Pour Gustave ce ne fut pas le cas. Certes, le règne paternel remplaça de bonne heure la froide souveraineté de Caroline Flaubert. Dans la triste vie du petit, tout l'amour vint d'Achille-Cléophas. Mais quel vide, aussi, quand le suzerain se détourna de lui. Le médecin-chef, comme il arrive souvent aux hommes autoritaires et sombres, aimait les nouveau-nés contre les adultes; devant leur berceau, il se sentait assez seul pour s'attendrir sur leur innocence. Il leur gardait sa faveur quelques années encore, tant qu'il pouvait s'amuser de leur impotence fragile. Mais il ne fallait pas qu'ils s'avisassent de grandir. Après cinq ou six ans, c'était la disgrâce; sceptique et défiant, sec, cynique sur les bords, il avait en horreur les démonstrations et surtout les comédies; les effusions l'écœuraient. Il mettait les bons sentiments en déroute : d'un mot mais choisi pour déplaire. Le petit, quel qu'il fût, rougissait de honte, allait se cacher sous la table, marqué. Achille a-t-il connu ces souffrances? Je me dis quelquefois que le docteur Flaubert, faute d'avoir pu lui donner des frères, le traita moins durement : l'unique espoir de la famille Flaubert eut droit à des égards proportionnés à sa fragilité. Gustave, par contre, entre dans la zone dangereuse quand son aîné depuis longtemps en est sorti : il est moins précieux et, du coup, il agace davantage. Et puis il joue de malchance : une sœur lui naît quand il est dans sa quatrième année; elle a moins de prix sans doute, aux yeux du père, puisque ce n'est qu'une fille mais, après tout, c'est une fille que Mme Flaubert voulait et puis, pendant quelques années, c'est un poupon à tripoter : elle dut intéresser le chirurgien-chef, accaparer sa maigre tendresse. Par en haut et par en bas, Gustave se trouva frustré. Fut-il jaloux de Caroline? c'est une question que nous aurons à nous poser. Notons simplement, pour l'instant, que l'enfant pressent sa disgrâce plus qu'il ne la subit. Cela suffit à le plonger dans l'angoisse. S'il devine que la tendresse du père s'adressait à son âge, voilà un motif suffisant pour qu'il refuse de grandir. Pour son mal-

---

1. Nous reviendrons sur tout cela dans la seconde partie de cet ouvrage.

heur, cette intention régressive vient à contretemps : les parents ont décidé qu'il fallait commencer le dressage ; on lui présente l'alphabet. L'enfant y voit un symbole : il reconnaît dans l'abécédaire le chemin qui conduit à la condition solitaire des adolescents, de l'adulte. Du coup c'est le moyen de conserver son âge : il oppose au symbole un refus symbolique ; il ne saura pas ses lettres : tout son corps résiste à l'apprentissage. Cette conduite, je l'ai dit, n'est ni consciente ni volontaire : il suffira, nous allons le voir, qu'elle soit intentionnelle pour le plonger dans un intolérable sentiment de culpabilité. Les choses en restent là quelque temps : il ânonne et ne progresse pas. De toute manière il eût fini par apprendre. Malheureusement la mère prit peur : irresponsable et craintive, elle alerta le Géniteur ; Gustave n'était-il pas un idiot congénital ? Le médecin-philosophe, justement irrité, prit en main le petit cancre. Il n'admettait pas qu'un fils Flaubert péchât par l'intelligence ; pourtant ce boursier d'Empire était inquiet : son sperme risquait d'être pourri ; après avoir engendré tant de morts, pourquoi n'eût-il pas fait un crétin ? Il prit sa décision sur l'heure : qui peut le plus peut le moins ; lui, Achille-Cléophas, professeur de médecine générale et de chirurgie, enseignerait les lettres à son cadet : guidé par une volonté de fer et par une intelligence hors de pair, l'enfant rattraperait son retard en quelques mois. Il se mit à l'œuvre et gâcha tout : humilié par son fils, il l'humilia pour toute la vie.

On demandera comment je sais tout cela. Eh bien, j'ai lu Flaubert : le petit a gardé un tel souvenir de ces leçons qu'il n'a pu se tenir de nous en faire part. Dans *Un parfum à sentir*, écrit à quinze ans, le saltimbanque Pedrillo se fait le professeur de ses fils : il leur enseigne à danser sur la corde raide.

Le plus jeune « monta d'un pas assez leste l'escalier qui conduisait à la corde » ; il se tira convenablement de sa tâche ; son frère, mal doué, fait quelques sauts, tombe sur la tête et disparaît. Mais voici le troisième — c'est-à-dire Flaubert, intermédiaire entre Caroline et Achille. Sans doute le jeune auteur a pris la précaution de donner au puîné l'adresse qu'il reconnaît dans ses autres contes à l'aîné : c'est que Caroline — C. Commanville nous le rapporte d'ailleurs — avait appris l'alphabet aisément. Et puis il faut brouiller les cartes. N'importe : il suffit de lire cet étrange épisode, sans lien réel avec l'intrigue et qui semble inséré sous la pression d'une obsession, pour en apercevoir sur l'instant le sens lyrique et subjectif :

« Le tour était à Ernesto.

« Il tremblait de tous ses membres et sa crainte augmenta lorsqu'il

vit son père prendre une petite baguette de bois blanc qui jusqu'alors
était restée sur le sol.

« Les spectateurs l'entouraient, il était sur la corde et le regard
de Pedrillo pesait sur lui.

« Il fallait avancer.

« Pauvre enfant, comme son regard était timide et suivait scrupuleusement les contours de la baguette qui restait à bout portant
devant ses yeux...

« *De son côté la baguette suivait chaque mouvement du danseur,
l'encourageait en s'abaissant avec grâce, le menaçait en s'agitant
avec fureur, lui indiquait la danse en marquant la mesure sur la
corde, en un mot c'était son ange gardien, sa sauvegarde ou plutôt
le glaive de Damoclès pendu sur sa tête par l'idée d'un faux pas*[1].

« Depuis quelque temps le visage d'Ernesto se contractait convul-
sivement, l'on entendait quelque chose qui sifflait dans l'air et les
yeux du danseur aussitôt s'emplissaient de grosses larmes qu'il avait
peine à dévorer.

« Cependant il descendit bientôt, il y avait du sang sur la corde. »
Tout Flaubert est là : nous retrouverons ces sournoiseries. Cette
baguette, qu'il en parle benoîtement ! C'est un ange gardien, pas
moins. Mais qui soudain se change en épée de Damoclès. La sauvegarde devient péril de mort. Quant aux coups reçus, pas un mot.
On note au passage un sifflement, rien de plus. En fait le petit saltimbanque est cinglé si fort qu'il laisse sur la corde des traces de
sang : mais Gustave s'est arrangé pour que nous retenions la seule
image de la baguette, souple, preste, fascinante, symbole de la maîtrise et de la sollicitude paternelle. Ce texte est une indéniable
accusation : le père a fait travailler le fils et le fils — par tenace
rancune ou brusque décharge de haine — dénonce sans commentaire son bourreau.

On voudra peut-être que le témoignage se rapporte à des souvenirs plus récents : qui dit que l'auteur ne raconte pas à mots couverts ses malheurs de l'année ou de la semaine précédente ? Je
réponds que Gustave, à partir de dix ans, n'avait plus besoin de
répétitions par la raison qu'il comprenait sans peine et réussissait
aisément. Il est arrivé peut-être que le père mît le nez dans les devoirs
du collégien ou prétendît lui faire réciter sa leçon : mais ces interventions sans lendemain — il y en a dans toutes les familles — sont
des caprices : elles ennuient l'enfant sans l'affecter durablement.

1. C'est moi qui souligne.

Le fils ne les eût pas même mentionnées à moins qu'elles ne lui rappelassent l'entreprise qui dévasta son enfance sous prétexte de la défricher. Et puis lisons mieux le texte : le seul pédagogue est Pedrillo, les exercices sont quotidiens ; et quel sérieux dans le travail ! Il ne s'agit pas d'aider passagèrement un élève assez bien noté mais de faire passer un enfant de la Nature à la Culture : il marchait, il faut qu'il danse sur la corde ; on verra après. Bref, contre la pesanteur et le vertige, on lui inculque par la terreur des conduites élémentaires mais artificielles, le b, a - ba du métier. C'est apprendre à lire.

Le drame commence. Achille-Cléophas est furieux : sur sept enfants quatre sont morts et l'un des vivants n'a pas de cervelle. Il aimait en Gustave sa puissance spermatique ; si le beau petit garçon est décérébré de naissance, la réussite devient échec : le docteur avait dans ses bourses de quoi faire *un* fils, pas plus. Quand il frappe dans sa verge un *pater familias*, Dieu fait savoir qu'il l'a destitué. Dévirilisé, le médecin-philosophe n'était plus qu'un père de hasard.

Nerveux, instable, sans doute paraphrénique, Achille-Cléophas n'était pas trop enclin à se donner tort. Or il y avait une solution de rechange : on réclamait un coupable ; si ce n'était pas le père il fallait que ce fût le fils cadet. En décidant de lui ouvrir l'esprit, le médecin-philosophe se condamnait à partager la commune condition des pères-professeurs. Ces gens sont d'exécrables pédagogues : « Si tu m'aimais, si tu avais le moindre sentiment de tes devoirs envers moi, envers ta mère, si, à défaut de tout cela, tu conservais au moins quelque reconnaissance à ceux qui t'ont fait et nourri, il y a beau temps que tu saurais tes lettres, tes départements, ta table de multiplication. Tiens, je te pose une seule question : qui a gagné la bataille de Poitiers ? Tu ne veux pas répondre ? Quel ingrat ! » Le tour est joué : sans prévenir, sans changer un terme du discours, le chef de famille substitue la valeur au fait ; les aptitudes scolaires sont des devoirs : son fils les aura toutes sous peine de l'offenser. Etrange sentiment, glissant et confus, l'exigence paternelle est doublement déraisonnable ; en surface, elle s'appuie sur cette idée proprement absurde : pour rattraper son retard — quels qu'en soient les motifs profonds — le petit élève n'a besoin que de bonne volonté ; en profondeur elle se base sur ce principe théologique qui reste informulé : toute création est une créance du Créateur sur la créature ; le fils doit rehausser la gloire du Géniteur qui l'a produit. Bref, ayant légitimé ses colères, le père-pédagogue ne se gêne plus : il reproche aigrement à l'élève son imbécillité ; ce n'est plus un malheur, un arrêt provisoire du développement mental, c'est une faute qui n'a d'autre origine qu'un odieux manque d'amour : il faut la condamner.

L'enfant devrait connaître la vérité que ses parents se masquent, éprouver ses incapacités comme des résistances *de fait*, comme les inertes déterminations extérieures dont l'ont affecté sa naissance et sa brève histoire : *le fait est* qu'il ne comprend pas, qu'il ne retient pas. Malheureusement ce n'est pas si simple. Il y a cela, certainement, qu'il éprouve ses limites. Mais il *n'est* pas, à ce niveau empirique, ses propres frontières, il ne les supporte pas passivement comme la cire *supporte* le sceau, comme le captif *subit* les murs de son cachot : il faut qu'il les *existe* : autrement dit, c'est en existant qu'il actualise leur être ; ce *passé dépassé* est conservé et, par là même, affirmé dans le dépassement qui le nie. En un mot, l'existence fait de toute innocence une illusion sans fondement puisque l'existant s'approprie son être dans ce moment de la praxis que j'ai nommé intériorisation de l'extérieur. Le petit garçon ressent son insuffisance comme la faiblesse interne et spontanée de son projet. Incapable de décomposer un mot en lettres, l'enfant vit son incompréhension comme une entreprise ; diluée dans ses projets, son essence se découvre à lui comme une décision pratique ; cette décision protéiforme, ce n'est pas qu'il ait conscience de l'avoir jamais prise : il suffit que chaque projet la lui manifeste comme s'étant prise en lui ; du coup, le voilà responsable : ses résistances, vues *du dedans*, ressemblent plus à des lassitudes, à des tentations qu'à des obstacles ; il n'est pas loin de croire qu'il *se* résiste par mauvaise volonté. Du reste, nous l'avons vu, chez Gustave, l'intuition fondamentale enveloppe une certaine vérité empirique puisque le jeune garçon, buté sur son refus de grandir, s'est affecté d'une *résistance intentionnelle* qui se confond avec les limites intériorisées de ses pouvoirs ou, si l'on préfère, avec ses capacités.

Il faut comprendre que cette situation n'est pas tenable. Fauter n'est rien pour un enfant : le châtiment purifie, le zèle rachète et provoque la délectable cérémonie du pardon. Et ce n'est rien non plus que de reconnaître des limites *externes* : « Je suis petit, plus tard, je deviendrai grand. » Mais, les bornes qu'il ne peut franchir, si on les lui présente et s'il les sent en lui comme les conséquences d'une décision autonome et cent fois, mille fois répétée ou, inversement, s'il découvre à sa liberté une *nature* mauvaise qui le ramène toujours au crime *librement*, il retrouve de lui-même le serf arbitre, cette démoniaque invention de Luther.

Les deux Flaubert s'acharnent sur Gustave : c'est à la *privation pure* qu'ils donnent simultanément le statut du serf arbitre et l'inerte éternité de la matière ; l'enfant intériorise le *néant* — cet « être-là » passif du Non —, il change une absence en présence subjective — d'ailleurs insaisissable — et fonde la pure vacuité de son âme sur la permanence d'un *Fiat* diabolique qui n'a jamais eu lieu. Pour le père et pour le fils — pour le fils par la médiation du père — un objet naît : l'insuffisance. Gustave est *insuffisant* ; cela veut dire à la fois que l'insuffisance est son être et que l'insuffisance d'être est son choix fondamental, sa faute originelle. Bien entendu la folie criminelle du père fut de présenter à son fils ce caractère relatif comme une réalité absolue. Gustave était insuffisant, vers sept ans, relativement aux visées orgueilleuses du père. Cent vingt-cinq ans plus tard, mieux instruits sur l'enfance, nous accusons le médecin-chef d'avoir visé trop haut, trop vite et d'avoir effaré son malheureux élève en laissant voir son exaspération. On déterminerait aujourd'hui le *niveau* du jeune garçon, c'est-à-dire l'ensemble lié de ses possibilités et de ses résistances ; à partir de cette *réalité* l'éducateur définirait sa méthode et ses objectifs, à court terme, à long terme — tactique et stratégie — exigés *par l'objet*. S'il fallait élargir le champ de ces possibles, le psychologue ou le psychiatre tenteraient de délivrer l'élève des entraves et des freins qu'a produits son histoire plutôt que de forcer son intelligence sans transformer son cœur. Sous la Restauration un médecin-philosophe convie un enfant à vivre comme sa propre carence la distance qui le sépare d'un modèle défini par l'ambition, l'impatience et la démesure paternelles.

Scolairement, les leçons particulières furent couronnées de succès. Gustave entre au collège à l'âge réglementaire, il y réussit assez bien. Quand, par ailleurs, on se rappelle que les premières lettres de la Correspondance, remarquables par la fermeté du ton, datent de sa neuvième année, on comprendra que l'enfant retardé a vite rattrapé le temps perdu. Du reste il ne nous dit pas autre chose dans le *Parfum à sentir* : Ernesto n'a ni les dons du premier de ses frères ni la totale impéritie du second ; il va d'un bout à l'autre du trajet prescrit sans grâce mais sans défaillance.

N'empêche qu'il faut le fouetter, à la fin ; c'est la menaçante fascination de la baguette qui lui tient lieu d'adresse : Ernesto n'a pas la vocation, c'est la Terreur qui en fait un funambule. Deux ans de Terreur? Quatre ans? Nous ne le saurons pas. Il n'en reste pas moins que le jeune auteur conserve le souvenir d'une horrible contrainte : il a *saigné*. De fait, ces épreuves, réussies de justesse et par une double violence, entretiennent chez l'enfant une tension constante, à peine supportable qui, d'une certaine manière, rend le succès plus pénible que l'échec. Celui-ci, même s'il humilie, a l'avantage d'être une rupture, on se ramasse sur soi, on cuve le désastre et la honte : la défaite peut être un repos. La victoire aussi, à la condition qu'on la remporte gaiement, par vocation, qu'on *s'y retrouve* en somme : Gustave ne s'y retrouve jamais ; de quelque façon qu'elle lui vienne, c'est le visage de son père qu'il y reconnaît : le père a triomphé de son petit garçon, il a vaincu en lui la volonté perverse de perdre, il a guidé son intelligence rétive et sa main ; par cette raison, l'enfant ne connaît pas de soulagement durable : quelle que soit la difficulté surmontée elle annonce la suivante qui l'effraie plus encore. Pour le père, l'intelligence progresse en s'exerçant ; ainsi chaque problème résolu est un tremplin pour sauter à des questions plus complexes. Mais l'enfant ne sent pas ses progrès : s'il trouve la solution, il lui semble toujours que c'est par hasard. « Ce miracle ne se reproduira pas : la prochaine fois, je suis perdu. » Bref, il vit dans la peur. Pis encore : dans l'horreur. Est-ce donc si terrible? Certes son « insuffisance » se donne pour un sceau et prétend le marquer. Mais il n'y aurait que demi-mal si elle s'appliquait à une cire vierge, si quelque esprit sommeillant encore prenait conscience de lui-même par cette marque tout à coup reçue : il se définirait à partir d'elle, il y adapterait ses ambitions et ses projets. Demi-mal, aussi, si l'enfant, éveillé, conscient mais retenu par d'autres soucis, poussé vers d'autres buts par d'autres appétits ne se préoccupait tout simplement pas d'apprendre ses lettres. Mais il y a pis : le petit vassal est disgracié. De toute manière, je l'ai dit, il est probable que le docteur Flaubert se fût désintéressé de lui entre huit et dix ans : je me défie des pères qui aiment *trop tôt* leurs enfants : il y a de fortes chances pour qu'ils leur mènent ensuite la vie dure. Ce qu'ils ont adoré en eux, les premiers temps, c'est leur impotence ; dès que les fils sont capables, ces pères se montrent les tourmenteurs les plus exigeants. Ce qu'Achille-Cléophas aimait, quand il asseyait Gustave près de lui, dans la carriole, c'est ce que j'appellerai une *quasi-solitude* : il ruminait ses soucis, songeait à ses prochains investissements pendant qu'une conscience muette, à sa gauche, l'adorait. Le fait est que, Gustave nous l'a dit lui-même, il n'accompagna son père dans ces fameuses tournées que durant sa toute petite enfance, vers quatre ou cinq ans. À sept ans, c'était fini depuis longtemps et personne ne peut croire que le docteur Flaubert refusait d'emmener son fils parce que celui-ci, ne sachant point ses lettres, avait démérité. Personne sauf Gustave lui-même qui apprit en même temps — ou à six mois près — sa disgrâce et son indignité. D'autant que, vers le même temps, les parents Flaubert — il en reste quelque chose dans les souvenirs de Mme Commanville — commirent un autre crime : pour piquer au vif leur cadet, ils n'hésitèrent point, à titre d'émulation, à comparer ses maigres résultats aux brillantes performances de l'aîné, neuf ans plus tôt, quand il avait l'âge de Gustave. Mais celui-ci, nous l'avons vu, n'est que trop tenté de s'accabler : il ressent sa déficience comme un vice de constitution qui serait mauvaise volonté. En instituant la comparaison (il eût fallu, au contraire, expliquer à l'enfant que tout le monde, à son âge, rencontre les mêmes difficultés) les parents consolident la disgrâce du petit ; surtout ils transforment un sentiment vague d'inadaptation au réel en cette *anomalie* qu'il tiendra désormais pour son essence : « Je ne suis pas comme les autres », quel que soit le sens de cette phrase quand Gustave l'écrit à vingt ans, cela signifie archaïquement : Achille a su lire à cinq ans et moi, à sept, j'en étais incapable.

D. — L'INFÉRIORITÉ

À quatorze ans Gustave nous fait part de la honte qu'il a ressentie, qu'il ressent toujours et qu'on détermine en lui en le comparant sans cesse à son frère : dans *Un parfum à sentir* Marguerite est délaissée par son mari qui aime Isabellada. La misère contraint les trois saltimbanques à vivre dans une promiscuité quotidienne :

« Ce qui humiliait davantage Marguerite, c'était cette comparaison perpétuelle de tous les jours, de tous les instants qu'elle avait à soutenir avec Isabellada. Le mépris s'attachait à sa personne, à tout ce qu'elle faisait... »

Les enfances d'Achille sont un des épisodes les plus ressassés de la saga familiale : à six ans il était exceptionnel déjà. Et, bien entendu, il savait lire. « Fais comme ton frère, Gustave ! Fais comme ton frère ! » Mais, précisément, Gustave est tel qu'il *ne peut pas* faire comme son frère : c'est d'ailleurs pour cela qu'on le lui donne en exemple. « Ah ! ce n'est pas Achille qui aurait répondu ces sottises! » Eh non. Mais Gustave *les a dites*, ces sottises : par là même il est différent de son frère. Différent, c'est peu dire : tant qu'on la dénonçait dans l'absolu, son *insuffisance* demeurait supportable ; quand Achille est mis dans le coup, elle devient une relation à l'Autre, c'est-à-dire une *infériorité*.

Pour comble de malheur, il est vivant, le modèle inimitable qu'on lui propose, il a le même sang ; le dimanche et le jeudi, il s'entretient avec le Père. Cela suffit : avec les meilleures intentions du monde, Achille-Cléophas s'est fait le bourreau de son fils cadet. Achille a seize ans : avec ce jeune monsieur, ce collégien brillant qui lui fait honneur, le docteur Flaubert prend un autre ton : il lui parle d'homme à homme, l'interroge sur ses études, sur ses professeurs : surtout il lui raconte comme une histoire déjà vécue l'avenir qu'il lui réserve, il dit ce qu'est un praticien, que la médecine est le plus beau métier du monde, qu'elle cherche à connaître en vue de sauver ; il l'emmène avec lui dans les salles de l'hôpital ; le jeune homme assiste à des leçons, les étudiants le traitent avec une familiarité respectueuse : c'est le Dauphin ; tout se passe comme si le médecin-chef disait : « Voici mon fief, ce sera le tien. » Le jeune Achille se pénètre lentement de ses futurs privilèges qui deviennent sa nature : il est *né* ; en sa personne, l'aînesse se change en racisme. Le cadet voit tout : il surprend son père à parler d'abondance, à raconter ses souvenirs, à expliquer ses projets, il tolère mal que le visage maussade et bien-aimé s'éclaire à la vue du fils aîné ; Gustave va jusqu'à se désoler de l'intérêt témoigné par Achille ; c'est par là que le grand frère plaît : par un air de sérieux, d'intelligence crâne, par les questions qu'il ose poser, par son visage levé, attentif, aux yeux grands ouverts, qui ne cillent pas, il charme. Gustave, dans son premier âge, reconnaissait à Achille le droit d'être aimé : les Flaubert sont des modes de la substance familiale, l'affection portée par le père à chacun n'est jamais qu'une différenciation de son amour pour la famille. Encore devait-il les aimer également, pour que tous les membres soient unis par ce même *pneuma* circulant à travers les uns et les autres, l'amour paternel. Avec, sournoisement, pour le seul cadet, un tarif préférentiel. Mais, justement, quand l'âge d'or vient à finir, il apprend *à la fois* son délaissement, son insuffisance et les vrais rapports du père au fils aîné. Comme si le docteur Flaubert, découvrant l'infériorité de Gustave, la sanctionnait en se détournant de lui. Ou, en d'autres termes, comme si la supériorité intellectuelle d'Achille faisait *nécessairement* de lui le plus aimé. Par la comparaison Achille-

Cléophas a transformé l'insuffisance, privation subjective, en un lien objectif du cadet à l'aîné : l'infériorité ; celle-ci, sur le plan de l'affectivité se manifeste sous forme d'un juste refus d'amour. Entendons bien que ce refus n'est pas simple sanction : il finit par devenir l'infériorité même, découverte et sentie par l'enfant comme un gel de sa substance intérieure. Il vivait un an plus tôt à la chaleur de l'amour paternel : être, être soi, être aimé, oser aimer, c'était une seule et même chose : à présent, c'est le froid nocturne ; cet *Ego* qu'il a tant de peine à maintenir en lui et qui lui est venu *du dehors*, ce n'est plus désormais qu'un mot qui le désigne, à l'intérieur de lui-même, glacial et, si j'ose dire, impersonnel, sans rapport avec les données immédiates de sa sensibilité. Une des structures de ce Moi qu'on lui a injecté, c'est précisément l'insuffisance ou, plus exactement, l'infériorité vécue comme une qualité *autre*, c'est-à-dire définie par l'Autre (le Seigneur) et le déterminant par rapport à un autre (l'aîné). En d'autres termes, le crime d'Achille-Cléophas c'est, par cette comparaison imbécile d'un enfant sauvage et d'un brillant jeune homme déjà domestiqué, d'avoir aliéné Gustave à son frère.

Même ainsi, les choses pourraient encore s'arranger : neuf ans c'est long ; entre l'étudiant et le petit garçon il n'y a pas un point commun. Les entretiens sérieux d'Achille et du docteur Flaubert ennuient Gustave autant qu'ils le fascinent. Simplement il prend leurs rapports *dans leur ensemble* pour une relation singulière qui les définit l'un par l'autre et manifeste publiquement leur intimité cachée. C'est cette *amitié d'hommes* qui l'a frustré de la tendresse seigneuriale. Mais, sans revenir sur ce qui est perdu pour toujours, ne peut-il s'apaiser en pensant qu'il aura, neuf ans plus tard, quand il sera grand, les *mêmes* conversations, la même intimité avec Achille-Cléophas ? Après tout, l'objet des causeries *c'est la médecine*. Non que l'aîné l'étudie déjà : il s'y prépare en écoutant les propos du père et se fait, pour lui plaire, médecin par anticipation. Or le mot de « science médicale » désigne pour le cadet un étrange objet multiple qui lui appartient autant qu'à son frère : c'est la profession du père, la cause de sa fatigue, de ses nervosités, c'est la gloire, l'illustre poussière soulevée par les sabots des chevaux à l'entrée des villages, ce sont les cadavres qui attendent, côte à côte, d'être transportés dans l'amphithéâtre, c'est la Maison, l'Honneur Flaubert, ce sont les réalités difficiles mais certaines qu'évoquent allusivement le père et le fils aîné dans leurs entretiens : la nature du corps humain, les maladies qui l'affectent, la vie, la matière.

C'est le passé prométhéen d'Achille-Cléophas, c'est son avenir et celui de *ses deux* fils, un avenir tout fait, presque trop facile où l'on se laissera glisser jusqu'à la célébrité finale ; la médecine, préfiguration de deux jeunes vies, c'est un milieu, un « climat », un style, une relation humaine : Gustave y voit les éléments de son destin. En ce sens il pourrait ne pas s'étonner qu'Achille parle de sa future carrière avec le Géniteur : c'est son droit comme ce sera dans neuf ans le droit du puîné.

Par malheur, le petit découvre vers le même moment que l'inégalité provisoire — qu'il voudrait attribuer à l'âge — a été transformée par la gracieuse volonté du père en un statut définitif : Achille est l'élu du médecin-chef, il le remplacera, héritera des charges et de ses prérogatives, sera médecin-chef à son tour. Quand Gustave a-t-il su la chose ? nous l'ignorons. Mais ce n'était un secret pour personne : tout le monde savait à l'hôpital que le médecin-philosophe avait placé tous ses espoirs en son premier fils. J'ai dit les raisons du docteur : de son point de vue, elles sont valables ; mais que peut en penser son fils cadet ? Un médecin-chef à l'Hôtel-Dieu, c'est le meilleur médecin de toute la Normandie ; les autres, quand ils viennent le voir, ne manquent pas de l'assurer de leur admiration, de leur respect : ils lui sont *donc* inférieurs, l'enfant n'a pas manqué de le remarquer. Puisque Achille prend le poste et la gloire, le docteur Gustave Flaubert lui sera inférieur pour toujours. Acceptera-t-il ce décret dans la résignation ? Y verra-t-il un indigne manque d'amour ? une trahison ? L'une et l'autre réactions seraient possibles si l'enfant n'avait conscience d'une infériorité première et dont il est seul responsable : Achille fait des études éblouissantes et Gustave n'est pas encore parvenu à lire. Est-ce que l'infériorité juridique et statutaire ne sanctionnerait pas l'infériorité réelle et vécue ? Achille-Cléophas n'aurait-il pas pris sa décision après la déception que lui a donnée son fils cadet ? En ce cas l'inégalité des destins serait la vérité profonde de l'inégalité des talents : médiocre, Gustave aura par décret paternel la médiocre carrière qui lui convient. Mais ne peut-il renverser les termes et penser — déraisonnablement, cela va sans dire — qu'il est devenu l'inférieur parce qu'on avait décidé d'avance qu'Achille lui serait supérieur ? Il faut comprendre que le petit garçon est tombé dans un piège diabolique : de ces trois déterminations — infériorité par insuffisance, par frustration amoureuse, par décret souverain et sans appel — chacune renvoie aux deux autres ; elles forment un tout synthétique dont chaque caractère est inséparable de l'ensemble et se détache sur le fond de la totalité qui, tout à la fois, le soutient et s'exprime à travers lui. Il faut décrire le piège dans son mécanisme objectif avant de questionner Gustave et de lui demander comment il l'a *ressenti.*

Loin d'atteindre l'enfant dans sa « nature humaine » et d'affecter en lui une faculté de souffrir soi-disant universelle, l'*infériorité* s'attaque *au Flaubert*; c'est dans l'*être-Flaubert* du cadet qu'elle trouvera sa détermination concrète, sa singularité; quant aux souffrances, s'il y en a, ce seront des souffrances Flaubert. Par l'excellente raison qu'il s'agit d'un drame de famille. Il y a la Maison Flaubert et puis rien et puis les foules : le père a su donner aux enfants cet orgueil imbécile; la mère le partage; amour, orgueil : même *pneuma*, même substance. À la prendre en elle-même, l'insuffisance, inerte qualité, irait à se dissoudre car elle est compensée par le sentiment d'une supériorité innée sur tous les hommes. Mieux vaut un Flaubert insuffisant qu'un ministre : cela les fils du médecin le croient sincèrement : c'est leur rapport fondamental au monde extérieur. Si ce défaut d'être subsiste, c'est dans le petit groupe et par rapport à lui : l'ambition commune, intériorisée, le soutient et le nourrit, les relations objectives de parenté le transforment en infériorité. Nous l'avons vu, l'*être-Flaubert* est préfabriqué; il se communique par la nomination. La spontanéité de Gustave a pris pour règle l'ensemble des commandements et des promesses qui sont attachés à ce nom. Cela veut dire à la fois qu'il réalise son être en le dépassant par le mouvement de son existence et qu'un serment tacite, contrepartie de la naissance, constitue cet être — assigné par l'Autre et par soi-même — en limite indépassable de son avenir. Limite, détermination positive autant que négative : travail, carrière médicale, défense de déroger, assurance de succès. Le père a choisi pour l'enfant mais celui-ci garde le sentiment de choisir lui-même ce choix : la volonté familiale se particularise en lui pour devenir *sa* volonté; inversement Gustave n'aura d'autre volonté que celle qu'il tient de sa famille. Avant la découverte de l'insuffisance, lorsque son père l'emmenait dans sa carriole et lui représentait avec des mots très simples l'avenir commun et son avenir singulier, Gustave apprenait l'optimisme : persévérants et méritoires, ses efforts seraient couronnés de succès. Sa certitude reposait sur sa confiance totale en son père, c'est-à-dire en la Praxis humaine en tant qu'elle s'incarnait dans ce praticien. Puisque le *pater familias* lui offre sa propre personne en exemple, l'enfant saisit *en mouvement* sa vie comme déjà vécue, totalisée et toute à vivre de neuf. Il n'est pas indifférent que le petit garçon ait eu ce père déjà vieux, au comble de sa gloire provinciale : il ne peut voir en Achille-Cléophas un jeune aîné absorbé par une entreprise encore chanceuse : c'est un vainqueur, un sage dont l'existence est bouclée : voilà une des raisons, je crois, qui l'amènent dès l'enfance à considérer les vies humaines comme des synthèses finies qui intègrent l'avenir au passé et la mort à la naissance ou, si l'on préfère, comme des mouvements rigoureux dont la vitesse et la direction sont fixées d'avance et qui vont de *cette* naissance à *cette* mort. Bref Gustave connaît de longue date sa passivité fondamentale. Mais, en surface, la force Flaubert l'emporte et il a le sentiment de s'élever par lui-même.

Bon. Mais ce refus nécessaire, il se trouve justement qu'il est impossible à moins de forcer sur ses propres incapacités. Devenir *meilleur* qu'Achille en suivant la même carrière, cela n'a point de sens : d'abord Achille est par définition indépassable ; ensuite cet être parfait est un navet, un mollusque, un bourgeois : on ne saurait le vaincre sans radicaliser son embourgeoisement. Une intelligence parfaite, tout absorbée par les diagnostics à rendre, les traitements à prescrire ; pour le reste, une petite nature, sans vigueur, une sensibilité fade et banale : il se décharge du soin de vivre sa vie sur les habitudes acquises. Ce prince de la Science ne sera pas un démon, à la différence de son père : tout juste un épicier. Gustave ne peut se faire d'opinion stable sur cet étrange animal ; il oscille entre deux jugements contradictoires :

1° Achille, peut-être, était bourgeois de naissance. Et le plus plat : appelé à la bêtise bourgeoise par la vulgarité du cœur. Seule l'injuste et folle générosité du Père en a fait le grand savant qu'il deviendra sûrement : le praticien-philosophe, pour lui insuffler son propre génie, a été jusqu'au bouche à bouche, il s'est couché contre son fils comme Julien contre le lépreux et, par une lente cémentation, lui a cédé ses forces vives, son infatigable puissance. Bref *tout* vient du *pater familias*. C'est ce qu'il laisse entendre clairement à Edmond de Goncourt, beaucoup plus tard, par cette curieuse confidence qui, un quart de siècle après la mort d'Achille-Cléophas, pue la rancœur : « Flaubert s'écrie : ''Il n'y a pas de caste que je méprise comme celle des médecins, moi qui suis d'une famille de médecins, de père en fils, y compris les cousins car je suis le seul Flaubert qui ne soit pas médecin... Mais quand je parle de mon mépris pour la caste, j'excepte mon papa. Je l'ai vu, lui, dire dans le dos de mon frère, en lui montrant le poing, quand il a été reçu docteur : 'Si j'avais été à sa place, à son âge, avec l'argent qu'il a, quel

homme j'aurais été!' Vous comprenez après cela son dédain pour
la pratique rapace de la médecine[1]. '' » On admirera sinon les mensonges du moins le chapelet de « contre-vérités » qui s'égrène au
cours de ce paragraphe. La famille Flaubert, jusqu'à Achille-
Cléophas, n'a produit que des vétérinaires. Goncourt ne peut être
soupçonné d'avoir mal entendu : il y a des lettres de Gustave où
il déclare tout uniment que les Flaubert sont médecins de père en
fils. A-t-il honte de dévoiler la profession véritable de son grand-
père? Je ne le pense pas : en d'autres lettres, il en parle fièrement.
Tout dépend de la circonstance. Or il est clair que Gustave se veut
l'unique Flaubert qui ne pratique pas la médecine : ainsi, par bénéfice d'hérédité, se trouve-t-il posséder éminemment les qualités
médicales; en même temps, contre Achille, qui, sans les posséder
plus que lui, les a docilement, commodément utilisées pour gagner
son pain comme avaient fait tous les hommes de la race, il se campe
comme le seul qui a eu l'audacieux génie de dire *non* et d'utiliser
le coup d'œil chirurgical à des fins plus nobles. Du coup, voici
Achille-Cléophas sanctifié à son tour : son désintéressement est tel
qu'il méprise la médecine vénale. Et, certes, le chirurgien-chef était
honnête, il lui arrivait de donner ses soins gratuitement aux malades pauvres; nul doute qu'il n'ait — comme Gustave ajoute, dans
le même entretien — préféré à une intervention banale mais bien
rétribuée quelque opération complexe, risquée, pleine d'enseignements et payée par une douzaine de harengs. Mais si l'on devait
prendre les paroles de Gustave à la lettre, il ne serait pas même
concevable que le vieux, à sa mort, ait pu laisser à ses enfants une
si coquette fortune. En vérité, l'éloge d'Achille-Cléophas n'est
qu'une condamnation d'Achille. Au fond, nous dit Gustave, son
père n'avait pour celui-ci que dédain : tu es *mon* fils, pensait-il,
le fils de *mes* œuvres, tu as bénéficié de mon argent, de mon crédit, de ma science, je t'ai tout donné et tu n'es *que cela*. L'obscure
liaison d'idées qui pousse Gustave à conclure : « Vous comprren-
drez *après cela* son dédain pour la pratique rapace de la médecine »,
je n'y peux trouver qu'un sens : Flaubert range son frère au nombre des médecins rapaces. Je ne sais s'il a raison; le fait est qu'il
y croit. On sait pourquoi : Achille a doublé le patrimoine. Mais,
outre que Gustave condamne chez son frère ce qu'il trouvait fort
bon chez leur père — distinguant ainsi l'enrichissement cupide et
l'enrichissement désintéressé —, ce reproche — qui pouvait porter

1. Goncourt, *Journal* t. X, 1874-1875, p. 160.

juste en 1874 — n'a certainement pas été adressé par le chirurgien-chef à son aîné *avant* que celui-ci ait jamais pratiqué. Pour le reste, que dire ? Achille-Cléophas, nous l'avons vu, était certainement convaincu de valoir mieux qu'Achille : sa jeunesse difficile, son déclassement opéré à la force des poignets lui avaient donné une haute idée de lui-même : il lui est arrivé sans doute, par nervosité méchante, de lancer quelquefois des vannes à son fils préféré. Je peux même imaginer le terrible Géniteur, un jour d'exaspération, jeter *à la face* de son fils ses quatre vérités. Les lui murmurer dans le dos, de façon qu'il ne puisse les entendre, en lui montrant un poing qu'il ne pouvait voir et, qui plus est, le jour même qu'Achille avait conquis le titre de docteur ? Je n'y crois absolument pas. Mais, du coup, l'intention de Gustave éclate au grand jour : il ne dit point mais laisse entendre que le docteur Flaubert, quand il invectivait contre son aîné, était conscient de la présence du cadet : comment imaginer, en effet, que celui-ci fût assez proche du *pater familias* pour comprendre un murmure qu'Achille ne percevait pas et que le Géniteur, parlant pour lui-même, ne s'en soit pas avisé ? Or, s'il en est conscient, c'est à Gustave que le médecin-chef s'adresse. Plus exactement il communique avec lui par voie indirecte, heureux de se faire surprendre. Une famille de médecins, tous méprisables sauf un, qui fut un grand homme. Et un autre : le fils rebelle qui veut se vouer à l'Art et refuse de gagner un sol avec sa plume ; ces deux-là s'entendent : même force de caractère, même acuité d'esprit, même désintéressement. Voilà pourquoi le docteur Flaubert préfère de loin son fils prodigue — qui a eu le courage de lui déplaire en refusant la carrière qu'il lui offrait — à ce médiocre qui a eu toutes les chances, y compris celle de recevoir, mystérieusement insufflées, l'intelligence et la science paternelles et qui n'en a rien fait, qui, sans vocation, par une docilité suspecte, parce que c'était facile, s'est laissé imposer la profession dont Gustave n'a point voulu, et, pis encore, a profité de ses avantages insignes pour commercialiser son sacerdoce. Ce que Flaubert, même quinquagénaire, aime à *se faire croire* — il n'a besoin pour cela que d'un public attentif —, c'est, à la fois et très contradictoirement, que son père a fait cadeau de tous ses dons intellectuels à un fils indigne, laissant son cadet, tout exprès, sans soin, sans appui, sans capacité et sans talent et que, le jour venu, à cause de ce dénuement même et, sans doute aussi, déçu par l'usurpateur, il a compris que la famille Flaubert, dans son histoire séculaire, avait produit deux aigles : lui-même et le puîné autrefois maudit. Mais la pieuse et menteuse anecdote que Gustave relate à Edmond, il semble qu'elle émane d'une âme plus apaisée. À quelque moment de sa vie, la réconciliation avec le père mort a eu lieu. Fort tard, assurément. Bien après la publication de *Madame Bovary*. En tout cas, la légende de la malédiction paternelle s'accompagne en 74 d'un autre mythe forgé après coup : le Géniteur a fini par comprendre, les écailles lui sont tombées des yeux, il a fait à Gustave la grâce de chasser devant lui l'Usurpateur. A présent les deux hommes marchent côte à côte, la Science pour la Science à côté de l'Art pour l'Art, comme Zorro près du fils de Zorro.

Mais, en 1835, l'adolescent, perdu, égaré, sans pitié pour lui-même n'imagine ni fin ni compensation à ses tourments. La malédiction paternelle est pure, toute possibilité de *happy end* est exclue : Achille est médiocre mais c'est l'élu, Achille-Cléophas lui a fait cadeau de son inégalable intelligence. Que faire ? Mépriser sa médiocrité ? C'est oublier qu'il sera, par la volonté de son créateur, le plus grand savant du siècle. Mépriser en lui la Science même : ce serait, forfait inexpiable et fascinant mais qu'il ose à peine concevoir, mépriser son père. Prouver que l'enfant délaissé est par lui-même capable de surpasser son frère et de le battre sur son terrain ? Cela ne se peut : le petit Gustave garde les traces de la Chute ; on lui a fait comprendre qu'il était l'idiot de la famille : comment imaginer qu'il jette un défi à cette association de grosses têtes ?

2° À moins — le collégien, souvent, n'est pas loin d'y croire — qu'Achille n'ait été, comme lui, au départ qu'une aspiration vague, qu'une trans-ascendance échappant par l'extase ou l'hébétude aux sèches vérités de la Science, aux calculs de l'utilitarisme. Et que le Géniteur, croyant bien faire ou, tout au contraire, par malignité, l'ait élu pour disciple, l'ait fait dépositaire de son diabolique Savoir et que le malheureux en ait été rongé jusqu'à l'os. Le coup fumant qu'elle a manqué avec Gustave, la Science, avec Achille, l'aurait réussi : tuer la Foi dans l'œuf sans espoir de résurrection, opérer un curetage du cœur, y remplacer l'amour par l'intérêt : l'Usurpateur, en ce cas, serait plus à plaindre qu'à blâmer ; le Savoir exact, en le desséchant, l'aurait embourgeoisé. L'ambiguïté, en ce cas, ne serait plus dans le rapport des capacités acquises et leur bénéficiaire mais dans la Connaissance elle-même. De là vient l'aspect malgré tout minable qu'on trouvera chez MM. Paul, Ernest, etc.

*

Le sentiment primitif qui compensait en Gustave la conscience d'être un non-sens superflu, c'est l'optimisme. Il croyait en lui-même indirectement, à travers la substance Flaubert dont il est malgré tout un mode fini : les mérites de cette famille seront toujours récompensés, en lui comme dans tous ses autres modes. La brusque découverte de son insuffisance frappe le jeune ambitieux au cœur de son ambition collective : la première structure entamée sera l'optimisme : certes son nom de famille reste synonyme de réussite. Du reste, rien n'est changé : le petit garçon a les mêmes impératifs, le même amour de son Seigneur, le même désir de parvenir ; Achille, au collège, remporte de nouveaux succès avec la même aisance, la gloire du Seigneur est au zénith, elle n'en descendra point : en ce sens le monde Flaubert conserve sa structure d'optimisme sombre — et c'est bien dans ce monde nonpareil que le cadet s'apprête à vivre jusqu'à la mort. Simplement, s'étant aperçu qu'il était la seule erreur du docteur Flaubert, une indicible transformation fait qu'il baigne dans l'espoir dynamique de la famille sans pouvoir s'en pénétrer. En lui — et partout, dans l'Hôtel-Dieu — l'espoir *s'est fait autre* : Gustave n'a pas cessé de croire à cette famille miraculeuse : cent fois par jour il essaie de ranimer en lui l'espérance et l'orgueil collectifs ; quand il y parvient l'enfant soupire de soulagement mais à l'instant qu'il retrouve la grande confiance Flaubert, il s'aperçoit qu'elle est, en sa propre personne, l'*espérance des autres*. Que fait-elle *en lui*, cette affection qui n'est pas *à lui* ? Une première réponse lui vient à l'esprit : elle n'a d'existence que celle qu'il lui donne, c'est lui qui l'attise et la chauffe à blanc sans y avoir droit. En ce cas, il faut s'en déprendre, retrouver l'humilité qui convient à son incapacité, rendre à la communauté ce sentiment usurpé. Mais il comprend vite que cette solution n'est pas possible : il a reçu l'espoir comme un sceau. Gustave est un produit de l'entreprise et c'est le premier devoir de la créature de se fier sans réserve au Créateur et à la Création : l'honneur Flaubert existe, nous le savons, chacun doit affirmer et prouver que cette famille est supérieure à toutes les autres. Ce devoir incombe à Gustave comme aux autres membres du groupe : mais dans l'instant qu'on exige de lui un acte de foi qui s'adresse à toute la Maison donc, à travers elle, à soi-même aussi, une condamnation formelle l'oblige à s'exclure du lot. À s'en exclure ? Pas tout à fait : il doit louer en sa propre personne l'œuvre charnelle du Père et prendre la responsabilité du défaut de fabrication. Ainsi font les Chrétiens qui rendent grâces à Dieu de leur avoir donné l'être et se tiennent pour responsables de leur néant. C'est la torture par l'espérance : permise au cadet Flaubert, celle-ci est interdite à Gustave. Pas de promotions dans l'entreprise. Le père a décidé d'avance des possibilités et des mérites ; cette décision est sans appel : Gustave est un moindre Achille, voilà qui est arrêté pour toujours. La famille Flaubert, par les efforts de tous ses membres, s'élève dans la société rouennaise mais personne ne s'élèvera dans la famille Flaubert. Il y a des postes : ils sont assignés pour toujours. Gustave, à quinze ans, est achevé : il a trouvé tous ses thèmes littéraires, c'est-à-dire des expressions pour tous ses soucis, pour ses violentes passions. On ne rencontre pas souvent, je ne me souviens pas d'avoir jamais rencontré une pareille précocité : elle effraie ; pas un souffle ne viendra du dehors, l'avenir est barré par un mur d'airain. Comment ne pas comprendre l'enfant qui a, dès le plus jeune âge, eu « un pressentiment complet de la vie », c'est-à-dire qui s'est découvert un Destin ? Cette étrange fixité interne qui frappe les contemporains, c'est le cadeau des Flaubert à leur cadet. « Tu seras l'idiot de la famille. » Si l'enfant veut trouver, un jour, une chance de se tirer d'affaire, il faut accepter la sentence. Et quel que soit le salut, qu'il n'espère pas la changer. Un génie, peut-être : les idiots et les génies, dit-on couramment à l'époque, ont plus d'un trait commun. Une forte tête, jamais. Pourtant quand le cadet affirme la précellence de sa Maison il ne peut s'empêcher, puisqu'il en fait encore partie, de compter sur je ne sais quel miracle, sur une grâce efficace passant du Père ou de la communauté tout entière à son dernier rejeton. Cette illusion ne peut ni s'abolir ni durer : l'infériorité est publiée, c'est le jugement du père chaque jour renouvelé ; comment n'y pas croire ? D'autant qu'elle est inscrite dans les faits : l'enfant connaît ses lenteurs, ses distractions et puis les erreurs sont là, indéniables et cette intention négative qui peut passer pour de la mauvaise volonté. Si le Père a porté sentence, à quel Dieu faire appel ? À vrai dire il n'y a pas d'expérience directe de l'infériorité : la différence d'âge qui sépare les frères condamne le cadet à être inférieur au passé de l'aîné. Mais, pour n'être que rétrospective, la comparaison en paraît plus vraie ; elle décourage l'émulation : on peut surpasser un jeune contemporain mais Achille enfant et parfait, c'est comme un mort. Le père l'établit et l'impose : jusque dans la solitude l'écoulement des émotions et des idées sera hanté par un modèle qui *détaille* l'infériorité de Gustave. Celle-ci n'est jamais une détermination abstraite de son être, c'est à la fois une relation de famille et la saveur immédiate de son expérience intérieure — par quoi nous entendons la conscience obscure de son aliénation — et, puisqu'il croit en avoir à chaque instant l'âpre jouissance, la texture de sa personne. Ce n'est ni un défaut ni un vice, c'est une pénurie constitutionnelle dont le petit se tient pour responsable et que la présence en lui de l'Autre dénonce constamment comme son être-relatif.

Du coup, tous les petits avantages de l'ascension Flaubert lui deviennent étrangers. À peine. C'est une distance qu'il prend envers eux — ou qu'ils prennent envers lui. Comme s'ils lui appartenaient moins qu'au reste de la maisonnée. Mais, dans le même moment, la rage le torture : *C'est à moi ! Tout ce qui est Flaubert est mien !* Cette âpreté possessive, tout le monde, dans l'appartement de l'Hôtel-Dieu, la tient du père. Mais il y a plus : les liens avec les choses reflètent à ces ruraux mal embourgeoisés les relations de personne. *C'est à moi* signifie : c'est à mon père, au Maître à qui je me donne et qui me donne tout ce qu'il a. Le triste logis, le jardin, la carriole : c'est le père lui-même, nous l'avons vu ; c'est le père se faisant milieu matériel pour l'enfant. Alors ? Se sentir éloigné, fût-ce imperceptiblement, de l'Hôtel-Dieu, du domaine de Trouville, des biens récemment acquis, n'est-ce pas s'éloigner du père ? Achille-Cléophas, aux yeux de son fils, incarnait la générosité pure : même en se vouant à lui corps et âme, le petit vassal ne *méritait pas* l'amour que lui donnait son seigneur. Alors ? Faut-il à présent renoncer à l'amour paternel sous prétexte qu'il n'est pas mérité ? Donnés et refusés, proches et lointains, les biens de ce monde excitent et déçoivent l'amour filial et l'avidité du petit ambitieux. La force Flaubert, prêtée au petit garçon par la communauté, singularisée par l'âge et la condition de cadet, se déchire elle-même en prêtant sa puissance et ses caractères positifs à la négation qui devient son antithèse obscure et corrosive. Retournée contre elle-même, cette force *se fait violence* : qu'elle croisse et la violence croîtra d'autant. Inversement, cette violence accrue exaspérera l'ambition : cette force unique, à présent divisée, va se porter peu à peu jusqu'à l'extrême sous l'effet de sa discorde intime et de son indissoluble unité. L'*insuffisance* n'est qu'un moment abstrait dans cette lutte que l'ambition mène contre elle-même : mais c'est le pire danger. Insaisissable dans l'immanence, cette négation d'origine transcendante n'est finalement qu'une fissure de l'être intériorisée : l'enfant la subit sans pouvoir la combattre ; quelque projet qu'il fasse pour la réduire, elle s'y est déjà glissée ; rien d'étonnant puisque c'est l'être qu'il lui faut être : mais on ne s'étonnera pas, cependant, qu'il s'épuise en vaines tentatives : c'est l'être qu'il lui faut être contre ce qu'il est. Résultat nul sauf en un point : il tient d'autant plus aux biens, à la carrière, qu'il s'en croit plus indigne : leur possession, si, par impossible, elle lui était reconnue, marquerait la fin de son indignité. De lui-même il n'eût pas convoité la situation de son père : passif, rêveur, prompt à sombrer dans l'hébétude, il ne se sentait aucune inclination pour le métier difficile qui réclamait une vigilance constante, une hyperactivité quasi pathologique, de promptes décisions. Il s'en trouva frustré sans l'avoir jamais désirée dès que le docteur Flaubert la promit à son frère : c'était l'image de la sentence paternelle et de l'amour qui se détournait de lui ; c'était une privation constitutive de son Ego et le symbole de son être-relatif, c'est-à-dire de son infériorité. De là naît ce que Gustave nomme la « sombre ambition jalouse » de Garcia[1]. Il se définit, maintenant, à ses propres yeux comme *celui qui n'a point été choisi* et, bien entendu, qu'on n'avait aucune raison de choisir. L'infériorité rejoint ici la pure contingence d'herbe folle que la mère lui a donnée : il est juste qu'on ne me donne que les miettes, à moi qui suis venu à ce banquet sans y être prié.

Mais, d'un autre côté, l'infériorité est vécue aussi comme le contraire infernal de la contingence, c'est-à-dire comme l'effet rigoureux d'un *Fiat* prénatal. Erigée, durcie, l'ambition familiale demeure en lui, intériorisée, c'est la réalité substantielle de son Ego : par elle, il tient debout, mode indéterminé de la substance Flaubert ; le différentiel qui spécifie le mode devient nécessairement l'infériorité : ainsi, à l'instant qu'il paraît l'Ego se définit par son rapport à l'Autre dont il n'est qu'un amoindrissement. Gustave, s'il veut se connaître, n'a qu'à regarder son aîné, perfection idéale dont il n'est que la méchante copie. Il y a de quoi rendre fou car l'ambition Flaubert est d'autant plus violente, en Gustave, qu'elle est plus contestée : le petit désire âprement les honneurs, la fortune, la réussite. Plus ardemment qu'Achille, n'en doutons pas. Or, au même instant, la plénitude se découvre pénurie : ces biens qu'il désire, il sait qu'il ne les aura jamais ; mieux : l'origine de son désir, c'est la certitude de ne jamais l'assouvir. La violente exigence de contribuer à l'ascension de la famille en commençant sa carrière au point où son père finit la sienne et le sentiment douloureux de n'avoir pas les capacités requises ont été l'un et l'autre pétris dans sa chair par les mains du Géniteur. Par cette raison, ils ne

---

1. C'est aussi ce qu'il exprime clairement dans *Quidquid volueris* : avant d'*aimer* Adèle, il faut que Djalioh comprenne qu'elle est *à un autre*. Auparavant il se bornait à l'inclure dans sa bienveillance universelle.

se découvrent à l'enfant ni comme deux caractères rigoureusement liés ni comme la rencontre de deux accidents. Liés, ils se conditionneraient l'un l'autre, l'élan de l'ambitieux pourrait compenser ses lacunes, la patience et la soumission — qui sont elles-mêmes des moments de l'ambition — pourraient l'arracher à son insuffisance : du moins le petit garçon en serait-il convaincu. Inversement, si l'opposition du projet et des moyens naissait d'une spontanéité autonome, les insuffisances auraient elles-mêmes *un sens*, elles traduiraient des inhibitions, des résistances liées profondément à la protohistoire de Gustave ; par là même, elles auraient pour effet de freiner non pas seulement la réussite mais l'ambition : la contradiction n'opposerait pas vraiment vouloir et pouvoir mais, par en dessous, vouloir et ne pas vouloir. Il n'en est rien : l'arrivisme est sans frein ; l'insuffisance est non-sens. Il est vrai que le jeune garçon l'intériorise, qu'il en fait — nous l'avons vu — une véritable *expérience*. Or, comme le sens véritable de cette épreuve lui reste extérieur et réside dans le rapport complexe du père à ses enfants et à soi-même, Gustave la subit mais l'infériorité n'est pas *son produit* et c'est par docilité qu'il croit y trouver le secret de son être. En conséquence la force qui témoigne, à ses yeux, de son *authenticité Flaubert* et la malfaçon qui l'exclut du groupe familial passent l'une au travers de l'autre, définissent son être *ensemble* mais sans autre liaison que cette intime coexistence.

Mais qui oserait prétendre que l'enfant se tienne pour la rencontre fortuite de ces deux caractères ? Bien que les significations demeurent indépendantes, il voit bien, en tout cas, que l'intensité de sa frustration est directement proportionnelle à celle de son désir ; et puis un Ego n'est aux yeux de personne un assemblage, c'est une unité structurée. Cela suffit pour que les traits les plus divers, en chacun de nous, paraissent, si peu que nous nous soyons approfondis, exprimer en différents dialectes la même totalité. L'enfant cherchera bientôt à rendre par des mythes la conscience que le rapport entre la démesure de l'ambition et l'insuffisance des capacités, ni fortuit ni logique, n'en est pas moins interne et synthétique car il est établi d'avance par une volonté transcendante. De fait, c'est le père qui a donné et repris. Tout concourt à convaincre l'enfant qu'on l'a mis au monde avec un mandat impératif ; et c'est vrai : pas de Flaubert sans mandat ; Achille avait mandat d'être le meilleur médecin de la ville et Gustave, en naissant, celui d'être le meilleur après Achille. Mais la condamnation paternelle fait savoir au mandataire qu'on lui a refusé les moyens de remplir son office. « Si ma nature est ingrate, peut-il dire, pourquoi m'avoir chargé d'une mission si difficile ? Si l'entreprise est si délicate, pourquoi m'avoir fait si maladroit ? » Les commandements, à la rigueur, s'ils fussent restés *extérieurs*, il se fût accommodé de n'y pas pouvoir obéir. Mais pourquoi les avoir produits en lui sous la forme d'une si brûlante passion ? *Parvenir* : c'était son devoir, c'était l'amour fou ; au point qu'il n'était rien d'autre, rien de plus, le cadet de famille, que ce *pathos* — et d'autant plus Flaubert que la flamme était plus forte ; pourquoi ? On le jette dès la naissance dans une entreprise qu'il n'a pas les moyens de réussir, on le conditionne si précisément qu'il ne peut s'empêcher ni d'en prévoir, à chaque fois, l'échec ni de recommencer. Ce qui apparaît ici est neuf : c'est la rigueur dans le mal. Une inflexibilité tout humaine ; une contradiction si parfaite qu'elle paraît choisie. Est-ce la nature qui peut ainsi travailler une même personne, l'enflammer de cupidité et l'accabler d'impuissance de manière à porter son malheur à l'extrême ? Non : cette merveilleuse économie ne laisse pas de place au hasard. Heureux, Gustave, un an plus tôt, ouvrait les yeux sur notre monde de conséquences sans prémisses, il y trouvait plus de confusion que de nécessité. Rien ne lui semblait décidé d'avance, hormis le bonheur des Flaubert. Mais la constance dans le Mal resserre le cours des choses : tout file droit au but qui est le pire. La face du monde est changée : on l'a truqué : il déguste l'évidence de son échec futur, il en jouit atrocement et *dans le même instant*, sa passion, recuite, lasse à mourir, infatigable le jette à commencer une bataille perdue d'avance. D'où ce mythe général, conçu vers sept ans quand le petit vassal choyé dégringole, quand le bon Seigneur aimé devient un Magister impatient, humilié d'avoir engendré un idiot : le monde c'est l'Enfer.

Telles sont, pourrait-on dire, les structures internes mais objectives de cet Ego martyrisé, comme elles ressortent de l'analyse régressive des premières œuvres. J'ai suivi pas à pas le processus par lequel la passivité, l'ambition, l'insuffisance et l'aînesse l'ont peu à peu constitué. Reste à montrer le développement concret de cette enfance à partir de ces premières structures. Il est certain, par exemple, que la passivité vient de la mère et qu'elle est la première intériorisation de l'extérieur, l'ambition n'en est que la seconde. Comment le petit garçon vivra-t-il l'ambition déçue *à travers* la succession de ses affections passives ? Comment l'*activité* — car l'arrivisme *est essentiellement pratique* chez le père et le fils aîné — peut-elle être intériorisée par la passivité reçue du cadet ? Qu'en demeure-t-il? Qu'est-ce que l'enfant peut y comprendre, lui qui ne parvient pas même à saisir complètement les signes verbaux?

C'est encore l'étude des premières œuvres qui permettra de trouver des réponses à cet écheveau de questions dont chacune est conditionnée par toutes les autres. Nous partirons du mythe le plus simple que Gustave a forgé de bonne heure pour se comprendre : la malédiction d'Adam. Marguerite et Garcia ont été mis au monde tout exprès pour s'abolir : cela signifie que Gustave est, dès sa conception, condamné à mort par son géniteur : tentons de comprendre ce que signifie pour lui ce mythe de la condamnation.

E. — LA SOUMISSION

Bien sûr, elle n'a jamais été portée pour de vrai. Il suffit que ce soit une certitude subjective qui détermine l'être fondamental de l'enfant. À bien regarder, nous trouvons qu'elle exprime l'incessante transformation d'une nécessité de fait en option souveraine et *vice versa*.

1° C'est un fait qu'Achille est l'aîné, que, de neuf ans plus âgé, il offre à chaque instant le spectacle de sa supériorité objective ; c'est un fait que cette supériorité n'est pas entièrement due à la différence d'âge puisque l'aîné, quand il avait l'âge du cadet, savait depuis longtemps lire, écrire et compter. Du reste, le cadet lui-même, en sa petite enfance, a reconnu comme un droit, l'aînesse à son aîné : bien sûr, il ne savait pas ce qu'il faisait. Mais, quand il apprend que c'était lui reconnaître d'intolérables privilèges, il est trop tard : le principe admis, c'est une nécessité que d'en admettre les conséquences.

2° C'est un choix souverain et gratuit. Sous l'Ancien Régime, l'aîné n'avait sur ses frères qu'une supériorité de rang : l'institution seule — et non pas son mérite ni quelque décision d'en haut — garantissait son droit : il y avait contrainte pour tous, même pour le père. Malheureusement le caractère hybride de la famille Flaubert implique que le chirurgien-chef la fonde sur le droit d'aînesse quand celui-ci n'est plus dans les mœurs. En sorte que pour Gustave la nécessité de fait s'efface devant l'option. En un sens, il n'a pas tort : les structures familiales reflètent le caractère d'Achille-Cléophas ; ce qu'il ne voit pas, c'est que le docteur Flaubert est un mutant et que son option reflète les valeurs et les traditions de son enfance. Voulant consolider la cellule Flaubert en rétablissant par intrigue l'hérédité des offices, il devait choisir d'avance pour successeur son premier-né, quel qu'il fût. Gustave est mal placé pour savoir que, s'il eût suivi son frère à un ou deux ans de distance, ce choix eût été *révocable* : c'était le meilleur qui l'emportait ; il ne comprend pas que c'est le temps et la mort qui ont rendu inflexible la décision paternelle. À ses yeux, tout se passe comme si le *pater familias* avait créé Achille par décret exactement comme il devait être, c'est-à-dire tel qu'il est. Du coup le père a délibérément produit, en la personne du cadet, une marchandise de qualité inférieure et sans emploi défini ; il semble à Gustave que son Seigneur l'a tiré des limbes par un acte gratuit, précisément pour qu'il fût celui dont la famille n'avait pas besoin. Inessentiel, inutile *donc* inférieur, le petit garçon se sent affecté par oukaze d'un moindre être et, par conséquent, d'un moindre avoir.

Pis encore : Gustave a l'impression permanente, nous l'avons vu, d'avoir été fait sur mesure et que chacun de ses caractères a été conçu comme le négatif du caractère d'Achille auquel il correspond. L'infériorité — relation non réciproque au frère aîné — est vécue par le cadet comme la qualification première de son être. Ce que Garcia, son suppôt, reflète à Gustave c'est son être-relatif, nous l'avons vu. Cela veut dire que l'Autre lui apparaît comme constitutif de son être, comme le terme absolu, incontesté à partir duquel s'établit la comparaison génératrice. La jalousie, elle-même, n'est que la supériorité institutionnalisée d'Achille en tant qu'elle doit être vécue par Gustave, son inférieur. Voilà ce qui détruit subtilement le jeune garçon : il doit vivre dans le monde de l'altérité, ordonné par un Autre pour les autres, où lui-même, en tant qu'Autre, est produit comme moindre-être, et comme être relatif.

Cette relativité a fait, sans aucun doute, l'objet d'un décret. Il est né « avec le désir de mourir ». Cela veut dire : avec la conscience d'être superflu. Mais cette parfaite inutilité ne renvoie pas au hasard : il y voit le dessein d'un père. Le médecin-chef a produit son second fils en connaissance de cause : il savait que cet enfant serait cadet. L'a-t-il fait *malgré* cette connaissance ou *à cause* d'elle ? Pour Flaubert, la question n'a pas de sens : en son géniteur, l'entendement et la volonté ne peuvent se contredire ; omniscient, celui-ci voit jusqu'à l'infini les conséquences de ses décisions ; tout-puissant, rien n'arrive qui ne reflète exactement sa volonté. Bref, pour le *pater familias*, les *quoique* sont et ne peuvent être que des *parce-que*. Il savait les souffrances qui s'attachent à la condition de puîné ; il pouvait s'abstenir : s'il ne l'a pas fait, c'est qu'il a pris joyeusement la responsabilité des insuffisances et de l'infériorité qui tourmentent le petit Gustave. Voyez Cosme : c'est tout un pour lui de faire un second fils, de lui donner les démérites qui correspondent à son statut de cadet et de le traiter conjointement selon son être et sa valeur — qui se recouvrent exactement — en le reléguant dans une obscure lieutenance. Comme si le père choisissait, à la fois, lorsqu'il engendre, le « caractère intelligible » du fils et sa vie phénoménale, c'est-à-dire le reflet temporel de ce caractère. Gustave est mis dans l'obligation de réaliser librement par une Chute très attendue l'infériorité dont Achille-Cléophas l'a délibérément affecté.

La raison par laquelle le malheureux réalise dans son expérience la servitude de sa liberté, il lui semble qu'elle est fort claire : son père l'a pénétré de l'ambition Flaubert, détermination d'activité que l'enfant passif devait ressentir comme une passion désarmée, et *dans le même temps* ce souverain décrétait que cet ambitieux manquerait des capacités nécessaires pour atteindre les buts que l'ambition familiale s'était fixés. Déchiré par cette contradiction, Gustave ne peut trouver la vérité des deux déterminations que dans leur conflit : plus violents seront les désirs, plus piteux les résultats. Son zèle, sa passion de parvenir à la plus haute instance et d'obtenir enfin les félicitations de son père, l'enfant y voit la cause directe de ses échecs retentissants. C'est accéder de plain-pied, sans même connaître son nom, à l'univers de Sade, le Vieux qu'il chérira toute sa vie. Gustave, c'est Justine : comme elle, il verra ses vertus rigoureusement punies et l'ampleur du châtiment sera proportionnée à son mérite. L'exactitude minutieuse de cette loi suffit à montrer qu'elle n'est pas naturelle : il y a, dans le cœur de Gustave, une désharmonie préétablie.

L'*interprétation* la plus archaïque que Flaubert nous donne de sa condition, nous dirons qu'il la retrouve plus qu'il ne l'invente car elle est plus vieille que lui de quelques millénaires. Œdipe, quand il s'est battu contre Laïos, n'a fait que donner libre cours à sa colère : il ignorait sa lignée et jusqu'au nom du vieil emmerdeur qui coinçait son char contre le roc. L'eût-il su et fût-il resté à Thèbes, le parricide à commettre eût autrement conditionné sa libre spontanéité mais, de toute manière, le résultat eût été le même. *C'est le Destin.* Mais qu'est-ce qui peut fausser le sens d'un acte et l'obliger, malgré l'agent, à réaliser une fin posée d'avance et, la plupart du temps, contraire à celle qu'il se proposait ? Rien sinon une entreprise adverse, menée par une autre intelligence, éclairant une autre volonté. Un boxeur me feinte et baisse sa garde, je fonce et me fais cueillir : il s'est arrangé pour disqualifier mes gestes et qu'ils deviennent les auxiliaires des siens, pour que je me fasse spontanément et à mon insu un moyen qui sert sa fin en croyant servir la mienne. Pas de Fatum sans intention humaine. Ou quasi humaine[1].

Le Fatum est un vouloir obscur qui sillonne nos vies et va de leurs fins prévues à leurs commencements : les jeux sont faits d'avance. Par cette raison, Flaubert, l'enfant préfabriqué, est dès son jeune âge un fataliste authentique. Il croit au Destin dans la mesure exacte où la condamnation paternelle lui semble avoir provoqué l'hétéronomie de sa spontanéité. Dans toutes ses premières œuvres, un même motif : celui de l'*intentionnalité autre* ou de la *liberté volée* : dans toute vie, un grand ordonnateur a travaillé d'avance l'*Umwelt*, ses ustensiles et ses circonstances de manière que chaque désir soit suscité dans l'instant même où l'organisation des entours le rend le plus inopportun. Chaque conduite est sollicitée par un arrangement trompeur qui, comme la feinte du boxeur, l'oblige à réaliser la fin précisément contraire à celle qu'elle se proposait. Bref, l'existence est une succession de pièges soigneusement posés, on ne sort de l'un, mutilé, que pour se jeter dans le suivant qui mutile davantage. L'aboutissement est la mort. Non pas ce trépas *naturel* qui attend un organisme usé, mais une conclusion ménagée dès la naissance par une volonté autre, aussi rigoureuse et artificielle qu'un accord de résolution. Cette vie habitée par un étranger est, somme toute, une chute horizontale dont la direction et la vitesse sont calculées. Nous comprenons, à présent, le sens de la tendance totalisatrice que nous avons remarquée chez Gustave : à les prendre isolément les épisodes d'une existence ne l'intéressent pas ; chacun reflète à sa manière les précédents et annonce les suivants ; chaque destinée est tout à la fois circulaire et irréversible : à chaque instant tous les motifs en sont présents à la fois : la mort dans la naissance et la naissance dans la mort, tout est connu, prévu, inévitable ; mais en même temps le retour en arrière est impossible : les jeux sont faits, on ne reprend pas son coup ; il y a des répétitions mais, revînt-il à chaque fois pareil à lui-même, l'événement est chaque fois neuf, son retour obstiné le rend chaque fois moins supportable. Pour Flaubert la « nausée de vivre »

---

1. Les forces qui me volent ma praxis et l'utilisent à d'autres fins, on leur trouvera toujours une structure intentionnelle. Mais cette intention peut rester anonyme. Je l'appelle ailleurs contre-finalité, désignant par là cette catégorie universelle : l'acte sans auteur.

vient de ce que chaque destinée est prévisible pour celui qui doit la vivre et de ce qu'il faut ensuite éprouver minutieusement, dans le détail, ce qu'on a connu comme une évidence générale.

Car le Destin, pour lui, s'annonce dans une intuition fulgurante et qui ne déçoit pas : c'est tout un, en effet, de dire qu'il a eu, dès l'enfance, un « pressentiment complet de la vie » ou qu'il « croit à la malédiction d'Adam ». Mais le second énoncé, plus précis, renvoie justement à la *volonté autre*. Il faut *quelqu'un* pour maudire ; et ce n'est pas un hasard si le Maudit est Adam qui a joui quelque temps d'une merveilleuse enfance au paradis terrestre et qui en fut chassé pour avoir commis le péché originel. Bref le premier homme est ici Gustave, exilé, coupable et voyant. Voyance et destin, c'est une seule et même chose. En 1857 toute la France lira, sans y rien comprendre — à part le seul Baudelaire — le récit d'une *damnation*, prédite dès les premières pages et réalisée dans les dernières : admirable et perdue, comme Mazza l'empoisonneuse, Emma se jette en Enfer spontanément ; elle y est inexorablement jetée. Il faut donc, loin de réduire les mots très lourds d'Enfer, de Satan, de Damnation à n'être que des articles de mode, saisir en eux le *sens* que, par-delà les *significations*, ils tentent de symboliser. Or, cela n'est pas douteux, ce qu'il y a de commun en ces denses symboles c'est qu'ils suggèrent tous la face ténébreuse du Sacré. L'intuition originelle — le pressentiment de la vie — n'oublions pas qu'elle va bien au-delà de la simple prévision : c'est une *prophétie*, bref une révélation qui suppose l'intrusion du « *numineux* » dans la vie d'un enfant. Allons plus loin : le sacré est une structure fondamentale de cette anticipation ; c'en est, si l'on veut, la caution. Voyons ce que cela signifie.

Gustave ne peut à sept ni même à quatorze ans définir à lui tout seul la courbe de sa vie. La prévision — comme simple extrapolation — lui est donc interdite à moins que ce ne soit celle de l'Autre intériorisée. En ce cas le sacré est la marque de son aliénation. L'enfant a repris à son compte les principes du père, de la famille entière, leurs parti pris, s'en est pénétré ; il les restitue à sa manière, objets au cœur du sujet, vérités objectives à demi rongées par la subjectivité. Que faut-il qu'elle soit, la prophétie familiale, pour accabler un enfant de son autorité sans évidence ? Une affirmation qui porterait uniquement sur l'avenir, Gustave pourrait la mettre en doute : il faut qu'elle se fonde sur un jugement concernant le présent. Il faut qu'on ait plus ou moins déclaré à Gustave : tu es l'idiot de la famille. Mais qui peut être convaincu tout à fait par l'opinion d'autrui si elle prétend n'être que la constatation d'un fait ? En vérité, Gustave ne se rangera parmi les monstres que si cette proposition en apparence assertorique — « tu es un idiot, un *minus habens* » — dissimule en elle un *Verdict*. Cela, un autre monstre, qui se plaît à citer Flaubert et se sent proche de lui, Kafka, l'a clairement montré dans une nouvelle qui porte justement ce titre et qui met à nu le soubassement juridique de son rapport au Père. La prévision des faits ne sera pour le fils une vérité indubitable et sacrée que si ceux-ci doivent se produire comme les moments du processus d'exécution d'une sentence portée par son créateur. Vivre, alors, c'est tirer sa peine : et le condamné sait bien s'il en a pour dix ans de bagne ou quinze ans de prison. Gustave entend la voix la plus autorisée, la voix paternelle, lui faire ce triste serment : « Quels que soient tes efforts, tu ne seras point aimé car j'ai décidé dans l'éternité que tu ne méritais pas d'être mon fils. » Comment l'enfant n'en serait-il pas persuadé : son père est l'homme admirable qui *tient parole* ; ses sentences sont sans appel. La *prophétie*, dont le fondement reste que le pire est toujours sûr, n'est que la remémoration d'une condamnation, l'horrible progrès des souffrances est inéluctable parce qu'il n'est que le développement d'un ordre sacré. Et pourquoi, dira-t-on, le sacré, chez Gustave, se présente-t-il comme châtiment ? Eh bien c'est que son insuffisance, détermination reçue qui arrête et limite son essence, lui apparaît simultanément comme sa faute originelle : il ressent sa préfabrication comme son option ; c'est normal puisqu'il ne peut *être* son essence mais seulement *l'exister* et cela suffit à le rendre infiniment coupable puisqu'il a fait le choix criminel et permanent d'être *relatif*. Aussi Gustave, dès qu'il souffre, croit avoir l'amère jouissance de sa vie totalisée. À travers sa douleur présente, il voit de la douleur à n'en plus finir : il est maudit, cette douleur future et d'avance dégustée se donne pour *sacrée*. Voilà sans doute la structure fondamentale du Vécu, après la Chute : en tant que le moment présent se tourne vers le passé, le malheur ennuie, puisqu'il est la fade réalisation de ce qui a été prévu et cent fois réalisé ; en tant qu'il se tourne vers l'avenir, au contraire, c'est une angoisse prophétique et sacrée puisque chaque douleur contient en soi la promesse de revenir sans cesse et chaque fois pire : c'est vivre sa culpabilité. Tout se passe pourtant comme si l'enfant, sans perdre le sentiment que son existence même est une faute qui n'aura jamais de pardon, attribuait au Géniteur la responsabilité de son essence, découvrait en celui-ci la volonté démiurgique et cruelle de donner le jour au plus imbécile des Flaubert pour châtier la bêtise humaine en sa personne. Pour Gustave, connaissance prophétique, pressentiment de l'Autre et conscience de soi sont inséparables puisqu'il retrouve aux sources de son être la même intention maligne qui préside à son destin : en son essence, on s'est avisé de rendre les capacités inversement proportionnelles aux ambitions ; dans sa vie vécue, prévues, les chutes seront d'autant plus vertigineuses que son âpre et stupide orgueil aura visé plus haut.

Le *Fiat* originel vient du *pater familias*. Mais le *Fatum*, pressentiment complet de *sa* vie, n'est autre que la famille Flaubert, organisme vivant et fortement structuré, en tant que le Père le gouverne et s'y est aliéné. Le second fils y est totalement intégré, c'est-à-dire qu'il ne vivra — dans l'ambivalence, certes, et nous y reviendrons longuement — que de la vie familiale sans concevoir ni même souhaiter une issue qui permette de lui échapper. Mais dans le temps qu'il éprouve la famille comme l'indispensable milieu qui nourrit et soutient son être, il prévoit que sa condition de cadet et son démérite l'y maintiendront toujours au rang le plus bas. Un jour, le fils aîné sera le *père réincarné* : Gustave le sait ; lui en conséquence, le puîné, l'idiot de la famille, que sera-t-il ? Rien. Ainsi la famille l'enveloppe et son glissement l'entraîne vers la déchéance terminale. Le progrès des Flaubert détermine son involution. Les premières structures immuables sont ici les relations de parenté qui l'ancrent dans sa condition subalterne ; elles s'expriment par des répétitions qui permettent la prévision mais, à travers ces retours toujours plus pénibles, où la supériorité de l'aîné est chaque fois plus marquée, il voit aussi l'irréversibilité du processus, il jouit douloureusement de son être-pour-déchoir, qu'on pourrait aussi nommer son être-pour-mourir. Gustave — entre sept et treize ans — apprend à voir sa vie comme une totalité temporelle. C'est-à-dire qu'elle est à la fois complète en chaque moment d'humiliation et qu'elle se déroule, comme une sombre mélodie, vers une fin *attendue*. Il voit l'Univers *à travers* cette totalité qui est lui-même et sa famille : c'est-à-dire qu'il ne le peut regarder qu'au travers de son aventure familiale. Ce qui sera plus tard son « pessimisme », il faut y voir la généralisation de son intuition prophétique : l'Enfer, avant d'être *ce* monde, c'est sa propre vie.

À ce moment de notre recherche notre question primitive se dédouble parce que l'expérience intime se caractérise ontologiquement par le dédoublement ou présence à soi. Il ne suffit donc pas d'avoir montré la structure originelle de cette vie et le type particulier de son aliénation, pas même d'en avoir restitué la saveur immédiate, il faut, à partir des données dont nous disposons, déterminer la façon dont ce vécu se fait vivre. Condamné, comment Gustave *réalise-t-il* cette condamnation ? À travers quelles conduites ? Quelle influence ces conduites, suscitées par sa disgrâce et qui ne sont en vérité que la manière de la ressentir intentionnellement, exercent-elles en retour sur l'événement archétypique ? Et comment l'affection et l'attitude inséparablement liées se temporalisent-elles à travers leurs conditionnements réciproques ? Avec cette problématique, nous abordons ce qu'il convient d'appeler le *stress* de Gustave, c'est-à-dire l'unité de son mal intériorisé en souffrance et de l'aménagement intentionnel de celui-ci en tant que cet aménagement, qui peut se manifester, en certains cas, par un comportement réflexif et une distanciation, se glisse, de toute manière, dans la souffrance la plus immédiate à titre d'*intention* de souffrir[1].

À sept ans, l'intention est claire : Gustave souffre *dans la soumission*. C'est que la sentence le frappe dans son amour, en pleine vassalité ; on ne change pas si vite. D'autant que les élans du petit vassal sont soutenus par les structures objectives d'un milieu semiféodal. À l'Hôtel-Dieu, tout le monde obéit au docteur Flaubert. Comment contester le jugement adorable de l'homme que sa famille révère, que ses étudiants admirent, que respecte Rouen tout entier ? S'il aime à ce point son juge, le disgracié, il faut qu'il l'aime jusque dans son impitoyable sévérité. La Sentence le désespère mais il ne la refuse pas. Comment le pourrait-il, d'ailleurs, sans ruiner l'autorité du chef de famille, sans que la Maison Flaubert s'écroule ? Pour cet enfant sans visa, qui n'est — même avant la Chute — jamais tout à fait sûr d'avoir le droit d'exister, il est plus économique de se laisser détruire, de s'anéantir, mode inviable, dans la substance Flaubert, de préférer son créateur à soi — comme le serment de vassalité l'exige — jusque dans la terrible volonté qui n'a produit la créature que pour porter sentence contre elle. Il faut tout accepter : l'insuffisance, le péché originel, l'infériorité, la comparaison objective qui l'affecte d'un être relatif, les mérites du grand frère et la destinée préfabriquée. « Soyez béni, mon père, pour m'avoir fait cadet. Soyez béni pour m'avoir privé de tous les mérites et pour les avoir donnés tous à mon frère. Soyez béni de m'avoir fait mauvais et de me châtier en conséquence. Soyez béni pour m'avoir ôté l'espoir. » Dans cet acte de soumission — je souffrirai

—————

1. Il ne s'agit pas encore, toutefois, de la personnalisation.

jusqu'au bout selon vos désirs — on discerne aisément une intention de *moins* souffrir. Le petit Gustave, nous l'avons vu, n'a pas été tiré de sa contingence natale par la chaleur de l'amour paternel mais par le devoir de refléter son Seigneur dans sa gloire. On l'a créé pour rien ou pour manifester un dévouement « fanatique », pour s'anéantir au profit du *pater familias* : à choisir. Bien sûr, il a tout perdu : les glorieuses tournées en carriole, les sourires d'Achille-Cléophas ; ce petit cancre de sept ans s'aperçoit qu'il agace son père : à la chaude lumière de l'âge d'or une morne clarté a succédé. Et le froid. Et l'ennui. C'est une privation à laquelle il ne se résigne pas. Mais, après tout, il n'était pas si tendre, le docteur Flaubert, ni si présent : le Don qu'il avait fait à cet enfant perdu, c'était l'obéissance. Il faut donc lui obéir encore, prendre la disgrâce comme une épreuve : on lui demande de se haïr ? Très bien : il se haïra, il vivra *pour* se haïr : c'est se dépouiller de tout pour conserver le *droit d'exister*.

N'importe : s'il y a quelque confort dans la soumission, on ne peut imaginer qu'elle soit, en ce cas-ci, uniquement intentionnelle. Ou plutôt l'intention vient de ce qu'il n'y a pas d'autre conduite *possible*. Si la cellule familiale présentait quelque fissure ou si, simplement, l'enfant y décelait des antagonismes comme ceux qui opposent le mari et la femme dans la famille conjugale, il pourrait choisir, contester l'autorité du père dans la mesure où la mère, même amoureuse, la conteste par sa personne. Il aurait des refuges, des asiles, même sans la complicité maternelle, même en silence. Et si l'un des fils morts avait survécu, il aurait pu se joindre à lui, former un couple de révoltés, chacun reconnaissant l'autre. Mais non : il est seul, sa sœur est trop petite, sa mère, éternelle mineure, est totalement aliénée au père : elle s'efface, se veut inessentielle et transparente pour qu'il passe au travers d'elle comme la lumière au travers d'une vitre.

Et pourtant, si, au temps de sa protohistoire, Flaubert avait été violemment aimé par Caroline Flaubert, s'il avait aimé profondément et physiquement sa mère, cet amour jaloux eût développé son agressivité. Mais, nous l'avons vu, celle-ci, en le privant d'amour, lui a ôté les moyens d'aimer. Du même coup, il perd toute chance d'être agressif : nous savons que la trame du vécu, chez lui, est la *passivité*. C'est passivement qu'il supportera la condamnation du père : elle devient chez lui un *pâtir*, un sceau qui unifie du dehors l'écoulement subjectif, ou, plus exactement une *synthèse passive*. C'est tout au plus s'il essaie, par la multiplication des hébétudes, de rejoindre le Paradis dont il est chassé. Mais, en cette période où le *pater familias*, alerté par sa femme, se demande sérieusement si son fils cadet n'est pas un idiot congénital, le recours aux extases est de plus en plus difficile. À peine Gustave tente-t-il de s'absenter, porte-t-il son pouce à sa bouche, le regard terrible du Père, s'il est là, le transperce : le petit est *en observation*, il le sent. *Un secret de Philippe le Prudent* peut servir de témoignage. Donc, Carlos est enfermé dans sa chambre :

« Elle était grande et lambrissée, le plafond en était noir et, en général, elle avait l'apparence de la vétusté et de la misère... Sur les murs, on voyait accrochée une énorme quantité d'armes... la porte était fermée avec une barre de fer, des chaînes et des verrous, on eût dit la demeure d'un homme qui craint quelque trahison... »

Rien n'évoque mieux l'effort de Gustave pour se fermer, pour se cantonner dans la solitude de la vie intérieure. Les armes indiquent déjà le ressentiment : l'enfant a quatorze ans, il est déjà loin de la Chute. Mais ce qui frappera, je crois, ce sont ces mots : « Le lit était couvert avec des rideaux rouges, la fenêtre n'en avait point. » La fenêtre sans rideau : la seule évasion possible, l'extase cosmique.

Mais Carlos — à vingt ans, « *c'est un vieillard* », naturellement — a beau se barricader chez lui, il n'échappe pas à la surveillance paternelle. Philippe II — le symbole est limpide — le livre au Grand Inquisiteur :

« — Vous pouvez d'ici, mon père, voir à quoi il s'occupe dans sa chambre...

« Il ôta le crucifix, mit le doigt sur un bouton et tout à coup une planche se retira laissant voir une petite porte dont il ôta encore deux plaques de fer et l'on vit, à l'aide d'une large vitre... la chambre de l'Infant d'Espagne. »

Carlos ne l'ignore pas. Il entend souvent des bruits révélateurs. Flaubert sait qu'on lit dans son âme :

« — Toujours lui ! dit-il entre ses dents, toujours cet homme, écoutant mes paroles, épiant mes gestes, tâchant de deviner les sentiments qui battent dans mon cœur, les pensées qui passent sous mon front, toujours là, assis à mes côtés, debout derrière moi, caché sous un lambris, espionnant à une porte... et je ne pourrai pas dans ma furieuse et jalouse haine, je ne pourrai pas pleurer et maudire, me venger ! Non ! c'est mon père ! et c'est le roi ! Il faut supporter tous ses coups, recevoir tous ces affronts, accepter tous ces outrages. »

Le stade de la soumission est dépassé, comme on voit. Pourtant, malgré l'indignation rancuneuse qui l'inspire, ce passage laisse entrevoir une archaïque dévotion. À quatorze ans — nous aurons bientôt l'occasion d'y revenir longuement — Gustave est convaincu que son père lit dans son âme à livre ouvert. Nous verrons comment ce sentiment va peu à peu se rationaliser : le docteur Mathurin et le docteur Larivière, deux incarnations d'Achille-Cléophas, seront tout simplement de bons psychologues, de fins connaisseurs du cœur humain. Mais, quand Gustave écrit *Un secret...* la rationalisation n'est pas faite : le symbole livre l'idée dans sa nudité antique. Il faut qu'elle date de loin, d'ailleurs : Gustave, à l'époque, est interne au collège ; il voit son père le jeudi et le dimanche, quand celui-ci n'est pas absorbé par ses malades ou ses travaux : même ainsi, certes, il peut se sentir déjoué, observé avec un mélange d'étonnement, d'inquiétude et d'impersonnalité scientifique, surtout pendant les vacances. Mais, pour qu'il transforme dans sa nouvelle ces brefs contacts, assez déplaisants, en un incessant espionnage, il faut qu'il se reporte, à travers eux, à une expérience bien antérieure. Quand le docteur Flaubert, humilié par les résistances que lui opposait le petit analphabète, inquiet de l'absentéisme suspect par quoi son cadet tentait de lui échapper, de s'échapper à lui-même, dirigeait vers celui-ci, en silence, son fameux regard chirurgical, Gustave se sentait transpercé de part en part : son âme est mise à nu, un autre la voit ; impossible de se venger, de « pleurer et de maudire » ; ces passions seraient vues, ce monologue entendu. L'enfant s'interdit tout rêve de révolte, même les conduites négatives qui ne dépasseraient pas le cadre de la vie subjective : le regard terrifiant du père ne doit découvrir en lui que la soumission amoureuse.

Cette attitude originelle le marquera pour toujours : elle est à la source de son insincérité ; même les rancunes et les colères, plus tard, comporteront une soumission secrète. Mais, pour profonde qu'elle puisse être, elle ne peut se maintenir d'elle-même telle qu'elle se donne. D'abord, pour que l'enfant demeure à ses propres yeux le misérable objet d'une haine adorable, il faudrait qu'il *se constitue* comme on l'a fait : l'acceptation passive ne suffit pas ; seuls, une adhésion *active*, un serment implicite et continué pourraient donner à cet inerte agrégat de souffrances l'unité intentionnelle d'une *exis* durable, seuls ils pourraient assumer la synthèse de l'Autre. Mais, du coup, ce serait s'affirmer comme sujet d'une entreprise : l'*objet* odieux de l'*entreprise-autre* s'évanouirait. De toute manière il ne subsiste que par la passivité constituée de Gustave qui l'oblige à subir son acceptation, mieux, à la rêver. A partir de là, tout se décompose : la synthèse n'est pas contestée mais, comme elle est *supportée*, elle demeure en lui comme une puissance étrangère et la soumission, n'étant pas acte, reste un cauchemar. Ainsi, nous l'avons vu, bien avant la disgrâce, le langage demeurait un ensemble d'opacités déposées en lui par l'Autre.

F. — LE RESSENTIMENT

L'obéissance passive engendre le ressentiment et lui prescrit ses limites en l'empêchant de tourner à la haine. Ainsi l'esclave, tant que la révolte est impossible — mieux : inconcevable — éprouve les ordres du maître comme un chapelet d'impératifs directeurs et comme sa propre vie lui devenant étrangère sans cesser de se faire vivre comme sienne : c'est la soumission, c'est le devoir-transcendant dans l'immanence ; mais l'accomplissement zélé des obligations, par ses résultats marginaux — fatigue, maladie, douleur, humiliation — contraint le travailleur à reconnaître l'exigence de l'autre en lui comme un mal étranger ou, si l'on préfère, à saisir son malaise comme venant d'un Autre. Le caractère négatif s'attache automatiquement à l'ordre en cours d'exécution et à celui qui l'a donné. C'est le ressentiment. La situation marque les bornes du processus en cours : dans l'impuissance servile, le ressentiment, s'il lui arrive de se poser pour soi, se fond aussitôt dans la soumission, qu'il se borne à colorer. Si, par contre, la résistance est concevable, un serment — en général collectif — le transforme en haine, c'est-à-dire en *praxis*. Pour le petit Gustave la tyrannie est domestique, cet esclave est le produit de l'artisanat familial ; ainsi la docilité l'emportera. Mais celle-ci, nous l'avons vu, est à la fois constitutionnelle et impossible : il faudrait *réaliser* dans l'humilité le monstre abject qu'on veut qu'il soit et, du même coup, en purger la terre. Tâche qui, faute d'être assumée par le petit Gustave, ne peut lui apparaître que l'emprise négative de l'Autre : les souffrances qu'il endure, faute de pouvoir être intégrées aux profits et pertes d'une entreprise, se dénoncent d'elles-mêmes comme infligées par l'Autre. Dans ce cas le ressentiment, sans jamais s'élever jusqu'à la haine, devient le *sens* profond et le *but* de la soumission. Ce qui peut s'exprimer en ces termes : quand l'agressivité fait défaut, quand l'Autre, déjà établi chez le sujet, le prive de sa souveraineté, c'est-à-dire de l'activité autonome qui lui permettrait d'assumer ou de refuser un caractère constitué, bref quand le consentement et la révolte sont également impossibles, le ressentiment paraît chez le mal-aimé : c'est une tactique complexe par laquelle il tente de récupérer l'impossible subjectivité en renchérissant sur l'aliénation qui le dévoile d'abord à soi-même comme objet ; dans le cas présent c'est emprunter par l'obéissance passive la force de l'Autre et la retourner contre lui : en se faisant le pur moyen de réaliser les fins étrangères qu'on lui impose, l'homme du ressentiment les laisse dévoiler par elles-mêmes leur inconsistance et, par les conséquences qu'elles ne manqueront pas d'avoir, leur malignité. Pour mieux comprendre la nature et le sens de ce que nous appellerons plus tard *activité passive* il suffit d'opposer deux thèmes constamment présents dans les « *premières œuvres* » : le suicide et la « mort par la pensée ». Dans l'un et l'autre cas, Gustave *réalise* la malédiction du père : mais le suicide, étant révolte, demeure à l'état de fantasme au lieu que l'autre abolition, étant activité passive et ressentiment, est bel et bien cette *mort vécue* qui trouvera sa réalisation dans l'« attaque » de Pont-l'Évêque.

Quand Marguerite entend crier le peuple lancé à ses trousses, elle a une illumination, traduit les insultes en *son* langage : « *La Mort!* » C'est cela qu'on attend d'elle : qu'à cela ne tienne. Elle court en riant à la rivière. L'enfant, comprenant mieux qu'ils ne font eux-mêmes les désirs du Père, de la famille, des professeurs et des camarades, leur révèle la sentence qu'ils ont portée en se chargeant lui-même de l'exécution. Il leur apprend en même temps qu'il souscrit à tous les considérants : oui, Achille est parfait, oui, je suis un médiocre ; je reconnais devant tous le néant dont mon Créateur m'a affecté, en commettant publiquement l'acte qui m'anéantit.

Ce zèle à se liquider, n'est-ce point l'obéissance poussée à l'extrême ? Sans doute mais non pas l'obéissance *passive*. Marguerite *éclate de rire* en se frappant le front : elle rit de ses bourreaux, d'elle-même, du genre humain : par sa mort volontaire, elle affirme son indépendance et s'assume en se détruisant. Reprenant à son compte le non-être qui, jusque-là, n'était que sa détermination par l'Autre, elle s'anéantit à son heure et d'un coup, quand la volonté de ses persécuteurs, du Destin, était peut-être de la faire mourir à petit feu. Ce n'est pas tout : elle se venge. Gustave, s'il se tuait, déchaînerait le scandale, dénoncerait les Flaubert pour ce qu'ils sont : des faiseurs de monstres. Ce médecin qui passe pour un saint, s'il réduit son fils au suicide, tout Rouen reconnaîtra en lui le Seigneur démoniaque d'une féodalité noire.

La vengeance irait plus loin encore, s'il osait la perpétrer. Naturellement le but négatif est passé sous silence mais lisons bien : le jeune Gustave — toujours au bord de l'« association libre » — renseigne par ce qu'il ne dit pas plus que par ce qu'il dit. Qu'est devenu Pedrillo, par exemple, cet époux adultère qui représente le père coupable ? Il semble qu'on l'ait oublié tout à fait. Or il est là, douloureux, caché sous un membre de phrase comme la négation flaubertienne sous l'affirmation. Une grande dame passe en tilbury, Marguerite reconnaît Isabellada : « Elle ne se trompait pas : un jour qu'Isabellada dansait sur la place, un grand seigneur la vit et, depuis ce jour, elle devint sa dame de compagnie. » Il faut donc qu'elle ait abandonné le saltimbanque : *sur-le-champ*, aussi sec. Or Pedrillo l'aimait à la folie : donc il souffre. Ainsi l'ingratitude d'Achille punira le *pater familias* : il ira vivre à Paris, dans la haute société ; il aura honte du chirurgien provincial qui l'a engendré. A cet instant peut-être Pedrillo se souviendra de sa femme, Achille-Cléophas de son autre fils : ils auront besoin de leur amour. Mais il sera justement *trop tard* : de cet amour Marguerite et Gustave seront morts.

Dans *La Peste à Florence* nous avons montré, déjà, que le meurtre de François est une autopunition. Mais cet aspect très réel de l'acte de Garcia — révolte qui se châtie elle-même — cache une intention plus perfide : le cadet assassine son aîné pour forcer la main à Cosme en obligeant ce Juge inexorable à exécuter lui-même la Sentence qu'il a portée. Tu étais Magistrat ! lui dit Gustave. Fort bien : sois donc bourreau à présent. Voici que le Père de famille égorge son propre fils. Ce faisant, le pauvre homme tombe dans le piège que lui tendait Gustave : il anéantit sa Maison d'un coup d'épée. Si François fût mort de la peste, le Géniteur eût conservé un héritier : pour piteux qu'il fût, Garcia eût repris le flambeau. Mais par ce meurtre suicidaire, celui-ci contraint son père à découvrir sa propre faute et l'inéluctable nécessité du châtiment qu'elle porte en soi : en le faisant cadet, Cosme l'a rendu monstre par frustration, méchant et désespérément jaloux *donc* il l'a engendré tout exprès pour qu'il réalisât son essence par le fratricide : donner le jour à Garcia, c'était décider la mort de François ; et lorsque, par le pire des crimes, le cadet devient enfin le monstre qu'on voulait qu'il fût, il ne reste plus au *pater familias*, stupide ou imprévoyant, qu'à finir son œuvre en supprimant son propre enfant. Quelle punition pour ce vieillard terrible ! il restera seul, méditant sur sa mort prochaine, autrement dit, sur l'extinction de sa race qu'il a préparée de ses mains.

Une page curieuse du dernier *Saint Antoine* nous donne la preuve que le rêve de suicide, né d'un orgueil négatif, est une révolte radicale mais imaginaire de Gustave contre Achille-Cléophas. Antoine, au bord du précipice, est tenté de s'y jeter :

« C'est un mouvement à faire, un seul.

« *Alors apparaît* UNE VIEILLE FEMME :

« Avance... Qui te retient ?

« ANTOINE, *balbutiant* :

« J'ai peur de commettre un péché...

« LA VIEILLE :

« Faire une chose qui vous égale à Dieu, pense donc ! Il t'a créé, tu vas détruire son œuvre, toi, par ton courage, librement ! La jouissance d'Érostrate n'était pas supérieure. Et puis ton corps s'est assez moqué de ton âme pour que tu t'en venges à la fin... »

La naïveté de cet argument révèle son ancienneté. Nul ne peut penser — même pas Flaubert *adulte* —, réduisît-on la Création tout entière en miettes, que le destructeur du monde égalerait en puissance celui qui l'a produit en ordre ; ou bien il faudrait admettre qu'un coup de pied qui brise une horloge égale à l'horloger l'ivrogne qui l'a lancé. Or il n'est pas même question de cela mais de la disparition d'une créature finie *et d'ailleurs mortelle* : comment pourrait-elle rien changer à la Création ? L'Univers se perpétuera, aussi plein, sans en être affecté. Par contre cette tentation par l'orgueil prend une fascinante profondeur si l'on remonte à sa véritable origine et si l'on comprend qu'elle met en présence non pas le Créateur infini et la créature infime mais deux êtres finis dont l'un a produit l'autre : Achille-Cléophas et Gustave. Sur tout ce qui *est*, sur la Science, sur l'Argent, sur ses Fils et sur l'Héritage, la puissance du Géniteur est incontestée. Quant à mourir de sa propre main, le cadet s'est persuadé que c'était rendre effectif l'arrêté d'expulsion rendu par le chirurgien-chef. N'empêche : sur ce qui n'est pas, le brillant Seigneur de l'Être est dépourvu de toute autorité. Les deux hommes, le vieux, tout vif, et le jeune, mort en puissance, trouvent enfin — dans la tête de Gustave — je ne sais quelle réciprocité : « Tu as pu me faire, je peux me défaire et, du coup, désorganiser la Famille, ton chef-d'œuvre ; le Non-Être vaut l'Être et moi, je te vaux. Résultat : zéro. »

Toujours le Néant, bien sûr : cet Orgueil est aussi vide quand il s'attache au suicide que dans les moments où il tente de s'appuyer sur la *qualité* Flaubert. Pourtant le travail intérieur est positif : voici le royaume des ombres, son royaume, sur lequel son père reste sans pouvoir. Bien sûr, rien ne sera décidé, jamais : il suffit que la décision puisse être prise. Si la mort volontaire devient la possibilité intime du cadet, le libre sens qu'il peut donner à sa vie, qu'il lui donne, même, dès à présent et quoi qu'il fasse par la suite, l'essence de Gustave, telle que le père l'a forgée, demeure entre parenthèses, flotte entre l'être et le néant, entre la vie et la mort. Un monstre ? Oui et non. « Si je veux. Tant que je veux. Bref je le suis par un consentement provisoire et que je peux toujours révoquer. » L'acte souverain du Géniteur, pour gagner son efficacité, a besoin de l'approbation du fils. Tant que celui-ci la donne à la petite semaine et sous toute réserve, le statut *imposé* n'est rien de plus qu'une *proposition*. Pour l'instant, l'enfant ne fait pas connaître ses intentions définitives : on lui a défini sa charte, il répond : je verrai. Du coup, par le détour du suicide possible, il tient son existence de lui-même : il n'a pas le moyen, c'est vrai, d'y changer un *iota* ; elle sera telle que le Père l'a faite ou ne sera pas. Mais, c'est déjà beaucoup qu'on puisse la rejeter en bloc. Ainsi, mourant sa vie, vivant sa mort, l'enfant se récupère. Par ce premier mouvement, il se constitue négativement comme sa propre cause : la lutte du père et du fils se situe au niveau suprême de la Création *ex nihilo* et de l'annihilation de l'Être. À mieux y regarder cet orgueil est option : Gustave reconnaît que son père est insurpassable mais, du même coup, lui abandonne la Science, le Pouvoir et même la Vertu ; il l'égalera en se transportant sur un terrain tout inconnu, celui du Non-Savoir, de l'Impuissance, de la Passion déchirante et coupable ; en un mot, le Père est un être qui voit l'Être du point vue de l'Être : tout est plein. Gustave décide de considérer ce même Etre de son propre point de vue qui est celui du Néant ; par ce changement de perspective il s'installe hors du Réel, particule infinie en suspens dans le Rien. Gustave — en tout cas entre treize et vingt-quatre ans — n'a cessé de méditer sur le suicide. Non pas qu'il y ait vu un acte concret, urgent, qui se serait proposé à lui et dont il aurait repoussé de jour en jour l'exécution mais plutôt il y a reconnu sa liberté-pour-mourir, sa possibilité ultime et fondamentale autant que sa vie, le moyen de devenir, par l'anéantissement décidé, le fils de ses œuvres.

Cela veut dire, en somme, qu'il ne cesse de *rêver* à la révolte. Mais il sait fort bien en même temps qu'il ne passera jamais à l'acte et que sa rébellion n'est qu'une possibilité imaginaire. De fait, il

écrit partout : je veux me tuer, et ne cesse d'ajouter : je ne me tuerai pas. À bien lire les œuvres de jeunesse on trouve souvent l'idée
que le suicide est *impossible*. Non pas, sans doute, en général mais
pour le héros particulier qui incarne Gustave en chacune d'elles.
Voyez Almaroës :

« ... Il s'ennuyait sur cette terre mais de cet ennui qui ronge
comme un cancer... et finit chez l'homme par le suicide. Mais lui !
le suicide ?... Que de fois il contempla longtemps la gueule d'un
pistolet ; et puis il le jetait avec rage, ne pouvant s'en servir, car
il était condamné à vivre. »

Djalioh, c'est l'instinct qui le retient — et l'ignorance : « Oh ! s'il
avait su, comme nous autres hommes, comment la vie, quand elle
vous obsède, s'en va et part vite avec la gâchette d'un pistolet...
Mais non ! le malheur est dans l'ordre de la nature, elle nous a donné
le sentiment de l'existence pour le garder plus longtemps. »

Chez Mazza l'instinct de vivre se fait trompeur, il lui inspire des
espérances déraisonnables qui la détournent de se tuer :

(Ernest vient de quitter la France.) « Elle entendait alors une voix
qui l'appelait au fond du gouffre, et, la tête penchée vers l'abîme,
elle calculait combien il lui faudrait de minutes et de secondes pour
râler et mourir... Je ne sais cependant quel misérable sentiment de
l'existence lui dit de vivre et qu'il y avait encore sur la terre du bonheur et de l'amour, qu'elle n'avait qu'à attendre et espérer et
qu'elle... reverrait (Ernest) plus tard. »

Elle se donnera la mort, pourtant, mais beaucoup plus tard, criminelle et — enfin — désespérée.

Le héros de *Novembre*, enfin, « songe un instant s'il ne devrait
pas en finir ; personne ne le verrait, pas de secours à espérer, en
trois minutes il serait mort ; mais, de suite, par une antithèse ordinaire dans ces moments-là, l'existence vint à lui sourire, sa vie de
Paris lui parut attrayante et pleine d'avenir... Cependant les voix
de l'abîme l'appelaient, les flots s'ouvraient comme un tombeau,
prêts de suite à se refermer sur lui... Il eut peur, il rentra, toute
la nuit il entendit le vent siffler dans la terreur... »

Ces passages commentent évidemment la même expérience, sans
doute réitérée : Gustave tourne un pistolet entre ses doigts ou se
penche au-dessus d'un fleuve, de la mer. Coup de feu ou noyade.
La noyade, suicide féminin, a ses préférences : Marguerite se jette
dans la Seine, Mazza et le héros de *Novembre* veulent se laisser
glisser dans l'Océan : l'eau *fascine*, le suicide est à peine un acte,
c'est un vertige ; réciproquement le vertige est un commencement

de suicide : « les voix de l'abîme l'appelaient, les flots s'ouvraient comme un tombeau, il eut peur ». Tout se passe comme si le petit garçon subissait son impulsion comme une fascination par le dehors : *il n'y a* qu'un geste à faire, dit saint Antoine ; et l'adolescent, dans *Novembre* : *il n'y a* que trois minutes à souffrir. Bref il choisit la révolte sous sa forme la moins active, il en fait un consentement, presque un évanouissement. Même ainsi, pourtant, il ne peut s'y résoudre. Qu'est-ce qui le retient chaque fois ? Le « sentiment de l'existence » ; ces trois mots, qu'on trouve dans *Quidquid volueris* et dans *Passion et Vertu* correspondent à ceux de *Rêve d'enfer* : « condamné à vivre », et à l'« antithèse » de *Novembre*. Tout nous renvoie, somme toute, à l'appétit de vivre que Gustave, en dépit de tout, croit découvrir en lui. Est-ce un véritable appétit ? Non : il faudrait avoir eu une autre mère, une autre protohistoire. Je l'ai dit : pour aimer la vie, pour attendre dans la confiance, avec espoir, à chaque minute la minute suivante, il faut avoir pu intérioriser l'amour de l'Autre comme une affirmation fondamentale de soi : le petit exilé tient à l'existence par toute la force de ses passions négatives, par l'orgueil Flaubert, cette ambition sombre et jalouse que le père a mise en lui : s'anéantir, ce serait se retirer de la plénitude Flaubert et la laisser se reformer, toujours aussi dense, sans lui ; voilà justement ce qui lui est impossible : il veut participer, même frustré, aux triomphes familiaux ; il ne laissera pas Achille en jouir sans lui : au moment de céder au vertige, quand il sent qu'il va lâcher prise, il préfère se bercer d'espoirs qu'il sait menteurs : il peut, lui aussi, réussir, faire l'orgueil du *pater familias*. Cela suffit pour qu'il s'éloigne de la falaise, pour qu'il repousse le pistolet, pour qu'il retrouve ses malheurs à la petite semaine dans cette famille qu'il ne peut ni supporter ni quitter.

Et puis la mort volontaire n'arrange rien : loin d'arracher la victime à ses bourreaux, elle la leur livre à merci. Nous l'avons vu : le cadavre représente une survie *post mortem* de la *persona*, ce qui est dû, bien sûr, à la promiscuité des morts et des vivants, les uns disséqués, les autres disséquant, telle que Gustave l'a vécue à l'Hôtel-Dieu, mais aussi et surtout à la constitution passive de l'enfant, puisque son être est un être-autre qu'il se borne à *intérioriser* docilement. Dans cette perspective l'intériorisation même zélée apparaît comme une petite fièvre inutile et la plénitude de l'être sera enfin atteinte quand, celle-ci disparue, l'être-autre demeurera seul dans sa parfaite passivité comme être-pour-les-autres, quand Marguerite, après son suicide, sera disséquée, quand la charmante

Adèle « aux seins d'albâtre », exhumée du « Père-Lachaise », puera si fort qu'un fossoyeur se trouvera mal, quand Emma, après la révolte qui « met fin à ses jours » se survivra étrangement dans un corps qui pourrit, dans des mémoires qui décomposent et recomposent sa vie, chacune à sa façon, dans des meubles qui s'ouvrent et livrent soudain ses plus intimes secrets. Gustave, s'il se fait sauter la tête, sera mis à nu, dans tous les sens du mot ; le regard chirurgical du médecin-philosophe disséquera son âme. Obscène et sans défense, l'enfant dévoilera ses secrets : cet *objet passif* supportera désormais le mépris des autres, il n'a plus aucun moyen de contester les jugements portés sur lui. Une infinie *liberté de conclure* laissée par feu Gustave à tous ceux qui l'ont torturé et, d'abord, aux imbéciles : voilà le résultat imprévu du suicide qu'il commettrait *contre* celui qu'il aime sans espoir. Mourir de maladie, passe : les gens se découvrent et puis oublient. Mais le suicide provoque le scandale. Succès fort ambigu : en un sens, c'est bien ce que souhaite le jeune cadet ; il veut que son père soit puni ; mais d'autre part Gustave a le scandale en horreur — on le verra bien en 57 — et surtout celui-ci, cette incongruité définitive, qui livre pour toujours son auteur aux mains des hommes. Il ne supporterait pas de devenir un squelette de monstre dans la mémoire de son frère aîné le docteur Achille Flaubert. Rien ne montre mieux l'« *impact* » de la famille sur cet enfant malheureux : se tuer, pour lui, c'est s'affecter d'une vie posthume mais familiale encore ; le destin de Gustave ne se termine pas avec son dernier soupir mais avec celui du dernier des Flaubert ; s'il se jette dans la Seine, il sera un jour, pour quelqu'un qui n'est pas encore né, l'oncle idiot et inconnu qui s'est tué par bêtise, tache unique et légère sur l'honneur du nom.

Du reste la mort volontaire est impossible à ce fils soumis parce qu'elle est *défendue*. Achille-Cléophas a mis au monde un cadet, un maudit, c'est vrai ; son refus inflexible l'a condamné à mourir. Mais c'est d'*une mort lente*. L'enfant ne peut ignorer les soins presque exagérés dont on l'entoure et dont le but évident est de prolonger sa vie le plus longtemps. Nous retrouvons la contradiction du début : le suicide est séduisant parce qu'il reprend à son compte la condamnation de l'Autre et qu'il affirme en détruisant ; mais il est aussi *désobéissance* et Gustave, passive victime d'un père abusif, est ainsi fait qu'il *ne peut pas* désobéir. Il rêve de *réaliser* l'autonomie de sa spontanéité par un acte souverain. Mais la possibilité d'agir lui est refusée si ce n'est *en tant qu'autre*. Du reste, précisément parce qu'il serait révolte et désobéissance, le suicide de Gustave ne pourrait infliger à son Maître qu'un châtiment tout extérieur. Le scandale, oui. Mais le remords ? En s'affirmant par sa destruction volontaire, Gustave décharge son père de toute responsabilité : il est devenu soi-même en commettant contre son Seigneur l'acte que celui-ci lui avait souverainement défendu. La punition du Père adorable serait terrible au contraire si Gustave mourait trop tôt et mal par soumission : ce serait la volonté paternelle, en lui, qui démasquerait d'un coup ses contradictions et son absurde cruauté.

Telle serait la *mort par la pensée*. C'est-à-dire l'obéissance poussée jusqu'à la grève du zèle : la conduite de ressentiment. Un système d'impératifs-vampires, nourri de sa vie subjective, l'aliène à la praxis d'un autre qui le condamne et prétend l'affecter d'un être-relatif : la seule issue pour l'*ipséité*, c'est de vampiriser son propre occupant. Il convient de s'arrêter un peu sur cette forme parasitaire de la praxis car elle définit l'attitude fondamentale de Flaubert, celle qu'il a dû adopter après la Chute et qu'il conservera jusqu'à la fin de sa vie.

À partir de sa protohistoire, Gustave est constitué comme un écoulement de synthèses passives. Encore faut-il qu'il les *existe*, c'est-à-dire qu'il les soutienne à l'être en les dépassant vers soi. Simplement le soi reste formel puisque, faute d'une affirmation première, sa constitution lui ôte les possibilités pratiques d'entreprendre et de mener à bien. Sur cette inertie intériorisée, une volonté étrangère s'est greffée vers sa septième année, qui l'oblige à des actes malaisément accomplis et qu'il ne reconnaît pas pour siens : il faut apprendre à lire, à écrire, à raisonner ; plus profondément il faut coïncider avec l'intolérable destin qu'on lui a ménagé : il ne suffit pas d'*être cadet*, cet être-relatif doit faire l'objet de son entreprise permanente, il doit se faire ce qu'il est, se constituer lui-même tel qu'on l'a fait assumer dans la soumission et la culpabilité ses incapacités d'enfant retardé. Pour de vrai, la soumission le brise : elle accentue sa déchéance en proclamant qu'il l'accepte alors qu'il la *sent* inacceptable. Le voici pourvu d'un *Alter Ego* puisque l'activité, en lui, vient de l'Autre. L'*Ego*, par contre, on le lui refuse : il ne pourrait naître que de la révolte — qui lui est impossible. Mais pourquoi l'ipséité ne se logerait-elle pas secrètement, comme un ver rongeur, dans l'*Alter Ego* qui le régente ? il suffit d'accepter l'aliénation, de laisser, par une soumission parfaite et insincère, l'entreprise de l'autre se développer vers les objectifs qu'elle s'est prescrits tout en falsifiant, en douce, leur signification. C'est la tactique du vol à voile : on se laisse entraîner par les courants qui vous mènent où l'on souhaite aller pourvu qu'on sache parfois glisser de l'un à l'autre : à la fin on n'a rien fait et tout s'est accompli. Le véritable Gustave, l'enfant sans Moi, n'est soi-même en secret que par l'adultération des fins qu'on lui impose. Sa particularisation est donc *secondaire* par essence. Il n'y a pas de projet réel et primaire, chez Gustave, en dehors du projet familial auquel il est aliéné : tout ce qui le spécifiera (y compris l'entreprise d'écrire qui va l'absorber tout entier et l'*irréalisation* dont nous parlerons bientôt) est postérieur à l'intention *Flaubert* (accumulation, ascension) qui est la socialisation de l'intention paternelle et à l'*activité-autre* que cette intention primitive lui prête et lui impose à la fois, avec les résultats désastreux que nous connaissons. Par la soumission, le jeune garçon prétend se reconnaître dans cette intention et se spécifier par les résultats : en fait il ne s'y objective et ne s'y reconnaît que dans la mesure où, selon lui, la famille et le *pater familias* seront contraints d'assumer les conséquences comme l'exacte et pure expression de leur volonté souveraine (ce qui décharge l'enfant de toute responsabilité) sans être capables pour autant d'y retrouver le sens original de leur entreprise ni les objectifs visés, bref, dans la mesure où la collectivité Flaubert voit son image en ce docile miroir, est contrainte de l'assumer et *ne s'y reconnaît pas*. Il va de soi que la falsification des fins comme réaction secondaire n'est pas *quelconque* : tout au contraire elle est étroitement conditionnée par les fins primaires ou plutôt par ce que le petit s'imagine qu'elles sont. La malédiction du père, croit-il, le condamne à mort mais, en même temps, on lui interdit le suicide, la surprotection le contraint à la longévité : c'est que la famille, en tout état de cause, veut se perpétuer. Qu'à cela ne tienne : il se fera cadet, docilement, s'abîmera dans sa déchéance, renchérira sur la soumission et du coup réalisera dans sa contradiction l'intention paternelle en mourant de douleur prématurément. Le Père, en Gustave, court à la catastrophe, le Père va se disqualifier par la réalisation systématique de ses projets, en révélant leur absurdité : c'est un fou, en effet, celui qui refuse à son fils la vie en lui imposant la longévité. Gustave, en le prenant au pied de la lettre, lui montrera sa bévue et que la durée d'une existence est inversement proportionnelle à l'intensité des souffrances éprouvées : si tu voulais que je vive longtemps, il ne fallait pas me faire cadet. Le but de l'activité passive — et, par suite, sa particularité — n'est autre que de manifester — par des conséquences irrécusables — l'injustice du destin qui lui est imposé. Pour quoi faire sinon *pour navrer le cœur de son père*? Ce sera le châtiment. Encore faut-il l'entendre : un révolté trouverait d'autres moyens, brûlerait la maison, tuerait le fils aîné. Mais ce serait *tirer vengeance*. C'est doublement impossible : ces douleurs sont sans liaison rigoureuse avec le malheur du cadet, elles supposent un barème, un système d'équivalences établi du dehors — œil pour œil, dent pour dent, etc. ; d'autre part, pour rêver de les infliger au père, il faudrait une haine découverte, un réel projet de *vendetta*. Mais l'enfant ne hait pas son bourreau, tout au contraire : son ressentiment est un effet de l'amour. Ce qu'il souhaite passionnément, c'est que le Père soit puni par les résultats de son entreprise et par eux seuls, comme si ses ordres, inflexiblement exécutés, entraînaient la mort immédiate de Gustave. Mais quoi? dira-t-on. Immédiate ou différée, cette mort n'était-elle pas décidée? Achille-Cléophas n'avait-il pas porté sentence? Et, dans ces conditions, peut-il s'affliger bien fort ou même se repentir d'un trépas prématuré? Des juges ont décidé d'envoyer un coupable à la guillotine; celui-ci, terrorisé, meurt de peur : son cœur flanche avant l'exécution. Vont-ils en faire une maladie? Eh bien, justement, voilà le secret du ressentiment conçu comme activité passive : c'est un espoir secret au fond du désespoir. Gustave espère encore que sa mort immédiate ouvrira les yeux du médecin-philosophe. Si celui-ci, tout à coup, voyant dans ce décès le résultat rigoureux de sa volonté, allait s'apercevoir qu'il *aimait* son fils cadet? La punition du *pater familias* suppose en effet l'amour ressuscité. Qu'at-il donc à *faire*, Gustave, pendant qu'on le manipule? Rien. Presque rien : il suffira de renchérir sur les douleurs, de *trop* souffrir et de se laisser user par la condition de cadet éprouvée « jusqu'à la lie ». Pas de rancune, surtout : ni visible ni nommée; une sensibilité trop exquise s'épuise à faire ce qu'on lui ordonne et elle en meurt. Dans cette forme de ressentiment, la passivité et l'irresponsabilité dissimulent une mise en accusation radicale qui n'a pas l'aspect d'un *acte* d'accusation mais d'un *objet* accusateur : le cadavre de Flaubert, tué par son père sans intermédiaire, accusera celui-ci comme un village incendié accuse par ses ruines le régiment qui l'a détruit. En même temps la mort le rendra *autre* aux yeux d'Achille-Cléophas : elle le valorisera en révélant la force infinie de ses passions et, du coup, ressuscitera l'amour ou le suscitera en révélant qu'il en était le plus digne. « Je meurs par la pensée, je suis mort, l'impossibilité de vivre, vécue, ruine ma vie plus tôt que tu ne l'avais décidé par cette seule raison que tu n'avais pas prévue : la richesse exquise de ma sensibilité, c'est-à-dire une puissance de souffrir accrue par la passivité dont tu m'as affecté. » L'activité passive, au départ, ce sera cela : l'exagération (dans la solitude) dans l'expression de la douleur — on mime cent fois la chute originelle, on se jette sur le sol, on râle, on veut mourir —, le recours aux hébétudes saisies intentionnellement comme fausses morts ou comme répétitions générales d'une mort imminente, le vieillissement aussi — ce thème polyvalent — dont le sens est ici : « Je vieillis sans cesse, c'est mourir chaque jour ; chacune de ces morts anticipées — que tu m'imposes — a le double résultat de miner ma santé et de diminuer, en la dilapidant, ma puissance de ressentir. Tu voulais à la fois que je ne puisse vivre et — pour affirmer devant le monde la force de ton sperme — que je meure octogénaire. Tu vois : j'obéis ; je m'use beaucoup plus vite que tu ne prévoyais mais cette usure est justement sénescence : je mourrai octogénaire à vingt ans. »

Le ressentiment, comme activité passive, peut seul relier synthétiquement, dans l'unité d'une totalité compréhensive, le vieillissement et la mort par la pensée, l'expérience et le destin : rien de visible sinon les souffrances d'un amour réel qui actualiseront peut-être un amour virtuel : l'amour partout. Mais, en fait, l'enfant tente de se dissimuler que l'amour paternel n'est déjà plus souhaité pour lui-même : il doit être la revanche d'un jeune mort et le châtiment d'un père. Ce négatif secret, le positif le recouvre mieux, l'empêche de se former, de se poser pour soi. Un enfant aime, souffre de n'être pas aimé, se conforme docilement aux prescriptions familiales : Gustave ne voit que cela, il *faut* qu'il n'ait d'attention que pour cette praxis captive et, réflexivement, que pour l'Alter Ego, unité transcendante de toutes ses soumissions : à cette condition seulement, un Ego clandestin, pas vu, pas pris, pas compris, se compose comme un défaut de l'Autre, comme l'unité *passée sous silence* des travaux du ressentiment : il se constitue sous le regard réflexif *pour ne pas être regardé*, il est à l'horizon de cette négativité rongeuse qui, sans jamais se poser pour soi, vampirise l'Alter Ego en lui empruntant son efficacité pratique pour mieux lui voler ses fins. Tout est clair : voué à la passivité, aliéné à l'orgueil, l'ambition Flaubert condamne ses insuffisances, la subjectivité vécue dans la spontanéité refuse l'*être-relatif* qu'on lui impose ; la soumission est feinte parce qu'elle est impossible mais l'inertie acquise lui interdit la révolte : il n'a pas les moyens de *s'opposer*, de contester, de manifester le négatif. En ce sens, le refus, chez lui, n'est pas affiché, la négativité n'est jamais rupture franche ni dépassement visible. Elle se cache dans la pâte et la travaille en profondeur. Gustave, comme *personne*, ne peut être, bien sûr, que la négation de son être *reçu* mais celle-ci — infériorité niée, vassalité niée, relativité niée — n'est que le gouvernement secret de sa passivité. J'appellerais volontiers son Ego, la tache aveugle de son regard réflexif.

Ces remarques éclairent d'un jour nouveau le fatalisme précoce de Gustave : c'est la croyance qui fonde l'idéologie du ressentiment ; cela veut dire que toutes les pensées particulières se formeront par dépassement spontané de quelques schèmes — contenus et maintenus dans le dépassement qui les particularise — dont chacun (« le pire est toujours sûr », « le monde, c'est l'enfer », « ἀνάγκη, cette divinité sombre et mystérieuse... rit dans sa férocité en voyant la philosophie et les hommes se tordre dans leurs sophismes pour nier son existence tandis qu'elle les presse tous de sa main de fer[1] ») n'est lui-même que l'expression de ce fatalisme fondamental. Cela, nous le savons déjà. Mais nous avons pris pour accordé, jusqu'ici, que Gustave, comme il le répétait, était *affecté* (ou infecté, comme on voudra) de la croyance première, que c'était une vision du monde induite, imposée par son expérience, une lecture — singulière certes mais adéquate — d'un vécu presque insoutenable. Tout au plus envisagions-nous qu'une intention téléologique structurait cette foi au niveau de l'extrapolation (l'enfant-martyr ayant besoin, pour diminuer sa honte, de penser : « Je ne suis pas fait pour vivre mais tout le monde est ainsi »). Or, en réexaminant les données originelles, c'est-à-dire les structures de la famille Flaubert, nous sommes bien obligés de constater que le fatalisme de Gustave ne peut en résulter mécaniquement : la disgrâce, vers sept ans, a été indubitablement un véritable traumatisme ; à cet âge s'est formée en lui cette « fêlure »[2] qui, de toute manière, le promettait à l'exil, aux « léthargiques mélancolies ». Mais, enfin, pour pénible qu'elle ait été, cette situation ne pouvait, par elle-même, décider de la possibilité ou de l'impossibilité d'être vécue. Quand Gustave, au moment de la Chute, découvre dans l'éblouissement « un pressentiment complet de la vie », c'est-à-dire quand il fait sa première prophétie, il n'est pas concevable qu'il hypothèque ainsi jusqu'au bout son avenir

---

1. La première formule se trouve dans une lettre à Ernest ; la seconde dans *Voyage en enfer*, la troisième dans *Un parfum à sentir*.
2. En fait le mot est de Baudelaire qui l'applique à son propre mal — fort différent de celui qui ronge Gustave — mais, pris dans sa généralité, il peut servir ici.

sans que sa conviction soit un parti pris, c'est-à-dire : sans qu'elle enveloppe un serment. L'enfant s'engage ; comme un amant qui dit : je t'aimerai toujours, remplaçant l'impossible certitude par un vain effort pour *instituer* l'avenir, Gustave se jure que le pire sera toujours sûr, ce qui implique une accélération constante de sa vie (ou sénescence précoce) liée à l'accroissement constant de ses malheurs (si le pire doit être toujours sûr, ce que je vivrai demain sera plus insupportable que ce que je vis à présent). Toutefois, ce serment ne peut être explicite et « sorti », comme ceux qu'on fait sur la Bible : ce serait révolte et commencement de praxis ; au reste, celui qui engage l'amant est lui-même fort ambigu : il se donne à la fois comme un acte influençant mystérieusement l'avenir, ouvrant un cycle (de ce point de vue, il se pose pour soi : « Jure-moi que tu m'aimes, que tu m'aimeras toujours ») et comme la simple constatation d'une irréversibilité, d'une institutionnalisation subie de la temporalité. J'ai parlé de cela ailleurs, rangeant, du coup, ces objets de la réflexion assermentée au rang des *probables*. Pour Gustave, le serment est moins visible encore par la raison qu'il ne peut se montrer sans se détruire ; le petit garçon, dépité, malheureux ne peut évidemment *se dire* : « Puisque mon père m'a rejeté, j'ai l'intention de vivre *tout au pire*, de pousser en chaque circonstance particulière ma souffrance à l'extrême et d'user de mon passé pour rendre mon présent plus intolérable encore, soit que mes nerfs, exaspérés par les anciennes douleurs, ne puissent supporter les nouvelles soit, pire encore, qu'ils soient usés, vieillis et ne réagissent plus. » Dire : cela sera par mon application constante, c'est avouer que, sans elle, cela ne serait pas. Par chance, la situation de l'enfant — telle qu'il se la représente — est difficile et déplaisante incontestablement : la Chute qui l'a traumatisé, c'est bien l'Autre qui l'a provoquée ; la première hypothèque sur l'avenir, elle est née de l'impatience irritée d'un père (« Tu ne feras jamais rien ! » et autres sottises fort classiques : les colères d'Achille-Cléophas étaient célèbres et tous ses étudiants en pâtissaient) ou de son inquiétude trop affichée. Contre elles, l'enfant sent qu'il ne peut rien : sa passivité lui interdit toute contestation. Reste donc, à travers la soumission, cette croyance que tout sollicite et dont il s'affecte par un invisible parti pris : je serai l'idiot que tu veux que je sois, je m'arrangerai pour pousser l'échec, en tout cas, à l'extrême et pour en souffrir plus que n'importe qui ne le ferait à ma place. La malédiction d'Adam, c'est Adam qui la prend à son compte : Adam se maudit en douce et s'assigne un destin de misère pour transformer le blâme du Tout-Puissant en sentence inexorable et fatale. Gustave, humilié, profondément blessé par sa disgrâce préfère, en se maudissant au nom d'Achille-Cléophas, la vivre comme une malédiction paternelle : c'est refiler la culpabilité originelle à son Géniteur. Cela sera d'autant plus facile que les certitudes lui sont interdites : il ne fait que croire ; or toute croyance implique une intention téléologique. Sollicitée, jamais imposée, chacune est le résultat d'une autosuggestion, conduite que nous décrirons un peu plus tard. Ainsi le pessimisme de Gustave est une option de son activité passive : puisqu'il vit dans le malaise et n'en peut sortir, il s'engage tacitement à choisir toujours la politique du pire pour rendre, à chaque instant, son Géniteur un peu plus coupable, pour *se* rendre victime toujours plus innocente. Le monde est à Satan, soit : mais Satan, c'est lui-même, c'est ce serment forcené de l'orgueil et du ressentiment, puisqu'il ne peut être le premier, de se faire le dernier en tout, de se laisser couler au plus bas, sous prétexte de se soumettre à un Seigneur noir qui n'existe pas.

Pour mieux comprendre la démarche de la « pensée de ressentiment », voyons comment Gustave procède quand il écrit *Un parfum à sentir*, sa première nouvelle lyrique, cherchons les intentions avouées du narrateur et, entre les lignes, celles qu'il tait mais qui sont impliquées nécessairement par le récit. Le jeune auteur commence, en effet, par nous exposer son dessein : *Un parfum* est expressément dirigé contre les « philanthropes »; entendons : contre les gens de bien, les optimistes qui croient encore qu'on peut améliorer le sort du genre humain. Des réformistes, en somme, partisans d'une prudente *évolution*. Bon, eh bien, l'auteur va leur raconter une histoire qui leur prouvera la vanité de leurs espoirs : on ne sauvera point l'homme à la petite semaine par des aménagements ; il faudrait par une impossible *révolution* l'arracher d'un coup et pour toujours aux griffes du Diable. Il se propose, nous dit-il, de « mettre en présence et en contact la saltimbanque laide, méprisée, édentée, battue par son mari, la saltimbanque jolie, couronnée de fleurs, de parfums et d'amour (et de) les faire déchirer par la jalousie jusqu'au dénouement qui doit être bizarre et amer ». Voilà les bien-pensants mis en face de la vérité qu'ils se dissimulaient : l'homme est malheureux et méchant ; on ne le changera pas : « Quels remèdes apporteraient-ils aux maux que je leur ai montrés ? Rien, n'est-ce pas ? Et s'ils trouvaient le mot, ils diraient "ἀνάγκη". »

Le thème paraît clair : contre ces optimistes dont on nous dit aussi qu'ils sont des « savants » l'option du ressentiment c'est que *tout est irréparable*. Mais nous remarquons tout aussitôt que Gustave nous rapporte inexactement le sujet qu'il veut traiter : deux rivales ? déchirées toutes deux par la jalousie — donc, d'une certaine manière des égales unies par une réciprocité antagonistique, par le mal que chacune fait à l'autre ? Il n'est pas question de cela dans le corps du récit : deux femmes, oui ; deux rivales, non. Marguerite seule est déchirée : on lui souffle son mari sous ses yeux. Mais Isabellada, invulnérable plénitude, incarnation de la Beauté, comment souffrirait-elle ? Pedrillo est à ses pieds sans qu'elle ait eu besoin de lever même un doigt ; du reste elle est trop ambitieuse pour aimer ce saltimbanque et nous savons qu'elle le laissera tomber aussi sec, pour se vendre à un grand seigneur ; l'adolescent s'est-il trompé sur le sens de sa fable ou bien a-t-il changé d'idée en cours de route ? L'une et l'autre conjecture sont insoutenables puisque, dans la même phrase, Gustave les fait rivales et laisse voir que la jolie saltimbanque « couronnée d'amour » n'est qu'un splendide et glacial instrument de supplice pour l'autre, le laideron « méprisé et battu » ; bref quand il prétend les affliger d'une même souffrance, il a déjà conçu les deux créatures et le rapport univoque qui les unit. En vérité, nous avons ici un excellent exemple de l'insincérité qui caractérise la pensée de ressentiment. Si le malheur des hommes est l'objet d'une planification rigoureuse, alors il faut que tout le monde souffre, Isabellada tout autant que Marguerite. C'est pour cela, du reste, que, mieux averti, il choisira bientôt, ce bourreau, une victime d'élite, Mazza, dont le corps superbe sera la cause directe de ses malheurs. En enfer, la beauté ne peut sauver personne. Mais, au temps de ses premières nouvelles, Gustave n'a pas le moyen de rationaliser son pessimisme : l'universalisation n'est encore que de façade et le vrai sens de la nouvelle se dissimule mal : en créant Marguerite, Gustave rend cet « *indisable* » décret : l'Enfer est pour moi seul. Indisable, impensable, cette option ne peut être que parasitaire : ce qui implique que Gustave aménage et truque son discours *pour* qu'elle le vampirise. Il ne peut donner à l'œuvre son sens véritable qu'en *disant autre chose*.

C'est ce que nous verrons mieux encore en étudiant la suite du récit. De fait le thème principal nous était présenté d'abord sous sa forme *noire* : l'humanité, depuis la Chute, est perdue sans recours. Mais voici, tout à coup, que l'auteur change de propos ou plutôt qu'il nous dit son intention de tirer du même thème une conséquence positive ou « blanche » : il va innocenter tous les per-

sonnages. Il s'agit de « faire demander au lecteur : à qui la faute ? ».
La réponse, il se hâte de nous la donner :

« La faute ce n'est certes à aucun des personnages du drame.

« La faute c'est aux circonstances, aux préjugés, à la société, à
la nature qui s'est faite mauvaise mère...

« La faute c'est à l'"*ανάγκη*". »

On nous propose ici deux explications opposées : la première,
je l'ai déjà fait remarquer, pourrait être celle du docteur Flaubert ;
ce qui est sûr, c'est qu'elle met en cause le déterminisme mécaniste :
circonstances, préjugés, société, nature ; explication en extériorité.
Est-elle valable pour Gustave ? Sûrement pas : les préjugés n'ont
rien à faire ici ; la Société, on peut la rendre responsable de la misère
des saltimbanques : mais, bien que cette misère soit présente à chaque page, ce n'est pas elle et pas davantage le mépris où l'on tient
les baladins qui sont à l'origine du drame : celui-ci naît du physique de Marguerite ; et le dégoût sexuel que la pauvre femme suscite en son mari, Gustave est convaincu qu'il ne s'agit pas d'un
préjugé : la preuve, c'est l'horreur que la laideur lui inspire. Reste
la Nature. Mais laquelle ? Celle du docteur Flaubert ? En ce cas le
physique de Marguerite est *fortuit*. Donc il ne faudrait point chercher un coupable mais déclarer que l'idée même de culpabilité est
un leurre. Mais ce n'est pas le propos de Flaubert qui *incrimine*
cet agrégat d'atomes, la société du mécanisme, et qui personnalise
la Nature pour lui reprocher de « *s'être faite marâtre* » en engendrant Marguerite. Nous voyons par quelle inflexion il passe du
second paragraphe — dont le sens devrait être : la notion chrétienne
de faute est à démystifier — au troisième qui prétend n'être que
le développement du précédent alors qu'il le contredit pleinement
puisqu'il substitue au monde inhumain du mécanisme un cosmos
régi en intériorité par un *coupable anthropomorphique*, par une
divinité sombre et mystérieuse qui veut tout expressément le Mal
et la Souffrance des hommes. Tout se passe comme s'il écrivait
d'une même plume : « Les hommes produisent leurs malheurs par
rencontre, leurs caractères, leurs passions, leurs intérêts s'affrontent au hasard et le Mal est un désordre constant sans préméditation ; le Mal résulte d'un plan qui s'étale sur des millions d'années,
une volonté sombre et mystérieuse a tout arrangé pour que chacun
fût pour soi-même et pour les autres le bourreau le plus exquis. »
Ce qui marque à nouveau, selon moi, la pensée de ressentiment :
il expose *d'abord* la thèse rationaliste pour l'assimiler secrètement
à son fantasme rancuneux ; il suffit pour cela qu'on transforme,

en douce, hasard en *fatum*. On notera qu'il ne s'agissait pas tant d'innocenter les protagonistes que de trouver un responsable au sommet de la hiérarchie ; quelqu'un qui ait fait ce crime : le monde. Mais si cette sombre divinité est toute-puissante, si c'est elle qui impose sa loi, d'où vient qu'on puisse la réputer coupable : au nom de quel Bien les hommes, esclaves dociles de cette volonté souveraine, peuvent-ils la condamner comme *mauvaise* volonté ? Parce qu'elle veut leur souffrance ? Mais si c'est la Loi, ils ne peuvent que l'adorer. Tout est renversé : le Mal, c'est la substance, le Bien n'en est qu'un accident parasitaire qui se définit par la conscience de sa parfaite vanité.

Voici donc le plus haut coupable, la Fatalité — ou hasard mécaniste transformé par le ressentiment en volonté du pire. Les personnages de la nouvelle sont-ils, pour autant, acquittés ? Le jeune auteur le proclame. Mais regardons-y de plus près. Isambart, nous le savons, est un sadique. Il peint « avec chaleur » à la pauvre Marguerite l'amour de Pedrillo pour Isabellada, « leurs entrelacements dans le lit nuptial »... Il ajoute : « Je sais bien, tu ne m'as jamais rien fait, tu es peut-être meilleure qu'une autre mais enfin tu me déplais, je te souhaite du mal, c'est un caprice ! » Sur quoi, le voilà parti, satisfait d'avoir nui et « riant aux éclats ». À ce moment-là, notons-le, « depuis deux ans... tous vivaient heureux, tranquilles, sans souci, mangeant le soir ce qu'ils avaient mangé tout le jour, *Marguerite seule était malheureuse*[1] ». Bref, Isambart est méchant sans avoir l'excuse de la misère. Et sa méchanceté le fait jouir : voilà bien le contraire d'un damné ; il y a des damnés en Enfer, mais il y a aussi des démons tourmenteurs. Si le monde est le royaume de Satan, il a des hommes de main, des bourreaux qui ne sont jamais victimes. Isambart est de ceux-là. Isabellada, consciente de sa beauté, fait, sans jamais souffrir, le malheur de Marguerite et, plus tard, celui de Pedrillo : elle aura sa récompense, la belle démone deviendra « grande dame ». Ces deux-là sont au Diable, n'en doutons pas. De l'autre côté, il y a les hommes : un couple de damnés. La femme est laide. Mais le mari — incarnation d'Achille-Cléophas — n'est pas bon. Ecoutons ses enfants : « Il est toujours comme ça... n'ouvrant la bouche que pour nous dire des choses dures et qui font mal à l'âme. Oh ! il est bien méchant ! Notre pauvre mère, au moins, elle nous aimait, celle-là... Comme il la battait, dit Auguste, parce qu'il disait qu'elle était laide. Pauvre femme ! »

---

1. C'est moi qui souligne.

Voilà donc un méchant homme : il bat ses enfants, trouve des mots qui « leur font mal à l'âme » ; il bat sa femme et l'insulte. Il fera pis, prendra une maîtresse, obligera Marguerite à vivre sous la même tente et, comme elle ne peut le supporter, il la jettera dans la cage aux lions : quand Gustave l'en retire, elle est vivante mais ils l'ont déjà un peu mangée. Pourtant c'est un bel homme, ce saltimbanque, il est fort, il se croit aimé. D'où lui vient sa méchanceté ? On nous le dit : c'est la misère. Une nuit d'hiver, tout le monde claque des dents sous la tente, le baladin « repousse fortement son fils et le pauvre enfant s'en alla coucher en pleurant. Pedrillo souffrait autant que lui et des mouvements convulsifs faisaient claquer ses dents :

« — Comme tu l'as rudoyé, dit Marguerite.

« — C'est vrai.

« Il resta dans une rêverie profonde et comme endormi dans des pensées déchirantes. »

Sur quoi rêve-t-il ? Sur le malheur de l'homme, victime et bourreau, tout ensemble ? C'est possible. Et Gustave feint de l'excuser. Mais on notera que Marguerite, au même instant, souffre plus que lui du froid, de la misère : elle vient de quitter l'hôpital et n'est pas même guérie ; en outre elle a subi l'humiliation la plus atroce et la conscience de sa laideur ne la quitte jamais : elle se soucie de ses enfants, pourtant, et ne supporte pas que leur père les brutalise. Il y a donc entre les ennuis de Pedrillo et la violence brutale de ses réactions une disproportion certaine : ni la perfidie trop souvent commentée de Dupuytren ni les soucis ni le surmenage ne justifient tout à fait les folles colères d'Achille-Cléophas ni son art diabolique de trouver des mots qui « blessent l'âme » de son fils cadet ; glorieux, souverain, aimé, le chirurgien-chef est partiellement responsable de sa nervosité, de ses exaspérations, de ses duretés ; sa méchanceté n'est pas excusable dans la mesure où elle n'est pas le pur produit de son Destin. Le *Fatum* a bon dos, comme on voit : chez le chirurgien-chef il y a une certaine autonomie de la mauvaise volonté.

Ainsi, quand Gustave prétend acquitter tous les personnages, il s'arrange pour les condamner. Tous sauf un. Marguerite n'est pas mauvaise de naissance : « Elle n'avait demandé au ciel qu'une vie d'amour, qu'un mari qui l'aimât, qui comprît toutes ses tendres affections et qui sentît toute la poésie qu'il y avait dans ce cœur de baladine. » À la différence des autres, le Mal n'est pas son choix originel. Gustave répétera toute sa vie : « J'étais né si tendre et les hommes m'ont rendu méchant. » Elle s'aigrira, sans doute, mais qui pourrait le lui reprocher ? Le *Fatum* l'a choisie pour être la *victime absolue*. Précisément parce qu'elle est bonne. Ou, si l'on préfère, il l'a *constituée bonne* dans le dessein de la faire souffrir à l'extrême et de montrer en cette Justine la Vertu punie comme, en Isabellada, cette Juliette, le Vice récompensé. Bonne, dira-t-on, mais laide : c'est la présence simultanée de ces deux caractères en une même personne qui la plonge dans le désespoir. Chez Sade, au contraire, Justine est belle, en tout cas désirable : aussi c'est l'acte vertueux qui suscite, directement et sans intermédiaire, son propre châtiment. Mais est-on sûr que la médiation par la laideur ne cache pas, chez Gustave, une indisable pensée de ressentiment ? Certes, chaque fois que le jeune auteur prend la parole en son propre nom, il nous présente la disgrâce physique de Marguerite comme une inerte détermination que la Nature marâtre ou le *Fatum* lui ont infligée, un *a priori* qu'elle se doit d'intérioriser et d'assumer au cours de sa calamiteuse existence. Mais quand il parle au nom de son personnage ? Ce que Marguerite pense elle-même de sa propre laideur n'est-ce pas *aussi* le sentiment de Gustave ? Un sentiment d'autant plus clairement exprimé que l'auteur, déclinant toute responsabilité, nous le présente comme une réaction subjective de sa créature ? Que dit-elle, Marguerite, quand elle voit passer « une femme gracieuse, au doux sourire, aux yeux tendres et langoureux, aux cheveux de jais » ? Eh bien, elle l'envie et la déteste et finit par s'écrier : « Qu'aurait-il fallu pour qu'elle fût comme moi ? Des cheveux d'une autre couleur, des yeux plus petits, une taille moins bien faite et elle serait comme Marguerite ! Si son mari ne l'avait point aimée, l'avait méprisée, l'avait battue, elle serait laide, méprisée comme Marguerite. » On a bien lu : si son mari ne l'avait point aimée, elle serait laide. Certes la pensée de Flaubert est plus complexe : Marguerite reconnaît objectivement que la jeune passante a des yeux plus grands, une taille mieux faite, de beaux cheveux ; à ces caractères physiques, on ne peut rien changer : les gros mollets, la taille épaisse, les cheveux rouges seront pour toujours le lot de la pauvre saltimbanque. Mais l'autre ? On aura noté que Gustave n'insiste guère sur ses appas. Des cheveux de jais, soit. Mais ce que Marguerite lui envie c'est sa grâce, la douceur de son sourire, la tendre langueur de ses yeux, bref des conduites, une démarche, un air de tête, des expressions qui traduisent la calme confiance de la femme aimée et parviennent quelquefois à remplacer la beauté. Marguerite est disgracieuse, maladroite, son visage exprime la peur, le dégoût de soi, ses yeux sont rouges et gonflés de larmes par la seule raison qu'elle n'est point aimée? Pouvait-elle l'être? Oui : voilà ce qu'insinue le ressentiment (sans quitter, bien entendu, la forme négative). Elle avait de graves défauts physiques : c'est vrai. Mais Pedrillo pouvait et devait passer sur ces détails : il fallait qu'il l'aimât pour « la poésie que contenait son cœur de saltimbanque » ; c'était lui donner la grâce et le charme : elle eût absorbé cet amour et l'eût rendu à tous, à Pedrillo lui-même, par la douceur de son sourire, par la langueur de ses regards. Nous nous rapprochons de Sade : Pedrillo donne la laideur à sa femme pour la châtier d'avoir une âme, d'être un parfum à sentir plutôt qu'une belle fleur à voir ; s'il lui refuse la grâce, c'est qu'elle était digne d'en avoir ; s'il la méprise et la bat, c'est qu'elle l'aime. Et c'est l'âme aussi, c'est la puissance infinie de souffrir que déteste en elle Isambart. Il n'est que de traduire : on donne en exemple au pauvre Gustave un jeune et brillant élève, qui remporte tous les prix. Il répond : « Si son père ne l'avait point aimé, s'il l'avait humilié sans cesse, il serait bête et méprisé comme Gustave. » Bien sûr, il reconnaît ses insuffisances, son étourderie, ses torpeurs, une certaine inertie : mais ce qui était digne d'amour, en lui, cette puissance poétique qui, dès sa petite enfance, le ravissait dans des extases indicibles, c'est cela précisément qui a indisposé la précision chirurgicale d'Achille-Cléophas. Ce médecin aime ces belles machines, les intelligences scientifiques, comme Pedrillo aime les beaux corps sans âme. « Mon père m'a détesté dès qu'il s'est aperçu que j'avais une âme ; l'eût-il aimée, je serais prix d'excellence. »

Tel est le ressentiment : fuyant, insaisissable, omniprésent. Gustave a commencé par un non-lieu général. Mais, à peine a-t-il déclaré : la faute n'est à personne, il commence une enquête policière sur la famille Flaubert au terme de laquelle tout le monde est coupable à l'exception du fils cadet. Le Géniteur est trois fois criminel dans cette histoire : une première fois, sous la forme souveraine du *Fatum*, il a produit Gustave comme être-relatif pour son plus grand mal. Une seconde fois, incarné en Pedrillo et réduit aux dimensions humaines, il se fait complice du Père démiurgique en achevant le *job* par un travail en finesse exécuté sur l'innocent Gustave : de fait l'œuvre du Créateur était assez grossière, le cadet de famille, peu doué pour les sciences exactes mais poète, avait, si on l'eût aimé, quelques chances de s'en tirer. Achille-Cléophas, ce père empirique, se change en pauvre homme malheureux et méchant pour détester de près, minute par minute, cette victime absolue et lui ôter le peu de moyens que, Démiurge, il lui avait laissé. Une troisième fois, mais épisodiquement, ce père brutal et sec se montre criminel : non plus envers Gustave-Marguerite mais envers le même Gustave incarné par « les fils » du saltimbanque : en cette occasion, c'est l'*éducateur*, en lui, qui est coupable : soit qu'il blesse l'âme des enfants par des mots corrosifs, soit qu'il se fasse leur instructeur-bourreau. Voilà donc le « vrai » sujet de cette nouvelle : un règlement de compte ; le cadet met son père en accusation pour l'avoir mal fait, mal aimé, mal instruit. Il le punit, d'ailleurs, *sans le dire, par où il a péché* : sa faute était d'avoir préféré son aîné et, par une « comparaison », perpétuelle, affecté son fils puîné d'être *être-relatif*, autrement dit d'une *infériorité* fondamentale : son châtiment lui viendra de sa préférence même ; il tuera Gustave, certes, mais Achille le trahira. Ainsi le *Fatum* n'existe d'abord que pour *une* créature : c'est Achille-Cléophas, transformant la vie en destin pour le seul Gustave ; mais par cette iniquité, le père devient pour lui-même le *Fatum* : Pedrillo en aimant Isabellada a porté sentence sur lui-même et souffrira comme un chien ; ainsi fera bientôt Cosme. Ce Médicis est devenu Destin pour ses deux fils, comme on voit, par la double prophétie de la chiromancienne. Mais, du coup, il devient, à travers cet Abel et ce Caïn, le destin de sa *Maison*, c'est-à-dire son propre *destin*. *Un parfum à sentir* et *La Peste à Florence* prédisent la « Chute de la Maison Flaubert » ; elle aura lieu par la faute du cadet qui, tourmenté par Papa-Fatalité, se vengera en devenant, par son abolition, le *Fatum* de son propre père : les Flaubert vont disparaître et l'ambition paternelle sera bafouée. Par ses résultats ; cette famille est une machine à *feed back*. On voit que l'homme de ressentiment aspire à tirer vengeance de l'Autre par le Mal même que l'Autre lui a fait. Encore faut-il que cette aspiration se cache : proclamée, ce serait une révolte, c'est-à-dire une *opposition* ; il n'y a *rien à opposer*, ici, à une volonté paternelle souveraine qui s'accomplit et, par là même, révèle sa *vérité* qui était de courir à sa perte en s'accomplissant : le ressentiment se veut passif, docilité, absence : Gustave n'est pas, n'est que l'inerte médiation entre le père et soi-même. Achille-Cléophas sera plus rigoureusement puni si son malheur, au lieu de naître d'une résistance imprévue, vient au contraire de la docilité, de la flexibilité du monde et, par conséquent, de la simple réalisation de sa volonté : ainsi le *Fatum* sera intérieur à cette volonté même. Mais cette vengeance ne peut avoir lieu que si Gustave, sans être dans le secret de ce qu'il fait, porte tout au pire, implacablement. S'acharner sur

Marguerite, c'est tourmenter Pedrillo ou préparer de loin ses tourments. Vengeance passive, passée sous silence ; acharnement rancuneux à pousser au pire ce qu'on l'a fait sans la moindre concession : destin inventé par mauvaise volonté et refus permanent d'être consolé, tel est le ressentiment, perfide soumission destructrice du fils au père dont le fils sait et ne veut pas savoir que celui-ci n'en demande pas tant.

Si telle est l'intention fondamentale de la nouvelle réalisation quasi onirique du châtiment tant désiré d'un père par la destruction systématique d'un fils — que faut-il retenir de ce que nous a montré l'analyse régressive ? Est-il encore vrai que Marguerite représente la haine de Gustave pour lui-même ? Qu'il l'a faite hideuse parce que la laideur représente ce qu'il déteste le plus ? Faut-il retenir encore qu'il aime le sadisme d'Isambart et tourmente Marguerite pour le plaisir, oubliant qu'il s'y est mis tout entier ? Et ces passages où l'auteur nous la montre *responsable* de sa laideur, peuvent-ils garder leur sens quand, par ailleurs, c'est Pedrillo qui en porte la responsabilité ? Je réponds sans hésiter qu'il faut *tout* conserver. D'abord parce que la pensée de Flaubert est complexe : c'est vrai qu'il ne s'aime pas, qu'il vit en porte à faux, dans le malaise ; c'est vrai qu'il a, par éblouissement, en mainte circonstance, le sentiment ambigu d'être tout à la fois l'innocente victime des insuffisances qu'on lui a infligées et d'en porter l'entière responsabilité. Par cette raison, il a inventé le personnage de Marguerite, le laideron qui doit intérioriser sa laideur instituée : c'est ce qui lui permet à la fois de la regarder avec les yeux des autres, de partager leur sadisme[1] et de la voir avec ses propres yeux, comme il se voit. Le ressentiment n'apparaît que dans l'exploitation systématique de ses malheurs, que dans la folle entreprise de les pousser à l'extrême pour tirer vengeance de son père en réalisant la malédiction d'Adam, tout en se sauvant, dans un naufrage nonpareil, par la grandeur de ses souffrances, marque négative de sa magnanimité. C'est ce qui nous donne un deuxième motif pour conserver tous les aspects — même quand ils se contredisent — de ce conte fruste et profond. Le malaise, l'ambiguïté des sentiments, la honte, la rage, la fuite dans l'hébétude, la culpabilisation constante de Gustave, c'est le *pathos*, manière de subir la situation, de vivre le vécu, inten-

---

1. Quand Isambart révèle à la malheureuse qu'il a envie de lui jeter de la boue sur sa robe, de lui tirer les cheveux, de lui écraser les seins, soyons sûrs qu'il s'agit là de désirs *sexuels* que suscitent en Gustave certaines femmes *trop* laides.

tionnelle, certes, mais sans objectif défini ; le ressentiment, c'est une *activité passive* : intention, moyen, fin, tout y est ; mais tout est caché, *secondaire* ; c'est une *manipulation du pathos*, une hyperbole secrète qui lui donne son sens et son orientation par l'exagération même de la manière de vivre et qui temporalise le vécu en le dépassant vers le pire, non certes par la volonté mais par la croyance et l'angoisse. Ainsi l'activité passive a besoin du *pathos* — ou situation subie — pour le vampiriser. Je me suis attardé sur cette nouvelle polyvalente dont le ressentiment n'est qu'un sens — le plus caché, le seul qui se définisse tacitement comme projet — parce qu'elle donne à voir ce que sera désormais — sauf quand il éclate en vaines violences verbales — la pensée de Gustave : insincère, évasive et toujours à double fond. Nous en verrons bientôt un autre exemple en relisant, dans *Madame Bovary*, le portrait du docteur Larivière.

G. — LE MONDE DE L'ENVIE

Pour désirer, nous l'avons vu, il faut avoir été désiré : faute d'avoir intériorisé — comme une affirmation première et subjective de soi — cette affirmation originelle dans l'objectif, l'amour maternel, Gustave n'affirme jamais ses désirs ni ne les tient pour réalisables : n'ayant point été valorisé, Gustave ne leur reconnaît aucune valeur ; créature de hasard, il n'a point le droit de vivre et, conséquemment, ses désirs ne comportent point en eux le droit positif d'être assouvis : ils s'étiolent, vagues humeurs passagères qui hantent sa passivité, et disparaissent, la plupart du temps, sans qu'il songe à les satisfaire. Autant dire que cette âme austère ne convoite rien spontanément. Pourtant elle est rongée par le négatif du désir, par l'envie : les biens de ce monde, quand il peut les acquérir, ne le tentent guère ; pour qu'ils suscitent sa concupiscence, il faut qu'ils appartiennent aux autres ; il joue perdant, il le sait : ce qu'ils ont, il ne l'aura jamais et, quand on lui donnerait l'équivalent de ce qu'ils possèdent, on n'apaiserait point sa fureur jalouse : ce qu'il réclame, au fond, ce n'est point un objet, c'est le droit d'être propriétaire, la *valeur* qui s'affirme en chacun d'eux à travers l'appropriation et la possession, bref un être-dans-le-monde *institué* dont il se sent frustré de naissance. Tout ce qui est à autrui le fascine douloureusement, tout ce qu'il a se ternit entre ses mains parce qu'il n'a jamais le sentiment de *posséder*.

Adulte, Flaubert déclare à plusieurs reprises, dans sa Correspondance, qu'il déteste les envieux. Mais nous commençons à le connaître : en vérité, c'est l'envie qu'il déteste parce qu'elle le dévore et ruine sa vie. Peut-être aussi se croit-il avili par cette humeur jalouse et projette-t-il chez les autres cet avilissement sans cesse refusé et subi. Mais, entre sa quatorzième et sa vingtième année, plus lucide ou plus sincère, il en affecte explicitement toutes ses incarnations[1]. Quand, dans *Un parfum à sentir*, Marguerite « voit passer en chapeau une femme honnête... l'envie lui prend le cœur ». Elle se dit : « Pourquoi ne suis-je pas comme elle ? » Et Garcia, s'il souffre tant, c'est qu'il est tourmenté par « une sombre et ambitieuse jalousie ». Dans *Rêve d'enfer*, Satan gémit de « haine jalouse ». Il va jusqu'à dire : « J'envie l'homme, je le hais, j'en suis jaloux. » Et Djalioh ? « Lorsqu'il pensait à lui, pauvre et désespéré, les bras vides, le bal et ses fleurs, et ces femmes, Adèle et ses seins nus et son épaule et sa main blanche, lorsqu'il pensait à tout cela, un rire sauvage éclatait dans sa bouche et retentissait dans ses dents comme un tigre qui a faim et qui se meurt ; il voyait dans son esprit le sourire de Paul, les baisers de sa femme ; il les voyait tous deux étendus sur une couche soyeuse, s'entrelaçant de leurs bras, avec des soupirs et des cris de volupté... et quand il reportait sa vie sur (lui-même)... il tremblait ; il comprenait aussi la distance... qui l'en séparait... » Mazza, elle, « passe du dégoût à l'amertume et à l'envie » : « Quand elle voyait dans les jardins publics des mères avec leurs enfants, qui jouaient avec eux et souriaient à leurs caresses et puis des femmes avec leurs époux, des amants avec leurs maîtresses et que tous ces gens-là étaient heureux, souriaient, aimaient la vie, *elle les enviait et les maudissait* à la fois. »

Dans chacun de ces récits, on trouve, fruste mais pénétrante, la même description de l'envie *comme processus* : pour Gustave, en effet, ce n'est pas un inerte défaut de l'âme mais un mouvement qui va du particulier au général en passant par trois paliers distincts. Un envieux, selon lui, ça se fabrique : né d'une frustration, ce sentiment s'adresse d'abord au seul usurpateur. Avec le temps, il s'universalise : le mal-aimé envie tout le monde et se sent frustré de tous les bonheurs qu'ont les autres. Pour finir, si le malheur persiste, l'envieux devient un *méchant*. Marguerite ne souffre d'abord que par Isabellada qui lui a volé son mari ; elle jalouse la beauté de sa

---

1. L'envie est un des rares sentiments qu'il décrit dans les œuvres autobiographiques avec autant de « franchise » que dans ses premières nouvelles.

rivale : « C'était le souvenir de la danse d'Isabellada qui lui faisait mal, tous ces applaudissements pour une autre, tous ces dédains pour elle. » Mais, à force de souffrir elle en vient « quand elle voit une femme gracieuse, à se moquer de la foule qui l'admire : qu'aurait-il fallu pour qu'elle fût comme moi ! ». Il ne lui reste plus qu'à « souhaiter aux riches les calamités les plus grandes », qu'à « rire des prières des pauvres » et qu'à « cracher sur le seuil des églises ». Chez Mazza, la démarche est la même ; sans doute l'usurpateur fait défaut : Ernest ne lui préfère personne ; il la frustre, tout simplement, parce qu'il n'est pas à la hauteur de son amour. On trouvera d'autant plus frappante la similitude des réactions. Le premier palier est sauté, on passe tout de suite au second : malheureuse, elle envie des bonheurs qu'elle méprise : « Elle les enviait et les maudissait à la fois ; elle eût voulu pouvoir les écraser tous du pied. » Or il s'agit — entre autres — de femmes qui jouent avec leurs enfants. Et Mazza ne songe qu'au meilleur moyen de se délivrer des siens qui l'empêchent de rejoindre Ernest. « Elle haïssait les femmes ; les jeunes et les belles surtout... » Mais justement elle *est* jeune et belle. Qu'est-ce à dire sinon qu'elle jalouse le bonheur *où* qu'il soit : elle a connu la douceur d'aimer ses enfants et quand elle voit des mères, sa jalousie prend la forme d'un regret. Mais pour rien au monde elle ne voudrait revenir en arrière : en fait elle *ne regrette rien*. Quant à ces belles jeunes femmes, que peut-elle leur envier sinon la paisible satisfaction que leur donne la conscience de leur beauté, fade plaisir que la forcenée méprise depuis longtemps ? En somme elle ne peut pas souffrir qu'il y ait des gens heureux où qu'ils soient, quoi qu'ils fassent, même s'ils puisent leur bonheur dans la médiocrité de leurs exigences. Ce qui l'exaspère, c'est leur relation subjective à l'objet possédé. La voilà méchante : comme Marguerite mais quelque vingt mois plus tard ; « elle crache en passant sur le seuil des églises ».

L'enchaînement des trois états est si rigoureux, on le retrouve si souvent dans les œuvres d'adolescence, qu'il faut bien attribuer ces mouvements passionnels à l'auteur lui-même. D'un conte à l'autre l'appronfondissement ne vient pas d'une enquête lucide et froidement réflexive mais d'une incessante rumination. Entre treize et dix-sept ans, cet enfant nous fait cette orgueilleuse confession : je jalouse et je déteste mon frère l'usurpateur, mes injustes malheurs m'ont conduit à envier tous les bonheurs, à prendre en aversion mon espèce, je suis méchant.

Il dit vrai : on l'a fait envieux d'un seul, il devient envieux de tous. Sa vie durant, le succès des autres lui arrachera des cris de rage. Quand Musset lit à l'Académie française son discours de réception, Gustave n'est qu'un jeune homme : il n'a ni l'âge ni le désir d'être académicien. Mais Louise — dont il n'est guère jaloux, pourtant — a été éblouie et le lui a écrit, peut-être pour le piquer. Cela suffit : il saute sur sa plume, fait une lettre de vingt pages, éreinte Musset. C'est qu'il a retrouvé, à travers les émois de sa maîtresse, l'injuste préférence paternelle, les injustes distributions de prix où ses camarades montaient sans lui sur l'estrade pour se faire couronner.

À présent, qu'est-ce qu'envier ? Gustave ne cesse de le répéter : c'est jouer perdant. Beaucoup plus tard, dans la seconde *Éducation*, il écrit : « Devant la loge du concierge, Frédéric (qui venait d'être "ajourné") rencontre Martinon, rouge, ému, avec un sourire dans les yeux et l'auréole du triomphe sur le front. Il venait de subir sans encombre son dernier examen. Restait seulement la thèse. Avant quinze jours, il serait licencié. Sa famille connaissait un ministre, "une belle carrière" s'ouvrait devant lui… *Rien n'est humiliant comme de voir les sots réussir dans les entreprises où l'on échoue*[1]. Frédéric (était) vexé. » Étrange réflexion, que seul peut faire un envieux. Il est humiliant pour tout le monde — plus ou moins d'ailleurs, selon le caractère constitué — d'échouer dans l'entreprise où l'on s'est jeté. Mais, à prendre les choses rationnellement — c'est-à-dire en rationalisant l'irrationnelle affectivité —, si la réussite des autres humilie, c'est qu'elle nous découvre leur supériorité : ils ont des capacités que je n'ai point, voilà le fait. D'autant plus agaçant que je sous-estimais mes rivaux. Si, par contre, je reconnais depuis longtemps les qualités de celui qu'un concours, qu'une élection, qu'une cooptation a désigné, si je le juge plus apte que moi à l'office qu'on lui a conféré, la modestie ou l'humilité — orgueil retourné — m'épargnent de le jalouser. Et, si je suis convaincu, par contre, d'avoir toutes les aptitudes requises et qu'il ne les a point — autrement dit si un groupe d'amis, ma famille, un certain milieu social me les reconnaissent —, je pourrai me sentir lésé dans mes intérêts, détester l'intrigant qui m'a supplanté, les examinateurs ou les notables qui se sont laissé prendre à son jeu, regretter — avec plus ou moins de mauvaise foi — pour l'entreprise ou pour le pays ce choix malencontreux : ce sera de la rage vertueuse, une indignation soutenue par mes proches, une

---

1. C'est moi qui souligne.

condamnation morale que je porterai de toute ma hauteur. Je *n'envierai pas* cet honneur volé, dans la mesure où je suis convaincu qu'il me revient de droit[1].

Au reste, il est rare qu'on se mette tout entier dans une entreprise : il faudrait accepter sans réserve l'ordre social qui l'impose. L'étudiant, par exemple, même lorsqu'il veut passer sa licence, faire une thèse, résiste plus ou moins à la culture octroyée, il méprise ou condamne certains de ses professeurs et n'ignore pas que le favoritisme ou la mauvaise fortune peuvent annuler ses efforts de l'année. S'il échoue et s'il tient réellement pour des sots ses camarades plus chanceux, pourquoi serait-il humilié *davantage* par leur succès ? Dira-t-il : « Si cet imbécile a réussi, c'est que je suis moins qu'un imbécile » ? Non. Mais au contraire : « C'est la preuve manifeste que ce mode de sélection est absurde, que les examens, tels qu'ils sont conçus, ne permettent pas de juger honnêtement les candidats. » J'en ai vu, recalés, que le triomphe des sots réjouissait : ils citaient le nom de tel ou tel lauréat réputé imbécile pour mieux disqualifier leurs juges.

C'est qu'ils n'étaient pas envieux ou qu'ils cachaient leur envie sous une rationalisation de surface. Pour l'envieux véritable, la réussite des sots est insupportable en toute circonstance. Loin de contester l'ordre social, il commence par l'accepter quel qu'il soit : les distinctions qu'on lui refuse et qu'on dispense aux autres, il reconnaît leur validité du fait même qu'on en juge dignes ses rivaux. Martinon est une bête, voilà le fait. Mais si Frédéric en concluait qu'il a bêtement répondu aux examinateurs, le système serait, du coup, disqualifié. Or le jeune recalé n'y pense pas, tout au contraire : il est convaincu que son rival a donné des réponses exactes aux questions posées et que, par conséquent, il méritait d'être reçu. On comprend sans peine que Flaubert pensait encore, à quarante-cinq ans, aux succès d'Ernest Chevalier. Au temps qu'ils faisaient leur droit, l'un et l'autre, et qu'Ernest, accroissant d'année en année son avance initiale, grimpait lestement tous les échelons, peu importait que Gustave se sentît « grand comme le monde ». Cette grandeur est vacuité : quelle piètre consolation en face de cette plénitude, des examens passés brillamment, une « belle carrière » ! Dès lors les lettres qu'il écrira au jeune substitut — bientôt

---

1. Et si l'envie se glisse — comme il arrive très souvent — dans notre hautaine attitude, c'est que nulle conviction n'est tout à fait entière et qu'il reste une incertitude en nous : et s'il méritait son poste ?

procureur — puent le ressentiment : il lui parle tout exprès le langage de la destruction, de l'anarchie, du Garçon, pour contester
la valeur d'une carrière qui lui faisait horreur mais qu'il ne peut
s'empêcher d'envier. C'est que, pour ressentir le triomphe d'un sot
dans la honte, il faut n'être point sûr que le triomphateur soit tout
à fait un sot. Mieux : il faut être si respectueux des honneurs et
des distinctions que la simple réussite sociale d'un autre devienne
la preuve de son intelligence. Si Ernest acquiert du mérite par son
succès, l'échec de Gustave affecte celui-ci jusqu'au fond de lui-
même : il le ressent comme une déperdition de substance. Il maintiendra pourtant qu'Ernest est un sot et lui parlera désormais sur
un ton protecteur : c'est qu'il se sent trop ulcéré pour s'incliner
devant le verdict des examinateurs. Il faut que son ami soit un sot
non pas malgré ce verdict mais *à cause de lui*. Du reste Gustave
ne prétend pas lui refuser l'intelligence : la bêtise d'Ernest vient de
ce qu'il prend au sérieux l'office qu'il remplit ; il croit à l'importance d'être Ernest. Flaubert va tirer à boulets rouges sur ce sérieux
bureaucratique. « Je voudrais... tomber un beau matin sur ton par-
quet pour casser et briser tout, roter derrière la porte, renverser
les encriers et chier devant le buste de S.M., faire enfin l'entrée
du Garçon. » Ce passage — il y en a cent autres — achève de nous
éclairer : les succès d'Ernest, on ne peut les nier mais il les remporte dans le monde étouffant de l'*Être*, de la pure positivité, il
y a droit, mais, du coup, ils le rapetissent en le déterminant comme
un mode fini qui s'attache à sa particularité ; voilà sa bêtise. Flaubert dépasse son camarade de tout son désespoir, de toute son
inquiétude, bref de tout le Non-Être qui est en lui. L'envieux, reconnaissant sa non-valorisation originelle, déclare à la fois : « J'ai
droit à ces honneurs, à ces biens, à cette gloire » et « Je n'y ai pas
droit ». Ou, plus rigoureusement : « J'y ai droit *parce que* je n'y
ai pas droit. » En poussant les choses à l'extrême — et l'envieux
ne peut manquer de les y pousser — il faudrait déclarer : j'ai droit
à tout parce que je n'ai droit à rien. La propriété ou la jouissance,
quand elles se manifestent *chez l'autre*, renvoient le jaloux à sa non-
valorisation : les autres sont faits pour posséder ; pas moi. Mais *précisément* ce premier mouvement de l'envie est suivi d'un second
qui tente de fonder un droit sur la non-valorisation.

Cette affection taquine est un bel exemple de l'attitude décrite
par O. Mannoni[1] dans son article « Je sais bien... mais quand

---

1. Communication à la Société française de Psychanalyse, novembre 1963.

même ». La réalité inflige un démenti à une croyance, elle-même fondée sur un désir. Le sujet *répudie* l'expérience et dénie la réalité, c'est la *Verleugnung* de Freud. Mais la réalité déniée demeure et reste ineffaçable : elle est disqualifiée plutôt qu'anéantie et le sujet ne peut conserver la croyance originelle sinon au prix d'une transformation radicale : « Le fétichiste, par exemple, répudie l'expérience qui lui a prouvé que les femmes n'ont pas de phallus mais il ne conserve pas la croyance qu'elles en ont un, il conserve un fétiche *parce qu'*elles n'en ont pas. » L'expérience de l'envieux, c'est que la société, à travers le groupe familial, lui a refusé la valorisation et le statut juridique qui en découle : il découvre sa non-valeur comme la vérité de son être-pour-autrui. C'est cette pure facticité non-instituée qu'il tente de répudier au nom de son être-pour-soi. Répudiée, elle demeure ; il faut donc la disqualifier : « *Je sais bien*, dit Garcia, qu'on m'a fait cadet donc laid, méchant, sot et lâche *mais quand même* j'ai droit à l'amour de mon père, à ses faveurs et à ses biens. » Relisons les curieuses insultes qu'il prodigue à son frère au moment de le tuer. « Tu as eu l'avantage jusqu'alors, la société t'a protégé, *tout est juste et bien fait* ; tu m'as supplicié toute ma vie, je t'égorge maintenant... Tu es cardinal, j'*insulte ta dignité de cardinal* ; tu es beau, fort et puissant. J'*insulte ta force, ta beauté, ta puissance*, car je te tiens sous moi... Tu ne savais pas, *toi dont la sagesse est si vantée*, combien un homme ressemble au démon quand l'injustice l'a rendu bête féroce[1]. »

Où est l'injustice ? Garcia ne conteste pas la *dignité* du cardinalat : la preuve en est qu'il l'*insulte*. L'insulter, c'est la reconnaître : elle est pure positivité ; Garcia, en la couvrant d'injures, ne l'affecte point : pas plus que ses crachats n'affecteraient le marbre d'une statue ; c'est lui-même qu'il affecte de négativité absolue : injuriant, vaincu, son inébranlable vainqueur, l'*Être*, il se fait lacune, impuissance double pour créer un domaine du Mal où l'insulte puisse naître comme inefficace négation du Bien ; c'est se perdre mais c'est échapper à l'*Être*. Du *point de vue de l'Être*, en effet, dans le domaine de la plénitude positive, tout est juste et bien fait. La dignité de cardinal a été conférée au mérite. François est beau, fort, puissant ; c'est l'aîné. Par-dessus le marché, il est *sage* : il sait lire le texte du monde et sonder les reins ; *pratiquement* sa connaissance des hommes lui permet de les manier donc il préférera, en tout cas,

---

1. C'est moi qui souligne.

les négociations à la violence, les actions modérées, modératrices. Tant qu'on en reste là, le cadet est perdant sur toute la ligne.

Mais, précisément, on ne peut en rester là : le positif crée le négatif qui est sa limite absolue ; la « sagesse » de François n'est clairvoyance que lorsqu'elle déchiffre des âmes médiocres et qui s'acceptent : elle ne peut comprendre le Non-Être — pas plus que le regard de Dieu ne peut déchiffrer les ténèbres de nos insuffisances et de notre finitude. Devant Garcia frustré dès sa naissance et qu'une insaisissable injustice a transformé en démon — c'est-à-dire en forcené du négatif —, cette sagesse est pure stupidité : comment François, qui de naissance a toutes les chances et tous les mérites, comprendrait-il la frustration ? — Mais si, par impossible, il venait à en connaître, ce ne serait pas sans éclater, sans se convulser en pessimisme : la sagesse est fondée à saisir le cosmos comme produit harmonieux d'une volonté bonne ; si elle pouvait deviner que ce Bien, que cette pure positivité engendrent l'infini du Mal et du Néant, elle se prendrait en horreur et détesterait l'Être du point de vue de la frustration, de la privation, de la rage qui sont nécessaires à l'harmonie du monde, bref du point de vue du Non-Être qui est la vérité de l'Être. Garcia, que les honnêtes gens ont constitué démon négateur, échappe par essence à François.

Il y a et il n'y a pas injustice : l'envieux ne prétend avoir aucune supériorité réelle et pratique sur le candidat le plus favorisé ; il sait que dans la société où il vit et qu'il *accepte*, personne ne lui en reconnaît. À considérer objectivement les capacités de l'élu ou ses états de service, il faut reconnaître que celui-ci était tout désigné pour le poste qu'on lui a confié ; quand Gustave s'irrite d'apprendre qu'un sot vient d'hériter, il sait parfaitement que cet imbécile était hoir de plein droit et depuis sa naissance. L'injustice est donc dans le fait que François a le mérite nécessaire pour obtenir certaines distinctions. Et, plus profondément, dans l'idée que la positivité seule est mérite. Bref, il faut que l'envieux change de terrain pour fonder son sentiment d'être spolié : le piège de l'*Être*, c'est que, tant qu'on l'accepte, tout paraît juste. Le crime, qui est refus de l'Être, en montre du coup la fragilité : la faiblesse profonde de la force, de la puissance, de la beauté, c'est qu'un crime peut les défaire ; on trouve ici, à propos d'un meurtre suicidaire, la définition du suicide que donnera *Saint Antoine* : l'abolition intentionnelle de la créature équivaut à la création. Sur le Néant qui engloutit ou engloutira tout ce qui est, sur la contestation permanente et objective des héritiers par l'existence même des déshérités, sur le vide qui est irrépressible besoin, ce texte de *La Peste à Florence* — qui devrait être le bréviaire des envieux — fonde une juridiction noire qui donne aux démérigants, aux sans-droits, des droits invisibles et nocturnes, en affirmant la suprématie du négatif. L'opération est radicale — et, bien entendu, elle se fait dans la mauvaise foi : on reproche à Garcia son *moindre-être*; il radicalise la sentence et se donne pour le *non-être* en poussant jusqu'au bout la négation contenue dans l'idée d'infériorité. C'est l'activité passive : il se soumet si bien au principe négatif que celui-ci annule (en Garcia par l'évanouissement, en François par l'assassinat) les deux termes de la comparaison. Cette abolition double (Garcia tue pour être tué) rétablit la justice; le cadet dit à son frère : « Tout est juste et bien fait. » Mais c'est la justice des tragédies grecques : le retour à zéro. L'envieux, par ce désir profond et vain d'universelle destruction, reconnaît qu'il n'obtiendra jamais les biens dont on l'a, croit-il, frustré et que la seule justice possible est la suppression de l'injustice par abolition de l'usurpateur et de sa victime.

Mais c'est pousser à l'extrême la réaction de l'envie : jusqu'au moment où, si c'était possible, elle se transformerait en révolte, en haine, en acte réel. Le propre de l'envieux c'est qu'il fonde ses droits sur le Néant, mais ne va jamais jusqu'à l'anéantissement (de soi, du rival ou des deux ensemble). C'est ce qui apparaissait plus clairement dans la nouvelle précédente; Flaubert y écrivait : « Quant à ce que j'ai mis comme titre : *Un parfum à sentir*, j'ai voulu dire par là que Marguerite était un parfum à sentir; j'aurais pu ajouter : une fleur à voir, car, pour Isabellada, la beauté était tout. » Le Néant et l'Être sont mis en comparaison. Isabellada, c'est la plénitude et l'unité du *visible*, on nous *la donne à voir*. En apparence Marguerite est définie, elle aussi, par une qualité sensible : on la donne à respirer. Mais il va de soi que ce parfum est fuyant, si discret que nul n'y prend garde : le propre de ces odeurs légères, c'est qu'elles inquiètent l'odorat plus qu'elles ne le comblent et qu'il les cherche comme une absence définie, comme un souvenir, plus qu'il n'en jouit. Bref, ce parfum c'est l'âme, lacune invisible, exigence douloureuse, infinie, sans fondement. L'envieux ne se reconnaît aucune supériorité *réelle* qui puisse justifier sa revendication; ce qui l'enrage, c'est qu'il est obsédé par une supériorité fantôme qui lui donne un droit éminent sur *tout*, précisément parce qu'elle n'est *rien*. Cette abstraite crispation le jette dans un trouble informulable; à la lettre, il ne peut exprimer ce qu'il ressent : tout est juste; s'il donne tant de prix au Non-Être, figuré par son âme, c'est qu'il a reconnu d'avance les supériorités de l'autre et sa propre infériorité. Mais du coup, le rival heureux se *contente* de l'*être* et le déshérité le dépasse par son insatisfaction totale. C'est tomber dans un tourniquet sans fin. Gustave a plus de valeur que tous les autres parce qu'il n'est rien et, de ce fait, ne se contente de rien. Il conviendrait donc, en bonne justice, que la Société lui réserve ses faveurs : il mérite qu'on fasse de lui le plus important des hommes par cette seule raison qu'il n'attache à l'homme aucune importance. Cette contradiction tournante, on l'a compris, vient de ce que le « *je sais bien* » se rapporte au monde de l'Être, c'est-à-dire de l'Autre où le rapport entre les mérites et les privilèges prétend être rigoureux, et le « *quand même* » au monde subjectif de la négativité et de la privation.

Nous avons vu Garcia reconnaître le droit d'aînesse et la supériorité de François dans le temps qu'il traitait l'aîné d'usurpateur et qu'il affirmait son propre droit aux honneurs, à la richesse, à l'affection du père. Ce droit-là, cette âpre exigence d'être valorisé, d'être le premier, l'incomparable vient de l'existence elle-même, de l'*ipséité* ; Gustave-Garcia se *sent vivre*, il s'atteint au cœur de la vie comme un absolu qui, dans la nudité originelle du vécu, demeure pour soi-même l'incomparable ; j'ai montré ailleurs que la source de la souveraineté réside en cette possibilité permanente de *s'affirmer par la praxis*. Mais cette affirmation pratique, quand même elle serait possibilité de principe pour le jeune Flaubert, nous avons vu que sa protohistoire la masque à demi par la passivité dont on l'a affecté. Il est vrai, inversement, que cette passivité n'est pas celle de la matière inerte et qu'il faut y voir plutôt une praxis enchaînée : les synthèses passives sont, en dépit de tout, *intentionnelles*. Il a manqué simplement à Gustave de pouvoir intérioriser l'amour de l'Autre comme sa propre valeur. Ainsi la souveraineté n'est pas absente de son expérience : elle est abstraite et se manifeste *pathétiquement* comme souveraineté dont il est frustré, qu'il réclame au nom de son indubitable présence-à-soi, bref comme *exigence soufferte*, comme attente douloureuse. Il est par excellence le prétendant. Le malheur est qu'il ne peut tirer de soi cette valorisation : il faut qu'elle vienne de l'Autre. Ni mépriser les tables de valeurs objectives : pour les rejeter, quelles qu'elles soient, il faut les avoir possédées, avoir — au nom de l'une ou de l'autre — occupé une place honorable dans la hiérarchie sociale. Le voilà donc contraint de réclamer des honneurs, une dignité, dans le monde de l'objectivité au nom d'une souveraineté subjective qui, étant la même chez tous, ne peut rien fonder, appartient à une autre dimension du réel et, en ce qui le concerne, paraît elle-même *désirée* plus que vraiment possédée. À ce moment de notre recherche, nous découvrons la profondeur des descriptions de Flaubert et la convergence des symboles qu'il utilise : ce *néant* qui l'emporte sur l'Être, cette *négativité* qui peut engloutir toute plénitude positive, cette *ventouse de vide* qui aspire la réalité, c'est tout simplement la subjectivité pure, informe et *présente* en tant qu'elle se fait *pathos*, c'est-à-dire désir de valorisation. Le fondement des droits *nuls* que l'envieux maintient contre tous et qui le font tant souffrir, c'est le *désir en lui-même* qui connaît son impuissance et se conserve malgré tout comme revendication béante, d'autant plus forte qu'elle se sait inécoutée. La contradiction de l'envieux, c'est qu'il se sait inférieur et relatif en tant qu'il est un autre pour les autres et qu'il met sa valeur absolue dans sa frustration même en tant qu'il la vit comme un rapport négatif d'intériorité avec les biens de ce monde.

Les choses en demeurent là pour la plupart des jaloux. Mais qu'un esprit étroit et puissant, comme Gustave, vienne à ressasser durant des années entières son « je sais bien... mais quand même... », il tentera de supprimer le *quand même* en instaurant un ordre de valeurs absolues qui contestent et disqualifient l'ordre des valeurs sociales tout en conservant les biens de ce monde, mieux, tout en établissant chez le déshérité un mérite éminent qui lui permet de revendiquer ceux-ci. Bref, il s'agit de *trouver un fétiche* ou plus exactement de *fétichiser* la vie subjective. Et comme le fondement subjectif du « quand même » est le désir, c'est le *désir fétichisé* — le manque transformé en plénitude — qui s'incorporera le « quand même » pour le dissoudre et s'y substituer[1]. Puisque le droit se fonde directement sur le désir, celui-là sera d'autant plus imprescriptible que le désir sera plus fort.

Mais d'abord, il faut que le désir se valorise lui-même, c'est-à-dire passe de l'état de fait à l'état d'exigence. Cela ne se peut en vérité que si l'enfant lui donne le statut du besoin. Et de fait, dans l'œuvre et dans la vie de Flaubert, besoin et désir s'opposent et se combattent, chacun voulant se substituer à l'autre. Nous y reviendrons bientôt. Pour l'instant, notons que le besoin, pris dans sa généralité, passe nécessairement à l'exigence quand sa non-

---

1. « Le fétichiste *sait bien* que les femmes n'ont pas de phallus, mais il ne peut y ajouter aucun "mais quand même" parce que, pour lui, le "mais quand même" c'est le fétiche. » Mannoni, *op. cit.*

satisfaction implique la mort. S'il s'affirme, en effet, à l'instant que la situation objective rend l'assouvissement impossible, l'impossibilité, loin de le diminuer (comme le souhaiterait une morale stoïcienne du type : il faut se vaincre plutôt que le monde), ne peut que le rendre plus impérieux et plus urgent. La négation du besoin par le monde entraîne l'aveugle et totale négation du monde — tel qu'il est — par le besoin. C'est que l'assouvissement impossible révèle le monde comme impossibilité de vivre : sur la base de cette impossibilité *éprouvée* (le dévoilement se fait sans mots à travers l'échec des tentatives d'assouvissement) la vie s'affirme dans le besoin même comme exigence inconditionnée. Le monde *doit* être tel que j'y trouve à manger, à boire. Sinon on *doit* pouvoir le changer. Et si, dans le moment précis de la famine, ce changement se révèle impossible, la mort est vécue *dans l'horreur*, c'est-à-dire comme le triomphe de l'anti-valeur, du Mal.

Flaubert, dès l'origine, vit son désir comme un besoin puisqu'il reconnaît l'impossibilité de le combler et qu'il prétend intérioriser cette impossibilité par la *mort* vécue. Seul et mal aimé, tenu pour un *minus habens* par ses vrais juges, il se consume de concupiscence, il souhaite éperdument le statut d'aînesse, les mérites et les honneurs qui s'y attachent, l'amour de son père. C'est absurde, il le sait : il faudrait casser la famille Flaubert ; et, quand il parviendrait, plus tard, à s'imposer, il reste que son désir présent, en cette minute-ci, disparaîtra dans l'amertume, inassouvi, comme tous ceux qui l'ont précédé. N'importe : ce désir se dresse en connaissance de cause, pose de lui-même son impossibilité, s'y déchire ; ses blessures l'aigrissent, mais l'enflamment. Mieux : il serait vite calmé, supprimé, si le désirable était à portée de main ; impossible, il s'enfle ; l'Impossibilité consciente d'elle-même suscite le Désir et l'érige ; elle est en lui comme sa rigueur et sa violence, il la retrouve au-dehors dans l'objet comme catégorie fondamentale du Désirable. Par sa nécessité même, l'absurde exigence s'affirme comme un droit. Si Gustave, éprouvant son impuissance, est, par cette impuissance même, jeté dans la convoitise, c'est que l'homme se définit comme un *droit sur l'impossible*. Il n'y a dans cette étrange détermination, ni malentendu ni caprice : c'est notre « réalité humaine » qui se définit ainsi pour Gustave.

En vérité, il n'aurait pas tort s'il n'avait substitué le désir au besoin : l'homme du besoin se définit par un manque qui devient un droit fondamental *sur les autres hommes* ; sur cette postulation un humanisme se bâtira. Mais Flaubert ne s'adresse pas à son prochain : par des affirmations sublimes, ce naufragé, avant de couler bas, inscrit dans le ciel une juridiction métaphysique dont le premier principe est que l'amour désespéré de l'Impossible est, par essence, le fondement du *droit* de l'obtenir. Et, bien entendu, dans ce monde satanique, tout se passe à l'envers : les droits existent, c'est vrai, mais pour être violés. Il n'y a donc pas trace d'optimisme dans cette prétention juridico-métaphysique : hypothèque sur l'avenir, son droit est un mérite qui sera négativement reconnu par la minutieuse cruauté de ses bourreaux futurs. N'importe : il s'obstine à l'affirmer, conscient des souffrances qu'il se prépare ; car cette hypothèque *n'est autre que lui-même* ; désir de l'impossible, l'homme flaubertien, prétendant légitime, se définit par l'impossibilité de vivre. Il faut simplement se rappeler que l'origine de cette vision cosmique est l'envie. Quand Gustave prétend que l'essence du désir réside dans l'inassouvissement, il est bien loin d'avoir tort. Encore faut-il s'entendre. Le désir, en dehors de tous les interdits qui le mutilent ou le freinent, est inassouvissable dans la mesure où sa *demande* n'est pas susceptible d'un énoncé correct, où elle reste sans commune mesure avec le langage articulé, où, quel que soit l'objet présent qu'elle vise, elle tente d'atteindre à travers lui un certain rapport d'intériorité avec le monde qui n'est jamais concevable ni, par conséquent, réalisable. Reste que, dans l'immédiat, la jouissance existe, même si elle s'étonne de correspondre imparfaitement à ce qui était demandé : pour s'apercevoir qu'à travers l'acte sexuel on postule *autre chose* qui se dérobe, encore faut-il « posséder » le corps de l'autre et en jouir. En ce sens, il vaudrait mieux dire que le désir se révèle inassouvissable dans la mesure où on l'assouvit. Cela, Gustave le pressent, il le comprendra de mieux en mieux, il l'écrira dans *Madame Bovary*. Mais, du temps de ses premières œuvres, il ne fonde pas l'inassouvissement sur le *fait* que l'objet réellement désiré est « indisable » : cette simple constatation ne conférerait ni mérite ni démérite au désirant et, par conséquent, ne lui donnerait aucun droit — fût-ce pour le bafouer — sur le désirable : elle se borne à marquer une *incommensurabilité*. Le *droit noir* que Flaubert veut instituer doit se baser au contraire sur un mérite originel : si, pour les grandes âmes, l'impossible assouvissement est la marque douloureuse de leur élection, c'est qu'elles ne désirent rien d'autre que l'*infini*. En cela réside la fétichisation du désir qui devient inextinguible lacune, ventouse de néant qui gobe le petit monde vieilli de l'Être et ne peut s'en satisfaire. Voyez Mazza, la Sainte noire. Séduite à trente ans, « elle pense (après s'être donnée pour la première fois) aux sensations qu'elle a éprouvées et ne trouve, en y pensant, rien que déception et amertume : Oh! ce n'est pas là ce que j'avais rêvé! » D'où vient cela? Ernest est un triste personnage mais elle l'ignore; et ce Don Juan sait la caresser. En fait, cette femme qui se moque de son honneur a l'impression qu'elle « est tombée bien bas » : c'est donc *en amour* qu'elle a dérogé. Elle se demande « si, derrière la volupté, il n'y en avait pas une plus grande encore ni après le plaisir une plus vaste jouissance, car elle avait une soif inépuisable d'amours infinies, de passions sans bornes ». Comme on voit, tout vient d'elle et dans le négatif. Cette chair dormait; froide et dévouée, cette femme trouvait un certain bonheur dans l'accomplissement de ses devoirs; il lui arrivait parfois d'avoir des fantasmes nocturnes ou des tentations mais elle triomphait de tout. Parfait, mais à la condition de ne pas toucher à l'arbre du Mal. À peine « froissée » par son nouvel amant, à peine « fatiguée » par leurs étreintes, c'est peu de dire que cette âme lisse se fend et s'ouvre : elle bée, elle est prête à la fécondation par l'infini. Naturellement, l'infini se fait prier : ils recommencent leurs ébats, elle s'instruit; et sa conclusion c'est : « L'amour n'est qu'un moment de délices où roulent entrelacés avec des cris de joie l'amant et sa maîtresse et puis... tout finit ainsi... l'homme se relève et la femme s'en va... » Après ce constat : « L'ennui lui prit à l'âme. »

Va-t-elle rompre? Non. D'abord, elle passe à l'hébétude-extase, dont Flaubert montre nettement le caractère défensif : « Elle arriva... à cet état de langueur et de nonchalance, à ce demi-sommeil où l'on sent que l'on s'endort, qu'on s'enivre, que le monde s'en va loin de nous... elle ne pensa plus ni à son mari ni à ses enfants, encore moins à sa réputation que les autres femmes déchiraient à belles dents dans les salons. » De là, bien sûr, on s'élève jusqu'au ravissement. Elle n'y découvre d'ailleurs — présenté en termes positifs — que ce vide infini de l'âme qui a fait naître ses rêves et puis son ennui. « Mélodie inconnue... mondes nouveaux... espaces immenses... horizons sans bornes. » Elle donne dans l'optimisme : « Il lui sembla que tout était né pour l'amour, que les hommes étaient des créatures d'un ordre supérieur... et qu'ils ne devaient vivre que pour le cœur. » Gustave contemple sans colère cette mauvaise foi qui fut la sienne : il a cherché Dieu, l'amour divin, il a cru qu'il devait n'y avoir entre les hommes que le rapport amoureux du vassal et du suzerain.

Mais, par en dessous, au niveau des caresses et des plaisirs, un travail souterrain et destructeur s'accomplit : il y a la jouissance *et c'est tout*; donc il faut y renoncer, renoncer à l'infini ou tâcher délibérément de mettre celui-ci dans celle-là. Est-ce possible ? Oui : si la recherche du plaisir devient une rage ; c'est dans la chasse aux voluptés que cette âme révélée mettra son immensité. En effet, nous apprenons sans transition (Gustave vient de nous décrire les élévations de Mazza) que « chaque jour, elle sentait qu'elle aimait plus que la veille, que cela devenait un besoin... qu'elle n'aurait pu vivre sans cela... cette passion finit par devenir sérieuse et terrible... Il y avait chez elle tant de désirs immenses, une telle soif de délices et de voluptés, qui étaient dans son sang, dans ses veines, sous sa peau, qu'elle était devenue folle, ivre, éperdue et qu'elle aurait voulu faire sortir son amour des bornes de la nature... Souvent dans les transports du délire, elle s'écriait que la vie n'était que la passion, que *l'amour était tout pour elle*. » Il l'était déjà — au niveau des cimes — quand elle voyait en lui le but suprême de notre espèce ; mais ce n'était guère, là-haut, qu'un platonisme attendri. En bas, c'est une folie vraie ; l'amour, ce qu'elle en veut, c'est moins le ressentir que *ne jamais cesser de le faire*. Au fond, elle a choisi : déçue par ses premiers plaisirs, elle pourrait les contester au nom de l'amour pur ; mais ce serait y renoncer : elle préfère transformer sa déception en inassouvissement et faire glisser l'infini, qu'elle cherche sans trêve, de l'éternité platonicienne dans l'écoulement temporel : ce sera son projet toujours déçu, la quête qui la définit comme un « pas encore », une absence toujours future, un nœud de serpents et de malheurs.

On sera frappé, j'imagine, par la surprenante similitude de ses conduites et de celles que tiennent certaines femmes frigides. C'est chez celles-ci, non chez les filles de feu, qu'on trouve cet acharnement à faire l'amour. Ce sont elles, les jamais comblées, les Chasseresses maudites qui courent vainement et sans cesse, nerveuses, tendues, insatiables, après un plaisir dont elles rêvent — « désirs immenses, soif de délices et de voluptés » — et qui se refuse toujours. Est-elle donc froide, Mazza ? Oui : comme Flaubert — qui s'est inspiré pour la décrire de sa première expérience sexuelle [1] mais dont le dessein n'est certes pas de nous faire connaître la déception qui s'en est suivie. La fureur d'aimer, chez Mazza, vient d'une frustration première : on l'a jouée ; par cette raison elle n'a pas de

---

1. Qu'il venait d'avoir : il s'était, nous le verrons, fait dépuceler par une femme de chambre.

désir, à proprement parler, mais une âpre exigence passionnelle : je veux jouir, *j'en ai le droit* puisque mon infinie privation prouve que la jouissance, si elle m'était donnée, serait en moi infinie. Pauvre Mazza : pour elle, la frustration sera poussée à l'extrême. Ernest « tremble devant la passion de cette femme comme ces enfants qui s'enfuient loin de la mer en disant qu'elle est trop grande ». Un beau jour, elle le mord. En voyant son sang couler, il comprend « qu'il régnait autour d'elle une atmosphère empoisonnée qui finirait par l'étouffer et le faire mourir... Il fallait donc... la quitter pour toujours ». On sait le reste : délaissée, cette superbe créature reprend à son compte les ressentiments de l'affreuse Marguerite : « Le bruit du monde lui parut une musique discordante et infernale et la nature une raillerie de Dieu ; elle n'aimait rien et portait de la haine à tout. »

Celle-là, Flaubert en fait une élue : aimer jusqu'à la folie sexuelle et jusqu'au crime, épouvanter celui qu'on aime par des exigences infinies et *malsaines* [1], donc par l'amour même qu'on lui porte et dont il n'est pas digne, souffrir de cela jusqu'au suicide, voilà ce qu'il faut. Pour la définir, il trouve un mot que Gide reprendra beaucoup plus tard dans *Les Nourritures terrestres*, la soif. La soif, à la condition qu'elle soit inextinguible. Une phrase nous livre, en effet, la clé de *Passion et Vertu* : Mazza est « de ceux qui se désaltèrent avec l'eau salée de la mer et que la soif brûle toujours ». La voilà, la *Sainte noire*. On n'aura pas manqué, cependant, de noter l'ambiguïté de la métaphore. Pourquoi donc Mazza boit-elle de l'eau salée quand elle a soif ? Parce que la soif est infinie et que, conséquemment, toute boisson est pour elle de l'eau de mer ? Ou parce que l'eau potable qui la désaltérerait reste hors de portée ? Les deux explications s'interpénètrent. La preuve ? Eh bien, d'abord, Mazza est une naufragée : elle vogue sur un radeau ; l'Océan partout. Autrement dit, c'est Ernest qui est seul potable ; s'il se refuse, la soif ne cessera plus de la brûler. Chez Flaubert, l'envie s'est structurée trop tôt et trop profondément pour qu'il perde jamais le sentiment que la jouissance, possible pour les hommes *de droit divin*, lui est interdite par la volonté des autres : le naufragé, c'est lui. Mais, en même temps, il prend soin de nous avertir : si Ernest eût aimé Mazza, s'il fût resté, il eût fallu « se jeter avec elle dans ce tourbillon qui vous entraîne comme un vertige dans cette route immense de la passion qui commence avec un

---

1. Dans les lettres à Louise, plus tard, Flaubert reprendra l'épithète pour l'appliquer à ses rêveries d'adolescent.

sourire et qui ne finit que sur une tombe ». Bref, rien d'essentiel n'eût été changé. Tout se passe, en somme, comme s'il nous disait : les âmes noires ont des fibres si délicates, leurs perceptions des résonances si profondes et si vastes qu'elles transforment en torture infinie ce qui, pour les natures épaisses, serait peut-être un plaisir. Mais il leur arrive le pire quand elles rassemblent sur un certain objet — fini donc indigne — tous leurs désirs. Il le dit d'ailleurs dans *Quidquid volueris* : « ... Nous naissons tous avec une certaine somme de tendresse et d'amour que nous jetons gaiement sur les premières choses venues... à tous les vents... Mais réunissons cela et nous aurons un trésor immense... Eh bien, il concentra bientôt toute son âme sur une seule pensée et il vécut de cette pensée. » Donc *puissance* et *concentration*. Un *seul* souci : chez Gustave, c'est l'amour du père qui se dérobe, chez Mazza celui d'Ernest. Le résultat : « Un monde à part qui tourne dans les larmes et le désespoir et enfin se perd dans l'abîme du crime. » L'*infini en profondeur*, tout est là. Et Gustave, après que Mazza eut mis son amant en déroute et massacré toute sa famille, dit rêveusement, sérieusement : « Quel trésor que l'amour d'une telle femme [1]. » Trésor pour qui ? Pour personne sinon pour Dieu qui n'existe pas. La passion de Mazza reste égocentrique : elle veut *son* plaisir, elle le réclame. Rien d'étonnant puisque — c'est ce que son père lui enseigne — l'hédonisme ou l'intérêt sont à la base de tous les sentiments. Mais il y a de grandes âmes noires et frustrées chez qui l'approfondissement indéfini de l'exigence a pour effet de sublimer l'Ego. L'injustice est donc bien solidement fondée puisque, dans le malheur universel, les âmes de qualité sont celles qui souffrent le plus ; mieux : puisque l'intensité de leur souffrance est la seule marque de leur qualité. Mazza est toute âpreté ; elle aime Ernest pour elle et non pour lui. N'importe, l'âme qui désire infiniment un objet fini, il faut bien reconnaître qu'elle est infinie. À partir de là, l'objet convoité, sans commune mesure avec l'immense et fondamental désir qu'il a suscité, devrait revenir *de droit* à l'âme infinie qui le convoite et dont il ne saurait d'ailleurs étancher la soif.

Telle est l'idéologie de l'envie, telle que l'a bâtie Flaubert à son propre usage. Cette déontologie négative ne se peut justifier que

---

1. À l'origine de la nouvelle, il y a eu d'abord une méditation sur le crime passionnel : Flaubert a trouvé son sujet dans les annales judiciaires. Autrement dit, c'est à partir du crime envisagé comme preuve d'amour qu'il a construit sa nouvelle. L'intention fétichiste (présenter le Mal et le faire prendre pour le seul Bien possible) est donc originelle.

si l'on affirme, comme il fait, la primauté du Néant sur l'Être. On a déjà compris ce qui lui permet ce tour de passe-passe : le *droit*, dans la mesure où il est garanti par des institutions, où un groupe social, une famille, un père le reconnaissent à telle ou telle personne en fonction d'un office à remplir, est un *fait* qui caractérise une société définie aux yeux de l'historien, de l'ehtnographe ou du sociologue ; en ce sens il apparaît comme une détermination finie de l'Être. Mais, à l'intérieur de la société ou du groupe, dans la mesure où son contenu est normatif, où la loi, par exemple, loin de *décrire* des comportements, les prescrit, il se présente — au moins pour ceux qui ne contestent pas le régime — comme un *devoir-être*, c'est-à-dire comme un impératif qui ne peut s'épuiser dans les conduites réellement tenues et qui vise à structurer aussi les conduites *possibles*. Sous cet aspect — qui, je le répète, est *interne* — il apparaît souvent comme le contraire de l'Être : ce qui *devrait être fait*, c'est justement *ce qu'on ne fait pas* ; le droit n'est jamais invoqué plus péremptoirement que dans les circonstances où il a été violé ou risque de l'être. L'existence d'organes répressifs indique, en chaque société, que le législateur prévoit que la loi ne sera pas spontanément respectée. Gustave joue sur les deux tableaux : le droit des autres, il le considère, de l'extérieur, comme pure détermination de l'Être : *son* droit, au contraire, puisqu'il est amèrement conscient de n'avoir pas *le droit divin* d'être homme, il l'assimile au *devoir-être*, c'est-à-dire à la contestation de ce qui est par ce qui n'est pas. Par cela même, il confond le non-être avec l'impératif et fait de la privation un mérite.

La source profonde de cette idéologie réside dans la structure même de l'envie. Quand Gustave nous déclare que l'essence du désir implique l'inassouvissement, ce n'est pas, nous l'avons vu, qu'il tienne celui-ci pour « inarticulable » ; en fait, il nous le présente comme l'aspiration infinie du Néant, nécessairement frustrée par la finitude de l'Être. Mais — outre qu'elle s'inspire de certains thèmes romantiques — cette construction est autodéfensive : il ne s'agit pas pour Flaubert de dire ce qu'il sent mais de faire valoir, coûte que coûte, son droit d'avoir des droits. Ce qui, par contre, est fondamental et définit non seulement Gustave mais tous les envieux, *c'est l'inassouvissement du premier degré* : pour quiconque est tourmenté par l'envie, la jouissance — même immédiate — est impossible, le désir *vient après* ; si l'insatisfaction le caractérise, c'est qu'il n'est jamais suscité que par l'impossibilité reconnue de le satisfaire. Autrement dit, l'envieux ne peut convoiter que ce que l'autre possède déjà. Voyez Djalioh : le pauvre anthropopithèque, l'auteur en convient lui-même, ne nourrissait d'abord pour Adèle qu'une tendresse vague ; pour qu'il la convoite, il faut qu'un autre en ait la jouissance ; mieux : il faut que cette jouissance exclusive reflète à l'homme-singe son infériorité. C'est pour cela que l'envieux *part perdant*. Voyez Gustave lui-même : depuis son adolescence, il caresse le rêve d'être fabuleusement riche ; c'est déjà convoiter ce qui lui est refusé par principe et souhaiter d'être un autre, un rajah comblé d'or et de pierreries *par droit de naissance* ; encore n'y a-t-il que demi-mal : ces milliardaires orientaux ne sont pas grand-chose de plus, pour lui, que des créatures de son imagination ; ils existent si peu qu'ils ne lui *volent* rien et qu'il parvient, par un onirisme dirigé, à se mettre dans leur peau. L'envie le mord, par contre, s'il apprend qu'un oncle ou que la mère d'un de ses camarades lui laisse, en mourant, quelque fortune : pour modeste qu'il soit — en comparaison des trésors rêvés de l'Orient — ce legs lui arrache des cris de rage et le tourmente sans répit : c'est que Gustave connaît l'héritier, un être de chair et d'os qui le *dépossède* non point en usurpant la qualité de légataire mais bien au contraire en faisant valoir des droits légitimes. Cet argent, ces biens immeubles, Gustave ne s'en souciait pas *avant* que le testament fût publié : ils appartenaient à d'autres, sans doute, mais les propriétaires étaient de vieilles gens qui ne le gênaient guère. *Dès qu'il y a transmission*, ces maigres richesses font l'objet de sa vaine et douloureuse convoitise non pour elles-mêmes, mais parce qu'elles reviennent *de droit* à un garçon de son âge. La fétichisation du désir n'est qu'un procédé, elle masque, chez Flaubert, l'impossibilité de rien désirer spontanément. L'envie n'est point désir, elle est *passion* dans tous les sens du terme : ce que Gustave jalouse, ce n'est point les possessions des autres, c'est *leur être*, leur *droit divin* de posséder et la mystérieuse qualité (dont il restera privé toute sa vie) qui leur permet l'*appropriation*, cette fascinante *jouissance* qui fait rutiler dans leurs mains, pourvu qu'il leur appartienne, le plus médiocre des biens de ce monde.

La primauté du Néant sur l'Être, seul titre de Gustave à posséder le monde, il ne s'agit pas de l'affirmer théoriquement : l'enfant est trop jeune pour en faire la théorie, trop passif pour porter des jugements ; il faut qu'il y *croie*, qu'il la *vive* et, puisque sa seule activité réside dans le ressentiment, il faut qu'il *se fasse* lui-même ce non-être implacable, suprême et vide en s'en affectant comme s'il *subissait* son intention totalitaire de disqualifier ce qui est au nom de ce qui n'est pas. Nous verrons bientôt que cette disqualification de toute la réalité (Je sais bien... mais quand même) est à l'origine de son option irréalisante : Gustave apparaîtra alors comme rongé par l'imaginaire. Mais il est trop tôt encore pour envisager cette dimension de son existence. Ce qu'il faut montrer ici, c'est que l'enfant, en *se subissant* comme disqualification du réel, se découvre méchant. Plus tard, en effet, il se déclarera misanthrope : entre sa dixième et sa quinzième année, il parle plus simplement de sa méchanceté. Mais, loin d'y voir une *activité* précise dont l'objectif serait de nuire, il la tient pour un pathos dont on l'a infecté. Rappelons-nous Garcia : « En effet, c'était un homme méchant, traître et haineux que Garcia mais qui dit que cette méchanceté maligne, cette sombre et ambitieuse jalousie qui tourmentèrent ses jours, ne prirent pas naissance dans toutes les tracasseries qu'il eut à endurer ? » Méchant parce qu'on « lui a fait tort », parce qu'on l'a créé pour subir ce tort fondamental, pour l'intérioriser comme haine jalouse et le réextérioriser par un crime, Garcia subit le Mal comme sa détermination subjective, sa substance, son lot : il l'inhale et l'exhale à chaque respiration, c'est son oxygène et, par conséquent, son milieu nutritif, son environnement. Telle que la décrit Gustave, la méchanceté s'endure comme une souffrance ; elle ne dépasse jamais le niveau de l'activité passive : nous avons vu que le meurtre de François, rêve d'un rêve, n'est pas convaincant. Gustave lui-même, du reste, plus indolent que Garcia n'a jamais songé à tuer : il lui suffit d'imaginer un personnage qui accomplit en songe un meurtre autopunitif et vengeur. Quant à lui, il satisfait ses haines en prophétisant. Le principe est simple : on l'a maudit donc on l'a pénétré de cette croyance sacrée que le pire est *pour lui* toujours sûr ; il n'en faut pas plus pour fonder à ses yeux les oracles qu'il rend sur son propre destin. La méchanceté extériorise et généralise ce principe : c'est le travail sournois du ressentiment. Pour tout homme, en tout cas, le pire est toujours sûr. Cette induction se prétend basée sur l'expérience mais, en vérité, c'est une intention maligne dont le but n'est pas de *faire* le Mal mais de prédire qu'il sera fait [1]. Mais la disqualification de l'Être

---

1. Ce principe formel de la pensée méchante, Gustave le vit plus qu'il ne l'exprime dans ses premières œuvres, encore qu'il soit implicitement contenu, dès son premier écrit *connu*, dans l'assimilation de notre monde à l'enfer. Mais il s'y réfère en toute clarté, un peu plus tard, surtout dans sa Correspondance avec Ernest. En particulier, le 20 octobre 39 (il a dix-sept ans) : « *L'ottoman* a passé hier un examen de baccalauréat et a été reçu. C'était peut-être la sixième fois (qu'il se présentait), il disait que c'est la deuxième mais *qui pense pis pense souvent juste.* » C'est moi qui souligne.

peut s'opérer de deux manières différentes : 1° tout homme a un destin et l'avenir de chacun est ménagé de telle sorte que les malheurs vont croissant de la naissance à la mort ; c'est la pure et simple universalisation de l'inflexible loi qui, selon lui, régit sa propre existence ; 2° l'espèce humaine est truquée de telle manière que l'on doit attendre de chacun le pire, c'est-à-dire les pires conduites basées sur les pires motivations. Il ne s'agit pas dans les deux interprétations du *même pire*. Dans la première, c'est la souffrance, la seule dignité de l'homme. Dans la seconde, c'est la bassesse, le vice que Gustave hait par-dessus tout — entêtement de bêtise, étroitesse des ambitions, épais matérialisme, lâcheté, règne du ventre et du bas-ventre, férocité d'indifférence.

Gustave est contraint de miser sur les deux tableaux par cette simple raison que l'universalisation qui est le fondement de la pensée méchante ne peut se faire sans le priver de son unique privilège, dans l'un et l'autre cas. De fait, dans le premier, tous les hommes deviennent des Justine ; en ce cas la *Sainte noire*, fils cadet des Flaubert, n'est plus la seule à souffrir. Et c'est bien ce qu'il veut : puisque je rôtis en enfer, que les autres y rôtissent eux aussi ; la disqualification porte sur la Création tout entière. Mais si tous les hommes sont des Adam maudits, Gustave rentre dans le rang : le droit négatif, fondé sur la souffrance, devient la chose du monde la mieux partagée. Et, dans la seconde universalisation, si tous les hommes sont bas et si leur bassesse leur donne le bonheur — bêtise et santé, répète-t-il souvent, il n'en faut pas plus — le jeune homme perd également son privilège : cette fois c'est la bassesse qui est la chose la mieux partagée ; de soi comme de n'importe quel autre il ne peut attendre que le pire ; cette universalisation-là ne lui est que trop facile : nous savons qu'il ne s'aime pas. Gustave s'en tire en sautant d'une idée à l'autre à l'instant que l'universel va se refermer sur lui.

L'intention de Gustave, dans la seconde interprétation du principe de la pensée méchante, n'a rien de métaphysique : il s'agit de disqualifier l'*être* du genre humain, en tant que les hommes prétendent avoir les droits qui manquent à Gustave : non seulement celui de posséder et de jouir mais d'autres, moins matériels : la *dignité* est un droit, la *respectabilité* en est un autre ; les deux se fondent sur les services rendus à la société, ce qui suppose, à la base, le droit d'être bon ou plutôt, selon Gustave, de se croire bon ; l'optimisme est un droit sur soi-même et sur les autres : j'ai le droit de *me* croire bon, de *te* croire bon jusqu'à preuve du contraire,

tu as le droit de croire à ma bonté, à la bonté de l'espèce. Il y a
une connivence entre tous les membres de la société : l'homme n'est
possible que si chacun fait à tous, tacitement, la promesse de ne
pas dépasser les apparences. La détermination de Gustave est de
nuire : son activité passive se donne pour objectif de *détruire*
l'homme en refusant toute connivence avec les mensonges vitaux
de cet animal fêlé pour découvrir, derrière l'inconsistance du comédien, la bête humaine, le porc. Nuire, en ce sens, c'est *démasquer* :
quand il a désagrégé toutes nos pauvres défenses et qu'il a découvert en nous les puanteurs de la charogne, il s'en délecte : non qu'il
aime ces odeurs faisandées pour elles-mêmes ; il lui plaît que notre
espèce sente mauvais. Le *savoir*, tel qu'il le conçoit — tel qu'il *est*
pour beaucoup de gens — représente la pensée méchante en ce qu'il
ruine l'humanité, cette illusion volontairement maintenue par tous.
L'intention destructrice de cette prospection nous est clairement
expliquée dans une lettre à Ernest datée du 26 décembre 38 (Gustave vient d'avoir dix-sept ans) : « Depuis que vous n'êtes plus avec
moi, toi et Alfred, je m'analyse davantage moi et les autres. Je dissèque sans cesse, cela m'amuse et, quand enfin j'ai découvert la
corruption dans quelque chose qu'on croit pur et la gangrène aux
beaux endroits, je lève la tête et je ris. » Dans ce passage, on le
remarquera, Gustave ne prétend point différer des autres. Il ne s'agit
pas, ici, d'objectivité scientifique mais, comme l'indiquent ces deux
mots « *quand enfin* », d'acharnement. Car, semble-t-il nous dire,
il faut creuser profond, en certains cas, pour découvrir la gangrène ;
quelquefois l'adolescent est tenté d'abandonner son entreprise : c'est
à désespérer, tout paraît sain. Heureusement, son parti pris initial
le contraint de continuer la recherche : elle existe, cette corruption
de l'âme ; quelles que soient les apparences, il *faut* qu'il la trouve :
chez lui aussi bien que chez le voisin. D'abord, la méchanceté étant
inconditionnelle, le Méchant doit vouloir son propre mal. Du reste,
il ne fait, en bon coupable, que renchérir sur le jugement que les
autres ont porté sur lui : condamné, il se condamne, c'est le moment
masochiste de la malignité. Mais, surtout, les conduites des autres
sont rarement déchiffrables : ce sont des conséquences sans prémisses, des événements opaques qui « sautent sur lui comme un
voleur », ou qui lui filent sous le nez : le seul objet de son analyse
qu'il puisse « disséquer » jusqu'au bout, c'est lui-même ; en ce sens,
quand il découvre avec une grinçante volupté les boues de son âme,
il ne cherche pas seulement à exaspérer ses plaies : le but essentiel
est de dévoiler en soi-même, à soi-même et par soi les tares univer-

selles de l'espèce. Qu'il s'accuse ou qu'il accuse les autres, il n'a qu'un but : désacraliser l'homme, cette « merveille de la civilisation » qu'Achille-Cléophas incarne si bien, avec sa Science, sa Gloire et sa vertu de complexion, montrer que cet être digne et respectable n'est que le rêve affreux des cloportes [1]. Que son intention soit de détruire et non de connaître, c'est ce que marque clairement le rire « satanique » auquel il s'abandonne quand enfin la pourriture lui est apparue. Pourquoi rire plutôt que pleurer si ce n'est parce qu'il *souhaitait découvrir le Mal*, ce qui est une manière passive de le faire ? Rire sado-masochiste : il se moque du contraste dérisoire entre ses illusions, sa fausse conscience de lui-même et sa réalité, il s'enchante sadiquement d'avoir pris les autres la main dans le sac : Gustave était dupe mais sincère, les autres sont des truqueurs. Nous verrons plus tard que cette entreprise encore trop passive : « *démasquer* », se transformera, grâce à l'outil littéraire, en cette autre, dix fois proclamée : « *démoraliser* ». Découvrir l'abjection, même silencieusement, c'est déjà la punir : même si ce tartufe, l'homme, apparaît tout nu — et sans le savoir — à un seul « analyste », le voilà châtié de son imposture : c'est le premier temps ; la littérature, en un second temps, achèvera le travail en dévoilant aux lecteurs leur inhumanité. C'est sur cette postulation maligne que se fonde le goût de Gustave pour le « petit fait vrai » : l'analyste de soi-même réclame en outre qu'on lui rapporte des conduites clairement ignobles, tenues, cette fois, par les autres, et où il puisse porter son scalpel. La Correspondance fourmille de prétendues « observations » dont le sens est toujours le même : bêtise, bassesse, lâcheté, vilenie. Et, beaucoup plus tard, un soir, quand Flaubert n'est plus qu'une vieille gloire, le jeune Sully Prudhomme qui vient de le quitter et le connaît à peine, abasourdi, inquiet, note les propos qu'a tenus le grand homme : quand on me rapporte une bassesse, a dit Gustave, « ça me fait autant de plaisir que si on me donnait de l'argent ». Ce n'est pas seulement que l'événement confirme ses vues : c'est qu'il est raconté donc connu de tous ; le châtiment est dans la publicité. Pris la main dans le sac ! Il espère d'ailleurs que ce dévoilement public aura pour le coupable des conséquences plus graves encore, qu'il sera battu, moqué, jeté à la rue ; quand ses vœux sont exaucés, quelle aubaine ! À quinze ans, Gustave apprend que le censeur des études a été surpris dans un

---

1. Ce sera, on le sait, le titre qu'il sera, un moment, tenté de donner à son dernier « Miroir du monde » qui s'appellera finalement *Bouvard et Pécuchet*.

bordel et va être traduit devant le Conseil académique; il exulte :
« Voilà qui me réjouit, me récrée, me délecte, me fait du bien à
la poitrine, au ventre, au cœur, aux entrailles, aux viscères, au
diaphragme... adieu, car je suis fou de cette nouvelle [1]. »

Ce qui le ravit singulièrement dans la mésaventure du censeur,
c'est la souffrance du malheureux : « Quand je pense à la mine du
censeur, surpris sur le fait et limant, je me récrie, je ris, je bois,
je chante, ah! ah! ah! ah! ah!... » Plus exactement, c'est l'expression visible de cette souffrance : le maintien du coupable, son air
piteux. Voilà de la vraie méchanceté passive. Il arrive, toutefois
— et c'est le cas le plus ordinaire — que la sanction ne soit pas si
brutale et, même, qu'elle échappe aux yeux; seul, le jeune « observateur » la surprend : elle est dans le geste lui-même, qui sera ridicule, dans la phrase prononcée qui se voudra noble et dévoilera
d'elle-même son ignominie. Non pas à tous les témoins, trop oc-
cupés à mentir, à se mentir : à la seule clairvoyance du petit
méchant. Il suffit à Gustave que la sentence soit portée par l'acte
lui-même qui détruit l'humain en prétendant le construire : comme
si la bassesse était son propre châtiment.

Malveillance appliquée du regard, cette méchanceté ne se traduit
jamais par des actes. Observer, pour lui, c'est charger le cours des
choses d'exécuter à sa place les sentences qu'il porte clandestinement; mieux encore : de les lui apprendre en les exécutant. Non
que la haine passive et cachée soit le fondement universel de l'observation et, partant, de la science. Il s'agit d'une espèce particulière
d'attente observatrice que j'appellerai *féminine* parce qu'elle correspond à la situation particulière de la femme dans les sociétés où
elle reste encore un être relatif, vivant en connivence avec ses oppresseurs, approuvant le statut qui la ravale au-dessous d'eux et partageant leurs intérêts de telle sorte qu'il lui est presque impossible
de se désolidariser d'eux par la révolte. Ainsi vivent, par notre faute,
nos « épouses », empoisonnées par le monde autre de l'Autre, du
Premier Sexe, avec un avenir inévitable qu'elles ne se privent pas
de prophétiser. L'aigreur est chez toutes, cachée : elles ont bien trop
peur pour prononcer elles-mêmes les sentences : mais le ressentiment s'accumule et quand la mesure est comble, elles attendent que
le rapport des hommes au monde contienne en lui-même la sanction naturelle de leurs vices. C'est observer : observer dans un salon,
courtois, empressé, ce mari dont l'épouse connaît la muflerie pro-

1. Lettre à Ernest Chevalier, 24 juin 37.

la femme

fonde, observer la façon dont il flirte en se cachant d'elle, l'entendre répéter pour la centième fois des phrases qu'il croit inventer
à mesure, l'écouter quand ses supérieurs l'abordent et se réjouir
de son empressement un peu servile ou de sa maladresse ; pour les
autres boutonné, elle se réjouit qu'il soit, pour elle, nu comme un
ver. La connaissance va au détail : elle attend de l'attitude, du vêtement, de chaque particularité sensible la dénonciation objective des
oppresseurs, condamnés sous ses yeux au ridicule. Les objets entrent
dans le jeu : un fauteuil trop vaste ou trop petit peut ridiculiser
autant qu'un couvre-chef trop large ou trop étroit ; dès le seuil franchi, la femme de ressentiment cherche les signes de la sanction future
et les détaille dans l'unité d'une anticipation rancuneuse. Les chaises sont trop hautes, le bourreau-complice trop petit : il fera mauvais figure ; la prévision faite, la femme éprouve un spasme de joie
à la voir si tôt réalisée. Et le procédé n'est pas réservé au seul tortionnaire en chef — s'il en est un : on l'étend aux assesseurs, aux
criminelles qui trahissent leur sexe et, finalement, au monde entier.
Naturellement ces châtiments passent inaperçus : en tout cas, le coupable n'est pas conscient de la punition qu'on lui inflige. Tant
mieux : d'abord l'intégrité de sa personne doit être conservée. Et
puis surtout la condamnation sera plus profonde, la dégradation
plus complète si le condamné ne s'en avise même pas. Tel est le
secret de certains fous rires féminins. Tel aussi celui de la noire
volupté d'Emma quand Charles rate l'opération du pied-bot. Gustave est femme, nous verrons pourquoi : dans sa rancune prospective réside la source de son pouvoir d'observation ; sa passivité
dirigée est une ouverture au Mal : il regarde, détaille, sélectionne,
sûr qu'une combinaison soudain criarde de choses et d'individus
bien déterminés va combler d'un seul coup ses espoirs et dénoncer
l'inanité de l'espèce en la personne de tel ou tel de ses représentants particuliers. Coup double : la relation interne de l'homme à
l'environnement dévoile objectivement notre irrémédiable bassesse ;
inversement le verdict muet des choses montre que le cosmos est
hostile au genre humain et le récuse. Et comment, dira-t-on, Gustave espère-t-il échapper au piège de l'universel : celui-ci ne va-t-il
pas se refermer sur lui comme sur nous tous ? La réponse est donnée par le jeune homme lui-même à trois niveaux distincts mais dialectiquement liés : 1° *Il n'échappe pas* au traquenard qu'il s'est
lui-même tendu — d'autant moins que la plupart de ses inductions
se font sur la base de son expérience intime : cela suffit à montrer,
pense-t-il, que la « malédiction d'Adam » pèse sur tous les mem-

bres de l'espèce; le témoin à charge est d'autant plus convaincant qu'il commence par se charger lui-même. 2° *Il y échappe cependant*. Par cette simple raison qu'il est conscient de sa bassesse et *qu'il en souffre*. Le dolorisme vient sauver Gustave à point nommé : ce rire sadique, qui le secoue quand il découvre sa propre gangrène, c'est aussi un rire de désespoir. Quand il *refuse* ainsi l'universel, il a perdu d'avance, il le sait mais, par cette raison même, son impuissante horreur de la réalité humaine *en lui* lui donne une autre dimension : par son dégoût réflexif, il échappe à sa condition d'homme. Mais, dira-t-on, si le monde est au Diable et si tous les hommes sont damnés, ne sont-ils pas, par définition, plongés de la naissance à la mort dans les supplices? Ne va-t-on pas tomber de Charybde en Scylla, c'est-à-dire de la seconde généralisation à la première? Si la souffrance est mérite, ne suffit-il pas d'être homme pour devenir méritant? À cela, Gustave fait diverses réponses : d'abord tous les êtres d'apparence humaine ne sont pas nécessairement des humains : il y a les démons, Isabellada, M. Paul, qui tourmentent et ne sont point tourmentés; ensuite il faut distinguer entre la bonne et la mauvaise souffrance : il y a des douleurs — ce sont les plus répandues — qui ne sauvent point car elles ne naissent point de la réflexion et du vain refus de la condition humaine mais, tout au contraire, de son acceptation. L'« épicier » qui fait de mauvaises affaires, il se tourmente pour de vrai; l'angoisse le tient éveillé la nuit : il n'en est pas moins ignoble car le malheur l'atteint dans sa peau d'épicier, uniquement soucieux de ses intérêts et de son ventre et qui *se* respecte dans le respect qu'il porte aux magistrats, aux notables, aux autorités. Il ne suffit pas, pour être honnête, de détester son voisin : il faut le détester en tant qu'homme et de la même haine qu'on doit se porter à soi. Enfin, entre ceux-là mêmes qui s'affligent pour de bonnes raisons, il faut établir une hiérarchie fondée sur ces deux caractères : la profondeur, l'ampleur, l'intensité de la « prise de conscience », la délicatesse du système nerveux. Au sommet de l'échelle se tient Gustave : il est parfaitement lucide et souffre infiniment. 3° Plus cachée, déjà virulente, il y a cette croyance, en lui, qu'il explicitera bientôt : *pour moi* il n'y a pas de piège *puisque je n'appartiens pas au genre humain*. Etrange conviction qui a sa source dans une situation réelle et vécue mais qui débouche nécessairement dans l'imaginaire. L'origine, c'est l'« anomalie » : je ne suis pas comme les autres. Mais les autres, ce sont les hommes, tous, ceux qu'un droit divin a institués dès leur naissance. Nous avons vu Gustave, dans la rage, la

honte, l'orgueil revendiquant, s'incarner dans un anthropopithèque. Puiqu'on lui refuse le statut de l'espèce, il échappe du coup
à l'infâme condition humaine : qui serait mieux placé que lui pour
comprendre que l'homme est un mirage, un rêve hypocrite ? Gustave profite de la sous-humanité où on le confine pour récuser les
fins de ces bêtes en folie qui se prennent pour des êtres humains.
Il se sent proche des idiots, des enfants, des chiens : il ne portera
pas la responsabilité des vices et des fausses vertus qu'il découvre
chez *les autres*. Parce qu'il est *en dessous d'eux* ? Bien sûr : au
départ. Mais le haut et le bas s'intervertissent fréquemment chez
lui, nous le verrons. S'il n'est pas dupe — fût-ce par la raison qu'il
demeure anthropopithèque — de l'universelle illusion que partagent Achille-Cléophas et Achille, ne se trouve-t-il pas, dès lors, *au-
dessus* du genre humain ? Sans doute y a-t-il en lui des miasmes
d'humanité, comme en Djalioh, dont le malheur est de n'être pas
tout à fait un singe : mais c'est là, justement, ce qui lui permet de
comprendre *les autres* et de souffrir — sans, pour autant, qu'il
devienne jamais leur semblable ni surtout leur prochain. Dès treize
ans et demi, dans *Le Voyage en enfer*, nous le trouvons perché sur
le mont Atlas méditant sur les vices et les vertus d'une race lillipu-
tienne qu'il considère de haut ; par la suite il quittera rarement et
de mauvais gré les sommets imaginaires où il s'est installé. De toute
façon, il faut signaler ici que cet arrachement à l'espèce inaugure,
d'une certaine manière, le choix de l'irréel, option passive dont Gustave est très conscient : ce qui revient à dire qu'il échappe au piège
de l'universel en se réfugiant dans l'imagination. Nous reviendrons
sur tout cela à loisir. Notons seulement que, pour lui, la solution
imaginaire d'un problème n'est pas une solution *fausse* mais la seule
solution valable pour le quiétiste qui s'est fait, *contre le réel*, l'incarnation de ce vitriol, le Néant.

Voici donc la méchanceté passive : le regard du sous-homme qui
nuit passivement à l'homme en constituant le champ visuel comme
le milieu où cet usurpateur se détruit ou encore le regard faussement candide de l'enfant qui, par refus de connivence, disqualifie
la société entière en voyant le Roi tout nu. Mais cette humeur maligne prend un autre tour quand elle prédit à chacun les pires souffrances. Les pires : elles sont tout aussi violentes que les bonnes
douleurs, et, par-dessus le marché, loin d'élever le malheureux au-
dessus de sa condition, elles le dégradent un peu plus en l'y enfonçant. La méchanceté prospective fonde la prophétie. Le caractère
autre, subi, sacré de tout oracle rendu lui masque le souhait hai-

neux qui en est la source : de fait, il ne s'agit que de voir, je l'ai dit, la vie des autres hommes à partir du principe numineux que « le pire est toujours sûr ». Subissant sa vie comme une cérémonie sacrée — parce qu'elle est manipulée par la toute-puissante volonté de l'Autre —, Gustave voit toute vie étrangère _à travers_ le déroulement de la sienne et, en conséquence, il lui donne le _temps du destin_. Pas toujours : quand ça lui plaît, quand il pense que l'événement prédit fera à quelqu'un d'autre, qu'il n'aime point, un mal de chien. La Correspondance contient des vœux fort noirs que Cassandre nous donne pour des intuitions de voyante. Gustave nous dit, par exemple, qu'il fut tourmenté de bonne heure par l'idée que son père allait mourir prématurément. Ce qui fut. Mais quand il s'angoissait, jeune homme, en pensant à son orphelinat futur, rien, semble-t-il, ne justifiait cette angoisse. Rien sinon le principe religieux que le pire est sûr. Or quoi de pire au monde que de perdre son père. Surtout quand on l'adore. Donc le docteur Flaubert mourra : à la fleur de l'âge, en pleine gloire. C'est sataniquement sûr. Conviction peu tolérable, nous dit-il, mais, somme toute, on s'y habitue. La preuve en est que, lorsque Achille-Cléophas mourut pour de bon, Gustave eut peu de chagrin pour avoir, explique-t-il, trop souvent déploré _par avance_ ce malheur. Comment donc l'accueillait-il, cette prophétie qui revenait sans cesse le taquiner ? Comme une inquiétude lancinante ? Comme une volupté défendue, vite refoulée par la terreur et qui prenait le déguisement du chagrin ? Et n'y eût-il rien que de l'effroi, quelle en est la nature ? Est-ce la peur réelle de voir un parent aimé disparaître ou le seul vêtement correct que puisse endosser un désir parricide pour se manifester à la conscience ? Ne lui arrivait-il jamais de penser — dans l'angoisse bien sûr — que la disparition du médecin-philosophe ôterait à toute la Maison et surtout au fils aîné le plus précieux des appuis ? Si le père mourait tout à l'heure, il faudrait le remplacer par un autre chirurgien-chef ; Achille, trop jeune, ne serait pas candidat, finirait en médecin de quartier ni plus ni moins que le cadet. Et puis on savait bien que la _valeur Flaubert_ se fondait avant tout sur celle d'Achille-Cléophas : sans cet homme éminent la famille serait anéantie. Dès l'adolescence, le fils cadet souhaite et prévoit le pis : _au pater familias_ la mort, à son frère aîné une carrière misérable qui apportera la preuve de son néant à tous les yeux, à la maisonnée la déchéance, un retour aux basses classes dont elle est sortie. D'autres fois, bien sûr, il ne se privait pas de rendre un autre oracle — _La Peste à Florence_ nous en est témoin : Achille mourrait à vingt-cinq ans; cette mort n'était pas si déplorable : le pire, c'était la douleur du père; Gustave la redoutait parce qu'elle démolirait le bon Seigneur magnanime qui ne s'en relèverait jamais; et aussi, bien entendu, parce que le praticien-philosophe, frappé au cœur par le décès de l'usurpateur, n'aurait plus une larme en réserve pour la mort, également proche, de son cadet. Peut-être Gustave mourrait-il de chagrin devant le chagrin de son père, dernière usurpation d'Achille, et le père n'aurait pas de chagrin devant cette seconde mort provoquée par son injuste préférence. Mais, dissimulé derrière ces craintes funestes, *La Peste à Florence* nous montre un souhait vicieux : qu'il crève, cet imbécile, pour que la « *comparaison* » cesse et pour que mon père subisse enfin le châtiment de ses crimes. Nous le retrouverons, après le double deuil des Flaubert, prophétisant cette fois la mort de sa mère : la pauvre vieille n'en a plus pour longtemps, il en est sûr. Du reste, ajoute Gustave curieusement, il l'aime tant, cette malheureuse que, si elle voulait se jeter par la fenêtre, il n'aurait pas le courage de la retenir. Bref la jeune Pythie rêve de parachever le massacre : qu'ils crèvent tous, père, mère, fille et qu'on le laisse enfin seul. Pour une fois, l'augure s'est trompé : Mme Flaubert survivra. Mais il ne se trompait pas, à quinze ans, quand, dans *La Dernière Heure*, récit inachevé qui inaugure le cycle autobiographique en mêlant, toutefois, des fictions oraculaires à la réalité, il prophétisait la mort de sa sœur Caroline. Y tient-il tant à la disparition de la famille Flaubert? Oui : dans la mesure exacte où il connaît sa propre dépendance et s'exaspère de sentir en lui un irrépressible besoin du milieu familial. Ainsi cette âme ravagée confond le souhait et la prophétie; elle *croit* à ce qu'elle augure, cela veut dire qu'elle s'est persuadée que les postulations de sa rancune lui dévoilent l'avenir et, tout à la fois, par la vertu de quelque magie noire, le créent. En douce : il ne s'agit pas même d'un cauchemar éveillé — toujours un peu suspect puisque, après tout, on *produit* ces songes — mais d'une évidence *étrangère* qu'il n'acquiert qu'en se manipulant dans l'ombre et qu'il paraît, à ses propres yeux, supporter dans l'angoisse comme un spectacle étranger : bel exemple d'activité passive. Il n'est jamais dupe tout à fait, cependant, puisque ces rêves deviennent des crimes dans ses fictions et puisqu'il proclame fièrement qu'il est méchant.

Il arrive, d'ailleurs, que ses personnages passent de la voyance à la malédiction, celle-ci n'étant d'ailleurs, sous l'effet d'une émotion forte, qu'une prise de conscience de celle-là. Marguerite se moque des pauvres, tout heureuse qu'ils souffrent déjà, et voue les riches aux pires malheurs ; ainsi fait Mazza. Et Garcia. L'auteur lui-même, à vingt ans, ne se gêne pas pour maudire sa ville natale : « Je l'exècre, je la hais, j'attire sur elle toutes les imprécations du ciel parce qu'elle m'a vu naître. »

Reste que ces souhaits, qu'ils se déguisent ou se démasquent, sont d'inertes réclamations et que Gustave ne lève pas même un doigt pour les satisfaire. Le fait même du *vœu* lui paraît une réalité absolue et noire qui l'enfonce dans le Mal intérieur et sollicite magiquement la catastrophe extérieure. Celui qui maudit charge par des mots l'*Autre* d'agir à sa place : une puissance sacrée — Dieu peut-être — fera le nécessaire. Dans certains systèmes sociaux, pourtant, il est des charges sociales qui comportent le pouvoir de déchaîner la vindicte divine sur une tête : le prêtre peut jeter l'anathème, le père de famille peut maudire le fils prodigue. Mais quand Gustave maudit son prochain, il sait fort bien qu'il n'a aucun pouvoir magique et que la Providence fera ce qu'elle voudra ; mieux : il est déjà convaincu que les récompenses vont aux Isambart et aux Isabellada, aux Ernest, aux Paul et à leurs semblables, que les pires douleurs guettent les gens de son espèce et que ce sont eux les maudits. Ses malédictions, faute d'être l'exercice d'un pouvoir, ne sont rien d'autre en fait que l'image inerte et verbale d'un acte. Gustave se venge par les mots d'autant plus aisément qu'il est conscient de son impuissance. Comme si le Mal absolu n'était pas tant, à ses yeux, les effets de la malédiction que la simple apparition de celle-ci dans l'âme d'un enfant poussé à bout. En vérité c'est l'extériorisation et le retournement contre les autres de sa condamnation par le père. Chez Marguerite — par exemple — c'est la *laideur* — sentence originelle portée contre la malheureuse — qui se fait d'elle-même malédiction de la beauté, au sens où, fondement général de l'envie, le négatif se prétend dissolution du positif.

La « méchanceté » de Flaubert évoluera au cours de sa vie et nous aurons l'occasion d'y revenir quand la « conclusion » de Pont-l'Évêque aura définitivement structuré en caractère ce qui n'était qu'une histoire singulière. Mais, dès à présent, nous pouvons observer que le jeune garçon est un *méchant inoffensif*. Il le sait : quand sa méchanceté cesse d'être contemplative et prospective, c'est pour se déposer dans le langage ; elle est alors simplement verbale. Quand le groupe Flaubert était au complet, que faisait donc Gustave, prophétisant, maudissant, sinon rendre au langage son pouvoir magique ? C'est la *phrase* qui est le Mal, rien d'autre. Gustave est méchant pour l'avoir écrite ou ruminée. À cet instant il apparaît que sa vraie vengeance, celle que rumine son ressentiment, ne peut, au contraire de la *vendetta*, cette praxis négative, procéder que de l'activité passive, c'est-à-dire qu'elle doit être une sournoise action de soi sur soi que la victime opère en utilisant la praxis de l'Autre (la force qu'il exerce sur elle et qu'elle intériorise comme sa propre détermination) de manière à rendre ses bourreaux plus coupables en témoignant, sous le ciel vide : voyez comme je suis méchant ; leur plus grand crime est de m'avoir rendu tel. De fait, s'il faut en croire Gustave, tout le monde fait le Mal sauf les méchants. Ceux-là ne sont que les victimes du genre humain. Ils suent le Mal par tous les pores mais, ligotés comme ils sont, comment pourraient-ils le faire ? Et puis le Mal qui les ronge, après tout, c'est celui qu'on leur a fait. À partir de là, tout se retourne : noirceur et grandeur d'âme ne font qu'un ; la méchanceté ne naît point n'importe où : elle suppose d'abord que l'élu ait subi une injustice profonde — qui, dans l'univers de l'Autre, soit la plus inflexible justice —, ensuite qu'il l'endure comme la passion la plus atroce donc qu'il ait la sensibilité la plus exquise et la conscience la plus lucide. Cela ne suffit point encore : il faut que ce martyr, que ce déshérité soit *par serment* le Seigneur du Non-Être, qu'il assume sa frustration et la réextériorise en un rêve impuissant et conscient d'être tel, celui d'abolir l'Être par une conflagration universelle. Il faut en somme que le méchant, *contre le réel qui l'écrase*, se fasse le Prince de l'Imaginaire et qu'il ait assez de constance et de force pour conserver ce titre jusqu'à la mort, assez de puissance imaginative pour construire le Néant comme un opéra fabuleux en vouant chaque instant de sa vie à disqualifier la réalité par la fantasmagorie. Bref, dans le monde de Gustave, n'est pas méchant qui veut : pour briguer cet honneur il faut être le meilleur et le plus malheureux. Le jeune garçon ne connaît qu'un seul candidat qui réponde à ces conditions draconiennes : lui-même. Il s'élit donc ou se coopte, comme on voudra, sans s'aimer pour autant, ou s'estimer davantage. C'est ce qui convient, d'ailleurs : passant continuellement de l'humiliation à un aigre orgueil impuissant, le méchant souffre parce qu'il ne peut se souffrir.

VII

Les deux idéologies

Gustave ne s'est pas contenté de vivre sa douloureuse condition de cadet : il lui a bien fallu la penser. Par là, je n'entends signifier ni qu'il l'ait comprise du dedans ni qu'il en ait fait la théorie : je veux dire simplement qu'il a cru l'éclairer par le discours — quand c'était au contraire l'obscurcir et la mythifier. En d'autres termes il a entrepris — comme nous faisons tous d'abord — d'approcher le vécu à travers les idéologies de son temps. Il y en avait deux à sa disposition : l'une, la Foi, lui venait de sa mère ; l'autre, le Scientisme, de son père. C'est de celle-ci que nous parlerons d'abord — on verra pourquoi tout à l'heure. Le *pater familias*, en effet, n'est pas seulement le *Seigneur noir*, qui crée son vassal pour le jeter délibérément dans le pire des mondes possibles, ni même le sergent instructeur qu'incarne Pedrillo et qui révèle à Gustave son insuffisance en lui apprenant de force son alphabet. C'est aussi un grand homme de province, une « capacité », un philosophe : audehors ses propos sont respectueusement écoutés, dans sa famille ils ont force de loi. Ce qui lui confère un autre office : celui d'éducateur et de modèle. Bref, quand il en a le temps ou l'envie, il *parle* : par des propos à bâtons rompus, par des allusions, des sentences, plus rarement par des entretiens, il imprègne ses fils de ses partis pris, qui deviennent aussitôt paroles d'Évangile. Son autorité reste si grande qu'il ne peut, même sans intention, évoquer devant eux un souvenir personnel sans que la conduite qu'il tint dans les circonstances rapportées devienne, à leurs yeux, exemplaire, sacrée. Ainsi l'éthique du devoir et la pensée mécaniste, bien qu'elles se contredisent radicalement, sont acceptées simultanément par les enfants : elles proviennent du même héros, du Fondateur ; dans l'une et dans l'autre, il s'exprime tout entier. Quel profit Gustave a-t-il tiré de cet enseignement ? Comment l'idéologie bourgeoise a-t-elle pénétré en lui ? Comment s'est-elle structurée en cette âme sombre qui la rejetait de toutes ses forces et vainement ? Quel usage Gustave en a-t-il pu faire pour « s'éclairer » sur lui-même et sur le monde ? Nous n'en déciderons pas sans avoir étudié les deux portraits que Gustave a brossés de son père, l'un, très postérieur à la mort d'Achille-Cléophas, qui le dépeint sous le nom de Larivière, l'autre, esquissé en août 39, de son vivant, qui le décrit sous le nom de Mathurin.

A. — ANALYSE RÉGRESSIVE

L'étude de ces incarnations paraît indispensable puisque l'unique lien valable de la morale et du mécanisme, pour Gustave comme pour Achille, c'est l'homme célèbre qui tenait des propos sacrés et des conduites exemplaires. Celles-ci et ceux-là ne vaudront que ce qu'il vaut. Ici la personne même du docteur Flaubert est mise en cause : pour Achille, le temps ne fera rien à l'affaire, son père demeurera jusqu'au bout incontestable, nous l'avons vu. Et pour Gustave ? Revenons au docteur Larivière : ce qui donne tant de prix aux pages de *Madame Bovary* qui se rapportent à lui, c'est qu'elles nous font voir le père décédé à travers le souvenir que Gustave, à trente-cinq ans, conserve de lui. Le témoignage est irréfutable. Non sur Achille-Cléophas mais sur l'opinion que son fils a de lui. Malheureusement, le culte du grand homme a pris dans notre siècle une telle virulence que les critiques les plus lucides ont vu dans ce personnage une « admirable figure » peinte « avec amour ». N'est-ce pas l'entreprise la plus noble, la plus pieuse que cet effort tenté par le rejeton d'un éminent praticien pour restituer aux lecteurs attendris les traits de son géniteur disparu ? *Donc* le portrait est flatteur, flatté peut-être ; quelle allégorie : le génie immortalisant le talent !

Mais regardons-y mieux ; le travail de Flaubert est implacable. Tout, dans Larivière, est positif. Et qu'en reste-t-il ? Un néant. Pis : une négation.

Donc, c'est un grand de ce monde, un prince de la Science, un vrai médecin, admiré, redouté, puissant, qui s'annonce avec fracas et fait son entrée au milieu d'un concert d'applaudissements. Mais quand ? À quel moment du livre ? Au temps où Charles Bovary

suivait des cours à Rouen? Pas du tout : quand la mort a gagné,
à l'instant où l'on dit : « La science ne peut plus rien. » Je sais :
de toute manière, il était trop tard; mais, précisément par cette raison, si Flaubert avait voulu nous frapper d'admiration, il aurait
fallu qu'il convoquât son *deus ex machina* au tournant de n'importe
quelle page sauf de celle-là. Il a bonne mine, le père Larivière : après
tout, les médecins prestigieux sont ceux qui guérissent. Mais lui,
appelé en consultation, que fait-il? Un diagnostic. Impeccable bien
sûr. Et puis il lave la tête à son confrère : le supérieur paraît, procède au jugement de son inférieur et le condamne sans recours;
ce malheureux en reste écrasé. Seulement, tout de suite après, le
gros bonnet de la médecine n'a plus qu'un souci : filer à l'anglaise.
Il y a, en effet, dans le livre cette petite phrase pleine de sous-
entendus qui semble avoir échappé aux commentateurs : « Canivet qui ne se souciait pas *non plus* de voir Mme Bovary mourir
entre ses mains... » Pas non plus : quelqu'un d'autre souhaitait filer
en douce? le texte édité n'ajoute rien. Mais dans un des manuscrits publiés par Pommier nous trouvons une indication qui ne laisse
aucun doute : « (Le docteur Larivière) sortit *sous prétexte* de donner un ordre... *en réalité pour s'en retourner...* » Je sais : les médecins les plus consciencieux font cela : s'il n'y a plus rien à tenter,
pourquoi endosser les responsabilités d'une mort inévitable? Et je
reconnais que ces prudences sont compréhensibles. Reste qu'elles
ne vont point sans quelque mesquinerie. On aurait tort, dites-vous,
de juger les praticiens sur cela? Je ne dis rien d'autre : j'en sais
qui peuvent se consacrer jour et nuit à un malade condamné et le
sauver malgré la Faculté. L'ennui, c'est que Flaubert, voulant peindre son père, ait choisi de le montrer au temps de la précaution
et non pas à celui du dévouement ou de l'efficacité. Étrange procédé : un grand homme fait une entrée fracassante, fulgure, foudroie son confrère et s'abîme dans l'impuissance et la médiocrité
d'âme. Et puis était-il nécessaire qu'il déjeunât, tout de suite après
sa visite, et de si bon appétit, chez Homais? J'entends : les médecins n'ont pas à se charger de tous les maux de leurs patients; ils
ont mission de les guérir, rien de plus. Pour Larivière, la mort est
un événement familier : un suicide va-t-il l'empêcher de manger?
Mais si Flaubert n'a voulu que mettre l'accent sur l'indifférence
acquise dont il faut que les docteurs se cuirassent pour survivre,
fallait-il qu'il le fasse *aux dépens* de son père et, surtout, sans
contrepartie? Et pourquoi nous donner à entendre les rumeurs de
la foule qui le juge « peu complaisant »? Naturellement, ceux qui

parlent ainsi, ce sont des paysans avares et profiteurs qui voudraient une consultation gratuite et se dépitent de n'avoir pu l'obtenir. N'empêche : depuis le commencement du chapitre, ce médecin venu de la ville n'a fait que refuser, rompre, se désolidariser, fuir. On nous *dit* que c'est une lumière mais nous ne le sentons pas : et, le sentirions-nous, comme elle semblerait absurde cette apollinienne clarté dans un ouvrage désespéré dont le sens reste, en dépit de tout : le monde n'est vrai que la nuit.

Le docteur Larivière est tout sauf un être nocturne. Il possède « cette majesté débonnaire que donne la conscience d'un grand talent, de la fortune et quarante ans d'existence laborieuse et irréprochable ». N'est-il pas un peu pharisien sur les bords ? Et d'abord, nous sentons bien que pour Flaubert la conscience tranquille d'avoir un grand talent ne peut être que l'acceptation de la médiocrité. Quant au génie, qui seul compte, il reste ignorant de lui-même et meurt désespéré. Le célèbre praticien ne sait pas qu'il faut chercher en gémissant ; donc, il ne voit pas plus loin que son nez. Majesté d'emprunt : et le mot « débonnaire » n'arrange rien. Il a pris, depuis le début du XIXᵉ siècle, un sens légèrement ironique, et Stendhal écrit, dans *Le Rouge et le Noir* : « (On) va rire de ma débonnaireté. » Toutefois, pour qu'il s'applique à Larivière, il faut donner au mot un sens un peu particulier : sa débonnaireté n'est pas de la bienveillance et ne se définit pas comme une relation du docteur avec les autres hommes. Sinon, pourquoi Gustave, qui pèse ses mots, ne parlerait-il pas de « bonté » ? Il s'agit plutôt d'une confiance dans ses propres pouvoirs et d'un optimisme raisonnable touchant le cours des événements. Cette douceur d'apparence n'est là que pour nuancer la *majesté* : elle disparaît dès que la force des choses s'avise de le contrarier un moment. Furieux d'être appelé trop tard en consultation, voyez comme il foudroie son confrère. C'est la majesté nue qui porte sentence : Larivière est un homme de *droit divin*. Du reste son assurance se fonde *aussi* sur la fortune. Gustave, nous le savons déjà, nous le saurons mieux, est bien loin de mépriser l'argent. Mais la satisfaction des nantis — voyez Dambreuse dans *L'Éducation sentimentale* —, il la condamne sans recours.

Existence laborieuse et irréprochable : parfait. Aux yeux de qui ? Le mot « irréprochable » n'est pas venu par hasard sous la plume de Gustave : une pseudo-positivité en masque à peine la négativité réelle : Achille-Cléophas était irréprochable ; cela veut dire que les Rouennais n'avaient pas de reproches à lui adresser. Pas de fau-

tes, pas de vices, pas de scandales. Mais le cadet des Flaubert, lui
comment pourrait-il chérir *à la fois* ce mari bafoué, perdu, ruiné
mais transfiguré par un amour infini, cette femme aux vomisse-
ments noirs, au cœur noir, qui meurt damnée et cet habile praticien si facilement content de ses succès, si fier de ses vertus ?
Confronté à Emma qui agonise et qui était damnée d'avance, le
docteur figure la Réussite et le Savoir. Mais justement, cette
comparaison le perd : il se révèle l'Adversaire juré de Flaubert,
l'Ennemi — qui, sous les formes les plus diverses, paraît cent fois
dans ses œuvres. Et dans sa vie : Ernest passe les examens et Flaubert sera collé, Maxime Du Camp fait carrière à Paris ; Musset,
poète facile, goûte le plaisir vulgaire d'être reçu à l'Académie ; et
Achille, surtout, Achille, le frère aîné, gagne de l'argent, donne
des dîners. Tous ces hommes ont été, tour à tour, dans le secret
du cabinet, comparés à Gustave, impuissant, inconnu, séquestré ;
et le premier de tous en date, Achille-Cléophas, mort en emportant les regrets de ses concitoyens, a été tiré de la tombe et jeté dans
la chambre d'Emma pour que la vanité de ses victoires se révélât
devant notre infini naufrage.

Reste à comprendre pourquoi le cadet Flaubert a fait de son Seigneur un vieux polichinelle. De quoi lui garde-t-il rancune ? De
l'avoir maudit, de lui avoir préféré Achille ? Sans doute. Mais ce
n'est pas de cela qu'il s'agit ici. Ou du moins pas directement. Revenons au portrait de Larivière : il dit blanc et noir à la fois. Nous
venons de voir la tunique blanche : elle revêt un homme assez insignifiant. Voici le noir, à présent : le médecin, nous dit-on, sait
« tout » de la vie. Pour Gustave, savoir *tout* de la vie, en avoir un
« pressentiment complet », c'est en connaître l'horreur fondamentale. Emma, elle aussi, a tout découvert : son suicide est la conclusion et la totalisation de ses expériences. Ce monde appartient au
Diable : nul doute que Larivière ne s'en soit avisé. La preuve : « Il
eût passé pour un Saint si la finesse de son esprit ne l'eût fait passer pour un Démon. » Mais comment se convaincre de l'horreur
de vivre si l'on n'en meurt pas ? Comment ce majestueux praticien
peut-il posséder ce savoir et demeurer « débonnaire » ? La réponse
s'impose : il *connaît* cette horreur, scientifiquement, mais ne la *ressent* pas. L'expression « finesse d'esprit » doit nous mettre sur la
voie, par la raison qu'elle semble d'abord *dérouter* : que vient-elle
faire ici ? est-ce bien par « finesse » qu'on découvre le Mal radical ? Les démons sont-ils des « esprits fins » ? Elle est *choisie*, pourtant, n'en doutons pas. Et surtout, quand on veut comprendre les

intentions de Gustave, dans les œuvres de sa maturité, l'important est moins ce qu'il publie que ce qu'il retire de son texte avant de le publier. Or Pommier nous signale cette variante : « ... si la finesse voltairienne de son esprit... », etc. Il est frappant que l'adjectif ait disparu de la version définitive. C'est qu'il *en disait trop*. De fait Flaubert se plaît à répéter qu'il aime Voltaire *et* déteste les voltairiens. Voltaire lui-même, d'ailleurs, l'aimait-il ? En de nombreux passages de sa Correspondance, il laisse entendre qu'il éprouve pour cet auteur des sentiments mêlés. Quand on en dit du mal, il s'agace et, mêmement, quand on en dit du bien. Les romantiques, dans la mesure où la bourgeoisie révolutionnaire et déchristianisée leur fait horreur, tiennent volontiers Voltaire, son idéologue, pour un démon : n'oublions pas le « hideux sourire » que Musset lui attribue. Hideux parce que, selon l'enfant du siècle, il exprime le « contentement » subversif devant le désespoir des sans-Dieu. C'est un mauvais berger qui fait souffrir et ne souffre pas. Quand Flaubert écrit *Madame Bovary*, le romantisme est bien mort. Pourtant son influence persiste chez tous ceux qui s'en sont pénétrés dans leur adolescence. Et Gustave ne cessera pas de tenir *Candide* pour un chef-d'œuvre, à cause, précisément, d'un certain pessimisme que, d'ailleurs, le cadet Flaubert radicalise. « Cultivons notre jardin » devient, en son esprit, l'expression même de son propre anachorétisme : le monde est mauvais, fuis le réel, entre en religion, c'est-à-dire en littérature. En ce sens il aime Voltaire pour les raisons même qui poussent les romantiques à le détester. Il n'ignore pas toutefois que la philosophie amère qui s'exprime dans *Candide* avec « finesse » et enjouement n'a pas été *vécue* par son illustre auteur et que Voltaire a tout fait en ce monde sauf cultiver son jardin. Le désespoir à froid, contagieux, qu'on inspire aux autres sans le ressentir soi-même, avec une gaieté mauvaise et sadique : voilà ce qu'il reconnaît chez Voltaire et chez les voltairiens. Démons, comme Isambart, M. Paul, Ernest, etc., par cette souffrance qu'ils suscitent et n'éprouvent pas. Tel est donc Larivière, ce monstre qui met sa fierté dans les honneurs reçus, dans la fortune acquise, dans ses mœurs irréprochables alors qu'il en connaît l'affreuse futilité.

À présent, je demande *aux yeux de qui* le docteur Flaubert passait pour un démon. Ses élèves — que Gustave nomme des « disciples » — semblent l'avoir aimé ; ils respectaient son savoir et, s'ils le craignaient, c'était plutôt pour ses sautes d'humeur que pour une pénétration diabolique des âmes. Il terrorisait par ses cris, par ses colères célèbres et peut-être, en effet, quelquefois par ces mots venimeux que savent trouver les grands nerveux quand ils s'exaspèrent. Quant à sa clientèle, loin de redouter sa « finesse d'esprit », elle s'en enchantait. Les milieux libéraux tenaient Voltaire en haute estime, c'était leur penseur ; en son nom ils condamnaient le romantisme, cette littérature de fonciers, passéiste, complice du régime : contre le nouveau théâtre, ils allaient jusqu'à défendre *Zaïre*. Ainsi Achille-Cléophas reflétait aux bourgeois provinciaux, plus nette, mieux élaborée, leur propre idéologie : c'est ce qui scellait l'entente du praticien et de ses patients : ils se référaient à une même bible et, par-delà ces textes sacrés, à une même vision du monde. Aucune chance que le chirurgien-chef soit jamais apparu à sa riche clientèle sous l'aspect de Satan.

Pourtant Flaubert insiste. A-t-on remarqué que le docteur Larivière semble assez incapable d'inspirer l'amour ou l'amitié : en tout cas le romancier n'en souffle pas mot. Il renseigne largement, par contre, complaisamment, sur les craintes que ce saint démoniaque inspire : « Son regard... désarticulait le mensonge à travers les allégations et les pudeurs. » Une version antérieure ajoutait : « et laissait tomber les tronçons à vos pieds ».

On croirait qu'il s'agit de Freud. Mais Larivière, qu'a-t-il besoin de cette pénétration ? Je sais : en 1830 le médecin, plus qu'aujourd'hui, devait lutter contre ses malades ; les femmes refusaient l'auscultation, appelaient « vapeur » la constipation ; il en était même qui, à la mode anglaise, désignaient du doigt sur une poupée le siège de leurs malaises. Il fallait se débrouiller avec cela, faire un diagnostic à vue de nez sur des symptômes extérieurs, presser la cliente de questions et, je le veux bien, la faire se couper dans ses mensonges. Tout cela ne mène pas bien loin. Du reste, les hommes, eux, se laissaient faire et ne mentaient pas. Et puis la vérité, quand on l'altérait, n'était ni bien profonde ni très cachée : on mentait un peu sur les organes, sur les habitudes, on buvait plus souvent, on faisait plus souvent l'amour qu'on ne l'avouait. Mais le chirurgien-chef manquait des instruments nécessaires pour pousser l'enquête plus avant. Bref, il sondait les reins, non les cœurs. Sauf un : celui du petit vassal qui l'adorait. Un démon : ce mot, remonté de l'enfance, trahit les rancœurs et les craintes du premier âge. Il ne s'agit pas, cette fois, de cette insuffisance, de cette infériorité, de cet être-relatif dont le Père admirable, injustement juste, l'a dès sept ans affecté : ce qu'on reproche au Géniteur, c'est d'avoir, dès cette époque, lu à livre ouvert dans l'âme de son fils. Les rêves, les songes et les mensonges que son regard a violés, désarticulés, ce sont ceux de Gustave. Celui-ci, plus d'une fois, a vu sa vie profonde « tomber à ses pieds en tronçons ». Dans un inédit recueilli par Pommier on trouve ce détail : « C'est l'homme qui a fait le plus rougir des cinq départements. » En un sens, cela va de soi : les femmes rougissaient en parlant de leur corps au médecin. Mais cela ne vaut pas la peine d'être noté : cette pudeur est fait d'époque. Le mot frappera davantage si l'on songe que, longtemps après la mort du docteur, Gustave rougissait jusqu'aux cheveux sous le regard glacial de sa mère : c'est qu'elle restait dépositaire de l'autorité paternelle. Or le regard du grand homme tranchait comme un bistouri : il semblait se plonger dans les yeux de ses fils et les disséquer. C'est le *regard du père*, sublimé, généralisé que Flaubert tentera plus tard de s'approprier sous le nom de « coup d'œil médical » ou « coup d'œil chirurgical ».

On voit l'origine de cette rancune. Le médecin-chef, à table ou, le soir, après dîner s'occupait un peu de ses fils : il semblait alors les connaître beaucoup mieux qu'ils ne se connaissaient eux-mêmes. Mais ses nervosités, ses giboulées de méchanceté blessaient d'autant plus Gustave. Elles épargnaient Achille ou bien il courbait la tête et les acceptait paisiblement ; surtout, interne au collège, il ne paraissait à l'Hôtel-Dieu que deux fois par semaine. Et puis il n'agaçait pas : Gustave agaçait son père et l'inquiétait : nous avons vu qu'Achille-Cléophas épiait son fils ; dans la conversation il passait de la compréhension à l'ironie et de l'ironie au sarcasme. Le mot même de sarcasme a figuré un moment dans le portrait de Larivière et puis on l'a supprimé parce qu'il était trop parlant : c'est lui en effet qu'on trouve dans *La Peste à Florence* : les « sarcasmes » de Cosme ont rendu Garcia méchant. « J'ai tant fait crier... » écrira Gustave à Louise ; les aigres moqueries du Père confirmaient le petit garçon dans le sentiment honteux de son anomalie ; elles l'ont marqué au fer rouge. *Quelles* moqueries ? Le texte est clair : Achille-Cléophas accusait Gustave de *mensonge*. C'est ce qu'il faut tenter d'interpréter.

Au départ, nous le savons, ce n'est pas le grand homme qu'il redoute en son Seigneur : l'enfant, dès qu'il en a été capable, s'est voué au culte du Géniteur ; c'en est le ministre et la vestale. Que le Dieu adorable soit dur, exigeant, sombre et souvent muet, tant mieux. Gustave est un homme de l'Ancien Testament : la générosité inlassable du Père, c'est de fournir un statut à son fils cadet en se faisant pour lui une source perpétuelle d'obligations. En un mot la structure familiale et l'impérieuse sévérité d'Achille-Cléophas

ont produit un enfant vassal. Encore faut-il qu'on l'accepte dans
sa vassalité fondamentale et qu'on lui donne les moyens de la penser, une idéologie synthétique qui justifie l'élan de l'inférieur vers
le supérieur en y faisant découvrir la relation vécue d'intériorité
qui lie la partie au tout. Le petit Gustave, pendant ses premières
années, croyait qu'Achille-Cléophas partageait les vues de
Caroline Flaubert, cette foi religieuse qui s'adaptait si bien à
la structure hiérarchique de la famille Flaubert : en fait le
praticien-philosophe la tolérait. Quand Gustave a sept ans, le voile
se déchire : le Géniteur n'a que faire de ces momeries féodales ; il
le fait savoir ; l'enfant est foudroyé : il lui semble qu'on ne veut
plus de son amour parce qu'il a démérité. Ce n'est point cela : certes le docteur Flaubert abat ses cartes au moment de la *Chute*, c'est-
à-dire à l'instant que Gustave se pénètre de ses insuffisances. Et
je peux admettre qu'il fut assez brutal, en partie par agacement,
avec ce rejeton qui ne lui faisait pas honneur. De toute manière
ce Moïse n'aimait guère les démonstrations : nous avons vu qu'il
n'avait de tendresse que pour les très jeunes enfants : il devait trouver le petit trop lécheur : celui-ci, quand il s'empressait le soir,
autour du fauteuil paternel, dut essuyer certains regards voltairiens
qui lui faisaient perdre la face ; il eut honte des baisers qu'il voulait donner. Nous y reviendrons.

Mais ce qu'Achille-Cléophas refuse, c'est *avant tout* une idéologie. Avec Achille, neuf ans plus tôt, il n'avait pas procédé autrement ; peut-être avait-il mis plus de forme avec son fils aîné, dont
il était déjà fier : de toute manière, il a voulu, dès qu'il a cru pouvoir le faire, initier ses fils à la pensée bourgeoise. Quand il était
d'humeur aimable et quand il en avait le temps, il ne manquait pas,
soyons-en sûr, d'exprimer — sur l'homme, sur la nature, sur la
religion — ce qu'il prenait pour ses idées et qui n'était, en fait que
l'idéologie de son temps : sinon, comment Gustave eût-il admiré
la « philosophie » de ce praticien ? Admiration accablée : il voyait
dans les rebuffades de son père la mise en pratique d'une doctrine
affreuse et vraie au nom de laquelle son Géniteur lui refusait le droit
à la vassalité et, du coup, faisait de son essence même le plus profond de ses mensonges. Pour comprendre l'accueil que le cadet des
Flaubert a réservé aux théories d'Achille-Cléophas — c'est-à-dire,
selon lui, à la *vérité* — il faut abandonner provisoirement Larivière
pour examiner l'autre incarnation du chirurgien-chef. Gustave a
dix-sept ans, en août 39, quand il termine *Les Funérailles du docteur Mathurin*. La grande désillusion qui a mis fin à l'âge d'or reste

virulente en ce cœur blessé : elle va se manifester presque malgré l'auteur.

Le court récit interrompt le cycle autobiographique. C'est un conte philosophique dans le genre de ceux qu'il écrivait deux ans plus tôt. Mathurin est un septuagénaire « solide malgré ses cheveux blancs, son dos voûté ». « En un mot, écrit brusquement Gustave, un héros. » Malgré son âge, ce vieillard ressemble étrangement au docteur Larivière ; lisez plutôt :

« Il connaissait la vie... il savait à fond le cœur des hommes et il n'y avait pas moyen d'échapper au critérium de son œil pénétrant et sagace : quand il levait la tête, abaissait sa paupière et vous regardait de côté, en souriant, vous sentiez qu'une sonde magnétique entrait dans votre âme et en fouillait tous les recoins... À travers le vêtement il voyait la peau, la chair sous l'épiderme, la moelle dans l'os et il exhumait de tout cela lambeaux sanglants, pourriture du cœur et souvent, sur des corps sains, vous découvrait une horrible gangrène [1]... »

D'autres traits jurent avec les premiers : on nous dit qu'il a vécu « poussé mollement par ses sens », ce qui ne répond guère à l'idée qu'on se fait du docteur Flaubert. L'auteur ajoute que cette vie s'est écoulée « sans malheur ni bonheur, sans effort, sans passion et sans vertu, ces deux meules qui usent les lames à deux tranchants ». Et cela nous rappelle que le docteur Larivière pratique la vertu sans y croire et qu'Achille-Cléophas est vertueux par complexion.

En même temps, il faut le reconnaître, ce personnage, sous d'autres aspects, est une incarnation de Gustave. L'argument seul, qu'on nous expose dès le début, en *close up*, suffit à le montrer : « Se sentant vieux, Mathurin voulut mourir, pensant bien que la grappe trop mûre n'a plus de saveur... Le vrai motif de sa résolution c'est qu'il était malade et que, tôt ou tard, il lui fallait sortir d'ici-bas. Il aima mieux prévenir la mort que de se sentir arraché par elle. »

On remarquera que Gustave donne deux motifs à la décision de Mathurin : je ne dirai pas qu'ils s'excluent tout à fait mais que le second — qui est particulier et concret — relègue le premier dans les généralités de surface. Ou plutôt, le premier n'est qu'un repiquage de la sagesse stoïcienne ; le second trahit l'angoisse de Gus-

---

1. On remarquera aussi que l'auteur donne à Mathurin des « disciples » et qu'il désigne du même nom les élèves d'Achille-Cléophas.

tave. Le fait est que, depuis qu'il est entré dans sa dix-septième année, la famille est de nouveau en état d'alerte; le docteur Flaubert s'inquiète; le jeune homme lui-même, huit mois après *Les Funérailles*, nous confie son angoisse : il craint de mourir. Or nous verrons, dans le présent chapitre, les raisons par lesquelles la mort — qui lui inspire une horreur constante — ne lui a jamais fait vraiment peur. Disons qu'il a le sentiment d'être parvenu au point de non-retour et de se rapprocher irrésistiblement de *quelque chose* qui, à ses yeux, ne peut être que la mort. Gustave n'est pas Gribouille : il n'a jamais rêvé de se tuer pour éviter la mort; ce qu'il souhaite parfois, à l'époque, c'est qu'un suicide arrête à temps le processus irréversible qui le conduit vers l'*innommable*[1], qui devient, dans son pressentiment, sa plus intime possibilité. Mais en 39 et même dans *Novembre*, il a peine à se figurer cette menace — simple annonce que sa vie se changera en elle-même par un resserrement catastrophique — autrement que sous la forme d'un avis de décès prématuré. Par le fait, son Mathurin n'est pas seulement un *vieillard* (la vieillesse est une manière de survivre à sa vie qui ne déplaît pas à Flaubert, du moins en ce temps-là, puisque dans les *Mémoires d'un fou*, l'enfant souhaite d'avoir l'âge de la retraite qui l'arrachera au monde et aux passions); il est malade. Ayant contracté depuis huit jours une pleurésie qui ne lui pardonnera pas et connaissant son état, il décide de devancer son destin et de s'ôter la vie par une indigestion. Est-ce un suicide? À peine : où est l'acte? Et l'arme, où est-elle? Il se tue sans pistolet ni poison : pas de ciguë pour ce Socrate; il hâtera son dernier instant pour avoir abusé des biens de ce monde. L'alcool est toxique, c'est vrai, mais Mathurin jusque-là « savait » manger et boire. S'il s'empiffre et se saoule, cette nuit-là, c'est pour démontrer par sa fin grotesque que le Bien peut être meurtrier. En d'autres termes il faut choisir entre une abjecte tempérance, condition nécessaire de la longévité, ou l'infini Désir de Tout qui calcine. On retrouve ce thème dans *Novembre* : un adolescent qui meurt, victime de passions inassouvies, rien de mieux; un vieillard qui succombe au poids des ans, rien de pis : c'est un lâche, une petite nature, un étourdi. Mathurin, peu s'en est fallu qu'il ne mourût par hasard : il prenait des ménagements suspects avec sa santé. Au dernier moment, toutefois, il s'est ravisé :

---

1. Ce processus, c'est l'accélération vécue de la prénévrose qui doit s'achever par l'explosion névrotique de Pont-l'Évêque. Nous en parlerons à loisir dans le second tome de cet ouvrage.

du coup « il fut grand dans la mort ». Nous reconnaissons là Gustave : agir, pour lui, c'est pâtir de bon gré. Et puis, en un certain sens, ce suicide est une totalisation : en s'abandonnant à la pleurésie, il vivait trois jours de plus mais, qui sait ? dans la fièvre, il tombait du coma au néant. En une nuit d'ivresse, ce Socrate sans ciguë résume toute sa vie et toute son expérience : des « disciples » sont là pour recueillir sa science et la transmettre. Cette interrogation bouffonne : « puisque je vais mourir, vais-je me tuer ? » trouvera sa forme véritable dans *Novembre* : puisque je n'échapperai pas au Destin que je hais sans une humiliante métamorphose, ne vaut-il pas mieux me « donner *quitus* » par un coup de pistolet ? Rien n'est si clair, bien sûr, mais le schème est visible : il faut que Mathurin aille jusqu'au bout d'un développement inflexible dont tous les moments sont prévus ou qu'il brise net en se supprimant. L'anéantissement par suicide a pour but précis la *récupération in extremis*.

Que vient faire Achille-Cléophas en cette peau ? Comment s'y est-il glissé ? Je réponds d'abord qu'il est directement lié au mal de Gustave : il a commencé par donner aux troubles de son fils cadet une existence objective, ne fût-ce qu'en laissant voir, par son inquiétude, qu'il les avait constatés. De ce point de vue, la crainte religieuse et le ressentiment font que le Seigneur noir devient pour son fils l'unité synthétique des troubles objectivés, bref la maladie elle-même : Gustave ne peut intérioriser les symptômes de celle-ci, qu'il ne connaît pas mais dont il croit savoir — bien à tort — qu'ils sont connus d'Achille-Cléophas, sans attirer sur lui le regard qui diagnostique et qui donne un sens à ce que le jeune homme ressent confusément. Le père sera présent dans la vésanie vécue comme la volonté qui l'a découverte et peut-être inventée, comme la face *autre* et le nom caché du mal qui n'a pas de nom.

Du coup, le médecin, dans les profondeurs subjectives, se transforme en patient : le sujet étranger devient l'objet intime, l'occupant est emprisonné. Rêvant sur son propre suicide, Flaubert se met, sans y prendre garde, à raconter les derniers instants futurs du docteur Flaubert ; il ne fait que suivre son inclination puisque la *mort du père* est un des fantasmes qu'il caresse le plus volontiers. Notons que ce meurtre rituel est aussi, par un certain côté, une tentative d'identification : père et fils, cousus dans la même peau, meurent ensemble. Tentative avortée ; à peine ébauchée l'identification se casse : suit un dédoublement. Le personnage réalise successivement ses composantes contradictoires. D'abord le père puis le fils. Mathurin, pour commencer, a reçu en partage cette pondération qui vient à la fois de la raison et de la médiocrité. Il est de ces « sages qui mangent longuement et qui peuvent le dernier jour, au dessert, quand les uns dorment, que les autres sont ivres dès le premier service... boire enfin les vins les plus exquis, savourer les fruits les plus mûrs, jouir lentement des dernières fins de l'orgie... et puis mourir... ». En somme il s'est économisé sa vie entière pour jouir de l'existence en ses derniers moments. Par le fait cette tempérance calculée, ce doux épicurisme ne disparaît même pas au début de l'ivresse :

« D'abord ce fut une ivresse calme et logique, une ivresse douce et prolongée à loisir. »

L'âme de Mathurin, après les premières bouteilles, nous est encore présentée comme une « outre pleine de bonheur et de liqueur ». À cette griserie correspondent d'aimables et dignes propos : « Après tout, j'ai vécu, pourquoi ne pas mourir? La vie est un fleuve, la mienne a coulé entre des prairies pleines de fleurs... adieu, vents du soir... la vie est un festin... », etc. Comparaisons mesurées et banales, pour exprimer ce poncif : le consentement à la mort d'un vieillard comblé par la vie. Va-t-il mourir ainsi? On le dirait. Flaubert, à ce moment du récit, écrit en effet — toujours le *close up* — ces lignes qui pourraient en passer pour la conclusion :

« Il se plongea avant de mourir dans un bain d'excellent vin, baigna son cœur dans une béatitude qui n'a pas de nom et son âme s'en alla droit au Seigneur comme une outre pleine de bonheur et de liqueur. »

Quoi donc? La vie serait bonne? Dans ce monde bien fait, il suffirait d'éviter les écueils, de mettre un frein à ses passions pour cueillir, retraité, les fruits dorés de l'automne? Voilà qui ne ressemble guère à ce que pense et sent Gustave à cette époque, à ce qu'il pensera et sentira toute sa vie; pas même à ce qu'il écrivait au début du récit : rappelons-nous que Mathurin « voyait... la pourriture du cœur et, souvent, sur des corps sains, vous découvrait une horrible gangrène ». L'ambiguïté de la dernière phrase pue la rancune : les corps en question *paraissent-ils* sains? En ce cas, tout est pourri malgré les apparences. Etaient-ils sains pour de vrai? En ce cas l'« œil sagace » du bon docteur les *affecte* de la gangrène qu'il prétend découvrir. Une seule chose, en effet, est indubitable : cette gangrène *existe*. Gustave dit à son père tout à la fois : « Je sais, mon âme semblait pure mais tu as, seigneur adorable, découvert le Mal radical qui s'y tenait caché. » Et : « J'étais pur, c'est ton regard démoniaque qui m'a rendu méchant en supposant d'avance et par principe que je l'étais. » De toute manière, pour Mathurin, l'Univers est pourri : comment pourrait-il en jouir, fût-ce à l'instant de s'abolir ? L'auteur ajoute, d'ailleurs, en ce même passage qu'il a vécu « sans malheur ni bonheur, sans effort, sans passion et sans vertu ». C'est tout ce qu'on peut souhaiter dans le royaume de Satan. En somme Mathurin utilise sa connaissance du cœur pour se gouverner scientifiquement. Le résultat n'a certes pas été de faire couler ce fleuve, la vie, « entre des prairies pleines de fleurs » comme il le prétend après les premières libations. Tout au plus est-il parvenu, au cours de sa longue existence, à maintenir en lui ce vide pur, l'*ataraxie* des Anciens. On ne peut dire que ce fut l'humeur d'Achille-Cléophas, sombre, colérique et récriminant : celui-ci, pourtant, devait sans aucun doute penser et dire à ses enfants que le flegme intérieur représentait la seule perfection possible. Non qu'il le voulût pour lui, ce chercheur passionné. Mais l'utilitarisme — sa seule éthique — se fondait sur le sensualisme et celui-ci, quoi qu'on fasse, revient toujours à Épicure comme un cheval à son écurie. Surtout nous retrouvons ici un des rêves de Gustave : ne plus souffrir. La souffrance étant, selon lui, la saveur même de la vie, il n'envisage sérieusement que deux façons de l'éviter : l'une, méprisable, c'est de rester à la surface de soi-même ; l'autre ou vieillissement précoce, c'est d'avoir tant souffert qu'on ne puisse plus souffrir. Il y ajoute ici une troisième solution : la connaissance par les causes et le gouvernement scientifique de soi-même. Cette conception me paraît être un vestige de sa petite enfance. Longtemps le petit garçon a fait confiance au père, convaincu que ce regard si prompt à disséquer les âmes savait aussi se retourner sur soi. Au moment des *Funérailles* l'idée l'agace, il en joue sans trop y croire. Ou plutôt, elle est l'indice de sa stupéfaction : comment concevoir que, malgré son pouvoir de pénétration diabolique qui lui découvre le Mal partout et jusqu'en lui-même, Achille-Cléophas ne soit pas plus malheureux ? Des humeurs, certes, il en a, il crie et parfois va jusqu'à verser des larmes. Mais ces agitations de surface ne l'empêchent pas de mener la vie la plus paisible. Et la vérité du père, aux yeux de son fils cadet, c'est la majesté débonnaire de Larivière. Dans *Les Funérailles* Gustave décrit sans aucun doute une attitude familière d'Achille-Cléophas qui le scandalise profondément : quand le *pater familias* lève la tête et regarde son fils de côté (et de haut en bas) entre ses yeux mi-clos, celui-ci sent qu'une sonde magnétique entre dans son âme. Pour y trouver *nécessairement* de la pourriture ou pour l'y mettre si elle n'y est pas. Or, pen-

dant que ce démon voit le Mal jusqu'au fond du cœur de son rejeton, il *sourit*, le monstre : voilà le scandale. Le praticien-philosophe
se plaît-il à respirer la puanteur des charognes ? Se réjouit-il de
découvrir en ce fils qu'il a maudit les effets rigoureux de sa malédiction ? Ou bien, père insensible, se félicite-t-il de trouver dans le
cœur torturé de l'enfant la confirmation d'une hypothèse, ou, plus
généralement, de sa philosophie ? Pour Gustave, c'est un peu tout
cela. Mais, quand il écrit *Les Funérailles*, il semble surtout frappé
par l'insensibilité qu'il prête à son Géniteur. On notera, en effet,
que Mathurin vit « *sans passion* : donc il n'a pas même celle de connaître qui, jusqu'à un certain point, pourrait lui servir d'excuse.
Cet étrange caractère est un diable par l'esprit ; dans la vie, c'est
une petite nature, timorée, qui se ménage. Le jeune homme venge
l'enfant-martyr et se donne les gants de mépriser un peu son bourreau. Derrière Mathurin, M. Paul ne se cacherait-il pas ? Au scandale, d'ailleurs, s'ajoute un problème insoluble d'épistémologie :
d'où vient la science de Mathurin ? Comment l'a-t-il acquise ? Gustave promet de nous l'apprendre dans un gros livre dont *Les Funérailles* ne doit être que la conclusion. Mais c'est pour dissimuler
son embarras. Il prend pour accordé que l'expérience fonde seule
le savoir. Mais, s'il en est ainsi, comment acquérir la sagesse sans
avoir connu la folie ? La réponse, il la *donnera* dans *Madame
Bovary* : « (Larivière) était comme un vieux prêtre surchargé de
secrets domestiques. » Mais il la connaît déjà au temps qu'il dépeint
le docteur Mathurin. Et il la trouve pitoyable : le répertoire des
folies, des passions, des douleurs, son père le connaît par cœur pour
les avoir étudiées *chez les autres*. À quoi Gustave objecte implicitement qu'on ne comprend jamais les fous sans avoir été fou soi-
même : sans cette expérience personnelle, qui ne peut conduire
qu'au désespoir, on saisira des schèmes, on peut tenter du dehors
une classification : la « réalité vécue » échappera.

Tel est donc Mathurin : la *connaissance* du Mal mais non point
le Mal de vivre. Un sceptique, somme toute : il ne croit ni à Dieu
ni à Diable ni surtout aux beaux sentiments. Et le voici vieilli,
éventé, grappe trop mûre qui a perdu sa saveur : triste fin d'un voltairien. Et si pourtant, avant de mourir, il intériorisait et totalisait
les expériences des autres ? S'il les faisait siennes, tout à coup ? La
poudrière sauterait, le sceptique exploserait, deviendrait un
« héros » selon le cœur de Gustave.

Brusquement, tout se transforme, en effet, par l'imprévue mutation du docteur :

« ... la fumée de leurs [1] pipes monte au plafond et se répand en nuages bleus qui montent, on entend leurs verres s'entrechoquer et leurs paroles ; le vin tombe par terre, ils jurent, ils ricanent ; cela va devenir horrible, ils vont se mordre. Ne craignez rien, ils mordent une poularde grasse et les truffes qui s'échappent de leurs lèvres rouges roulent sur le plancher. »

Les discours de Mathurin s'altèrent : il rit, il se met à vociférer ; Gustave veut nous terrifier par l'irrévérence du vieux moribond ; s'il n'y parvient pas, c'est que son cynisme se réduit à des lieux communs tout comme l'élégant stoïcisme des pages antérieures. En tout cas, l'intention est certaine. Ecoutez plutôt :

« Cette dernière nuit-là, entre ces trois hommes, il se passa quelque chose de monstrueux et de magnifique. Si vous les aviez vus ainsi épuiser tout, tarir tout... tout passa devant eux et fut salué d'un rire grotesque et d'une grimace qui leur fit peur ; la métaphysique fut traitée à fond dans l'intervalle d'un quart d'heure et la morale en se saoulant d'un douzième petit verre. Et pourquoi pas ? Si je vous scandalise, n'allez pas plus loin, je rapporte les faits. »

Le récit — comme les *Mémoires d'un fou* — est dédié à Alfred ; c'est avec Alfred qu'il faisait, le jeudi, ces revues exhaustives et impitoyables : rien ne restait debout. Quant au vin, Gustave n'en abusait guère alors mais Alfred se saoulait à mort, littéralement : il buvait pour se détruire, nous le verrons. Ces deux indications nous suffisent : jusqu'à cet instant le rôle de Mathurin était tenu par le père ; à présent, c'est le fils qui l'interprète.

« Entré dans le cynisme, il y marchera de toute sa force, il s'y plonge et il y meurt dans le dernier spasme de son orgie sublime. »

Par ces quatre mots : « entré dans le cynisme », Gustave nous signifie que la métamorphose a fait l'objet d'une décision : le savoir diabolique de Mathurin, portant ses fruits enfin, le sauve d'une mort ignoblement modeste ; ce n'est point que l'approche de ses derniers moments lui ait rien appris : il *totalise*, rien de plus mais la totalisation, pour Gustave, ne se peut réaliser sans une volonté de cynisme, elle découvre la damnation de l'homme et son néant. La pleurésie détermine le modeste docteur à devenir ce qu'il était : un diable.

« Le prêtre entre, Mathurin lui jette (un carafon) à la tête, salit le surplis blanc, renverse le calice, effraie l'enfant de chœur, en prend un autre et se le verse dans la bouche en poussant un hurle-

---

1. Ce Socrate meurt au milieu de ses disciples.

ment de bête fauve ; il tord son corps comme un serpent, il se remue, il crie, il mord ses draps, ses ongles s'accrochent sur le bois de son lit. »

Bien sûr, après ce paroxysme, il s'apaise : il meurt doucement, nous dit-on. N'empêche : ce qu'on vient de nous décrire, c'est Satan sous une douche d'eau bénite. En d'autres mots, le docteur Flaubert, entré dans le cynisme, passe du scientisme à l'ignoble, et, totalisant enfin son expérience tant vantée, devient en mourant la « statue de la dérision ». Quelle satisfaction pour l'âme rancuneuse de Gustave : non seulement il assassine son père mais, par-dessus le marché, il l'oblige à mourir dans la peau du Garçon. Mathurin s'immole à Yuk, plus fort que la mort. Mais c'est aller trop loin : depuis un moment le père s'est éclipsé et c'est son fils, le sacrificateur, qui a pris la place de la victime. Le scepticisme voltairien d'Achille-Cléophas ne l'empêchait pas de jouir de l'estime universelle ; le fils, en l'assumant dans la souffrance et la haine, le transforme en un cynisme scandaleux. L'austérité un peu suspecte du premier trouve sa vérité dans le désespoir bouffon du second. Saoulez Achille-Cléophas et vous obtiendrez Gustave.

L'identification ratée (il y a *deux* Mathurin, c'est incontestable) s'est donc transformée en *filiation*. Encore ne peut-on dire si le père est devenu le fils ou s'il l'a engendré. Ce qui est sûr c'est que le fils, aux yeux de Gustave, *est* le père radicalisé. Cette étrange métamorphose marque clairement l'attitude du jeune homme envers le scientisme d'Achille-Cléophas. Le pouvoir de disséquer les corps et les âmes est pour le fils cadet un objet d'horreur et de respect : Gustave convoite l'*expérience* du médecin-chef [1]. En même temps, il lui semble que c'est un virus dont on l'a infecté, la cause même de son anomalie, l'origine de son « pressentiment complet de la vie » ; son père *fait* la science, Gustave la *souffre*, ce qui est une manière d'en être frustré : il ne la voit pas, il en est marqué, comme le condamné, dans *La Colonie pénitentiaire* de Kafka. Du coup, tout en admirant ce savoir meurtrier, il lui semble, du haut de son malheur, que son père n'en est pas digne : comment peut-il rester modéré, remplir sérieusement ses obligations professionnelles, pratiquer la vertu sans y croire et faire des placements très étudiés ? En Gustave, au moins, l'expérience se totalisera : souffrance, dérision universelle et mort. On pressent, au terme de cette analyse,

---

1. C'est, nous le verrons, le sens d'un récit de son adolescence, *L'Anneau du prieur*. Le mot d'*expérience* (pris au sens de savoir empirique) apparaît dans *Novembre*.

la situation singulière du fils cadet : le *pater familias* ne considère pas le mécanisme comme une idéologie *pessimiste* : c'est la pensée de sa classe, une façon de concevoir le monde et la société, un moyen de parvenir ; le scientisme n'est pas un scepticisme, bien au contraire : c'est une théorie de la Vérité ; ainsi l'envisage Achille ; mais le cadet, frustré, y voit un cynisme désespérant : le refus de toute valeur, de toute consolation religieuse ; la science paternelle, qui l'a trop tôt désabusé, loin de la refuser, pourtant, il veut l'accomplir, la pousser à son terme, la radicaliser. La théorie de la Vérité devient la théorie du Désespoir. Le mécanisme athée *ressenti* — plutôt que repensé — par un jeune prophète hanté par sa Destinée perd son caractère essentiel — qui est de décrire le monde en extériorité — pour devenir un nouveau tour de Satan ; pour Gustave, c'est la théorie de son Destin : le Diable a créé tout exprès une âme religieuse qui aspire à l'infini, aux ravissements, aux élévations, pour la jeter dans un univers sans valeurs et sans Dieu. Sur ce plan, le mécanisme intériorisé lui apparaît — contredit par l'instinct, par le besoin de croire, c'est-à-dire d'échapper à l'extériorité par un lien intérieur avec l'infini — à la fois comme sa frustration fondamentale et comme l'explication scientifique de toute frustration. Une fois de plus, il a perdu d'avance puisqu'il unifie passionnellement une idéologie qui, par l'atomisation du cosmos et des hommes, prétend dénoncer nos illusions et nous délivrer de nos passions. Nous verrons la part du ressentiment et de l'intention négative dans cette affaire : ce n'est pas en toute innocence que Gustave dévie le Mécanisme de sa voix royale pour en faire l'Évangile du Diable. Mais nous en savons assez, à présent, pour tenter de reconstruire l'évolution de cette pensée truquée et son choc en retour sur le vécu qui l'a empruntée et modifiée pour produire sa justification idéologique.

B. — SYNTHÈSE PROGRESSIVE

1. Le scientisme.

L'expérience, l'expérience seule : tout doit naître d'elle, tout doit y retourner. C'est l'acte de foi du docteur Flaubert, celui qu'il impose à ses fils. Gustave ne doute pas un instant que son père ne soit un *homme d'expérience*. De très bonne heure il lui envie

son savoir. D'où un nouveau malentendu, dont le père ne s'apercevra jamais, qui pèsera jusqu'au bout sur le fils.

Achille-Cléophas *observe*. Il dissèque avec zèle mais la dissection n'est souvent qu'un inventaire : on établit la carte géographi-
que du corps humain ; on dresse, après décès, le procès-verbal des
modifications que lui apporte la maladie. Il arrive aussi que le docteur Flaubert recueille des renseignements sur les accidents qui se
produisent au cours de certaines interventions chirurgicales : il classe
les faits, risque quelques interprétations qui restent en l'air, faute
d'être vérifiées par l'expérimentation. De ce point de vue, son
« Mémoire sur les accidents causés par la réduction des luxations »
mérite pleinement son titre à condition de le mettre au féminin :
c'est *une* mémoire. Cela s'explique d'abord par l'état rudimentaire
des techniques et des instruments mais aussi et surtout par l'impossibilité de travailler sur des vivants. Le temps n'est pas venu de la
« médecine expérimentale » : il fallait compter sur la maladie pour
réaliser par elle-même des systèmes expérimentaux dont le médecin, d'ailleurs, ne pouvait qu'être le témoin passif. Mais, nous
l'avons vu, l'humble « soumission aux faits » de l'empirisme dissimule le plus orgueilleux des intellectualismes : appuyé sur un ensemble de signes, le savant doit poursuivre son analyse jusqu'à ce qu'il
puisse fonder le savoir universel sur un système fini et rigoureux
de vérités analytiques. Ainsi, une ambitieuse *Logique* se découvre
comme l'envers de la soumission aux données sensibles : la passivité d'esprit est le principe posé pour justifier l'activité de l'intelligence. Achille-Cléophas est éminemment actif ; en d'autres termes,
la décomposition analytique ou, si l'on préfère, le travail du bistouri ne peut se faire sans que ses différents moments soient soutenus et reliés par l'unité d'un projet, d'une recherche et *même* d'une
idée à vérifier : l'analyse est, en elle-même, une entreprise synthétique ; mais elle ignore, à l'époque, cet aspect de sa démarche : seul
l'objet l'intéresse, qu'il faut réduire à ses éléments. Bien sûr, la
décomposition, pour le chirurgien-chef, doit être suivie tôt ou tard
d'une recomposition. Mais ce praticien, héritier du XVIIIᵉ siècle,
n'allait pas plus loin que Condillac qui écrivait [1] : « En effet, que
je veuille connaître une machine, je la décomposerai pour en
connaître séparément chaque partie. Quand j'aurai de chacune une
idée exacte et que je pourrai les mettre dans le même ordre où elles
étaient, alors je concevrai parfaitement cette machine parce que

---

1. *Logique et langue des calculs.*

je l'aurai décomposée et recomposée. » Tout dépend, bien sûr, de ce qu'on entend par « ordre ». Il est à noter, pourtant, qu'une machine recomposée n'est pas une machine *en ordre* de marche : il faut de l'énergie pour la mettre en mouvement. Il en a fallu pour que Lavoisier, à partir des éléments, parvienne à la recomposition de l'eau. Mais le bon abbé a tout prévu : à défaut des choses mêmes, nous recomposerons l'ordre des signes dans la langue conventionnelle que nous aurons inventée tout exprès. La conséquence d'une idéologie qui fait disparaître le mouvement et l'énergie, c'est que *pour la connaissance* il n'y a pas de différence entre une machine au repos et la même au travail. Mieux : la vérité de celle-ci réside en celle-là. Conception qui, appliquée à la vie, équivaut à faire de la mort la vérité de la vie. Achille-Cléophas n'y voyait pas d'inconvénient : il disséquait un cadavre ; la recomposition se faisait sur les planches anatomiques : après avoir taillé, on recousait ou plutôt on représentait par des images la remise en place des organes « dans l'ordre même » où on les avait trouvés ; c'était le savoir, la connaissance exacte de la machine humaine. Il est clair aujourd'hui que cette remise en ordre ne peut rendre compte du fonctionnement des organes, c'est-à-dire de leur rôle dans l'unité structurée d'un organisme vivant. Mais Achille-Cléophas était de ceux qui luttaient, à raison, contre l'organicisme et qui tenaient cette doctrine pour une perpétuation abâtardie de la pensée religieuse. Il savait bien, ce médecin, que la vie différait de la non-vie et qu'il faudrait rendre compte de cette différence. Mais, puisque, de toute manière, la vérité des phénomènes, quels qu'ils soient, résidait dans le *mécanisme*, l'opposition du vivant et de l'inanimé ne lui semblait pas fondamentale : la vérité *synthétique* de notre vie, c'était, à ses yeux, qu'il n'y a de synthèse qu'illusoire ou verbale ; après Condillac, après La Mettrie, il étend au genre humain l'idée cartésienne de l'animal-machine.

Gustave a su très tôt que son père disséquait : quand le petit garçon jouait avec sa sœur dans un jardinet situé derrière l'aile gauche de l'hôpital, il n'avait qu'à se hausser aux grilles des fenêtres pour voir les cadavres. Si le jeune fils d'un chirurgien, aujourd'hui, assistait aux travaux de son père, il placerait les démarches de celui-ci — directement ou indirectement — dans une perspective thérapeutique. Le mort sauve le vif : le *cadavre*, sur la table de marbre, a tout de suite un coefficient d'utilité. On peut le faire comprendre à un enfant ; la mort est aux mains des hommes parce que les hommes sont aux mains de la mort. Elle devient — sans cesser d'être limite absolue, donc nature — chaque jour moins *naturelle*. Dans cette perspective, elle peut garder aux yeux d'un jeune garçon son horreur *subjective* (il peut dès le premier âge éprouver de l'angoisse à l'idée de sa future abolition) ; *objectivement* elle effraie moins : pour repoussant qu'il soit, le cadavre est un moyen de vivre. Le fils cadet d'un chirurgien, au milieu de notre siècle, se passionnerait pour la greffe du cœur.

Dans la France déconnectée de 1830, où le recrutement des médecins s'est ralenti, les morts que voit le petit Gustave sont objets de science déjà. Mais d'une science passive, qui analyse et ne recompose pas, d'une science impuissante qui veut connaître et ne sait pas guérir. Elle prétend, bien sûr, connaître pour guérir. Mais elle sait qu'elle ne sait rien et qu'il lui faut observer les morts longtemps encore sans tirer d'eux le moyen de prolonger la vie. Et puisque cette connaissance ne peut qu'être rarement pratique, les enfants Flaubert sentent obscurément le caractère presque désintéressé des recherches paternelles : le pays somnole et retrouve ses attitudes traditionnelles devant les grands problèmes de la condition humaine ; et ce sont précisément ces attitudes — en particulier le laissez-faire — que la famille du médecin-chef a reprises à son compte. Ainsi la mort, aux deux enfants qui jouent dans le jardin, insupportable et familière, paraît surtout *naturelle*. Elle vient quand elle veut, on ne la fera pas céder d'un pouce. Gustave pense que son père l'étudie comme un botaniste peut étudier une espèce. Plus tard, lisons ses lettres, ses œuvres, jamais nous ne le verrons envisager la médecine comme une *lutte pour la vie* ; il la tient pour une science plutôt que pour un art. Du chirurgien, c'est le regard qu'il admire et non les mains. De son père, de Larivière, il feint de vanter le savoir théorique, les vertus mais non les guérisons qu'ils ont faites. Charles Bovary, qui échoue si misérablement quand il tente d'opérer un pied-bot, on pourrait dire, évidemment, que c'est un ignorant. De même pour Canivet qui se trompe de diagnostic. Mais le pharmacien Homais, dont Thibaudet souligne l'intelligence, n'est guère plus brillant : faute de guérir l'aveugle, il le fait chasser du pays. Larivière, Canivet, Bovary, Homais : voilà le « corps médical » en 1830 ; les uns tuent, les autres laissent mourir, les plus grands prennent la fuite pour éviter de se compromettre. Si l'on se reporte à la Correspondance, aux imprécations de Flaubert contre les médecins, on comprendra son sentiment profond : la médecine ne guérit pas ; pour lui, cela vient en partie de ce qu'elle en est encore à ses débuts mais c'est aussi, c'est surtout qu'elle s'attaque à la limite

naturelle de l'homme, à son indépassable destin. Et ce sentiment
— qu'il gardera toute sa vie — reflète simplement l'attitude de la
bourgeoisie encore paysanne dont il est issu. La mort se *subit*; elle
est — partiellement — objet de connaissance; elle se présente d'elle-
même comme une analyse, au sens étymologique du mot puisqu'elle
supprime les liaisons vivantes entre les organes et qu'elle facilite
la connaissance analytique — c'est-à-dire *anatomique* — du corps
humain. Le docteur Flaubert, au moins, pense que la vie, en tant
que telle, doit faire un jour l'objet d'un savoir quand ce ne serait
que pour découvrir, derrière l'illusoire unité organique, l'ensemble complexe de systèmes mécaniques en mouvement qui se
commandent les uns les autres de l'extérieur. L'enfant ne va pas
si loin : il croit ce qu'il voit. Si la mort lui apparaît comme la vérité
de la vie, ce n'est pas seulement pour s'être pénétré de l'abstraite
nécessité qui fait de tous les hommes des mortels : le cadavre représente à ses yeux la réalité permanente et concrète du corps vivant.
Il a vu très tôt des dessins, des planches anatomiques qui reproduisent des organes plus morts que nature : *lavés de leur sang*. C'est
comme cela qu'ils sont, pour de vrai, les gens : des cadavres qui
s'ignorent. Non pas des cadavres futurs : *aujourd'hui, à la minute
présente*, il est convaincu de porter le sien sous sa peau. Il s'agit
naturellement d'un sentiment plus que d'une idée : d'une pensée
magique, si l'on veut; toujours est-il qu'elle ne le quittera jamais.
La raison première, c'est la découverte de la mortisection : il reçoit
comme un choc le spectacle de son père courbé sur une charogne,
acharné à lui arracher le secret fondamental de l'homme. Mais
l'enfant est complice : subissant sans le comprendre le rationalisme
analytique, il ne saisit pas que le scalpel paternel cherche à mettre
au jour les plus fins rouages d'une machine précise et complexe
ni qu'Achille-Cléophas tient l'extériorité pour le statut fondamental de la matière, qu'elle soit animée ou inanimée. Passivement
constitué, Gustave n'est attentif qu'à l'obscène abandon des cadavres qui lui reflète sa propre passivité. Il agit, on l'y contraint, il
sait se servir comme il faut d'une fourchette, d'une cuillère, il
s'habille seul : mais sous ces activités de commande, il connaît
depuis longtemps son inertie, son indifférence à tout ce qui n'est
pas une rumination rancuneuse, son absentéisme profond; c'est
cela, le cadavre qu'il a sous la peau. Fasciné par cette matière
puante, faite à sa ressemblance, il découvre en elle *un moindre-
être* qui a ce double caractère contradictoire d'être la dérision de
la beauté, de la jeunesse, de la dignité humaine et, tout en même

temps, d'en produire la *vérité*. Le cadavre lui fait horreur quand il grouille de vie *posthume*, c'est-à-dire quand la décomposition se manifeste, en celui-ci, comme puissance intérieure de *se* décomposer. Mais que lui reflète-t-il, dans l'unité négative de sa purulence, sinon la vie « *anthume* », celle que Gustave subit au présent ? N'est-elle pas, elle aussi, une décomposition ? Non seulement dans l'abstrait et parce qu'elle lui semble un processus irréversible d'involution, mais directement, concrètement, parce qu'il assimile cette fièvre qui ensorcelle la matière en cet instant — et qui le produit *lui-même* — à l'*activité autre* qui, dès la mise en bière, s'acharne sur les morts : par les ignobles chimies de ses digestions, par la puanteur de ses excréments, par la fétidité de son haleine, de ses transpirations, par les raisinés qui tournent sous sa peau, par ses sucs, par le pus qui, sans raison apparente, s'amasse en gonfles rougeâtres et pointe, jaune abcès, furoncle, phlegmon, pour gicler, enfin, liquéfaction de sa chair, n'est-il pas de son vivant la charogne qu'il sera *post mortem* ? Il y a deux vies et Gustave les subira l'une après l'autre ; séparées par une coupure, elles s'orientent toutes deux vers son abolition : l'une l'a pris dans le ventre de sa mère et le tourmente par un irréversible vieillissement ; l'autre le prendra sur son lit de mort et le corrodera jusqu'à ce qu'il retourne enfin à la pure inertie de la matière inorganique.

On trouve ici, pour la première fois, la liaison irrationnelle mais indissoluble du *Fatum* de Gustave et du Mécanisme paternel. Si la vérité réside en celui-ci, la malédiction d'Adam, c'est l'*organique*. Le Père éternel et le *pater familias* ont mystérieusement produit une combinaison de molécules et l'on pénétrée d'une menteuse intériorité tout exprès pour qu'elle se décompose, c'est-à-dire pour qu'elle redevienne, dans les pires souffrances, ce système mécanique d'atomes — régis par la loi d'extériorité — qu'elle n'a jamais cessé d'être, *par en dessous*. Achille-Cléophas explique à son fils que la vie est une machine complexe et que l'analyse, tôt ou tard, la réduira à ses éléments, et l'enfant comprend qu'il est un bout de matière maudite, un rassemblement forcé d'atomes que seule la volonté mauvaise d'un Seigneur noir maintient réunis, juste assez pour que leur dispersion soit progressive. L'*Alter Ego*, unité misérable du divers, ne peut ni vouloir ni connaître la vie organique. Il la subit. De mystérieux métabolismes lui rappellent sans cesse la face d'ombre de son existence en se signalant à lui par des douleurs ou des besoins, exigences autres qu'il est, doucement d'abord, mais irrésistiblement, contraint d'assouvir et dont la satisfaction, *idéologie*

loin de restaurer l'intégrité de son organisme, ne fait qu'accélérer sa déchéance. De là vient — en partie — l'horreur de Flaubert pour les besoins naturels : manger, pour lui, c'est entretenir sa charogne, conformément à la *volonté-autre* et contre sa propre volonté. Cette étrange altération du mécanisme scientiste convient à merveille à sa constitution : l'aspect énergétique et pratique de l'organisation biologique lui échappe : le vécu se fait vivre par lui comme un écoulement de synthèses passives : frôlements, glissements, répétitions en dégradé, sénescence. Mais il faut reconnaître aussi que cette doctrine, jamais explicitée — elle éclaterait à la lumière — est travaillée en douce par son ressentiment. Gustave a donné tant bien que mal une structure idéologique à sa croyance en la malédiction d'Adam. En même temps, il maudit à la fois son père comme créateur (de morts ensorcelés) et comme analyste : c'est une seule et même chose que le mouvement du scalpel et le processus de décomposition naturelle : le *pater familias* n'aurait-il pas créé Gustave pour observer, vivant, son pourrissement et, mort, pour le disséquer tout à l'aise? L'analyse ne tue pas puisque nous sommes tous des mort-nés inconscients de l'être mais, avant de réduire l'organisme à la pureté de ses composantes inorganiques, elle fait gicler partout les sucs de la putréfaction. Ce sera, pour Gustave, une règle générale : l'objet du savoir pue.

La conséquence de cela, curieusement, c'est qu'il n'a jamais eu grand peur de mourir. Que pouvait-il craindre puisque *c'était déjà fait*? Il y a cette fièvre qui s'empare d'un trépassé, cette danse macabre, la vie; et puis la fièvre tombe, l'imposture se démasque, la matière en folie se déprend de ses illusions et retrouve son inertie naturelle. Ce qui a garanti Gustave contre l'angoisse immédiate de se sentir mortel, c'est ce que j'appellerai son aliénation idéologique. L'autorité du chirurgien-chef est telle que son fils cadet s'est habitué à tenir le vécu, la conscience qu'il a de lui-même, le *Cogito*, enfin, pour des apparences inessentielles, et à mettre son essence dans son objectivité médicale. La science, installée en lui dès son plus jeune âge, a nécessairement raison contre son expérience intérieure, de la même façon que le praticien-philosophe, unique détenteur de la Vérité, a raison contre lui. On voit pourquoi je parle ici d'aliénation : il aliène son obscur sentiment d'exister à la connaissance objective du cadavre des autres par l'Autre absolu, le *pater familias*; il s'ensuit qu'il est, pour lui-même et tout de suite, mort en tant qu'autre. Ou, si l'on préfère, que son *Alter Ego* se présente à lui comme feu Gustave Flaubert, ce qui est une façon mythique de ressentir son occupation par le Seigneur noir qui le pétrifie. Mais s'il reprend le mythe à son compte et le radicalise — par la tactique déjà décrite, du vol à voile — c'est que celui-ci le sert. Il s'empare de la Mort et la tient pour la Science suprême. C'est le nom qu'il lui donnera dans le *Saint Antoine* de 1849. Non qu'il croie à l'immortalité de l'âme ; mais tout au contraire parce qu'il est persuadé, bon gré, mal gré, qu'il va retourner au néant. L'illogisme saute aux yeux : si le néant nous attend, la science absolue ne sera sue par personne. Mais, en premier lieu, ce sophisme est déguisé, dans le même *Saint Antoine,* par une alternative qu'on peut résumer ainsi : « Ou bien il y a *quelque chose* après toi et tu dois t'abolir pour connaître la vérité absolue ; ou bien il n'y a rien et, de ce fait, la mort reste l'absolu tout de même ; en choisissant de t'anéantir tu adoptes sur toute chose le point de vue du néant. » Mais, surtout, il faut aller au-delà des apparences : l'idéologie du père, par malentendu, comble le ressentiment de Gustave, celui-ci va l'exploiter à fond : le point de vue du néant, c'est sa rancœur et sa frustration qui le lui ont fait adopter ; mais sous cette forme purement philosophique, c'est une perspective abstraite ; le *point de vue de la mort*, voilà qui est mieux : d'abord il est cautionné par ces dépouilles visibles, sur les tables de marbre, et puis il permet de tuer le genre humain d'un clin d'œil ou de découvrir, en chaque personne singulière, un cadavre ensorcelé. Nous verrons plus tard comment ce point de vue, qui semble d'abord à Gustave être celui du savant, deviendra peu à peu celui de l'Artiste. Pour l'instant, la supériorité de la Mort sur le Néant dont elle n'est qu'une expression particulière tient en ceci, pour Flaubert, que, tant que subsiste, même putréfié, quelque chose du corps humain qu'elle vient de frapper, il demeure en celui-ci, comme un résidu, une conscience douloureuse du Non-Être. C'est par là, finalement, que le Non-Savoir devient Savoir : à cause de ces yeux vides et rongés qui connaissent leur absence et qui par ce non-regard encore vécu embrassent l'Être tout entier. Les cadavres souffrent. Il ne s'agit pas, bien sûr, d'une pensée *disable* : n'importe, Gustave y croit.

Ce qui l'obsède, en eux, c'est d'abord la contestation. Ils dénoncent notre sotte espèce qui a l'insanité d'entreprendre ce qu'elle est incapable d'achever. Collégien, il se divertira, avec ses camarades, à revêtir d'oripeaux quelques squelettes volés, à mettre des lampions à l'intérieur de leurs crânes et à les promener par les rues en procession. Adolescent, il mirera son corps-objet dans les glaces jusqu'à l'ébahissement. Il prétend ne pas pouvoir se raser sans rire : nous aurons l'occasion de revenir sur le rapport de Flaubert à son image. Pour l'instant, je veux simplement marquer qu'il se réjouit de la stupidité de son entreprise : ils lui survivront, ces poils ; ils croîtront encore dans sa bière, quand il sentira déjà ; à quoi bon se les ôter aujourd'hui ? Rire sadique : en se moquant de soi, Gustave prend sa revanche sur tous les hommes, en tout cas sur tous ceux qui se font la barbe et, à travers eux, sur tous ceux qui osent *entreprendre*, quel que soit l'objectif qu'ils se proposent. Mais la fascination qu'exercent sur lui la morgue[1] ou la table de dissection, il faut y voir aussi une expression de son masochisme : nous avons montré, dans un précédent chapitre, que le jeune garçon se sent dominé par les Autres, incapable de s'arracher à leurs fortes mains, et que la mort lui apparaît comme une radicalisation de cette impuissance : le cadavre est la chose d'Autrui ; on l'a vu s'acharner sur les dépouilles de ses héros, les livrer sans défense à leurs bourreaux, l'enfer continue *post mortem*. Des carabins s'emparent du corps de Marguerite, ils la dénudent et la coupent en petits morceaux : obscène, cette chair ouverte et si précautionneusement hachée n'est-elle pas un rappel de sa protohistoire ? ne ressemble-t-elle pas au consentement passif du nourrisson façonné par les mains exactes et sévères de sa mère ? Il ne s'agit certes pas d'un souvenir : pourtant, les étudiants *défont* une passivité avec autant de sollicitude et d'indifférence que Caroline en a dépensé pour *faire* son fils cadet. Et, surtout, cette fable signifie : mon père me disséquera, il me dissèque tous les jours en d'autres corps. Qu'importe ? dirait Lucrèce, tu ne seras plus là. Mais la pensée magique de Gustave résiste à cette rationalisation un peu courte. Il faut que la souffrance et la dérision soient intériorisées : la mort est une horrible naissance, elle doit se *vivre* : nous l'avons vu, par une étrange osmose, son corps *vivant* est pénétré par la mort des autres ; inversement il prête une vie larvaire aux corps que la vie a quittés, et d'abord à sa dépouille future. Il faut à ce damné, pour que sa damnation soit achevée, qu'il demeure je ne sais quelle sensibilité dans ce ramas de ténèbres qu'il sera un jour et que les survivants vont manipuler. Sadisme et masochisme de ressentiment, horreur et fascination, méchanceté : tous ces thèmes sont réunis dans un passage d'*Agonies*, ouvrage terminé le 20 avril 38 — Gustave a seize ans — et dédié à Alfred. « On exhumait un cadavre, on transportait les morceaux d'un homme illustre dans un autre coin de terre... Ce

---

1. Etudiant, Gustave y passait de longues heures.

spectacle nous fit mal, un jeune homme s'évanouit... Où était donc cet homme illustre? Où étaient sa gloire, ses vertus, son nom? L'homme illustre, c'était quelque chose d'infect, d'*indécis*[1], de hideux, quelque chose qui répandait une odeur fétide, quelque chose dont la vue faisait mal. Sa gloire? Vous voyez, on le traite comme un chien de basse qualité, car tous ces hommes étaient venus là par curiosité... poussés par ce sentiment qui fait rire l'homme à la vue de la torture de l'homme. »

L'homme illustre, ce n'est pas Gustave. En tout cas, pas d'abord. Les mots que le jeune auteur emploie pour le désigner indiquent une hostilité de principe; l'homme est « *illustre* » *pour la foule* : c'est un bienfaiteur, un « philanthrope », un « savant optimiste »; l'ennemi : quand on en douterait le seul mot de « vertu » suffirait à nous convaincre; on sait ce que le petit méchant pense des gens vertueux « sans y croire » ou « par complexion » : ce sont des « Larivière », de grands chirurgiens provinciaux qui se donnent les gants parfois de soigner les pauvres pour rien. Flaubert ne vise pas expressément son père, mais la catégorie dont Achille-Cléophas n'est qu'un représentant singulier : par un truquage fréquent chez Gustave, l'intention parricide se cache à elle-même en se perdant dans le mouvement de l'universalisation. À ce niveau, il est clair que Gustave est *sadique* : c'est l'Autre qui est victime de son ressentiment. Mais il suffit d'un seul mot pour que le père devienne aussi le fils cadet par un raccourci du processus de filiation qui sera développé dans *Les Funérailles* : le cadet n'aspire qu'à la *gloire* qui compensera le mépris de sa famille et condamnera celle-ci par sentence rétroactive : nous verrons bientôt toute la différence qui sépare, à ses yeux, les *illustres* qui sont légion — des médiocres, des possédants, qui meurent comme ils ont vécu, rassurés — des grands damnés majeurs qui ne deviendront *glorieux* que par leur capacité de souffrir. Donc le fils, d'abord témoin, « poussé par le sentiment qui fait rire l'homme à la vue de la torture de l'homme », s'incarne tout à coup dans le cadavre et les rieurs se tournent brusquement contre lui, il les entend ricaner, du fond de la fosse d'où on l'exhume. Il disait à son Géniteur : à quoi te sert ta réputation, tu es charogne; il se dit à présent : la gloire même ne sauve pas, après ma mort je serai la proie des charognards. Il passe du corps de l'Autre à son propre corps-pour-les-Autres.

Mais ce qui frappe surtout, en ce texte curieux, c'est la survie

---

1. C'est Flaubert qui souligne.

du mort jusque dans sa décomposition ; il ne dit point : « l'homme illustre *était devenu* quelque chose d'infect », ce qui laisserait supposer un passage irréversible d'un état à l'autre mais permettrait aussi de dire — ce que Gustave refuse tout net — que le cadavre en putréfaction n'a plus rien de commun avec le Docteur magnifique qui *n'est plus*. Lisons : « L'homme illustre, *c'était* quelque chose d'infect, d'indécis... dont la vue faisait mal. » Certes Gustave dit « quelque chose » et non pas « quelqu'un ». Mais la copule marque l'identité du mort et du vivant. Ce *quelqu'un* a toujours été *quelque chose* et, par cette raison, ce *quelque chose* reste encore *quelqu'un*. Voyez d'ailleurs comme le jeune auteur s'y prend : il feint de chercher le grand homme, comme s'il jouait à cache-cache : « Où est-il ? Où est-il ?... le voilà ! » C'est lui qu'on cherchait, c'est lui qu'on a trouvé. De fait il est vivant : la vie grouille sur son cadavre, dans les chairs qui se liquéfient. Plus curieusement encore, il reste, dans cet organisme en décomposition, un obscur serf arbitre qui reprend à son compte les puanteurs de la chose puisqu'on nous dit : « c'était quelque chose dont la vue *faisait mal* ». On retrouve ici Marguerite coupable de sa laideur. Et ce pauvre homme en voie de réification conserve assez de sensibilité pour souffrir : « On le traite comme un chien de basse qualité » et les curieux sont venus pour rire de sa « torture ». Quand, après le décès, la pourriture qui se dissimule sous nos enveloppes parfois avenantes (rappelez-vous Adèle : on la déterre, un fossoyeur s'évanouit) éclate au grand jour et révèle ce que nous sommes, nous subissons ce malheur objectif, couchés sur le dos, impuissants, fouillés par les regards chirurgicaux des autres, comme un *tourment*. Le grouillement des vers, la chair qui coule, les sirops fétides qui sourdent à la place des yeux, les organes internes, visibles désormais, et pourrissants ; autant de tortures infligées au mort illustre. Et le mépris sadique, les rires de la foule, ce sont aussi des mauvais traitements. Mais le seraient-ils si personne n'en souffrait ? Il semble que le Mal objectif s'intériorise dans ces pauvres restes sous la forme d'une puissance impersonnelle de souffrir, leur dernière unité avant l'éparpillement final.

Dès à présent, nous pressentons que le matérialisme mécaniste d'Achille-Cléophas se double, chez Gustave, d'un fétichisme qui tente de le corriger. Le processus de fétichisation ressemble fort à celui que Marx nomme « fétichisation de la marchandise » et peut, nous en reparlerons, en être une spécification : dans une économie de marché, ce qui est le travail des hommes, le sceau qu'ils apposent sur l'inerte matériau apparaît comme le *pouvoir autre* du produit fini, comme son unité d'intériorité. De la même manière le *sens* des objets humains — qu'il s'agisse d'un événement social, d'un cadavre, de la casquette de Charbovary — apparaît à Gustave non comme un résultat — du travail, d'un antagonisme, de l'usage — mais comme l'objectivation menaçante et fixe d'une souffrance ou d'une pensée qui demeure en eux et sur eux comme l'extériorisation de leur unité intérieure. Rien de plus *logique* si nous nous rappelons que sous l'idéologie mécaniste, cette âme profonde et ravagée est habitée par la croyance au Destin : si le *Fatum* existe, les événements et les choses sont des intersignes : ils nous désignent, nous font signe ; imprégnés d'une volonté autre qui les a mis sur notre route avec mission de se transcender pour nous indiquer que le pire — que *notre* pire — est toujours sûr, ils sont pensée et même conscience mais pensée *autre*, conscience *autre* ; en chacun de ses projets prophétiques la volonté de l'Autre s'est particularisée ; il en résulte cette impénétrable énigme : une matière inanimée qu'une âme ensorcelle à la façon dont la vie n'est qu'un ensorcellement de cadavres.

Voilà qui permet de comprendre comment, à la limite de la décomposition, quand le corps est, par une analyse naturelle, réduit à ses éléments inorganiques, la mort peut apparaître à Gustave comme une paisible survie : plus de souillure, on peut enfin rêver, comme le dernier *Saint Antoine*, d'« être la matière ». Mais c'est que celle-ci reste hantée par une âme. Devant les gisants, le jeune héros de *Novembre* aime à rêver ; il les jalouse : on leur a donné la figure humaine *sans la vie*. Façonnée à l'image d'un mort singulier qui, prince ou cardinal, souffrit jusqu'à mourir, la pierre absorbe cette mémoire inquiète et lui donne le calme éternel de la minéralité ; entre l'inerte matière et la pensée, plus n'est besoin d'intermédiaire : incorruptible, le gisant garde la conscience figée d'avoir été, de n'être plus, d'échapper pour toujours au malheur. Rien de plus clair : Flaubert donne aux choses une âme aliénée parce que, sous le regard autoritaire du *pater familias*, il aliène son expérience intime à l'objet qu'il est pour autrui, à ce système de systèmes mécaniques qu'il considère à la fois comme sa *vérité* et comme son cadavre. Reste que ces statues hantées offrent au ressentiment le meilleur poste d'observation. En enviant leur ataraxie, calme contestation minérale de tout, Gustave décide lui-même de son Destin : il faudra bien, un jour, qu'il se fasse gisant lui aussi. Nous verrons comment il s'y prendra. De toute manière, bien avant l'option névrotique, dès treize ans, l'adolescent s'est donné le moyen de prendre, vivant, le point de vue du Néant sur toute chose : il lui suffit de regarder le monde avec les yeux morts du cadavre qui est en lui. Mais, dira-t-on, ce cadavre n'existe que dans son imagination. Oui. C'est le fond de l'affaire : mourir, en ce cas, c'est s'irréaliser. Mais il est trop tôt encore pour que nous étudiions la dimension imaginaire de Gustave. Il suffisait de marquer ici l'usage qu'il fait de l'analyse *matérielle*, autrement dit, du travail du scalpel. C'est à ce niveau qu'apparaît le malentendu. Gustave et son père font l'un et l'autre de l'*expérience* le fondement de toute connaissance valable. Mais ils ne parlent pas de la même chose. Lorsque Gustave déclare qu'il a eu, tout jeune, un pressentiment complet de la vie, il se réfère à une expérience *existentielle* qu'on pourrait rapprocher, par exemple, de ce qu'on a coutume, après James, d'appeler expérience religieuse. Il ne s'agit évidemment ni d'une somme d'expériences, au sens où l'empirisme l'entend, ni d'une expérimentation, au sens moderne du mot. L'expérience de Flaubert, telle qu'il nous la rapporte, est tout à la fois singulière et complète : c'est un événement vécu qui dit tout sur lui-même et, du coup, déborde le présent pour hypothéquer l'avenir ou — ce qui revient au même ici — pour le dévoiler. Cela tient tout à la fois de la *découverte* — au sens où, justement, l'expérience religieuse, l'expérience mystique ou l'expérience névrotique découvrent un secteur de l'existence qui est qualitativement irréductible et neuf — et de la *totalisation* — au sens où la *conversion* est totalisante en tant que prise de conscience des implications contenues dans ce qu'on se bornait jusque-là à vivre au jour le jour. Pour cela, justement, ce dévoilement est vécu dans sa singularité comme ce que rien ne pourra mettre en question par la suite. Bien entendu, à la saisir du dehors et comme détermination objective, cette prétention paraît exorbitante : l'expérience religieuse — par exemple — peut être suivie plus tard d'une perte radicale de la Foi : j'en connais — et même des prêtres — qui ont suivi ce chemin-là ; à la conversion même peut succéder une démobilisation de l'âme. Mais ce qui nous importe ici, c'est que l'expérience existentielle est vécue en elle-même comme irréversible : on peut certes la répéter sans cesse et même l'enrichir, mais elle ne peut, en son fond, être modifiée par d'autres expériences. C'est, du moins, ce qu'elle déclare d'elle-même. En ce sens, tant que le sujet reste fidèle à cet engagement premier, la succession de ses « *Erlebnissen* » ne fait que renvoyer à un événement archétypique qui est tenu, de l'intérieur, comme une intuition fondamentale et invariable. Autrement dit, cet

archétype se donne pour une expérience unique et fondamentale
à laquelle l'expérience ne peut rien ajouter.

Si l'on veut démystifier l'expérience-révélation que je viens de
décrire, il faut noter d'abord qu'elle est rarement vécue pour de
bon : le sujet s'y réfère constamment, il *croit* qu'elle a eu lieu mais
rien ne prouve qu'il en est ainsi. Voyez Gustave : dans *Le Voyage
en enfer* il marque clairement le passage de la rumination à l'illumination. Perché sur le mont Atlas, il médite, il rêve sur le genre
humain, sur ses passions : pourtant, il ne tire aucune connaissance
de ces vagues ébahissements — déjà syncrétiques, pourtant, puisque c'est la condition humaine qui est en cause. Vient le Diable
qui, pareil à l'Asmodée de Lesage, l'enlève, lui fait faire le tour
du monde et transforme la rêverie en une inévitable conclusion :
voilà l'Enfer. Il est clair que cette totalisation de notre espèce est
l'équivalent de l'expérience existentielle ; la méditation s'est transformée : raidie, durcie, elle s'est faite parti pris, conclusion. Mais
qui peut affirmer que cette métamorphose a eu lieu en un moment
précis ? comme il arrive souvent — et en des domaines tout
différents — l'enfant a pu vivre longtemps *avant* l'intuition totalisante puis continuer sa vie *après* elle sans qu'il y ait eu jamais l'instant de foudre qui l'eût fait vivre *pendant* l'illumination. En d'autres
termes, le plus vraisemblable est qu'il n'y ait jamais eu d'actualisation brusque de l'archétype et que, dans la continuité du vécu,
Gustave s'y soit référé comme à quelque chose qui s'est *déjà* produit, et que, de ce point de vue, le vécu lui-même n'ait jamais eu
la fraîcheur saisissante de la nouveauté.

Il n'est pas douteux, d'autre part, que cette hypothèque sur l'avenir ne peut naître de la seule expérience immédiate : elle comporte
nécessairement un serment. Quand Flaubert totalise le vécu en pressentiment de la vie — ou *Fatum* — il extrapole : à partir de la temporalisation écoulée dont il a saisi le caractère involutif, il y a
prophétie : il s'engage par ressentiment à vivre la temporalisation
future comme dégradation accélérée. C'est jurer que le pire est sûr,
nous le savons. Mais le serment, chez lui, ne peut se présenter sous
forme de *décision* : ce serait agir ; il se fait *croyance*. Et cette
croyance prétend se référer à une illumination peut-être fictive.

Reste que le jeune garçon a passé du terrain de l'immédiat à celui
de la réflexion. Reste que celle-ci et l'extrapolation, en même temps
qu'elles prétendent restituer la saveur nue du vécu, en changent la
qualité : chaque instant de l'expérience, au lieu de se faire vivre pour
lui-même, isolément, ou de s'agglomérer à des blocs — agrégats

sans véritable unité et sans lien synthétique aux autres moments de la vie [1] — apparaît à présent comme la partie d'une totalisation en cours qui s'achèvera avec la mort de Gustave. Et comme la partie est l'expression singularisée du tout, chaque instant se présente à Gustave comme un condensé de sa vie entière : *elle est là*, il en jouit atrocement et, simultanément, il est renvoyé à toute la temporalisation passée qui s'orientait vers ce présent, à toute la temporalisation future qui conduit à l'abolition. À présent l'unité de son expérience vient de ce que chaque aperception confirme une évidence archétypique qui n'a peut-être jamais eu lieu mais qu'une intention rétrospective vise dans le passé sans l'atteindre tandis qu'une autre — serment tenu — vise l'avenir le plus lointain en jurant (croyance) qu'il sera toujours conforme à la prédiction originelle.

Telle est la première contradiction qui, sur le terrain de la connaissance, oppose Gustave à son père sans qu'aucun d'eux s'en aperçoive : Gustave *sait tout*, une unique expérience lui a donné un pressentiment complet de la vie ; Achille-Cléophas en bon empiriste tient, au contraire, l'expérience pour la somme — jamais achevée — de toutes les expériences particulières qui se produisent non pas seulement au cours d'une vie humaine, mais depuis la naissance de l'humanité. Gustave le comprend : il croit son père ; c'est le principe d'autorité. Il adopte donc l'idéologie de son temps qui fonde la connaissance sur l'enregistrement passif des perceptions : c'est une somme qui se fait d'elle-même : la mort tire un trait, l'addition est achevée. Cette conception ne pouvait que plaire à Flaubert : cet agent passif qui a les plus grandes difficultés à affirmer ou à nier, qui préfère les associations de mots et d'images aux « liens logiques », accepte volontiers que le Savoir soit l'accumulation automatique des synthèses passives qui le traversent. Mais c'est tomber dans un piège dont il ne se tirera pas. À l'époque, la sagesse des nations proportionne le savoir à la longévité : qu'on se rappelle le philosophe anglais et ses Sages, marins, marchands, hommes d'État retirés de la vie politique, tous gens de bien, bourgeois qui ont roulé leur bosse et qui seront choisis, au soir de leur vie, ayant beaucoup vu et beaucoup retenu, pour conseiller les jeunes, les gens d'affaires, le gouvernement, pour tenir le courrier du cœur. Si Flaubert à treize ans déclarait « Je suis malheureux », on le croirait *peut-*

[1]. C'est à ces fausses totalités vite désintégrées que Gustave fait allusion lorsqu'il nous dit que Djalioh, enfant, avait vécu plusieurs vies.

être. Mais s'il extrapole et prétend que le monde est tout entier mauvais, on lui rira au nez, on lui répondra qu'il n'en sait rien. Bref, il n'a qu'à la boucler. Adopter l'empirisme bourgeois, c'est nier *a priori* la portée de son expérience existentielle.

Il s'en aperçoit dès treize ans — et, vraisemblablement, beaucoup plus tôt. J'ai montré comment, dans *Le Voyage en enfer*, sa vague méditation se transforme en une affreuse certitude, grâce au concours du Diable — abstraite allégorie qui, sans aucun doute, s'inspire du docteur Flaubert, ce « démon ». Mais le jeune garçon ne parvient à la totalisation qui termine ce conte qu'après un long voyage autour de la terre. Satan lui montre *tout*, successivement, après quoi il ne reste à l'enfant qu'à tirer la conclusion de ce qu'il a vu ; ou plutôt celle-ci se tire d'elle-même puisque c'est Satan qui la lui souffle. Comme on voit, l'expérience existentielle s'est déployée : elle s'est transformée en un dénombrement général des maux et des crimes de l'espèce. Mais, comme il ne s'agit point ici d'une vie — lent processus de dégradation — mais d'un tour d'horizon qui, le Diable aidant, s'est fait peut-être, à la vitesse de la lumière, le jeune auteur s'est efforcé de trouver une solution à son problème : l'expérience, semble-t-il nous dire, peut se résumer en un instant ou s'étirer sur une vie entière. Le résultat est le même.

C'est ce qu'il exprime plus clairement encore dans un récit non daté mais, selon toute vraisemblance, antérieur à septembre 35 : *L'Anneau du prieur*. Un moinillon descend dans une crypte pour ouvrir le cercueil d'un prieur qui vient de mourir et lui voler son anneau ; il y parvient mais le cercueil se referme sur le vêtement du jeune homme qui ne peut s'échapper et mourra près du cadavre de celui qu'il a voulu détrousser. Bruneau en a trouvé la source : c'est un ouvrage publié, peu auparavant, à l'intention des collégiens et qui contenait des sujets de narration et leurs « corrigés ». L'enfant a pris ce sujet, a suivi le développement à la lettre et l'a baptisé récit. Soit. Mais il est regrettable que Bruneau ne voie dans cette nouvelle qu'un exercice de style et qu'il raille un Allemand qui a cru y déceler une intention parricide. Il ne répond pas, en effet, à trois questions essentielles : 1° Pourquoi Gustave a-t-il choisi ce sujet entre tous ? 2° Pourquoi a-t-il conservé toute sa vie dans ses tiroirs ce travail de copiste ? 3° Quel est le sens des modifications qu'il a apportées — Bruneau le reconnaît lui-même — au canevas initial ? Par le fait, bien que l'auteur du livre donnât un peu dans la mode romantique, le thème proposé était édifiant : ce moine est un petit voleur, il est puni par où il a péché. Les élèves devaient donc manifester leur horreur devant ce pilleur de cadavres et le peindre du dehors. Le petit copiste, au contraire, se met dans la peau du moine ; celui-ci n'en est pas plus sympathique mais il devient victime, c'est un prédécesseur de Marguerite, de Garcia, la proie d'un Destin. Faut-il croire pour autant que Gustave, en écrivant *L'Anneau*, accomplit le meurtre rituel du Père et s'en punit en mourant de cette mort ? Je n'en suis pas convaincu. Certes, nous l'avons vu, le petit ne se gêne pas pour occire en pensée Achille-Cléophas ; il l'assassinera, un peu plus tard, sous le nom de Mathurin. Rien n'empêche *a priori* que l'intention meurtrière ne soit à l'origine de son choix. Mais il suffit de lire attentivement le corrigé du corrigé pour comprendre que le but de Gustave est autre ; ainsi, si cette pulsion parricide figure parmi les motifs qui l'ont incité à choisir ce sujet, ce ne peut être qu'à titre de composante très secondaire.

Ce prieur est accablé par les ans. Il a beaucoup vécu, beaucoup souffert, il connaît tous les secrets de la vie. Ce vieillard a un pied dans la tombe et pourtant un jeune moine l'envie furieusement. Ce n'est pas l'anneau qu'il convoite d'abord, c'est cette mémoire en train de se clore et qui va glisser dans le néant. Autrement dit le petit Gustave, incarné dans cet envieux, réclame de posséder l'expérience intégrale de son père, cette omniscience qui ne peut se totaliser qu'au terme d'une longue vie. Ici intervient l'anneau, ce bijou brillant que le prieur a porté à son doigt pendant plus d'un demi-siècle, qui s'est quasiment incrusté dans sa chair et dont l'éclat fascinant représente le savoir dont, par une sorte de cémentation, il est chargé à présent. Disons que c'est — comme les gisants seront plus tard — un *fétiche*, la survie minéralisée d'une mémoire. Le moine veut s'en emparer : à peine l'aura-t-il passé à son annulaire, celui-ci, par une cémentation inverse, lui rétrocédera l'expérience du prieur. Est-ce à dire que Gustave veut la mort de son père ? Peut-être mais je vois plutôt dans le mythe de l'anneau une première et vaine tentative d'identification au Géniteur : Gustave, omniscient, deviendrait le pareil d'Achille-Cléophas ; mieux, il serait Achille-Cléophas en personne.

Ce qui a conduit le petit garçon à choisir entre tous ce sujet absurde, c'est que celui-ci lui *parlait*, c'est qu'il y voyait obscurément la solution mythique d'un problème qui le tracasse : comment recueillir les enseignements d'une existence soufferte jusqu'à la lie sans qu'il soit besoin de la vivre ? L'anneau, c'est la solution : s'il a absorbé les espoirs et les désenchantements du prieur, il en devient le *condensé* ; en lui, le temps vécu se replie, la sommation des instants se réduit à une *qualité pure*, immédiatement accessible, à une vertu métaphysique qu'on acquiert sur-le-champ par une sorte de *participation*. La fiction emprunte son ossature à la Genèse : l'anneau, c'est la pomme ; à peine est-il dérobé qu'il donne au voleur la Science : le moine connaîtra le Bien et le Mal. Toutefois, dans le conte de Flaubert comme dans le récit biblique, ce savoir mal acquis est une indiscrétion que suit un prompt châtiment. Adam cueille le fruit *défendu*. Défendu pourquoi ? Nous l'ignorons. Gustave est plus explicite : son détrousseur de morts est un parasite, il vampirise un défunt pour lui prendre sa vie vécue ; la Science, en lui, sera *empruntée*, il s'est greffé une *autre expérience*. Si nous écartons les accessoires, enfer et grincements de dents, nous voyons que l'auteur-adolescent présente l'anneau comme le lieu de ses exigences contradictoires et non comme leur solution : les vieillards *savent*, les morts plus encore ; mais quand un enfant butinerait le savoir d'une charogne, il n'en tirerait que des recettes, faute de l'avoir distillé lui-même dans la souffrance.

Nous pouvons comprendre à présent les embarras de Gustave : le Mal radical, c'est *son* expérience, il le voit partout et l'éprouve à toute heure, il l'atteint en lui, aux sources mêmes de la vie. Bref, son pessimisme n'est pas *conclu* : intuition et serment, c'est une intention profonde qui se reconnaît en s'affirmant. Fonder cela en vérité, pour quoi faire ? Il *l'existe*. Mais lorsqu'il s'agit de faire partager aux autres ses certitudes, c'est-à-dire de les transposer dans l'univers du discours, l'enfant rencontre les mots et les idées de son époque, ce sont ses seuls instruments. Son intention fondamentale est déviée ; ni l'évidence ni l'intuition sans durée — admises en des siècles plus spiritualistes — n'ont cours dans l'idéologie bourgeoise. Gustave s'y soumet ; mieux vaudrait dire qu'elle se le soumet : car il est embarqué avant de savoir ce qu'il fait. Mais, par un retournement prévisible, il dévie à son tour le langage en le pliant à ses exigences intimes. On lui a volé sa pensée, il vole le vocabulaire ; d'où ce monstrueux compromis : Flaubert accepte de fonder la vérité totale sur la totalité de l'existence mais, à peine le principe admis, il déclare que ce Tout vécu peut se manifester aux hommes de deux manières équivalentes : soit en décompression, à travers le développement progressif d'une vie, soit, sous pression infinie, comme une fulguration. Quand cette visitation se produit dans le premier âge, elle fait d'un gamin l'égal de son grand-père. L'égal, que dis-je, le supérieur. Un octogénaire a gaspillé quatre-vingts ans, un enfant visité peut en économiser soixante-dix. En bonne économie bourgeoise, c'est à celui-ci qu'on doit tresser des couronnes. D'autant plus qu'une expérience languide, étalée sur des lustres, doit sa longueur inutile à son inauthenticité ; celle qui fond sur sa victime, sa brutalité remue les boues abyssales de l'homme et peut arrêter net un cœur : à quoi bon survivre ? Mais c'est elle qui fait sa grandeur. Ce contraste de la profondeur et de la surface, Gustave y revient sans cesse : c'est ce qui fait le mieux sentir son intention butée de couler une structure existentielle dans le moule de l'empirisme. Toutefois, dans ce court récit, il ne fait que s'interroger : à quelles conditions l'expérience intégrale est-elle possible pour un adolescent ? Le symbole de l'anneau n'a qu'une signification problématique : *si* cette expérience est possible, elle remplira les conditions susdites. Sur ces mots, l'auteur s'arrête : il ne décide pas. Et c'est délibérément qu'il nous laisse dans l'incertitude : nous ne saurons jamais si la bague avait un pouvoir magique ou si le moine était dupe de son imagination.

De toute manière, le débat porte sur la connaissance, sur ce que Lachelier nommera plus tard le fondement de l'induction : bien sûr, ces scrupules de l'intelligence ne peuvent tourmenter bien profondément un anti-intellectualiste de treize ans : il sait ce qu'il sait et n'en démordra pas de sa vie entière. Reste qu'il veut établir son droit d'imposer aux autres ses conceptions. Les principes et la méthode, qui, théoriquement, devraient se découvrir et se forger dans la recherche, Gustave les recherche *après* l'illumination pour gager sa croyance et non pour la critiquer. N'importe : en acceptant l'équivalence de l'expérience existentielle et de l'expérience acquise, il se perd. Car, nous l'avons vu, les principes de l'idéologie empiriste cachent un intellectualisme analytique qui procède lui-même des méthodes positives alors en usage dans la science. Voici donc l'analyse, comme schème opératoire, introduite sournoisement en Gustave et se substituant chez lui à l'expérience acquise, devenant, de par l'autorité paternelle, un impératif méthodologique et se prétendant équivalente à l'expérience existentielle. Autrement dit, sur le plan superstructurel de la *connaissance* Gustave se trouve contraint d'affirmer l'identité des contraires, d'une intuition syncrétique et prospective et d'une méthode *active* et réglée pour réduire un soi-disant tout à ses parties. C'est-à-dire à ses éléments insécables. Il déclare à la fois que la loi de son être est la Destinée (relation *autre* mais vécue dans l'intériorité) et qu'il est en fait extérieur à lui-même.

Le docteur Flaubert ne se contente pas de fouiller les charognes : il est « comme un vieux prêtre chargé de secrets domestiques ». Des anecdotes, en somme : Achille-Cléophas prenait cela pour une « expérience du cœur humain » due bien sûr à l'art d'*analyser* les mensonges. En fait, les composantes de l'anecdote étaient invariables ; on les trouvait parce qu'on les y avait mises : sang, pus, sperme, or. On pouvait aussi remonter jusqu'à l'intérêt et le réduire à une combinatoire du plaisir. Gustave est ébloui : tous ces corps, tous ces cœurs « réduits en tronçons » ! Le père devait, dans ces moments de faux abandon familial où le chef de famille pose devant sa femme et ses enfants, laisser entendre que « les âmes aussi se dissèquent ». Cette naïveté ne serait pas digne de remarque si elle n'avait fait tant de mal à son fils.

Le petit prend tout pour argent comptant : il a vu son seigneur se pencher sur des corps pourrissants et voici que le même seigneur lui assure de sa voix divine que les âmes sont plus pourries encore, qu'il faut leur appliquer la méthode chirurgicale. Il y croit passionnément tout aussitôt, en bon vassal ; il assimilera toute sa vie la Vérité à la purulence physique et à la hideur mentale. Il écrit à Ernest vers quinze ans, rapprochant explicitement l'analyse du psychologue et la dissection du médecin :

« La plus belle femme du monde n'est guère belle sur la table d'un amphithéâtre avec les boyaux sur le nez... Oh non ! C'est une triste chose d'analyser le cœur humain pour n'y trouver qu'égoïsme ! » Il faut prendre à la lettre cette comparaison qui se retrouve un peu partout dans les premiers tomes de sa Correspondance. Il se persuade — comme il fera toujours — affectivement et par des images que l'application au « cœur humain » de la méthode analytique a des résultats matériels ni plus ni moins qu'une intervention chirurgicale ; pour lui la désarticulation de l'objet psychique n'est pas une opération idéale qui se fait avec des signes mais une action réelle dont le modèle est donné par le regard glacial du médecin-chef entrant dans l'âme de son fils et la travaillant au scalpel.

Le résultat : tantôt il se déclare, dans la rage et la souffrance, « anti-vérité » — ce qui n'étonne point puisque la vérité, c'est, selon lui, le dévoilement de l'Être et qu'il a pris parti pour le Néant — et, tantôt, pour être digne de son père et l'emporter sur le fils aîné, il prétend analyser les âmes — à commencer par la sienne. Au point qu'il déclarera plus tard, après la crise de Pont-l'Évêque, qu'il est tombé malade pour s'être trop souvent analysé. En fait, s'il est vrai qu'il prend le plus souvent l'attitude réflexive, il médite sur son cas, mais ne se dissèque point. Par la raison que l'analyse *est déjà faite* et qu'il sait déjà ce qu'elle lui apportera : mieux, dès que le principe en est donné, à cette époque et selon cette idéologie, tous les résultats le sont aussi. La psychologie, pour Gustave, est une mortisection qui nous découvre l'état cadavérique de l'âme. Dès ses toutes premières lettres, nous constatons qu'il est au courant de la méthode et qu'il sait réduire instantanément toutes les impulsions dites « généreuses » aux mouvements de l'amour-propre. Cela n'ira *jamais plus loin* : ses ouvrages ne sont, par bonheur, aucunement des analyses suivies de recomposition synthétique. Gustave, à l'inverse de son père, qui pratique la vertu sans y croire, croit à l'analyse *sans jamais la pratiquer.* L'intellectualisme analytique est en lui, comme une plaie, comme une connaissance complète et, en réalité, parfaitement vide de la vie, comme une malédiction ; comme la rationalisation de son pessimisme et de sa misanthropie mais jamais comme un schème opératoire, comme une méthode d'investigation. C'est une croyance désolée à laquelle il se réfère quand il veut se persuader que le monde est un néant, mais il n'en tire jamais rien qu'il ne sache depuis l'enfance. Il faut même reconnaître qu'elle ne cesse de le freiner : il manque de curiosité, il ne s'intéresse pas à la pensée des autres, encore moins à leur personnalité ; il tournera sans fin dans le cercle infernal de la Mort, de l'Analyse, de l'impossible totalité, pulvérisée par la Science et seul objet de l'Art.

Son hagiographe, M. Dumesnil, affirme pieusement que Gustave « contrôle l'analyse par la synthèse ». Où a-t-il pris cela ? Flaubert regrette que l'analyse psychologique lui montre l'égoïsme partout. Mais pas un instant il ne songe à compenser cette triste découverte par une recomposition synthétique de nos sentiments et de nos pensées. Non, la besogne est faite : quand l'analyse découvre l'insécable, la science a dit son dernier mot. C'est ce qu'il affirme encore, à trente-cinq ans, quand il montre Larivière désarticulant nos pauvres mensonges qui tombent à ses pieds en tronçons. On a envie de dire à ce prince de la Science : « Bien taillé : à présent, il faut coudre. » Mais le bon docteur ne recoud jamais. La synthèse originelle était fausse : mauvaise foi, mensonge, illusion, duperie de soi par soi, mythification ; le docteur retrouve le Vrai et dissipe les fantasmes en réduisant l'ensemble à ses éléments : après quoi il peut s'en aller, sa besogne est finie.

Si l'on entend par synthèse la reconstruction systématique d'un tout à partir de ses éléments, rien n'est plus étranger à Flaubert. Ses lettres sont des écoulements, des fuites, l'ordre et la succession des phrases semblent uniquement régis par des enchaînements affectifs et rhétoriques : le propos se perd, d'étranges *lapsus calami* viennent briser ou dévier toute argumentation. Il sera toute sa vie l'homme le moins capable de « faire un plan », de peindre un tableau d'ensemble, de ramasser dans une seule aperception, de rendre par une seule description les traits principaux d'un objet, d'une scène, d'un caractère. Cela ne signifie pas que ses romans n'aient pas d'unité, bien au contraire, mais c'est une mystérieuse et fascinante unité qui se mire dans l'écoulement perpétuel des hommes et des choses, passive, lointaine comme une Idée au ciel platonicien.

En vérité, ce qu'il faudrait plutôt dire, c'est qu'il rêve d'analyse et qu'il rêve de synthèse sans pratiquer ni l'une ni l'autre. La synthèse, en particulier, s'il en parle dans la première *Tentation*, c'est pour marquer les limites de la science. Voyez comme elle apparaît, celle-ci, aux yeux de saint Antoine : elle est enfant et vieillard : « enfant en cheveux blancs, à la tête démesurée, aux pieds grêles » ; elle « pleure toujours » : elle a plus d'un trait commun avec Alma-roës. (« Laisse-moi un peu courir dans la campagne et me rouler dans l'herbe — demande-t-elle à l'Orgueil... j'ai envie de dormir, j'ai envie de jouer. » Bien entendu, cela ne lui sera pas accordé.) Pas d'âme, le triste désir de désirer. Ici la connaissance et son objet se confondent. En même temps Gustave marque fort bien que la période mécaniste (qui correspond à l'observation) n'est qu'un moment — peut-être indépassable mais sûrement insuffisant — de la recherche scientifique : « Je n'ai rien trouvé, je cherche toujours, j'entasse, je lis. Pourquoi donc, ô ma mère, toutes ces plantes que tu me fais cueillir, toutes ces étoiles dont il faut que j'apprenne les noms, toutes ces lignes que j'épelle, toutes ces coquilles que je ramasse ?... Si je pouvais pénétrer la matière, embrasser l'idée, suivre la vie dans ses métamorphoses, comprendre l'être dans tous ses modes, et de l'un à l'autre remontant ainsi les causes comme les marches d'un escalier, réunir en moi ces phénomènes épars et les remettre en mouvement dans la synthèse d'où les a détachés mon scalpel... peut-être alors que je ferais des mondes... Hélas !... » Bref, nous sommes au stade de l'analyse et de la dissection : c'est le malheur. On n'en sortirait que par un passage à la synthèse qui semble impossible. Mais, curieusement, le but de cette synthèse n'est pas tant la recomposition du cosmos où nous vivons que la création d'autres mondes — ce qui, selon Flaubert, n'est donné qu'à l'Art et dans l'imaginaire.

Hanté par une analyse radicale et déjà faite et par une synthèse impossible, Gustave demeure fixé sur son syncrétisme originel. À quinze ans, il donne mission à l'écrivain de restituer comme totalité syncrétique le *cosmos* que le savant pulvérise : non point *après* l'analyse et comme recomposition, mais avant elle : « Vous ne savez pas quel plaisir c'est : composer ! Écrire, oh ! écrire, c'est s'emparer du monde, de ses préjugés, de ses vertus et le résumer dans un livre ; c'est sentir sa pensée naître, grandir, vivre, se dresser debout sur un piédestal, et y rester toujours. » Progrès dans l'Art, non dans la Connaissance. D'où vient qu'il soit figé, dès son jeune âge, dans cette totalisation syncrétique ? Il faut chercher l'origine de cette fixation, qui lui interdit le Savoir en même temps qu'elle l'en pénètre, dans la contradiction de la famille Flaubert qui est tout à la fois de structure domestique et d'opinion libérale et dont le chef est un cul-terreux parvenu, c'est-à-dire un paysan par son enfance, un intellectuel par promotion. Cette contradiction — décrite plus haut — s'intériorise à tous les niveaux chez le petit Gustave : nous y avons vu la clé de l'âge d'or, de la frustration et de la Chute qui l'accompagne. La voici au niveau des connaissances. Dans les toutes premières années, il a ressenti sa dépendance dans le bonheur. C'était sa raison d'être, bref il a ressuscité en lui comme sa véritable nature les traditions paysannes qui, même chez Achille-Cléophas, semblaient en voie de disparition. Et puis, tout de suite après, il a reçu prématurément les maximes du libéralisme, irréfutable négation de cette nature première. Si du moins il pouvait demeurer dans le désenchantement, s'y résigner, trouver dans l'individualisme libéral sa vérité. Mais non : le « médecin-philosophe » est un *pater familias* ; il exige une absolue soumission qui n'a d'autre fondement que l'adoration religieuse. Il ne cesse de maintenir par ses exigences la féodalité qu'il abolit par ses propos. Ainsi Gustave doit-il osciller sans cesse entre deux idéologies contradictoires dont chacune enferme en soi la clé de tous les problèmes, la réponse à toutes les questions. Tantôt la famille semble une cellule sociale, tantôt c'est une juxtaposition de solitaires ; tantôt Gustave a le sentiment que la générosité divine du Maître lui donne un statut social pour le sauver de la Nature et tantôt il se retrouve *naturel*, simple détermination de l'espace, sans droit ni privilège, assemblage général de particules élémentaires. Ce n'est pas assez : on ne se contente pas de lui faire mesurer son insignifiance, on lui montre ses crimes. Et ceux-ci n'en seraient point s'il n'avait qu'une idéologie : il en possède deux et chacune condamne l'autre. Comment ne pas croire à la vertu lorsqu'on révère le plus admirable des pères, l'exemple même de la probité, du désintéressement généreux; comment y croire, quand ce père infaillible explique les plus belles actions par des mobiles intéressés? La roue tourne sans cesse : cette première nature que le père a mise en Gustave par son adorable autorité, c'est justement elle qu'il désarticule. Flaubert passe du rêve au désenchantement, de l'innocence au péché et revient sans cesse à l'innocence pour aussitôt la perdre. D'une certaine façon, cette victime de l'analyse n'a que trop bien intériorisé la méthode : il se décompose et se recompose indéfiniment. Mais, nous l'avons vu, l'analyse reste purement verbale et la vérité de sa condition est bel et bien la vassalité qu'il doit vivre et qu'il s'acharne à détruire. La prétendue dissection — qui se donne comme désarticulation du mensonge — est elle-même la véritable illusion; elle se borne à répéter les principes et à les appliquer formellement à la circonstance présente : chacun suit son intérêt donc je suis le mien et cet élan d'amour filial n'est qu'un effet de mon égoïsme. Or, pour le malheur de Gustave, cet élan se fonde sur la structure réelle de la famille Flaubert et l'exprime : mais le père a condamné le système de signes et de symboles qui le refléterait à l'enfant comme la vérité de sa condition. Cette condamnation a été portée du dehors par le médecin-philosophe; mais l'enfant l'a installée en lui-même comme un impératif perpétuel, une sentence à porter sans cesse comme le morne éclairage de ses actes, comme son point de vue sur lui-même et sur les autres. *Son* point de vue? Non : c'est le point de vue de l'Autre; la volonté la plus intime et la plus personnelle de Gustave ne peut être que la volonté de son père vécue comme pouvoir étranger : le Père, en lui comme Autre, le révèle à ses propres yeux comme autre que soi, lui impose de traiter ses affections immédiates comme des ruses à déjouer, de *se* traiter comme un éternel menteur et, tout à la fois, comme une dupe éternelle. Les remarques blessantes d'un père exaspéré par les insuffisances de son cadet, Gustave croit qu'elles émanent d'un savoir mécaniste, fondé lui-même sur une expérience sacrée. L'analyse s'introduit en lui comme sa condamnation, à travers ses humiliations et ses frustrations. Après quelques expériences fâcheuses, le savoir et le regard ne font plus qu'un : l'œil d'Achille-Cléophas est dans l'âme de son fils comme celui de Dieu dans la tombe de Caïn. Jusque dans la solitude, le petit garçon ne peut décider s'il se déchiffre ou s'il est déchiffré; l'analyse, personnifiée et sacralisée, devient pour toujours son sur-moi. Pas un recoin où cacher un espoir : la vérité paternelle est en lui, elle vit de sa mort ; pour cette hyperconscience qui s'étend à travers sa conscience, il est objet avant d'être sujet, universel avant d'être singulier ou plutôt sa singularité et sa subjectivité se dénoncent dans ce milieu objectif comme de pures apparences mensongères, la nécessité où il est — comme chacun — de ressentir personnellement ses affections, de les éprouver comme elles se donnent, lui semble une obstination criminelle à vivre l'erreur plutôt que la vérité. Que Gustave ait ressenti parfois dans la fureur, dans la haine, cette omniprésence du Juge, on en trouvera la preuve dans un texte que j'ai cité plus haut : *Un secret de Philippe le Prudent*. Gustave y intériorise l'analyse : c'est un regard de « grand inquisiteur » qui pénètre jusque dans ses retraits les plus intimes, « tâchant de deviner les sentiments qui battent dans mon cœur, les pensées qui passent sous mon front, toujours là... comme un mauvais génie, s'opposant à mon bonheur, me ravissant ma femme [1], m'ôtant la liberté... et je ne pourrai pas pleurer et maudire, me venger ! Non ! C'est mon père ! et c'est le roi ! Il faut supporter ses coups, recevoir tous ces affronts, accepter tous ces outrages. »

Les dernières lignes nous marquent clairement que cet agent passif est incapable de révolte ; et puis ces colères ne durent pas, l'abattement s'y substitue : la roue tourne encore : ce méchant inquisiteur est, en vérité, le meilleur des hommes, dévoué à ses fils, à ses concitoyens, à ses élèves, « paternel avec le pauvre », bref, un saint. Mais, sournoisement, par en dessous, dans la rancune, l'enfant frustré, humilié, exilé, redoute l'Esprit qui le possède et qui le pousse au désespoir *comme si c'était le démon*. Ainsi le docteur Flaubert, installé en son fils, est d'abord vécu, dans l'unité d'une tension perpétuelle, comme l'insurmontable contradiction du Bien et du Mal : sujet d'un amour qu'il provoque et qu'il exige pour l'obliger à se renier lui-même et à se dénoncer comme une hypocrite couverture

---

1. On ne manquera pas, bien qu'il se rapporte à un fait historique, d'être frappé par la résonance œdipienne de ce membre de phrase. Sur ce point, nous reviendrons quand nous parlerons de la sexualité de Gustave. Mais il s'agit aussi de l'idéologie maternelle. Le père abandonne son fils au Grand Inquisiteur — qui n'est autre que lui-même. Ce qui brouille les cartes ici — non sans intention — c'est que Philippe II y est poussé par sa foi catholique. Mais ce n'est pas la religion qui est en cause là : c'est une idéologie étroite, mesquine, sectaire, qui rabaisse tout — quels que soient ses principes — qui explique tout en Carlos-Gustave par les plus bas instincts alors que le jeune homme possède « une de ces âmes... si pleines de passion, si puissantes de sentiment qu'elles se dilatent, se crèvent et s'abîment, ne pouvant contenir tout ce qu'elles recèlent ».

de pulsions égoïstes, c'est une puissance sacrée qui dévaste les lieux saints et dont il faut croire les blasphèmes au nom du respect religieux qu'on lui porte ; c'est la lumière d'atelier, toujours égale, qui éclairera jusqu'au bout et de part en part une âme éprise de clair-obscur, dissipant partout la pénombre qui s'acharne toujours à renaître ; quelquefois, seigneur d'une féodalité noire, il conduit inflexiblement son vassal à l'abjection, par sadisme, en abusant de la foi jurée ; et d'autres fois, c'est un savant vertueux qui tient la vérité pour le remède universel, même lorsqu'elle est amère, et qui l'enseigne à ses enfants pour les protéger contre les absurdités de la religion. Est-ce tout ? Non : ceci n'est que l'ambivalence tournante du Sacré. Gustave est effleuré parfois par un soupçon : et si l'analyse, elle aussi, n'était qu'une farce ? En ce cas l'écrasante intelligence du père pourrait ne représenter qu'une forme irrémédiable de la Bêtise. Si le petit garçon veut échapper au retour cyclique du Démoniaque et de la Sainteté, une porte est grande ouverte qu'il devine mais dont il n'ose approcher : pourquoi ne pas appliquer la méthode elle-même au père ? Et, puisque c'est la même chose, pourquoi ne pas la retourner contre la Science elle-même ? On rirait bien si l'on pouvait désarticuler les vérités les mieux établies pour en jeter les tronçons aux pieds des savants. Nous venons de voir un texte du premier *Saint Antoine* où la Science fait pâle figure : poussée par l'Orgueil, elle collectionne les faits. Dès vingt ans, Gustave, dans ses *Souvenirs*, lui faisait les mêmes critiques : collectionner, classer, analyser, oui ; mais la voie royale de la synthèse progressive lui est interdite. *Bouvard et Pécuchet*, cette œuvre colossale et grotesque, plongera ses racines au plus profond d'une enfance aliénée : à près de cinquante ans, Gustave entreprendra *pour de bon* et intentionnellement le meurtre du père. Pour l'instant, il refoule une fois de plus sa révolte : il faudrait observer le docteur Flaubert, se détacher de lui, prendre ses distances et le considérer comme un objet. Impossible : le terrible sur-moi le lui interdit ; et puis ce serait rompre les adhérences qui l'unissent à son seigneur, en dépit de celui-ci, dans une indistinction rassurante ; il vivrait en exil, au cœur de cette famille révérencieuse, seul et secret, nu : ce père qui le tue, c'est malgré tout sa meilleure défense contre le monde sauvage que le matérialisme mécaniste lui laisse soupçonner. Gustave est un objet pour le docteur ; par la volonté de celui-ci, il est bien malgré lui un objet pour lui-même ; mais en dépit du portrait — si louche — de Mathurin, Achille-Cléophas ne deviendra jamais, *avant* sa mort, un objet pour son fils cadet. Nous avons vu le sens qu'il faut donner à l'apparition de Larivière au chevet d'Emma. C'est l'unique réincarnation du *pater familias* dans l'œuvre que Flaubert publie de son vivant [1]. Quant à la Correspondance, elle le mentionne rarement, toujours en termes très officiels : il monte au ciel, c'est le héros éponyme de la famille ; nul ne s'est avisé de le reconnaître dans cet adversaire monstrueux des « deux Cloportes », la Science. Une phrase, une seule nous renseigne sur l'évolution des sentiments que Gustave porte à son père. Elle est d'ailleurs fort ambiguë. On sait que Flaubert à la fin de 1838 a réuni quelques feuilles de papier écolier pour en faire un cahier sur lequel il a jeté — jusqu'en 1842 — des impressions, des maximes, des réflexions sur lui-même, parfois des souvenirs. Ce cahier, qui nous sera fort précieux par la suite, n'a été publié qu'en 1965, par les soins de Mme Chevalley-Sabatier. Or on y lit cette remarque sans date mais qui remonte évidemment à l'automne 38 ou, au plus tard, à l'hiver 39 : « Je n'ai aimé qu'un homme comme ami et qu'un autre, c'est mon père. » Ce qui frappe d'abord c'est l'incorrection de la phrase — tout apparente — qui correspond à un bond de la pensée, à une déviation du propos : « Je n'ai aimé qu'un homme, c'est Alfred. » Voilà ce qu'il veut noter d'abord. Mais — est-ce pour corriger l'aspect vaguement homosexuel de la phrase ? C'est probable : on sait qu'Alfred l'appelait « mon cher pédéraste » — il ajoute, pour préciser son propos : « comme ami », ce qui fait naître aussitôt l'idée : « Il y a un homme que je n'ai pas aimé amicalement mais filialement, c'est mon père. » N'empêche : Achille-Cléophas vient en second ; il n'était d'ailleurs pas attendu sinon Gustave eût écrit : « Je n'ai aimé que deux hommes : mon père et Alfred. » « J'ai aimé » cela veut dire : « Je n'aime plus. » Est-ce ainsi que nous devons comprendre l'énoncé ? À nous en tenir à la grammaire, oui.

> *Car je t'ai bien aimée, Fanny*
> *De Noël à l'Épiphanie.*

Mais les choses ne sont pas si simples. D'abord, le cycle des autobiographies a commencé : l'été précédent, Gustave a mis la dernière main aux *Mémoires d'un fou* ; pendant quelques années, il gardera l'habitude de se raconter au passé, comme s'il n'était plus, comme si un mort parlait. Ce sera plus net, encore, dans *Novem-*

---

1. Sauf dans *La Légende de saint Julien* dont nous parlerons plus tard.

bre : « J'ai savouré longuement ma vie perdue... Ai-je aimé ? ai-je haï ?... J'en doute encore. » Le but est clair ; il s'agit de totaliser *du point de vue du Néant* : en ce cas, ce ne serait pas l'amour qui aurait pris fin mais la vie ; c'est le trépassé qui dit « j'ai aimé Alfred » et il pourrait ajouter : « tant que j'ai vécu » ou « jusqu'à mon dernier souffle ». Un vieillard, aussi, sachant que, dans les dernières années qui lui restent à vivre, son grand âge, son isolement, l'immobilisme mental et la sécheresse de cœur — qui accompagnent souvent la dégradation physique — sont autant de barrières qui lui interdisent tout changement, toute affection nouvelle, pourra, sans aucun doute, — c'est du moins l'idée de Gustave — dire en conclusion d'une vie désormais figée, qu'il n'aimera plus personne, et que, de ce fait, son père *aura été* la seule personne qu'il aura vraiment aimée. C'est que pour le jeune Gustave, la vieillesse est à la fois — et l'une par l'autre — totalisation de l'expérience et mort vécue par anticipation. Si une passion, quelle qu'elle fût, devait réchauffer ces vieux os, la totalisation ne serait pas exhaustive puisque cet ultime sentiment lui échapperait ; mieux, elle ne serait pas même possible puisque, si on la tentait, ce serait du point de vue de cette ardeur dernière et, donc, de la vie.

Et puis qui oserait prétendre que Gustave, en 1839, ait cessé d'aimer Alfred ? Quiconque serait, un instant, tenté de soutenir cette conjecture, des lettres ultérieures la démentiraient aussitôt. Si le père Flaubert est mentionné dans la même phrase — fût-ce à la seconde place — et s'il est complètement du même verbe, c'est donc qu'on l'aime encore.

Tout cela est vrai. Mais — comme toujours, quand il s'agit de Gustave — le contraire l'est aussi. D'abord un jeune vieillard exsangue, conçu sur le modèle flaubertien, fidèle à ses affections d'enfance et sûr de n'en concevoir aucune autre, écrirait : « Je *n'aurai eu* que deux amours en ma vie. » Cette phrase est seule correcte parce que le verbe contient une référence précise à l'avenir : « Quand je serai mort, je n'aurai eu... », etc. N'allons pas imaginer que Gustave ne sait pas cela : sa plume est précise ; les ambiguïtés qui se manifestent dans un énoncé correspondent toujours à une ambivalence du vécu et à des structures intentionnelles. S'il a préféré, ici, le passé composé au futur antérieur, ce ne peut être sans raison. Du reste, le texte précité de *Novembre*, écrit moins de deux ans plus tard, marque une incertitude qui éclaire rétrospectivement la phrase des souvenirs : « Ai-je aimé ? ai-je haï ?... J'en doute encore. » Entre dix-neuf et vingt ans, revenant sur son passé, il n'est pas sûr d'avoir ressenti les deux passions dont il parle à dix-huit. Et le mot « encore » indique que sa perplexité remonte aux dernières années de son adolescence. Doutait-il en 39 d'avoir aimé Alfred ? Non, mais il doutait de l'aimer encore.

Gustave, toujours fasciné par Alfred, prêt à lui ouvrir les bras mais écœuré par sa froideur et ses infidélités, *croit* n'aimer plus. C'est la punition d'Alfred. Achille-Cléophas apparaît aussitôt ; pour son fils cadet c'est le grand moment des liquidations : son premier Seigneur, tout comme le second et bien avant celui-ci, l'a déçu ; c'est une bonne occasion pour les renvoyer l'un et l'autre. Le praticien-philosophe *a été* aimé, lui aussi : à présent, il fascine encore mais on ne l'aime plus ; délivré, Gustave reste seul. Est-il vrai pourtant que le *pater familias* ait pour de bon cessé de nuire ? Certes, depuis l'apparition d'Alfred, il est passé — comme la construction de la phrase l'indique — au second rang. Et je pense en effet que son fils cadet, après tant de peines d'amour perdues, tant de souffrances jalouses, s'est pour de bon détaché de lui : il commence à rêver de sa mort, il reconnaît en lui son juge et son oppresseur. Et s'il parle ici de l'affection qu'il a portée jadis au *pater familias*, c'est plutôt qu'il lui reproche de n'en avoir pas été digne et d'être finalement responsable de ce qu'elle n'existe plus. Ce qui reste toutefois, c'est la puissance paternelle : a-t-on remarqué l'étrange opposition du parfait composé « je (n'en) ai aimé (qu') un autre... » avec le présent « *c'est* mon père », synonyme d'éternité ? Qu'il l'aime ou non, Gustave reste au pouvoir d'Achille-Cléophas, fasciné par le Géniteur comme il l'est par Alfred. La preuve ? Elle est dans un texte contemporain que j'ai cité plus haut : « Depuis que vous n'êtes plus avec moi, je m'analyse davantage moi et les autres. Je dissèque sans cesse ; cela m'amuse [1]. » On ne peut mieux dire : depuis qu'Alfred s'est détourné de moi, mon père est revenu *m'occuper* : analyse, dissection. Le chirurgien-chef a gagné : un an plus tôt, Gustave écrivait à Ernest : « Oh ! non, c'est une triste chose que la critique, que l'étude, que de descendre au fond de la science pour n'y trouver que la vanité, d'analyser le cœur humain pour y trouver égoïsme, et de comprendre le monde que pour n'y voir que malheur. Il y a des jours où je donnerais toute la science... pour deux vers de Lamartine ou de Victor Hugo ; me voilà devenu bien anti-prose, anti-raison, anti-vérité... » À cette époque, vaincu d'avance, il reste protestataire. À présent, *l'analyse l'amuse* : quand

---

1. *Correspondance*, I, 27. À Ernest, 24 juin 1837.

il découvre la gangrène, il lève la tête et rit. Rire « de damné », cela va de soi. N'empêche : l'idéologie mécaniste l'a emporté. Le père ennemi, installé en lui comme une force étrangère, le domine et le dirige à son gré, d'autant plus redoutable qu'il n'est plus aimé : le regard chirurgical installé en Gustave lui découvre même — nous y reviendrons — que « ce qu'on appelle conscience n'est que la vanité intérieure [1] ». Y croit-il exactement ? pas tout à fait puisque c'est, en lui, la pensée autre. Il ajoute, en effet : « Cette théorie te semble cruelle et moi-même elle me gêne. D'abord elle paraît fausse, mais avec plus d'attention je sens qu'elle est vraie. » Cet aboutissement de la méthode — un *a priori* de l'analyse psychologique qu'il prend pour un *a posteriori* — le plonge dans la « gêne » et le malaise. Elle a pour effet de dévaloriser tout ce qu'il ressent. Aussi son premier mouvement, sans cesse recommencé, est de la tenir pour fausse : disons qu'elle ne rend pas compte de l'immédiat, de ce qu'il éprouve en étant soi-même ; mais il *s'applique* ; il fait « attention » : c'est dire qu'il s'acharne à substituer les schèmes paternels à sa compréhension spontanée du vécu jusqu'à ce qu'il ait tout rapporté au modèle, c'est-à-dire à l'atomisme analytique. Quand tout est reconstruit (fictivement) et universalisé, quand il a pensé *contre soi*, mesurant la crédibilité de la « théorie » étrangère à l'intensité du déplaisir qu'elle lui cause, il finit par « sentir » qu'elle est vraie. Pas d'évidence, pour Gustave : ce qui en tient lieu, c'est la puissance reconnue de son aliénation.

Pourquoi, dira-t-on, s'être laissé à ce point aliéner par la *patria potestas* ? Pourquoi s'être fait complice d'un regard dégradant et se voir par lui tout en se sachant autre ? Gustave ne pouvait-il se sauver par l'identification au Père comme a fait Achille, neuf ans plus tôt ? En ce cas, il eût mis sa réalité dans l'impassible lumière qui éclaire l'Univers et non dans les sordides grouillements qu'elle découvrait en lui. La réponse est simple : Gustave a tenté vingt fois cette identification et, nous l'avons montré, il l'a toujours manquée ; il ne pouvait s'identifier à son Géniteur *parce qu'Achille l'avait déjà fait*. Achille interdit au cadet de trouver en Achille-Cléophas sa propre réalité future de *regardant* puisque, précisément, le *pater familias* a choisi son aîné pour futur remplaçant. L'autorité souveraine du chirurgien-chef ne laissait qu'une issue : Achille l'a trouvée ; après lui la route est barrée ; Gustave ne sera jamais que le *regardé* : sa vérité reste au niveau de ce qui est disséqué,

---

1. 26 décembre 38.

analysé, elle n'atteindra jamais au niveau de l'acte analytique ; quand même il jetterait sur soi-même — ce qu'il essaie souvent, nous venons de le voir — un « coup d'œil chirurgical », il ne ferait qu'emprunter l'œil de son père. Ayant attiré en lui son premier fils comme *le Même*, le médecin-chef ne peut qu'occuper le cadet comme *l'Autre*, universel et singulier. Dans celui-là, l'identification ménage — au moins en apparence — l'autonomie de la spontanéité ; en celui-ci, l'aliénation en implique l'hétéronomie. Gustave n'a jamais eu, sauf pendant sa petite enfance, la possibilité de se dissoudre en son père : il le porte en lui comme une plaie. On comprend dès lors la métamorphose de Mathurin : intériorisé par le fils, le mécanisme du père devient cynisme désespéré par cette raison même qu'il reste transcendant dans l'immanence et que le fils, sommé de le reprendre à son compte, n'y parvient qu'en se forçant : ce système étranger prend alors une coloration pessimiste qu'il n'a jamais eue chez Achille-Cléophas.

Il y a plus : ce pessimisme est de ressentiment. Et puis il se radicalise puisque le mécanisme du père est la seule théorie dont le fils dispose pour rendre compte de son expérience existentielle. L'activité passive s'empresse de réaliser l'impératif étranger et, en le poussant par zèle à l'extrême, fait apparaître, comme malgré soi, des effets qui le contredisent. Le mécanisme, chez Achille-Cléophas, n'impliquait aucun jugement de valeur sur le monde : outre que l'empirisme, entièrement attaché aux faits, n'en saurait déduire des normes, la notion même de cosmos lui demeure étrangère : l'analyse supprime l'unité, résout l'Univers en d'infinis mouvements de corpuscules en nombre infini. En l'intériorisant, Gustave omet à dessein de supprimer le monde, il en garde l'unité synthétique dans le moment même où les principes qu'il adopte la rendent impossible ; la totalité cosmique et le rapport du microcosme au macrocosme, la relation d'intériorité qui unit les parties entre elles et le tout aux parties, il les garde à l'instant que le mécanisme leur ôte tout contenu en n'admettant d'autre lien entre les molécules qu'un rapport d'extériorité. Par ce procédé, il se donne le droit de juger les successions mécaniques comme une dissolution satanique de l'Univers ou de considérer la totalité cosmique comme un « rêve d'enfer » sans cesse renaissant et sans cesse dissipé. De toute manière, il y a duperie : donc l'homme est sur terre pour souffrir ; on le fait naître avec l'idée d'un Tout et on le jette dans une agitation sans fin de molécules. Le destin reparaît : Gustave, cadavre ensorcelé, croit vivre et se borne à laisser des forces extérieures

entraîner son corps mort dans une danse macabre; né pour s'intégrer à l'unité synthétique du monde, il voit tout se décomposer
hors de lui et en lui; cette contradiction n'a de sens que si elle a
été calculée. Bref, Gustave en appelle d'une aliénation à l'autre;
la « malédiction d'Adam » le protège en partie contre l'« ironie
voltairienne ». Si l'unité mondaine s'éparpille en rondes d'atomes,
sa déception même lui révèle l'unité temporelle de son destin.
Ravagé par un regard étranger, il ne se protège contre lui qu'en
évoquant la cohésion d'un acte *autre*, c'est-à-dire l'unité préméditée de sa création et de sa condamnation. De là l'ambiguïté de
Mathurin et de Larivière, voltairiens débonnaires et démons. De
là l'étrange portrait de la Science dans la première *Tentation* : fille
de l'Orgueil, cette autre incarnation d'Achille-Cléophas, soutenue
par la Logique — cette logique à laquelle Gustave-Djalioh, quelques années plus tôt, avouait qu'il n'entendait rien —, semble
n'avoir d'autre but que d'écraser la Foi qui renaît toujours. Gustave, contraint d'exprimer son expérience existentielle en termes
d'intellectualisme analytique, tombe dans un piège puisqu'il ne peut
croire à celle-ci sans renier celle-là; mais, à son tour, il fausse le
discours de l'analyse en lui donnant pour office non plus de rendre compte de l'expérience originelle mais de *trahir* celle-ci sans lui
ôter pour autant son prestige et son authenticité d'événement
archétypique. C'est dans le cadre unitaire de l'expérience primitive qui est engagement, pressentiment totalisateur, appréhension
du destin, qu'a lieu la décomposition mécaniste; c'est comme *déni
de l'intériorité* que le cosmos s'émiette en particules insécables régies
par les lois d'extériorité. Ainsi le mécanisme — pure affirmation
a priori d'une rationalité universelle — apparaît au sein de l'irrationalité primitive et, du coup, le jeu rigoureux des concepts
conserve je ne sais quelle unité satanique. Il devient l'outil de la
damnation. Certes l'expérience existentielle n'avait rien pour plaire :
cet enfant d'une nuit d'Idumée sentait le soufre, c'était l'intuition
prophétique *qu'une volonté autre* avait donné à la succession du
vécu une unité vectorielle : le pire était sûr parce qu'il était *organisé*. Du moins cette construction complexe du malheur, de la passivité et du ressentiment avait-elle une contrepartie positive : puisque
Gustave, en tant que maudit, avait l'unité d'un destin, il se définissait en intériorité; l'avenir même, se reflétant dans le présent,
faisait de cette temporalité finie mais dont les moments s'interpénétraient à distance une totalisation en cours et, par conséquent,
une personne. Au niveau de l'expérience archétypique, *la grandeur*

était possible puisque la personne existait : l'enfant tentait de se sauver par une éthique du dolorisme. En introduisant le mécanisme à l'intérieur de ce système unitaire, on pulvérisait la personne : restaient des molécules pathétiques se heurtant, rebondissant, s'accumulant pour s'éparpiller ensuite de plus belle : le Moi n'était qu'une illusion, la conscience qu'un épiphénomène. Mais, du coup, l'atomisme psychologique devenait par soi-même la *déception prophétisée*; le pire, imprévisible dans son contenu mais formellement sûr, c'était le mécanisme, la chute dans l'extériorité, la dénonciation de la vanité du dolorisme et la disparition des valeurs. Bref, c'était, sur le plan de la connaissance, l'accomplissement de la malédiction : rien de plus clair pour le jeune damné puisque le créateur démoniaque qui lui avait assigné un destin et le cruel démon du Savoir qui l'avait désespéré en lui révélant la *vérité* ne faisaient qu'un; et puisque, dans les deux cas, ce qui s'affirmait c'était la priorité de l'Autre sur le Même : le Destin, c'était la volonté de l'Autre, le mécanisme, c'était la Science de ce même Autre, utilisée en tant qu'autre contre l'ipséité de la victime. Le Destin de Gustave après la chute et sa dépossession par un usurpateur, devait moquer ses douleurs elles-mêmes en lui révélant, par le mécanisme, leur inanité. On voit le tourniquet : pour infliger à Gustave l'infinie dispersion de la matière et le principe d'extériorité, il faut une volonté autre, c'est-à-dire une unité d'intériorité; pour que Gustave puisse souffrir en damné de la dissémination de son être, il faut qu'il conserve lui-même dans sa pulvérulence l'unité secrète d'une totalisation *intérieure*. En ce sens, il faut tantôt mettre l'accent sur l'unité de la personne — en ce cas le mécanisme est une sorte de cauchemar *provoqué et dirigé* en Gustave par l'Autre — et, tantôt, tout se renverse, c'est la personne qui devient cauchemar de la matière, faux-semblant, rien n'est vrai que l'immense solitude *non sentie* des archipels de l'être. Aucune des deux positions ne résiste à l'examen et Gustave est contraint sans cesse de passer de l'une à l'autre. À la fin, ce carrousel lui est si familier qu'il n'a plus besoin d'y tourner : chaque position renferme l'autre, il en est conscient. Etrange vision du monde, où la courte Raison analytique est mise au service de la Déraison, où le mécanisme, tout en demeurant la *Vérité* fondée sur l'expérience, n'est qu'un tour que joue Satan au troupeau des damnés et singulièrement à Gustave, où cette *Vérité* elle-même ou discours sur l'Être est un absolu mais où un système d'atomes protestataires peut se déclarer « anti-vérité » — au nom de quoi? du Néant ou d'un autre principe? Nous le verrons. S'il est *pensable*, c'est que le jeune garçon n'est pas accessible au *Savoir*, c'est-à-dire aux certitudes affirmatives ou négatives qui se basent sur l'évidence ou sur le raisonnement : il ne peut, nous l'avons vu, que *croire*. Aussi *croit-il* à la Science comme il *croirait* à Dieu, s'il le pouvait : ni plus ni moins. La Vérité, pour lui, n'est qu'une croyance imposée du dehors par le principe d'autorité : il s'y soumet, certes, mais ce n'est qu'un ouï-dire, elle ne mobilise pas les forces de l'âme. Un peu plus tard, dans ses *Souvenirs*, croyant fournir une théorie de la connaissance, il ne fera que se définir lui-même : « Il n'y a ni idée vraie ni idée fausse. On adopte d'abord les choses très vivement puis on réfléchit, puis on doute et on reste là[1]. »

2. L'autre idéologie.

Pour que Gustave rêvât d'une grande pensée féodale qui consacrât tout ensemble l'unité de la personne et la relation d'intériorité du vassal et de son maître, il suffisait, nous venons de le voir, que le Seigneur suprême, Achille-Cléophas, exigeât tacitement l'adorante soumission de sa femme et de ses fils ; pour le détourner malgré lui de l'idéologie théocratique, il suffisait que le *pater familias*, au nom de son autorité souveraine, lui imposât comme un impératif catégorique la croyance à l'idéologie libérale. Ainsi la contradiction n'est pas d'abord en lui mais dans les structures familiales. Il y a un orgueil collectif Flaubert mais aussi une inquiétude Flaubert qui ne fait que traduire les conflits objectifs de l'époque : agrariens et bourgeois, romantiques et voltairiens, libéraux et ultras, pendant les dix premières années de l'enfance morose de Gustave, ne cessent pas de rompre des lances. Et ces grandes batailles de surface expriment à leur manière les craquements, les déchirures profondes, l'angoisse, même, d'une société en voie de s'industrialiser, ce qui implique des transformations économiques et sociales exigeant un remaniement complet des institutions, la croissance rapide d'une classe nouvelle liée au développement du machinisme, une transformation et une complication provisoire de la lutte des classes et, du point de vue qui nous occupe à présent, la nécessité pour une société encore rurale d'absorber la science expérimentale qui se développe et de s'y adapter : ce rapport à la Science, qu'il faut

1. *Souvenirs*, p. 96 § XXVII. La note est postérieure de peu au 25 janvier 41.

à la fois faire et digérer, sera la grande aventure intellectuelle du XIXᵉ siècle; nous verrons le rôle que Gustave y jouera. Si la famille Flaubert est conditionnée par ce climat de guerre civile, il est clair *en tout cas* que celui-ci n'a pas provoqué en elle la moindre dissension. Autrement dit, Gustave n'a pas eu le moindre conflit *familial* à intérioriser. Les forces antagonistes qui déchirent la France et qui le déchirent ne se sont pas incarnées, à l'Hôtel-Dieu, dans des personnes. Si c'eût été le cas, il se fût, peut-être, senti moins écrasé : quand les seigneurs se battent, l'émancipation des vassaux en est accélérée. Mais c'est qu'il se fût agi d'une famille conjugale; les Flaubert, sous la houlette du père, sont implacablement unis : les contradictions sont dans les structures du groupe et chaque membre de celui-ci les intériorise toutes à la fois, il leur donne sans les voir, l'unité de sa personne et, s'il vient à les deviner, il ne peut les tenir que pour des traits de son caractère. Ainsi Gustave, à sa stupeur, découvre en soi la violence contemporaine sans la trouver nulle part au sein de l'entreprise Flaubert. N'est-il pas un monstre avec ses désespoirs orageux? Il ne peut se douter, évidemment, qu'il *incarne*, par ses seules relations ambivalentes avec un père trop aimé, mal aimant, le drame de la société française. Il est essentiel, pour le comprendre, de se rappeler sans cesse qu'il a été forgé par les contradictions fondamentales de l'époque mais à un certain niveau social — la famille — où elles agissaient masquées, sous forme d'ambivalences et de tourniquets. Ce produit de la guerre civile n'a jamais eu l'expérience des combats : il vécut le monde à travers une cellule si fortement intégrée que les relations entre personnes, même quand elles se détérioraient, n'allaient *jamais* jusqu'au conflit. Un Flaubert, fût-il enragé contre un autre Flaubert, reste, en tant qu'ils sont Flaubert l'un et l'autre, son *alter ego*. Les relations *réelles* d'Achille et de Gustave n'ont rien de commun avec l'antagonisme farouche de l'usurpateur et de la victime, que nous avons découvert dans les premières œuvres du cadet : des deux côtés, on trouve un mépris voilé; pour Achille, Gustave est l'idiot de la famille; quand il réunit les gros bonnets de Rouen dans un dîner prié, il se garde d'inviter son frère. Gustave méprise en Achille la médiocre caricature de son père, le bourgeois; par en dessous, le ressentiment le brûle mais sans dire son nom, sans jamais s'exprimer par des actes. Et quand un danger menace l'honneur de la famille, les deux frères font front commun : en 1857 Gustave, menacé d'un procès, a tout de suire recours à Achille, implicitement reconnu comme le chef des Flaubert; Achille se dépense sans compter. En 71, quand les Prussiens occupent Rouen, les deux Flaubert retrouvent une solidarité dans le désespoir. Plus tard encore, lorsque les Commanville entraînent Gustave dans la ruine, Achille, beaucoup plus riche que n'était Achille-Cléophas, propose de verser une mensualité à son frère ; il ne semble pas, d'après les lettres, que Gustave ait fait la moindre difficulté pour l'accepter ; nul doute, cependant, qu'il n'ait, au fond de lui-même, senti cette offre comme une humiliation suprême : l'usurpateur triomphe, il a le dernier mot et le cadet doit se soumettre, reconnaître humblement l'autorité du nouveau *pater familias*. J'ai donné cet exemple pour montrer que les contradictions du cadet ne seront jamais dépassables *dans la réalité*[1] parce qu'elles ne se posent pas pour soi hors de lui, sauf au niveau — fort abstrait pour le petit garçon — des grands conflits sociaux. C'est le propre d'un enfant que de singulariser l'homme qu'il sera en vivant l'universel et l'objectif dans la particularité de relations concrètes et subjectives : c'est se déterminer obscurément comme un mode particularisé du vécu intersubjectif, c'est-à-dire de la substance familiale. Or Flaubert trouve simultanément l'unité rigoureuse de la famille en lui et hors de lui mais, sur ce fond d'intégration bourgeoise, sa situation de cadet l'oblige à *actualiser* la discorde virtuelle qui existe, masquée, chez chaque Flaubert comme potentialité passée sous silence. Par là même, faute de la retrouver chez son père, chez sa mère, dans une quelconque opposition du père et de la mère, il s'en accable et apprend à la vivre comme son unité personnelle.

Il est certain — et c'est ce qui nous occupe pour l'instant — que la mère était déiste et qu'elle lui a, la première, parlé de Dieu. Mais il faut comprendre qu'elle ne s'opposait pas, en cela, à ce mécréant d'Achille-Cléophas. D'abord, nous venons de le voir, son autorité féodale — même si par la suite il l'a employée pour imposer son mécanisme au fils cadet — avait engendré, pendant l'âge d'or, une hiérarchie dont Dieu devait être l'échelon suprême, immédiatement au-dessus du Géniteur ; en ce sens, si le nom de Dieu n'eût jamais été prononcé devant Gustave, il l'eût inventé ou du moins pressenti comme une lacune essentielle : il fallait bien fonder l'adorable autorité du *pater familias*. La Foi n'a pas été apportée du dehors à l'enfant, comme ce serait le cas s'il n'avait reçu que l'enseignement religieux de sa mère : la Foi, c'est lui-même, au plus profond — et par cette raison, il parlera toujours de l'*instinct* qui nous porte

---

1. Le dépassement aura lieu mais par irréalisation et dans l'imaginaire.

à croire — parce que, pendant les premières années, le *pater familias* — ce vieux féodal en rupture de féodalité — l'a justifié de vivre, en l'arrachant à sa contingence natale pour le faire entrer dans un univers de dévouement où le « fanatisme de l'homme pour l'homme » s'achève naturellement par le fanatisme de l'homme pour Dieu.

Mais il y a plus : ce rapport intersubjectif d'un certain fils et d'un certain père s'inscrit dans une idéologie objective que le père condamne en esprit mais à laquelle il se soumet en pratique. Les aristocrates, revenus au pouvoir, ont leurs théoriciens, Maistre et Bonald, ils ont surtout leurs chiens de garde : la Congrégation a des espions partout ; grâce à elle, la Restauration, sans trop le faire voir, se constitue en un Etat policier. Les bavards et les flics imposent un système simple et cohérent, infantile et, par là même, parfaitement adapté aux besoins des enfants.

Dieu a créé le monde ; un monarque choisi par lui gouverne la France en son nom, appuyé sur une noblesse de sang. Du Tout-Puissant au Roi, du Roi aux Aristocrates, de l'Aristocratie au peuple, le seul rapport possible, c'est la générosité. Du peuple aux Nobles, au Roi, au Tout-Puissant, la seule relation valable, c'est l'obéissance amoureuse. Voilà l'idéologie que les Bourbons tentent, justement, de restaurer. Les propriétaires fonciers, une bonne partie des paysans — les plus pauvres surtout, ceux qui n'ont point acquis de biens nationaux — n'y sont pas opposés. Les ouvriers mêmes sont incertains : la Révolution les a déçus, ils n'ont pas encore conscience de leurs vrais intérêts ; souvent — et même après 1830 — c'est au nom de Dieu qu'ils adjurent les patrons de ne pas les mettre à la rue, d'enrayer la baisse des salaires. Le premier journal du prolétariat, *L'Atelier*, réprouve la déchristianisation dont il rend les bourgeois responsables. Si ceux-ci manquent de *charité* — les rédacteurs oscillent entre l'idée revendicative et l'appel à la générosité, c'est-à-dire entre la Justice (reconnaissez nos droits) et l'idée chrétienne (nous n'avons pas de droits mais, au-delà de la Justice, il y a l'amour : aimez-nous en Dieu puisque nous sommes, comme vous, créatures divines) — c'est qu'ils ont perdu la *foi*. On sait, d'ailleurs, que ce n'est pas le peuple mais la bourgeoisie jacobine qui, en 1794, fut à l'origine du grand mouvement déchristianisateur [1].

---

1. L'athéisme ouvrier — qui naîtra un peu plus tard d'une prise de conscience dévoilant les structures réelles de la société et la lutte de classes, moteur de l'histoire — ne doit rien à l'agnosticisme bourgeois : positif et concret, il est engendré par la machine qui n'est pas seulement un impératif pratique et un instrument d'exploitation mais aussi un organe d'aperception. A travers elle, le travail salarié se connaît dans sa réalité et, du coup, connaît le monde du pratico-inerte.

Mais cette bourgeoisie agnostique, que fait-elle entre 1815 et 1828 [1] ? Elle courbe le dos. La prudence est de règle chez les libéraux. En conséquence, pour ceux qui vivent l'histoire au jour le jour et ne s'inquiètent pas de connaître le rapport vrai et caché des forces sociales, pour ceux que le recroquevillement de la France a trompés et qui la croient retombée dans la somnolence agricole, l'issue de ce combat douteux reste incertaine. Ces attentistes ne prennent aucun parti. La pensée, quand elle est favorable aux progrès de la science et des techniques, quand elle veut conserver les conquêtes de la Révolution, il est bon qu'elle s'enveloppe de nuages. Au contraire, l'idéologie réactionnaire se montre d'autant plus arrogante que le régime est moins sûr de lui. Une propagande qui, pour l'époque, paraît remarquablement faite, s'étend à toutes les classes, pénètre dans la bourgeoisie par cent canaux différents, se glisse dans l'intimité des familles, trouve des complices jusque sous le toit des libertins. En obligeant les pères à participer aux cérémonies religieuses, les flics et les volontaires de la Foi les mettaient en position délicate devant les fils : il leur était difficile d'appeler momeries dans le privé les rites auxquels ils s'étaient publiquement soumis.

Dans une certaine mesure, c'était le cas d'Achille-Cléophas. Libre penseur, sa famille, apparentée à des paysans et à des hobereaux, était pourtant de celles qui offraient le moins de résistance à la pénétration des idées religieuses et monarchiques. Il est tout naturel que Gustave ait été baptisé : en 1821 la Congrégation veillait, nul ne se souciait de la braver ; et puis sa grand-mère paternelle l'eût en tout cas exigé. Du reste, Achille-Cléophas était fonctionnaire. Il dépendait du gouvernement et d'une clientèle en partie catholique. Il semble qu'il ait, sous la Restauration, poussé très loin la prudence. Un rapport de police, qui nous est resté, taxe le docteur Flaubert de libéralisme mais reconnaît sa « sagesse » et sa « modération ». Ces mots prennent tout leur sens si l'on se rappelle qui gouvernait et de quelle police le rapport émanait. Le chirurgien-chef devait se déclarer royaliste, par précaution ou par indifférence politique. Pour ce qui est de la religion, il en récusait les dogmes *en privé*, devant quelques intimes dont faisait partie M. Le Poittevin, mais il se soumettait publiquement à ses rites. Les

---

1. A partir de cette dernière date, la classe montante reprend son ascension de façon visible. Du coup, le gouvernement s'inquiète : c'est la lutte ouverte — qui se termine par « *les Trois Glorieuses* ».

enfants firent leur première communion. Caroline se maria à l'église du vivant de son père, faute de pouvoir agir autrement, à une époque où le règne de la Congrégation avait pris fin depuis longtemps. Un peu plus tard, quand la jeune femme mourut — peu après le décès du Géniteur — on trouva bon de la faire veiller par un prêtre. En avait-on appelé un au lit de mort d'Achille-Cléophas? Foudroyée par ces deux deuils, Mme Flaubert, on le sait, perdit la foi: elle tint pourtant à faire baptiser et, plus tard, communier sa petite-fille, pensant se conformer aux volontés de son mari. Inconséquence? Non: l'incroyance au siècle dernier était timide. Ceux-là mêmes qui trouvaient élégant un certain libertinage de parole se fussent effarouchés si cet agnosticisme se fût manifesté publiquement par des actes. Tout le monde pressentait, j'imagine, l'incroyance d'Achille-Cléophas et, plus tard, celle d'Achille. Ils eussent perdu leur clientèle s'ils eussent refusé pour eux-mêmes ou pour leurs enfants les saints sacrements. On pouvait être athée mais à l'intérieur de la religion chrétienne. Pour les agnostiques eux-mêmes, ces pratiques n'étaient que des signes: par elles, on se signifiait bourgeois comme par les vêtements, l'habitat, le mobilier, l'alimentation et l'adoption d'un certain langage où les mots, choisis pour leur noble usure, devenaient mots de passe parce qu'ils permettaient de maintenir en permanence la conversation au niveau de ce que les Anglo-Saxons nomment « *understatement* »: à travers les élégances de cette foi exténuée, la bourgeoisie affirmait son spiritualisme et se reconnaissait dans sa *distinction*.

Le résultat? On le devine: par sa relative observance des rites, Achille-Cléophas fait entrer la religion dans l'entreprise familiale comme une structure objective de l'intersubjectivité Flaubert: elle est présente et elle se refuse; c'est le monde de l'*Autre*, inaccessible et obsédant, au cœur de la famille et dans le plus secret conseil de chacun de ses membres, c'est le christianisme non tel qu'il se révèle à la Foi, mais tel qu'il s'impose par les œuvres. En faisant baptiser Gustave, le docteur Flaubert a commis un crime qui serait impardonnable s'il avait été délibéré: il jette son fils à genoux devant Dieu tout en se préparant à lui montrer, quand l'heure en sera venue, le bon usage de la Raison analytique et, par conséquent, à lui interdire de croire. Baptisé, communiant, Gustave est *institué chrétien*: c'est ce qu'il découvre dès qu'il sait parler; cela signifie qu'une haute instance lui accorde en permanence la possibilité d'avoir la Grâce et la Foi; le *pater familias* en lui permettant, sans l'avoir consulté, l'accès aux sacrements, l'a introduit dans la catholicité ; il a fait de son fils cadet sinon un élu, du moins un éligible. Si le docteur Flaubert avait eu moins d'autorité, il eût été obligé, par ce mauvais départ, à se tenir sur la défensive : l'enfant pourrait l'accuser, quand il l'entendrait professer l'agnosticisme scientiste, d'illogisme ou de pusillanimité. Mais le Géniteur des Flaubert régnait en monarque absolu, il inspirait à son fils trop de respect pour que ce trait de prudence — lié, peut-être, à des survivances vagues de son lointain passé rural — influençât leurs rapports directement. Quand il fut temps, il passa à l'attaque et fit avaler au petit garçon l'antidote de la foi, les sains principes de l'atomisme analytique. Achille-Cléophas pensait n'avoir pas grand mal à démolir chez son fils la molle religiosité qu'il tolérait chez sa femme. Celle-ci, par le fait, ne forçait guère sur le déisme. Mais, fille d'un Cambremer de Croixmare et lointaine parente du conseiller de Crémanville — personnage qu'elle introduisit dans la mythologie familiale et qui devait y rester jusqu'au bout —, elle avait retenu de son éducation frivole et aristocratique, aussi bien que de ses années de couvent, cette foi sentimentale et commode, toute en effusions, sans autre loi que celle du cœur, dont on sait aujourd'hui à quel point elle s'était répandue dans la seconde moitié du siècle des Lumières. Sa religion sans Église, son Dieu sans obligations ni sanctions qui ne se manifestait que pour lui donner raison et l'envelopper d'une tendresse dont son mari n'était guère prodigue, il n'est pas croyable qu'elle les ait *imposés* à ses fils : elle respectait tout, dans le chirurgien-chef, tout lui paraissait sacré, jusqu'à l'athéisme. Mais il est certain qu'elle les a *proposés* : un des pesonnages du romancier Gustave Flaubert se souvient du temps où, tout enfant, sa mère le prenait sur ses genoux pour lui faire dire sa prière. Quelle prière ? Celle du Vicaire savoyard ou le *Pater noster* ? Entre celle-ci et celle-là, Mme Flaubert ne devait pas faire tant de différence. J'incline à penser, toutefois, qu'elle crut devoir enseigner les oraisons catholiques à son fils — même si elle n'en usait pas personnellement : l'enfant était chrétien, il fallait lui donner les moyens de s'intégrer à la communauté des fidèles ; plus tard, il choisirait.

N'empêche : ce déisme incertain, Achille-Cléophas l'avait toléré pendant la petite enfance d'Achille puis, quand son fils aîné eut l'âge de quitter le gynécée, il avait liquidé les superstitions de cette âme naïve, sans effort mais prudemment : le retour en force des prêtres, le nouvel obscurantisme, la Terreur blanche et les persécutions le contraignaient à procéder en douceur : il dut démolir sans peine, par un sourire, par un ton d'ironie voltairienne, les fables de l'Histoire sainte. Il n'attaquait pas directement — par courtoisie conjugale — la religion privée de sa femme mais cette foi abstraite disparut d'elle-même : si Caïn n'a pas tué Abel, si Jonas n'a pas été englouti par une baleine, si Abraham n'a pas été arrêté par un ange à l'instant qu'il immolait son fils, que reste-t-il? Et que reste-t-il de Dieu, pour un enfant catholique, sans les églises monumentales, sans les chamarrures des prêtres, sans l'orgue, les cantates, l'encens? Le mouvement de la foi doit être aidé par ces gradins. C'est sur cela, bien sûr, que s'acharne Achille-Cléophas : l'anticléricalisme libéral croissait avec le nombre des processions. Le père Flaubert marqua de bonne heure les limites de sa tolérance : les sacrements, oui; la pratique quotidienne, non. Cet exercice social nécessite des moniteurs habilités et ne peut se concevoir sans intégration du catéchumène : un enfant croyant, c'est le prêtre à la maison. Achille-Cléophas n'interdisait rien, j'imagine : c'eût été dangereux; il ridiculisait les rites, les dogmes et surtout les curés. L'enfant tirait les conséquences lui-même. Avec Achille, il réussit son coup par cette simple raison qu'il lui donnait beaucoup plus qu'il ne lui ôtait : le père et le fils parlaient de ces momeries entre hommes; en riant de Jonas, l'aîné des Flaubert s'identifiait à son Géniteur adorable; il adoptait par amour le scepticisme du Maître, il voyait en celui-ci son image future.

Neuf ans plus tard, le bon Seigneur voulut recommencer : Gustave avait sept ans, il était temps de l'arracher aux mains des femmes et de lui inculquer de sains principes, sans avoir l'air d'y toucher. Les résultats furent moins heureux : la raison principale est que l'identification au père était interdite au cadet. Le chirurgien-chef dut entreprendre son travail de sape au moment même où son second fils découvrait dans la honte sa propre insuffisance. L'ironie sceptique de l'agnostique se mêlait pour le pauvre Gustave aux railleries blessantes dont un père hypernerveux l'accablait trop souvent : du coup, il parut à l'enfant qu'elle avait la même source que ces sarcasmes; elle lui sembla noire, désespérante, teintée de méchanceté : pour le punir de sa bêtise, on le privait de Dieu. Du reste le déisme maternel — qui s'était détaché d'Achille comme une feuille morte parce qu'il lui semblait abstrait —, Gustave *en avait besoin* : les longues hébétudes où l'enfant s'abîmait, nous avons vu qu'il les décrit, dans son adolescence, parfois comme des chutes libres et, d'autres fois, comme une décompression de son être qui se diluait dans l'environnement; c'est que le chirurgien-chef avait, à l'époque, partiellement réussi son entreprise de démystification. Mais *avant* sa septième année et, sans doute, après, pour un peu de temps encore, Dieu donnait un sens, au propre et au figuré, à ces extases : grâce à lui, elles devenaient des élévations. Quand l'enfant se sent si pur, si vaste et si calme qu'il se croit sur le point de s'abolir, le Tout-Puissant ne dédaigne pas de se mirer dans sa vacuité. Du coup, Gustave est *transporté*. A trente-cinq ans, Flaubert se souvient encore de ses extases : il y fait allusion dans un passage inédit de *Madame Bovary* : « Temps heureux de sa jeunesse où son cœur était pur comme l'eau des bénitiers et ne reflétait comme eux que les arabesques des vitraux avec la tranquille élévation des espérances célestes. » Notez le double mouvement si caractéristique chez Flaubert : il y a *visitation*; c'est la générosité du Supérieur, qui comble son vassal en se mirant dans son cœur; les arabesques, les vitraux daignent confier leur image à l'eau du bénitier. Et, simultanément, on nous suggère un élan d'espérance, une « élévation tranquille » de ce métalloïde à la renverse. L'image est curieuse en ceci que les objets réunis pour évoquer le mouvement nous renvoient au contraire à l'immobilité parfaite. C'est que ces élévations mystiques se font, pour Gustave, instantanément : ainsi l'homme de Malebranche voit en Dieu la vérité. Cette eau basse et plate, que son récipient doit protéger contre la moindre vibration, c'est Gustave couché sur le dos, visité, emporté par une ascension intemporelle et verticale; en un mot, c'est le symbole même du quiétisme. La réflexion de l'infini dans le fini — avec l'extase inverse et complémentaire du fini hors de soi dans l'infini — fait toute la dignité de la créature. La « simplicité » devient le rêve ontologique de l'enfant frustré : l'être créé, limité mais indivis se fait, par son total néant, l'hôte d'une puissance infinie qui, tout à la fois, daigne se contenir dans cette étroite lacune, la sanctifie, la valorise, la déborde, supprime ses limites et la résorbe en soi-même.

Bon : mais ce mysticisme n'a pas de sens à moins que Dieu n'existe. Et voilà justement ce que son père met en doute : comment résister à son Seigneur? comment son ressentiment ne serait-il pas fasciné par le mécanisme, cette machinerie déicide qui doit avoir pour effet de plonger tout le monde dans le désespoir à commencer par Gustave lui-même. Entre l'enfance et l'adolescence, le cadet de famille se laisse voler son Dieu. Entendons qu'il est séduit mais non convaincu. Contre le discours de la raison analytique, il ne peut se défendre par aucun argument. Par cela même il se *donne tort*. Ne disons pas que, dans ce moment glissant, il ne croit plus au Tout-

Puissant mais plutôt qu'il *se donne tort d'y croire*. Au reste, Dieu n'a pas de place dans le discours de l'analyse, c'est-à-dire, pour le petit garçon suborné par son père, dans le seul discours possible. Parler, c'est nier l'Être suprême. Du coup, celui-ci se réfugie dans l'« indisable » : Gustave, à dix ans, ne l'a point encore chassé ; il en a honte et *le passe sous silence* dans ses ruminations intérieures. Quand il *se* parle, il lui faut bien constater que la dévotion est une attitude inférieure, un geste d'inférieur : Mme Flaubert croit, on la laisse croire parce qu'elle est femme ; mais son Maître, l'homme — homo faber, homo sapiens — ne peut, le voudrait-il même, s'abaisser jusqu'à cette pensée impensable, indisable : la Raison n'a point à connaître des raisons du cœur.

Hors du discours, contre le discours, la Religion reste pourtant sa *tentation* permanente. Par la faute même de celui qui s'acharne à lui arracher sa foi. D'abord, nous l'avons vu, il cherche Dieu parce que le praticien-philosophe, qui lui impose l'égalitarisme mécaniste, s'est d'abord constitué comme père de droit divin, ce qui implique une idéologie féodale qui, incomplète, tend d'elle-même à se compléter en Gustave. Mais surtout, depuis la Chute, le Seigneur a repoussé son vassal : Gustave, maudit, confond les principes du libéralisme avec la haine méprisante qu'il croit que son créateur lui porte ; le Maître ne s'occupe plus de lui sinon pour lui disséquer le cœur ; dans son exil, l'enfant déchu sent au fond de lui l'horrible et douloureux travail du scalpel. Détruite par l'analyse, la Religion reste vertigineuse parce qu'elle combattrait, s'il pouvait y croire, le regard analytique du père par le Regard absolu et totalitaire de Dieu. Nul doute qu'il n'ait cherché, pendant quelques années, à dépasser l'égoïsme — qu'on lui infligeait dans la terreur — vers la foi chrétienne. Qu'il y parvienne et le système féodal sera doublement restitué : 1° La hiérarchie remplacera l'égalitarisme, le dévouement redeviendra l'attitude fondamentale, l'unique relation vraiment humaine. 2° Rejeté de la hiérarchie Flaubert, le petit se fera vassal de l'Être suprême, de celui-là même dont le *pater familias* tire son autorité. Envisageons l'un après l'autre les deux bénéfices que Gustave souhaite retirer de la Religion retrouvée : cet examen nous permettra de pousser plus avant notre compréhension de cette âme déchirée.

1° L'égoïsme, l'hédonisme, l'utilitarisme, l'enfant les accepte dans l'horreur : principe d'autorité. Mais, justement, il *n'est pas égoïste* : il ne s'aime point assez. Et quant à ses désirs, ils s'étiolent sur ce mauvais terrain : une âme qui ne se reconnaît point le droit d'exister. Ce cœur respectueux n'a qu'une vocation, à l'origine : vénérer; seule une vénération *acceptée* le justifiera d'être né. Éberlué par l'atomisme psychologique dont on lui rebat les oreilles, il s'efforce d'y trouver sa vérité mais ça ne colle jamais tout à fait : il vit dans l'estrangement la fausse conscience de soi qu'on lui impose. Qu'il retrouve la foi, il *se* retrouve : la relation sans intermédiaire de la Créature avec son Créateur suscite des sentiments qui, par leur simple existence, défient la psychologie analytique de les décomposer. Les relations des hommes entre eux, on peut toujours nier qu'elles soient gouvernées par l'amour, par des sentiments « altruistes » : c'est qu'elles s'établissent entre individus du même genre et que, tous étant homogènes, aucun d'eux n'est qualifié pour arracher l'autre à lui-même, c'est-à-dire au genre humain. Par contre, pour déclarer que le croyant obéit à ses intérêts particuliers, à son désir de profit quand il prie, il faut se mettre délibérément hors du système, déclarer que Dieu n'existe pas, le voir comme une représentation imaginaire qui masque les vrais mouvements du cœur, plutôt qu'il ne les détermine. En effet, ce n'est pas à sa *nature* d'homme que le croyant attribue ses élévations : c'est à l'action du Tout-Puissant. Celui-ci fait éclater notre essence par son existence vertigineuse et fascinante : en face de lui, comment ne pas se sentir inessentiel ? Or, la raison de l'égoïsme, c'est la finitude, cette détermination négative qui nous prescrit des bornes en face de ce qui n'a pas de bornes. Mais, quand Dieu appelle sa créature, comment ne dépasserait-elle pas vers lui ses limites, comment ne voudraitelle pas être tout, c'est-à-dire préférer tout à soi? C'est dans sa finitude même que le croyant puise les raisons de la dépasser vers l'infini : pour lui, sa détermination — ou négation du Tout — se fait vivre *devant Dieu* comme le moment abstrait d'un mouvement dialectique qui pose la négation pour la nier : l'infini, pour lui, ce sera, en des moments de foudre, sa visitation par une infinie puissance, écrasant et doux fardeau mais, quand l'hôte s'est retiré, ce ne peut être que l'intériorisation de son infinie incomplétude, ce sera l'infini du manque, de l'appel, de l'amour. Les désirs précis, limités, égocentriques du psychologisme libéral ne peuvent naître au contraire que chez ceux qui prennent leur détermination pour la source positive de leur réalité : c'est dire que l'égoïsme n'est qu'une conséquence de l'athéisme, de la cécité à Dieu et d'une aberration maligne qui fait passer le Non-Être pour l'Être et l'être infini pour le Néant. Si seulement Gustave pouvait croire, le Regard absolu, se substituant au regard chirurgical, réduirait l'hédonisme et l'utilitarisme à de pures apparences : l'insatisfaction, la souffrance, le désir infini, le lien synthétique d'intériorité unissant la créature au Créateur se révéleraient sous l'œil de Dieu comme notre vérité. De la Foi, Gustave n'attend pas qu'elle guide ses actions mais qu'elle transforme son âme ou, mieux, qu'elle en efface les ratissages et les quadrillages de l'analyse pour la lui donner à voir, enfin, dans sa transcendance natale. Contre le scientisme — qu'il prend pour la Science — il demande à la Religion de justifier sa « *Weltanschauung* » hiérarchique et médiévale, pure expression idéologique du caractère qu'a pétri de ses mains le Seigneur cruel qui ne songe plus, à présent, qu'à détruire son œuvre. Je dirai qu'on *l'a fait pour croire* et qu'on lui en a, au dernier moment, ôté les moyens. C'est sa *constitution* qui réclame Dieu, c'est la Raison d'un Autre qui, en lui, le refuse. Il le dit clairement, dans sa maturité, à Mlle Leroyer de Chantepie : « Je n'aime pas les philosophes qui n'ont vu là que jongleries et sottises. J'y découvre, moi, nécessité et instinct. » *Nécessité* : injustifié, injustifiable, passif, dégoûté de lui-même, porté au fanatisme, Flaubert se sent à l'étroit dans sa finitude, il n'aura de cesse qu'il la fasse éclater pour se découvrir, infime, comme un mode de la substance divine. *Instinct* : c'est un besoin souterrain — organique comme le dévouement de Félicité et « bestial » —, celui-là même qui l'apparente aux animaux, aux idiots, tout à la fois une postulation silencieuse et une aperception « indisable », inconcevable qui s'offre et disparaît quand il veut la saisir, une « ouverture à l'Être » aussitôt refermée. Pendant ce temps, à la surface, les atomes psychiques, produits de la Raison, poursuivent leur ronde sans être troublés. Tous les personnages qui lui tiendront à cœur, plus tard, seront visités. Frédéric, Emma, tous demandent — à leur insu — qu'on les délivre de l'atomisme. Frédéric « sentit monter du fond de lui-même quelque chose d'intarissable... À l'horloge d'une église, une heure sonna... pareille à une voix qui l'eût appelé. » Bouvard et Pécuchet vont s'acharner contre Dieu et chercher de cent manières à démontrer qu'il n'est pas. Rien n'y fait : ils poussent la porte d'une église et cela suffit à leur donner le sentiment d'assister à une aurore. Cela ne dure pas ; cela ne dure jamais ; les réveils sont amers : encore un échec. N'empêche : même si l'extase, chez Flaubert, est un acte bref, elle impose un répit aux soucis, aux malheurs mesquins et impitoyables ; on est sauvé le temps d'une prière, parce qu'on s'oublie. Et c'est bien le but, en effet. « N'importe quelle dévotion, écrit-il, pourvu qu'elle y absorbât son âme et que l'existence entière y disparût. »

2° À n'envisager que lui, ce besoin de faire éclater la gangue de l'individu permet de comprendre pourquoi la religiosité de Flaubert a pu prendre la forme d'un assez vague spinozisme : « Être la matière ! » dira Antoine. Matière, il l'est déjà, ce saint, il n'est même que cela : le fils d'Achille-Cléophas n'en doute pas. Mais ce qu'il voudrait, c'est être *toute* la matière infiniment infinie dans son unité. La lutte du petit vassal contre l'érosion analytique comportait donc, dès l'origine, un recours possible à cette religion de rechange, le panthéisme. Il pouvait satisfaire en celui-ci toutes ses postulations. Sauf une, justement : sauf l'aspiration à la vassalité. Il ne se souciait pas, en vérité, d'un Absolu impersonnel où l'on se dissoudrait sans élévation. Aux yeux de sa famille, Gustave est *vraiment* inessentiel : c'est trop. Sous le regard du Tout-puissant, il souhaite, objet infime d'une générosité infinie, se sentir essentiel dans son inessentialité même. Un serviteur de Dieu, né pour Sa Gloire, rien de plus qu'un moyen. Mais le moyen choisi par l'Être absolu pour devenir le Créateur suprême et pour se faire adorer. On le notera : les élévations mystérieuses et rares de ses personnages sont toujours liées au calme sacré des lieux saints. Gustave lui-même, c'est toujours *à l'église* et, la plupart du temps, pendant une cérémonie qu'il est bouleversé par l'émotion religieuse. S'il veut croire, c'est, plus qu'au Christ, à un Dieu paternel et sévère qui le comble par ses continuelles exigences. Il attend qu'un signe d'en haut vienne donner quelque prix non pas à son individualité, oh ! non ! — il ne cherche qu'à la fuir — mais à sa simple existence : *chargé de mission* ! On a vu comment le son d'une cloche semble à Frédéric un appel ; et c'est cela qu'il souhaite, le petit Gustave, un murmure d'en haut : « Tu n'es pas né pour rien. On t'attend. » En ce sens, le Dieu de Flaubert n'a rien de commun avec celui que prient les bourgeois qui gardent la foi ; pour ceux-ci, le Tout-Puissant garantit l'ordre, c'est-à-dire la propriété réelle ; pour celui-là il ne garantit que l'existence et la seule justification qu'il en donne est un mandat : c'est le Dieu des croisés, des mystiques espagnols, des pauvres, c'est le Dieu du Moyen Age. On ne peut s'en étonner puisque les Bourbons et l'Eglise sautant par-dessus les siècles font de la féodalité médiévale un modèle et le thème principal de leur publicité.

Mais surtout, je l'ai dit, en baptisant son fils, le docteur Flaubert l'a *voué*. Cela signifie qu'il lui a donné, au départ, et marqué dans sa chair le droit de s'intégrer à la plus totalitaire des hiérarchies féodales. Il ne s'agit plus ici de pensées ni d'extases, mais d'un ordre objectif et rigoureux où sa place l'attend. En ce sens, il cherche Dieu pour trouver l'Eglise. Gustave n'aime guère les religions d'individus, je veux dire les accommodements privés avec le Ciel. Et, quel que soit le prix qu'il attache à l'extase — c'est-à-dire à la communication directe de la créature avec le Créateur —, les impératifs qui lui rendraient, par des gênes exquises, le droit de vivre qu'Achille-Cléophas lui a donné puis ôté, doivent le viser et l'atteindre, surnaturels, à travers des supérieurs *humains*. Rien ne pourrait mieux lui convenir qu'une religion pratiquée en commun : ce qu'il va chercher dans les temples, plus encore que le silence sacré des pierres ou que la sainte lumière que filtrent les vitraux, c'est le spectacle des foules agenouillées, levant et baissant leurs mille têtes au signal impérieux d'une clochette, dociles aux ordres des ministres du culte qui répètent chaque jour, devant elles, l'événement archétypique, le don suprême et lointain : un Créateur qui se fait mortel et qui meurt dans les supplices pour sauver ses créatures. Non qu'il aimât les masses : tout au contraire il les détestait, elles lui reflétaient, innombrable, le statut de solitude moléculaire qu'Achille-Cléophas lui imposait : mais quand elles priaient dans les églises, elles devenaient un *peuple* organisé. Des ouailles sous la houlette du bon pasteur. Des *fidèles* : aucun mot ne pouvait avoir plus d'attrait pour le petit vassal. Baptisé, il a conscience que sa place est au milieu d'eux : il *appartient* à cette humanité totalisée par Dieu à travers les prêtres, à la catholicité. Par cette raison, il donne au mot de Pascal sa vraie signification : Mets-toi à genoux et tu croiras, dit celui-ci au libertin. Soit : on peut toujours essayer. À condition d'avoir reçu les premiers sacrements, d'être un membre virtuel de l'Eglise. Ce qu'était, par nécessité, le libertin le plus endurci, au XVIIe siècle : qui donc eût osé refuser le baptême à ses enfants ? Ce qu'est, aux environs de 1830, Gustave Flaubert, fils du plus prudent des libertins. Qu'un Hindou, qu'un Chinois tombent à genoux, que verront-ils, que sentiront-ils ? Rien. La génuflexion, elle-même, n'aura pas pour eux le sens symbolique que nous lui attribuons. Mais, chez Gustave, qui a fait sa première communion, le symbole est coulé dans son corps, c'est la signification d'une habitude, la structuration d'une posture. Qu'il tombe à genoux, il suscite sa trans-ascendance, une intention vide mais déchiffrable qui vise le ciel. Après cela, la Foi vient ou ne vient pas ; la *forme* chrétienne reçoit ou ne reçoit pas le contenu. Ce qui importe, c'est que Gustave, au départ, est *signifié* catholique par la possibilité permanente de la génuflexion, par celle de murmurer un *Pater noster*, par tout ce que lui *disent* les choses qui l'entourent, les murs, la rosace, l'autel, l'odeur d'encens, les orgues. *Il est croyant en puissance* : croire, c'est devenir ce qu'il est. Combien de fois n'a-t-il pas essayé! Il écrit dans *Novembre* : « Deux ou trois fois, il alla dans les églises à l'heure du salut; il tâchait de prier; comme ses amis auraient ri s'ils l'avaient vu tremper ses doigts dans l'eau bénite et faire le signe de la croix. » Ses amis? J'en doute. Bien sûr on affectait autour de lui — Alfred le premier — de préférer les messes noires aux messes carillonnées. On bravait Dieu, on se mettait par défi — et sous l'influence de Byron — du côté de Caïn, de Satan. Mais, nous le verrons mieux plus tard, ces blasphèmes n'étaient que des efforts vains pour dépasser une situation contradictoire et commune à toute cette génération tourmentée par le besoin de croire et déchristianisée par l'agnosticisme des parents. Il s'en est trouvé plus d'un, j'imagine, pour aller s'agenouiller clandestinement dans une église lointaine et pour prier à la sauvette avant de s'enfuir en rasant les murs comme un notable qui sort du bordel. En fait, le seul « ami » qui puisse ricaner derrière le dos de Gustave ou dont il puisse craindre, en se retournant brusquement, de surprendre le coup d'œil analytique et le « hideux sourire » voltairien, c'est son père. Cela veut dire que le rire est installé en Gustave lui-même : le rieur et le prieur ne font qu'un. C'est ce que marque mieux encore un texte antérieur, *La Main de fer*, nouvelle commencée en février 37 et qui n'a pas été terminée : « Il se trouve parfois un cœur jeune et vierge qui vient se nourrir de la foi et plus souvent encore quelque âme blasée et flétrie qui vient se rajeunir dans l'amour céleste, se vivifier dans les croyances, se sanctifier dans la prière. Celui-là qui prend Dieu comme un amour de jeunesse et la foi comme une passion, celui-là s'y livre tout entier, il s'agenouille avec délices, il prie avec ardeur, il croit par instinct; la messe des morts n'est plus pour lui une grotesque psalmodie, le chant des prêtres cesse d'être vénal, l'église est quelque chose de saint, l'espérance est pour lui palpable et positive, il est heureux car il croit. » On remarquera — tous les thèmes de l'œuvre et de la vie sont exprimés dès quinze ans — qu'il fait de la Foi un *instinct*; c'est le mot qui reviendra sous sa plume près de trente-cinq ans plus tard dans sa lettre à Mlle de Chantepie. Bien entendu, l'âme pure et l'âme flétrie appartiennent l'une et l'autre à Gustave : l'essentiel n'est pas dans leurs différences mais plutôt dans l'attitude commune : aimer Dieu religieusement d'une passion profane. Son héros, en effet, séduit par les pompes du catholicisme se laisse

aller à « une douce rêverie de foi et d'amour » : « Cette rêverie fut
sa jeunesse ; il prit Dieu comme une autre passion : elle passa comme
les autres. » Est-ce une condamnation du christianisme ? Non mais
plutôt une confession, un reproche qu'il se fait à lui-même : ce
déisme voluptueux — il prend Dieu comme une femme et cet amour
charnel se lasse comme tous les amours — n'est pas dans la manière
de Gustave. C'est de cet épicurisme qu'il prétend se blâmer ; *à tort*.
Il n'est pas vrai, nous venons de le voir, qu'il cherche dans la foi
les douceurs qu'y trouvait Mme Guyon. Le passage est tout entier
dicté par le ressentiment : je n'ai pas pu croire, dit-il, plein de rancune, ou pas assez longtemps ; je n'ai pas pu adapter les élévations
sauvages de mon déisme à la stricte discipline rituelle. Cela signifie
qu'il y a circularité : pour que le Sacré se manifeste dans les lieux
saints, il faut que le fidèle soit sacré lui-même, qu'il y pénètre impré-
gné par avance du sacré. Il ne suffit pas de franchir le seuil d'une
église pour passer de la nature au surnaturel : la surnature est une
grâce qui ne doit jamais quitter le croyant ; à cette condition seulement, elle se manifestera à lui, dans le temple, comme condensation numineuse et terrible du surnaturel quotidien. En d'autres
termes, pour devenir croyant, il faut l'être déjà. Sinon, le mieux
qu'on puisse espérer, c'est d'avoir la tête tournée par les parfums,
la lumière, la musique et de se perdre dans une extase par trop *mondaine*. C'est la conclusion de Gustave : la Foi, pour lui, c'est le supplice de Tantale ; tout est donné en lui pour qu'il la possède ; des
sacrements l'ont structuré en croyant. À chaque fois, il lui semble
qu'il suffira d'imiter les gestes rituels des autres : l'eau bénite, le
signe de la croix, la prière. Mais non : mets-toi à genoux et tu ne
croiras pas. Impossible d'actualiser cette virtualité qui le hante. Il
y a frustration : baptisé, catéchisé, Gustave est *propriétaire* d'une
chaise au milieu des autres chaises, dans la nef de la cathédrale,
avec tous les privilèges qui s'y attachent, en particulier celui de posséder Dieu. Quand il assiste à la messe, quand il se place dans la
posture d'une ouaille, c'est pour qu'on lui donne la jouissance de
son Bien. Chaque fois la déception revient l'enrager : il aura la
chaise, il fera les gestes et dira les mots, on jouera devant lui le
mystère de la Passion ; au mieux il sentira naître en lui « quelque
chose comme une aurore », il aura l'impression que « ça y est »,
qu'il va jouir, qu'il jouit et, à l'instant, tout s'écroulera, il retrouvera le vide, la sécheresse du cœur et la frigidité.

Pendant ce temps, le ressentiment grandit, la pensée démoniaque gagne du terrain. Cela ne signifie pas que la religiosité de l'ado-

lescent fait place au positivisme mais qu'il inverse les signes et se donne à Satan. À présent, quand il sent, toujours passif, qu'un bras de fer l'emporte dans les airs, il lui paraît souvent que c'est le Diable : l'élévation subsiste mais ce qui l'attend sur les cimes, c'est le Mal radical. Que devient Dieu, en cette mystique à l'envers ? Cela dépend : il peut être le principe même du Mal, plus méchant qu'un Démon, comme dans *Rêve d'enfer*; parfois, comme dans *La Danse des morts*, il apparaît sous la forme de Jésus-Christ, voit les tortures que le Malin inflige aux hommes et pleure en silence, accablé. Le manichéisme de Flaubert est conforme à son pessimisme de ressentiment : la lutte du Bien et du Mal n'aura pas de fin — pas plus que celle de la Science et de la Foi. Mais est-ce bien une lutte ? Le Mal est bien réel, tangible : Ahriman est maître incontesté de la terre : Ormuzd, lui, on nous dit qu'il est au ciel, il faut qu'il y soit sinon l'insatisfaction, le désir infini qui tourmentent les âmes ne seraient que duperie. Mais il se tient coi : pas un signe d'en haut; toutes les monitions que nous recevons, tous les avertissements qui bordent notre route, Ahriman en est l'auteur. Il ne s'agit pas, comme on voit, d'agnosticisme : Flaubert ne se plaint pas, comme tant de croyants déçus, de n'avoir pas trouvé Dieu; certes il ne juge pas que les preuves de Son existence soient convaincantes mais, dans le fond, il ne s'en soucie pas : si l'Éternel était sensible aux cœurs, Gustave n'aurait que faire de démonstrations scolastiques; il ne s'inquiète pas trop non plus de se heurter partout à ces falaises abruptes et muettes, les faits : cette âme religieuse voit le monde religieusement; elle éprouve à ses dépens l'ambivalence du sacré : ce dont elle se plaint, c'est d'avoir trouvé le Diable. Le sens est clair : si l'Église ne m'intègre point, si je ne suis pas sauvé par la Foi, je retombe entre les griffes de l'*Autre* qui m'a conçu, engendré, maudit, qui m'occupe et m'aliène à son atomisme rongeur. Dieu serait le Contre-Père; le père, étant Contre-Dieu, apparaît, Seigneur noir, comme un lieutenant du Démon, sinon comme le Démon lui-même. Le ressentiment de Gustave y trouve son compte : le pire est sûr, le fils cadet sera pour toujours le martyr de son géniteur. Il ne va point jusqu'à nier l'existence du Tout-Puissant mais, irrité par son mutisme intolérable, il le frappe d'impuissance : il s'est laissé voler le Monde *sous son nez* par l'Esprit qui toujours nie; à présent il se cantonne, vaincu, dans une indifférence morose.

Que le silence divin soit pour Gustave le scandale originel, c'est ce que montre clairement une nouvelle écrite à quinze ans, *Rage et Impuissance*; c'est l'histoire d'un enterré vif : ce malheureux entend des pas. Il frappe contre le bois de son cercueil mais les pas s'éloignent et il meurt en blasphémant. Nul doute : c'est bien lui, c'est Gustave, qui étouffe dans cette bière. Les pas du fossoyeur manifestent la présence, là-haut, au-dessus des morts, tous couchés, de *Quelqu'un*. S'il est entendu, l'enfant sera sauvé, comme un Lazare, il se *lèvera*. Le fossoyeur s'éloigne : Dieu serait-il un leurre? On ne le dit même pas mais, simplement, qu'il est un peu dur d'oreille et qu'il ne peut ou ne veut aider personne. Il est facile, à présent, d'interpréter le symbole. Quelques mots clés, que nous avons vu s'enrichir au cours de cette étude, vont nous y aider. En particulier, celui d'*impuissance* qui caractérise si bien la passivité de Gustave et si mal — *en apparence* — ce que l'on conçoit en général par la « quête de Dieu ». Par le fait, ce qui se passe, à l'ordinaire — ou du moins ce que l'on prétend qui s'est passé — c'est, au contraire, une chasse, pour les superbes; pour les humbles, la mendicité : de toute manière une action; les premiers, partis ventre à terre, avec piqueurs et valets ont prétendu suivre Dieu à la trace et le forcer comme un cerf; il n'y avait pas de trace : ils se sont perdus dans la forêt. En vérité, pensent-ils, c'est Dieu qui est carencé : a-t-on idée de faire courir un homme comme Il l'a fait pour n'être pas au rendez-vous sans même s'excuser : peut-être n'existe-t-Il pas du tout? C'est ce que se demandent aussi les autres, les mendiants : ils n'ont pas couru, eux, ils ont agi sur eux-mêmes, ils ont jeûné, ils se sont humiliés, ils se sont métamorphosés, tuant leur orgueil, déchirant leur *persona* pour *se faire* cette béance, cette ouverture à tout l'Être que Gustave *devient* quelquefois pour un instant. Et puis? Rien : leurs âmes trouées n'étaient transies que par le vent de la Nuit. Quelques-unes pensent *aujourd'hui* que ce n'est pas déjà si mal. Au temps de Flaubert la plupart se dépitaient : tout ce travail *pour rien*! Ces pauvres gens avaient le choix : se pénétrer de leur indignité ou du soupçon que Dieu n'était peut-être qu'une farce. De toute manière, ils n'étaient pas restés passifs : les uns pensaient qu'ils avaient agi tout de travers et que chacune de leurs démarches — en raison de leur mauvaise nature — les éloignait de Dieu quand ils croyaient s'en approcher; les autres, au contraire, qu'ils avaient fait leur possible, que leur âme était une grande salle d'honneur vide, dont ils avaient déménagé tous les meubles et qui se trouvait parfaitement apte à recevoir un hôte divin : si celui-ci ne répondait pas à l'invitation, c'était vraisemblablement qu'il s'était égaré en route, ou qu'il était mort depuis longtemps ou qu'il n'avait jamais été. Personne, en tout cas, ni chez les chasseurs maudits ni chez les mendiants, ne se serait taxé d'impuissance. C'est pourtant ce que fait Flaubert. Et voyez comme il se présente à nous : couché sur le dos, comme les charognes sur les tables de marbre, les yeux aveugles comme ceux des cadavres, à ceci près que ceux-ci sont durs comme des cailloux ou coulants ou mangés, au lieu que les siens sont envahis par l'obscurité. Mais, après tout, peut-être est-ce ainsi que la vie de rémanence qu'il attribue aux morts ressent la disparition conjointe des organes visuels et de la vision. De toute manière, Gustave est décédé, *socialement*. Entendons que les autres le réputent trépassé et, du coup, le soumettent au régime des défunts. Il est mort pour l'Autre et, de ce fait, par l'Autre bientôt occis : il suffit qu'il se résigne à devenir ce qu'il est déjà pour tout le monde. Il lui reste une chance : privé de la vue, de la locomotion, à demi étouffé, rongé d'angoisse, ce gisant peut encore fermer un poing, frapper contre la paroi du cercueil. Notons pourtant qu'il a bien peu d'espoir de se faire entendre : sa position lui interdit de porter les coups avec le bras tout entier ; c'est à peine s'il peut remuer le coude. Il est bien vrai qu'on l'a *réduit à l'impuissance*. Traduisons : le jeune garçon, malgré ses extases, a été manipulé de telle sorte qu'il n'a plus les moyens d'appeler son Sauveur.

Il a bien besoin de lui, pourtant. Relisons Musset, son aîné, qui ne croit plus qu'à demi : Gustave, quand il écrit *Rage et Impuissance*, n'a point encore lu *La Confession d'un enfant du siècle*, l'ouvrage a paru quelques mois plus tôt. Quel est le mal dont celui-ci prétend qu'on a infecté la génération entière ? La sécheresse de cœur, le scepticisme, l'absence d'objectifs précis, une nonchalance nihiliste, un ennui qui se prend pour du désespoir : en voilà les symptômes. C'est fâcheux : la foi du charbonnier donnerait à ces jeunes gens un but, des satisfactions certaines, une éthique ; elle leur épargnerait la sinistre débauche, la fuite dans l'alcool ou l'opium. Mais, après tout, on peut vivre sans elle : mélancoliquement, mal, avec, de temps à autre, ce scintillement, l'amour, qui finit toujours dans la tristesse mais qui recommence quelque temps après. Et puis c'est un plaisir de chanter une désespérance qu'on n'éprouve pas tout à fait. Bref, pour les fils des guerriers impériaux, l'absence de Dieu ou sa trop vague présence paraît un manque à gagner. Gustave, c'est bien autre chose : menacé d'une mort atroce que les autres lui imposent par inadvertance, la Foi s'offre à lui comme son unique recours, c'est une procédure d'extrême urgence. Si nous pénétrons plus avant dans le symbole, le sens est clair : l'Autre m'a fait tel que j'ai besoin de Dieu (la mise en terre du faux cadavre met celui-ci *dans la nécessité* d'appeler à son secours ceux d'en haut. S'il ne se fait point entendre, alors il sera cadavre *pour de vrai*). Cela veut dire : si Dieu n'est pas, alors je suis *déjà* ce cadavre ensorcelé que la malédiction paternelle a créé ; alors le mécanisme, piège infernal auquel je ne puis croire, devient ma *vérité autre* : je meurs à chaque instant puisque, à chaque instant, je passe de la croyance qu'il existe un cosmos totalisé par une volonté suprême qui m'a créé en lui par un décret particulier à la conviction — qui m'est par nature étrangère — que ce cosmos n'est, comme moi-même, qu'une illusion et que rien n'existe sinon le hasard, l'extériorité, l'éparpillement. Ainsi donc on m'a fait de telle sorte que la Foi est mon besoin urgent et singulier. Mais les raisons mêmes qui m'obligent à croire m'en ôtent la possibilité : l'enterré vivant *doit* attirer l'attention des fossoyeurs ou mourir : mais, précisément, parce qu'on l'a mis en bière et jeté au fond d'une fosse, il n'a pas une chance d'être entendu. S'il changeait d'image, Flaubert pourrait écrire ce merveilleux vers de Villon :

> *Je meurs de soif auprès de la fontaine...*

Celle qu'il a choisie, toutefois, lui convient mieux encore : garrotté, réduit à l'impuissance, couché sur le dos, il a les yeux tournés vers le haut. Mais entre le ciel et lui, il y a ce plafond bas, oppressant, créateur de ténèbres : le couvercle du cercueil. En d'autres termes, on l'a plongé dans l'abject univers des choses : au-dessous de lui, la terre, la fange où les vers grouillent déjà ; au-dessus de lui ce couvercle et bientôt de la terre entassée : *on ne peut pas quitter la terre*. Ce qui signifie, somme toute, que le réel est une horrible plénitude dont on ne peut *sortir* : la communication directe avec la Surnature *n'est pas possible*. Gustave en ce récit renie ses élévations religieuses. Pour s'élever il faut des marches, un escalier qui part du sol et se perd dans les cieux, une hiérarchie objective. Qui est le fossoyeur dont il entend les pas ? Dieu, certainement, mais peut-être aussi son représentant sur terre, un ministre du culte qui détale, comme Larivière, pour n'être pas compromis. Le silence de Dieu, on le voit, c'est par lui-même le Mal, le Sacré négatif : Il refuse son secours au pitoyable martyr ; Il l'enterre. Complice du Diable, qui a réduit sa victime à l'impuissance, en ceci qu'Il la lui abandonne quand Il devrait, au contraire, envoyer ses anges pour la lui arracher. Pis : c'est ce délaissement sacré (puisqu'il est divin) qui consacre les piteux bourreaux humains et leur triste besogne ; Achille-Cléophas est un laïc, un profane ; il devient le Diable puisque Dieu le consacre par Son indifférence même, puisqu'Il lui refile, témoin glacé de l'autopsie que le chirurgien-chef exerce sur son fils, un peu de Sa numineuse puissance. Enterré vivant par son père avec la bénédiction du Créateur : quand l'adolescent a pris conscience de sa situation, son impuissance se tourne en *rage* — autre mot clé de la nouvelle. Parbleu ! nous les connaissons, ces mâles rages qui poussent Marguerite et Mazza à cracher sur le seuil des églises et qui ne sont en vérité que l'impuissance retournée. Ou, si l'on veut, c'est la passion bouleversant le corps entier pour lui donner l'illusion de se mobiliser totalement dans l'action. Gustave le sent et le dit ici clairement : son impuissance est constituée, c'est la conséquence de sa passivité primitive : il y a quelque chose, peut-être, qu'il faudrait *faire* pour attirer sur lui l'attention divine ; mais son activité passive ne lui permet de rien tenter sinon de s'offrir, immobile et muet, invisiblement, par l'insensible accentuation de son abandon aux forces cosmiques, par l'offre tacite — intention serpentant à travers le vécu entre chair et cuir — de cet abandon permanent à l'Être suprême et, à la rigueur d'appeler, faiblement, vainement, comme un nourrisson au berceau, ligoté dans ses langes, appelle, angoissé, la mère qui vient de quitter la chambre. Ce n'est point assez, bien sûr, pour justifier une Visitation durable. Mais à peine l'a-t-il reconnu qu'il ajoute dans la rage : *on m'a rendu tel* ; insuffisant aux yeux de mon père, insuffisant aux yeux du Tout-Puissant. À ce niveau idéologique, il pourrait, s'il le voulait, justifier le principe de son pessimisme en déclarant : la malédiction paternelle a fait de moi ce monstre qui ne peut ni vivre avec Dieu ni sans.

Il a, par la suite, approfondi le sens de cette discorde dont l'origine est à chercher dans le fait qu'il a été marqué par les deux idéologies des classes dominantes et dont le principal caractère est que les deux termes de la contradiction, loin de se repousser, s'interpénètrent. Dans les notes qu'il a prises à Jérusalem, le 11 août 1850, nous trouvons ces curieuses remarques : « Voilà le troisième jour que nous sommes à Jérusalem, aucune des émotions prévues d'avance ne m'y est encore survenue : ni enthousiasme religieux, ni excitation de l'imagination, ni *haine des prêtres* [1]... Je me sens, devant tout ce que je vois, plus vide qu'un tonneau creux. Ce matin, dans le Saint-Sépulcre, il est de fait qu'un chien aurait été plus ému

---

1. C'est Flaubert qui souligne.

que moi. À qui la faute, Dieu de miséricorde ? à eux ? à moi ? ou à Vous ? À eux, je crois, à moi ensuite, à Vous surtout[1]. »

En quittant l'Égypte pour la Palestine, Gustave *attendait* de Jérusalem une révélation ; il prévoyait une gamme d'émotions possibles. Ce n'est plus tout à fait le jeune garçon que nous décrivons en ce moment : depuis son « attaque de nerfs » l'imaginaire le ronge ; il conserve en permanence ce qu'il appelle l'« attitude esthétique », cela signifie qu'il essaie continuellement de déréaliser le réel, de saisir ce qu'il voit comme un spectacle peint, ce qu'il entend comme un échange impersonnel et stupéfiant de répliques de théâtre que personne ne dit, accompagnées de bruits de coulisses, ce qu'il fait comme une suite de rites barbares dont l'origine se perd dans le passé. Il est donc normal qu'il attende du Saint-Sépulcre, lieu d'un passé formidable et mythique plus qu'à demi, que ce tombeau du Christ, ne fût-ce que par son emplacement, lui communique une émotion esthétique, c'est-à-dire, l'Histoire sacrée y aidant, se laisse exfolier de la réalité environnante. Ce n'est pas souhaiter la Foi, bien au contraire, qu'aspirer au moment où le plus haut lieu de la religion chrétienne lui apparaîtra comme une belle image intemporelle, ni vraie ni fausse : on retrouve ici cette religion d'esthètes dont le prophète fut Chateaubriand, l'agnostique, et le dernier ministre, Barrès, l'incroyant. Ce qui surprendra davantage, c'est que Gustave, après *Smarh*, la première *Éducation* et le premier *Saint Antoine*, après tant de professions de foi nihilistes et tant d'affirmations de sa « croyance à rien », mette au premier rang des émotions « prévues d'avance » l'*enthousiasme religieux*. Il est clair que ce n'est point la Beauté qu'il cherche d'abord à Jérusalem : certes, c'est l'*Artiste* qui escompte des plaisirs d'imagination : mais ils viennent en second. L'enthousiasme religieux, c'est le fait du *croyant*. Mais si Gustave ne croit point ? Eh bien, justement : il ne croit *pas assez* ; ce n'est pas de l'incroyance mais plutôt une Foi qui souffrirait d'une sorte de faiblesse intime, de je ne sais quelle inconsistance lui interdisant de passer de la religiosité à la religion : le jeune homme espère que *quelque chose* passera, comme une décharge de sacré, de l'objet le plus numineux du monde — potentiel infini — à sa triste chair — potentiel avoisinant zéro. Il n'a pas changé, sur ce point, depuis la nouvelle où il dénonçait son impuissance, il ne peut que s'ouvrir et qu'attendre : au Tout-Puissant de faire le premier pas. S'Il y consent, la Foi foudroiera

1. Édition du Centenaire, t. IV, p. 147.

Gustave : il n'en mourra point, il la gardera comme une inguérissable brûlure et le tour sera joué ; à moins qu'elle ne reste à l'intérieur du tombeau, prête à foudroyer le prochain pèlerin : dans ce cas, Gustave, même dans ses moments de sécheresse, pourra se référer comme à un autre événement archétypique, à l'éclair en coup de faux qui l'a consumé jusqu'au cœur et qui s'est perdu.

Sur la nature de l'émotion attendue, une lettre, écrite à Louis Bouilhet la semaine suivante, nous donne des précisions. Gustave est retourné au Saint-Sépulcre. Nouvelle déception. Il ajoute : « Je n'ai pas pleuré sur ma sécheresse ni rien regretté, mais j'ai éprouvé ce sentiment étrange que deux hommes "comme nous" éprouvent lorsqu'ils sont seuls au coin de leur feu et que creusant de toutes les forces de leur âme ce vieux gouffre représenté par le mot "amour", ils se figurent ce que ce serait — si c'était possible [1]. » C'était l'amour sacré qui faisait l'objet de son attente. Lequel ? Espérait-il sentir le poids de celui que Dieu porte aux hommes ou ressentir en coulée de feu celui que la créature doit éprouver pour le Créateur ? Il suffit pour le savoir de rapporter la circonstance qui a suscité en lui cette « amertume tendre » : « Je regardais la pierre sainte ; le prêtre a pris une rose et me l'a donnée... puis me l'a reprise, l'a posée sur la pierre pour bénir la fleur. » Au commencement, il y a eu le Don. Un don du ciel : Gustave le reconnaît explicitement puisqu'il l'appelle, deux lignes plus bas, un « cadeau ». Du coup la hiérarchie féodale est tout entière ressuscitée : l'Église est là, médiatrice : c'est par le prêtre que le Seigneur suprême offre la rose, goutte de sang vivante de son fils. La fleur bénite est un signe et une invite : le Maître a donné son corps et sa vie pour tous, Il les donne encore, aujourd'hui à Gustave en particulier ; en échange, il exige que le jeune homme se voue à Lui sans réserve, qu'il reconnaisse par un acte d'amour le sacrifice d'amour qui vient d'être renouvelé : ce qui se propose ici, sur l'initiative d'un représentant autorisé, c'est la cérémonie féodale de l'hommage. Voilà ce que Gustave était venu chercher à Jérusalem : la résurrection de l'âge d'or, la renaissance — au centuple — de la passion féale qu'il portait alors au *pater familias* et de l'exigeante générosité que celui-ci daignait lui manifester. L'amour, ce « vieux gouffre », Flaubert écrit, après ses deux visites au Sépulcre, qu'il est impossible ; il l'avait dit et redit avec Alfred, avec Bouilhet, « au coin du feu ». Mais la nuit du 7 au 8 août, à Ramleh, quand il ne

---

1. À Louis Bouilhet, 20 août 50. *Correspondance*, II, 231.

peut fermer l'œil « à cause des moustiques, des chevaux et de l'idée que je dois voir Jérusalem le jour suivant » [1], il est convaincu de sa possibilité, je dirais même de son imminence : « Je ne demandais pas mieux que d'être ému, tu me connais » [2], écrit-il à Bouilhet. Et, dans ses notes de voyage, quand il mentionne le Don inutile de la rose, il ajoute : « Ç'a été un des moments les plus amers de ma vie [3]... » Un homme de vingt-huit ans qui court après l'amour divin non tant pour être aimé que pour la dévotion que le rite de l'hommage allumera dans son cœur, les plus fortes chances sont pour qu'il ne change plus, pour que toute sa vie, il languisse, rêvant d'une métamorphose radicale et qualitative du vécu qui le ferait accéder à la Sainteté *ressentie*.

Gustave ne croira jamais : il le sait. Parce qu'il lui est impossible de croire. L'émotion « prévue d'avance », religieusement attendue, il pressent aussi « *d'avance* » qu'elle n'aura pas lieu. Est-il si vrai qu'il ne « demandait pas mieux que d'être ému » ? Le voici, en tout cas, devant le Sépulcre, sec comme un tonneau vide. À qui la faute ? Il le dit : « à eux, à moi, à Vous ». N'imaginons point qu'il ait découvert les coupables quand l'enthousiasme religieux, à Jérusalem, s'est dérobé. Il y a beau temps qu'il les connaît. Un seul n'est pas mentionné : Achille-Cléophas. Nous verrons pourquoi tout à l'heure. Examinons les dossiers des accusés dans l'ordre où il les a rangés.

À eux... « Comme tout cela est faux ! Comme ils mentent ! Comme c'est badigeonné, plaqué, verni, fait pour l'exploitation, la propagande et l'achalandage [4]. » Et, dans une lettre à Bouilhet : « On a fait tout ce qu'on a pu pour rendre les Lieux saints ridicules. C'est putain en diable : l'hypocrisie, la cupidité, la falsification et l'impudence, oui ; mais la sainteté, aucune trace. J'en veux à ces drôles de n'avoir pas été ému [5]. » Le même jour, il écrit à sa mère : « Ce qu'on voit ici de turpitude, de bassesse, de simonie, de choses ignobles en tout genre dépasse la mesure ordinaire. Ces Lieux saints ne vous font rien. Le mensonge est partout et trop évident. Quant au côté artistique, les églises de Bretagne sont des musées raphaélesques à côté [6]. » Ajoutons à cela le fanatisme et la

---

1. *Voyage en Orient*. Édition du Centenaire, t. IV, p. 147.
2. 20 août 50, *Correspondance*, II, p. 230.
3. *Voyage en Orient, ibid.,* p. 156.
4. *Voyage en Orient*, t. IV, p. 145.
5. *Correspondance*, II, p. 230.
6. *Correspondance*, II, p. 233.

haine. « Le Saint-Sépulcre est l'agglomération de toutes les malédictions possibles. Dans un si petit espace, il y a une église arménienne, une grecque, une latine, une copte. Tout cela s'injuriant, se maudissant du fond de l'âme et empiétant sur le voisin à propos de chandeliers, de tapis et de tableaux. »

Bien. Mais rien de cela n'est bien neuf pour lui. Rappelons-nous que, dans *La Main de fer*, il tenait l'office des morts pour une comédie grotesque et reprochait aux prêtres leur vénalité. Flaubert affiche de bonne heure un farouche anticléricalisme. Et, tout au long de sa Correspondance, il mange du curé avec appétit. Plus tard, sous l'Empire libéral et après la Commune, il convie ses amis à combattre le « Parti prêtre »; et l'Eglise catholique, qui triomphe sous Thiers et sous Mac Mahon, l'inquiète bien plus que n'ont fait les communards, ces « chiens enragés ».

Il va de soi qu'on n'aimait guère les curés, dans la famille d'Achille-Cléophas. La Congrégation, avec sa tyrannie, ses espions, ses processions, avait tout fait pour que la bourgeoisie libérale les détestât. Après 1830, dès qu'on pût parler tout haut, le docteur Flaubert n'avait pas caché à son fils cadet ce qu'il pensait d'eux. L'influence paternelle n'est pas douteuse mais n'explique pas tout. En fait l'anticléricalisme de Gustave est suspect : d'abord il est forcené; un athée convaincu y mettrait plus de forme et surtout plus de modération : le prêtre serait pour lui l'ennemi à combattre mais non point l'objet infâme de vitupérations ordurières et vaines. Et puis cette haine bruyante du « goupillon », Gustave ne se contente pas de la ressentir, pas même de la publier : il l'introjette en Homais, le pharmacien odieux et ridicule, pour pouvoir *s'en moquer*. Ces deux remarques nous permettent de conclure : derrière les sarcasmes d'un incroyant qui reproche aux prêtres de vouloir imposer leurs momeries, il y a la rancune très personnelle d'un homme qui *veut croire* et qu'ils ne cessent de décourager. Nous le verrons plus tard : Homais a raison de railler la bêtise et le matérialisme de l'abbé Bournisien; il a tort de *n'en point souffrir*. Toute la différence est là. Cette ambiguïté est bien dans la manière de Gustave : agnostique et scientiste par son père, il se moque des « momeries » religieuses, du haut de son savoir rationaliste, et, dans le même moment, il reproche aux curés de ne l'avoir pas secouru : ils n'ont pas eu la force d'esprit nécessaire pour réfuter le voltairianisme et les graves objections du scientisme; à tout le moins ils n'ont pas fait preuve d'assez de vertu pour le convaincre par l'exemple. En un mot, ils se sont montrés incapables de l'arracher aux mains de son père.

Mme Bovary, dans son égarement, va demander secours à l'abbé Bournisien ; la niaiserie, la trivialité de celui-ci achèvent de la perdre : elle sombrera. Or on a justement remarqué que cet épisode reproduit à peu de chose près un récit écrit à dix-sept ans [1], l'année même où il calomniait l'abbé Eudes devant les « pauvres dévots » de l'institution religieuse. Un jeune désespéré veut rencontrer un prêtre pour que celui-ci « le persuade de l'immortalité de son âme ». Il va chez lui, s'assied dans la cuisine devant un grand feu sur lequel pétille dans une poêle « une énorme quantité de pommes de terre ». Le curé le rejoint bientôt. « C'était un vieillard aux cheveux blancs, au maintien plein de douceur et de bonté... Mais, à peine avais-je commencé qu'entendant du bruit à la cuisine : ''Rose, s'écria-t-il, prenez donc garde aux pommes de terre.'' Et, me détournant, je vis... que l'amateur de pommes de terre avait le nez de travers et tout bourgeonné. Je partis d'un éclat de rire et la porte se referma aussitôt sur mes pas. » Curieusement Gustave fait suivre son récit, douze ans avant son voyage en Orient, de la même question qu'il se pose au Saint-Sépulcre : « Dites maintenant à qui la faute ?... Est-ce ma faute, à moi, si cet homme a le nez crochu et couvert de boutons ? Est-ce ma faute si sa voix avide m'a semblé d'un timbre glouton et bestial ? Non certes car j'étais entré là avec des sentiments pieux. » On reconnaît ici la précaution que Flaubert prendra en 1850 : « Je ne demandais pas mieux que d'être ému » ; ainsi que la trinité des coupables : eux, moi, vous. Il ajoute en effet : « Ce n'est pourtant point non plus la faute de ce pauvre homme si son nez est mal fait et s'il aime les pommes de terre. Du tout, la faute est à celui qui a fait les nez crochus et les pommes de terre. » Cette fois, tout le monde est acquitté sauf Dieu. Mais l'acquittement du prêtre n'est pas très convaincant : le créateur l'a fait ainsi, c'est tout ce qu'il peut dire pour sa défense. Reste qu'il s'est donné mission d'éclairer les âmes et qu'il les scandalise par sa laideur, son matérialisme et sa gloutonnerie ; reste qu'un adolescent troublé l'appelle à son secours et qu'il se soucie des pommes de terre plus que de le sauver. Thibaudet a beau jeu de faire remarquer que tous les prêtres ne sont pas tels. Parbleu ! et, si l'on devait la prendre à la lettre, cette histoire devrait rester sans conclusion. Flaubert a-t-il pensé que *tous* les prêtres avaient la gourmandise de celui-ci ou l'épaisse bêtise matérialiste de l'abbé Bournisien ? Je ne le pense pas bien que, je l'avoue, il est une règle bien connue des roman-

1. *Agonies*, écrit en avril 38, IX.

ciers et qui offre peu d'exceptions : lorsqu'il n'est qu'*un* Noir dans
un roman et que ce Noir commet un crime, l'auteur nous donne
à entendre que *tous* les Noirs sont des criminels en puissance ;
lorsqu'on n'y trouve qu'*un* Juif et que celui-ci fait preuve de traî-
trise et de ladrerie, l'auteur est un antisémite militant qui condamne
tous les Juifs, et nous invite à partager ses opinions. Mais il « n'a
pas d'idées », Flaubert, et il ne « conclut pas » — c'est lui-même
qui le dit. Il *sent* et sa mémoire rancuneuse rumine sans cesse les
mêmes odieux souvenirs. Quand on prend un épisode assez à cœur
pour le reproduire à quinze ans de distance dans deux ouvrages si
différents, c'est qu'il est lié à un bonheur ou à un déplaisir profond. Entre treize et quinze ans, Flaubert semble plus soucieux de
mettre au point son catharisme noir (le pire est toujours sûr, le
monde est à Satan) que de retrouver la Foi de son âge d'or : la technique orgueilleuse des ravissements sans Dieu donnait des résultats appréciables, il apprenait d'autres exercices spirituels, en
particulier l'ascèse par irréalisation dont nous parlerons bientôt,
l'amitié d'Alfred portait ses fruits, et puis, enivrée d'écrire, la créature se permettait les joies du Créateur. Mais, nous verrons pourquoi, ce calme extérieur n'empêchait de croître ni le malheur ni
l'ennui ni l'angoisse. Les grandes parades nihilistes du jeudi
— quand, avec Le Poittevin , ils « épuisent tout, font tout passer
devant eux, saluent tout d'un rire grotesque et d'une grimace qui
leur fait peur » — le laissent fourbu, anxieux ; le collège l'accable,
le chirurgien-chef ne dissimule plus sa préférence pour Achille. Pour
ce cœur blessé, tout est malheur et fiel. Les élévations, d'abord laïques ou panthéistiques, se terminent à présent par des dégringolades ; le Vide est infini, la contemplation de Tout devient
l'aperception de Rien. Le monde, s'il n'est pas créé, pour Gustave,
c'est le Néant. Il est convaincu qu'il souffrira chaque jour davantage, jusqu'à la mort : s'il n'y a point d'autre vie, ses douleurs
auront été grotesquement inutiles ; il le proclame, bien sûr, c'est
le résultat de sa démonologie, du mécanisme paternel, revu et corrigé par son ressentiment : il a des illuminations d'horreur qui ne
lui déplaisent pas tout à fait. Mais, entre quinze et seize ans, il
s'affole et prend peur devant le nihilisme qu'il a lui-même forgé.
Pas pour longtemps : il ne faudra que quelques mois pour qu'il
revienne au pessimisme absolu. Mais, dans les *Mémoires d'un fou*
qui datent de l'été 38, il témoigne que l'angoisse, devenue insoutenable, l'a obligé à marquer un temps d'arrêt. « Je vins à douter
de tout, je riais amèrement sur moi-même, si jeune, si désabusé

de la vie, de l'amour, de la gloire, de Dieu, de tout ce qui est, de tout ce qui peut être. *J'eus cependant une horreur naturelle avant d'embrasser cette foi au néant*; au bord du gouffre je fermai les yeux; j'y tombai. » Il y a donc eu trois temps : le cynisme amer, l'ironie sceptique, c'est le premier moment. Au second, Gustave s'aperçoit des conséquences de son attitude : s'il continue ce qu'il appellera plus tard ses « rêveries malsaines », s'il a trop de complaisance pour les noires forfanteries que lui souffle le ressentiment, *il finira par « croire à rien »*. De cette croyance, au départ, il jouait; à présent elle le déborde, il craint de n'en être plus maître : devant le gouffre, il est saisi d'une « horreur naturelle ». Un autre passage du même livre nous indique que Gustave ne s'est pas contenté de « fermer les yeux » : il a voulu empêcher la chute : « L'homme... pauvre insecte aux faibles pattes qui veut se retenir, sur le bord du gouffre, à toutes les branches, qui se rattache à la vertu, à l'amour, à l'égoïsme, à l'ambition et qui fait de tout cela des vertus pour mieux s'y tenir, qui se cramponne à Dieu et qui faiblit toujours, lâche les mains et tombe. » Gustave, à quinze ans, a vu le gouffre et, pris de vertige, s'est cramponné à Dieu. Qu'est-il donc, ce Dieu de Miséricorde? Aveugle, sourd, insensible? Un soliveau. Il ne fait pas un geste pour rattraper le petit désespéré. Mais ce n'est pas non plus une branche pourrie qui casse et tournoie dans le vide avec celui qui s'y est accroché : ce sont les *mains* de Gustave, qui ont été trop faibles. C'est lui qui a *lâché*.

C'est entre 1837 et 1838, vraisemblablement, qu'il a voulu consulter un prêtre. Contre son père, contre cette partie de soi-même qui lui interdit cette Foi dont il a tant besoin. Depuis longtemps déjà, il entrait furtivement dans les églises; longtemps après, on n'en doutera pas, il continua, par intermittence, de les fréquenter. Mais la rencontre décisive — peut-être y en eut-il plusieurs — se produisit pendant sa quinzième ou sa seizième année. Je croirais volontiers qu'il fut moins déçu qu'humilié. Quand un adolescent veut s'ouvrir de ses inquiétudes ou de ses peines à un adulte étranger, il ne sait pas se faire entendre et l'adulte, neuf fois sur dix, n'a plus les moyens de l'écouter : c'est que celui-ci sent les approches de la mort et perd l'une après l'autre les clés de sa propre vie : que dire à un enfant quand on comprend si mal celui qu'on a été? Le jeune garçon se sent offensé, lui : on a réduit son malaise, mal formulé peut-être mais profond et singulier, à la généralité d'une crise de puberté. Les premiers avis du prêtre, s'il y en eut, durent être ternes et prudents : il n'était pas sans connaître, fût-ce par ouï-dire, le terrible docteur Flaubert et ne se souciait pas, après la défaite sévère de l'Église militante, en 30, et le triomphe bourgeois, de convertir sans précaution le cadet de cette famille de libres penseurs : les prêtres avaient découvert leur impopularité et se tenaient fort tranquilles. C'est cette attitude réservée — qui tient compte d'une situation politique plus que des besoins vitaux d'une âme — et non la pure et simple gloutonnerie que symbolisent les pommes de terre. Le curé a d'autres intérêts que ceux qui ressortissent à sa charge : c'est un adulte confit dans son rôle d'adulte, dans ses problèmes d'adulte qui concernent essentiellement ses relations avec ses supérieurs et les laïcs dans la grande franc-maçonnerie des grandes personnes dont Gustave est par principe exclu : l'enfant lui tient grief d'être plus proche, au fond, d'Achille-Cléophas que de son jeune visiteur, plus soucieux de respecter un accord tacite avec les libéraux — puissants dans les villes — que d'apaiser en une âme une inextinguible soif de Dieu. En ce sens, l'anticléricalisme de Flaubert est *d'époque* : l'Église a pris, en 1815, la victoire des Alliés pour sa propre victoire ; elle a voulu réagir par la terreur au courant bourgeois de déchristianisation, se buter sur les dogmes, les imposer par des arguments formels et déjà périmés, s'appuyer avant tout sur le « bras séculier ». Déboutée en 30, blessée mais puissante encore, elle se replie sur elle-même et tient ferme les campagnes : les clercs ne savent pas encore les vrais dangers qui la menacent ; contre l'esprit scientifique — fort différent du scientisme — ils n'ont pas eu le temps de mettre au point une stratégie défensive ; leur seule réponse à la lente érosion de l'idéologie chrétienne est tactique : ils se battent pour conserver le monopole de l'enseignement primaire.

Or ce que demande Flaubert aux ministres du culte, c'est précisément de le défendre contre la Science. Derrière le mécanisme et le scientisme qui caractérisent l'idéologie des libéraux, il pressent, en effet, une nouvelle conception de la Vérité, qui se laisse entrevoir comme l'unité des nouvelles méthodes mises en œuvre pour l'atteindre — méthodes dont l'usage est interdit à ses « trop faibles mains ». Mais, passif et trop soumis, cet enfant n'ose demander aux prêtres de combattre de front la Science ; il y *croit*, lui, puisque son Seigneur noir la pratique quotidiennement : il croit qu'une connaissance anatomique et rigoureuse des organes peut être fondée sur la dissection ; il croit aux propositions des sciences de la Nature. Et, sa vie durant, il n'aura que sarcasmes pour les curés ignares qui ont l'audace d'attaquer les lois scientifiques au nom des dogmes. Entre Galilée et le Pape, c'est Galilée, bien sûr, qu'il choisit. Ce qu'il demande à l'Église est plus subtil : il ne s'agit pas de se jeter contre la mécanique newtonienne comme Don Quichotte contre les moulins à vent ; encore moins de multiplier les miracles truqués pour nous faire voir Dieu sur terre, puisqu'il n'y est pas et que les lois de Nature n'y sont jamais suspendues. Non : son problème est plus profond, c'est celui de toute une génération qui veut réagir contre le jacobinisme de ses pères mais se trouve jetée dans des difficultés nouvelles par l'enrichissement du Savoir : comment garder ou retrouver la Foi tout en absorbant la Science expérimentale ? La question se posera bientôt à l'Église elle-même : elle est vitale pour ce grand corps qui reste médiéval dans les premiers temps de la révolution industrielle. Pour l'instant, elle ne s'est point avisée du danger. C'est le tourment de quelques jeunes laïcs, sans plus. S'il se fût trouvé, entre 1835 et 1840, un jeune prêtre rouennais pour prouver l'existence du Créateur par le silence éternel des mondes créés, Son ubiquité par Son universelle absence, Sa Toute-Puissance par Son impuissance radicale et consentie, l'inflexibilité de Sa Loi par Son mutisme et par l'anarchie des sociétés humaines, Sa Bonté, Son Amour par nos souffrances, Sa Justice inexorable par les infortunes de la Vertu et le bonheur des méchants, si, radicalisant la conception bourgeoise et janséniste du monde caché, il eût dit à Gustave : « Dieu n'est nulle part : ni dans l'espace, ni dans le temps, ni dans ton cœur : et ce vide infini, partout, ce froid, notre éternelle désespérance, que veux-tu que cela soit sinon Lui ? Tu scrutes hors de toi pour découvrir un signe, en toi pour découvrir un mandat ; il n'y a rien, bien sûr : le mandat et le signe, c'est cette quête absurde et vaine que tu poursuivras contre toute évidence et contre les raisons de ton père ; non, tu ne chercherais pas Dieu si tu ne L'avais trouvé ; et, précisément pour cela, n'espère jamais Le voir ni Le toucher : Il est trouvé, te dis-je, donc tu Le chercheras jusqu'au bout, dans l'ignorance, en gémissant », bref si ce précurseur eût inventé à lui seul et pour l'usage du jeune collégien cette dialectique religieuse du Non, aujourd'hui mise au point et pratiquée en tout lieu par des spécialistes, il eût converti pour toujours le fils du philosophe voltairien. Car c'était cela que demandait Gustave, cela et rien d'autre : qu'on transforme son impuissance religieuse en « plaie béante de Dieu ». Nous l'avons vu, à cette même époque, se déclarer anti-vérité ; cela revient à dire : « La vérité existe, je la connais, j'y crois et je suis *contre*. » S'il est seul, si la catholicité l'abandonne à lui-même, ce refus n'a qu'un sens : j'aime mieux l'erreur, l'irréel, le rêve. C'est, en un sens, se disqualifier soi-même : la vérité m'environne, m'enserre, me traverse, m'occupe mais je n'ai pas la force de la supporter donc je m'en évade par le songe ou par l'hébétude extatique. Mais cette insatisfaction est contestation profonde : il doit y avoir quelque chose de pourri dans l'homme ou dans le monde pour que l'*Homo sapiens* ne puisse pas supporter le Savoir qu'il a produit. Si la catholicité, par un de ses ministres, daignait instituer, sanctifier cette insatisfaction, elle deviendrait, pour Gustave, la plus haute instance : reconnue par l'Autre et du coup ressentie comme autre, elle se manifesterait à lui comme son instinct le plus profond, comme la postulation bestiale de Dieu, c'est-à-dire comme son être de *créature*. Rien de plus : le malheur et la frustration ne sont point supprimés pour autant puisqu'il est entendu que la postulation reste vaine, que l'instinct ne peut se manifester que par le malaise, puisqu'il n'est pas de mots, pas de raisons pour exprimer ce besoin de croire, dans l'univers rationnel du discours. Pourtant, grâce à la théologie négative, Gustave pourrait prendre ses distances, envisager la Science avec recul, du point de vue du Non-Savoir qui l'enveloppe et que les prêtres auraient consacré. Le petit garçon ne contesterait pas le brillant système de vérités qu'on lui impose : c'est le Soleil, c'est le Jour ; simplement, il s'identifierait à la nuit qui les environne. Rien ne saurait mieux convenir à cette âme passive, rongée de ressentiment : si l'on s'installe au cœur du Savoir, la Vérité est ce qu'elle est. Ni bonne ni mauvaise. Si l'on peut se percher hors de la Connaissance et totaliser *ce qui est* du point de vue de ce qui n'est pas mais qui pourrait être, le Vrai fait horreur. Une seule condition est requise : que ce regard syncrétique sur la Création soit socialisé, c'est-à-dire cautionné par une communauté. Dès lors, en effet, le Non-Savoir cesse d'être une ignorance subjective, ce n'est plus un simple défaut, une insuffisance : c'est un néant, certes, mais un néant *gagé*, un appel d'être, bref une impossibilité subie (bien plus qu'un refus) de réduire l'Être infini à la somme des « étants » que la connaissance humaine illumine. Le néant *de* savoir s'impose alors comme néant *du* savoir : l'Absolu est ailleurs ; jamais révélé, sinon par cette terrible puissance dévastatrice qui réduit finalement l'humble système de nos vérités à Rien, sinon par la souffrance infinie de l'âme infiniment frustrée et, par là même, élue — sans qu'elle s'en doute bien sûr mais, c'est l'hypocrisie fondamentale, sans qu'elle puisse, au milieu de son désespoir, s'empêcher de le pressentir. On voit qu'il aurait suffi d'un coup de pouce pour transformer la vision du monde de Flaubert : ressentiment, passivité, misanthropie, pessimisme, il eût tout gardé mais tout sauvé par son dolorisme ; la *croyance à Rien* devenait le signe inversé de la croyance à Dieu. Ce Vide, dans lequel l'auteur des *Mémoires d'un fou* tombe épouvanté, ce pouvait être le premier degré d'une ascèse dont il n'eût jamais gravi les autres marches mais dont il eût deviné qu'elle conduisait au Tout-Puissant. De fait, ce premier échelon, nous savons qu'il est un point de départ pour les mystiques : on reconnaîtra en lui la « nuit obscure » de Jean de la Croix. Mais l'Église de France, aux environs de 1840, était bien loin de favoriser le mysticisme : on sait ce qu'il en coûta à Lacordaire d'avoir pressenti la théologie du Non. Les questions d'un petit-bourgeois vaincu dès l'enfance par l'idéologie de sa propre classe ne trouveront de réponses qu'à la fin du siècle, dans une Église elle-même vaincue et embourgeoisée, quand les clercs, comprenant que le pouvoir restera aux mains des bourgeois, auront décidé de les servir, c'est-à-dire d'inventer une issue religieuse qui soit compatible avec l'idéologie de la classe dominante : ils accepteront tout, même Darwin ; il s'agit seulement de pratiquer un trou d'ignorance dans le scientisme, la foi sera une fuite de gaz.

Comme on n'en est point là, au milieu du siècle dernier, l'enfant martyr, l'idiot de la famille Flaubert sera contraint lui-même — comme Baudelaire son jumeau — d'inventer questions et réponses ; comme Baudelaire, il sera promoteur laïc de la théologie du Non. Mais nous verrons dans quelles transes ; puisqu'elle n'est pas cautionnée par une institution, cette théologie négative qui n'osera jamais dire son nom, qu'il créera par « vol à voile » et comme à son insu, sera tout à la fois son calvaire, sa névrose et son génie. En attendant 1844 et l'option névrotique, Flaubert, adolescent puis jeune homme, reproche aux curés leur matérialisme qu'il appelle volontiers Bêtise : cela signifie qu'ils ont le tort à ses yeux d'opposer l'Être à l'Être et le Dogme au Savoir *comme si* les Vérités « révélées » constituaient pour le chrétien une connaissance du même ordre que la connaissance scientifique. Certes, ils parlent de la Foi, qui est croyance ; ils ne cachent pas que ces révélations sont mystérieuses et les desseins de Dieu impénétrables : mais, finalement, on en revient, pense Flaubert, à un système de fables incroyables, gagées sur le principe d'autorité et qui vise, par le catéchisme, à s'imposer de toute sa lourdeur matérielle de pseudo-connaissance *autre*, de détermination pratico-inerte. Pour Gustave, la matérialité du dogmatisme est d'autant plus douloureusement sensible que

la Science et le scientisme s'imposent à lui *de la même manière* :
il ne *fait point* la Science, à la différence d'Achille-Cléophas ; incapable d'affirmer ou de nier, il l'accepte parce qu'un corps constitué — l'ensemble des savants sur terre, dont le *pater familias*,
dirigeant l'Hôtel-Dieu, acclamé dans les campagnes, lui semble le
chef symbolique — use du principe d'autorité pour qu'il l'intériorise. Il *croit* au mécanisme, nous l'avons vu, mais jamais tout à
fait ; il souhaiterait le contester au nom d'un au-delà de toute
croyance, ce qui ne pourrait se produire que s'il avait l'audace de
s'affirmer contre l'extérieur dans son intériorité ; et faute d'en avoir
les moyens, c'est cela d'abord qu'il réclame de la Religion : le jeune
narrateur d'*Agonies* va trouver l'« amateur de pommes de terre »
pour que celui-ci le persuade, non par des preuves mais par son
prestige, de l'immortalité de l'âme. Mais, en fait, il n'en demande
pas tant ou plutôt, qui peut le plus peut le moins, si son âme ne
doit pas mourir, c'est que d'abord elle existe, nœud d'intériorité,
échappant au mécanisme et, d'une certaine manière, au discours
paternel. La Religion, ce devrait être cela, pour Flaubert : une bonté
seigneuriale qui lui ferait don d'un certain rapport à soi, invisible
mais indestructible, qui contesterait le regard en coup de faux du
chirurgien. Et que lui donne le prêtre ou plutôt que prétend-il lui
donner ? Une énorme et pesante machinerie qu'il faut installer en
soi dans son intégralité : c'est tout ou rien ; si vous prétendez avoir
une âme, on vous refile aussitôt la baleine de Jonas et l'ânesse de
Balaam ; à prendre ou à laisser ; mais du coup l'âme tant désirée
se change en ânesse, en baleine : on y croit autant — pas plus —
qu'à la traversée de la mer Rouge. Si Gustave pouvait se laisser
faire, il serait habité par deux ordres de croyances aussi pesantes,
l'une et l'autre extérieures à lui au sein même de l'intériorité, l'une
et l'autre destructrices de cette subjectivité qui se cherche et
s'échappe sans cesse faute de s'être d'abord saisie à travers l'affirmation originelle qu'est l'amour maternel. Et, de ces deux systèmes, l'un contesterait sans cesse la bêtise de l'autre sans, pour
autant, l'écraser tout à fait : quand le regard d'aigle du père aurait
réduit « en tronçons » ces fables de *nursery*, resterait l'instinct, la
postulation vide. Voilà donc ce que Gustave reproche aux prêtres ;
il ne leur demandait que de le confirmer dans le non-savoir, dans
la non-croyance, que de consacrer son malaise ; ils ne le font point :
rien ne leur semble plus clair que le monde, miroir de Dieu, que
Dieu, présent au monde et aux âmes, discours puéril que leur petit
univers tient à leurs ouailles et que les fidèles se répètent entre eux ;

en un mot la bataille se déroule *au même niveau* alors que l'enfant souhaiterait deux instances dont la plus haute envelopperait l'autre et la disqualifierait sans la nier. Pour Gustave, le chien savant et le chien pieux se disputent le même os. Dès lors l'intelligence diabolique du premier est le révélateur permanent de la Bêtise du second. Nous les retrouverons l'un et l'autre au chevet de la Bovary, qui meurt damnée.

« *À moi...* » Les prêtres ne sont donc pas les seuls coupables ? Non : le jeune pèlerin n'hésite pas à se déclarer leur complice. C'est que la vraie foi — il l'a su dès quinze ans — ne se laisse pas rebuter par leurs faiblesses trop humaines. Relisons le passage précité de *La Main de fer* : « Celui... qui prend la foi comme une passion, celui-là s'y livre tout entier, il s'agenouille avec délices, il croit par instinct ; la messe des morts n'est plus pour lui une grotesque psalmodie, le chant des prêtres cesse d'être vénal, l'église est pour lui quelque chose de saint... » Nous l'avons noté plus haut, les graves accusations sont déjà réunies, que Flaubert portera toute sa vie contre les curés : vénalité, répétition sans chaleur des mêmes bouffonneries rituelles au nom — cela n'est point dit mais cela va sans dire — des mêmes fables imbéciles. Mais, à mieux lire, nous remarquons que, pour un fidèle, ces « momeries », transfigurées par l'« instinct » religieux, deviennent les marches de sa foi, les supports objectifs de son « enthousiasme » ; ces cérémonies collectives, puisqu'il s'y intègre, ont, pour lui, *un autre sens* : la messe des morts lui reflète à la fois notre condition mortelle et l'immortalité de son âme, les chants sont des actions de grâce : il y puise son optimisme et, malgré la terrible nécessité de mourir, il remercie Dieu de l'avoir créé ; le lieu même le rend à l'époque antique où tous les actes de la vie baignaient dans une lumière sacrée. L'Église n'a jamais dit autre chose : les prêtres sont hommes et, par conséquent, faillibles et peccamineux ; celui qui s'obstine à ne voir que leurs faiblesses, celui qui n'est sensible qu'à la contingence du rite célébré — l'organiste joue mal, le chantre a « le nez bourgeonnant et de travers », l'enfant de chœur a le fou rire ; les mots latins, récités en hâte, « boulés », comme on dit au théâtre, sont-ils même compris par les culs-terreux tonsurés qui les prononcent ? — celui-là ne peut ou ne veut comprendre qu'un mystère transcendant s'incarne à travers ces défaillances misérables et que Dieu a choisi de l'y faire miroiter, insaisissable, comme le dépassement de nos insuffisances, tout de même qu'il a voulu, tout-puissant, descendre en un ventre de femme et naître à notre impuis-

sance pour reprendre à son compte notre péché originel et pour
en mourir. En ce sens, la Messe a deux aspects : c'est une certaine
réunion d'hommes et de femmes entre quatre murs et c'est mystiquement la mort du Christ, événement archétypique, notre Salut.
Par là, nos laideurs, nos péchés, nos erreurs — celles des fidèles
et celles de leurs pasteurs — sont *requises* : il faut que les murs enferment cette masse énorme d'ignominie pour que la Passion recommencée, jouée par de mauvais acteurs qui ne sont pas moins
coupables que les spectateurs, se manifeste et se déroule comme
un au-delà, vainement signifié et pourtant accessible à tous les
cœurs, qui soit précisément la Rédemption de tous nos crimes et,
pour tout dire, l'insaisissable révélation de notre participation au
Divin.

Donc, Gustave le reconnaît : la Foi est cette transfiguration du
quotidien. Il est vrai qu'il la traite un peu cavalièrement et veut
n'y voir qu'une passion profane, qu'un amour de jeunesse. Peu
importe *puisqu'il est jeune* : il écrit en vieillard désabusé qui a vu
mourir ses sentiments les uns après les autres ; mais cette comédie
de désinvolture ne le trompe guère : il demeure ceci qu'existe en
chacun la possibilité de déchiffrer *autrement* les rites et les mythes,
d'y voir le *sacré*, comme manifestation de la surnature, non pas
en dépit de leur insuffisance mais très précisément à cause de celle-
ci car le numineux éclate, négatif, sur l'effondrement du réel. Le
texte de *La Main de fer* prouve que Gustave est très conscient de
la circularité de la Foi : pour croire, nous dit-il, il faut croire déjà.
Ainsi les nez bourgeonnants, les regards torves, les piètres mines
des ministres de Dieu, il reconnaît ici qu'on ne peut les invoquer
pour excuser l'agnosticisme. Il n'est pas toujours si sincère. Dans
Agonies nous l'avons vu s'écrier, dans sa hâte de se mettre hors
de cause : « Ce n'est pas ma faute si le curé est trop laid, trop glouton. » Dans *La Main de fer* et plus tard dans sa méditation sur le
Saint-Sépulcre il plaide coupable : le dévot n'a pas d'yeux pour ces
misères ; son regard traverse la comédie humaine pour ne voir que
la tragédie sacrée. Du coup, c'est Gustave lui-même qui se met en
question. Directement. Sa lucidité cruelle n'est pas ce qui l'empêche de croire ; tout au contraire c'est ce vide, en son âme, cette sécheresse, cette absence de ferveur qui lui permettent de corroder par
l'« analyse » les cérémonies et leurs servants. La religion, c'est un
instinct. Entendons par là une pulsion qu'on retrouve chez tous
les membres d'une espèce animale, immédiate et « bestiale » comme
la vie elle-même ; si elle vient à manquer chez quelqu'un, il faut

que celui-ci soit un monstre; il sera promis, d'ailleurs, aux pires supplices, à une mort prématurée, faute de posséder cet *équipement* protecteur qui permet de vivre [1]. Gustave serait donc un produit monstrueux de la Nature! L'instinct religieux lui manquerait? Non : ce n'est pas ce qu'il veut dire. Tout au contraire, il trouve en lui ce besoin de croire, cette trans-ascendance qui l'arrache à lui-même : simplement cette exigence fondamentale devient son tourment perpétuel parce qu'elle n'est *jamais remplie* : en lui, l'instinct religieux ne débouche jamais sur la Foi. C'est à ce niveau que son enquête doit commencer : pourquoi ne peut-il croire? Est-ce qu'il n'en est pas digne? Est-ce une imperfection de sa nature qui l'en empêche? Ou bien sa mauvaise volonté? Nous allons voir que Flaubert, en s'approfondissant, donnera successivement les deux réponses : « Je suis ainsi fait » et « Je me fais ainsi ».

Pour commencer, bien sûr, il enrage. On l'a frustré. Sous les aspects de Marguerite, il rôde autour des églises et crache sur leur seuil. À la fin de l'année 1837, déguisé en Mazza, il recommencera. C'est qu'il les hait ces propriétaires de Dieu, paisiblement agenouillés dans l'ombre pieuse : qu'ont-ils donc que je n'aie pas? Mais surtout il les épie. Il entre dans les temples, se cache derrière un pilier et les *regarde croire*. Voyez ce qui s'est passé au Saint-Sépulcre : il y est allé « de bonne foi... très simple, ni voltairien, ni méphistophélique, ni sadiste... ». Pourtant il resta sec : ce fut, de son propre aveu, un des moments les plus amers de sa vie. Pourquoi? C'est que le don de la rose a déclenché la crise : « Je pensai aux âmes dévotes qu'un pareil cadeau et en un tel lieu eût délectées et combien c'était perdu pour moi. » Qu'on ne voie point ici je ne sais quel obscur regret de voler à des chrétiens pauvres une place qui leur revient plus qu'à lui; c'est exactement le contraire : le cadeau inutile a réveillé son envie, la jalousie le ronge. Tout en ce lieu parle du Christ et de l'amour infini qu'il porte à tous les hommes, à chacun en particulier mais tout en parle *aux autres*. Une élection nonpareille, un recrutement par l'absolu, est offerte en permanence : pas à Gustave. À celui-ci, le Sauveur se cache : il se donne à des gueux qui n'iront jamais en Palestine et se refuse au voyageur qui a pris la peine de l'aller voir en sa maison, à celui que la ferveur a tenu éveillé toute la nuit et que, le matin même, la vue des remparts de la Ville sainte a bouleversé. Encore une fois, on lui préfère Achille. Pendant que le Père éternel se tait obstinément

---

1. Il va de soi que je présente ici la pensée de Flaubert. Non la mienne.

dans cette âme qui lui fut vouée pourtant par les premiers sacrements, Il s'en va babiller en d'autres fort médiocres. Pourquoi
comble-t-Il ces crétins aux cils battants : ce ne sont après tout que
des épiciers rouennais. D'où vient qu'on leur concède des certitudes vivaces, brûlantes, heureuses quand on les refuse au futur Saint
Polycarpe ? Il restera pénétré du sentiment de cette injustice quand
il s'adressera au troisième coupable : « À Vous surtout ».

Mais l'envie joue perdant, Gustave a beau crier son mépris pour
ces boutiquiers cagots, il ne peut manquer de voir en eux des *bénéficiaires*. Ce sont eux qui le renvoient à sa contingence natale et
qui dénoncent son anomalie : celle-ci, à présent, s'est enrichie,
amplifiée, s'étend à toutes les nervures de son être. Quand l'hostie
leur fond sur la langue et qu'ils retournent à leur banc, chavirés,
sûrs d'avoir mangé le Christ, ce sont eux les hommes de droit divin :
ces paupières mi-closes, ce maintien recueilli témoignent d'une présence écrasante dont il est le seul à ne pas sentir le poids. Voici la
Chute et la Honte : *par tous ces hommes rassemblés*, la Religion
revêt, dehors inaccessible, une majestueuse plénitude tandis que la
foi reste en lui cette inconsistance, une mayonnaise toujours à l'instant de prendre et qui ne prend jamais.

Curieusement, honteusement, il a besoin des autres : quand il
est au bord de croire, c'est toujours par personne interposée. Il en
est si conscient qu'il a décrit le processus admirablement dans un
passage célèbre d'*Un cœur simple* qui prend tout son sens à la
lumière des notes écrites à Jérusalem. Au Saint-Sépulcre, seul, il
n'a pas les moyens de capter le Sacré. Il y a foule, au contraire,
quand Félicité assiste à la première communion de Virginie : « Et,
avec l'imagination que donnent les vraies tendresses, il lui sembla
qu'elle était elle-même cette enfant... au moment d'ouvrir la bouche en fermant les paupières elle manqua s'évanouir. Le lendemain... elle reçut dévotement la (communion) mais n'y goûta pas
le même plaisir. » L'allusion est évidente à sa nièce Caroline qui
fut croyante, fit la communion et à qui il demandait si son curé
la trouvait forte en catéchisme. C'est ce qui rend ces lignes si précieuses : pour une fois, la dévote qui le frustre de Dieu, il ne la hait
point : c'est une enfant qu'il aime. Aussitôt, libre de toute envie,
il opère — presque jusqu'à s'évanouir — une incroyable identification à la petite fille. Qu'on imagine ce grand gaillard, à près de
quarante ans, tentant de *devenir* un moment cette communiante
de dix ans — « Sa figure devenait la sienne, sa robe l'habillait, son
cœur lui battait dans la poitrine... » — pour lui vampiriser son émo-

tion sacrée et ressusciter par elle le trouble qu'il a ressenti, trente ans plus tôt, quand il a fait sa première communion. Ce n'est point l'amour ni la vraie tendresse qui l'ont poussé à cette métamorphose pithiatique : sinon il l'eût tentée maintes fois, avant et après la céré-monie, chaque fois que sa nièce ressentait une forte joie et même une violente souffrance [1] : la tendresse vraie qu'il porte à Caroline n'a d'autre fonction, ici, que de supprimer l'envie et d'ouvrir la voie au processus hystérique. Ce que Gustave veut capter, ce qu'il capte un instant, c'est Dieu en tant qu'Autre, Dieu-dans-un-être-aimé. Pour obtenir cette extraordinaire présence de l'absence, cette acceptation-refus, un seul moyen — qui n'est pas donné à tous mais qui reste à la main de Gustave, habile technicien de l'auto-suggestion : il faut s'irréaliser en sa nièce, *se faire* Caroline en ima-gination ; à la fin, guidant son exercice spirituel sur les mouvements et l'air de tête de cette enfant bien connue, il installe en lui l'extase de l'autre, il en jouit irréellement et tout se termine — comme c'est la règle chez Flaubert — par un commencement de pâmoison. Il n'est certes pas, à la différence de Félicité, retourné le lendemain à la Sainte Table : s'il note qu'elle a communié « avec moins de plaisir » bien que dévotement c'est pour faire entendre qu'il ne peut jouir de Dieu sinon par personne interposée. À partir de 1844, ses rapports avec la Religion vont changer en profondeur. Mais il continuera à vampiriser la foi des autres. Son obsession jalouse le mènera si loin qu'il songera « sérieusement » vers la fin de sa vie, lui, l'incroyant, à faire dire une messe pour l'âme de Mme Tardif qui croyait [2]. Comme si cette âme qui — Gustave en est convaincu — n'a pas survécu à la destruction du corps, pouvait, suscitée du néant par la foi qui l'habitait, bénéficier magiquement d'une cérémonie que son organisateur tient pour un vain simula-cre. Comme si cet organisateur sans la foi pouvait malgré tout tirer quelque bénéfice d'une « singerie » dont l'unique sens repose sur la foi d'une morte. Ne dirait-on pas qu'une partie de cette dévo-tion disparue peut être reversée, presque à son insu, sur le libertin désolé qui contribue au salut d'une chrétienne défunte par pur dévouement humain ? À vrai dire, la messe ne sera jamais dite : Flaubert n'a fait qu'y songer. Songer, pour lui, c'est, bien entendu, *ne pas agir*. Mais, nous le verrons, cet homme a choisi d'être un

1. Autrement dit, il nous eût montré plusieurs tentatives d'identification chez Félicité.
2. À Caroline, 16 janvier 1879. *Correspondance*, VIII, 188 : « Je me rappelle avec douceur les moments que j'ai passés chez elle autrefois et j'ai envie de "faire dire une messe à son intention" sérieusement… »

imaginaire; il songe, dit ses rêves aux amis, les fixe et par là se détermine dans ce qu'il tient pour sa vérité profonde et que nous appellerons son *irréalité*. Dans cette perspective, il est très exact qu'il a songé *sérieusement* à faire dire cette messe et que ce songe le *caractérise* à ses propres yeux plus que ne l'ont jamais fait à nos yeux les nôtres. Le songe est, chez Gustave, l'ersatz d'un acte et le songeur engage sa responsabilité dans le rêve comme dans une entreprise réelle. Gustave se complaît à imaginer cette messe pour nous dire : je suis l'homme qui est capable de rêver à cela. Et puis, en même temps et plus profondément, il s'affecte, mine de rien, d'une humilité sublime. Repoussé par le Seigneur qui lui a refusé la Grâce, sans espoir ni jalousie, le misérable contribue par une cérémonie commandée à faire monter une âme élue au Paradis.

Dieu existe donc? Eh bien oui. Mais pas pour Gustave. Tout un chacun peut croire en lui sauf le cadet des Flaubert qui s'explique clairement dans *Rage et Impuissance* sur son étrange position : « Ne croyez pas les gens qui se disent athées, ils ne sont que sceptiques et nient par vanité. » Quelques pages auparavant, pourtant, enfermé dans sa tombe et sans espoir d'en sortir, le pauvre enterré vivant, M. Ohlmin, se distrayait en invoquant l'enfer : « puisque le ciel n'avait pas voulu le sauver, il appela l'enfer; l'enfer vint à son secours et lui donna l'athéisme, le désespoir et les blasphèmes. » Mais cet athéisme-là, c'est un don de Satan, une malice d'illusionniste qui nous égare un instant et puis disparaît. Bref une position intenable. Gustave-Ohlmin, lui, est « sceptique » c'est-à-dire agnostique. Faut-il entendre par là qu'il balance entre deux conclusions — la négative et la positive — sans pouvoir s'arrêter à aucune des deux? C'est ce qu'il semble nous dire : « Eh bien lorsqu'on doute et qu'on a des souffrances, on veut effacer toute probabilité, avoir la réalité vide et nue; mais le doute augmente et vous ronge l'âme. » Mais l'attitude du pauvre enterré vif ne correspond guère à cette description. Comment blasphémer si Dieu n'existe pas? Il s'y met de bon cœur pourtant : « Je n'irai pas t'implorer, je t'abhorre. » Et quand il paraît professer l'incroyance, il ne fait, en vérité, qu'injurier le Créateur : « Je te nie, mot inventé par les heureux, tu n'es qu'une puissance fatale et stupide comme la foudre qui tombe et qui brûle. » Que nie-t-il? L'existence de Dieu? Pas du tout : sans doute, il commence par déclarer que c'est un mot; mais la proposition suivante se borne à refuser l'intelligence et la bonté à une « puissance fatale » que le jeune enragé continue d'invectiver à la deuxième personne. C'est tenter de réduire la Divinité catholique au *Fatum* — cette religion archaïque qui subsiste au fond de l'adolescent — et, du même coup, par le tutoiement, c'est personnaliser le Destin. Surtout c'est *dénigrer*, insulter en amoindrissant : comme si, dans un jour de colère, il s'adressait à Rousseau, à Voltaire, aux grands noms de la littérature classique pour leur dire : « Je vous nie, faux génies, gloires usurpées, vous n'êtes que des écrivaillons et les rares beautés de votre prose sont l'effet du hasard. » Quand il écrit « mot inventé par les heureux », Gustave ne prétend pas vraiment que les heureux de ce monde ont inventé le discours de la Religion. Ce serait absurde et, du reste, en contradiction avec l'ensemble du contexte : rapprochons cette apposition des quelques lignes qui décrivent son agnosticisme et le sens jaillira de lui-même : « Lorsqu'on doute et *qu'on a des souffrances... le doute augmente et vous ronge l'âme.* » « Dieu, mot inventé par les heureux. » Tout est dit : Dieu n'est point un vain mot mais Il s'est rangé du côté des heureux pour les rendre plus heureux encore : Il ne se prête qu'aux riches. C'est le couronnement suprême des usurpateurs. Mais à ceux qui « ont des souffrances » et qui réclament Sa miséricorde, Il se refuse et Son absence « leur ronge l'âme ». En cet univers sadique le Dieu de bonté réserve Ses douceurs aux « satisfaits », à ces porcs qui se roulent dans la fange et n'ont aucun besoin de Lui ; les malheureux, par contre, Son silence les condamne et, en les privant de Lui, Il multiplie par l'Infini leur malheur. Sous les invectives, on retrouve les vieilles hontes, la culpabilité de l'enfant déchu : mon père est bon, il est juste, le monde entier chante ses louanges, s'il m'a maudit, c'est que j'ai tort, on ne peut avoir raison contre tout l'Univers. Du reste, Ohlmin passe des reproches aux supplications : « Si tu existes, pourquoi m'as-tu fait malheureux ? Quel plaisir as-tu à me voir souffrir ? *pourquoi veux-tu que je ne croie pas en toi ? donne-moi la foi !* » J'ai souligné les dernières phrases parce qu'elles éclairent d'une lumière éclatante l'agnosticisme de Flaubert : Dieu existe, nous dit le jeune auteur, mais Il ne veut pas que je croie en Lui. Comment, dira-t-on, peut-il affirmer et nier une même chose dans la même phrase ? Je réponds qu'il n'affirme et ne nie rien du tout. Ce sont les autres, par leur enthousiasme religieux, qui affirment Dieu et qui l'imposent à Gustave comme le pôle X de toutes ses frustrations ; quant à lui, sans douter un instant de ce Dieu doublement transcendant, il ne trouve rien en soi-même qui ressemble à la Foi. Un désir de croire, oui, mais qui n'aboutit à rien. Le vrai grief de Gustave, c'est que Dieu est un Autre : sensible à tous les autres, en son âme religieuse et consacrée Il ne se manifeste pas et ne brille que par Son absence. Pourtant les vœux du jeune homme sont modestes : il ne demande pas que le Tout-Puissant le visite et ne réclame pas même que des preuves ou des révélations l'incitent à croire — ce qui marque bien que le doute, tel qu'il l'entend, n'est pas même contestation mais simple impuissance. Ce qu'il souhaite, c'est une simple transmutation intime du vécu, un levain qui fasse monter la pâte trop molle de son existence et lui donne la force qui lui manque et la foi qui soulève les montagnes. En d'autres termes, il se plaint de n'avoir pas la *Grâce*. Mais peut-être, après tout, ne la méritait-il pas ? Nous voici revenus à notre point de départ.

« La faute en est à moi. » Il est seul, dans le Saint-Sépulcre, le coup de la rose a ressuscité l'envie et, pendant un instant, il a haï tout le monde, les pèlerins et les sédentaires, tous les croyants de la terre. Mais, personne n'étant là pour lui servir de cible, il s'est mis à rêver sur lui-même. Troublé, douteux, étranger à soi, on dirait qu'il découvre en lui une insuffisance d'être dont il ne rend, cette fois, personne responsable. Ce n'est plus Djalioh qu'un caprice humain a fait monstre, ni Almaroës, pur produit sans âme du Mécanisme paternel ; c'est un homme de hasard qui se dit tristement : je suis puni de mon insuffisance constitutionnelle et, partant, du peu d'efforts que j'ai faits. A-t-il repensé à ses très anciennes élévations et découvert de la tiédeur dans l'*animula vagula*, indéfinie, indéfinissable qui les ressentait ou qu'elles produisaient en lui pour qu'elle les ressentît, qui s'accommodait fort bien des langueurs du quiétisme et de quelques aperceptions incommunicables ? S'est-il dit qu'il n'avait jamais joué gros jeu ni rien donné de lui et qu'il eût été plus audacieux de tenter Dieu par l'efficacité ? A-t-il compris que la Foi — n'importe laquelle : il en est de profanes — exige une longue patience, un invincible entêtement, des œillères, une confiance aveugle dans les fonctionnaires responsables qui sont chargés de la dispenser et de la renouveler ? que l'extase n'est rien sans la doctrine ? S'est-il dit qu'il n'avait jamais fait sur lui-même ce travail long et décevant qui brise une table de valeurs pour en dresser une autre sur les débris de la première ? A-t-il rêvé sur sa passivité constituée, en a-t-il fait la trame de son être, a-t-il considéré que la *croyance à Rien* en était la conséquence et que, peu capable d'embrasser vivement une idée et de s'y tenir, il préférait, pour le confort de son âme, le mol oreiller du Doute même désespéré, faute d'un pouvoir de décision qui lui permettait de choisir, une fois pour toutes, entre le Dogme et la Science ? S'est-il avoué qu'il avait beau jeu de maudire le scientisme paternel, attendu que celui-ci ravageait son âme par cette unique raison qu'il la lui avait abandonnée sans combat ? Sans doute a-t-il ressassé tout cela, comme ça lui venait, dans un ordre rigoureux mais affectif. Il a plus d'une fois ruminé ces griefs *contre soi*. Avec d'autant plus d'aisance qu'il ne s'aime pas ; il revient en arrière : à bien prendre les choses, c'est à sept ans que tout a commencé ; il ne croit point à Dieu par la même raison qui l'empêcha si longtemps d'apprendre ses lettres, par un engourdissement de ses facultés, par cette insuffisance d'être quasiment pathologique que le bon docteur Flaubert a détectée en lui, isolée et punie en l'exilant du Paradis. Mais, en cet instant, il n'en veut point à son père, il a la bonne grâce de n'accuser que soi. Se croit-il coupable ? Oui : profondément puisque l'« amère tendresse » qui l'a envahi n'est autre que l'enfance ressuscitée : il se retrouve après la Chute, désarmé, honteux, misérable ; il adore son Juge, il baise la main qui l'a précipité dans l'enfer de la disgrâce, il *donne raison à son père* : la sentence était juste, je suis indigne. Ce ton nous surprend par son modernisme : que fait Gustave à son bureau quand il rêve, ou agenouillé dans une église, ou rêveur et vide à Jérusalem, sans cesse hanté par une impossible ferveur ? Il attend Godot. Ce genre d'attente était rare dans la première moitié du XIXᵉ siècle : les hommes étaient mieux encadrés. Attendre Godot, pour quoi faire ? Il était *déjà* venu ; on pouvait le recevoir chaque matin sur le bout de la langue. Mais Flaubert, en 1850, vissé de travers dans le monde chrétien, taquiné par le souvenir d'une antique malédiction, encore écrasé par l'échec de *Saint Antoine*, éperdu, poussant le « scepticisme » jusqu'à douter qu'il puisse jamais devenir écrivain, haïssant le voyage qu'il a entrepris et tout près de haïr Maxime, Flaubert est tout proche des héros de Beckett ; il attend, sait que c'est en pure perte et ne peut se lasser d'attendre ; c'est vivre. Pourquoi ne vient-il pas, l'Autre ? C'est peut-être qu'on a mal renseigné Gustave, qu'il n'existe personne de ce nom, qu'il faudrait chercher à Godin, à Godard ; ou bien il se sera attardé, on l'aura appelé pour une urgence à moins qu'il ne boive un coup au bistrot ou qu'il ait perdu l'adresse de Flaubert ou qu'il se soit lui-même égaré. Mais aussi, mais surtout ce que Beckett nous fait entendre, c'est que nous sommes trop veules, trop flasques pour avoir vraiment besoin de lui, c'est que nous ne l'attendons pas assez et que nous manquons de cette opiniâtreté littéralement folle qui pourrait *seule* faire de nous aussi une urgence ; Godot se dit : rien ne presse, j'irai faire un tour là-bas quand j'aurai réglé mes affaires; à moins que nos appels soient si faibles qu'il ne les ait tout bonnement pas entendus. Gustave rêve sur une rose : il n'aura pas de génie, Maxime et Bouilhet lui en ont administré la preuve; peut-être que la foi pourrait prendre la place de la vocation défaillante? Mais non : la foi — comme le génie — est un don et une longue patience. Peut-être s'agit-il d'une seule et même chose. Flaubert pense amèrement : Godot n'est pas venu parce que ça n'en valait pas le coup.

J'ai dit que Gustave, la tête tournée par cette aigre et triste bouf-fée d'enfance, *croyait* à son insuffisance. Je n'ai pas dit qu'il y croyait *sincèrement*. Non qu'il se joue la comédie ni qu'il conteste sournoisement ce qu'il prétend ressentir : simplement il faut comprendre que cette profonde humilité est structurée par une intention autodéfensive qui ne peut lui échapper. De fait il s'acca-ble pour mieux s'absoudre : je suis fait ainsi, Dieu de miséricorde, que je ne puis croire en Vous; Vous m'êtes témoin, pourtant, que je ne me résigne pas et que je multiplie mes efforts tout en sachant qu'ils seront vains. Voué par les sacrements mais indigne — à cause d'une défaillance de l'être dont je suis seul coupable puisqu'elle n'est autre que moi — je subis cette indignité dans la rage et l'impuissance, ayant trop de faiblesse pour Vous trouver jamais et trop de religiosité pour cesser de Vous attendre.

Reconnaissons que c'est à tirer les larmes : voici donc un martyr qui dans un monde créé n'a point bénéficié des lumières divines et qui aspire de toute son âme un Créateur qui ne lui en a point donné les moyens! Ne serait-ce pas un Saint? L'incroyance dont Dieu l'affecte, loin d'être une marque de mépris, ne serait-elle pas la suprême épreuve et le signe de son élection? Non. Pas encore. Certes, après Pont-l'Évêque, Gustave ne refusera pas l'auréole. Et la visite au Saint-Sépulcre est postérieure à la crise de 44. En ce sens, nous la retrouverons plus tard et les notes prises à Jérusalem réclameront une *lecture* supplémentaire. Mais elles rééditent *dans leur forme* les déceptions religieuses de Gustave entre dix et vingt-deux ans. Après l'« attaque nerveuse », celui-ci aura trouvé la règle du jeu, de *son* jeu : qui perd gagne. Nous y reviendrons longue-ment dans le second volume de cet ouvrage. Mais, pour l'instant, c'est le jeune enragé des années 30 qui nous intéresse; or ce Gustave-là ne se fait pas de cadeau : celui qui perd, il perd sur toute la ligne. Puisque le monde est jusqu'ici à Satan, l'incroyant est fait pour rôtir éternellement ou pour s'abîmer dans le néant. Voyez ce pau-vre M. Ohlmin : dans sa triste position, il se permet de douter. Pas un blasphème, un soupir de douleur : « Le doute augmente et vous ronge l'âme. » Du coup le voici transformé en démon : « Ses dents choquaient comme celles du Démon quand il fut vaincu par le Christ. » C'est que, doutant au seuil de la mort, il est sur le point de commettre le péché de désespérance. De fait l'enfer vient à l'instant à son secours et lui fait ces cadeaux empoisonnés : « l'athéisme, le désespoir, les blasphèmes ». À quinze ans, à vingt ans, Flaubert a son opinion faite : il sera impitoyablement damné. Simplement, il aura cette satisfaction amère de se savoir l'élu du Diable : ce sont les âmes les plus grandes qui sont les plus sévèrement punies. Cela va de soi puisque la *qualité* d'un homme n'est autre que sa puissance de souffrir. Ohlmin-Gustave aura une place de choix : le dernier cercle d'enfer lui est réservé, il y sera *seul*, Satan est friand de cette âme infiniment coupable qui a osé désespérer de l'infini.

Transformation à vue : nous nous étions apitoyés sur les malheurs d'un être mal cuit, pétri de religiosité, sevré de toute Religion. Un pauvre type, en somme, dont l'unique valeur lui venait de ce qu'il continuait d'attendre Celui dont il savait qu'Il ne viendrait jamais. Brusquement, tout se retourne : l'accent était mis sur la quête inutile, il se déplace, le voici sur la certitude négative : Dieu m'a délaissé. Du coup, le pauvre type devient immensément et surnaturellement coupable : c'est le héros du désespoir. S'agit-il du même homme ? Pas tout à fait. Celui qui attendait Godot, il ne faisait guère qu'*endurer ce qu'il était*. Un monstre par privation. Mais un monstre n'est pas un coupable. Il est ce qu'on l'a fait. L'autre est un prince du mal : quand l'Eglise nous apprend que le crime suprême contre Dieu est la désespérance, elle n'entend pas condamner je ne sais quelle impossibilité constitutionnelle de croire mais, tout au contraire, cette *action négative* qu'est le refus de l'espoir et de la foi. Il semble donc que Gustave s'atteigne de deux manières différentes : à un certain niveau comme simple passivité souffrante ; plus profondément comme activité démoniaque. Est-ce possible ? Oui, c'est possible *en tout cas* à Gustave : nous verrons pourquoi il peut simultanément répondre comme je le formulais plus haut : « Je suis ainsi fait » et « Je me fais ainsi ». Mais il faut d'abord préciser le sens de la désespérance selon Flaubert.

Il faut aller vite : le désespoir total n'est-il pas le but suprême du ressentiment ? Entendons que le refus de Dieu était prévisible dès la Chute, à l'instant qu'a commencé la lutte sans pitié qui oppose le fils au père. À vrai dire, le fils seul est impitoyable puisqu'il se croit l'objet d'une malédiction sans merci : il punira le père coupable par une inflexible obéissance, optant toujours pour le pire, puisque le pire lui a été prescrit et, conséquemment, pour les contradictions qui peuvent le mieux déchirer son âme jusqu'à mourir enfin, aux pieds du *pater familias* en désignant celui-ci silencieusement, accusateur-objet, comme son assassin. Comment ne choisirait-il pas, dans ces conditions, la contradiction fondamentale : il a *besoin* de Dieu, nous l'avons vu — comment supporterait-elle de vivre, cette âme vassale et religieuse, si le Sacré n'existait pas ? — *donc* Dieu lui est refusé. Refusé par qui ? Eh bien par le Père d'abord, par l'Éternel, ensuite, qui se fait son complice. Mais, au plus profond, par le martyr lui-même, c'est-à-dire par une option intentionnelle qui le fait devenir sans cesse ce qu'il croit être, c'est-à-dire *le plus malheureux*. Est-il possible, dira-t-on, que cet agent passif vive cette détermination intérieure comme une négation, lui qui, nous le savons, ne nie et n'affirme jamais ? Non : cela n'est pas possible. Du reste, s'il pensait en clair : Dieu existe et je le refuse, la ruse du ressentiment, démasquée, s'abolirait aussitôt ; c'est ce qu'il exprime indirectement en disant que l'athéisme, perfide secours de l'Enfer, n'est qu'un mirage diabolique. En d'autres termes, il n'est pas responsable de son incroyance qui lui est offerte par le Malin ; et pourtant, il en est coupable car elle ne peut tirer sa consistance provisoire que de lui-même — qui, d'ailleurs, en cet instant est tout à la fois la victime, le bourreau et l'Enfer tout entier. Nous le verrons, un peu plus tard, s'ébahir des monitions qui lui viennent parfois de ses profondeurs abyssales, épouvantables et ennuyeuses, entrevues par la brusque béance d'un gouffre, aussitôt perdues : le voilà, son Enfer intérieur, c'est lui, ce n'est pas lui ; ces fondrières anonymes lui échappent : personne n'y dit Je ; il les reconnaît pourtant et sait qu'elles le condamnent : les intentions y sont siennes ; pas d'*Ego*, mais ce renvoi perpétuel de tout à tout que nous avons nommé l'ipséité : de là remontent l'athéisme et la désespérance, non comme une négation délibérée ni comme une décision criminelle mais simplement comme une croyance. Nous l'avons vu, la seule manière dont cette âme inerte puisse *choisir*, c'est de s'engager dans une croyance, de glisser en celle-ci un serment tacite. Tel est le pessimisme, telle la misanthropie de Flaubert. Encore ne peut-il s'affecter *ex nihilo* de n'importe quelle opinion : il faut qu'il la subisse en empruntant à l'Autre qui est en lui sa souveraineté. Achille-Cléophas est cet occupant : Gustave se persuade que le scepticisme paternel l'a convaincu. En d'autres termes l'idéologie paternelle qui est la Raison pure, avec son cortège de démonstrations rigoureuses et de preuves empiriques, a eu tôt fait de détourner l'enfant des dogmes — qui requièrent sa croyance aveugle — par des critiques systématiques, par des analyses serrées. Est-ce vrai ? Non. Certes il n'était pas facile de *croire* sous le regard chirurgical du docteur Larivière : mais quand Achille-Cléophas lui expose sa conception du monde ou s'amuse à réfuter les preuves de l'existence de Dieu, Gustave comprend sans peine l'enchaînement des idées et, pourtant, n'est point convaincu, faute d'avoir en lui le désir et la possibilité pratique d'acquérir un *Savoir*, c'est-à-dire un système de vérités objectives et fondées subjectivement sur des évidences intuitives ou sur des déductions. En ce sens, il s'est trompé, dans *Quidquid volueris*, quand il a refusé à Djalioh, son incarnation, les « *liens logiques* » : ce ne sont point ces liaisons qui lui manquent mais le projet têtu et pratique de les utiliser pour dire oui ou non ; la plus grave erreur, écrira-t-il plus tard, c'est de conclure : ce qui n'est point un axiome, comme il le prétend, mais un trait de son caractère constitué : toute conclusion, quand elle s'imposerait logiquement, ne peut s'intérioriser que par une décision du sujet et par un acte d'appropriation, toutes choses qui font défaut à Gustave. Si les arguments du *pater familias* le fascinent, c'est d'abord à cause de l'autorité souveraine de son Seigneur ; c'est aussi faute de rien trouver à leur opposer. Pour réfuter le praticien-philosophe, il faudrait en effet se placer sur son terrain, raisonner. Les idées du Géniteur, il comprend qu'elles sont *pour celui-ci* des vérités démontrées : en d'autres termes, il voit en elles l'agencement d'une *pensée autre*, lumineuse et convaincante *pour un autre* et qui ne sont pour lui-même que des croyances impératives. Il y croira donc *par soumission*. Cela signifie qu'il s'oblige à croire qu'il ne croit pas aux dogmes. Par le fait, si les produits de la Raison ne peuvent être pour lui que des objets de croyance, il n'y a pas de différence de nature, à ses yeux, entre les vérités démontrées et les Vérités révélées. Ces dernières, en effet, ne sont révélées qu'aux autres. La religion prétend s'imposer aux grimauds de la ville par de grandes images majestueuses, présentes à tous les carrefours : l'*apparence* du catholicisme envahit les rues de Rouen, investit Gustave, le pénètre et le tente mais se révèle dans sa captieuse vanité dès que le petit essaie de se l'approprier : pour d'autres, qui ont été élevés religieusement, ces dais pompeux, ces mitres, ces chasubles, ces dorures ont un sens secret. Mais cette pensée mythique, accessible aux seuls fidèles, réclame de Gustave une option ; pas plus que le Discours de la Raison tenu devant lui par son père, elle ne peut *s'imposer* : il faut, pour que le petit exilé en jouisse, qu'il s'engage par un serment secret d'y croire. Ce serment l'enfant l'a déjà fait : Dieu existe, des milliers de croyants à genoux en témoignent ; Dieu existe, c'est son envie qui le lui souffle à l'oreille : Dieu existe *parce que* Gustave en est frustré. Et c'est son obéissance aux volontés paternelles qui l'en frustre : cette croyance impérative que le praticien-philosophe a mise en lui, elle ne peut rien contre l'existence du Tout-Puissant — car elle ne s'appuie sur aucune certitude : les raisons ne l'ont point convaincu —, c'est simplement — commandement sacré d'un certain Seigneur qui s'adresse à un certain vassal et à lui seul — l'ordre de n'y pas croire. Ainsi lorsqu'un enfant, affolé de solitude et d'ennui, s'approche d'une fenêtre et regarde avec envie des gamins qui jouent dans la rue, il se trouve des parents pour lui dire : « Ce sont de petits voyous, je t'interdis d'aller les rejoindre. »

Gustave va plus loin : il se fait l'unique incroyant du royaume pour *rendre hommage* à son père. Le fils du célèbre docteur Flaubert ne peut moins faire. Le truquage est parfait : le petit « ne demanderait pas mieux » que de croire mais le vassal d'un athée lui doit au moins d'être agnostique. Sacrifice d'amour inutile, le cadet donne à son Seigneur noir ce qu'il a de plus cher : il abdique, pour lui plaire, ses exigences les plus fondamentales ; il consent que pour lui seul la vie n'ait pas de sens quand il constate, de ses yeux, qu'elle en a un pour tous les autres ; contre le désespoir où son père le plonge, le Créateur serait un refuge commode : il est là, sous la main mais le pauvre enfant, par loyauté de féal, ne veut point de double allégeance. L'infini manchon de non-savoir, il le conserve, c'est le minimum vital ; mais il se refuse à le personnaliser. Bref, il tombe dans le vide et y demeure, tournoyant pour l'éternité ; il a fait cadeau à son Géniteur de sa vocation chrétienne. Entendons le ressentiment chuchoter : c'est ta volonté qui m'empêche de croire ; en l'accomplissant jusqu'au bout, je démasque ton véritable but qui est de me désespérer. À présent, tourné vers Dieu, le bon apôtre chuchote : naturellement, tout aurait été bien différent si tu m'avais donné ta Grâce ; il fallait me violer, me courber à genoux devant ta terrifiante puissance et puis me prendre dans tes fortes mains et m'élever vers toi *sans que je puisse résister* ; de cette manière, personne n'aurait pu m'accuser de trahir mon père : quand tu le veux, l'athée le plus endurci ne te résiste pas. Tu ne l'as pas voulu : soit. Je reste donc seul, rejeté par un Seigneur capricieux et sans autre vue sur le monde que cet atomisme atroce à quoi je ne crois pas tout à fait.

Dans *La Tentation* de 1849, il reste beaucoup de vestiges de cette conception première : la Science est une passion, un monstre né de l'Orgueil qui est *sa mère*. Mais « cet enfant aux cheveux blancs, à la tête démesurée, aux pieds grêles », on peut y voir aussi l'image du petit Gustave, fouaillé dès sept ans par la vanité de son Géniteur. Dans le dialogue qui suit, la curieuse « mère » qui porte un nom masculin ne rappelle-t-elle pas Pedrillo, père terrible, éducateur sans merci ?

L'ORGUEIL

Ah ! c'est toi ! Que veux-tu ?

LA SCIENCE

Ce que je veux ? *(Regardant l'Orgueil et se mettant à pleurer :)* Oh ! tu me battrais ! Déjà tu lèves ton bras.

L'ORGUEIL

Non, parle, conte-moi tout.

LA SCIENCE, *boudant*.

Eh bien, j'ai faim, na ! j'ai soif, entends-tu ? J'ai envie de dormir, j'ai envie de jouer.

L'ORGUEIL, *souriant et levant les épaules*.

Bah ! Bah ! Bah !

LA SCIENCE

Si tu savais comme je suis malade, comme les paupières me cuisent, quels bourdonnements j'ai dans la tête ! Oh ! Orgueil, ma mère, pourquoi me contrains-tu à ce métier d'esclave ?... *Quand parfois je sommeille un peu, tout à coup j'entends le sifflement de ton fouet qui me claque aux oreilles et qui me balafre la figure* [1]... Toujours tu cries : Encore ! Encore ! Continue ! Mais n'as-tu pas peur de me faire mourir ?...

L'ORGUEIL

Je n'entends pas ce que tu dis, tu m'ennuies toujours de tes soupirs.

---

1. C'est moi qui souligne : l'image est la même quand, dans *Un parfum à sentir*, Gustave décrit les humiliantes leçons du docteur Flaubert.

Ce gnome vieillot nourrit, nous le savons, le rêve d'échapper à l'empirisme, de « remettre en mouvement (les phénomènes épars) dans la synthèse d'où les a détachés (son) scalpel ». « Tu m'as promis que... je trouverais quelque chose... » En attendant, Flaubert est formel : la Science est en période d'accumulation simple : « Je cherche, *j'entasse*, je lis. » Il s'agit d'un savoir fondé sur les données des sens ; entendons qu'il est caractérisé par la contingence des faits mêmes qu'il collectionne et des jugements assertoriques qui le constituent. Evidences *problématiques* : même quand l'objet se donne à l'intuition sensible, il n'entraîne pas l'adhésion totale ; c'est tout au plus s'il apparaît avec un indice de probabilité qui croît en fonction de la fréquence des réapparitions. Bref le rapport du savant à la proposition qu'il avance ne dépasse pas le niveau de la *croyance*. Collections, dénombrements et revues générales, classifications : rien de plus. Mais le fils au nom féminin de cette mère masculine est *poussé* par sa mère sur la voie de l'ambition : il veut connaître *par les raisons* : « D'où vient la vie ? D'où vient la mort ? » ; il ne s'intéresse qu'aux « pourquoi » ignorant qu'un élève de Polytechnique, chassé de l'école, essaie, dans ce même temps, de les remplacer par des « *comment* ». Du coup sa tête s'égare, il « se noie dans sa pensée » ou « tourne autour d'elle » comme un « cheval de pressoir ». Le résultat, c'est qu'il tombe dans « des étonnements qui n'en finissent pas » ou qu'il a peur. L'ignorance et l'angoisse sont l'aboutissement de la Science : le non-savoir, où le savoir se perd, se fait prophétique et démoniaque. « Je vois passer sur le mur comme des ombres vagues qui m'épouvantent. » Rien d'étonnant à cela : l'Orgueil, péché mortel et, semble-t-il, putain favorite du Diable, ne peut que mentir : il a promis à son rejeton un savoir articulé mais c'est un mirage : plus on sait, plus on ignore et plus on s'épouvante ; la Science, prise au piège, s'aperçoit mais un peu tard qu'elle n'est qu'un nom pour l'ignorance et, du coup, pressent qu'elle est l'horrible rêve d'un damné[1].

1. C'est ce que Gustave disait en toutes lettres dans *Smarh* :

SATAN

Ah ! ton ignorance te perd et les ténèbres te font horreur ? Tu l'as voulu !

SMARH

Qu'ai-je voulu ?

SATAN

La Science. Eh bien la science, c'est le doute, c'est le néant, c'est le mensonge, c'est la vanité.

SMARH

Mieux vaudrait le néant.

SATAN

Il existe, le néant, car la Science n'est pas.

Au moins, dira-t-on, il est, en certains domaines, des connaissances exactes qui s'enchaînent avec rigueur. Non : c'est *à dessein* que Gustave a séparé la *Logique* — autre allégorie tentatrice — du Savoir. Démone ou démon, c'est peu de dire que cette créature du Diable reste strictement *formelle*. Elle est présocratique en ce sens qu'elle utilise le principe du tiers exclu pour refuser tout jugement synthétique, c'est-à-dire toute proposition dont l'attribut ne serait pas déjà contenu dans le sujet.

LA LOGIQUE

Si cela ne déplaisait pas à Dieu, Antoine, tu pourrais pécher. (*Silence.*) Dieu écoute-t-il la prière?

LES VERTUS

Oui.

LA LOGIQUE

Prie-le donc pour qu'Il admette et bénisse le péché car puisqu'Il est tout-puissant..

ANTOINE, *bas.*

Que répondre?

Le nerf de l'argument est une tautologie : Celui qui est tout-puissant peut tout. Par cette austérité mégarienne, Gustave entend réfuter toutes les constructions synthétiques (ou syncrétiques) de ceux qui tentent de limiter le pouvoir de Dieu à l'accomplissement du Bien — soit qu'ils veulent L'enchaîner par Sa perfection même, soit qu'ils Lui interdisent, au nom de Sa Bonté, de vouloir nous tromper, soit qu'ils Le définissent par la *plénitude de l'Être* et du coup Lui refusent tout commerce avec le Néant.

Elle interviendra de temps à autre dans le dialogue par des réflexions qui sont toutes du même ordre. Par exemple, au sujet du Christ : « Ce n'était point le fils de David, puisque Joseph n'était pas son père. » Propos d'autant plus curieux que Jésus descend de David par sa mère et que Gustave le sait fort bien. Ou encore : « Pourquoi maudissait-il le figuier puisque ce n'était pas la saison des figues? » Gustave, d'ailleurs, n'est pas loin de tenir pour un mirage ce pénible mégarisme — ce qui est normal puisque celui-ci vient d'enfer. En tout cas, il lui donne tort quelquefois — comme le dialogue suivant le montre :

LA SCIENCE

Recevez-moi! Ouvrez la porte!

LA FOI

Non!

LA LOGIQUE

Alors laissez sortir l'ermite, qu'il vienne à elle[1]!

LA FOI

Il se perdrait avec elle.

LA LOGIQUE

Mais la Science n'est pas le Péché puisqu'elle est l'ennemie des péchés.

LA FOI

Pire qu'eux tous!

LA LOGIQUE

Elle les combat pourtant!

LA FOI

Elle les aide aussi.

LA LOGIQUE

Comment cela?

LA FOI, *bas à Antoine...*

Tiens, vois-tu, c'est elle qui a fait ces trous que je cache en marchant.

La Science en effet, un moment auparavant, a envoyé promener tous les Péchés qui s'offraient à elle, l'Avarice (qu'est-ce que ça me fait tes richesses, on les produit grâce à moi), la Gourmandise

---

1. On notera le brusque passage au féminin : le « petit » devient femme.

(manger, c'est toujours la même chose, je vais faire pousser la vigne et chasser), etc. Et il est bien vrai — dans cette mythologie — que les vices ne peuvent tenter le fils d'Orgueil, aujourd'hui dans la misère, mais dont l'ambition de visionnaire ne vise à rien de moins qu'à conquérir le Monde. Reste qu'il est l'enfant d'un Péché, que cette ambition même est pécheresse ; reste aussi que la Connaissance, dans la mesure où elle se développe contre la Religion, prive les autres de protection et les abandonne à toutes les tentations — en particulier, comme c'est le cas de Gustave, à celle de désespérer. Bien que nul ne sache trop que lui répondre, il est évident que l'auteur désapprouve la fruste identité formelle (un ennemi du Péché ne peut être péché) qui se donne ici comme un argument contre le Dogme, et dont l'application rigoureuse mènerait droit à la substantification des concepts et aux apories fameuses des Anciens. Le sens profond du dialogue est tout ailleurs : ce qui est en jeu, c'est l'Orgueil Flaubert, que le fils a subi quand le père l'obligeait à lire et qu'il jugeait alors démoniaque, pensant que le Géniteur n'avait aucun vice mais qu'il était le Mal en personne, jusqu'à l'intériorisation de ce même Orgueil *en négatif* qui devient le vautour du cadet de famille, lui ronge le foie sans cesse et, dans le dénuement assumé, lui paraît — sans cesser d'être démoniaque — l'unique source de sa valeur. Les objections de cette Logique formelle du Concept sont des scintillements de surface : le jeune homme règle son compte avec ces « liens logiques » dont le pauvre Djalioh était si méchamment privé. L'astuce consiste à faire de la Science contemporaine une accumulation de « conséquences sans prémisses » et à lui ôter toute possibilité de lier ses connaissances empiriques en faisant de la Logique une fonction *à part*, qui, s'exerçant à vide, à travers l'infinie variété des jugements analytiques, se bornerait à répéter indéfiniment le principe d'identité et, du coup, serait inapte par nature à produire et à lier entre eux rigoureusement les jugements synthétiques. À cet instant, cette altière et douloureuse passion de s'égaler au Créateur en connaissant aussi bien que Lui la Création devrait se muer en angoisse : nous retrouverions la sentence de l'autre Satan, celui de Smarh, dont j'ai rapporté les propos en note ; la Science serait « le doute, le néant, le mensonge » et se verrait nue. Cela signifie que le doute scientifique est aussi peu supportable que le doute religieux et que l'un et l'autre ont la même origine. Cette prise de conscience, d'ailleurs, nous en voyons le commencement : il a peur, tout d'un coup, le fils d'Orgueil. Mais, à l'instant qu'il va désespérer, le Diable lui fait signe et lui montre la Foi : les pleurs de l'enfant s'apaisent ; sa voix devient « vibrante et claire », le gnome monstrueux montre au pauvre Antoine « un visage dont la pâleur était douce et dont les yeux luisaient comme une aurore ». Qu'est-ce donc qui l'a si fort ragaillardi ? La Haine. Il a prétendu, quand l'Envie le tentait, que ce sentiment lui était inconnu. Il mentait. Les hommes, bien sûr, pris un à un ne lui inspirent que de l'indifférence. Mais la Foi qui est en eux, il la hait. « Ah ! dit-il, la Foi ! Je l'ai cherchée partout — et je ne la trouvais pas. Ah ! tu étais ici ! » Le Diable lui rappelle son office, non pour lui rafraîchir la mémoire mais simplement pour l'égayer : « Partout où elle sera, tu iras, tu la poursuivras et quand tu l'auras saisie, il faudra la rouler dans la boue, afin qu'elle ne puisse, si elle se relève, jamais se débarbouiller la figure de l'ignominie de sa chute. » Voilà qui lui plaît, à l'avorton ; tellement qu'il en oublie sa misère. Pourtant c'est lui révéler qu'il n'a qu'une existence relative. Satan, d'ailleurs, y insiste lourdement : « Tant que tu ne l'auras pas tuée, il n'y aura pour toi ni bonheur ni repos. » Et le jeune « La Science » s'écrie « *en colère, avec dépit* : Ah ! je le sais bien, je le sais bien ». En d'autres termes, la Foi est première ; c'est, dirait-on, la croyance à l'Être dans sa plénitude ; elle détermine la Science *dans son essence* : avec l'aide du Démon, elle la suscite et la définit comme sa négation. Point de bonheur ni de repos pour le marmot chenu qu'il n'ait détruit les calmes certitudes du croyant pour mettre à la place cette autre foi, l'incroyance, ignorance douteuse et désespérée. Bref l'agressivité est toute du côté de la Science, la Foi reste sur la défensive et le but de son adversaire semble, dans ce dialogue, moins d'acquérir un savoir que de remplacer un non-savoir par un autre. D'une certaine manière, on pourrait dire que Flaubert, lorsqu'il se rappelle son âge d'or, est tenté de considérer la Foi comme l'immédiat, l'état naturel de l'homme avant toute culture, son animalité : la grâce divine ne sera requise que plus tard, après la Chute. Stimulé par l'Orgueil et par la Haine que lui insuffle le Diable, le petit père « La Science » croit à ce mirage : la Connaissance. Ce n'est qu'une ruse de l'Enfer qui manipule son produit pour l'enrager contre la Foi : s'il parvenait, par impossible, à la détruire tout à fait, il s'apercevrait, du coup, que les pistoles du Diable sont des feuilles mortes et qu'un Savoir rationnel est par définition contradictoire ; par son angoisse et sa désolation brouillonne, il témoignerait de sa désillusion — l'Œuvre de Dieu reste inconnue — et de sa frustration profonde, c'est-à-dire de l'absence infinie d'un Dieu qui n'a point cessé de l'environner mais dont il s'est hystériquement déterminé à douter et dont il doutera sans cesse, désormais, bien qu'il n'ait rien trouvé pour le remplacer et qu'il ne puisse concevoir son propre doute, sa désespérance blasphématoire et son angoisse qu'à partir de Son indubitable existence. En d'autres termes, Science et Foi, pour Gustave, sont un couple. Tant que la Foi demeurera, la Recherche du Savoir conservera sa verdeur, le Savant pourra rêver d'une connaissance totalitaire du Monde : c'est la Foi qui donne un sens à sa quête ; totalitaire et cosmique, c'est elle qu'il faut détruire pour lui substituer un totalitarisme rationnel. Mais ce que ne comprennent pas ses acharnés détracteurs c'est que l'idée synthétique vient d'elle et disparaîtra avec elle, leur laissant entre les mains l'éparpillement irrationnel de micro-connaissances qui ne se pourront jamais rassembler et dénonçant par là l'irrationalité de la Raison.

Dans ses rapports avec la Science, la Foi est donc prioritaire et celle-là se sape elle-même en sapant celle-ci. A la prendre en soi, au contraire, elle ne fait que décevoir. Écoutez-la parler à saint Antoine : « Crois ce que tu ne vois pas, crois ce que tu ne sais pas et ne demande pas à voir ce que tu espères ni à connaître ce que tu adores... Comment la certitude serait-elle acquise par ce qui est mortel et transitoire ? à travers le brouillard, peux-tu voir le Soleil ?... Qu'importent les révoltes de la raison ou les négations de la science ? La Science est l'ignorance de Dieu et la raison le tourbillonnement du vide. Rien n'est vrai que l'éternité de l'éternel et la grâce seule a l'intelligence de lui. Espère-la pour l'acquérir... Si tu l'obtiens tu posséderas alors cette compréhension incompréhensible et, toujours brûlant plus fort pour monter plus haut, ton âme aspirée sortira d'elle-même, comme fait au-dessus du feu la flamme qui s'en élève. » Description exacte mais inquiétante de la croyance religieuse telle qu'elle peut apparaître à quelqu'un qui « n'a pas la grâce », qui ne peut que l'espérer et qui, sans ce cadeau providentiel, risque fort de sombrer dans la déraison : entouré par l'incompréhensible, il s'égare et s'angoisse en réclamant l'incompréhensible compréhension. Dirons-nous qu'il croit ? Sans doute mais, comme dit fort bien la Logique : « Foi, foi, l'inébranlable, es-tu sûre d'être ce que tu prétends ? partagée en deux moitiés tu bénis avec l'une, tu maudis avec l'autre, tu espères par celle-ci, tu trembles par celle-là. Mais si tu as confiance en Dieu, pourquoi redoutes-tu le mal ? » Elle ajoute à l'intention de l'Espérance : « ... Espérer, c'est douter avec amour, c'est désirer qu'une chose arrive et ne pas savoir si elle viendra... Doutes-tu ? crois-tu ? Jouis-tu de

Dieu ou languis-tu après lui ? mais si tu le désires, tu ne l'as donc pas ? Si tu l'as tu ne le désires plus. Et... tu vas t'enfermant dans les formules, dans les gestes convenus, dans la... petite bêtise sainte. » Ces arguments sont anciens, déjà ; du temps de Flaubert, ils montraient la corde. Si on les reproduit ici, c'est qu'ils éclairent la position de Gustave : croire, c'est douter — à moins, *peut-être*, d'avoir la grâce ; de fait les objets de la croyance se définissent par leur absence radicale ; douter, c'est croire puisque les objets dont on doute sont précisément les mêmes que ceux auxquels on attache foi. Ainsi le douteur *croit-il* avoir le droit de douter là où le croyant *croit* avoir le droit de croire. Celui qui croit sans la grâce, c'est un fou. Celui qui doute sans même savoir si « la Science n'est pas l'ignorance de Dieu » et la Raison, un vain tourbillon, il *croit* à la puissance infinie de l'entendement humain. Et, dans le moment où, de déceptions en déceptions, il en est arrivé à douter de celui-ci, son doute universel, en s'étendant jusqu'aux instruments du scepticisme, tente, en sous-main, un recours à l'Être suprême, et se vit hystériquement comme une incompréhensible fermeture à Dieu.

Ainsi Gustave oppose-t-il, en champ clos, les deux idéologies de son temps : aucune des deux ne se donne pour la Vérité, ni même pour la quête du Vrai. On pourrait même, en forçant un peu, déclarer que le jeune homme, après avoir été anti-vérité, en est venu à conclure que la Vérité n'existe pas ou ne nous est pas accessible parce que nous n'avons pas les moyens de l'établir. Ce qui le frappe, avant tout, c'est que les deux adversaires sont faits pour s'entre-déchirer : la Foi cède, rompt, défaille, tombe et se relève crottée, hors de souffle ; aux arguments de la Science, elle n'a rien à opposer ; toutefois la Science, qui la réduit souvent au mutisme, n'en vient jamais à bout tout à fait. Du reste, elle commence à peine son travail, cette collectionneuse ; elle ne sait rien : plus tard, se dit-elle, le combat sera sérieux ; mais, après les plus violentes bagarres, elle s'aperçoit qu'elle n'a rien fait sinon déchiqueter le bas de la robe de l'Infâme ; on dirait, explique Flaubert, des morsures de rat.

En un sens, Gustave a raison : les idéologies sont indémontrables ; le Scientisme aussi bien que la Religion : chacune d'elles est l'expression d'une classe, la fausse conscience que celle-ci a d'elle-même, l'ensemble mythifié de ses options, l'assouvissement symbolique de ses désirs et sa ruse de guerre fondamentale pour démoraliser les classes ennemies. Cet ensemble complexe, théorique et pratique, arme de guerre et imago, ne peut d'aucune façon se donner pour une vérité : on ne peut qu'y croire. L'unique erreur du cadet Flaubert, c'est que, par un ressentiment respectueux contre son père, il assimile la Science, cette production de connaissances exactes, et le Scientisme, ce songe de la rêveuse bourgeoisie : nous verrons qu'elle pèsera sur toute sa vie.

Ce qui est certain dans son adolescence, c'est qu'il n'a point été contraint à l'athéisme par une de ces lumineuses évidences qui, d'après Descartes, entraînent à l'instant notre adhésion. Il a obéi à la volonté de l'Autre, il en a remis, même, il s'est affecté d'incroyance pour lui plaire : ainsi le Père est doublement coupable puisqu'il a privé son fils des lumières de la Foi sans pour autant lui donner celles de la Science, qui n'existent pas. La faute étant ainsi rejetée sur les autres, Gustave — il ne se *connaît* pas mais nul ne se *comprend* mieux que lui — ne peut s'empêcher de pressentir qu'elle est sienne tout à fait. N'allons pas imaginer, pourtant, qu'il découvre en lui, fût-ce obscurément, le *refus* de croire : nous savons déjà qu'il n'a pas les moyens d'accepter ni de refuser quoi que ce soit. Il ne saisit et ne doit saisir, en s'examinant, qu'une impuissance manipulée. Mais le manipulateur, ce n'est point toujours l'Autre, c'est quelquefois — comme en ce cas particulier — lui-même se faisant passer pour autrui. Dieu est depuis longtemps inscrit dans sa chair, c'est un autre nom pour le vert paradis des amours enfantines et puis la religion chrétienne lui propose d'admirables fables quelquefois puériles, quelquefois profondes, toujours accessibles aux enfants. Il est donc ainsi fait au départ, qu'il aurait plus d'inclination pour ce catholicisme qui se propose humblement à la Foi que pour les raisonnements autoritaires du libéralisme qui prétendent emporter une conviction qu'il n'a pas. S'il se laisse glisser vers l'incroyance tout en conservant la nostalgie d'un Dieu qu'il perd sans douter vraiment de Son existence, s'il renonce pour toujours à l'enfance et au Paradis, le principe d'autorité ne peut suffire à expliquer cet exil consenti — d'où Gustave ne reviendra pas ; l'Autre est là pour masquer un choix qu'il ne pouvait imposer et c'est de cela que l'adolescent a conscience : un rien, un peu trop de zèle peut-être, je ne sais quelle docilité, il n'en faut pas plus pour que l'opération entière, sous une désolation sans aucun doute ressentie, lui apparaisse comme son propre serment.

Et pourquoi faire serment d'être malheureux ? Il ne se pose pas la question en ces termes mais c'est le sens de son estrangement et la réponse lui est donnée sur l'heure. S'il choisit le malheur, eh bien, c'est qu'il est ainsi fait, par la Chute, l'insuffisance, le ressentiment et l'Orgueil, que le malheur est devenu son milieu naturel. Cet adolescent s'est construit, sous les « sarcasmes » et les frustrations, une orgueilleuse morale, le dolorisme, échafaudage d'amertume dont la base est le vide absolu ; il s'est fait le plus malheureux pour condamner l'Univers qui peut engendrer un malheur infini. Rappelons-nous ce mot si fort qu'il empruntera plus tard à Rachel pour lui donner une profondeur nouvelle : « Je ne veux pas être consolé. » Croit-on qu'il puisse rompre son serment de perdre toujours, d'être l'unique perdant du genre humain ? Impossible : il en vit ; c'est son unique soutien. Y eût-il un Paradis, il refuserait d'y entrer pour envier et mépriser du dehors les élus ou, si on l'y introduisait de force, il s'arrangerait pour en faire un Enfer. Qu'a-t-il à faire de Dieu, ce misérable ? S'il reçoit Sa présence, tout est compromis : il reste l'enfant frustré, insuffisant, inférieur à son frère, maudit par son père, l'Idiot de la famille mais il n'est plus permis de chercher son salut dans l'Orgueil ; on a changé les signes : les rebuffades et les dégoûts sont des épreuves, ses souffrances deviennent de bonnes souffrances, par elles Dieu lui confirme sa vocation chrétienne, la malédiction d'Achille-Cléophas, réduite à sa juste mesure par le Seigneur suprême, perd sa rigueur satanique, devient pour le Géniteur un péché qui sera amoureusement puni, pour le petit maudit le plus sûr moyen de gagner le ciel. Bref il est interdit de désespérer. Gustave est élu ; Achille-Cléophas et Achille ne le seront peut-être pas, s'ils s'obstinent dans leur incrédulité scientiste et si Celui qui sonde les reins ne trouve en les leurs ni insatisfaction ni même inquiétude : voici que les bourreaux triomphants deviennent les seuls damnés, ceux qui mettent fièrement leur main dans la main de pierre du Commandeur. Ce n'est pas admissible : perdus par leur intelligence, ils finiraient, ces misérables, ces « Merveilles de la Civilisation », par devenir intéressants ; l'adolescent frémit d'horreur à cette pensée : quoi donc ! le pire cesserait d'être sûr ? Gustave deviendrait un croyant, une de ces petites bonnes âmes comblées, étroites, auxquelles Dieu se donne parcimonieusement, parce qu'elles ne sont pas faites pour contenir le Sacré dans sa terrible immensité ? Impossible ! Cela veut dire qu'il est ainsi constitué, à présent, qu'il *ne peut plus* changer en amour, en espérances, les rages blanches du ressentiment. Or le « je ne peux » se transforme d'autant plus aisément en une assomption pathétique du Non enduré que, par l'entreprise sourde mais jamais tout à fait ignorée du ressentiment, il lui paraît *se faire tel qu'on l'a fait* et puisque c'est le prophète du pire, en lui, qui ne peut accepter la

Grâce divine sans éclater, il ne manque pas de comprendre que son incroyance est *sienne* non point comme un refus actif mais en tant qu'elle est inséparable d'une certaine adhésion horrifiée mais altière à ce qu'il a fait de ce qu'on a fait de lui. Cela signifie à ses yeux que son essence profonde — la victime se faisant bourreau de soi-même pour se réaliser par ses bourreaux et contre eux en radicalisant leur travail — ne peut être que la désespérance et que celle-ci le met en cause en devenant péché inexpiable du fait que Dieu se propose à lui sans succès. Si l'on préfère, Gustave est au courant de l'opération par laquelle il fait de Dieu — qui existe pour tous sauf pour lui — la frustration portée à l'infini. « Docile disciple de mon père, je m'empresse de croire que le monde est un vaste désert et que rien n'y a de sens, pas même ma souffrance ; je n'ignore pas cependant que le Tout-Puissant existe mais je suis ainsi fait que je me prive de lui. » Tout est parfait : Dieu existe et se refuse, ce qui est un crime infini ; mais Gustave, en même temps, est coupable et lui oppose cet autre infini : le péché de désespoir. Ainsi l'adolescent, immense et démoniaque, se fait, sur un malheur d'enfance perpétué, le seul élu de l'Enfer. La présence de Dieu dans son cœur disqualifiait ses injustes souffrances ; Son absence, au contraire, les consolide et les fait rutiler comme des prémonitions de l'injustice suprême : l'infinie privation ou, si l'on préfère, la création de Gustave tel qu'il est, cherchant le Père et, après l'avoir trouvé, arrachant de son cœur la Foi de ses propres mains.

Comme on le voit, comme *il se* voit, l'adolescent, loin de nier Dieu, l'utilise à plein emploi : envisagée à travers son fatalisme de ressentiment, la foi devient, pour cette âme indélébilement noircie, le plus radical instrument de supplice. Fait pour croire, voué à Dieu mais oblitéré par le tampon du Père, sans cesse tenté par le besoin d'Absolu qu'on a mis en lui, il sentira, quand une cloche sonne, quand il pousse la porte d'une église ou simplement quand il est trop malheureux, un appel d'en haut, indéchiffrable, je ne sais quelle convocation ; et ces incompréhensibles et douteux messages le troublent, provoquent en son âme un commencement d'espoir, une « aurore » tout exprès pour qu'elle s'évanouisse en le laissant plus seul et plus misérable qu'avant. La raison profonde de ces fausses illuminations qui n'ont d'autre but que de noircir encore sa nuit, il l'a dite en passant dans *Rage et Impuissance* : « Dieu, mot inventé *par les heureux*. » Il y revient en 49 :

ANTOINE

J'implorais Dieu dans ma détresse, je tâchais de me rapprocher de lui.

LA FOI

Ce n'est pas dans la détresse qu'il faut implorer Dieu.

Voilà qui est clair : Dieu n'est point fait pour ceux qui ont besoin de Lui. La raison c'est que l'âme pieuse se réjouit de Son existence et que, dans le malheur — même si l'on « implore » le Créateur — il demeure toujours je ne sais quoi de suspect, une désespérance cachée : S'Il est là mes misères doivent s'évanouir ; qu'est-ce donc que ces âmes sombres qui souffrent comme s'Il n'était pas ? Flaubert expose sa théorie comme si c'était article de foi : en fait — quelle qu'ait pu être l'attitude des prêtres — le Nouveau Testament et l'Eglise ont toujours dit le contraire : c'est par la *consolation*, sans aucun doute, que les recruteurs catholiques ont fait le plus grand nombre de recrues. Il le sait et, du coup, il comprend fort bien que cette idée — le malheur tombant par son propre poids dans la désespérance — est un parti pris que lui inspire son serment pessimiste et qu'on pourrait traduire ainsi : celui qui souffre est damné par sa souffrance qui ne cessera pas de s'accroître jusqu'à l'irrémissible Péché de désespoir. Pour ce doloriste, la souffrance est élection parce qu'elle témoigne que Dieu s'est détourné de lui pour toujours : comment Gustave ne sentirait-il pas le coup de pouce qu'il donne à la doctrine ?

Il s'en avise d'autant mieux que sa sécheresse intérieure le sert. Dieu se refusant, le système est parfait. Tout est conservé ; l'angoisse, l'appel au secours du croyant, l'instinct religieux, le ressentiment, on les garde. Il suffit que le Ciel soit muet et que Dieu n'apparaisse jamais sinon comme la frustration infinie d'un seul. Mieux, Gustave s'est donné les moyens d'accepter le Mécanisme paternel et de le désarmer en douce sans perdre pour autant son orgueil ni désarmer son ressentiment. Achille-Cléophas dit à Gustave : « Le Tout n'est pas, il n'y a que des agrégats. » Gustave répond : « Cela se peut mais il existe au moins dans mon désir ; et celui qu'un instinct porte au-delà de lui-même vers la totalité infinie, celui-là est bien autre chose que la somme d'insécables à quoi ton scalpel le réduira. » Le père explique au fils qu'il n'y a pas de Nature et qu'on ne peut donner ce nom à un éparpillement infini d'atomes dont les mouvements sont régis par le principe d'inertie ou, mieux, d'extériorité. Le fils répond : « Le sentiment unifie ce que ta science pulvérise. » Comment n'y aurait-il pas quelque chose comme l'unité synthétique du monde puisque l'instinct unitaire d'un agrégat révèle à la fois celui-ci, au-delà de la diversité de ses molécules, comme l'indéniable unité d'une trans-ascendance et le cosmos, par-delà la dispersion des agrégats, comme l'unité transcendante qui, seule, a pu produire cette nostalgie du Tout en l'une de ses parties ? Gustave s'élève au-dessus des hommes par un envol magnifique ; son dépassement de soi se donne pour un lien direct du fini avec l'infini, de la partie au Tout. Pendant cette opération, il est souhaitable qu'il ne rencontre *personne*. Surtout pas le Créateur qui le renverrait, comblé, à sa particularité. De fait, si c'est Dieu qui l'emporte, tout le mérite revient à Dieu et la frustration sublime fait place au stupide bonheur des élus. Si, dans ses voyages intersidéraux, Gustave est irrémédiablement seul, s'il n'aperçoit, si haut qu'il soit monté, que des rassemblements d'atomes, séparés par le vide, s'il redescend mortifié, courbatu, n'ayant gardé de ses périples que le souvenir nu du « silence éternel de ces espaces infinis », bref s'il est contraint de proclamer que *tout ce qui est* donne raison à la science paternelle, aux arguments des libertins, s'il prend en haine l'ignorance et la bêtise des prêtres qui parlent si mensongèrement de la Création qu'ils la feraient prendre en horreur par les créatures, s'il comprend, dans le désespoir, que tout n'est ni ne peut être que matière et que Dieu ne se donne qu'aux sots, alors c'est à lui seul que revient tout le mérite de cette quête éreintante et vaine : fait comme un rat, coincé entre les babillages de la Science et le mutisme du Monde, profondément déçu puisque tout concourt à confirmer l'athéisme d'Achille-Cléophas, il est tout simplement immense, le petit martyr qui agonise, débouté de chacun, à la condition qu'il ne se résigne pas et que son cœur n'accepte jamais les convictions qu'on lui a insufflées dans l'esprit. Il ne s'agit point qu'il en ait d'autres : il convient seulement qu'il en soit insatisfait. Qu'il se détermine à croire, s'il veut, à l'univers mécaniste, pourvu qu'il s'élève au-dessus de ce tumultueux non-sens par le sentiment purement négatif et d'ailleurs inarticulable *de la privation* : « nature supérieure, cœur plus élevé, il ne demandait que des passions pour se nourrir et, les cherchant sur la terre d'après son instinct, n'avait trouvé que des hommes... Nos pauvres voluptés, notre mesquine poésie, notre encens, toute la terre avec ses joies et ses délices, que lui faisait tout cela à lui qui avait quelque chose des anges. Toute cette nature, la mer, les bois, le ciel, tout cela était petit et misérable... » L'angélisme d'Almaroës ne se manifeste que par son inadaptation liée tout aussitôt à la condamnation de la réalité tout entière : « Pauvre corps, comme tu souffrais, gêné, déplacé de ta sphère et rétréci dans un monde comme l'âme dans le corps. » On voit le zèle du ressentiment : il s'est déjà mis à l'œuvre et condamne le *cosmos* : c'est que Gustave, prisonnier de sa finitude, est en même temps au-delà des hommes et des choses : l'Infini est son tourment — entendons plutôt le Transfini, pris au sens d'Infini totalisé. C'est donc par la privation de l'Infini qu'on doit le définir. Et, s'il en est privé, n'est-ce pas justement qu'il a l'âme assez puissante pour le concevoir, assez grande pour le contenir ? Cette conscience malheureuse dont la finitude est transpercée par un besoin d'infini qui ne peut être qu'un infini besoin, Gustave se la représente comme une lacune qui s'élargit par les bords indéfiniment. Quel enivrement d'orgueil : l'infini présent dans le fini comme négation et comme douloureux refus, c'est *sa nature*; il ne la tient de personne : ni de son père qui veut le tenter par les non-sens du scientisme et qui ne croit qu'à ce qu'il voit — ni de Dieu que ce désir importune, qui lui préfère les heureux de ce monde : ceux qu'Il comble, ce sont des boutiquiers qui ont l'âme bien épaisse ou si, par impossible, elle est perforée, qui ont obturé à temps la considérable lacune, aveuglant les trous et les fissures avec du mastic, et qui vont, le dimanche, faire leur plein de bon Dieu à la messe comme, un siècle plus tard, ils feront, à la même heure des mêmes dimanches, leur plein d'essence. À ceux-là, Il Se donne, Il permet que les prêtres L'émiettent pour que chacun ait sa portion de Lui. Le Seigneur n'a pas voulu cette ouverture à l'Être qui est le propre du petit maudit : tout au contraire, agacé par cette exigence surhumaine, Il se dérobe pour punir cette âme de sa grandeur. Non : Gustave *s'est ouvert* seul, il s'est ouvert le cœur comme on s'ouvre les veines. Non par quelque action violente mais par sa répugnance altière pour les compromis, il s'est fait — contre les petits bons Dieux à barbe blanche et les Christs jolis garçons qu'on vend autour des églises — le témoin du terrible Dieu caché dont l'absence lui dévore le foie. On voit qu'il est au bord de la théologie négative. Mais, avant 44, il ne l'inventera pas. Loin de prouver Dieu par Son absence *universelle* et Sa bonté par notre délaissement commun, il pense que le Tout-Puissant l'a pour toujours abandonné ou qu'Il le punit en proportion de ses vertus. Le délaissement de Flaubert est l'effet d'un décret particulier de la providence; rien ne viendra le compenser ni dans ce monde-ci ni dans l'autre auquel il n'accédera pas faute de pouvoir y croire. Cette certitude, il le sait, est en elle-même le péché de désespérance — le plus grand, le plus beau des péchés : la Créature se dressant contre le silence du Créateur et le maudissant — ce qui entraîne automatiquement sa damnation. Damné sur terre, ensuite charogne, Gustave est le seul habitant de l'Enfer. Entendons qu'*il le croit profondément* à l'époque. Pourtant l'immense avantage de cette pénible situation, c'est qu'elle l'*honore*. Pour ce pessimiste, les bons étant punis et les méchants récompensés [1], la valeur d'une âme se mesure aux tourments qu'on lui inflige ; ainsi, puisque son infortune est la frustration de Tout, le voilà supérieur à tous. Il sera puni inflexiblement, jusqu'au bout mais le sens même de sa douleur sera de lui révéler sans cesse son incomparable grandeur. De celle-ci, il n'aura ni l'occasion ni la licence de jouir : c'est le sens de ses souffrances, rien de plus. Cela lui suffit : l'Orgueil y trouve son compte. L'Orgueil qui, dans la première *Tentation*, « grande, pâle, avec les yeux rouges, cache ses ulcères, claque des dents, baise à la bouche un serpent qui lui mort le sein, chancelle sur ses jarrets ». Cet Orgueil que Flaubert a dépisté en lui, il en prend la négativité radicale puisqu'il le fait interpeller en ces termes par le Diable : « O Orgueil tu t'anéantiras toi-même sous la pression de ton cœur ; *parce que tu souffres d'une peine démesurée, ne va pas croire que tu sois un Dieu.* » J'ai souligné la dernière phrase ; elle définit exactement le truquage fondamental et ses limites : l'Orgueil est peine démesurée puisqu'il se définit comme privation de l'Infini ; ce sont là ses bornes : l'absence de l'Infini l'arrache, en tant que telle, au commun des mortels mais il lui est interdit de considérer cette absence comme le signe de sa propre infinité. Il avait donc envie de vivre sa douleur comme la marque de sa divinité ? Sans aucun doute. Ces lignes se rapportent *en tout cas* aux années de son adolescence et de sa prime jeunesse, avant 44. Nous verrons plus tard qu'il s'est pris à l'époque pour l'Antéchrist, pour Satan. Non pas simplement dans le libre jeu de son imagination mais plus concrètement comme auteur et comme « démoralisateur » ; nous verrons que son rêve sadique — se placer en face du genre humain et lui rire au nez — ne peut avoir son origine que dans son sentiment de la privation *sacrée*. Il y a longtemps, du reste, que l'idée de s'éga-

---

1. Dans son âge mûr il modifiera la formule : « Les méchants sont toujours punis et les bons aussi. »

ler à son Géniteur par le suicide le tourmente : Satan ne fait ici que la porter à l'absolu : la somme algébrique de l'infini positif et de l'infini négatif, c'est zéro [1] ; *donc* la privation totale est égale à la totale plénitude à la condition d'être consciente de soi. Mais Gustave, en 49, est de l'autre côté de sa jeunesse : si l'envie d'être le Dieu du dolorisme le reprend parfois, il la repousse comme une *tentation*. N'est-ce pas qu'il conçoit l'orgueil comme une *entreprise*? Il lui assigne des bornes : sauve-moi ; va jusque-là mais pas plus loin. Et nous n'en voulons pour preuve que la réponse de l'Orgueil au Démon où Gustave, rappelant sa propre chute, dévoile tout le manège : « Te rappelles-tu... quel délire de ma possession ravageait ton âme quand tu tombas des cieux?... J'ai relevé ta tête, ô maudit, et ton souffle est monté jusqu'à Jéhovah qui en a fermé sa porte d'épouvante. » Quand l'Orgueil parle, Gustave, qui l'écoute et l'approuve, est *devenu Satan* : c'est lui, humilié par ses insuffisances, qui s'est affecté d'Orgueil en les poussant jusqu'à l'absolue pénurie et en les revendiquant — non par un acte mais par une souffrance sacrée. Voici donc la scène primitive, la chute et l'orgueil démoniaque, seul salut. C'est une infirmière, elle agit, la putain, elle relève le pauvre diable ; mais cette action nous est donnée, par rapport à Gustave-Satan, comme *subie*, donc comme *autre*. Pourtant nul autre que lui ne pouvait souhaiter qu'il fût sauvé : pour Jéhovah, la malédiction est définitive. Voici donc le secret dévoilé : l'Orgueil qui relève le misérable, c'est celui-ci en tant qu'Autre, en tant que son action, à la faveur de la passivité constituée, se fait subir comme l'action d'un autre, comme l'entreprise amoureuse d'une mère qu'il n'a pas eue. Le texte est parfaitement clair : Gustave n'ignore pas que l'orgueil est sien, que c'est, en vérité, *son* action — l'assomption hyperbolique du Mal infini dont il devient, face à Dieu le Père épouvanté, le témoin absolu ; s'il fait de l'Orgueil la putain du Diable — elle a la repartie prompte mais, en définitive, elle lui obéit —, c'est qu'une intention profonde, et conforme à son caractère constitué, l'oblige à *souffrir* ses actions sous forme de passions. N'importe : il se comprend. Si l'on pouvait traduire dans le discours ce qui lui paraît indisable et qu'il nous fait entendre par un dialogue entre allégories, il faudrait dire : je sais ; maudit, il fallait brûler de honte, ou bien intérioriser la malédiction, en faire le tissu même de mon âme, le Mal, cela signifie l'absence radicale de Dieu et la contestation haineuse, méprisante,

---

1. C'est du moins ce que pense Gustave.

de toute chose au nom de ce Tout dont j'ai voulu qu'Il me repousse ;
j'ai poussé la folie jusqu'à me croire un contre-Dieu, j'ai eu
d'incroyables tentations, j'ai connu la fierté de me damner par une
désespérance que je manipulais tout en croyant que je la recevais ;
aujourd'hui, je connais mes limites et cette connaissance est une
blessure de l'Orgueil que je suis : je me tiens en l'air, sans racines,
au-dessus des hommes, seul damné parce que je suis la seule créature qui se soit arrangée pour que l'Infini soit *son* besoin et *son*
impossibilité ; mais je ne suis pas un Dieu : je suis le héraut du
silence, l'ennemi *mortel*, à tous les sens du mot, du Tout-Puissant,
un ennemi qui perd toujours et qui est fier de perdre parce que ses
défaites lui font endurer chaque fois sa Toute-impuissance. Si je
ne puis croire en Vous qui existez, notre Père qui êtes aux cieux,
c'est que, par une incroyable hyperbole, je me suis fait le plus disgracié de l'Univers et que, voué à Vous, sentant en moi l'humble
et tenace instinct de croire, c'est-à-dire de m'intégrer à la Création,
j'ai laissé mon Père infernal disloquer Votre œuvre, pour approfondir ma rancune et pour me définir contre tous les possibles par
mon impossibilité. Ainsi, bien que « toute foi m'attire et la catholique plus encore que toute autre » [1] je n'ai que faire des Églises
ni des prêtres, ces intermédiaires qui offrent un Dieu coupé d'eau
à ceux qui ne supporteraient pas Son vin pur.

À moi. Il sait ce qui en est ; il le dit. En surface, cela signifie :
par la faute de ma faiblesse trop humaine. En profondeur : par la
faute de mon ressentiment et de mon fol orgueil. Par cette raison
le faux agnosticisme de Gustave oscille entre l'amour éperdu mais
vide et non ressenti, faute de répondant, et le blasphème ; car c'est
blasphémer que de tenter Dieu et que de prétendre que toutes les
conditions sont réunies pour qu'Il vienne au rendez-vous, de
manière à rejeter sur Lui toutes les responsabilité du lapin qu'Il
pose en permanence et qu'on s'est arrangé pour L'obliger à poser.
La folie d'orgueil amène Gustave à se construire de manière à pouvoir dire : « Moi et Dieu. » Il ne s'agit d'ailleurs que d'une ampli-
fication de la malédiction paternelle : il l'a projetée au Ciel, mais
c'est la même, *il le sait.* Achille-Cléophas l'a engendré tout exprès
pour le frustrer de son amour et de l'office qui lui revenait de droit ;
Jéhovah, plus cruel encore, l'a tiré du limon tout exprès pour le
frustrer de Lui et lui a donné cette inextinguible soif d'infini avec
préméditation, pour que la pauvre créature ait l'horrible apercep-

---

1. Ces lignes qui datent de 1856, il aurait pu les écrire dès les années 30.

tion de ce dont Il la prive et du coup se damne par désespérance. Achille-Cléophas n'avait produit qu'un seul usurpateur : son fils aîné. Dieu, lui, a fait les Achille par légion : ce sont *tous* les croyants, autant dire l'innombrable genre humain. Quand Gustave entre furtivement dans une église, est-ce vrai qu'il y va quêter humblement la foi ? Rarement, il le comprend fort bien : pourquoi, sinon, mettrait-il *tout* contre lui ? Pourquoi à l'instant où il faudrait demander secours aux médiations chrétiennes, à l'encens, aux lumières, au chant des prêtres, s'avise-t-il de penser à ses amis athées, au fou rire qui les prendrait s'ils le voyaient s'agenouiller ? Non : ce qu'il va chercher au temple, pendant les cérémonies, il sent que c'est la confirmation de son exil, que c'est la déception, la haine, l'envie et l'amère redécouverte de sa vaine supériorité sur ces usurpateurs qui triompheront toujours de lui dans les bergeries de l'Être et qu'il ne pourrait vaincre que sur son terrain, le Néant. Et quand il prétend consulter un prêtre, il sait d'avance que l'homme de Dieu aura le nez tors, l'œil stupide et que la bêtise de ses propos le découragera. Pourquoi faire ces démarches ? Parce qu'un désespoir fixe finit par ressembler à de l'engourdissement : Gustave n'hésite pas à entretenir le sien en fréquentant de temps à autre les lieux saints pour susciter en lui-même, quand il se hâte vers des sanctuaires, de vives espérances qui crèveront dès qu'il aura franchi le pas de la porte.

Voilà ce qu'il ressent. Et qu'il est coupable aux yeux de tous et d'abord devant Dieu, qui est si bon. Mais qu'il a raison d'avoir tort et que Dieu a tort d'avoir raison. À présent je pose la question fondamentale : puisqu'il se prend la main dans le sac, quand il se ferme comme une huître en prétendant qu'il s'ouvre à l'Être, vainement, peut-il croire pour de bon que Dieu se refuse et qu'il en souffre démesurément ? Ne *doit-il* pas vivre ces grands mouvements de l'âme comme ils sont, comme il les fait être, c'est-à-dire comme des comédies dont l'intention ne peut lui échapper ? Gustave rêve d'être le Maudit ; l'unique preuve de son aristocratie démoniaque, c'est sa souffrance et celle-ci — qui est privation vécue de l'infini — doit être elle-même infinie. Tout repose sur ce sophisme : si l'infini positif se dérobe à moi, je deviens infini négatif, ce qui s'exprime subjectivement par une insurpassable et constante désespérance. Mais Gustave en est-il persuadé ? Après tout, même à ceux que Dieu comble de menues faveurs, Il refuse de se montrer dans Sa plénitude : dira-t-on qu'une lacune infinie les dévore ? Ne sont-ils point, au contraire, bien denses au-dedans d'eux-mêmes et bien au chaud ?

S'ils paraissent infiniment rabougris en comparaison du Tout-Puissant qui ne leur livre de Lui que ce qu'ils peuvent supporter sans éclater, c'est aux observateurs qui les examinent du dehors et rapportent — comme fait Flaubert lui-même — leur infinie petitesse à l'infinie grandeur du Tout-Puissant. Et certes il en est, parmi eux, qui pressentent que l'essentiel ne leur est point donné et, fussent-ils bien dévots, que ce qu'ils possèdent de Dieu est néant au prix de ce qui se dérobe encore. Ils appelleront cette frustration de tous les noms qu'il leur plaira : ce sera leur faiblesse humaine, leur insuffisance, un appel d'amour qui se perd dans la nuit ou, tout au contraire, les affres du doute, la fragilité de leur foi, la part de non-être qui est en toute créature et qui la rend incapable de recevoir en elle son Créateur : n'importe, leur inquiétude, leur malaise, leurs souffrances n'égaleront jamais en profondeur ni en intensité l'Être infini dont elles se sentent privées ; d'abord tout être fini est dans chacune de ses manifestations, quelle qu'elle soit, déterminé par sa finitude : jusque-là, pas plus loin ; c'est vrai pour les peines des hommes comme pour leurs plaisirs. Ainsi la privation de l'Infini ne peut susciter, si pénibles soient-ils, que des sentiments finis. Gustave est-il d'une autre nature ? En outre ce Dieu caché, qui se livre chichement aux fidèles, Il se cache si bien que nul, même dans les hypothèses les plus folles, ne peut même concevoir ce qu'Il lui dissimule. Le regret navrant d'une ville qu'on aimait, d'une femme qui vient de mourir se fonde sur les souvenirs : mais — sauf pour quelques mystiques — les attributs du Tout-Puissant ne sont pour les chrétiens que des concepts abstraits : on peut regretter d'ignorer ; comment regretter ce qu'on ignore, surtout si l'étroitesse de notre esprit lui ôte jusqu'au pouvoir de l'imaginer ? Bien sûr, il y a la réminiscence. Lamartine a fait beaucoup pour la théologie quand il a décrit l'homme comme un Dieu tombé qui se souvient des cieux. Mais Gustave, en dépit d'un certain platonisme que nous étudierons, ne s'est jamais soucié de fonder la foi sur le ressouvenir. Et cela d'autant moins que s'il gardait du Ciel une certaine mémoire, même obscure, il lui serait moins aisé de récriminer contre son délaissement : Dieu ne l'aurait point abandonné sans quelques lumières. Le seul passage, à ma connaissance, où le jeune homme fait allusion à de vagues remembrances qui se rapporteraient à une vie antérieure, on le trouve — nous l'avons cité — dans *Rêve d'enfer* : Almaroës se rappelle quelquefois qu'il n'a pas toujours vécu sur cette terre qui l'emprisonne ; *ailleurs*, il a connu des béatitudes dont il ne retrouve ni le sens ni la nature. Mais, le contexte le prouve, le robot magnifique, tout entier matière, pétri dans le limon de notre monde et privé d'âme ne peut avoir vécu que dans l'univers matériel et la nostalgie de son jeune auteur se rapporte à sa propre enfance, à l'âge d'or. Et puis Flaubert n'est pas un Dieu tombé ; on rendrait mieux sa pensée en disant : parce qu'il est un homme tombé, il n'est pas loin d'être un Dieu. Au reste, le sophisme est le même chez Lamartine et chez Gustave, sauf qu'il est négatif en celui-ci, positif en celui-là : nous venons de voir que la privation de l'infini n'est pas infinie privation ; pareillement l'homme qui souhaite l'infini et qui ne sait au juste ce qu'il veut, faute de comprendre vraiment et concrètement ce que peut être l'immortalité de l'âme, l'éternité, etc., il n'est pas vrai qu'il soit infini dans ses vœux. La trans-ascendance, certes, est dépassement ; le croyant admettra qu'il se dépasse vers l'infini et nous n'en discuterons pas : mais il reconnaîtra lui-même que sans la grâce de Dieu, ce dépassement est fini.

Comment Gustave peut-il, sans sophisme, se croire le réceptacle vide de l'Infini ? Comment peut-il croire, quelles que soient ses « aigres passions », qu'il a l'âme assez large pour y loger une souffrance sans mesure ? Et, s'il souffre pour de bon, comment peut-il ressentir en vérité cette souffrance comme une horreur plus vaste et plus profonde que l'Univers ? À ces questions — qu'il ne se pose jamais mais qu'il endure comme la nuance interrogative du vécu — Gustave ne peut donner que deux réponses contradictoires. Ou bien la démesure est une détermination réelle de son intériorité, alors il faut qu'il ait la grâce : l'infini ne peut se révéler au fini, fût-ce comme son infinie pénurie, sans le concours de Dieu ; dans ce cas, tout le système s'effondre, la chasse infernale et vaine, l'appel inécouté, le délaissement, la frustration *c'est précisément la Foi*, un don et une épreuve du Seigneur ; le blasphème était prévu dans le programme ainsi que la damnation-bidon ; Gustave, à son lit de mort, verra tous les diables, ce seront en vérité des anges qui viennent quérir l'âme de celui qui, bien avant sa naissance, était l'élu de Dieu. Ou bien, comme il s'acharne à le répéter, le Tout-Puissant l'a créé pour l'abandonner, pour que rien en lui ne témoigne de Son Existence, alors Dieu a pris soin que ce cœur maudit reste sec et froid, ne puisse contenir l'infinie lacune ; en ce cas la vraie malédiction de Flaubert c'est qu'il ne puisse même ressentir l'étendue de son malheur : humain, trop humain, il est contraint de jouer la ferveur toujours déçue et la désespérance.

Des deux réponses, il ne peut accepter aucune : pour la première

— qui reparaîtra après 44, enrichie — il n'est pas mûr : il n'a pas encore trouvé les replis de son âme et les doubles tiroirs qui lui permettront de garder, l'un et l'autre en secret, tout le désespoir et un informulable espoir ; il est trop proche encore de la haine et du ressentiment pour vouloir pardonner, c'est-à-dire accepter une seule chance d'être moins malheureux ; il veut continuer à punir ses bourreaux sur lui-même impitoyablement. L'autre terme de l'alternative, il n'en veut pour rien au monde ; au moins pas sous cette forme. Comment son orgueil à vif accepterait-il la médiocrité ? Et comment s'avouer sans honte que le « *Maudit* » n'est qu'un rôle de répertoire et que Gustave est un désespéré *en représentation* ?

C'est pourtant cette réponse-là qu'il va choisir en lui apportant quelques modifications. Disons qu'il l'adopte entre la fin de son adolescence et la « fermeture » de sa jeunesse et qu'il s'y tiendra — au moins sur un certain plan — même après 44, bien qu'il ait alors opté pour la première réponse au niveau du fondamental.

C'est qu'un des thèmes principaux de son œuvre — qui court de ses premières nouvelles jusqu'à *Madame Bovary*, inclusivement, où il s'épuise, pour reparaître sporadiquement dans les romans ultérieurs — pourrait s'énoncer ainsi : « Je suis trop petit pour moi. » Nous y reviendrons longuement à propos de *Novembre* et nous verrons qu'il ne s'agit pas seulement d'un motif littéraire mais d'un sujet permanent d'angoisse avivé par le dégoût de soi : ce mal-aimé s'aime mal et ne prend jamais le risque de se faire confiance ; il enrage à chaque instant du contraste entre ses immenses ambitions et sa dérisoire médiocrité. L'origine de cette hantise — qui sera l'un des principaux facteurs de sa névrose —, nous la connaissons : un regard chirurgical s'est abaissé sur l'enfant, une voix magistrale a dit : « Il n'est pas doué. » C'est ainsi, du moins, que Gustave croit que les choses se sont passées. Fuyant cette condamnation, abordant d'autres domaines, la Religion, l'Art, il emporte avec lui ce schème préfabriqué : l'Orgueil et l'Ambition Flaubert s'incarnant dans ce mode fini de la substance auguste : l'idiot de la famille. Plus profondément, il lui semble que ses projets magnifiques sont la vérité *familiale* de son être, sa détermination fondamentale et, en dernier ressort, collective ; de ce point de vue, sa vérité immédiate, le vécu dans son écoulement passif, dans son impuissance et sa banalité quotidienne lui apparaissent comme une déchéance *natale* : exister est un péché puisqu'il ne fait que monnayer en sentiments vagues, jamais pleinement ressentis, en attitudes peu signifiantes, en œuvrettes confuses et manquées, cet Être transcendantal et caché, le patrimoine Flaubert, buisson ardent d'exigences impératives, faustiennes, qui constitue son Honneur, son Ego intelligible. Oui, l'expression de caractère intelligible conviendrait assez à ce Devoir-Être qui se spécifie en un Moi caché à la condition d'ajouter que le *caractère empirique* de Gustave n'est pas la pure transcription du choix intelligible dans une expérience humaine et moins encore ce choix lui-même se laissant déchiffrer à travers les formes spatio-temporelles et les structures unitaires de cette expérience : le caractère empirique est une déviation, un affaiblissement, une dé-substantiation, en un mot une trahison de cet Ego superbe et exigeant que lui ont donné les Flaubert ; le Moi empirique est trop petit et trop inconsistant pour le Je qu'il représente, que Gustave tient pour sien et qui, jamais touché, jamais vécu, ne se manifeste que par l'ampleur des projets qu'il impose et qui ne sont jamais entrepris. C'est ainsi que Flaubert dans *Novembre* expliquera cette instabilité dont il est fort conscient — puisqu'il l'attribuait, dès quinze ans, à Djalioh ; l'idée d'une œuvre à entreprendre naît dans l'enthousiasme : l'Ego caché voit grand ; mais l'Ego empirique connaît ses moyens : il commence le travail sans espoir et l'abandonne aussitôt. La théorie des deux Ego n'a jamais été articulée mais comment Gustave n'y croirait-il pas, lui qui se présente à Louise tantôt comme le Maudit (Ego transcendantal) et tantôt comme une substance amorphe et molle (il dira, plus tard, une « bedolle ») incapable de se connaître et de se juger par la triple raison qu'elle a le nez sur elle-même et se voit de trop près, que ses facultés sont restreintes et sa vue brouillée et qu'il n'y a rien en elle de caractéristique ni de tranché ? Numide au cœur durci, splendidement stoïque, ou champignon gonflé d'ennui ? Aventurier de l'esprit, conquistador de l'art ou bourgeois qui vit à la campagne en s'occupant de littérature ? Les deux ensemble : ce que je veux marquer ici, c'est que — à la différence de la plupart — ses ambitions ne lui semblent pas, quand il désespère, des vœux subjectifs et sans autre consistance que celle qu'il leur donne suivant son humeur mais que, spécification de l'arrivisme Flaubert chez l'enfant que cette famille d'esprits forts a jeté au rebut, elles se campent, à ses yeux, comme sa réalité objective — c'est-à-dire que, même intériorisées, elles gardent l'objectivité qui leur vient de ce qu'elles définissent la direction ascendante de la petite entreprise — et qu'elles lui apparaissent tout à la fois comme ce qu'il devrait être — ordres de fer donnés, rigides, à une amibe poussant en vain, n'importe où, ses protoplasmes indécis — et comme *ce qu'il est* éminemment, le vécu quotidien n'étant qu'un mirage confus à moins que ce ne soit, malédiction suprême, l'incarcération d'une puissance superbe dans le corps sans poils ni carapace d'un animal mou. Ce qui s'applique à ses vastes entreprises, toujours présentes, comme des remords, jamais poursuivies, vaut aussi pour son affectivité. Gustave est le *Maudit*; il *est* Satan ou, tout au moins, ce superbe Caïn qui buta son frère sous l'œil du Père éternel; il ressent l'abominable abandon où Dieu le laisse; en lui le regret de l'infini est bien l'infini regret et son Orgueil, rendant coup pour coup au Créateur, a choisi l'Enfer par la désespérance. Voilà ce qu'il *est* mais qui ne lui apparaît que sous forme d'un *devoir-être*: quelque part, dans l'abîme de l'Infini, le Damné magnifique se tord de douleur et son souffle « épouvante Jéhovah ». La nouvelle en est communiquée à Gustave le quotidien, ce grand garçon au beau visage buté qui rit en se regardant dans les glaces, sous forme d'impératifs parfaitement réguliers mais fondés sur cette diabolique inversion du principe kantien : « *Tu dois donc tu ne peux pas.* » Nous la retrouverons souvent, cette éthique du Diable; nous verrons même Gustave la retourner contre ses lecteurs. Pour l'instant, cela veut dire à la fois : *pour être ce que tu es*, tu devrais grincer des dents, maudire, désespérer, souffrir surtout, souffrir comme un Damné; mais une malédiction spéciale qui est venue s'ajouter à la première t'a mis dans l'impossibilité de réaliser ton être : tu es incapable de maudire et tu ne peux t'affecter que de souffrances modérées — et, à la fois, reste que cet appel t'est directement adressé par toi-même, par l'introuvable Maudit et que tu dois t'efforcer d'y répondre tout en sachant que tu n'y parviendras pas. Cette deuxième interprétation des impératifs diaboliques permet à Gustave de jouer la comédie du Damné et de le comprendre et de s'en justifier : il fait ce qu'il peut, le pauvre, il se jette à genoux pour croire, n'y parvient pas, pour avoir refusé d'avance Celui qui le refuse; il dresse le poing vers le Ciel, blasphème congrûment, se jette sur son lit, cherche la peur et la souffrance, grogne, gémit. C'est la faute de Dieu le Père et d'Achille-Cléophas si chacune de ces *actions*, à l'instant qu'il l'entreprend, se transforme en geste — c'est-à-dire en *représentation d'une action* — et si, bien que dûment sollicités par des attitudes, les sentiments requis, refusant d'être éprouvés, le contraignent à les jouer. Il est de bonne foi, de bonne volonté : mais quoi ! cette transmutation est classique, l'or pur se transforme en plomb vil parce que la nature empirique dont on a doté Gustave est à son Ego profond comme le plomb est à l'or. Bien sûr qu'il ne ressent rien ou presque rien en considération de ses exigences absolues — de la rage, une tristesse amère et tendre, de la mélancolie — et que l'Infini se dérobe doublement : comme plénitude, d'abord, ensuite comme privation : n'importe, les choses étant ce qu'elles sont, tout vaut mieux que de se laisser retomber à l'apathie natale ; il faut jouer ce qu'on est puisqu'on ne peut pas l'être : par là seulement le jeune homme apparaîtra, dans la contingence du vécu, comme solidaire de son être intelligible ; ces blasphèmes de parade montreront qu'il accepte en pleine conscience d'être le Blasphémateur qu'il doit être, quelque part, pour de bon. Ou peut-être cette comédie de damnation le fait-elle exister, ailleurs, comme infini et damné : après tout, s'il joue la désespérance, péché sublime et inexpiable, c'est *sur ordre* et sous l'invisible regard d'un Absolu qui se dérobe : cela ne suffit-il pas pour transformer le relatif en absolu ? Il gémit, crie, s'arrache les cheveux, il dit : « Je désespère » et l'*animula vagula* n'a pas la force de désespérer — ni, d'ailleurs d'espérer — mais l'intention y était et Dieu ne peut manquer d'en avoir pris bonne note : jouer le rôle de Satan, avec conscience, cela devrait être assez pour vous faire damner. Et puis, si l'on exige davantage, il y a la chose écrite : *scripta manent* ; il est parfaitement possible d'écrire le Discours de la Désespérance : entre quinze et vingt ans, il le recommencera sans cesse ; c'est mieux que tenir un rôle : cet Ego hors d'atteinte, qui doit être sa réalité, l'inspire, se décrit, lui souffle les mots irréparables. Auteur d'*Agonies* ou de *La Danse des Morts*, Gustave est plus proche du *Maudit* que lorsqu'il se fait comédien de soi-même : entre l'Infini terrible et ce petit monde vieillot, il se fait *intermédiaire* ; il n'est pas tout à fait l'infinie souffrance, mais il la dévoile et la sert, il l'introduit dans notre Nature qu'elle va faire péter, c'est sûr : nous verrons, en effet, qu'il tient que l'écrivain doit être démoralisateur.

Il souffre, du reste, et s'acharne à souffrir : une des fonctions, nous l'avons vu, de ce mythe polyvalent, la Vieillesse, c'est de le justifier à ses yeux quand il souffre moins qu'il ne l'exigerait. Il y a donc « du répondant » dans cette âme truquée. Et le truquage ne commence qu'avec l'hyperbole, lorsque Gustave, face à un Absolu de plénitude — que d'ailleurs il ne conçoit pas puisqu'il est inconcevable —, se veut un Absolu de vide. En sorte que, après ce long voyage, nous sommes tout simplement revenus à notre point de départ ; *à moi la faute*, cela signifiait d'abord : Godot ne viendra pas parce que je n'en vaux pas la peine, je n'ai pas assez de force ni de ferveur pour l'attirer vers moi; mon âme tiède ne peut que l'attendre : ignifugé, je ne connaîtrai pas les délices de l'embrasement. Et puis, en dessous de ces mollesses protoplasmiques, nous avons trouvé une fable orgueilleuse : Dieu m'a maudit tout particulièrement; sans Ses secours j'agonise et mon orgueil me pousse à terminer l'ouvrage : vide infini, je bée, inférieur à tous, supérieur au genre humain; contre-Dieu, je m'égale au Tout-Puissant en choisissant de désespérer de Lui. Mais, à mieux y regarder, cette folle option nous a paru *irréalisable* : Gustave n'y peut croire qu'en s'irréalisant — nous verrons bientôt par quelles techniques on devient un homme imaginaire. Toutefois cette étrange comédie lui est imposée par la substance Flaubert, autrement dit par l'Honneur : c'est pour combattre sa trop humaine nature qu'il s'impose de donner au Ciel vide cette représentation. On le voit : l'*animula vagula* que nous avons trouvée au départ, c'est elle que nous retrouvons au retour. Nous ne l'avions jamais quittée — sauf pour étudier la représentation que Flaubert se donne à la surface de lui-même et en profondeur pour tenter *tout ensemble* de montrer derrière sa trop faible nature son éminente valeur (par renversement systématique de la table communément admise) et d'interpréter en surface la vacuité de son âme religieuse par l'action subversive des vérités maudites, infligées par son père. D'une certaine manière, il exploite la situation (j'ai besoin de la foi, je ne peux pas croire) et d'une autre il se défend. Aussi trouvons-nous en lui *deux* Diables, dont l'un est Achille-Cléophas et, au-dessus de celui-ci, le Père éternel, complice par son silence — ces deux-là ne font qu'un comme le Père et le Fils de la foi catholique; l'autre est le Maudit lui-même, devenant le Mal par intériorisation de sa malédiction et désespérance intentionnelle, le cadet Flaubert en personne mais hors d'atteinte. Ouverture à l'Être et fermeture se correspondent : la première qu'il nomme instinct religieux demeure constitutive et fondamentale : il faut que vivre ait un sens absolu, que ce petit surnuméraire sache ce qu'il fait sur terre. Mais la dyade *Père diabolique-Créateur* le lui interdit; devant cette privation à lui seul réservée, le petit en profondeur se ferme à Dieu : il restera cette privation d'infini qui lui permet d'embrasser l'Univers avec ses milliards d'étoiles mais, *sachant* que Dieu existe et se refuse, il se referme à son tour et choisit de *totaliser l'univers mécaniste* : c'est le Néant absolu, voilà ce qu'il nomme son péché de désespérance ou décision de *croire à Rien* en présence du Créateur caché et contre lui.

Impossible de jouer sans avoir conscience qu'on joue. Même dans le psychodrame — où l'on joue souvent ce qu'on est — une obscure conscience ludique est indispensable pour libérer des violences secrètes. Gustave sait qu'il joue. Dans le moment même où il se justifie par un drame prométhéen qui oppose la terre et le Ciel et dont il prétend qu'il se déroule dans l'éternité et qu'il ne peut l'évoquer que par une *représentation* — de même, après tout, puisqu'on lui refuse les lumières de la foi, que la cérémonie de la messe n'est qu'une mauvaise représentation d'un événement archétypique qu'on doit loger, si l'on croit, dans un passé millénaire et dans l'éternité vivante —, il a conscience de se donner la comédie pour embraser d'un feu sacré une âme fondamentale médiocre, une mèche mouillée qui ne s'allumera jamais. À cet instant, la réalité absolue, c'est le vécu, ce dégorgement d'ennui, cette misère. De nouveau, voici Gustave *en question* ; de nouveau, il se répète, en dessous du drame byronien qu'il interprète : « Je ne suis pas assez pour avoir. » Pour Dieu aussi, il est l'idiot de la famille. Et, pour tout dire, il cesse parfois de jouer les Caïn, mais il ne cesse *jamais* d'avoir conscience de sa pauvreté essentielle puisque la Comédie, même justifiée par l'Homme Flaubert, ne peut avoir lieu sans dénoncer son caractère ludique. L'insuffisance est là, la vieille insuffisance, soufferte, les premiers temps, devant l'alphabet et, plus tard, jusqu'au bout de sa vie devant la page blanche qu'il doit remplir. Par moments, elle est vécue elle-même comme témoin à charge : mon Dieu, mon Père, pourquoi m'avez-vous fait si médiocre ? Et, en d'autres, au Saint-Sépulcre par exemple, elle se pose pour soi, humblement, sans aucune relation à ses Créateurs. À cet instant, il ne reste plus rien qu'une pauvre existence contingente, traversée par un besoin de croire — c'est-à-dire de se sentir nécessaire au monde — qu'elle n'a pas les moyens d'assouvir par les mêmes raisons qui le lui ont fait produire, c'est-à-dire par cette contingence qui se vit dans le scandale mais ne peut se dépasser vers la nécessité. C'est à ces instants de dégoût de soi, d'amère tristesse, qu'il implore le Dieu de miséricorde de lui donner Sa grâce, c'est-à-dire le moyen de L'aimer et de s'aimer en Lui. Mon Dieu, soyez le père que j'aurais voulu, que je n'ai pas eu ; ma faiblesse ne peut vous rebuter puisque Vous connaissez la sincérité de mon attente et puisque les Autres, les oints du Seigneur, ne valent, tout compte fait, pas mieux que je ne vaux. Rien. Le silence. Et la roue tourne encore : le ressentiment et l'orgueil négatif qui ont sommeillé quelques minutes, réveillés en sursaut, le jettent dans la comédie : et pourquoi m'avez-vous fait tel que je ne mérite pas votre visitation ? Le carrousel n'aura pas de fin jusqu'à ce que, par une nuit particulièrement noire, le cadet, lâchant les rênes du cabriolet, s'écrase aux pieds de son aîné, l'usurpateur. Et voici justement qu'après s'être accusé, une tristesse amère, devant cette rose donnée et perdue, lui arrache le nom du principal coupable. *À eux. À moi...*

À Vous surtout. Nous retrouvons le cirque, au moins en apparence : à *Vous* qui *me* détournez de la foi en Vous faisant représenter *par eux.* Mais plutôt que de recommencer le carrousel, notons la douceur nouvelle, le respect neuf de cette invocation. Le *Tu* si souvent utilisé, pendant les années de jeunesse et dont la brutalité visait à marquer la fière indépendance du vassal maudit en face de son Seigneur, nous constatons qu'il a fait place à un Vous commençant, comme il se doit, par une majuscule; Gustave, bien que la grâce ne l'ait pas touché, utilise ici le discours de la Foi ; il parle à Dieu comme un de ses fidèles. À ceci près, que cette tendresse amère qui marque ses rapports avec le Dieu caché lui appartient en propre. Il tient, en bonne et due forme, le Discours de la Foi pour déclarer justement qu'il n'en jouit pas. À cette époque, il souffre depuis cinq ans d'une maladie nerveuse et nous verrons que la route de Deauville à Rouen a été, d'une certaine manière, son chemin de Damas : il pense qu'il a été choisi pour perdre Dieu sans recours et, tout au fond de lui, que cette perte suprême, à la condition de s'en désespérer, peut être une façon de Le gagner. Cette métamorphose ne nous retiendra pas, présentement : Gustave ne l'avouera jamais et pour la mettre au jour nous serons contraint de faire un long travail. Ce qui importe ici, c'est que, du seul fait qu'il a quitté le ton d'Ohlmin et qu'il s'adresse au Tout-Puissant comme un fidèle (tout en gardant la conviction qu'il n'en est pas un), la question de *Rage et Impuissance* : « Pourquoi ne veux-tu pas que je croie ? » prend une ampleur et même une universalité qu'elle ne pouvait avoir lorsque l'adolescent se tenait pour seul rebut de la Création. Il parle à présent pour lui-même, certes, mais au nom de beaucoup d'autres qu'il n'a jamais connus. Il ne demande plus : « Pourquoi m'as-tu fait ce coup-là, à moi ? », mais d'une manière plus générale : « Pourquoi avez-Vous choisi de nous élire, nous les meilleurs, en nous privant de Vous ? Pourquoi, quand il était si facile, ô Tout-Puissant, de nous éblouir par Votre adorable et insupportable Présence ou par la Majesté et la Sainteté de Vos représentants, avez-Vous choisi Vos ministres parmi la tourbe vénale de ces pouilleux et de ces ignorants ? Je comprends bien que les prêtres sont des hommes et qu'ils doivent, comme tels, rester peccamineux et je comprends même que Vous n'ayez pas élu pour le sacerdoce les meilleurs de nous exclusivement. Mais fallait-il vraiment choisir exclusivement les pires ? Les plus bêtes sont-ils vraiment les mieux qualifiés pour enseigner Votre Doctrine ? Les plus libidineux sont-ils les mieux placés pour nous délivrer de nos souillures ? Est-ce en suivant leur exemple que nous accéderons le plus sûrement à la chasteté ? Ces gros tas de matière sommeilleuse et repue seront-ils les plus habiles à nous persuader de notre existence spirituelle et de notre immortalité ? » À quoi l'on répondra trop facilement, nous le savons, que les prêtres ne sont ni les premiers ni les derniers des hommes : ce qui compte, c'est que Gustave les tient pour abominables ; et de fait, ils l'ont été — entre 1815 et 1830 ; on ne grandit pas impunément dans un État autoritaire et policier sous la double surveillance des flics en soutane et des espions laïcs de la Congrégation. Tout se passe donc pour lui comme si le Sacré avait mystérieusement choisi d'être en haillons, de miroiter sur la crasse, d'être le sens insaisissable de bouffonneries intolérables. Dans cet étonnement devant la bassesse de ceux qui sont pourtant chargés d'une mission essentielle mais qui semblent choisis *précisément* parce qu'ils n'ont pas qualité pour la remplir, je trouve je ne sais quoi de commun avec les incertitudes de K. l'arpenteur dans ses rapports avec les messagers qui sont ou se prétendent envoyés par le Château. Ce sont de petites gens, ceux-là, souvent ridicules, quelquefois vicieux, toujours incongrus, qui vivent au dernier échelon d'une bureaucratie invisible et paperassière et ne communiquent avec leurs supérieurs que difficilement, par des téléphones détraqués, etc., transmettant aux villageois — quand il y a quelque chose à transmettre — des informations obscures qu'ils ne comprennent pas eux-mêmes. L'enjeu de tout ce manège — en ce qui concerne l'arpenteur, du moins — semble d'une importance secondaire, en tout cas séculier : aura-t-il ou non l'autorisation de rester au village ? Cependant, l'insignifiant manège, non point en dépit de cette insignifiance mais à cause d'elle, prend peu à peu sous nos yeux une importance capitale : le Sacré, absent, inintelligible, réfracté à travers l'absurdité des bureaucrates, dévié et, si j'ose dire, laïcisé, apparaît comme l'unique sens admissible de cette bouffonnerie. Le drame sacré, pour Kafka, ne peut être représenté aux hommes que sous la forme d'une farce : sans aucun doute à cause de la misère humaine mais incontestablement aussi à cause de l'essence privative du Sacré et des difficultés peut-être insurmontables qui empêchent un message religieux d'atteindre ses destinataires humains en restant religieux; il en résulte pour K. qu'il est environné de signes qui — pour n'être ni tout à fait nature, ni surnature tout à fait — paraissent grotesques et souvent scandaleux et, d'une certaine manière, ne signifient rien au niveau de la connotation : seul le contraste entre ces indicateurs têtus et l'absence comique et sinistre de tout objet indiqué laisse entendre qu'une dénotation, peut-être, insaisissable ou impossible serait la seule explication valable de ces absurdes poteaux jalonnant le désert [1].

Dans ce domaine, Gustave n'a pas la rigueur de Kafka : il ne poursuit pas avec cette humilité têtue, inflexible, la contestation du Sacré — non en-soi mais dans ses pouvoirs de communication. Cependant, il a posé la question *radicalement* en exagérant passionnellement la faiblesse humaine des prêtres. Simplement, au moment où Kafka conclut à une crtaine impuissance du Sacré et, du coup, ressent mystiquement son propre délaissement comme sa culpabilité fondamentale et comme la détresse de Dieu et son incapacité d'atteindre les hommes, il tourne court et, en dernière analyse, revient à faire de nous les seuls coupables *immédiats*; la seule faute de Dieu, c'est de nous avoir créés tels que nous sommes ou tout simplement de nous avoir créés. Quand nous sortons de Ses mains, finis et contingents, nous ne pouvons *vivre* ce statut qu'en essayant de le dépasser : la contingence, prenant conscience d'elle-même comme pur non-sens originel, exige de n'être qu'une apparence et que, faute de fonder nous-mêmes notre existence, nous découvrions qu'un Grand Horloger nous a mis au monde parce que nous étions nécessaires au bon fonctionnement de son horloge; notre finitude, se saisissant comme détermination limitative, c'est-à-dire comme affectée dans son être d'un non-être profond, ne peut s'arracher à l'horreur de ce néant intime qu'en se dévouant féalement, fanatiquement à l'Être infini; en d'autres termes, nous n'échapperons au Néant *dans cette vie* qu'en nous faisant les moyens de Dieu. Ce dépassement de soi-même vers l'Être infini et nécessaire, Flaubert y voit le sens même de notre nature : il n'y a pas de différence entre la saisie horrifiée de notre inconsistance, de notre gratuité et cette trans-ascendance qui est un effort pour nous échapper, pour changer, rétrospectivement, la signification de notre naissance. Voilà l'*instinct religieux* : on voit que le fils du chirurgien

---

1. Pour Kafka, on pourrait dire que le Sacré, étant *cruellement* incommunicable, s'affirme comme tel à travers le détraquement de tout un système de communication.

liste ne peut s'empêcher de rationaliser son problème : la foi n'est rien d'autre que le besoin fondamental de toute créature qui vit son statut d'animal ; le rapport à soi, selon Gustave, ne pouvant se supporter sans dégoût comporte *en même temps* le dévoilement fade de la facticité et son refus *au nom de son contraire*. Mais, si tout paraît simple au niveau du *manque*, tout se complique dès qu'on veut connaître le Seigneur suprême qui justifie notre existence. Le fini peut saisir négativement l'infini mais simplement comme un certain éclairage de sa finitude : comment serait-il possible, en effet, de faire tenir l'un dans l'autre, fût-ce comme Gustave le *représente*, quand il joue ses « *autosacramentales* », comme privation infinie ? Et le triste produit d'un accouplement fortuit, d'où tirerait-il sa connaissance de la Nécessité absolue ? Celle-ci ne peut être que sentie à travers le dégoût qu'on a de soi dès la naissance. On aura déjà compris que ce dégoût — qui est l'instinct religieux lui-même, selon Flaubert — est un rapport intime directement lié à l'anomalie du cadet mal-aimé, de celui qui fut un nourrisson surprotégé et sevré de sourires ; de la même manière, l'ignorance proclamée de la Nécessité absolue se fonde sur l'idiosyncrasie de cet agent passif qui est *par passivité* réfractaire aux enchaînements logiques. Non point qu'il suffise d'être mathématicien pour avoir connaissance de la Nécessité telle qu'elle apparaîtrait dans l'entendement divin : au moins faudrait-il avoir le sens de ce que Milhaud nomme la *certitude logique* pour poser correctement la question et montrer au départ la dialectique intérieure, chez les agents *pratiques*, de la contingence qui est irréductible et de la nécessité qu'ils forgent sans cesse comme un indispensable outil pour produire des connaissances et les organiser en systèmes. Chez Gustave, il n'est pas question de cela et la Nécessité ne peut être que la vaine et *pathétique* insurrection de la contingence contre elle-même.

L'instinct religieux, selon Flaubert, excluant par principe la possibilité de connaître, se donne lui-même comme un *besoin de croire* mais ne peut définir les objets de sa foi. La conséquence sera que, faute de les déterminer par concepts, ou bien l'on demeurera dans l'inquiétude et le malaise sans même que ce besoin frustré soit une preuve que quelque chose existe quelque part qui puisse le combler ou bien on inventera l'objet divin. Les religions ne sont rien d'autre que des *imaginaires sociaux*. Mais — nous retrouvons ici la généralisation de la formule « Je suis trop petit pour moi » — l'imagination de l'infini par le fini ne peut rien donner d'autre que des fables enfantines et grossières. À ce niveau superstructurel, la malédiction d'Adam vient de ce que son pouvoir de former des images est sans commune mesure avec le besoin qui le sollicite. L'homme ne peut tenter d'apaiser sa soif en créant un fantasme qui puisse la satisfaire au moins symboliquement sans tomber immanquablement dans la niaiserie. Cela signifie qu'Adam, s'il cède à la tentation de croire à tout prix (comme ceux qui disent : « Il faut bien croire à quelque chose »), n'y parviendra qu'en s'abêtissant. Notre malheur, c'est que le besoin religieux nous arrache de cette terre mesquine et fanée et que les mythes qu'il engendre nous emprisonnent un peu plus dans le cachot dont nous voulions nous évader : c'est que l'imagination — à moins de fonctionner d'elle-même et sans autre but que soi — ne peut que nous donner des images singulières, humaines et terrestres : en essayant, guidée par l'instinct, de nous représenter la Surnature comme un *objet* de foi, elle mélange nature et surnaturel dans des mythes anthropomorphiques ; l'infini s'engloutit et se perd dans une pierre noire ou dans un vieillard à barbe blanche. Entre l'un et l'autre symbole, il n'y a pas de différence sensible. Pas plus qu'entre les rites fétichistes et les cérémonies catholiques. Dieu a créé l'homme de telle manière que celui-ci ne peut vivre sans Lui, mais ne croit qu'aux idoles et meurt privé de Sa lumière.

Pourtant, ces fables grotesques et éphémères — dans les trois versions de *Saint Antoine*, le Diable tente l'ermite par l'*histoire* des religions : elles sont toutes *mortelles* ; l'instinct religieux se fixe sur un objet barbare, on y croit pendant quelques siècles et puis le Dieu de bois ou d'or s'effondre et l'on en fabrique un autre — ont un aspect positif : la matérialisation du Tout-Puissant, dans la mesure même où elle est menteuse et puérile, permet à l'instinct de se transformer : il était malaise, lacune endurée, dégoût de la finitude, il devient foi. Flaubert s'est exprimé avec la plus grande clarté sur ce sujet. Et fréquemment. Jamais plus nettement, je crois, que dans sa première lettre à Mlle Leroyer de Chantepie : « L'hypothèse du néant absolu n'a... rien qui me terrifie. Je suis prêt à me jeter dans le grand trou noir avec placidité. Et cependant, ce qui m'attire pardessus tout, c'est la religion. Je veux dire toutes les religions, pas l'une plus que l'autre [1]. Chaque dogme en particulier m'est répul-

1. Il n'est pas tout à fait sincère ; il lui écrira une autre fois qu'il a ses préférences : d'abord « pour la foi catholique ». A cause du mythe du Christ, bien entendu : ce Dieu qui se fait homme pour souffrir, ne peut que plaire à cet homme qui souffre de n'être pas Dieu. Et puis, il faut bien qu'il l'avoue, le fétichisme met l'homme en contact avec le Sacré mais la dimension d'Infini lui fait défaut. On peut donc, en se plaçant à son point de vue, envisager la religion chrétienne comme un progrès de l'imagination reli-

sif mais je considère le sentiment qui les a inventés comme le plus naturel et le plus poétique de l'humanité... J'y découvre... nécessité et instinct ; aussi je respecte le nègre baisant son fétiche autant que le catholique aux pieds du Sacré-Cœur [1]. » Dans une autre lettre, il blâme les philosophes qui ont condamné le fanatisme religieux, déclarant que pour lui, au contraire, la tiédeur ou la tolérance n'ont pas de sens en religion et qu'un vrai croyant ne peut être que fanatique. On s'étonnera de cet éloge du fanatisme sous la plume d'un homme miné par la « croyance à Rien ». Mais Gustave est parfaitement logique avec lui-même : ce qu'il aimait dans le premier Empire, c'était le dévouement fanatique des grognards à Napoléon, cet « hommage » rigoureux, cet engagement sans réserve à prendre la vie d'autrui et à donner la leur pour peu que l'Empereur l'ordonnât ; la personnalité du chef n'était pas en question : ce qui comptait, c'était la féodalité reconquise, l'inférieur justifié par l'aliénation totale au supérieur quel qu'il fût. Dans la religion *constituée*, c'est aussi ce qu'il admire : il y a dévouement, aliénation parfaite, oubli de toute détermination négative : qu'elle soit amulette ou gri-gri, qu'elle soit la figure du Christ sur la croix, l'idole concentre sur sa grossière effigie tout l'amour dont le fidèle est capable. L'âme immense de Djalioh se concentre tout entière dans son amour sans bornes pour la jolie caillette que M. Paul va épouser. Affection profane sans doute. Mais ce qu'il entend montrer, dès quinze ans, c'est que la valeur du pôle choisi ne fait rien à l'affaire : de la même façon, dans l'amour sacré, il est bien vrai que la chose adorée n'est en réalité qu'un bout de bois ou qu'une pierre taillée mais qu'importe, si les circonstances font qu'elle attire sur soi comme une foudre tous les violents désirs du croyant, en un faisceau rassemblés ? On remarquera la prudence de Gustave : nombreux sont les chrétiens qui pensent aujourd'hui que l'amour dévot, à travers le fini, quel qu'il soit, vise et atteint, parfois à son insu, l'Infini ; on va jusqu'à conclure ou à laisser entendre, comme Mauriac dans *Le Fleuve de feu*, que l'amour charnel, à travers le corps de l'autre, s'adresse aveuglément à Dieu comme en témoigne, paraît-il, son perpétuel inassouvissement et ce désir, au cœur du désir, d'un au-delà de la possession. Gustave reste fort mesuré, lui : la chose sacrée mobilise toutes les forces de l'âme et celles-ci,

gieuse. À vrai dire, il pense tantôt que les religions se valent toutes et tantôt que le christianisme, sans échapper à l'imprescriptible loi de finitude, est plus proche de l'« âme moderne ».

1. 30 mars 57, t. IV, p. 170.

rassemblées, fondent sur elle pour s'emparer de l'Infini; mais s'il est vrai que le fanatisme vise l'Infini à travers l'idole, il est vrai aussi qu'il n'y atteint point. Tout au contraire; l'objet de culte crée la passion la plus folle parce qu'il concentre sur lui l'épars mais *précisément pour cela* il diminue son ampleur en rétrécissant son champ d'application. L'infini, pour Gustave, se laisse plus aisément entrevoir à ces vagues extases cosmiques où l'âme se dilate à l'extrême jusqu'à sombrer dans l'inconscience ou dans de « mélancoliques léthargies ». La preuve en est que Djalioh « aime d'abord Adèle comme la nature entière, d'une sympathie douce et universelle » et que « cet amour augmente *à mesure que sa tendresse pour les autres êtres diminue* ». En somme, la passion de l'infini devrait être infinie; en l'attirant tout entière sur lui, l'objet sacré l'affecte de finitude. Le fanatisme du musulman ne vient pas seulement de son amour pour Allah, mais de la violence têtue qui lui fait aimer *son* Dieu dans sa détermination négative, c'est-à-dire dans la misérable différence qui le sépare du Dieu des Juifs ou de celui des Chrétiens. La mobilisation de tous ses pouvoirs — y compris de la férocité qui tuera les chiens d'Incroyants et du courage qui lui permettra de supporter les supplices et la mort plutôt que d'abjurer — ne peut être effectuée que par le non-être du pseudo-infini, c'est-à-dire par ce différentiel qui, dans le système des dieux et de leurs oppositions, en fait un certain Infini parmi d'autres donc un Infini fini. La violence de la Foi étant inversement proportionnelle à l'ampleur de l'aperception religieuse, le résultat, selon Flaubert, c'est que le fanatisme, né du besoin d'infini, est une passion finie et exclusive pour la finitude d'un objet que des êtres finis lui présentent comme l'infini daignant apparaître au cœur du fini. Le fanatique est en vérité celui qui aime contre tout *un* Infini pour sa finitude. De ce point de vue, le monde est ainsi fait — par la faute de Dieu — que toute croyance est une déviation de l'instinct religieux. Gustave sait que la foi soulève des montagnes, il admire en elle cette force incroyable qui, jointe à l'oubli de soi, en fait tout ensemble la réalisation plénière et la destruction totale de la nature humaine, il n'admire rien tant que *l'homme religieux* à la condition qu'il se nomme Saint Polycarpe ou Torquemada plutôt que César Birotteau. Mais, dans le même temps, il démasque la ruse diabolique : nées du besoin de l'Infini, les religions sont des *particularités*; la foi ne peut naître que d'elles car il faut qu'elle s'attache à des dogmes précis mais du coup, pour l'instinct, ce sont des marécages où il s'envase et se perd. La Religion tue l'instinct religieux.

Cette astuce démoniaque, ce n'est pas le Démon qui en est responsable : c'est Dieu, qui nous a créés *finis*. Ceux qui ont pris conscience du traquenard, ils n'y tomberont plus désormais et ne laisseront plus particulariser leur besoin, fût-ce par un large théisme comme celui du Vicaire savoyard qui, à peine professé, se singularise à l'intérieur du système, comme une variante du Dogme qui nie les dogmes et, pour faire de l'universel sa spécialité, dissout en lui l'obscure puissance de rites mystérieux et parfaitement irrationnels qui sont peut-être, à notre insu, notre communication véritable avec le Sacré. Bref, puisque la foi dévie l'instinct, pour conserver l'appel dans sa pureté ils refuseront de croire sans ignorer pour autant qu'ils se privent ainsi de tout accomplissement. C'est ce que Gustave, dans la même lettre, explique à sa correspondante : Mlle de Chantepie souffrait alors d'une étrange névrose : catholique, elle tenait la confession pour obligatoire — à juste titre — mais ne pouvait se confesser qu'elle ne se croie « chargée de toutes les fautes de l'humanité » ; dans le confessionnal il lui venait à la pensée « les fautes les plus impensables, les plus étranges, les plus ridicules ». Elle n'y croyait pas d'abord, puis finissait par s'en croire coupable. Elle ajoutait : « ... ne pouvant plus remplir un devoir qui me devient impossible, je suis un être perdu, sans Dieu, sans espoir... ». Flaubert lui répond : « Voici ce que j'ai pensé : il faut tâcher d'être plus catholique ou plus philosophe. Vous avez trop de lecture pour croire sincèrement. Ne vous récriez point ! Vous voudriez bien croire. Voilà tout. La maigre pitance que l'on sert aux autres ne peut vous rassasier, vous qui avez bu à des coupes trop larges et trop savoureuses. Les prêtres ne vous ont pas répondu et je le crois sans peine. La vie moderne les déborde, notre âme leur est un livre clos... Faites un effort suprême, un effort qui vous sauvera. C'est tout l'un ou tout l'autre qu'il faut prendre. Au nom du Christ, ne restez pas dans le sacrilège par peur de l'irréligion ! Au nom de la philosophie, ne vous dégradez point au nom de cette lâcheté qu'on appelle l'habitude. Jetez tout à la mer puisque le navire sombre. » On dirait d'abord que la réponse de Gustave ne s'applique pas trop bien au cas qui lui est soumis. Ce serait une erreur. En vérité il a reconnu en elle une nature pithiatique comme la sienne. Il sait fort bien lui décrire le malaise qui la tourmente comme une autosuggestion dont l'origine est évidemment sexuelle [1], qui commence par le désir d'*avoir péché* accompagné

---

1. Gustave ne le dit pas en propres termes, mais il le laisse entendre.

d'un « plaisir trouble et effrayant » et qui se satisfait oniriquement :
« le rêve du péché commence... il passe. Et puis l'hallucination vient,
et la conviction, la certitude et le remords — avec le besoin de crier :
"J'ai fait !" »

Mais il ne se borne pas à cette interprétation sexuelle : Mlle de
Chantepie est, certes, une vieille fille, probablement une vieille
vierge que des regrets troublants et pervers assaillent à son retour
d'âge ; c'est aussi une catholique et Gustave a compris que ces malaises névrotiques — toujours ressenties à l'église, dans le confes-
sional ou au moment d'y entrer — ont une autre fonction intentionnelle : celle de rendre impossible à la pauvre demoiselle
toute vie religieuse de stricte obédience. Si ce n'est pas Méphisto-
phélès qui lui souffle ces désirs incongrus pour lui interdire d'accéder à la Sainte Table, il faut que ce soit elle-même. Gustave — expert
en la matière, nous le verrons — juge qu'elle a perdu la foi, n'ose
se l'avouer et que les parties basses de l'âme, croyant bien faire,
tentent de l'écarter des sacrements en laissant filtrer quelques-uns
de ses affreux désirs, aide scandaleuse et incongrue qui la terrifie
sans lui donner le courage de rompre avec l'habitude catholique.
Gustave a-t-il compris l'intention fondamentale de cette névrose ?
Je n'en sais rien. Ce qui est sûr, c'est qu'il juge le moment oppor-
tun pour l'opération chirurgicale ; cette femme *voudrait* croire mais
ne le *veut* pas : il faut donc l'opérer de la foi. Gustave fait son intervention avec délicatesse ; il ne dit point : ne croyez plus mais : soyez
catholique entièrement, aveuglément ou soyez tout à fait philosophe.

Tout cela est bel et bon. Le diagnostic est plus que plausible,
le traitement valable ; reste que Flaubert, en décrivant le régime à
suivre, ne fait que conseiller le sien. Autrement dit, il *parle de soi*.
C'est lui qui a bu dans des coupes trop larges et trop savoureuses
pour que la maigre pitance de l'ordinaire puisse le rassasier : cela
signifie qu'il méprise les fables vulgaires qu'on sert au boutiquier.
Par quelle raison ? Il le dit tout net, presque naïvement : il a trop
de lecture pour croire sincèrement. La foi, c'est donc pour les analphabètes ? Disons que chez eux seuls — ou presque — elle peut être
fanatisme, ferveur, émerveillement ; le Dieu qu'on leur montre, ils
n'ont pas les moyens de le comparer aux autres ni de faire de leur
religion une certaine version occidentale du monothéisme : faute
de voir le néant qui ronge les mythes et les cérémonies, ils se jettent dans la foi, s'y aliènent, les y voilà coincés, confirmés à leur
insu dans leur indécrottable finitude. Gustave, lui, s'il ne croit pas,

ce n'est pas seulement que la religion catholique apparaît à son érudition comme une confession singulière, localisée dans l'espace et dans le temps et dont la signification présente est fonction d'une longue histoire, c'est aussi qu'il a bu du vin plus fort : par quoi il faut entendre que certains poèmes et même que certaines proses ont donné un aliment plus substantiel à son instinct religieux. Même lorsqu'il n'y était pas question de Dieu ? *Surtout* quand on ne parlait pas de Lui. Aucun dogme, alors, ne rétrécissait Son Immensité ; le Sacré, innommable, innommé, luisait entre les mots, entre les lignes, dans le grand silence qui se refermait sur l'œuvre, la dernière page tournée. Au paragraphe précédent, d'ailleurs, il avait déclaré : « C'est une grande volupté que d'apprendre, que de s'assimiler le Vrai par l'intermédiaire du Beau. L'*état idéal* résultant de cette joie me semble être une espèce de sainteté qui est peut-être plus haute que l'autre, parce qu'elle est plus désintéressée. » La plus haute sainteté, celle qu'ambitionne Flaubert, ne peut naître que chez celui qui renonce à la foi pour conserver l'instinct religieux et qui nourrit celui-ci — sans l'altérer — par cette rayonnante et insaisissable Vérité qui éblouit sans déterminer quand elle filtre à travers la Beauté. Le Beau sans doute est forme donc détermination particulière ; mais il n'est pas la figure du Vrai : celui-ci n'est que pressenti à travers lui comme une infinie présence. Il n'est point *donné* — comme les prêtres prétendent le donner à travers une relique — mais l'objet en témoigne. Ce témoignage est-il une *preuve* ? Non. Il manifeste seulement que la trans-ascendance est possible, que l'homme peut s'aliéner à l'œuvre — qui le dépasse —, que l'*exigence esthétique* est objective et s'adresse au lecteur comme à l'artiste pour lui demander l'oubli de sa finitude. A ce niveau, nous retrouvons l'anticléricalisme de Gustave. Mieux fondé, cette fois : les prêtres ne sont pas condamnés pour leur bassesse et leurs vices ; simplement le mythe chrétien a fait son temps. Ceux qui le conservent sont débordés par la vie moderne, l'âme de Gustave leur est un livre clos, précisément parce qu'il renonce à la Foi — dont l'objet quel qu'il soit est fini puisque c'est le produit de notre finitude — pour conserver dans leur pureté le malaise et l'insatisfaction en tant que privation consciente — et finie, malheureusement : Gustave à présent sait bien que la privation de l'Infini n'est autre que la détermination finie de l'Infini, infiniment nécessaire. Lorsqu'il enjoint à sa correspondante de choisir entre le Christ et la philosophie — c'est-à-dire, prétend-il, entre la Foi et l'Incroyance —, n'entendons pas que la philosophie représente à ses yeux le libertinage ou

l'athéisme du XVIIIe siècle : celui-là, au contraire, il le condamne
à plusieurs reprises. Non ; philosophie équivaut ici à « prise de
conscience » : Gustave renonce à croire parce qu'il a compris sa
contradiction : particule finie, il est, par sa propre existence, négation de sa propre négation donc référence à l'Infini ; mais tous
les produits de la finitude sont finis, y compris les religions qui
pourraient l'élever au-dessus de lui-même en faussant son instinct
religieux. Toutes les confessions sont tentations : il *voudrait croire*
parce que le fanatisme des fidèles le fascine. Mais ce fanatisme,
le plus haut degré de la passion humaine, le triomphe de l'aliénation, est, en même temps, une ruse du Créateur qui oblige la créature à choisir définitivement la finitude en croyant se donner à
l'Infini. Il refusera donc la Foi quelle qu'elle soit, c'est-à-dire toute
adhésion heureuse à quelque figuration humaine de la Divinité ;
il vivra dans le dénuement absolu : vide de Dieu, pour avoir trop
bien compris qu'il ne peut se remplir de Lui, il vivra douloureusement l'impossible Aliénation, laissant crier sa finitude vers un
inconcevable et nécessaire infini. Parce que c'est ainsi, il l'a compris ; parce que l'Être — si ce n'est pas déjà trop dire que le nommer ainsi — nous a créés tels que nous ne pouvons le trouver ni
cesser de le chercher, parce que la Créature ne peut vivre ni sans
Dieu ni avec Lui, il témoignera de l'homme par l'acceptation de
l'insatisfaction originelle, vivant douloureusement sa fausse acceptation du nihilisme auquel, tout simplement, rien ne l'empêche
de croire. Il témoignera de l'homme à la face de Dieu et *contre
Lui. À vous* surtout : pourquoi nous avoir ratés, Dieu de miséricorde ? Et, s'il était nécessaire que les produits de Votre Volonté
fussent « bornés dans leur nature » et que leur fonction leur échap-
pât, pourquoi nous avoir créés ? Pourquoi avoir décidé que quelque chose comme un Monde existât plutôt que Rien ? Il s'écrierait,
bien avant Valéry :

> *Soleil, soleil !... Faute éclatante*
> *Toi qui masques la mort, Soleil...*
> *Tu gardes le cœur de connaître*
> *Que l'Univers n'est qu'un défaut*
> *Dans la pureté du Non-Être.*

La Création est le péché de Dieu ou Son erreur éclatante : s'Il
a cru faire l'homme à Son image, tant pis pour nous et pour Lui ;
les fragments du miroir sont microscopiques et ne peuvent refléter

l'immensité qui prétend s'y mirer. Si l'Être est souffrance, mieux valait le Néant.

Telle est la conclusion philosophique du jeune Flaubert : s'il en tire une autre, après 42, il ne la dit point. Mais on voit sans peine que le système énoncé s'est élargi et complété : dans le premier cercle, les prêtres détournent de croire ; dans le second, Gustave, seul damné, se fait privation infinie en refusant ce qui se refuse ; dans le troisième, le monde est l'Enfer et Dieu est seul coupable car Il ne pouvait produire les créatures sans, du même coup, les priver de Lui. Leur finitude les rend folles d'un insaisissable Infini.

*

Dieu existe, Ses ministres et mon père me détournent de Lui ; Dieu existe sauf pour moi ; Il se refuse à ma faiblesse, Il se refuse par malédiction et me rend infini par l'infinie privation qu'Il engendre ; cabotin, je joue mon refus de Lui et mon infinité négative ; Dieu existe mais Se refuse à Ses créatures ; les plus bornées, seules, ont l'illusion de Le posséder ; Dieu existe et m'a élu en me donnant le désespoir ; si je veux gagner, il faut que je pousse à l'extrême l'incrédulité et la désolation qui en résulte. Voilà le tourniquet dans son intégralité — il faut seulement préciser que la dernière position de Gustave est postérieure aux autres. Si j'ai marqué en détail tous les moments du carrousel, c'est pour faire entendre clairement comment nous vivons nos opinions : nous voyons en Gustave « ce que vous êtes tous, un certain homme qui vit, qui dort, qui mange... bien renfermé en lui-même et retrouvant en lui, partout où il se transporte, les mêmes ruines d'espérance sitôt abattues qu'élevées, la même poussière de choses broyées, les mêmes sentiers mille fois parcourus [1]... », et c'est une de ces espérances « sitôt abattues qu'élevées » mais se relevant sans cesse, c'est un de ces sentiers circulaires, mille fois parcourus et ramenant chaque fois — en apparence du moins — au point de départ que j'ai voulu décrire : le mouvement intérieur de Flaubert, passant et repassant dans les mêmes lieux sans cesse, *notre* mouvement à propos de Dieu, peut-être ou, pour les athées dont je suis, à propos de tout autre chose. La structure circulaire de la « rumination » est parfaitement claire : des repères fixes, des interprétations contradictoires qui passent l'une dans l'autre sans jamais se dépasser vers une synthèse. Les

1. *Novembre.*

points fixes, ici, j'en vois deux : Dieu existe, je ne peux pas croire ; on ne sortira jamais de cette pensée illogique et profonde : je ne peux pas croire au Dieu auquel je crois. Les interprétations tournent, s'opposent et souvent s'interpénètrent : bien que contradictoires, aucune d'elles n'est substantiellement distincte des autres puisqu'elles visent toutes à rendre compte d'un illogisme fixe et vécu. C'est ce que montrent clairement les notes prises à Jérusalem puisque Flaubert donne pêle-mêle les raisons de sa nostalgique incroyance — à eux, à moi, à Vous — qui, lorsqu'on les développe, renvoient à des conceptions incompatibles de la croyance religieuse. On aura remarqué, sans doute, qu'il donne deux interprétations contradictoires du fini dans sa relation avec l'infini puisque, dans l'une, celui-là intériorisant la privation de celui-ci peut être un infini négatif et que, dans l'autre, plus rigoureuse, la privation de l'infini produit précisément la finitude dans son délaissement radical et lui donne simplement un élan *fini* vers l'infini. De toute manière, quoi qu'il fasse, les deux idéologies de son temps resteront en lui acharnées en ce combat douteux que se livrent la Science et la Foi sous les yeux du pauvre Antoine. Ce ne sont point des idées mais des matrices d'idées, point des sentiments mais des schèmes affectifs : tout lui sera bon — doctrines contemporaines, inventions personnelles, accommodements venus de l'extérieur ou nés dans son intérieur, écrits hyperboliques, mythifiant la contradiction — pour vivre économiquement sa religiosité et le scientisme paternel, autrement dit le hiérarchisme féodal et le libéralisme bourgeois : de ces deux systèmes aucun n'a pris naissance en lui ; il les a intériorisés l'un après l'autre : ce qui lui appartient en propre ce sont les tentatives de compromis, vaines comme on s'en doute ; entre ces ennemis mortels il se fait médiateur indésirable. Les médiations, nous venons de les décrire : qu'elles se fassent dans la rage et le ressentiment ou dans l'humble désir de croire, elles échouent inévitablement et nous approcherons un peu plus du vécu concret si nous imaginons que sa double allégeance — refusée, certes, mais subie — est une détermination constante de son expérience intérieure, qu'on peut comparer soit à une sorte d'humus où vient s'imprimer tout ce qu'il perçoit et ressent, et qui donne à chaque « *Erlebnis* » sa saveur particulière, soit à un éclairage double et permanent de sa vie affective, soit, plutôt, à une structuration rigoureuse de son espace intérieur.

Espace à trois dimensions. Le Haut et le Bas, d'abord. « Espérances sitôt abattues qu'élevées ». Le sentier « mille fois parcouru », c'est un chemin de montagne. Il conduit aux cimes et, quand Gustave y atteint, le voilà qui tombe dans le vide et se retrouve au plus bas. Où ? Sous terre, comme Ohlmin, avec le monde entier qui pèse sur lui ? Tournoyant dans le vide, comme Smarh ? Ou, tout simplement, comme le Jules de la première *Éducation*, avant sa conversion à l'Art, victime de chutes de plus en plus profondes sans qu'on nous dise dans quel abîme elles le conduisent ? En vérité, ces déterminations de l'espace intérieur sont très générales. Ce qui est particulier, c'est l'usage qu'en fait Flaubert. D'abord, il les fait entrer dans la définition même des concepts dont il use. Je pourrai citer cent exemples. Le plus connu suffira : « L'ignoble est le sublime d'en bas. » L'ignominie, certes, doit se décrire à partir des sentiments, des attitudes et des conduites qu'elle inspire. Pourtant, elle ne serait pas suffisamment déterminée, selon lui, s'il ne la rapportait dans son essence à la verticale absolue et s'il ne lui donnait une orientation vectorielle ; la comparaison nous éclaire : d'une part le sublime est la cime la plus haute — ne parle-t-on pas de « point sublime » ? — et d'où l'on voit l'Univers entier ; d'autre part *il faut y atteindre*, ce qui suppose un *conatus* et peut-être une ascèse, de toute manière une intention fondamentale : les pics en eux-mêmes sont de pures attentes inertes ; ce qui est sublime, c'est l'homme qui s'y perche, s'arrachant d'un seul coup (ou au prix d'exercices pénibles et répétés) à la condition humaine. Ainsi, de l'ignominie : c'est le triste courage — admirable encore, cependant — de s'extirper de l'humain en plongeant dans l'ordure : l'ignoble est *orienté*, d'une certaine manière on y retrouve le même *conatus*, c'est-à-dire le même mépris de notre espèce et l'intention fondamentale de *n'être plus homme*. On étonnera donc en accélérant infiniment la chute, en se faisant scaphandrier ou spéléologue et l'on pourra, sous-homme déclaré, contempler le genre humain *d'en bas*, c'est-à-dire dans la vérité du ressentiment. Ce n'est pas tout : pour un fils Flaubert, l'ignominie demande du courage ; maudit par un père illustre, il est en proie aux autres, à tous les autres, à cette foule qui ne demande qu'à confirmer le Verdict : plonger dans l'ignoble, comme Marguerite dans la Seine, c'est les débouter en leur donnant *plus que raison*, on dépasse leur mépris par en dessous, en s'en rendant indigne. Ne serait-ce pas qu'en un point invisible — comme les parallèles se rejoignent à l'infini — la cime la plus élevée et le fond de l'abîme se rejoignent ? Gustave n'est pas loin de le penser. Il y a une circularité secrète du Haut et du Bas. Mais pour qu'il s'en persuade tout à fait il faudra la chute de 44. Ce qui est sûr, en tout cas, c'est que le choix orgueilleux de tomber dans la sous-humanité ne vient, selon Gustave, qu'*après* l'impossibilité reconnue de s'élever au-dessus des hommes. Nous aurons l'occasion d'y revenir longuement. Notons en tout cas qu'il conserve toutes ses sympathies aux plongeurs ignominieux, même s'ils sont autres que lui. Ce qui mérite son mépris, par contre, c'est la stabilité complaisante qu'on trouve aux derniers échelons de l'humanité : « J'appelle bourgeois tout ce qui pense bassement. » Le Bas, ici, n'est point cherché par désespoir : on y est — et d'ailleurs il y a plus bas encore : le bourgeois est homme et se donne les gants de mépriser les ignobles sublimes ; on s'y trouve à l'aise. L'ignoble est insatisfaction née de l'absence infinie du Maître ; le bourgeois est satisfait. Donc aveugle à l'immense échelle de la Création, qui l'écrase et dont le « point sublime » — malgré le banc qui s'y trouve pour permettre d'admirer le panorama — reste désert indéfiniment. Quand il est le Garçon ou qu'il fait, devant les Goncourt, les plus boutonnés de ses confrères, la danse de l'Idiot, Gustave *joue* l'ignoble. Mais nous verrons que cette comédie a une signification profonde. Peut-être, d'ailleurs, ne peut-il que *jouer* l'ignominie ; peut-être les bas-fonds abyssaux ne lui sont-ils pas plus accessibles que les sommets. Nous aurons à en décider plus tard.

Pour l'instant, rappelons-nous que la première œuvre conséquente du jeune maudit est *Le Voyage en enfer* et qu'il s'y peint comme un Colosse, méditant sur le monde du haut de l'Atlas. Le voyage auquel Satan le convie ne peut que l'en faire descendre : il volera, certes, mais bas pour voir l'homme au plus près. Dans son dernier ouvrage publié, les *Trois Contes*, Julien l'Hospitalier s'acharne sur lui-même et, sans tomber dans l'ignoble, recherche l'abjection physique. Quant il aura touché le fond — au point de partager sa couche avec un lépreux et de le réchauffer en collant son corps contre cette chair pourrie — Jésus l'emportera au Ciel. Entre ces deux extrêmes, nous trouvons très souvent des élévations qui sont des chutes renversées : c'est Satan qui emporte dans les espaces interstellaires Smarh et Antoine épouvantés ; en ce cas le sublime se transforme non certes en ignoble mais en horreur ou en désespoir : *il n'y a rien là-haut* que des ramas de molécules, le mécanisme a raison *donc* il n'y a ni haut ni bas. Rares sont les gens — Nietzsche en fait partie pour de tout autres raisons — qui attribuent tant d'importance à la verticalité. Encore faut-il noter que certains — comme l'auteur de *Zarathoustra* — cherchent à conformer les structures de l'espace objectif où ils vivent à celles

de leur espace intérieur : ce n'est point un hasard si Nietzsche eut
— ou crut avoir — son illumination fondamentale à *Sils-Maria*.
Mais Flaubert reste presque toute sa vie devant sa table ; au reste,
c'est un homme de la plaine, un Normand dont les déplacements
réels se font presque toujours au niveau de la mer — qu'il remonte
le cours du Nil ou cherche les traces de la Carthage punique ; une
fois dans sa vie, il a passé, pour sa santé, quelques jours en montagne, à Kaltbod-Rigi. Il s'y « ennuie à crever ». Incommodé par les
clients de l'hôtel — des Allemands : il les déteste depuis 70 —, il
dit sans chaleur : « Le paysage est très beau, certes, mais je ne me
sens pas en disposition pour l'admirer [1]. » Pourtant, cet homme
des basses terres, cet homme de cabinet, passe sa vie à monter et
à descendre, à s'envoler comme un aigle pour choir ensuite, la tête
la première, à se percher, à planer, à s'abîmer, il se fait tour à tour
taupe et gratte sous la terre à la recherche du « petit fait vrai »,
et conscience de survol tournant dans le vide autour de la terre ;
l'humiliation le jette bas mais, il le dit en toutes lettres, l'orgueil
le fait rebondir ; ou bien, courant après l'Art, le nez en l'air, il se
précipite dans un puits, comme l'Astronome de la fable. Ses œuvres
et sa correspondance contiennent un nombre incroyable de métaphores et d'images qui visent à réduire sa conduite, celle des autres
ou ses rapports avec ceux qui, d'après lui, se prétendent abusivement ses congénères, à des translations positives ou négatives le long
de la verticale absolue ou à des relations stables définies par la seule
verticalité : au-dessus, au-dessous.

Dans ce système de symboles, une chose finit par frapper ; les
deux termes absolus, le plus haut, le plus bas, même s'il ne parvient pas à les atteindre, ne sont point hors de Gustave mais en
lui : son espace personnel est clos. Celui du croyant se prolonge
au-dessus de sa tête, à l'infini, et au-dessous de lui jusqu'au dernier cercle de l'enfer : bref, la verticale l'empale et le traverse. Sur
un livre d'or, dans un hôtel bâti sur un des plus hauts sommets
de France, j'ai lu cette niaiserie significative, écrite et paraphée par
un couple catholique en voyage de noces : « Plus près de toi, mon
Dieu ! » On a de la répugnance à imaginer ces jeunes mariés et leurs
nuits : d'accord. Et d'autant plus, j'imagine, qu'on est soi-même
croyant. N'importe : cette bourde marque clairement que la Foi
structurait ce que les *gestaltistes* appelaient leur « espace hodologique ». Dieu est *en haut*, par-delà les étoiles, l'âme, après la mort,

---

1. À la princesse Mathilde, juillet 74, t. VII, p. 166.

montera vers Lui. En attendant, le corps se rapproche du Ciel en gravissant les monts. Voici l'étendue structurée : un terme absolu est perpétuellement visé ne fût-ce que par la station debout qui devient élan, la calotte crânienne se pousse vers Dieu. Il est aussi, parmi les athées, des gens qui — par orgueil ou pour toute autre raison — se sentent écrasés par ce qui surplombe : la verticalité se structure en *chute*, en éboulis ; ils n'ont de cesse que d'être au plus haut. Cet aménagement symbolique de l'espace, ces lignes de force qui, selon nos options enfantines, le sillonnent et nous reflètent notre *imago* [1], Flaubert ne s'en soucie pas : pour lui, l'étendue extérieure n'est que l'inerte lieu de notre résidence. Nous avons vu, pourtant, qu'il se définit à ses propres yeux par la trans-ascendance. Mais celle-ci, dirait-on, ne semble pas l'arracher à lui-même bien qu'elle soit par définition une pulsion vers l'Être suprême, un dépassement de soi par le Haut. C'est que le Créateur et le *pater familias* ont manqué l'un et l'autre à leur devoir. Si Dieu lui eût fait la faveur d'exister et son père celle de se laisser aimer, Flaubert les eût logés bien au-dessus de lui-même, au zénith. Mais puisqu'on lui a tout refusé, puisqu'on le verrouille dans sa classe sociale, il voit en elle la Bassesse, le séjour réservé à « tout ce qui pense bassement ». D'une certaine manière, il y est enraciné ; d'une autre manière, elle est en lui comme sa nature bourgeoise et nous verrons qu'il ne l'ignore pas. C'est la mesquinerie, c'est la petitesse, mais il faut bien l'avouer, c'est la réalité ; il se dit parfois : c'est *ma* réalité. De ce fait, nous dirons qu'il y a malgré tout une structuration de l'espace hodologique : *vers le Bas*. La chute *au-dessous de l'homme* vers la sous-humanité s'est inscrite dans ce corps en permanence. Cela va de soi : nous avons vu que sa constitution passive se traduit, en cas de contrariété, par une propension permanente à l'évanouissement. Or celui-ci n'est pas seulement, pour Gustave, la perte des sens, il est renoncement au statut d'être humain et adoption intentionnelle de celui de la chose : Garcia, évanoui, est balayé comme une ordure, *c'est* une ordure. Ainsi, comme chez Gustave la contrariété est continuellement renouvelée, la tentation d'échap-

---

1. Ces structurations sont particulièrement repérables lorsque, en pays montagneux, on interroge chacun sur la manière dont il *voit* le relief : de bas en haut ou de haut en bas ? Cette énorme masse de pierre et de terre, est-ce un éboulis (pour la *perception*, j'entends, non pour l'entendement) ou une monstrueuse *levée* ? Les sapins qui, à mi-hauteur, s'y accrochent, montent-ils à l'assaut ou descendent-ils vers la vallée ? Les réponses ont la valeur de tests projectifs. Et il arrive souvent — ce qui est également significatif — que la lecture ascendante et la lecture descendante coexistent et se brouillent, rendant à l'objet son ambiguïté naturelle.

per à la condition humaine par réification est inscrite en permanence dans son corps. Le désir de mourir, d'être un gisant de pierre, de transformer en lui la matière vivante en matière inanimée et celui d'échapper aux hommes en choisissant par ressentiment la sous-humanité sont un seul et même vertige, une attraction *sentie* de sa grande carcasse par le sol. Il s'agit bien d'une détermination intérieure mais celle-ci est vécue comme un rapport interne-externe avec l'étendue extérieure : la passivité, dans son impossible révolte, se vit comme chute toujours imminente et provisoirement différée. La station debout, saisie par le jeune couple catholique comme une glorieuse poussée vers le ciel, est vécue tout au contraire par Gustave comme une menace permanente de *tomber*. Il tombe d'ailleurs, il tombe sans cesse : il s'écrase, il *se laissera tomber* sur le divan de Croisset, cent fois par jour et nous verrons que le sens primordial de l'« attaque de nerfs » qui le terrasse en 44, c'est d'être une chute radicale et consentie au-dessous de l'humain. En un mot, le *sol* représente *pour son corps* une sollicitation perpétuelle de choir dans l'ignoble. Le caractère symbolique de cette attraction se manifeste curieusement en ceci que Gustave tombant, comme on dit, *sur le nez* se retrouve, dans ses rêves, étendu par miracle *sur le dos*. L'ignominie, pour lui, c'est la chute mais elle n'est pas vécue comme complaisance à l'ignoble : il ne regarde jamais cette terre crevassée où courent les insectes ; étendu, touchant le sol des épaules, les yeux tournés vers le ciel vide, sa damnation consiste à contempler, au-dessus de lui, la hiérarchie cosmique dont il est exclu. Il n'est pas inutile de remarquer qu'il peut, dans l'extase quiétiste, inverser les signes : rappelons-nous cette eau bénite, couchée dans son bénitier, qui reflète les hautes nervures du ciel. Disons simplement que, la plupart du temps, le signe est négatif : les yeux sont ouverts mais ne voient que le monde horrible des hommes, que le triomphe des méchants.

En un sens, donc, le Bas est une détermination de l'espace intérieur : dans cette étendue subjective, quand on est en bas, couché sur un lit d'ordures, on regarde vers le Haut. Mais c'est, d'autre part, un dépassement de soi vers un lieu extérieur, une certaine façon qu'a Gustave de sentir son corps, comme si, d'un instant à l'autre, il allait choir, cesser de vivre. Ceux qui ont lu le début de ce livre ne s'en étonneront pas : j'ai montré que, dès l'enfance, il se sent comme un soldat blessé, épuisé, que les autres entraînent et qui a la tentation permanente de les laisser continuer seuls leur route et de se coucher pour attendre l'ennemi. Au niveau de la superstructure, la chute devient plongeon : plutôt l'enfer que le libéralisme. Cela veut dire : plutôt blasphémer que ne pas croire. La raison par laquelle cette détermination intérieure se trouve en même temps un montage du corps (disposition à choir) et une structuration transcendante de l'environnement se trouve en premier lieu dans le fait que le plongeon dans l'Enfer — qui, en tant que tel, pourrait demeurer une détermination intérieure d'un agent pratique décidé à rejoindre, par révolte, les profondeurs abyssales de soi-même — ne peut se vivre, chez un agent passif, que sous la forme d'une abolition brusque du *tonus* musculaire. D'autant que Gustave n'assume jamais les responsabilités de ses changements d'état : ses parents l'ont ainsi constitué qu'il les attribue nécessairement à une force extérieure. Par cette raison, il vivra nécessairement ses velléités de chute comme un vertige résultant de la fascination qu'exerce sur lui une réalité étrangère, ou, si l'on préfère, de l'attraction terrestre en tant qu'elle est ressentie comme un appel du pire — et, en même temps, comme sa vérité de matière inerte et hantée par la vie. Il faut ajouter que, sur un autre plan, cette *posture* qui l'attire — s'étendre sur le dos, écrasé, réduit à l'impuissance — symbolise à ses yeux, sans qu'il puisse le déclarer explicitement, le retour à sa première enfance, au berceau, le vain appel aux fortes mains maternelles pour qu'elles recommencent à l'infini ce diligent travail qui devait faire un homme et qui l'a raté. Sur ce point nous aurons l'occasion de revenir ultérieurement. Notons seulement que ce désir, en soi, dépasse toutes les déterminations intérieures de Gustave, puisqu'il se rapporte à un temps écoulé, à un lieu disparu, à une posture réelle mais qui ne peut se reproduire. Enfin, dans le système symbolique que nous venons de décrire, le *Bas* se propose de lui-même à la perception : il est visible et tangible. Ainsi, la limite inférieure de l'espace subjectif se trouve être, chez Gustave, tout à la fois une détermination immanente du vécu et un lien symbolique avec le monde transcendant : nous verrons qu'il tombera, qu'il ne cessera plus de tomber après 44 ou de craindre la chute — au point de ne plus vouloir se déplacer qu'en voiture — et qu'il ne cessera de cultiver l'ignoble — au point d'effarer les Goncourt par ses propos — comme si son goût pour l'ordure — qui, bien entendu, masque un dégoût profond — représentait le désespoir du Diable et son acharnement à braver Dieu en Lui montrant les horreurs de Sa Création.

Il y a un Bas, on y peut choir : voilà pourquoi l'espace symbolique est sous-tendu par une structuration de l'espace environnant.

Il n'y a point de Haut. Ou bien, si l'on veut, il y en a un. Mais inacessible ; on peut faire le *geste* de grimper sur une colline, sur une montagne ; pour Gustave, ce ne sont que des taupinières ; il faudrait pouvoir s'élever au Ciel et nul acte n'est à la portée de l'homme, qui pourrait au moins symboliser cette ascension. Gustave parle volontiers d'*envol* ; dans ses nouvelles fantastiques, ses créatures déploient volontiers leurs ailes ; mais ce langage même le trahit : il prétend décrire un mouvement humain quand il ne fait, somme toute, que nous prêter les pouvoirs des oiseaux. Le Haut, donc, ne peut exister que comme détermination de l'espace intérieur : ce sera, s'il existe, la chance qu'a Flaubert de s'échapper à lui-même sans quitter sa peau. C'est l'espoir fou, l'illusion consciente d'elle-même, l'irréalité vécue du mouvement subjectif qui le porte vers des êtres qui seraient *en lui* supérieurs à lui-même et qui ne se manifestent pas. En d'autres termes, l'ascension verticale, d'abord impossible ferveur, deviendra à la longue le mouvement imaginaire par lequel Gustave s'irréalise vers des Irréels. En particulier vers cet Irréel qu'il est lui-même comme sujet de l'Orgueil. Mais, nous le verrons, l'irréalité, pour Flaubert, n'est pas l'absence de toute réalité, c'en est la contestation. De ce point de vue, un jour nouveau éclaire pour lui l'impossibilité radicale de saisir Dieu sinon comme le pôle X de l'Imagination, abstraitement visé au terme d'une déréalisation systématique et ascendante de soi-même : ne serait-ce pas un message dont le code s'est perdu ? Gustave ne décidera jamais explicitement si la place d'honneur dans cet Empyrée inférieur est réservée à un hôte absentéiste et rechigné mais qui existe ou si, en supposant qu'il n'existe pas, c'est à lui-même de se hausser jusqu'au trône et de s'y asseoir par la raison que le mouvement ascensionnel a, en soi, une valeur sacrée. Mais, en fait, aucune décision n'est requise et les deux hypothèses ne font qu'exprimer diversement une même chose : si Dieu existe, tout se passe pour Gustave comme s'Il n'était pas puisqu'Il ne viendra jamais occuper la place qui L'attend ; le mouvement de la Foi, toujours suivi d'une fabuleuse dégringolade et toujours recommencé est donc, aux yeux de l'invisible spectateur, un mérite du jeune Sisyphe puisque celui-ci, quoique désespéré, ne consent jamais à sa désespérance. Et si, malgré tout, le jeune homme se laisse aller à croire qu'Il n'existe pas, il faut que cet abandon soit contredit souterrainement par une invisible Foi sinon l'ascension, loin de lui paraître un mérite, ne vaudrait pas la peine qu'il la tente, fût-ce une fois. En d'autres termes, tantôt Gustave s'envole vers les régions supérieures de son âme, dans l'espoir d'y rencontrer enfin la ferveur et la foi tout en étant conscient qu'il n'y trouvera rien d'autre que soi, et tantôt, sous l'aiguillon de la honte, il se perche au sommet de cette âme déserte, pour s'y rencontrer lui-même dans son orgueilleuse vérité, c'est-à-dire tel qu'il devrait être. Dieu n'est pas même nommé : mais qui donc ferait de cet envol un mérite absolu, sinon celui qui a distingué pour toujours le feu pur des Hauteurs des grouillements obscurs d'En Bas ? La trans-ascendance de Gustave ne le fait point sortir de lui-même : elle ne se changera jamais en ce vrai dépassement vers le transcendant qu'est la Foi ; et, quand il l'utilise pour s'élever au-dessus d'un injurieux échec et des sarcasmes qui le rongent, il sait qu'il ne le peut faire qu'en s'arrachant à la réalité pour s'installer, prince imaginaire, sur son trône. Mais, bien que cette verticale intérieure, loin d'être une partie d'un vecteur infini, soit un infime segment de droite, brisé aux deux bouts et séparé de toute autre ligne, en bas comme en haut, par une *solution de continuité* ; bien que le mouvement ascensionnel — comme d'ailleurs son contraire, le plongeon — ne puisse conduire Gustave de l'apparence à l'être mais, partant du réel, le mène par une déréalisation progressive jusqu'à l'apparence pure, reste que cette petite échelle intérieure ne se donne jamais à Gustave comme relative à sa personne. Au contraire, elle a reçu le Haut et le Bas comme des déterminations absolues. Quelquefois, nous le savons, le jeune homme, au terme de son ascension, trouve le Diable qui, manifestement, est le Seigneur d'En Bas ; rien n'y fait : si le Malin est au ciel, c'est qu'il y est entré par ruse et qu'il en sera bientôt précipité ou alors, s'il s'y installe, c'est qu'il est Gustave lui-même ou, mieux encore, que c'est lui le Tout-Puissant. De toute manière, ce qui est en haut, Bien ou Mal, est adorable, c'est la Norme, le principe de toutes les valeurs. Ce qui est en bas, quelle qu'en soit la nature, c'est l'Ignoble, formidable vermine perdue et sauvée par son désespoir. À l'infini, il se peut que les deux termes se rejoignent : ici, maintenant, dans la conscience de Flaubert, une puissance invincible les distingue et les oppose mais, loin de les définir par cette opposition, donne à chacun une signification indépendante — comme si le Bas pouvait exister même si l'on abolissait le Haut —, étend la souveraineté de chacun à tout un secteur de l'Être. Tout se passe pour Flaubert comme si ce tronçon de verticale, déchu, tombé dans une tête humaine s'y tenait debout tout seul et quoique n'en pouvant sortir, continuait à désigner les deux directions cardinales de l'Être. Ou plutôt comme si le Créateur, de sa dextre toute-puissante, le tenait en équilibre, pointé rigidement vers le Ciel et vers l'Enfer. L'inflexibilité de cet indicateur double serait donc, pour Gustave, une preuve silencieuse de l'existence de Dieu. *À la condition de n'en parler jamais*, peu importe qu'il n'y ait personne sur les cimes : *il y a des cimes*, c'est tout ; aux antipodes comme à Rouen, elle sont *absolument* au-dessus des plaines et des vallées et le ciel est *absolument* au-dessus des Alpes et des Andes. Par cette raison, monter, descendre sont des activités sacrées ; et le Haut et le Bas sont pour Gustave, comme le yin et le yang pour l'ancienne Chine, des forces attractives et des principes de classification. Nous reviendrons à cela plus tard : notons simplement que l'âme de Gustave est en mouvement perpétuel et qu'il se porte sans cesse au-dessus de soi, dans le mépris stoïque et sacré du genre humain ou, dans la quête angoissée d'un principe, au-dessous de soi, pour punir son géniteur en se damnant par désespoir ou en tombant dans la sous-humanité. Donc il refuse d'être *soi* ? Eh oui ! C'est que le *soi*, pour le jeune homme, n'est point une « essence particulière et affirmative », c'est sa dimension en profondeur ou, si l'on préfère, son être de classe vécu comme un Destin. À ce niveau, une religion archaïque subsiste : la croyance au *Fatum*. Du Père Eternel, il doute sans cesse ; il n'a jamais douté de cette Divinité féroce et ricaneuse. Le pire est sûr parce que le *pater familias* a maudit son rejeton. Mais aussi — toute malédiction mise à part — parce que celui-ci est constitué de telle sorte que l'avenir ne peut être pour lui qu'un objet d'épouvante. Si l'on en doutait, cette lettre suffirait à convaincre. Il vient d'avoir dix-sept ans quand il l'écrit à Ernest Chevalier [1] :

« Que feras-tu ? Que comptes-tu devenir ? Te demandes-tu cela quelquefois ? Non : que t'importe ? Et tu fais bien. *L'avenir est ce qu'il y a de pire dans le présent.* Cette question : *Que seras-tu* ? jetée devant l'homme est un gouffre ouvert devant lui et qui s'avance toujours à mesure qu'il marche. Outre l'avenir métaphysique (dont je me fous parce que je ne puis croire que notre corps de boue... dont les instincts sont plus bas que ceux du pourceau... renferme quelque chose de pur et d'immatériel quand tout ce qui l'entoure est si impur et si ignoble), outre cet avenir-là, il y a encore l'avenir de la vie... *Je suis de ceux qui sont toujours dégoûtés le jour du lendemain, auxquels l'avenir se présente sans cesse...* Ce que le monde a de plus beau, modestement, je me l'étais donné d'avance.

---

1. À Ernest Chevalier, 24 février 1839. C'est moi qui souligne.

Mais tu n'auras comme les autres que de l'ennui pendant ta vie et une tombe après la mort, et la pourriture pour éternité... »

C'est que, pour un agent passif, l'avenir ne se présente jamais comme étant *à faire* mais *à subir*. Un jeune homme, s'il est actif, a tendance à s'exagérer ses pouvoirs ; sa vie ne sera rien d'autre que *son* entreprise. Il ignore que si, comme le dit Hegel, dans l'action le contingent se transforme en nécessaire et le nécessaire devient contingent, du coup l'entreprise elle-même dupera, en se réalisant, celui qui l'entreprend car ce qui semblait à celui-ci le plus nécessaire, ce qui devait être son objectivation fondamentale, devient à la longue l'origine toute contingente de la praxis commencée au lieu que certaines conditions qu'il tenait pour contingentes ou qu'il ignorait lui donneront peu à peu son visage méconnaissable de nécessité. Gustave, par contre, se juge sans pouvoir sur sa propre vie; elle lui adviendra nécessairement *autre* et sa nécessité transformera à chaque instant en simples contingences négligeables ou, mieux, comme occasion de se réaliser contre eux, en les détruisant ou en les ridiculisant, ses désirs les plus fondamentaux. Il faudra la vivre, pourtant, c'est-à-dire, fût-ce dans « la rage et l'impuissance », la faire sienne, se laisser définir par elle et s'écarter progressivement de ce qu'on souhaitait être pour mourir définitivement *autre*, traître à ses rêves, à ses ambitions, à ses serments de jeunesse et, qui pis est, les méprisant. En ce sens, c'est de lui-même qu'il a peur, de ce cloporte qui le dégoûte et qu'il va devenir. Cette abjecte métamorphose est sacrée dans la mesure où, pour Flaubert, ce n'est pas le hasard ni simplement le cours des choses qui le réaliseront — encore que celles-ci se feront les moyens dociles de sa transformation —, c'est la volonté souveraine du Père, farouche idole qui exige l'immolation de son fils cadet. À ce niveau, comme on voit, le *soi* de Gustave ne peut se donner ni se vivre comme un ensemble articulé et permanent de caractères distinctifs : ceux-ci, en effet, si tant est qu'ils existent (le désir de gloire en est un, en tout cas), ne sont là que pour être bafoués et remplacés par d'autres. C'est un processus interminable qui reste en grande partie futur, mais qu'il peut voir en entier grâce à cette certitude sacrée qui lui ouvre sa vie à chaque instant jusqu'à son dernier instant : « Je ferai mon droit, je me ferai recevoir et puis j'irai, pour finir dignement, vivre dans une petite ville de province comme Yvetot ou Dieppe avec une place de substitut ou procureur du roi. Pauvre fou qui avait rêvé la gloire [1]. » Il n'y a pas de

---

1. À Ernest Chevalier, 24 février 1839.

contradiction *logique* dans l'idée qu'un procureur du roi puisse faire un bon livre. La contradiction existe pourtant. Disons qu'elle n'est point dans la forme mais dans le contenu de ces deux idées : accusateur public, chef-d'œuvre. C'est ce que Gustave veut dire : l'œuvre qu'il veut présentement écrire, il sait qu'il ne l'écrira pas. Non que le métier d'un substitut soit tellement absorbant ni que le talent — il n'en sait rien, il n'en saura jamais rien — lui fasse nécessairement défaut. Il ne l'écrira point *parce qu'il sera devenu procureur du roi*, qu'il pensera, parlera, agira en procureur et que les procureurs méprisent les livres, vont parfois jusqu'à faire emprisonner ceux qui en ont écrit mais pour rien au monde n'en voudraient écrire, même s'ils se rappellent avec un sourire qu'ils ont, au temps de leur naïve jeunesse, rêvé d'être écrivains. Mort et transfiguration de Gustave : tel est l'événement sacré de cette religion sauvage : ce que je brûle, je l'adorerai ; ce que j'adore, je le brûlerai. Le *Soi* n'est pas : il devient le contraire de soi-même ; il faut épier chaque instant, se mettre à l'affût de l'avenir immédiat pour y surprendre l'insensible changement qui prépare l'Avenir lointain. Tout ce qui n'est pas encore est suspect, fût-ce le prochain tour de roue de la carriole : le cloporte futur pénètre le malheureux à chaque inspiration. Cet espionnage de soi est sûrement bénéfique pour un garçon qui ne s'aime déjà pas tant. Bref, le *Fatum*, le Soi, c'est la profondeur temporelle de Gustave, cette « chute horizontale » dont j'ai parlé plus haut. On remarquera que c'est, en outre, la réalisation de son *être de classe* : né dans les classes moyennes, d'un père exerçant une profession libérale, un enfant, envahi malgré lui par le libéralisme, se destine à son tour à une profession libérale. Et, d'une certaine manière, cette réalisation peut bien passer, *même objetivement*, pour un *Fatum* : l'homme est le fils de l'homme et son père, en l'engendrant dans la classe où il est né lui-même, le contraint, dès avant sa naissance, à se faire ce qu'il est.

Cette classe, Gustave la refuse — nous verrons pourquoi — mais l'époque est telle qu'on ne lui a pas donné le moyen d'y échapper. Il n'en est qu'un seul : le déclassement. Encore faut-il qu'il soit possible. Or, en 1830 achevait de mourir la réalité sociale qui aurait pu rendre effectives ses ascensions et même ses dégringolades : la Religion — telle, du moins, que Gustave l'a connue —, faute de s'être adaptée aux nouveaux messieurs, appartenait à un système dont on ignorait encore qu'il était définitivement périmé. Le petit Flaubert retrouvait en elle l'image d'un recrutement à demi ruiné, fascinant encore, dont ses parents lui disaient qu'il avait été rétabli depuis le retour des Bourbons. La bourgeoisie, lentement, obliquement ne progresse que vers elle-même : on y naît ou bien l'on y entre automatiquement, de quelque classe qu'on vienne, à la condition de remplir certaines conditions d'ordre essentiellement économique. Dans l'aristocratie, il fallait en principe être né. Il y avait des exceptions, il est vrai : mais sévèrement contrôlées. On n'y rencontrait pas d'intrus, on n'y vivait pas dans l'ignoble promiscuité bourgeoise : les plus hauts dignitaires de cette classe fortement hiérarchisée se penchaient quelquefois vers l'élite des basses classes et les recrutaient *par en haut* en désignant les meilleurs au chef suprême, au prince de droit divin qui, au nom de Dieu, les *anoblissait*. Le petit garçon, en vérité, n'était pas ennemi de ce recrutement, de cet appel d'en haut. Sa mère prétendait être *née* ; le docteur Flaubert laissait dire : ce rural mettait sa passion dans la libre pensée mais rien ne permet de croire qu'il fût républicain ; bien au contraire, il tenait de son père un vieux fonds de royalisme et, s'il avait quelque revendication politique — ce qui n'est rien moins que sûr —, c'était un abaissement du cens qui lui eût permis parfois de dire son mot dans une société monarchique. Il n'en fallait pas plus pour que l'enfant fût légitimiste. Nous en avons l'indication dans sa Correspondance.

Certes, il n'a jamais été tendre pour les Bourbons. Voici pourtant le meilleur souvenir de son enfance, tel qu'il le rappelle à Louise, mélancolique et fier : « Un jour que la duchesse de Berry passait à Rouen et qu'elle se promenait sur les quais, elle me remarqua, dans la foule, tenu dans les bras de mon père qui m'élevait pour que je puisse voir le cortège. Sa calèche allait au pas ; elle la fit arrêter et prit plaisir à me considérer et à me baiser. Mon pauvre père rentra bienheureux de ce triomphe. C'est bien le seul que je remporterai jamais. Je tressaille encore au mouvement de joie orgueilleuse qui a dû remuer ce grand et bon cœur éteint [1]. » Il y pense encore en 59 : dans l'autobiographie bouffonne qu'il donne à Feydeau pour se moquer du genre, il ne manque pas de rappeler : « La duchesse de Berry fit arrêter son carrosse pour me baiser (historique) [2]. » Il faut le reconnaître, tout, dans cet incident, est fait pour le rendre inoubliable : le père est là, d'abord, l'âge d'or n'a pas pris fin ; ce libertin — qui, comme on voit, ne détestait pas la monarchie — a pris soin de se placer sur le passage de l'Altesse

1. 4 octobre 1846, t. I, p. 355.
2. T. IV, p. 327.

et a emmené son fils cadet avec lui pour le faire participer à cette joie sacrée. Mieux : il l'élève à bout de bras vers cette jolie femme numineuse ; le bon Seigneur de Gustave l'enlève, le porte, passif, vers le Ciel et le petit garçon a la joie de sentir cette force virile pénétrer son corps engourdi. Et que fait-il le Géniteur, sinon le présenter à Dieu ou plutôt — car la future aventurière qui connaîtra les cachots de Louis-Philippe joue ici son rôle — à la Vierge Marie ? Présentation suivie d'élection. La duchesse de Berry se penche et distingue entre tous l'enfant qu'on lui offre : elle ordonne au cocher d'arrêter la voiture, elle prend le petit des mains paternelles, elle le tient dans les siennes ; représentante d'un pouvoir de droit divin, elle accepte l'hommage et le scelle de deux baisers sur les joues du vassal, accolade symbolique qui le consacre. Ce n'est pas tout : ce que l'enfant acquiert en un instant, c'est ce que son cœur a toujours souhaité, ce qu'il va bientôt perdre pour toujours : il devient la fierté de son père. Cette gloire qu'Achille-Cléophas lui permet de partager quand il entre, illustre, au trot de ses deux chevaux, dans un village en émoi, Gustave la lui rend tout entière en un instant d'éblouissement : c'est, dit-il, un triomphe. Voilà ce qu'il cherchera, vainement, après la Chute, à retrouver, voilà ce qui lui fera souhaiter très tôt la gloire : qu'un nouveau triomphe suscite chez son père « un mouvement de joie orgueilleuse » et l'enfant maudit aura regagné ce qu'il a perdu. Mais Gustave écrit longtemps après la Chute et il ajoute aussitôt que c'est le seul triomphe qu'il remportera jamais. Fausse modestie ? Non ; bien sûr, devant Louise, il ne peut s'empêcher de poser et, pour des raisons évidentes, il a choisi, ce soir-là, de jouer les grands funestes, mais il ne fait qu'*utiliser* sa conviction profonde : le pire est sûr, ce qui marque combien ce premier triomphe a compté à ses yeux. À l'époque, Gustave, ébloui, sentit son élévation comme un contact avec le surnaturel mais ne s'en étonna pas : c'était l'âge d'or, son père l'aimait et cet amour qui l'arrachait à la contingence naturelle, c'était la vraie surnature, le miracle permanent qui rendait possibles tous les miracles. Plus tard, il est revenu, après la chute, sur cet épisode, il y a repensé *dans l'amertume*, il l'a évoqué par ressentiment, par désespoir : la Chute lui semblait justement l'événement capital qui ne pouvait s'effacer que par le retour de ce triomphe et qui rendait celui-ci définitivement impossible. Cette impossibilité tient tout ensemble à l'« *anomalie* » et à la disparition des deux conditions indispensables aux manifestations de la surnature : la Sainte Monarchie et le pouvoir sacré du Géniteur se reflétant l'une l'autre, le

Roi de droit divin confirmant en la personne de son fils la toute-puissance divine du *pater familias*.

Ce qui paraîtra plus convaincant encore, c'est que Gustave évoque ce souvenir pour faire comprendre à Louise une phrase qu'il écrivait à Eulalie Foucaud [1] : « Tu t'en demanderas le sens, dit-il à sa maîtresse ; c'est quand je dis que je suis enlaidi. » Il ajoute : « C'était il y a dix ans qu'il eût fallu me connaître. J'avais une distinction de figure que j'ai perdue ; mon nez était moins gros et mon front n'avait pas de rides. » Dix ans : en 1836, donc, à quinze ans [2]. Malgré sa muflerie délibérée, il a la politesse de ne pas écrire : c'était en 1840, qu'il m'eût fallu connaître, à Marseille, quand Eulalie m'a pris. Ce qui est sûr, c'est que la Dame Foucaud l'admirait sans réserve : eût-il eu, sans cela, la fausse précaution de l'avertir qu'il avait enlaidi ? Et la Muse ? Elle doit lui répéter cent fois par jour — quand elle le voit — qu'elle le trouve beau puisqu'il prend la peine — sadisme encore — de lui expliquer doucement, gentiment cette phrase dont elle ne peut manquer de « se demander le sens ». Quelques années plus tôt, au théâtre, comme, après l'entracte, il regagnait sa place accompagné de sa sœur Caroline, les spectateurs furent si frappés de leur splendide jeunesse qu'ils éclatèrent en applaudissements. Ce qui est remarquable, c'est que Gustave n'en a cure : ce plébiscite a je ne sais quoi de républicain qui l'écœure. Il se regarde souvent dans la glace, nous le savons : parfois avec un immense étonnement, d'autres fois en riant de pitié, très rarement avec satisfaction, jamais par narcissisme. Ce narcissisme pourtant, il l'imagine : que Gustave se soit irréalisé, parfois, en Mazza, qu'il se soit masturbé en la caressant sur sa propre peau, nous verrons que cela ne fait pas de doute. Mais, sans cette médiation par l'imaginaire, il semble qu'il ait eu peu de communication réelle avec son reflet ou sa propre personne : peut-être concevait-il quelque vanité froide quand, étudiant à Paris, il se savait plus beau que ses camarades ; mais ses problèmes étaient ailleurs. Et il eût cent fois préféré que son nez fût de travers et qu'un héritage lui permît de souper chez Tortoni. Il faut donc lire ces déclarations surprenantes en se rappelant que, pour Gustave, il n'y a d'autre temporalité après l'âge d'or, que celle de l'involution et de la déchéance : donc la bénédiction de la duchesse l'a préservé de l'enlaidissement naturel pendant plus de dix ans. A quinze ans, il

1. Dans une lettre qu'il a le sadisme de lui faire transmettre par la Muse.
2. L'âge où il a « perdu » son imagination.

avait conservé, intacts, les bienfaits de l'accolade. Et puis, à partir de 1836, la déchéance commence, la chair reprend le travail et se pourrit lentement. Serait-ce que l'hommage et l'anoblissement ont pris fin avec la déchéance des Bourbons ? Sans forcer les textes et surtout sans imaginer chez Flaubert une croyance articulée au miracle, on sera frappé par cette phrase, où il tente d'expliquer sa déchéance : « Il y a encore des moments où, quand je me regarde, je me semble bien ; mais il y en a beaucoup où je me fais l'effet d'un fameux bourgeois. Sais-tu que, dans mon enfance, les princesses arrêtaient leurs voitures pour me prendre dans leurs bras... ? » En fait, ce « triomphe » n'a eu lieu qu'une fois. Mais la généralisation est significative. La laideur, pour Gustave, c'est l'extériorisation de son être-de-classe : ce qu'il voit dans sa glace c'est que la bourgeoisie, en lui, gagne du terrain, s'installe dans son corps et que le lent vieillissement de celui-ci coïncide avec la victoire détestée de la vulgarité : nous retrouvons ici le *Fatum* sous son aspect physiologique ; c'est le substitut d'Yvetot qui s'annonce par ce grossissement du nez, par ces rides. Et, tout aussitôt, sursaut d'orgueil et de rage : « Sais-tu que les princesses... » Ce souvenir n'est pas suscité logiquement par l'explication que Gustave prétend donner à Louise : il a des rides, un gros nez, moins de distinction ; voilà qui suffit. Mais la pensée affective qui chemine sous l'écriture passe ingénument de *distinction* à *bourgeois* : il devient bourgeois parce qu'il n'est plus distingué. Et, du coup, l'idée royale se dresse au fond de sa mémoire. On n'est distingué que par un supérieur : je suis déchu mais dans mon enfance les *princesses royales* m'ont anobli. Cet enfant qui, dans les bras de son père, assistait religieusement au passage des saints carrosses de la royauté, n'a que dérision quelques années plus tard pour les badauds qui vont voir passer Louis-Philippe : « Que les hommes sont bêtes, que le peuple est borné ! Courir pour un roi... se donner du mal pour qui ? pour un roi !... Ah !!! que le monde est bête. Moi, je n'ai rien vu, ni revue, ni arrivée du roi, ni les princesses, ni les princes. Seulement j'ai sorti hier soir pour voir les illuminations, encore parce que l'on m'a vexé [1]. » Il n'a pas douze ans ; il y a trois ans que Louis-Philippe règne. A-t-il découvert la vanité du principe monarchique ? On le croirait puisqu'il se dira, pendant quelques mois, républicain. Mais nous savons qu'il conserve en lui religieusement un souvenir de fête : il n'y a pas si longtemps qu'il badaudait lui-même,

---

1. À Ernest, 11 septembre 33. *Correspondance*, t. I, p. 11.

en compagnie de son père, attendant l'arrivée de la duchesse de Berry. Et puis, décidément, non : il n'a pas la tripe républicaine. S'il veut la République, c'est avant tout par dépit : les bourgeois lui ont volé *son* Roi, celui qui, un soir, sur les quais de Rouen l'avait fait son vassal. Ils l'ont chassé, ils ont mis un roi bourgeois, un faux roi à sa place. Autant qu'ils aient le courage de déclarer ce qu'ils sont, de manifester la vulgarité de leur égalitarisme en proclamant la seconde République. Il boude la mascarade, il s'enferme. Ses parents qui, avant tout, sont gouvernementaux l'exhortent à sortir : le père Flaubert, sans doute, par quelque réflexion maligne, l'aura « vexé » — peut-être en mettant en doute la sincérité de sa nouvelle attitude. Si c'est le cas, le praticien-philosophe s'est trompé : le mépris que Gustave affiche pour le roi-citoyen cache ce qu'il faut bien appeler son légitimisme.

Nous le connaissons : il est à peine besoin de dire que ce légitimisme de frustration se vivra dans le ressentiment. Non seulement contre les bourgeois régicides mais aussi contre les Bourbons. La Noblesse a existé, fruste et brutale mais sanctifiée par son dévouement fanatique à la Maison royale : ses fautes et la bêtise des rois l'ont perdue : la bourgeoisie n'a pas gagné le pouvoir par ses mérites, mais par la déchéance progressive des aristocrates. Après 1830, les nobles boudent sur leurs terres ou s'embourgeoisent : ils n'ont même plus le droit de *distinguer* et de *coopter*. Au contraire le bourgeois qui règne, Gustave sait qu'il est prêt à créer des aristocrates par fournées. Mais ce droit qu'il s'est donné institutionnellement, il ne le tient pas de Dieu et, du coup, l'anoblissement n'est qu'une mascarade, le Mardi gras des boutiquiers.

Gustave regrette-t-il de n'être pas *né* ? Eût-il souhaité qu'une aristocratie qualifiée lui donnât des terres et un titre ? Il se peut qu'il y ait parfois rêvé : les jeunes bourgeois de son âge, ceux qui naquirent vingt ans plus tôt ou dix ans après n'y ont pas manqué : Hugo, par exemple, et Baudelaire ; hélas, même Mallarmé [1]. Mais Gustave, s'il s'amusa parfois, en secret, à se donner du « M. de Flaubert », n'y prit jamais grand plaisir. Son père est un Prince de la Science : en dépit du ressentiment, l'orgueil Flaubert, chez le cadet, lui vient du Géniteur et se retourne vers celui-ci et à travers lui vers cette famille de fortes têtes qui le méconnaît. L'épisode qu'il rapporte à Louise montre exactement ce qu'il eût souhaité d'une société légitimement hiérarchisée : que la faveur d'en haut l'*impose*

---

1. À quatorze ans, il est vrai, et par la faute de sa grand-mère.

à son père en consacrant les qualités hors de pair que celui-ci lui conteste par une élévation publique. Mais il ne tient pas, pour autant, à recevoir un titre : de fait il n'a de goût que pour les sociétés aristocratiques mais il méprise trop les aristocrates de son temps pour souhaiter devenir l'un d'eux. La consécration dont il rêve, ce serait un anoblissement marginal : quand la duchesse de Berry le tenait dans ses bras, elle le mettait d'un coup au-dessus de tous et l'arrachait à la bourgeoisie qui badaudait autour du carrosse, sans pour autant l'intégrer à la classe supérieure. Gustave n'en demande pas plus : qu'une forte poigne descendue du ciel l'enlève et le place au niveau le plus élevé, *à côté* des grands vassaux titrés mais en dehors d'eux. Nous le verrons plus tard, dès qu'il entendra parler d'eux, il jalousera follement Diderot et Voltaire qui interpellaient familièrement les monarques : supérieurs aux rois par leur intelligence bourgeoise, ils étaient supérieurs aux bourgeois pour avoir mérité la faveur des rois. Tout seuls. A part. Des aristocrates sans titre. Quoi de mieux ?

C'est ce type particulier de *surnature* que Gustave, après la Chute, contre la malédiction paternelle, contre la religion du *Fatum*, devait convoiter *d'abord*. Tout en se persuadant que l'accès lui en serait refusé. En d'autres termes, il y eut en lui quelque temps, dans la coexistence pacifique, un déisme sans trop de chaleur et l'aspiration passionnée à un Sacré sans Dieu, mieux : à la cérémonie de la sacralisation. La chute des Bourbons détruisit son rêve d'une surnature sociale : elle détermina chez lui — comme chez beaucoup de ses contemporains — ce mythe du ressentiment : l'Aristocratie introuvable. C'est alors que la Religion catholique lui offre ses fastueuses images et qu'il se sent convié à intérioriser l'impossible élévation objective : l'Église, grand corps hiérarchisé, est faite à l'image de la société séculière et sacrée dont il ressent amèrement la carence. Ce qu'il demande à présent, c'est la répétition, *dans l'ordre subjectif*, de son recrutement objectif par la duchesse de Berry. On l'a vu : il veut monter à Dieu ; cela signifie que les prêtres le porteront vers Lui, et que, penché par la portière de Son carrosse, Dieu lui tendra les mains et le *distinguera* par Sa Grâce.

Pour cette âme passive il fallait qu'une force ascensionnelle le pénétrât de l'extérieur et l'emportât vers Dieu ; c'est seulement alors que Celui-ci, penché du haut du Ciel, lui tendrait les bras : et que pouvait-elle être cette force semi-terrestre et céleste à demi sinon l'Église qu'il ne pouvait se retenir de condamner pour sa Bêtise ? N'est-ce point à elle encore qu'il aura recours, quand il demande aux Lieux saints de Jérusalem de susciter son enthousiasme : la ferveur devrait, pense-t-il alors, lui venir *du dehors*, de la contemplation même du tombeau de l'Homme-Dieu. « Je *leur* en veux, dit-il ensuite, de n'avoir pas été ému. » Certes, c'est leur faute : trop de haines, trop de disputes, ce sont les marchands du temple. Mais il oublie simplement que *ce sont eux* qui colportent et garantissent qu'un certain Christ, Dieu fait homme, fut enseveli dans ce trou. En ce sens, le reproche que Gustave fait à l'Église, c'est de n'être pas digne d'elle-même. S'il en est ainsi, il n'est pas de bras assez forts pour l'élever vers le Tout-Puissant. Qu'à cela ne tienne, Dieu fera lui-même le recrutement. Voici la note qu'il a jetée à seize ans sur son cahier : « Je voudrais bien être mystique; il doit y avoir de belles voluptés à croire au Paradis, à se noyer dans les flots d'encens, à s'anéantir au pied de la Croix, à se réfugier sur les ailes de la colombe, la première communion est quelque chose de naïf — ne nous moquons pas de ceux qui y pleurent — c'est une belle chose que l'autel couvert de fleurs qui embaument — c'est une belle vie que celle des saints, j'aurais voulu mourir martyr et, s'il y a un Dieu, un Dieu bon, un Dieu le père de Jésus, qu'il m'envoie sa grâce, son esprit, je le recevrai et je me prosternerai [1]. » Ce n'est plus seulement la foi qu'il réclame mais le mysticisme. Par deux raisons. D'abord, si l'Église, dégradée, avilie n'est plus en état de garantir les dogmes, comment conserver la foi sans que Dieu s'en fasse en personne la caution? Mais s'Il vient, plus n'est besoin de *croire* : Il est là; devant cette insoutenable évidence, la créature éclate et, perdant ses limites, se pâme en adoration : sans l'Église, pas de milieu : c'est la « croyance à Rien » ou l'extase.

Du coup — voici l'autre raison — l'âme visitée devient elle-même numineuse. Le dévot sans la grâce peut être méritant : il n'est pas consacré par son aride entêtement. Mais celui que Dieu a élu et pénétré, c'est un vase sacré et, s'en retirât-Il ensuite, Il l'a désigné pour toujours comme *Son* homme. Ce serait l'idéal : plus de prêtres; sur certains Ganymèdes, la grâce fond comme l'aigle de Jupiter, elle vient les chercher à ras de terre et les emporte, mignons divins, dans ses serres. La féodalité spirituelle a disparu mais, au plus profond de l'égalitarisme bourgeois, Gustave rêve encore d'un déclassement : un *acte royal* vient, d'en haut, l'arracher à son milieu. Gustave réclame le martyre parce que cette pénible épreuve, surmontée, lui permettra d'accéder à la chevalerie des Saints. Cette

---

1. *Souvenirs*, pp. 60-61.

élite *marginale* — comme celle des « philosophes » aristocrates sans
titre en marge de l'aristocratie titrée — est la plus proche de Dieu
bien que la majorité de ses membres n'aient point été recrutés parmi
les hauts dignitaires de l'Église et qu'Il leur ait même prescrit d'obéir
aveuglément aux prélats. Eh quoi, dira-t-on, l'Église existe encore?
Gustave ne l'a-t-il point abolie? Justement : les martyrs et les Saints
l'ont en un tournemain rétablie. En se donnant à eux, Dieu l'a rele-
vée de ses ruines. Elle est pourrie peut-être et radote un peu mais
puisqu'ils L'ont reçu en eux, il faut bien admettre que, dans
l'ensemble, elle dit vrai. Si Dieu daignait le visiter, l'unique vengeance que Gustave tirerait de ses ministres, ce serait de *témoigner*
en leur faveur. De fait, dans la note précitée, l'Église est passée
sous silence mais elle demeure présente : les flots d'encens où il souhaite se noyer, qui peut les répandre sinon les prêtres? Qui, sinon
eux, pourrait organiser dans toute la France l'innombrable cérémonie de la première communion où Flaubert a pleuré? Tel est le
nouveau tourniquet qui s'organise en lui : son rapport direct et solitaire avec Dieu — qui tire son origine du protestantisme spontané
des classes « libérales » — il ne peut le concevoir que dans le cadre
de la confession catholique et sa conception du Tout-Puissant est
elle-même hiérarchique. Si Dieu est *Tout*, il est en Soi un ordre
ascensionnel : « Oh! l'infini : l'infini : gouffre immense, spirale qui
monte des abîmes aux plus hautes régions de l'infini » écrira-t-il
dans les *Mémoires d'un fou*. Il ne faudrait pas prendre la répétition — sans nul doute involontaire — du mot « infini » pour une
redondance : il s'agit en fait d'une pensée « indisable ». L'Infini
se trouve aux plus hautes régions de l'Être; c'est un Dieu personnel et tout-puissant; mais ce Dieu est aussi l'ascension de la matière
infinie vers Lui-même puisque c'est sa force qui produit cette aspiration étagée vers Lui; Il est à la fois *en haut* de la pyramide féodale, comme calme attraction de Tout, et au plus bas comme
pulsion intime qui naît dans les sombres profondeurs abyssales. Il
est le Prince et la Spirale qui va des plus humbles vavasseurs aux
grands vassaux. Ce texte montre que, même quand Gustave semble donner dans le spinozisme, son panthéisme reste suspect : les
formes de la matière sont hiérarchisées [1].

Mais, pour en revenir à la note où le jeune homme nous apprend
son vœu d'être martyr et mystique, il faut remarquer qu'il s'y mon-

---

1. Il est vrai que certains historiens de la philosophie ont pu se demander si la substance spinoziste n'était pas *sujet*.

tre conscient de sa vacuité : Dieu se cache, il voudrait croire mais
ce souhait lui-même ne lui apparaît pas, en ce passage, comme un
signe de son élection. Rien de plus laïc : il est prêt à recevoir Dieu,
s'Il existe mais il doute encore. On le notera, d'ailleurs, cette incertitude ne porte pas tant sur l'existence du Tout-Puissant que sur
Sa Bonté. Il précise bien, en effet, pour qu'il n'y ait pas de malentendu : si le Dieu qui existe est bien le père de Jésus [1], qu'il me
fasse signe. Mais nous savons que le Créateur ou simplement l'administrateur de ce monde pourrait être, à ses yeux, le Grand Illusionniste, tout aussi bien. En ce cas la hiérarchie subsiste mais inversée.
Simplement Gustave demande à Satan, si c'est lui qui gère nos affaires, de bien vouloir rester chez lui : pas de visitation, s'il vous plaît.
Par le fait c'est le Malin qui va se manifester à Smarh, à saint
Antoine : la vieille croyance fataliste demeure ; le pire est sûr, ce
monde n'est autre que l'Enfer. Quelle bonne farce démoniaque si
l'âme la plus noble, celle qui s'ouvre à Dieu, suscitait *précisément
à cause de cela* l'apparition du Diable. De toute manière, Gustave
le sait, personne ne vient ni ne viendra. Cette invocation désespérée est jetée, d'ailleurs, au milieu d'autres regrets — plus laïques,
au moins en apparence. Le cadet mal aimé aurait voulu connaître
l'amour terrestre et charnel, l'immense attachement d'une femme
l'eût valorisé ; il a réclamé vainement le génie. Il n'est rien : « Je
ne compte même pas sur moi — je serai peut-être un être vil... Je
crois pourtant que j'aurais plus de vertu que les autres parce que
j'ai plus d'orgueil. » Il ajoute ironiquement : « Louez-moi donc. »
Car il s'est convaincu, nous le savons, que la vertu fondée sur
l'orgueil est, pas essence, infernale. Vers ce temps, il note, dans
son cahier, ces pensées, peut-être inspirées par un kantisme mal
compris : « Jamais l'homme ne connaîtra la Cause, car la Cause,
c'est Dieu — il ne connaît que des successions de Formes fantômes, Fantôme lui-même, il court au milieu d'eux, il veut les prendre, ils le fuient... il ne s'arrête que quand il tombe dans le vide

---

1. Il écrivait dans le même cahier quelques mois auparavant : « D'où vient que je veux
que Jésus-Christ ait existé et que j'en suis certain, c'est que je trouve le mystère de la
passion tout ce qu'il y a de plus beau au monde. » (*Souvenirs*, p. 49). La Passion, c'est
la générosité infinie du Seigneur, qui se fait homme pour sauver son vassal. Inversement
c'est le principe — entrevu par Gustave en cet instant et qui, plus tard, s'imposera en
sourdine — du « *qui perd gagne* » : cette mort ignominieuse et consentie, l'affreux échec
du prophète *sur terre* est, quelque part, dans les cieux, une mystérieuse victoire. Gustave
ne s'est jamais pris pour le Christ mais le schème chrétien va lui servir
bientôt à organiser sa névrose, à lui donner son sens profond et son orientation temporelle.

absolu, alors il se repose. » La Croyance à Rien et la Croyance à Dieu ne font qu'un, en ce texte : la Cause existe mais par définition ne peut produire que des effets et ceux-ci, par essence, ne peuvent remonter à elle : ainsi l'existence même de Dieu est la raison pour laquelle, vains fantômes, nous ne connaîtrons jamais que des fantômes avant de tomber dans le Néant absolu. Ce qui revient à dire : sans Église, le mysticisme n'est pas ou c'est la comédie voluptueuse mais sans signification qui se donne un Fantôme. Pourtant « je veux que le Christ ait existé, j'en suis certain ». Pas de Christ sans apôtres : « Tu es Pierre et sur cette pierre... » Pas de Christ sans Église. Eh bien oui : il y a eu, autrefois, dans les premiers temps du christianisme et, sans doute, jusqu'au Moyen Age une Sainte Église, expressément chargée d'assurer par voie hiérarchique les communications du village avec le Château. Mais elle a failli à sa tâche tout comme l'aristocratie séculière, en même temps et pour les mêmes raisons : depuis, les communications sont coupées. Le mysticisme est un leurre : il n'avait de sens que dans un univers religieux et gouverné par les papes : on accordait à certaines personnes un téléphone blanc pour parler directement avec le Châtelain. Mais, à la différence du piétisme bourgeois, ce privilège, loin de détruire la hiérarchie, la *supposait d'abord* : sans aucun doute l'Ordre se jugeait contesté et réagissait d'abord assez mal ; mais il comprenait vite que la présence directe de Dieu en certaines âmes d'élite ne pouvait que confirmer pour tous les autres la nécessité d'une intercession : on permettait exceptionnellement à quelques-uns de prendre un raccourci pendant que la masse des fidèles empruntait l'escalier monumental mais le terme de l'ascension était le même et ces privilégiés, montés plus vite et plus haut, en témoignaient à l'entière catholicité. Gustave rêvera toute sa vie de l'expérience mystique. Mais il a compris très tôt que celle-ci, loin de compenser la disparition de la Sainte Église, s'est abolie avec elle. Nous dirions aujourd'hui que, pour Gustave, la féodalité spirituelle, perdant son pouvoir charismatique, s'est changée en bureaucratie. Flaubert ne sortira pas de sa classe : en tout cas, pas de cette manière. Tout ce qu'il peut faire, c'est n'y jamais consentir, ne pas se résigner devant le fait accompli, attrister son cœur d'un inconsolable regret, se transformer, lui, bourgeois libéral, en martyr de l'impossible ascension.

Ce que déplore ce cœur féal, c'est la faillite de l'Ancien Régime. Un pape, représentant de Dieu sur terre, une Église ; un monarque de droit divin, sa Noblesse ; en dessous, la racaille, illuminée pourtant par la fidélité et par la foi des deux grands corps sacrés : la *sainteté* de ceux-ci leur vient en effet, à l'un comme à l'autre, de ce que, prêtres ou soldats, leurs membres institués, à chaque échelon, se caractérisent par leur fanatisme — oubli radical de soi, dévouement sans réserve à leurs supérieurs, au corps tout entier, au principe transcendant qui, résumé en une personne, fait leur unité. C'est en cette société-là que Gustave, sans quitter la roture, eût pu, par un beau martyre, ou par un chef-d'œuvre, échapper à la bourgeoisie, c'est en elle qu'un *triomphe* l'eût déclassé.

Par malheur, ce regret même est truqué. D'abord par le ressentiment : en un sens. Gustave le déteste, ce beau monde féodal ; il lui en veut férocement de n'exister plus. La plupart du temps on ne peut mesurer, dans ses lettres et ses propos, la force de sa nostalgie qu'à la violence de ses invectives contre le régime disparu ou contre ceux qui prétendent encore le représenter. Et puis dans le fait même que cette société n'ait pas tenu le coup, il trouve la preuve qu'elle n'était rien d'autre qu'un arrangement trop humain : si Dieu l'avait établie, comment aurait-Il permis sa déchéance ? S'Il l'avait soutenue par Son concours providentiel pendant plus d'un millénaire et contre l'humaine nature, peut-on imaginer qu'Il l'ait, un beau matin, laissée à elle-même ? Ainsi la nostalgie de Gustave se détruit de soi ; il ne peut porter le deuil que d'un beau mensonge : si j'avais vécu au siècle d'or du christianisme, au XIIIe siècle, j'aurais eu la tête ainsi faite que je n'aurais pas pu ne pas croire à ces fantasmagories naïves. Autrement dit : je suis né trop tard pour être la dupe heureuse du mensonge vital dont j'avais tant besoin. Que reste-t-il alors ? Une religion si bien inventée qu'elle a pu répondre pendant plusieurs siècles aux exigences de l'instinct religieux mais qui, à part cela, n'est qu'un tissu d'absurdités ni plus ni moins que le fétichisme. Les Dieux meurent : voilà ce que Gustave veut dire. Mais cette pensée même — qui, rationalisée, signifierait que les illusions religieuses n'ont qu'un temps et qu'une Foi remplace l'autre —, il faut prendre garde que Gustave lui donne souvent une portée *magique* : les Dieux meurent donc ils ont vécu ; ils n'étaient point tout à fait les inventions des hommes à moins que ces inventions n'aient pris, avant de se dessécher, je ne sais quelle virulence surnaturelle. Dans l'instant même que le jeune bourgeois dissout les religions dans l'Histoire, il confère à celle-ci une dimension sacrée. Comme si, pour lui, l'idéologie religieuse, au moment que l'idéologie libérale l'écrase, s'infiltrait en celle-ci, mine de rien, et l'ensorcelait. En ce sens, pour lui, l'Ancien Régime —

erreur triomphante et seul assouvissement *possible* de l'instinct religieux — n'a jamais été ni ne sera jamais et, cependant, ne cessera
jamais d'être en tant que système normatif, qui, inflexible et irréalisable, dénonce la petitesse de nos valeurs et de nos institutions
et, dans les sociétés féodales, démasque la bêtise et l'égoïsme des
aristocraties ; c'est le seul objectif valable que puisse se donner notre
espèce dans sa trans-ascendance ; mais c'est aussi celui qu'elle
n'atteint jamais ; en ce sens, il faut le concevoir comme la lumière
mystérieuse qui éclaire l'histoire et donne à ce ramassis de hasards
incongrus et de forfaits stupides le sens obscur et troublant d'un
formidable échec commencé avec la chute d'Adam et indéfiniment
recommencé depuis. Ne nous en étonnons pas : Gustave n'est pas
le premier et ne sera pas le dernier à considérer sa propre vie comme
un résumé de l'aventure humaine.

Adolescent, Gustave a déjà découvert la structure tridimension-
nelle de son espace intérieur. Élévations et chutes sont des déterminations répétitives de la verticale absolue, c'est-à-dire de ses
rapports avec l'Éternel ; la profondeur, par contre, est un mouvement irréversible vers cet autre absolu, la Mort, c'est l'orientation
vers le Pire. Ainsi, quelle que soit l'occasion, le vécu se déploie sur
un triple registre. Aliénation religieuse et primitive à la famille ou
Fatum ; aliénation rationnelle et laïque en apparence — en profondeur irrationnelle et sacrée — à l'idéologie du *pater familias* ; aliénation à la hiérarchie monarchique et théocratique qui se refuse
et pourtant l'asservit : trois systèmes, trois types d'interprétation
qui se proposent à la fois pour chaque expérience et, du coup, l'écar-
tèlent. Entendons bien : même si les grands thèmes religieux, éthi-
ques ou sociaux, ne sont pas en cause, même s'il s'agit de la
perception la plus banale, de la réflexion la plus simple, celles-ci
seront tendues à se rompre et tordues par ces forces divergentes ;
par cette raison, tout ce qu'il conçoit, tout ce qu'il ressent, tout
ce qu'il écrit nous apparaîtra toujours à triple fond ; il arrivera aussi
que ses propos ou ses réactions nous semblent forcés ou, comme
il dit, « efforcés » : la faute en est à l'extrême tension que subit une
aperception que pénètrent, à l'instant qu'elle naît, trois intentions
constitutives et divergentes. Pensons qu'un simple coup d'œil dans
une glace, quand il se rase, éveille, en même temps qu'une féroce
envie de rire, la Raison analytique sous sa forme primitive de superstition terrifiante : Gustave voit sa charogne. Mais simultanément
son ressentiment condamne, au nom de la Mort et du Néant, les
stupides coutumes bourgeoises : quelle folie que de raser son futur

cadavre. Ce qui n'empêche pas le jeune homme d'observer attentivement son image pour décider si son nez grossit, si la vulgarité bourgeoise est en train de vaincre la Grâce d'en haut, cette beauté qu'un baiser de princesse a fixée pour quelques années sur son visage. Comme on le voit, toutes les intentions fondamentales et divergentes le travaillent à la fois, y compris la satisfaction sans chaleur de ne pas se trouver si mal que ça et, la biffant d'un trait de rage, l'intention rancuneuse de tout porter au pire et de se faire horreur non seulement comme espèce mais dans sa contingence de créature sans Créateur.

J'ai parlé d'écartèlement : dans l'exemple choisi, en effet, chaque dimension-force apparaît comme un arbre qu'on a tiré vers le sol et qui se redresse avec fougue, arrachant de terre les piquets qui le retenaient. Mais, nous l'avons vu également, il n'est pas rare que ces mêmes lignes de force au lieu de s'écarter les unes des autres se vivent comme les structures d'un espace courbe — parfois même sphérique — déterminant l'aperception à se plier selon cette courbure : en ce cas, les termes extrêmes se rejoignent et la pléthore de significations, loin d'éclater dans un insoutenable arrachement, se débite en circuit fermé, les contradictions passent l'une dans l'autre : c'est l'égarement des tourniquets; en ces labyrinthes mouvants la violence fait place à la stupeur mais le malaise de Gustave n'est pas moins grand puisque le mouvement même de sa pensée l'entraîne d'une idée à son contraire sans qu'il puisse ni renier ni reconnaître la rigueur des transitions. Nous avons indiqué en passant un certain nombre des tourniquets où *Fatum*, Scientisme, Foi, Dieu, Néant, hiérarchie féodale et bourgeoisie égalitaire s'organisent en carrousels, obligeant le jeune homme, fourbu, à « tourner autour de sa pensée » comme il dit dans la première *Tentation*.

C. — LA « BÊTISE » DE GUSTAVE

> *Le sot n'a pas toujours l'air opprimé qui lui convient.*
>
> Marcel Jouhandeau.

La conclusion de ce combat, sans vainqueur ni vaincu, entre les deux idéologies, semblera à la fois surprenante et rigoureuse : Gustave *est bête*.

Sur un point, tous les intellectuels bourgeois du XIXe siècle sont d'accord : le bourgeois, c'est le philistin. Joseph Prudhomme, à partir de 1830 — date de la parution des *Scènes populaires* — hante leurs conversations et leurs correspondances; chez tous — chez Flaubert lui-même — il oscille entre l'universalité singulière du mythe et la précision abstraite du concept. Tantôt l'on dit : « Il parle comme Joseph Prudhomme » et tantôt : « C'est un Prudhomme. » Et chacun, bien entendu, met ce qu'il veut dans cette figure légendaire. Mais cette dénonciation de la sottise bourgeoise s'accompagne, chez les écrivains, constitués en corps plus ou moins organisés et qui se *reconnaissent* dans les salons littéraires, d'un agréable sentiment de supériorité. Qu'il s'agisse de jeunes nobles, de « bohèmes », ou de bourgeois idéalistes et tout à fait inconscients de leur classe, il leur paraît que leur ironie ou leurs déclamations vengeresses suffisent à prouver qu'ils ne sont pas de la même espèce que le sous-homme qu'ils stigmatisent. Leur indignation est tonique et ne manque pas d'une certaine alacrité. Bien sûr, la Bêtise a le monde pour elle, « son nom est légion » mais elle demeure, à leurs yeux, une privation, une absence; celui qui en est affligé, on le tient pour nuisible mais il nuit d'abord à lui-même. Pour Flaubert, et pour lui seul, la bêtise est une force positive et le sot devient un oppresseur. Cette abjecte plénitude triomphe, elle a *déjà* triomphé et l'artiste se tient sur la défensive. Mais la lutte est trop inégale : par rapport à cette présence opaque, universelle, c'est lui qui se sent une négation impuissante et crispée, un défaut d'être. Mais il faut regarder de plus près. Car Flaubert réunit sous le même nom deux Bêtises contradictoires dont l'une est la substance fondamentale et l'autre l'acide qui la ronge. Entre elles la lutte est continuelle et le match toujours nul. Une seule chose est sûre : sous l'un ou l'autre de ces aspects, la Bêtise triomphe toujours. C'est ce que suggère intentionnellement le spectacle hideux de l'abbé Bournisien et de M. Homais terrassés par le même sommeil et mêlant leurs ronflements au chevet d'une morte qu'ils n'ont su ni guérir ni sauver de l'enfer.

1. *De la Bêtise comme substance.*

À neuf ans, Flaubert l'a découverte sous deux faces complémentaires : la cérémonie et le langage. Car il écrit à Ernest le 31 décembre 1830 : « Tu as raison de dire que le jour de l'an est bête » et, à la fin de la même lettre : « Il y a une dame qui vient chez papa et qui nous contes toujours des bêtises, je les écrirait. »

a. LA CÉRÉMONIE

Le jour de l'An : cadeaux et compliments, visites, embrassements, vœux. Les enfants sont victimes et complices : ils ont revêtu leurs plus beaux vêtements, ils saluent et disent ce qui convient. Gustave *découvre* la bêtise de ces solennités. À vrai dire c'est Ernest — pourtant mieux intégré — qui a fait le premier la découverte. Gustave ne fait que *réaliser* la situation. Mais c'est pour toujours. Guidé par la remarque, peut-être étourdie, de son ami, il prend le recul infime que sa frustration, fêlure invisible, lui permet. Il faut noter, d'ailleurs, qu'il s'agit d'une prévision plus que d'une expérience, puisque la bêtise du 1er Janvier lui apparaît le 31 décembre. Mais c'est qu'il sait d'avance ce qui se passera le lendemain : quelque chose l'agace ou l'ennuie ; Achille sera présent, peut-être, et fera l'objet d'attentions particulières. Le fait est que Gustave, exilé au cœur de la cérémonie, s'arrache à l'immédiat, cesse de la prendre au sérieux, en découvre le caractère conventionnel. Ce n'est pas, pour autant, la dissoudre : loin de se résorber dans les individus, la relation objective s'alourdit, se charge de mystère. Elle est absurde puisqu'elle ne se fonde pas sur la croyance religieuse : Noël et la messe de minuit n'éveillaient certes pas cette méfiance méprisante chez l'enfant. Le Jour de l'An, fête laïque, apparaît à Gustave, déjà misanthrope, comme une suite de congratulations dépourvues de sens qui unissent pour quelques heures des gens qui ne s'aiment guère ou point. Pire encore, les sentiments y sont appris : on est dressé à s'aimer par-dessus la haine. Il y a une banalité affective qui masque un moment pour les sujets eux-mêmes la vraie couleur des sentiments. Flaubert ne l'oubliera pas : on a souvent montré que ses personnages reçoivent du dehors — et particulièrement de la littérature — des « abstraits émotionnels » qui prétendent anticiper sur les émotions réelles. Le *Dictionnaire* qu'il s'acharnera, pendant trente ans, à mettre au jour ne fait aucune différence entre les idées toutes faites, dont nous parlerons bientôt, et les sentiments reçus. Exemple : « *Baragouin.* Manière de parler aux *(sic)* étrangers. *Toujours rire* de l'étranger qui parle mal français. *Badigeon.* Dans les églises. Tonner contre. Cette *colère artistique* est extrêmement bien portée. » Dira-t-on que ce rire de commande est forcé ? que cette colère est jouée ? Nullement : ce sont des cérémonies affectives, on les célèbre de l'intérieur mais en surface. Et l'on y croit : c'est la bêtise sentimentale.

Mais, en même temps, gestes et sentiments appris constituent les rites de l'intégration : le 1ᵉʳ janvier, l'enfant sent que, s'il pouvait observer sérieusement la coutume, il participerait pour de bon à la réunion. La bêtise du cérémonial, il ne peut décider si c'est l'œil qui la lui découvre ou s'il existe en la découvrant. De toute manière Gustave n'est, à neuf ans, ni l'Ingénu, ni Micromégas : les visites du Jour de l'An, il les fait avec sa famille. La première lettre à Ernest date du 31 décembre et, la veille encore, il avait écrit à sa grand-mère, dans un mot sans doute dicté et corrigé [1] : « Je m'empresse de remplir mes devoirs en vous souhaitant une bonne année. » Il y a mieux : dans la lettre même qui dénonce la bêtise de cette éti-quette, il s'y plie de bon gré, spontanément : « Je te souhaite une bonne année de 1831, embrasse de tout ton cœur ta bonne famille pour moi. » Les vœux de bonne année prendraient-ils un sens quand ils s'adressent à de vrais amis ? L'enfant, bien entendu, n'en décide pas, ne voit pas la contradiction de sa conduite. C'est qu'il est plus qu'à moitié *suborné* par la coutume : seul un adolescent révolté pourrait prétendre à voir tel ou tel usage en toute objectivité, du dehors, et refuser de s'y conformer. Gustave hésite : il devine l'étrangeté de ces mœurs qui sont les siennes, faute de partager tout à fait les fins communes. On pourrait parler ici d'une objectivité diffuse, d'un alourdissement des conduites : les personnes devien-nent abstraites, inessentielles ; l'essentiel, c'est la comédie qu'elles jouent *en y croyant*. L'attitude collective absorbe les individus, les utilise et s'affirme dans son absurdité comme la réalité matérielle qui les supprime à son profit. Le ballet se pose pour soi ; il n'est plus réglé par personne ; c'est lui, au contraire, qui se donne comme règle. Il se fait ici une inversion complète de la relation classique : *mens agitat molem* ; c'est la matière qui agite l'esprit. Chaque année, en effet, la cérémonie émerge de la nuit des âges, toujours plus dense, plus épaisse, plus inerte, plus absurde et c'est elle, par la succession mécanique de ses rites, qui brasse la communauté des hommes vivants. Jusqu'à la fin de sa vie, Gustave a gardé la même opinion sur les attitudes collectives : jamais il n'imagine qu'elles puissent avoir d'autres fins que d'unir provisoirement des êtres dont l'essence est l'impénétrabilité, ni qu'elles puissent refléter un mou-vement défensif ou offensif de sa classe, des milieux dirigeants. En 1866, pour parler du chic, « cette religion moderne », il a les mêmes accents que dans sa lettre à Chevalier : « Opinions chic (ou chiques), être pour le catholicisme (sans en croire un mot), être pour l'escla-

---

1. Pas une faute d'orthographe.

vage, être pour la maison d'Autriche, porter le deuil de la reine
Amélie, admirer *Orphée aux Enfers*, s'occuper de comices agricoles, parler sport, se montrer froid, être idiot jusqu'à regretter les
traités de 1815. C'est tout ce qu'il y a de plus neuf ! [1] » Il ne s'agit
pas pour lui d'une propagande et d'une pratique réactionnaires qui
tentent de s'opposer à la montée des forces libérales : c'est un lot
de niaiseries éculées qui s'imposent à la nouvelle génération parce
qu'elles se sont imposées aux générations précédentes (« Tout ce
qu'il y a de plus neuf ! »); suscitées par un mouvement qui leur vient
des temps abolis, elles sont gouvernées en extériorité comme les
mobiles de la mécanique newtonienne. Ainsi la Bêtise est infinie
parce qu'elle vient toujours d'ailleurs — d'une autre époque, d'un
autre lieu; elle est inerte et opaque puisqu'elle s'impose par sa pesanteur et puisqu'il n'est pas possible d'en modifier les lois, elle est
chose, enfin, puisqu'elle possède l'impassibilité et l'impénétrabilité des faits de la Nature. Le mécanique se plaque sur le vivant,
la généralité supprime l'originalité de l'expérience singulière, la réaction préfabriquée se substitue à la praxis adaptée. C'est le règne
impersonnel du « On » : je rends visite à mon oncle, parce qu'*on*
rend visite aux oncles, à l'occasion du Jour de l'An. Mais, d'une
autre façon, c'est la *réification* propre à la société bourgeoise, vécue
dans la complicité et le refus par un bourgeois qui s'ignore : dans
la mesure, en effet, où certaines des cérémonies « distinguées » ont
perdu leur signification chrétienne et se révèlent comme de simples
conventions, dans la mesure où la bourgeoisie apparaît au jeune
Flaubert comme incapable d'inventer son sacré et d'instaurer des
relations vraiment humaines, elle ne fait que dénoncer son entreprise d'atomisation par la manière même dont elle tente de lutter
contre elle en surface ou, tout au moins, de la masquer.

Si la Bêtise est chose, les choses peuvent être bêtes : Gustave détestera tous les vêtements, tous les outils qui visent en sa personne
un usage *quelconque* : on connaît ses tirades contre les bottes, le
chemin de fer, les « omnibus ». « Quoi de plus triste qu'une chambre d'hôtel avec ses meubles jadis neufs, usés par tout le monde ? »
Ici la matière s'affirme et dénonce les clients comme interchangeables, inessentiels. « C'est l'art seul... qui vous fournit tous vos charmes... On est amoureux de la robe et non de la femme, de la bottine
et non du pied et si vous ne possédiez pas la soie, la dentelle et le
velours, le patchouli et le chevreau, des pierres qui brillent et des

1. À George Sand, 29 septembre 1866.

couleurs pour vous peindre, les sauvages même ne voudraient pas de vous, puisqu'ils ont des épouses tatouées... D'ailleurs le vêtement, étant le signe manifeste de la chasteté, fait partie de la vertu et est une vertu lui-même... Donc plus le costume sera costumant, c'est-à-dire antinaturel, incommode et laid, plus il sera beau... et distingué, surtout ! [1] » Voilà donc la femme réduite à ses apprêts. Du coup la jupe, le corsage, les gants ou le fard sont à eux seuls toute la femme.

Inversement, Gustave contemplera dans la stupeur tout objet matériel qui dans son esprit singulier reflète la matérialité de son propriétaire. On sait l'importance qu'ont eue, pour Flaubert, les « petites pantoufles brunes » de Louise Colet (« en [les] regardant, je songe aux mouvements de ton pied quand il les remplissait et qu'elles en étaient chaudes ») ou, après la mort de sa mère, les vêtements qu'elle portait. Mais il faut surtout se rappeler la casquette de « Charbovary » qui manifeste la stupidité de son propriétaire au point de n'être, en vérité, que Charles lui-même, métamorphosé en casquette. Le double mouvement qui fait de la coquette une chose et qui élève un couvre-chef usé à la dignité humaine, on peut le considérer ici comme un certain aspect de ce que j'ai appelé le pratico-inerte : en ce secteur, les hommes absorbés par la matérialité et les choses, ensorcelées par l'action qui les scelle, sont interchangeables ; l'inerte unité du *sceau*, qui s'impose du dehors aux personnes, s'identifie à l'unification active de la matière ouvrée, qui se dégrade par son triomphe même et ne subsiste que par inertie. Encore le pratico-inerte est-il un genre dont la bêtise, telle que la conçoit Flaubert, n'est qu'une espèce. De fait, il ne s'agit pas ici des avatars de la production mais de ceux de l'usage : dans le mouvement complexe de l'appropriation et de la jouissance et dans les cérémonies qui l'accompagnent, la chose inanimée et la personne humaine échangent perpétuellement leurs fonctions et leurs statuts sans que jamais celle-ci ait produit celle-là.

Chacun a sa façon de s'incorporer l'inertie objective. Chez l'abbé Bournisien, les principes du catholicisme ont pris la lourdeur et la massivité du plomb, ils ont coulé bas. Sa foi stupide et béate s'est ravalée jusqu'au niveau de ses besoins matériels : alors qu'elle devrait nier le corps, elle est devenue corporelle. L'intransigeance

---

1. *Le Château des Cœurs*. Théâtre. Éd. Conard, pp. 242-243. Nous verrons quand nous étudierons la sexualité de Flaubert que cette réduction à la matérialité a pour cause *et pour effet* le fétichisme sexuel et qu'elle révèle aussi des intentions sadomasochistes.

sectaire du prêtre est son gagne-pain et ne se distingue plus de ses gros appétits charnels. Par contre, les femmes « distinguées » se changeront en mécanismes légers. Dans *Le Château des Cœurs*, la reine des fées explique par quelle opération diabolique les « Gnomes » ont mis en nous l'*extérieur* à la place de l'intériorité : « Les Gnomes dérobent (le cœur) des hommes pour s'en nourrir en mettant à la place je ne sais quel rouage mécanique de leur invention lequel imite parfaitement bien les mouvements de la nature... Et les pauvres humains se laissent faire sans répugnance. Quelques-uns même y trouvent du plaisir... Les hommes... s'abandonnent aux exigences de la nature. L'esprit des Gnomes (la matérialité) a passé dans la moelle de leurs os, il les enveloppe... et leur cache comme un brouillard la splendeur de la vérité, le soleil de l'idéal. » Poussant la métamorphose jusqu'au bout, la même pièce nous montre une jeune fille s'essayant à reproduire les gestes et les discours de deux robots pour pouvoir, « en quelque lieu qu(elle) se trouve, jacasser hardiment sur la nature, la littérature, les enfants aux têtes blondes, l'idéal, le turf et autres choses ». La scène reproduit le double mouvement précédemment indiqué : on donne un tour de clé, les mannequins s'animent, *se font hommes* et la jeune fille effrayée, fascinée, essaie de se faire mannequin. Mais la matérialité du couple de robots se réduit à la *spatialité*. Quand « le Monsieur et la Dame » se mettent à danser, le *geste reçu* s'empare du couple et l'unifie en le mécanisant : reste une forme spatiale animée d'un mouvement extérieur, la rotation d'un polyèdre : « Lui, menton levé et coude en l'air, elle, droite come un I et nez baissé : tous deux piquent leurs angles durs dans l'espace, une vraie figure de géométrie en belle humeur [1]. »

b. LE LANGAGE

De toute manière la Bêtise de première instance, c'est l'Idée devenue matière ou la matière singeant l'Idée : ceci nous conduit à l'envisager sous son autre aspect, le plus important peut-être. Car tantôt la Pensée se transforme d'elle-même en un système mécanique et tantôt l'Esprit est envahi par des mécanismes autonomes. Le Jour de l'An est bête, mais il y a aussi, chez les Flaubert, « une dame qui *dit* des bêtises ». Des bêtises : des phrases qui étaient en elle, qui sortent brusquement par sa bouche et dont la rigidité mécanique exclut toute relation vivante avec la situation, la vérité ou, tout

---

1. *Théâtre*. Éd. Conard, pp. 253-254.

simplement, les phrases qui précèdent. Il existe donc dans la conscience des systèmes inertes et isolés ? Tout à l'heure encore, la chose était *dehors* : c'était la casquette de Charles, le bréviaire de Bournisien, la robe et les gants de la coquette. À présent elles entrent en nous et pullulent dans nos têtes ; l'extériorité fait intrusion dans notre vie intérieure, provoquant l'éclatement de la pensée. Les *choses dans l'Esprit*, l'enfant les appellera des « bêtises » et l'homme des « idées reçues ». Ce qu'on nous donne à voir ici c'est le langage nu, cette matière sonore qui entre par l'oreille et s'établit dans le cerveau. À chaque instant, n'importe où, dans l'anonymat, on fabrique un système de paroles, il se transmet de bouche à oreille et, pour finir, il ne peut manquer de venir se déposer en moi. Le sens de chaque mot est l'inerte unité de sa matière, l'inerte assemblage des mots détermine une contamination passive de chaque sens par les autres, une pseudo-pensée se perpétue dans ma tête, dont l'apparente signification ne dissimule pas la profonde absurdité : car elle n'a d'autre fin que d'unir les hommes, que de les rassurer en leur permettant de faire le *geste de l'accord* ; et sur quoi donc ces êtres impénétrables et d'intérêts si divers pourraient-ils tomber d'accord sinon sur *rien* ? L'épaisse matérialité de la « bouchée intelligible » s'accompagne d'une absence, d'un néant qui n'est autre que la signification. Il y a plus grave : si l'idée reçue est une pseudo-pensée, elle produit en nous par elle-même une pseudo-conscience : ce que nous appelons réflexion n'est qu'un renvoi du langage à lui-même, un pli dans le système des mots. Les robots du *Château des Cœurs* présentent un faux-semblant de vie intérieure : cela signifie qu'on fabrique des idées reçues tout exprès pour le secret des âmes : elles sont toutes pareilles aux autres, d'ailleurs, à ceci près qu'elles résonnent dans la boîte crânienne au lieu de frapper l'air du dehors.

« — *Le Monsieur :*

« À vos ordres.

« *(A part.)* Une imagination !... Elle pétille !

« *(Haut.)* Mais, permettez, un conseil : pour vos placements, je m'en chargerai [1]. »

Comme on voit, le monologue intérieur du « Monsieur » charrie des platitudes ressassées qui trahissent son origine : seul un « bourgeois » peut dire ou *se* dire (c'est équivalent puisque l'extérieur est à l'intérieur) qu'une femme pétille d'imagination.

---

1. *Le Château des Cœurs*, p. 251.

Flaubert passera sa vie à ressasser les lieux communs que nous débitons aux autres ou à nous-mêmes. À la fin de sa vie, il écrira dans *Bouvard et Pécuchet* : « Des choses insignifiantes les attristaient : les réclames des journaux, le profil d'un bourgeois, une sotte réflexion entendue par hasard ; en songeant à ce qu'on dit dans leur village et qu'il y a jusqu'aux antipodes d'autres Coulon et d'autres Marescot, ils sentent peser sur eux toute la lourdeur de la terre. »

Plusieurs questions viennent à l'esprit sur-le-champ : d'où tire-t-il ce que M. Dumesnil appelle bonnement « sa surprenante aptitude à saisir (les) sottises » ? pourquoi leur donne-t-il la chasse aussi furieusement ? et par quelle raison la bêtise des autres lui est-elle devenue cet insupportable fardeau ?

Nous leur donnerons un commencement de réponse si nous renonçons à cet autre lieu commun : qu'il faut être intelligent pour repérer la bêtise. Je dis sur-le-champ : dans ces opérations, l'intelligence est inutile ; souvent elle gêne. Tout écrivain le sait : quand on corrige des épreuves, les fautes d'impression échappent si l'on considère le texte du point de vue du sens ou du style ; pour s'apercevoir qu'un mot a perdu une ou deux lettres ou qu'il en a une de trop, il faut se mettre au niveau même de la graphie, faire le vide en soi et laisser passivement les caractères d'imprimerie se former et disparaître sous nos yeux. En d'autres mots, pour découvrir un lieu commun il faut le subir et non le dépasser par l'utilisation qu'on en fait. Si Flaubert est écrasé par les idées toutes faites, c'est qu'il est conditionné de telle sorte qu'il saisit le langage à leur niveau.

Un exemple nous fera mieux comprendre son parti pris. Ouvrons son *Dictionnaire* : à l'article « Chemins de fer » nous lisons : « … s'extasier sur l'invention et dire : ''Moi, Monsieur, qui vous parle, j'étais ce matin à X ; je suis parti par le train de X ; là-bas, j'ai fait mes affaires et à X heures, j'étais revenu.'' » Il est vrai, tous les voyageurs tenaient alors ces propos. Ils les ont tenus, à peine modifiés, quand l'auto est apparue ; ils les tiennent encore aujourd'hui, à quelques mots près, pour parler de leurs déplacements en avion. Il y a donc, à l'apparition de chaque moyen de transport nouveau, un certain discours, toujours le même, qui se rapporte à la vitesse du véhicule et qu'on trouve dans toutes les bouches. Est-il « bête » ? Est-ce une idée reçue ? La réponse dépend du point de vue adopté. Sans aucun doute, il s'agit d'un truisme : si nous savons d'avance, en effet, que la vitesse d'un avion est de huit cents kilomètres-heure, il n'y a pas lieu de s'étonner qu'il nous ait transportés en deux heures à seize cents kilomètres de notre point de départ. Mais, pour faire de ces propos une vérité de La Palisse, il faut avoir décidé, d'abord, de s'enfermer dans les concepts. Si l'on se place, au contraire, du point de vue des affections, tout change. L'émerveillement de se retrouver à Moscou quatre heures après avoir quitté Paris n'est certes pas un sentiment profond : nul doute, pourtant, qu'il ne soit naïf et spontané. Ces quatre heures se sont passées au-dessus des nuages dans une sorte de milieu nul d'espace indifférencié : il semble qu'elles ne comptent pas dans notre vie et que nous passions sans transition d'un monde à un autre. À chaque perfectionnement de la machine, quand, par exemple, l'avion à réaction se substitue au quadrimoteur, notre stupeur joyeuse renaît : il semble que toute la terre soit à portée de main ; le contraste entre Paris et la capitale soviétique est plus brutal, on se plaît à des rêveries logiquement absurdes mais dont la sincérité affective n'est pas douteuse : on dira, par exemple, que Moscou est plus proche de Paris que Lyon. Cela est « bête », puisque le moyen de transport n'est pas le même dans l'un et dans l'autre cas ; la phrase logiquement correcte : « Moscou est plus proche de Paris, *si l'on y va par avion*, que Lyon *si l'on s'y rend par train* » est, du point de vue de l'entendement, insignifiante. Elle prend tout son sens si l'on considère qu'un même voyageur va régulièrement par train à Lyon et par avion à Moscou : son étonnement vient donc de la comparaison pratique de deux vitesses *absolues* : pour le même temps « perdu » (quatre heures) le dépaysement est plus ou moins radical, etc.

Si donc les mêmes phrases renaissent sur toutes les lèvres, ce n'est pas, en vérité, qu'elles se soient introduites en chacun par l'oreille, c'est qu'elles expriment maladroitement une réaction commune mais spontanée et juste sinon logique à une situation identique pour tous. Pour tous, sauf pour Flaubert, pour qui les voyages en train sont une épreuve redoutable [1] et qui a pris le chemin de fer pour le symbole de la civilisation industrielle qu'il déteste et du progrès social auquel il ne croit pas. Faute de partager les fins et les valeurs des autres voyageurs, il ne reconnaît pas dans la phrase qu'ils prononcent tous, une expression de leur sensibilité. Dès le départ, leur engouement lui semble suspect : ils « s'extasient » ; rien d'étonnant, donc, si l'ensemble de mots proférés, coupé de l'affectivité qui s'y exprime, paraisse un produit mécanique de réflexes conditionnés. Dès l'enfance, Flaubert a une « surprenante aptitude » à saisir les lieux communs et la bêtise parce qu'il les guette et qu'il écoute le

---

1. Il souffrait de ce qu'on a appelé « sidérodromophobie ».

discours sans tenir compte de l'activité synthétique et des intentions réelles du parleur. Reste à se demander pourquoi il est tel : nous connaissons déjà la réponse : il est ce qu'on a fait de lui. Or nous savons que dès sa protohistoire on l'a enfermé dans la passivité. Cela revient à dire qu'il est, dans sa petite enfance, incapable de faire un acte d'affirmation. J'ai montré plus haut qu'il ignorait alors la réciprocité — qui est le gage du Vrai — et qu'il avait été condamné par l'indifférence d'une mère morose à ne pas quitter le terrain de la simple croyance. De ce fait, il a reçu le langage non comme un ensemble structuré d'instruments qu'on assemble ou désassemble pour produire une signification, mais comme un interminable lieu commun qui ne se fonde jamais ni sur l'intention de donner à voir ni sur l'objet à désigner et qui, gardant une sorte de consistance propre, l'occupe et se parle en lui, le désigne même sans que l'enfant occupé puisse en user. Bien sûr Gustave s'est péniblement changé : il a bien fallu qu'il apprenne à *juger*. Mais trop tard. Il est déjà tout enfoncé dans un monde où la Vérité, c'est l'Autre. Quand il jugera, il cessera de *croire* mais sans arriver, pour autant, à créer une réciprocité : l'Autre perdra son autorité, voilà tout. En d'autres termes, il ne croit jamais tout à fait ce qu'il dit, ni ce qu'on lui dit. Mais il ne croit pas davantage le contraire : il est insincère en ce qui le concerne, et sceptique en ce qui concerne son interlocuteur. Faute d'intuition — c'est-à-dire d'un dévoilement pratique — il joue à juger. L'acte judicatif est, chez lui, partiellement un geste : il ne choisit pas les mots mais, parmi les idées reçues, celles qui conviennent à la situation ; elles sont fabriquées d'avance, c'est-à-dire que les vocables et leur ordre même sont déjà donnés. La phrase est toute faite : il l'énonce et s'étonne de l'entendre ; il sent le décalage entre les bruits tristes et vagues de sa vie et ces petites pierres sonores, les mots. Du même coup, il reçoit les phrases des autres comme des déterminations préfabriquées du discours : pour qu'il en fût autrement, il faudrait qu'il les tienne pour des jugements (vrais ou faux), c'est-à-dire qu'il opine pour ou contre. La pensée est une praxis commune et dévoilante qui n'a d'autres outils que les mots mais qui, dès qu'elle effectue le travail de réciprocité, les escamote au profit de la chose dite. Quand cette activité signifiante — qui dépasse vers le monde l'instrument dont elle se sert — cesse de se manifester, le mot réapparaît dans sa lourdeur matérielle comme pure négation du signifié. En effet le mot « bœuf » est un moyen d'accès vers le troupeau réel quand il fait partie d'un signal complexe se rapportant à un fait pratique ou à une action (le bœuf est malade; il faut ramener le troupeau de bœufs). Mais, du même coup, il est passé sous silence : personne ne s'aperçoit qu'il a été prononcé. Quand il rémane dans le flot passif du vécu, il se pose pour soi, au contraire, et se présente comme la négation du bœuf, c'est-à-dire comme une détermination sonore ou visuelle qui ne renvoie qu'à d'autres déterminations du même ordre. Flaubert ne *pense* jamais : le défenseur de l'« objectivisme » n'a aucune objectivité; cela signifie qu'il ne prend pas ses distances *réelles* envers lui-même et le monde; en conséquence le langage réapparaît en lui et hors de lui comme une obsédante matérialité. Il ne perd pas, pour autant, son essence qui est de signifier mais les significations restent dans les mots; il ne renvoie, finalement, qu'à lui-même. C'est en quelque sorte la *pensée autre* — la matérialité singeant la pensée ou, si l'on préfère, la pensée hantant la matière sans pouvoir en sortir. Le langage, s'organisant en lui selon les liens qui lui sont propres, lui vole sa pensée (qui n'est pas assez explicite pour gouverner les mots) et l'affecte de pseudo-pensées qui sont les « idées reçues » et qui n'appartiennent à personne puisque, selon Gustave, elles sont, en chacun des Autres, autres que celui-ci. À ce niveau, Flaubert ne croit pas qu'*on parle* : *on est parlé*; le langage, en tant qu'ensemble pratico-inerte et structuré, a son organisation propre de matérialité scellée : ainsi, résonnant tout seul en nous, selon ses lois — c'est-à-dire justement selon le sceau imposé à son inertie —, il nous infecte d'une pensée à l'envers (produite par les mots au lieu qu'elle les gouverne) qui n'est que la conséquence du travail sémantique ou, si l'on veut, sa contre-finalité. Le langage, pour Flaubert, n'est autre que la Bêtise, en tant que, laissée à elle-même, la matérialité verbale s'organise en semi-extériorité et produit une *pensée-matière*.

En un sens, il n'a point tort et nous sommes tous bêtes dans la mesure où chaque parole prononcée comprend en elle la contre-finalité qui la dévore. Et, si l'on veut, nous nous exprimons tous et tout le temps par lieux communs. Le mot, à lui seul, est idée toute faite puiqu'il se définit en dehors de nous, par ses différences avec d'autres mots dans l'ensemble verbal. Mais, d'une autre manière, nous sommes tous intelligents : les lieux communs sont des mots, en ce sens que nous les dépassons vers une pensée toujours neuve dans la mesure où nous les utilisons. Est-ce à dire qu'ils ne nous volent pas notre pensée? Au contraire, ils ne cessent de l'absorber et de la dévier. J'ai montré ailleurs que le mot de *Nature*, lieu commun du XVIIIe siècle, limite et dévie la pensée de Sade et que le sadisme est une antiphysis qui ne peut se penser que comme un naturalisme. Mais l'intelligence est un rapport dialectique de l'intention verbale et des mots. Toujours déviée, toujours reprise et gouvernée puis déviée encore — ainsi de suite à l'infini —, la pensée est prise au piège des lieux communs quand elle croit les utiliser et, inversement, quand on la croit piégée, elle les dépasse et les plie à son intention originelle. Ce combat douteux a des issues variables : en tout cas, c'est un travail de tous les instants. Pour ne pas mener ce combat dans toute sa rigueur, Flaubert est sans cesse en état d'*estrangement* devant les mots : c'est le dehors passé à l'intérieur, c'est l'intérieur saisi comme extérieur. Il écrit et découvre avec terreur qu'un lieu commun est sorti de sa plume à son insu. C'est ce qui explique ses précautions oratoires. Il lui arrive cent fois d'ajouter à sa phrase cette parenthèse : « comme dit la concierge », « pour parler comme l'épicier ». Ou encore : « je suis comme M. Prudhomme qui... [1] », « comme dirait M. Prudhomme [2] », « je déclare... (comme M. Prudhomme [3]) ». Cette comparaison lui vient spontanément à l'esprit ; à peine le mot tracé, Flaubert le voit et ne le reconnaît plus ; il faut qu'un bourgeois lui ait volé sa plume. En fait, c'est sa propre bourgeoisie qui vient à lui comme une étrangère et qu'il s'empresse de renier. Il veut nous faire croire qu'il s'amuse, qu'il imite les commis et les boutiquiers. Mais pourquoi donc le ferait-il ? Et pourquoi *justement dans cet endroit* : la plupart du temps, en effet, le membre de phrase ajouté en hâte « comme dirait... pour parler comme... » semble parfaitement saugrenu ; la lettre est sérieuse, violente, éloquente et le mouvement de la pensée se trouve brusquement interrompu par cette addition malheureuse. En fait Flaubert ne s'exprime pas *comme* le bourgeois ; il parle *en* bourgeois *parce qu'il est bourgeois*. Il n'a pas écrit la phrase incriminée *pour se moquer* de sa classe : elle lui est venue spontanément sous la plume, il s'en est aperçu tout à coup et a voulu se sauver par la lucidité : eh oui, je le sais, je parle comme un épicier — et, en même temps, prévenir la raillerie de son correspondant : tu parles comme Joseph Prudhomme — allons ! tu ne vois donc pas que je l'ai fait exprès ?

Mais la bêtise éclate — au sens où il l'entend — surtout quand cette lucidité tardive est en défaut et qu'il a laissé passer une phrase

1. T. VI, p. 2.
2. T. V, p. 153, VI, p. 288.
3. T. IV, p. 450.

sans commentaires : lieux communs et prudhommeries fourmillent dans sa correspondance.

Le socialisme, dirait Prudhomme, est une dangereuse illusion. Et Flaubert : « Ces déplorables utopies qui agitent notre société et menacent de la couvrir de ruines. » Pour le héros d'Henri Monnier, les voyages forment la jeunesse. Gustave est d'accord avec lui : « On s'y frotte à tant d'hommes différents que, finalement, on finit par connaître un peu le monde (à force de le parcourir). » « Il n'y a pas de roses sans épines », dit l'un. Et l'autre : « N'y a-t-il pas, au fond des meilleures tendresses, des levains amers? » Joseph est célèbre pour avoir dit : « Le char de l'État navigue sur un volcan » et « Ce sabre est le plus beau jour de ma vie ». À présent, voici Gustave : « L'orgueil est une bête féroce qui vit dans les cavernes et les déserts. La vanité, au contraire, comme un perroquet saute de branche en branche et bavarde en pleine lumière » et « Le génie comme un fort cheval traîne à son cul l'humanité sur les routes de l'idée » ou encore : « L'humanité, vieillard perpétuel, prend à ses agonies périodiques des infusions de sang [1]. » C'est lui et non l'épicier qui écrit : « Ce brave organe génital est au fond de toutes les tendresses humaines » ou qui déclare, navré : « Voilà où mène l'amour de l'alcool exagéré. » On verrait assez bien figurer dans son *Dictionnaire* : *Grèce* : admirer le miracle grec. *Statues*. Quand elle est belle, dire qu'elle va se mettre à marcher (ou à vivre). Car il écrit d'Athènes : « Voilà l'éternel monologue hébété et admiratif que je me disais en regardant ce petit coin de terre au milieu des hautes montagnes le dominant : ''C'est égal, il est sorti de là de crânes bougres et de crânes choses'' et (à propos d'une statue brisée) : ''On dirait que (le sein) va se gonfler et que les poumons qu'il y a dessous vont s'emplir et respirer [2]. '' »

---

1. On remarquera que cette dernière phrase ne veut strictement rien dire. Car, dans les révolutions et les guerres, l'humanité perd du sang et n'en reçoit point.

Voici un passage d'une lettre à la Muse qui nous montre Flaubert tombant dans les lieux communs les plus éculés, dans le moment même qu'il fait effort pour y échapper.

Après avoir écrit que « le succès auprès des femmes est généralement une marque de médiocrité et (que) c'est celui-là pourtant que (tous les hommes) envient et qui couronne les autres », il essaie de décrire le « beau sexe » dans sa vérité et voici ce que cela donne :

« ''*Maximes détachées*'' : Elles ne sont pas franches avec elles-mêmes, elles ne s'avouent pas leurs sens, elles prennent leur cul pour leur cœur et croient que la lune est faite pour éclairer leur boudoir.

« Le cynisme, qui est l'ironie du vice, leur manque.

« Leur cœur est un piano où l'homme, artiste égoïste, se complaît à jouer des airs qui le font briller... », etc.

À Louise Colet, 15 avril 1852, t. II, p. 391.

2. À Louis Bouilhet, 9 décembre 1850, t. II, p. 273, et 10 février 1851, p. 298.

Tout cela, on peut être sûr qu'il en a plus ou moins conscience. Il n'a pas une claire connaissance de toutes les banalités qui lui échappent, mais il ne doute pas que le langage ne soit en lui comme chez les autres un « tapis roulant » de banalités. Et c'est ce qu'il est, en effet, à condition de ne point s'en servir. On peut, à partir de là, comprendre la double attitude de Gustave envers la Bêtise. Tantôt, en effet, elle le fascine et tantôt elle lui répugne. C'est un abîme qui lui donne le vertige et c'est, pesant sur lui, toute la lourdeur de la terre.

La fascination d'abord ; la Bêtise, synthèse passive, c'est la plénitude, c'est l'Être. C'est l'ordre aussi. Ou, du moins, c'est *un* ordre : celui qui s'impose du dehors, emprisonnant chaque personne dans un corset de cérémonies. Il a écrit ironiquement que le *Dictionnaire* rattacherait le public « à la tradition, à l'ordre, à la convention générale ». Mais, sous cette ironie, J.-P. Richard a eu raison de discerner le sérieux et l'envie. Entre l'intégration par le rite et la réussite sociale des sots, y a-t-il une si grande différence ? Pour parvenir il faut jouer le jeu à fond, c'est tout. Pour communiquer, il faut se prendre au sérieux. Alors le groupe ou l'individu se minéralisent ; Flaubert, mystifié, contemple dans la stupeur ce bloc compact, d'une seule coulée, qui s'est formé contre lui et qui retient encore, dans son inerte cohésion, des significations humaines en voie de pétrification. La Bêtise est une opération passive par laquelle l'homme s'affecte d'inertie pour intérioriser l'impassibilité, la profondeur infinie, la permanence, la présence totale et instantanée de la matière. Chaque fois que Flaubert assiste à l'opération, il se sent trompé et frustré tout à la fois, et son oncle Parain, le 6 octobre 1850, a reçu « de la quarantaine de Rhodes » une lettre bien étrange :

« Avez-vous réfléchi quelquefois cher vieux compagnon, à toute la sérénité des imbéciles ? La bêtise est quelque chose d'inébranlable ; rien ne l'attaque sans se briser contre elle. Elle est de la nature du granit, dure et résistante. À Alexandrie, un certain Thompson, de Sunderland, a sur la colonne de Pompée écrit son nom en lettres de six pieds de haut. Cela se lit à un quart de lieue de distance. Il n'y a pas moyen de voir la colonne sans voir le nom de Thompson... Ce crétin s'est incorporé au monument et se perpétue avec lui. Que dis-je ? Il l'écrase par la splendeur de ses lettres gigantesques. N'est-ce pas très fort de forcer les voyageurs futurs à penser à soi et à se souvenir de vous ? Tous les imbéciles sont plus ou moins des Thompson de Sunderland. Combien, dans la vie, n'en rencontre-t-on pas à ses plus belles places et sur ses angles les plus purs. Et puis, c'est qu'ils nous enfoncent toujours ; ils sont si nombreux, ils reviennent si souvent, ils ont si bonne santé! En voyage, on en rencontre beaucoup... mais comme ils passent vite, ils amusent. Ce n'est pas comme dans la vie ordinaire où ils finissent par vous rendre féroce [1]. »

Aux yeux des voyageurs, Thompson se métamorphose continuellement en colonne : il suffit qu'ils lisent son nom pour ressusciter l'opération initiale, autrement dit l'*écriture*, crime parfait, acte pur de bêtise, inerte et virulent, dont Flaubert ne sait, pour finir, s'il change Thompson en monument ou la colonne de Pompée en Thompson. Dira-t-on que cet Anglais a fait preuve d'invention dans l'imbécillité? Nullement : tous les monuments de la terre sont couverts d'inscriptions. La conduite de Thompson est, en elle-même, toute conventionnelle. Elle le désigne, d'autre part, comme voyageur et bourgeois : pour ce négociant, la colonne romaine a perdu toute signification, il est d'un siècle et d'un monde pour qui la civilisation antique ne représente plus rien, donc — selon Flaubert — qui est tombé au-dessous d'elle. Mais elle nous renseigne aussi sur sa morale et sur son caractère; c'est un utilitariste : au lieu d'admirer l'œuvre d'art comme une fin absolue, il fait de la beauté un moyen, il s'en sert pour sa publicité personnelle; quelle sérénité d'âme ne faut-il pas pour tenter ce coup! Bien sûr elle se fonde sur l'ignorance, le manque de goût, l'insensibilité, la suffisance aveugle et la « vulgarité ». Mais ces vices n'ont que l'apparence de la négation : en fait, ils représentent l'envers d'une plénitude. Thompson a conquis la matière parce que la matière, en son âme, avait depuis longtemps triomphé. Conscient, ce serait un iconoclaste, un sadique, un fou, un anxieux : le caractère névrotique de son entreprise l'eût vouée probablement à l'échec. Sa réussite se fonde sur son inconscience (qui, pour Flaubert, est sans rapport avec l'inconscient) et cette inconscience est déjà matérialité. Est-ce donc une réussite que de détériorer une œuvre d'art en la souillant de son nom? C'est un triomphe, Flaubert le croit vraiment. La « tirade » sur Thompson est amenée dans la lettre par une allusion obscure aux rapports de l'*Hôtel-Dieu* avec un jeune ménage. L'Hôtel-Dieu, c'est alors « les Achille ». Achille et Thompson se ressemblent en ceci que l'un et l'autre sont des usurpateurs. Le premier a confisqué à son profit la gloire de son père; l'autre s'est fait le parasite d'une œuvre éternelle, il usurpe la gloire qui devrait revenir à des artistes dont l'histoire, pour leur malheur, n'a pas retenu le nom. Car c'est bien

1. *Correspondance*. t. II, pp. 243-244.

de gloire qu'il s'agit. Gustave a rêvé longtemps de se perpétuer jusqu'à la fin des siècles en s'incorporant à la rude matérialité d'une œuvre. Or, en 1850, pendant le voyage en Orient, il se relève à peine d'une chute qui a manqué lui casser les reins : le premier *Saint Antoine* a fait un bide devant Maxime et Louis Bouilhet. Il est misérable, anxieux, doute de lui-même : peut-être ne sera-t-il jamais un écrivain ; peut-être son nom disparaîtra de la terre en même temps que lui. Avec Louise Colet, il a fait longtemps le fanfaron : s'anéantir, se dissiper comme un mauvais rêve, voilà ce qu'il souhaite — et que l'humanité ne soit pas plus marquée par sa brève existence que s'il n'avait jamais été. Mais nous commençons à le connaître et nous savons qu'il faut souvent changer le signe de ses déclarations : derrière celle que nous venons de citer se cache une horrible angoisse. Non qu'il craigne la mort : bien au contraire. Mais la vie, pour lui, c'est ce trop bref délai qu'on lui concède pour préparer son enterrement. Quand il faisait le grand funeste devant sa maîtresse, du moins avait-il son œuvre *devant lui* : avec *Saint Antoine* il allait tenter un coup fumant. En 1850 l'œuvre est cassée, elle est *derrière*, la vie et la mort sont pareillement absurdes : un hasard provoque une purulence, quand la décomposition est achevée et les os nettoyés, rien ne reste. Et voici justement que cette colonne s'érige et qu'elle porte un nom : Thompson a volé l'œuvre d'un autre, il a volé la gloire, il vit en parasite d'une éternité étrangère. *Il a gagné.* Est-ce gagner, dira-t-on, que de se faire traiter d'imbécile *in sæcula sæculorum*? Oui, puisque les imbéciles sont légion, puisqu'ils sont tous capables de recommencer pour leur propre compte ce geste répugnant. Puisque l'humanité est bête, Thompson s'impose à l'humanité. Comme Achille aux Rouennais. Ce qui indigne Flaubert, ce qui l'accable, ce n'est pas le geste de la bêtise : c'est que ce geste reçoive aussitôt le concours de l'homme et de la Nature. La matière du dehors lui prête complaisamment sa permanence *éternelle*, sa plénitude *actuelle*; la matière du dedans, celle qui s'est coulée dans les cœurs, lui confère l'immortalité. Nous comprenons, à présent, que la Bêtise soit vertigineuse pour Flaubert : c'est une chute libre au fond de l'éternité matérielle et sociale; nous comprenons qu'elle lui paraisse infinie : en fait le geste de l'imbécile n'est qu'une misérable mécanique; mais la complicité de tout lui donne une incroyable consistance; Thompson est infini parce que le jeune voyageur découvre que cet Anglais a réussi d'un coup ce que l'adolescent de Rouen osait à peine rêver : la minéralisation de l'homme [1]. L'imbécile et l'artiste ont la même ambition. Bien sûr, Flaubert avait tenté de réaliser la sienne par d'autres méthodes : la gloire est une minéralisation supérieure; on élève la gloire jusqu'à supporter des significations au lieu d'alourdir les significations jusqu'à les changer en matière. Genet disait un jour : « Une statue de Giacometti, c'est une victoire du bronze sur lui-même. » Et c'est bien ainsi que Flaubert envisagera son œuvre : une victoire du langage sur sa matérialité. Reste pourtant l'inertie du livre, que les générations se transmettent comme une torche, l'inertie du nom sur la couverture. La gloire n'est qu'un caillou ou — ce qui revient au même — c'est mon cadavre aux mains des autres. S'il en est ainsi, comment condamner Thompson? C'est un barbare? D'accord. Un usurpateur? Bien sûr. Mais qu'a-t-il fait sinon prendre un raccourci?

Saint Antoine, dans une version plus tardive, fera un tout autre vœu : « Être la matière. » C'est réclamer l'abolition radicale de la détermination humaine au profit de la totalité. L'anachorète condamne en l'homme ses limites, son inquiétude, sa conscience et jusqu'à sa vie; mais il ne songe pas à l'abaisser : si la particularité éclate, reste l'Être dans son impassible virginité. Ces deux souhaits opposés — une victoire matérielle de la matière en sa matérialité, la matière réalisant sa plénitude par l'abolition de la vie et de la pensée — nous permettent de comprendre à la fois ce que Flaubert déteste dans la Bêtise et ce qui, en elle, lui donne le vertige.

En vérité, entre les deux extrêmes, elle réalise un ignoble « juste milieu ». Loin d'irréaliser la matière dans l'Art, elle l'ensorcelle en le pénétrant de significations dégradées; elle se garde d'abolir l'humain mais elle fait de l'homme un sens inerte qu'on déchiffre encore sur les mécanismes qui ont remplacé l'esprit. N'importe, la double postulation de Flaubert s'apparente au projet des imbéciles : l'un veut laisser un nom sur une colonne et l'autre au dos d'un livre; il n'y a pas tant de différence. Flaubert le sait d'autant mieux qu'il a découvert la Bêtise d'abord et que ses rêves d'artiste et de moine sont défensifs. Et surtout, si le sot a manqué la fusion panthéiste dans l'Univers, du moins s'est-il fondu dans l'unité matérielle d'une société matérialiste. Dans le monde réel, cette victoire frauduleuse est la seule possible et Flaubert, au fond de son cœur, n'est jamais sûr de ne pas la souhaiter.

---

1. Du reste, nous le verrons, Flaubert *admire* Byron d'avoir écrit son nom sur une colonne d'un château suisse. Et il a souhaité y écrire aussi le sien.

À ce niveau même, nous pouvons découvrir et comprendre l'ambivalence de ses sentiments. Le Sot, il le condamne sans recours, avec la « férocité » du désespoir. Mais la Bêtise elle-même, cette substance impersonnelle, anonyme, elle le fascine. De l'adolescence à la mort il collectionnera maniaquement, obstinément, les *Idées reçues*. C'est poursuivre deux fins contradictoires. La première — la seule qu'il ait clairement exprimée — est, si l'on veut, d'ordre cathartique. Nul ne *voit* les lieux communs : on s'en sert pour s'unir, pour plaire ; ce sont des moyens de parvenir ; mais au moment même où on les refile au voisin, leur aspect familier permet de les passer sous silence : ni vus ni connus, ressassés, ils restent cachés en pleine lumière. Il suffirait de les *montrer* pour qu'ils fassent horreur : personne n'oserait plus parler. Et cette présentation purificatrice ne peut être accomplie que par un exclu. Mais, pour les présenter, il faut les traquer, les attraper au vol et *les écrire*. Et, dans ce moment où on les écrit, on raffermit encore leur consistance, on les grave dans la matière ; on participe — fût-ce pour mieux la détruire — à la cérémonie. Dans la haine que Flaubert affiche contre le lieu commun se cache une jouissance indirecte : il s'en pénètre en l'écrivant ; s'il est le seul à ne pas bénéficier de l'unification sociale, il se venge en découvrant seul et en notant — pour lui-même d'abord — l'instrument de cette unification. À travers lui, il entrevoit ce qui lui échappe encore, l'infini de la matière et la minéralisation de la société ; mais le vertige qu'il ressent quand il se fascine sur la phrase écrite comporte, *en lui-même* et comme sa structure fondamentale, l'esquisse d'une chute libre jusqu'au cœur de la matière, Flaubert rêve d'écraser sa pensée sur les mots, bref, de se rendre bête. L'ambiguïté de son attitude ressort clairement dans les lignes suivantes : « J'y attaquerais tout (dans le *Dictonnaire des idées reçues*) ; ce serait la glorification historique de tout ce qu'on approuve. J'y démontrerais que les majorités ont toujours raison, les minorités toujours tort. J'immolerais les grands hommes à tous les imbéciles... et cela dans un style poussé à outrance, à fusées... Cette apologie de la canaillerie humaine sur toutes ses faces, ironique et hurlante d'un bout à l'autre, pleine de citations, de preuves (qui prouveraient le contraire) et de textes effrayants (ce serait facile), est dans le but, dirais-je, d'en finir une fois pour toutes avec les excentricités quelles qu'elles soient. Je rentrerais par là dans l'idée démocratique moderne d'égalité, dans le mot de Fourier que les grands hommes deviendront inutiles, et c'est dans ce

but, dirais-je, que ce livre est fait [1]. » Bien sûr, l'intention est ironique. Mais le procédé n'en reste pas moins surprenant : il s'agit
de combattre la bêtise chez les autres sans jamais l'attaquer mais,
bien au contraire, *en la réalisant*, en s'en faisant le *médium* et
le martyr — pour la *manifester* en sa personne : en un mot, Flaubert rêve de prendre sur soi toute la Bêtise du monde, de s'en faire
le bouc émissaire, pour en délivrer les autres et pour s'y perdre
un instant, pour la dénoncer et pour la porter à l'extrême jusqu'à
l'ignoble, ce « sublime d'en bas ». Quant au procédé même — si
manifestement voulue qu'en soit l'outrance et lors même que pas
un lecteur ne s'y tromperait —, il en dit long sur la soumission
profonde de Gustave à la famille, à l'ordre social. Quoi donc ?
Il commence sa lettre en déclarant qu'il a « des prurits atroces
d'engueuler les humains » et qu'il le fera quelque jour, « dans dix
ans d'ici ». Puis il ajoute qu'il revient « *en attendant* » à sa vieille
idée du *Dictionnaire des idées reçues*. Ce garçon de trente et un
ans qui meurt d'envie d'engueuler le bourgeois n'en a donc pas
encore le courage ? Qu'est-ce qu'il attend ? La gloire ? La fortune ?
La puissance ? Et pourquoi, tout de suite après, prend-il soin
d'expliquer : « *Aucune loi ne pourrait me mordre* quoique j'y attaquerais tout (dans le *Dictionnaire*). » Que de précautions ! Et quelle
drôle d'*attaque* qui prend les dehors de la soumission. Tout Flaubert est là, sournois et docile : la cruauté imbécile des commandements sociaux, il préfère la démontrer par l'absurde, par un
hypocrite empressement, par une grève du zèle. Céder en apparence, exagérer en douce, pousser à la limite et en même temps
se montrer, pur résultat passif de la volonté des Autres, se faire
objet pour leur donner l'horreur d'eux-mêmes ; combattre franchement, directement, *jamais*. Mais, dans le cas qui nous occupe,
il s'agit d'arracher aux hommes leur matérialité pour s'en pénétrer soi-même. À ce niveau, la Bêtise fondamentale *est sa
tentation.* Et comprenons bien qu'il recherche en elle *à la
fois* la matérialité et l'intégration sociale. Tout se passe comme
s'il se répétait, dans l'horreur et dans la haine : « Et si le Bon
Dieu était bête ? » En ce cas il n'y aurait rien d'autre à faire
qu'imiter Achille et Thompson. Mieux vaut être un pourceau satisfait qu'un Socrate mécontent. Car Socrate ne sait pas qu'il
est Socrate — et les autres, qui l'entourent et le condamnent à mort,
ne le savent pas non plus. Au lieu que le pourceau, bien à l'aise

---

1. À Louise Colet, 17 décembre 1852, t. III, p. 66.

dans sa bauge, au milieu de ses congénères, se réjouit d'être pourceau.

Mais peut-être Flaubert n'est-il qu'un pourceau mécontent ? Cette pensée l'emplit de terreur ; la tentation se change en dégoût quand il découvre *en lui* les idées reçues qui le fascinaient chez les autres, c'est-à-dire le langage comme synthèse passive, vécue dans la soumission. En ce cas sa particularité ne serait pas de planer au-dessus de la Bêtise mais d'être dévoré par elle, l'exil ne se ferait pas de bas en haut mais de haut en bas ; il ne découvrirait la sottise des autres que pour en être lui-même infecté. Mieux : peut-être n'y aurait-il de sottise qu'*en lui* et ce serait lui qui, par l'étroitesse de ses vues, mettrait aux pensées d'autrui des limites qui n'y sont pas. Ici le rôle des parents ne peut être surestimé : pendant que les soins sans chaleur de Mme Flaubert développaient en lui la passivité, l'impatience d'Achille-Cléophas le désignait à ses propres yeux comme l'« idiot de la famille » et la précellence reconnue d'Achille lui assignait un statut d'infériorité que venaient confirmer de médiocres [1] études. Depuis longtemps il a intériorisé le jugement des autres. La preuve en est que Djalioh ne sait pas raisonner. Comment pourrait-il ignorer, après cela, que la Bêtise n'est pas seulement un vertige permanent, mais qu'elle constitue aussi sa *lourdeur propre* et que l'orgueil n'est qu'une défense ? Le voilà de nouveau à la roue et nous retrouvons le tourniquet dont nous avons parlé plus haut : la Bêtise est dehors et dedans. Seuls une fissure légère, un écart infime empêchent l'intégration de Flaubert à la bêtise bourgeoise. Mais cette « distanciation » due au ressentiment, bien loin de le sauver, le met à la géhenne : dans la bêtise des autres il reconnaît la sienne bien qu'il ne puisse fondre celle-ci dans celle-là ; quant à lui, il ne peut pas même déclarer qu'il *n'est pas bête* : le « tapis roulant » passe au travers de lui ; tout au plus se sent-il *absent à sa propre bêtise* : elle l'occupe, elle use de sa bouche ou de sa plume pour s'exprimer et pourtant il lui oppose je ne sais quelle dénégation passive. Ou peut-être simplement cet éternel exclu n'a pas la chance d'y adhérer.

Pourtant le recul n'est pas suffisant. Qu'on en juge en comparant son grand dessein — saisir les rengaines dans leur vivier et nous les montrer — avec ce qu'il en a réalisé. Ce qu'il souhaitait faire, un auteur contemporain, Georges Michel, l'a réussi à merveille dans sa pièce *Les Jouets* : ses personnages ne s'expriment que par lieux

---

1. Médiocres *aux yeux du chirurgien-chef*. Nous y reviendrons à loisir.

communs. Mais ces « idées reçues » gigotent, on les a prises vivantes : elles nous sont étrangères et, tout à la fois, ce sont les nôtres. C'est que, pour conventionnels qu'ils soient, leurs propos sont situés. Dans le temps d'abord : ils sont d'*aujourd'hui* pour la plupart et s'il en est qui viennent d'hier ou d'avant-hier, ils ont gardé leur virulence. Dans l'espace social, ensuite : le couple qui poursuit d'une scène à l'autre ce qu'on pourrait appeler un double monologue, il appartient à un milieu défini : le mari est un petit employé, ils habitent dans une H.L.M. Enfin l'auteur s'efforce de nous montrer l'origine de ces lieux communs. La radio babille sans cesse dans l'appartement : pour une bonne part, c'est elle qui les fabrique. Nous assistons à l'opération entière : les phrases qui sortent du poste entrent par les oreilles dans les personnages, sont enregistrées, ressortent par leurs bouches, à peine modifiées par ce qu'on appellera, malgré tout, leur individualité. Tout est clair : ces petits-bourgeois sont manipulés, on oriente leurs désirs et leurs pensées pour faire d'eux de bons consommateurs et de bons citoyens. En eux, d'autres membres des classes moyennes peuvent plus ou moins se reconnaître : d'une couche à l'autre, d'un milieu à l'autre, il y a des adhérences. Les intellectuels, par exemple, résistent mieux, *peut-être*, mais sont pareillement investis. La localisation rigoureuse des personnages n'empêche pas la fascination du public.

Flaubert eût pris plaisir à cette farce. Certes il n'eût pu l'écrire : au milieu du siècle dernier les « mass media » ne sont représentés que par la grande presse, dont les tirages sont restreints ; l'origine et l'itinéraire d'une idée préfabriquée sont difficilement repérables. Du moins le « bouche à oreille » existe-t-il : les lieux communs circulent, d'un milieu à l'autre ils varient, certains franchissent des seuils, passent d'une strate sociale à une autre, d'autres définissent un groupe. On pourrait croire que Gustave se préoccupera de situer ceux qu'il nous propose. Or il n'en est rien. Pour commencer, il donne à son *Dictionnaire* un sous-titre qui marque le flottement de sa pensée [1]. Les « opinions chic » ne constituent qu'un secteur des idées reçues : celles-ci se trouvent partout, seul le conteur varie ; celles-là sont des propos *distingués* qu'il est bon de tenir dans les couches supérieures de la bourgeoisie et qui, souvent, s'inspirent ou prétendent s'inspirer d'opinions attribuées à l'aristocratie. Or que fait-il ? Va-t-il récuser uniquement les attitudes et les mots de passe de la « bonne société » ? Pas du tout : on trouve dans le

---

1. *Catalogue des opinions chic.*

Catalogue des lieux communs de toute espèce : certains qui naissent, à ses yeux, dans l'épicerie, d'autres qui circulent dans sa propre classe. Il ne se soucie pas de les différencier ; au contraire, il nous les livre par ordre alphabétique : chacun sait que cet ordre-là s'impose en derniers recours quand on veut, comme dit Descartes, « supposer même de l'ordre entre (les objets) qui ne se précèdent pas naturellement les uns les autres », ou, si l'on veut, quand les contenus matériels n'ont entre eux aucune relation interne. Cette juxtaposition en extériorité traduit un refus ou une impossibilité de regrouper les opinions. Le *Dictionnaire* est donc et devait être par essence un fourre-tout.

« *Impie*. Tonner contre. » C'est ce qu'on ne faisait pas souvent chez le docteur Flaubert. Nul doute que cette idée bourgeoise peu compatible avec son voltairianisme ne soit « chic », ni qu'elle ne se représente comme un reflet de la piété d'en haut. Par la même raison, la condamnation du « hideux sourire » de « *Voltaire* : Célèbre par son ''rictus'' épouvantable. Science superficielle » reflète beaucoup plus le romantisme aristocratique que l'opinion de la bourgeoisie libérale. Voyez aussi : « *Philippe d'Orléans-Égalité*. Tonner contre... a commis tous les crimes de cette époque néfaste. » Qui dit cela ? Un républicain ? Un tenant de la monarchie de Juillet ? Certes non. Mais un légitimiste, c'est-à-dire un noble ou un bourgeois « snob ». *Religion, Républicains, Girondins,* etc.

Par contre « *Magistrature*. Belle carrière pour un jeune homme » est un lieu commun de la bourgeoisie libérale : le docteur Flaubert était sans doute de cet avis. Un peu plus tard, la même bourgeoisie déclarera : « *Ingénieur*. La plus belle carrière pour un jeune homme. » Mais, dans cette nomenclature hétéroclite, rien ne vient *dater* les lieux communs [1].

C'est aussi le bourgeois voltairien qui dit des prêtres : « Couchent avec leurs bonnes et ont des enfants qu'ils appellent leurs neveux. » Gustave aime opposer les lieux communs entre eux : faute de les critiquer, il veut qu'ils se neutralisent les uns par les autres. Ainsi l'anticléricalisme qui se trahit dans cette réflexion sur les prêtres est en contradiction avec la « bonne pensée » qui s'exprime dans l'article *Religion*. Mais, en vérité, la contradiction perdrait de sa

---

1. Quand Flaubert, entre dix-huit et vingt ans, envisage toutes les « carrières bourgeoises » pour les refuser avec éclat, il ne prononce *jamais* le mot d'ingénieur. Il faudra l'essor industriel, le développement du saint-simonisme et du positivisme pour que la bourgeoisie libérale commence à respecter les polytechniciens plus que les magistrats.

force si Gustave, comme il se doit, montrait que ces opinions émanent de groupes différents et dont les intérêts s'opposent. Bien entendu, c'est ce qu'il ne fait pas : tout est sur le même plan; en sorte que nous ne savons jamais *qui* parle.

Ni de *quoi*. Quand il écrit : « *Malade.* Pour remonter le moral d'un malade, rire de son affection et nier ses souffrances », est-ce une opinion « chic » ? Ne s'agit-il pas plutôt d'un travers qu'on rencontre dans tous les milieux et dont il se plaint pour en avoir souffert [1] ? Et ceci : « *Mémoire.* Se plaindre de la sienne et même se vanter de ne pas en avoir. Mais rugir si on vous dit que vous n'avez pas de jugement. » Qui ne voit que le deuxième infinitif porte à faux? Dans le *Dictionnaire*, en effet, les infinitifs ont fonction d'impératifs hypothétiques : « Si vous voulez vous intégrer à votre milieu, *faites* ou *dites...* etc. » Mais s'il peut être distingué de se plaindre de sa mémoire et si, en conséquence, cette conduite verbale peut être ironiquement recommandée, rugir de dépit est une réaction spontanée. Flaubert note, *dans les mêmes formes*, une attitude *à prendre* et un trait psychologique, c'est-à-dire un devoir et un fait. Finalement le fait l'emporte et nous devrions plutôt lire : « Les gens déclarent volontiers qu'ils n'ont pas de mémoire mais ils rugissent quand on leur dit qu'ils n'ont pas de jugement. » Encore trouvons-nous au départ une conduite reçue. Mais que dire de « *Lacustre* (les villes). Nier leur existence parce qu'on ne peut pas vivre sous l'eau » ? Est-ce une idée reçue ou simplement une balourdise née de l'ignorance et qui n'a pas assez de consistance pour pouvoir se propager? J'en dirai autant de « *Langouste*, femelle du homard »; « *Grenouille*, femelle du crapaud », etc. Il se peut, en effet, que certaines gens *croient* cela. Mais même si la croyance est répandue, elle ne porte pas sur un lieu commun, moins encore sur une « opinion chic », mais tout simplement sur une erreur. Mais Gustave va plus loin encore et ne craint pas le jeu de mots trivial : « *Affaires...* Une femme doit éviter de parler des siennes. » Comment s'y reconnaître? Idées reçues, locutions, calembours et jeux de mots, « perles », c'est un pêle-mêle. Certaines citations — rares — correspondent à des habitudes vivantes qui se sont transmises jusqu'à nous : « *Faute* : C'est pire qu'un crime, c'est une faute (Talleyrand). Il ne vous reste plus une faute à commettre (Thiers). Ces deux phrases doivent être articulées avec profondeur. » Mais

---

1. Et ne s'agit-il pas d'une attitude d'Achille-Cléophas, telle qu'on la retrouve dans sa thèse?

la plupart des autres sont des poncifs déjà périmés du temps de Flaubert. Par exemple : « Agriculture. Manque de bras » se disait déjà dans l'ironie. Étrange ouvrage ! plus d'un millier d'articles et qui se sent visé ? Personne.

Ou plutôt si : un homme. Le plus curieux, c'est qu'il *est* visé et ne semble pas s'en rendre compte. C'est l'auteur lui-même. Car, plus d'une fois, les idées reçues qu'il découvre chez les autres sont tout simplement *ses* idées, celles qu'il expose sans sa Correspondance en d'amples mouvements rhétoriques. Et d'abord, il préconise ironiquement les *tirades* : ses lettres en sont remplies. Et qui, plus que lui, a *tonné contre* les institutions, les pratiques sociales, les partis, etc ? « *Docteur*, écrit-il. Toujours précéder de bon. » Or c'est *sa* manie. Il ne se borne pas, d'ailleurs, à dire « le bon docteur » mais « ce bon Gautier », « ce bon Béranger », « le jeune Maxime Du Camp », « ce brave Parain » etc., etc. ; bref, il a contracté de bonne heure la manie de faire précéder les noms propres d'un qualificatif. Il est vrai que l'intention chez lui est de dénigrer : « bon, brave, jeune », etc. marquent la familiarité condescendante. Reste que l'origine de ce tic est bourgeoise et que, si dans le « bon docteur » l'adjectif est pris dans son sens positif, marque la confiance et l'estime [1], il est fréquent aussi qu'il prenne, dans les classes dominantes, un sens légèrement péjoratif : le supérieur en use pour désigner ses inférieurs. Mais il y a plus grave. Voici quelques citations curieuses : « *Époque* (la nôtre). Tonner contre elle. Se plaindre de ce qu'elle n'est pas poétique. L'appeler époque de transition, de décadence. » Qu'a-t-il fait d'autre depuis l'âge de quinze ans jusqu'à la mort ? « *Gloire*. N'est qu'un peu de fumée. » Rappelons-nous *Agonies* : « La gloire même, après qui je cours, n'est qu'un mensonge. » Et surtout : « *Instruction*. Le peuple n'en a pas besoin pour gagner sa vie. » Or lisons cette phrase — tirée d'une lettre à George Sand : « L'instruction gratuite et obligatoire ne fera qu'augmenter le nombre des imbéciles. » Et cette autre : « Il importe peu que beaucoup de paysans sachent lire. » C'est qu'on n'a pas besoin de savoir lire pour labourer et moissonner. On pourrait multiplier les citations ; la conclusion serait la même : Flaubert saisit *au-dehors* et chez les autres comme des idées reçues les opinions qu'il vit *au-dedans* comme les produits réels de ses réflexions. Est-il possible qu'il ne le reconnaisse pas ? Dumesnil a fait remar-

---

1. Et surtout il vise à donner un tour personnel aux relations entre médecin et malade. Le docteur est bon parce qu'il nous aime. On dit aujourd'hui qu'il est « très inquiet », etc. Le lien économique est masqué par le rapport humain.

quer que, dans le sottisier qu'il constitue en marge du *Dictionnaire* et
où il recopie les « perles » échappées à ses plus illustres confrères,
il n'a pas craint de faire figurer des extraits de ses propres ouvrages : ce qui tend à prouver qu'il ne prétendait pas échapper à la loi
commune. Pourtant le projet du sottisier — les plus grands ont leur
moment de bêtise — n'est pas celui du *Dictionnaire* ; c'est donc une
coquetterie de Flaubert que de nous dire : je suis comme les autres ;
à l'instar des plus grands, j'ai mes défaillances. De la même manière,
il arrive au *Canard enchaîné* de se décerner la « Noix d'honneur ».
C'est autre chose que de reconnaître l'idée pré-fabriquée dans ce
qu'on livre, au même moment, comme l'expression de la pure spontanéité. Il est difficile de trancher. Ce qu'on peut dire à coup sûr,
c'est que Gustave n'est pas entièrement lucide quand il fait figurer
ses pensées dans le *Dictionnaire* de la non-pensée. Mais il est également certain qu'il ne les y met pas sans malaise. Rappelons-nous
ces incidentes qui truffent sa Correspondance : « comme dirait M.
Prudhomme », etc. La vérité, c'est qu'il « n'a pas d'idées » et qu'il
en est conscient. En d'autres termes, il n'a pas les moyens de distinguer la pensée, comme activité synthétique et constructive, du langage, en lui ni chez les autres ; une lettre du 15 juillet 1839 nous
renseigne curieusement sur sa façon de concevoir l'acte judicatif :
« Je voudrais le voir abandonner un peu... la rêverie pour l'action,
l'aurore qu'il croit si beau (*sic*) pour le jour qu'il croit brumeux.
Allons, maintenant, me voilà lancé dans le parlage, dans les mots ;
quand il m'échappera de faire du style, gronde-moi bien fort. »
Le « style » n'est ici que le parlage : Gustave s'abandonne aux
métaphores, à ce qu'il nommera plus tard « l'hyperbole », bref,
aux mots. Le langage déborde et dévie sa pensée : il sent qu'on la
lui vole et se plaît à se laisser voler. Mais en même temps, il fait
confiance à cette parole hyperbolique qui se parle en lui sans être
parlée. « Le maître est au Styx » et les « bibelots d'inanité sonore »,
loin de s'abolir, se bousculent au portillon. Cet assemblage non
volontaire de mots préfigure l'écriture automatique. Pour les sur-
réalistes, cependant, c'est l'inconscient qui s'exprime ; pour Flaubert l'obscur produit du langage n'a qu'une profondeur verbale.
Il ne lui en fait pas moins confiance : s'il jette sur le papier les phrases qui lui viennent en tête, l'idée viendra, il l'*attend* : « il allait me
venir des pensées ». En fait celles-ci viennent ou ne viennent pas,
il le reconnaît. Mais l'attitude de Gustave est typique : passif mais
attentif, il laisse un ordre sémantique se constituer sous sa plume,
il y aide même — c'est sa seule activité — par la rhétorique et, dans

ce vide sonore où les sens sont créés par les mots qui s'attirent, il épie le moment où le monstre jaillira : une phrase, une détermination du discours, qui sera par elle-même une *idée* et qu'il devra, pour la comprendre, observer patiemment, comme si c'était une chose. Que cette conduite intellectuelle lui soit familière, c'est ce que prouvent les lettres sur *Smarh* et les préfaces et commentaires qu'il a joints à ses premières œuvres. Et surtout une lettre à Caroline [1] sur laquelle nous reviendrons. Après avoir décrit métaphoriquement mais avec une réelle profondeur les difficultés qu'il éprouve à se connaître, il ajoute : « Si je sais à propos de quoi cette comparaison m'est venue, je veux bien que le Diable m'emporte. C'est qu'il y a très longtemps que je n'ai écrit et que j'ai, de temps à autre, besoin de faire un peu de style. » Le style, c'est la comparaison. Mais la comparaison se fait en jouant sur les sens (littéraux ou figurés) des mots. Le processus est inversé, ici : Flaubert produit une idée qui n'est certes ni claire ni pure, qui se noie dans le matériel verbal qui l'exprime, en sorte que Flaubert ne la *regarde* pas, comme il ferait d'un jugement porté en connaissance de cause mais la *devine* comme si elle était *derrière lui*, inséparable du jeu brouillé des métaphores. Précisément pour cela, il s'y méprend ou feint de s'y méprendre et prétend n'y voir qu'un exercice de style. Mais, qu'il prenne le processus par un bout ou par l'autre, il espère que l'idée lui viendra, opaque et profonde, s'il se laisse aller aux mots, c'est-à-dire à ce qu'on appellera plus tard l'association libre. Voyez en effet comme les phrases s'enchaînent, dans la lettre à Ernest. Pas un lien logique entre les phrases : ce discours n'est pas gouverné.

Or, s'il arrive que le langage en liberté produise de profondes maximes — car la maxime et l'aphorisme sont, aux yeux de Flaubert, la forme la plus achevée de la pensée —, il est plus fréquent que les vocables s'associant selon leurs habitudes — c'est-à-dire selon les coutumes sociales — reproduisent d'eux-mêmes des lieux communs. Comment Gustave distinguera-t-il les idées neuves des idées reçues, puisque les unes comme les autres semblent émerger des mêmes profondeurs et l'envahissent pendant les mêmes abandons ? Au contenu, dira-t-on. Mais il faudrait alors qu'il secoue sa torpeur, qu'il les compare, qu'il juge. Non : la plupart du temps, il les regarde surgir et s'écouler, les unes et les autres, avec le même *estrangement*. Simplement, les lieux communs suscitent en passant

1. À sa sœur, 10 juillet 1845. *Correspondance*, Suppl. 1, p. 50.

je ne sais quelle réminiscence vague et agacée. À peine cherche-t-il à les regarder, ils se sont évanouis. Et cette impression de déjà vu est d'autant plus fréquente, chez lui, qu'il a une singulière aptitude à sécréter ses propres poncifs : chez lui les idées sont de plomb. À quinze ans, il a toutes ses opinions faites, nous le verrons mieux plus tard, et quand elles se répètent au cours de sa vie, elles deviennent toutes faites ; il s'exprime souvent à dix ans de distance sur les mêmes sujets avec les mêmes mots : rien n'a bougé, pas un trait de la maxime qui se soit altéré. Ainsi lui arrive-t-il souvent d'ignorer s'ils se ressouvient de soi-même ou du sens commun. Inversement, quand il écoute une conversation, d'où lui vient cette impression de reconnaissance : ce que l'autre vient de dire, qu'est-ce que c'est ? Une idée que Flaubert a reçue ? Une idée qui lui est venue et qui s'est minéralisée en lui ? Il n'en sait rien, tout passe trop vite. Il conserve pourtant l'impression qu'on l'a truqué comme les autres. Dans les *Mémoires d'un fou* il s'adresse à l'homme — c'est-à-dire, le contexte le prouve, aussi bien à lui-même — et il écrit : « Toi, libre ! Dès ta naissance tu es soumis à toutes les infirmités paternelles ; tu reçois avec le jour la semence de tous les vices, de la stupidité même, de tout ce qui te fera juger le monde, toi-même et tout ce qui t'entoure d'après ce terme de comparaison, cette mesure que tu as en toi. Tu es né avec un petit esprit étroit, avec des idées faites ou qu'on te fera sur le bien et sur le mal. » Suivent quelques lignes dont le sens est pascalien : Vérité en deçà des Pyrénées, erreur au-delà, la Nature n'est qu'une première coutume, etc. Et l'adolescent conclut : « Es-tu déjà libre des principes d'après lesquels tu gouverneras ta conduite ? Est-ce toi qui présides à ton éducation ? » Bref — bien qu'en ce texte il distingue encore les idées innées des idées reçues — il est parfaitement conscient du fait que les autres, par l'éducation, lui ont composé une « nature toute faite » qui n'est autre que la leur. Et du même coup, ce texte — plus précieux par ce qu'il sous-entend que par ce qu'il dit — nous révèle que l'adolescent n'envisage même pas, au moins à cette époque, de réagir aux lieux communs par une activité critique. Tout ce qu'il peut faire, c'est de les opposer pour qu'ils montrent d'eux-mêmes leurs contradictions et dans l'espoir qu'ils se détruiront les uns les autres : c'est le type même de l'activité passive. Les exemples toutefois, trop généraux, empruntés et livresques (ici l'inceste interdit, là coutumier) montrent une fois de plus que la conscience du lieu commun est diffuse et brouillée : il est partout mais il échappe sans cesse. Et le *Dictionnaire des Idées reçues* est pitoyable parce que le bourgeois Flaubert n'arrive pas plus à définir l'idéologie réelle de sa classe qu'à reconnaître clairement les caractères essentiels de cette classe elle-même. Reste l'intention, qui est juste bien que desservie par les citations. L'idéologie bourgeoise n'est, en 1840, pas entièrement déterminée. La preuve en est que la bourgeoisie ne se sent à l'aise que dans un régime monarchique. Ainsi ses idées propres voisinent en chaque conscience avec des survivances des idées aristocratiques. Deux bêtises contradictoires qui s'accommodent fort bien l'une de l'autre, sauf chez quelques représentants de la nouvelle génération que ces contradictions désolent et dont Flaubert est l'exemple typique. Le jeune homme étouffe sous le poids de la bêtise des autres et de sa propre bêtise qui sont inséparables. En vain cherche-t-il à rejeter loin de lui ces rochers qui l'écrasent : il est conditionné *du dedans* non seulement par son éducation mais par sa passivité, de telle sorte qu'il ne peut prendre sur soi ni sur l'autre un point de vue objectif. Le piège est bien machiné : Gustave ne s'en évadera jamais.

2. *De la Bêtise comme négativité.*

Le seul moyen de dépasser un lieu commun, c'est de s'en servir, d'en faire un instrument, un moyen de pensée. C'est ce qu'a montré Paulhan dans *Les Fleurs de Tarbes*. Flaubert n'y parviendra jamais. J'ai dit qu'il se bornait à déconsidérer les opinions reçues en les opposant entre elles : c'est de ce procédé — et de lui seul — qu'il use encore à la fin de sa vie dans l'énorme et monotone *Bouvard et Pécuchet*. Mais il a connu la tentation de dissoudre la matière qui s'entasse au fond de son esprit en jetant sur elle un corrosif : l'analyse, telle que le praticien-philosophe la lui a enseignée. Encore faut-il distinguer : la bêtise de l'« épicier » résiste à cet acide; il ne peut ronger que la bêtise réactionnaire, ce ramas de fausses synthèses, d'illusions idéalistes qui prétendent s'inspirer de l'idéologie aristocratique. Si du moins ces mensonges se dissipaient, si l'on pouvait réduire les grands sentiments et les idées élevées qui leur correspondent à leurs composantes élémentaires — besoins, pulsions égoïstes, vanité —, on se retrouverait tout à l'aise au sein d'une bêtise monolithique et sans conflit intérieur. Flaubert, de temps à autre, rêve de tenter le coup : et que serait-ce, finalement, sinon débarrasser l'idéologie bourgeoise des survivances féodales qui la hantent et la déchirent.

À propos de *Graziella* il « tonne contre » Lamartine : celui-ci a fait « du convenu, du faux » pour que les « dames (le) lisent... Ah ! Mensonge ! Mensonge ! que tu es bête ! » On pourrait « faire un beau livre avec cette histoire » mais « cela eût exigé une indépendance d'esprit que Lamartine n'a pas, (un) coup d'œil médical de la vie, une vue du vrai... [1] ». Et qu'eût-il révélé, ce coup d'œil médical ? Flaubert se fait un plaisir de nous l'apprendre : le fils de famille eût couché « par hasard » avec une fille de pêcheur et l'eût « envoyée promener » ; la fille ne fût pas morte mais se fût consolée, « ce qui est plus ordinaire et plus amer ». Nous voilà revenus à la pensée libérale : petites gens, petites passions, petits intérêts. Et Flaubert s'appuie *sur Voltaire* pour combattre Lamartine : « La fin de *Candide* est... la preuve d'un génie de premier ordre. La griffe du lion est marquée dans cette conclusion tranquille, bête comme la vie. » Contre la bêtise des autres, contre la sienne, surtout, Gustave appelle le regard du Père à son secours. Le coup d'œil médical réduira en poudre la « poétisation de la réalité ».

Le malheur est, nous le savons déjà, que Flaubert déteste l'analyse. Nous savons qu'il s'est tordu de honte et de rage sous le « coup d'œil médical » d'Achille-Cléophas, qu'il a tenté cent fois de s'arracher à l'univers de la Science contemporaine. Il est vrai que le docteur Flaubert était voltairien et qu'il faisait « tomber les mensonges en tronçons » aux pieds du menteur. Mais ce refus d'être bête, à quoi nous conduit-il ? La Bêtise, chassée de la pensée, se réfugie « dans la vie » ; en « dépoétisant la réalité » on révèle la mesquinerie du bourgeois. Car elle est profondément bourgeoise, cette invitation à cultiver notre jardin. Quand il s'agit d'écraser Lamartine, Flaubert la trouve excellente. Mais s'il devait l'observer dans sa propre vie, elle lui paraîtrait atroce. La preuve : dans *Le Château des Cœurs*, c'est cette morale qu'il dénonce :

« — *Le Grand Pontife*.

« Citoyens, bourgeois, croûtons ! En ce jour solennel... nous sommes réunis pour adorer le trois fois Saint Pot-au-feu, *emblème des intérêts matériels, autrement dit des plus chers !*... Vos devoirs, ô bourgeois, nul d'entre vous... n'y a transgressé. Vous vous êtes tenus philosophiquement dans vos maisons, *ne pensant qu'à vos affaires, à vous-même seulement*... Continuez votre petit bonhomme de chemin, qui vous mènera *au repos, à la richesse, à la considération*. Ne manquez point de haïr *ce qui est exorbitant ou*

---

1. T. II, p. 398.

héroïque — pas d'enthousiasme, surtout ! — et ne changez rien à quoi que ce soit... car le bonheur particulier comme le public ne se trouve que *dans la tempérance de l'esprit*, l'immutabilité des usages et le glouglou du Pot-au-feu... Messieurs les savants... engagez-vous... comme par le passé à ne faire que de petites recherches innocentes qui ne troublent rien [1]. »

Il la connaît bien : c'est la sienne, la morale bourgeoise des petites circonstances, celle qu'on est bien forcé de réinventer par soi-même quand on cultive son jardin à Croisset ou qu'on le fait cultiver par un jardinier malhonnête, celle qui refuse le changement, qu'il s'agisse du suffrage universel ou du socialisme — en le taxant d'utopie, celle qui, constatant l'« impénétrabilité des êtres », remplace les rapports de générosité (« un ami se ferait tuer pour moi ») par des relations négatives (l'honnêteté : ne toucher à rien, l'amitié : ne pas agacer, ne pas intervenir, ne pas déranger), celle qui, butée sur les intérêts individuels, prescrit de *vivre l'atomisation sociale comme une solitude en commun*. Qui d'autre qu'un aristocrate peut défendre si vivement contre la bassesse utilitariste un *héroïsme* auquel Gustave ne croit point ? Dans son effort abstrait pour se placer au-dessus de sa classe, Flaubert se coule une fois de plus dans la pensée organiciste et aristocratique des poètes déçus : il use de Voltaire contre Lamartine, mais il livre Voltaire à Musset, à Vigny. La pensée théorique est d'abord écrasée par la Science du père : c'est elle que Flaubert dénonce surtout dans la bêtise de première instance, qu'elle se manifeste sous la forme de traditions dépourvues de sens (le jour de l'An), d'extases poétiques (« elles prennent leur cul pour leur cœur »), de cérémonies catholiques (les processions, surtout, l'enragent) ou de superstitions. Mais la libre pensée, quand elle croit triompher, se trouve enveloppée tout à coup par l'idéologie qu'elle vient de terrasser : celle-ci, sous sa forme négative, comme inquiétude, insatisfaction, refus méprisant de la finitude, élan désespéré vers le ciel désert, se fait à son tour négation de négation ; le libéralisme comme destruction systématique de l'idée reçue est dénoncé comme *bêtise de deuxième instance*. Dans la mesure même où le libre penseur accepte la médiocrité qu'il découvre, l'opaque béatitude des imbéciles passe en lui. Cette bêtise-là, ce n'est pas celle de l'Épicier ou du Bureaucrate, elle caractérise les bourgeois intellectuels, Gustave la trouve *dans son milieu*,

---

1. Flaubert : *Théâtre*, p. 263. Sixième tableau : « Le Royaume du Pot-au-feu ». C'est moi qui souligne.

chez les voltairiens qui l'entourent ; ce n'est rien d'autre que l'intelligence. Il a réussi, dans *Madame Bovary*, à nous montrer la Raison analytique comme bassesse d'esprit et suprême imbécillité, tout en acceptant ses principes et ses conclusions comme des vérités : le coup de génie fut de l'incarner en M. Homais.

Longtemps il a passé pour un crétin. Flaubert devait s'en réjouir. Mais Thibaudet a flairé le piège : il a fait observer que le pharmacien était sans conteste *intelligent*. Mieux : dans ce roman lugubre qui s'achève sur un naufrage, Homais triomphe seul et sur toute la ligne. Supérieur aux officiers de santé, il règne sur le canton ; pour fragmentaires qu'elles soient, les connaissances scientifiques dont il fait étalage témoignent d'une certaine instruction ; l'ascension des Homais ressemble à celle des Flaubert : le fils sera médecin et le petit-fils dira : « Nous sommes *une famille*. » Flaubert a, sans aucun doute, voulu peindre un libre penseur ridicule ; mais il a voulu, en même temps, *lui donner raison*. Comment n'a-t-on pas vu que Bournisien est conçu tout exprès pour justifier les diatribes de Homais ? Qu'est-ce qui empêchait l'auteur de montrer un prêtre moins repoussant que ce curé matérialiste, ignare, qui mange et boit comme quatre, n'entend rien aux âmes et que la sottise pousse à l'intolérance ? Quelle étrange mystification : dans le même livre, Flaubert nous montre la bêtise odieuse d'un anticlérical et l'odieuse bêtise d'un prêtre qui justifie pleinement l'anticléricalisme ; il ridiculise en Homais ses propres pensées. Car enfin, c'est lui qui écrit à Michelet, le 6 juin 1861, cette phrase que le pharmacien eût sûrement contresignée : « Le grand Voltaire finissait ses moindres billets par E.L.I. [1]. Je vous serre la main dans la haine de l'Anti-Physis. » Inversement, qu'est-ce donc qui répugne à Flaubert dans la célèbre profession de foi qu'il prête au pharmacien ? Relisons-la : « J'ai une religion, dit Homais... Je crois en l'Être suprême... qui nous a placés ici-bas pour y remplir nos devoirs de citoyens et de pères de famille... mais je n'ai pas besoin d'aller dans une église... je n'admets pas (les croyances chrétiennes) absurdes en elles-mêmes et complètement opposées à toutes les lois de la physique, ce qui nous démontre... que les prêtres ont toujours croupi dans une ignorance turpide [2]. » L'ignorance des prêtres ? Flaubert en est convaincu. Les dogmes ? Il les trouve, en effet, dans *toutes* les religions, parfaitement stupides. La supériorité de la pensée scientifi-

---

1. Écrasez l'Infâme.
2. *Madame Bovary*. Éd. Conard, pp. 106-107.

que sur la pensée religieuse ? Il n'a cessé de l'affirmer jusqu'à la fin de sa vie. Bien mieux : Homais en concède plus que Gustave n'en concédera jamais : il a une religion, il croit à l'Être suprême. Flaubert, pour sa part, nous avons vu qu'il cherche vainement à y croire. Où donc se trouve le ridicule ? En la satisfaction béate du pharmacien : Flaubert ne le blâme point de détruire *par la Science* les croyances chrétiennes ; il lui reproche de mettre *en la Science* une confiance inconditionnée ; sa bêtise éclate dans les mots « opposées à toutes les lois physiques, ce qui démontre... » : une énorme fatuité s'y révèle, une foi tout aussi stupide que l'autre ; l'Absolu n'a fait que se déplacer : la Religion le logeait au Ciel, le Scientisme libéral le met dans la Raison humaine. Et cet Être suprême, auquel le pharmacien prétend croire, il rappelle à Flaubert le culte révolutionnaire que le « haïssable » Robespierre avait instauré. Cette abstraction n'a d'autre office que de garantir la rationalité de l'Univers et l'éthique de la bourgeoisie : le Dieu de Homais n'est point la contestation de l'homme ; il le divinise au contraire et se tient à ses ordres. Toute la différence est là : Flaubert, incroyant par fatalité, constate dans le désespoir l'absence de Dieu, la sottise des mythes, l'ignorance turpide et le matérialisme des prêtres ; Homais, héritier du déisme révolutionnaire, fait les mêmes constatations dans la sérénité ; mieux : il fonde sa tranquillité d'âme sur elles. Quand le pharmacien oppose la physique aux dogmes catholiques, Flaubert n'a rien à lui répondre, lui qui écrit si souvent : « Je hais l'antiphysis. » Mais l'auteur n'en déteste pas moins sa créature : ce qu'il reproche à Homais, c'est de se complaire à écraser, sous l'entassement de petites vérités précises et coupantes, les grandes inquiétudes de l'humanité. Cette bêtise invincible et victorieuse, dont les entreprises, habilement menées, réussissent toujours et qui, finalement, rend compte de tout le *réel*, de tout ce que nous sommes, il faut, pour découvrir sa hideur, son abjecte suffisance, son matérialisme à courte vue, se placer au point de vue de ce qui aurait dû être et n'a pas été, au point de vue de l'absence, du Néant, du vide, de notre vain désir et de notre délaissement. Et finalement, quelle est cette pensée caricaturale que Flaubert a logée en Homais ? Eh bien, c'est tout simplement le rationalisme expérimental du docteur Flaubert ; c'est la Science tout entière, rabaissée jusqu'à l'imbécillité. Quand Gustave tourne en ridicule ce demi-savant, ce cuistre qui fait de la propagande antireligieuse en s'appuyant sur les lois de la physique, il sait parfaitement que le mouvement scientifique pris dans son ensemble entre en contradiction avec l'idéologie chrétienne. Par cette raison il le hait. Il écrit à dix-neuf ans dans ses *Souvenirs* : « Il arrivera peut-être un jour que toute la science moderne croulera et que l'on se moquera de nous, je le voudrais [1]. » Et il lui arrive souvent, par la suite, de condamner le siècle des Lumières au nom d'un irrationalisme qui n'ose dire son nom : « Le fanatisme est la religion ; et les philosophes du XVIIIe siècle en criant après l'un renversaient l'autre. Le fanatisme est la foi, la foi même, la foi ardente, celle qui fait des œuvres et agit. La religion est une conception variable, une affaire d'invention humaine, une idée enfin, l'autre est un sentiment. Ce qui a changé sur la terre ce sont les dogmes... ce qui n'a pas changé ce sont les amulettes, les fontaines sacrées, les ex-voto... les brahmanes, les santons et les ermites, la croyance enfin à quelque chose de supérieur à la vie et le besoin de se mettre sous la protection de cette force [2]. » N'importe : au moment qu'il condamne la pensée analytique des « philosophes » l'esprit d'analyse le hante : ce principe dissolvant demeure dans son esprit tel qu'on l'y a déposé dès l'enfance ; qu'une idée vienne à le toucher, à l'instant elle se décompose. Comment renoncerait-il au coup d'œil médical, héritage de son père ? Ce serait abandonner le patrimoine tout entier à Achille. Contre celui-ci, au contraire, il faut que Gustave revendique le regard-bistouri qui dissèque les cœurs. Il ne se prive pas, dans sa Correspondance, d'affirmer ses mérites de psychologue : c'est le prince de l'analyse. Mais elle lui répugne si fort, cette analyse, qu'il ne la fait jamais : il la présente toujours comme *déjà faite*, c'est dire qu'il débite en maximes le résultat de son expérience ; par quoi il entend à la fois l'enregistrement passif de ses impressions et leur démembrement chirurgical. Or Flaubert n'a *aucune* expérience, qui donc en a ? Ce qu'il a déguisé sous ce nom, c'est le pur principe de l'analyse qui, dès qu'il est posé pour soi et séparé de la pratique scientifique, cesse d'être méthode pour devenir théorie et contient *a priori* l'utilitarisme, l'associationnisme, l'empirisme, etc. À partir de là, nous n'avons plus une observation à faire, plus une expérience à tenter, plus une analyse réelle à effectuer ; l'acte le plus généreux, nous savons d'avance qu'il *doit* se décomposer en pulsions égoïstes ; nous savons que l'idéalisme féminin vient « du cul », etc. C'est que ces prétendues connaissances *a priori* ne sont

---

1. *Souvenirs*, p. 109.
2. T. III, pp. 148-149. Cf. aussi, beaucoup plut tôt, vers 1838-1839, cette pensée, dans les *Souvenirs* : « Le XVIIIe siècle n'a rien entendu à la poésie, rien entendu au cœur humain, il a compris tout ce qui est de l'intelligence. »

rien d'autre qu'un postulat abstrait masqué par des effets rhétoriques et qui se réduit tout simplement à ceci : *l'analyse est toujours possible*. Ainsi tout est déjà pensé, déjà connu : l'expérience de Flaubert est derrière lui, ses principes sont déjà posés, la recherche et la découverte du Vrai *a eu lieu*. Mais dans quel passé ? Celui de Flaubert ? Celui de sa classe ou de l'humanité ? Gustave ne nous le dit pas. Et, par sa passivité même, il laisse cet *a priori* se présenter en lui comme une *connaissance étrangère*. La lutte de la Science et de la Foi se déroule en lui sans qu'il y prenne part. Entre les deux Bêtises, il y a une réciprocité d'enveloppement : cela suffit pour qu'elles se dénoncent l'une par l'autre. Flaubert ne lèvera pas le doigt : il réclame et refuse chacune des deux pareillement. L'idéal serait que les deux adversaires s'anéantissent ensemble ; la Bêtise analytique, en somme, est parasitaire, c'est tout juste la négation de la Bêtise fondamentale qui, seule, possède l'épaisseur positive de la matière ; rien n'interdit d'espérer que celle-là, en dissolvant celle-ci, se prive de tout support et s'abîme dans le non-être.

Vain espoir : l'Idée reçue, à peine abolie, renaît de ses cendres et ressuscite l'Analyse qui la ronge. Ravagé par ce combat douteux et perpétuellement recommencé, Flaubert se réfugie dans le scepticisme : « L'ineptie, c'est de conclure. » Il se gardera bien de former des pensées par lui-même : « Il n'y a ni idée juste ni idée fausse. On adopte d'abord les choses très vivement puis on réfléchit puis on doute et on reste là[1]. » Tout de même ce scepticisme joue contre l'analyse au moment où celle-ci, triomphante, veut s'affirmer dans la satisfaction béate comme le Savoir et la Vérité. Mais cette contestation demeure passive. Lisez la Correspondance de la première à la dernière page, jamais vous n'y surprendrez Flaubert à juger, à raisonner, à faire un examen critique ; jamais vous n'y découvrirez la naissance d'une idée, d'un aperçu nouveau, d'une vue originale : la pensée, chez lui, n'est jamais un *acte* ; elle n'invente rien, elle *n'établit jamais de rapport* ; elle ne se distingue pas du mouvement même de la vie ; activité passive, entraînée par le flot du vécu, elle n'est que la forme verbale du *pathos* ; l'enchaînement des phrases fait tantôt songer à celui des images dans les rêves et tantôt aux associations verbales auxquelles se laisse aller un patient sur le divan de l'analyste. Dans cet interminable monologue où les liaisons rhétoriques se substituent sans cesse aux liaisons rationnelles, les mêmes amertumes, les mêmes rancœurs reviennent sans

1. *Souvenirs*, p. 96. Écrit après la fin de janvier 1841.

cesse sous les déguisements les plus divers, les grands mouvements d'éloquence cachent la fuite constante de l'idée ou, plus exactement, la fuite *devant l'idée*. Ce bourgeois qui réclame son intégration ressent son exil dans la rancune et ne peut ni *voir* sa classe ni l'oublier, puisqu'elle est — comme milieu familial — l'objet de son désir autant que de son mépris : il s'accepte en tant qu'on le refuse et se refuse en tant qu'il exige qu'on l'accepte ; il condamne orgueilleusement la sottise des autres, ce conformisme à courte vue qui hait sa particularité, et il hait cette particularité qui l'empêche de se dissoudre dans la communauté bourgeoise. Bref, c'est le martyr de la Bêtise, il l'a installée en lui avec tous ses conflits, elle tourne sur elle-même, se ronge et le ronge. Il saigne sous les morsures mais se contraint à l'immobilisme : puisque toute idée, en lui, ne peut que refléter la matérialité des lieux communs ou le matérialisme de l'analyse, il renchérit sur sa passivité douloureuse et refuse toutes les formes de pensée. Dès 1841, en effet, il écrit : « Je ne suis ni matérialiste ni spiritualiste. Si j'étais quelque chose, ce serait plutôt matérialiste-spettatore-spectateur. » Droit, silencieux, stoïque, il laisse tomber un regard dédaigneux sur le tapis roulant universel, il écoute distraitement le bavardage conventionnel qui n'est autre que son monologue intérieur. Tout juste un témoin.

Pourtant il vit, il ne peut s'empêcher de vivre ni que d'obscures pensées presque animales ne se forment en lui à chaque instant. Ces significations profondes, qui se dégagent à peine de la perception, de l'émotion, du rêve, on y chercherait vainement la rigueur analytique ; ce sont des synthèses : hésitantes, timides, indécomposables. Mais elles ne ressemblent pas non plus à des idées reçues, car elles se forment sans le concours du langage. Pensées « molles » et fluides, qui courent au ras de la vie et de la matière et souvent s'interpénètrent comme dans les rêves : on pourrait voir en elles la Nature sans les Hommes car l'Homme en est absent, crispé dans sa négation, dans sa volonté d'absence ; en tout cas, elles expriment la solitude la plus profonde, *celle de la bête* ; et ce sont elles qui donneront son incomparable richesse à *Madame Bovary*. Nous aurons à les décrire. Pour l'instant, il faut marquer leur double caractère. Elles sont rigoureusement *motivées* par le négativisme et par l'abstention de Flaubert, c'est-à-dire par sa relation complexe à sa classe ; en ce sens, il les produit par sa manière même de se faire bourgeois en refusant de l'être ; tout ce système bloqué dans la passivité sert de cadre à leur prolifération sans loi. Si Gustave dépassait par un acte intellectuel le lieu commun et la décomposition analytique, elles disparaîtraient ou bien elles perdraient leur mollesse ; leur contingence ferait place à l'ordre, une exploitation systématique risquerait de les déformer en régularisant leur cours. Mais l'idéologie contemporaine ne fournit pas à Flaubert l'instrument qu'il réclame : tout vient de là. Il sent obscurément que la notion pratique de synthèse lui manque [1], il la trouve et la refuse dans les superstitions, il la cherche en vain dans le rationalisme scientifique : finalement la Bêtise, c'est la Raison décapitée, c'est l'opération intellectuelle privée de son unité, autrement dit de son pouvoir d'unification. Ainsi l'absentéisme de Flaubert n'est que l'expression de sa conscience de classe et c'est ce qui rend possible, en lui, le fourmillement de la pensée sauvage. Mais, d'autre part, cette pensée sauvage, *par son contenu*, échappe aux déterminations sociales ; non qu'elle soit *au-dessus* des particularismes sociaux, au niveau d'un humanisme universel : cet humanisme n'existe pas et Flaubert ne se soucie pas de l'inventer ; au contraire, ces significations obscures nous touchent profondément dans la mesure où elles expriment, en l'homme, l'universel de l'animalité. Encore faut-il préciser : ce n'est pas le besoin qui s'y reflète ni la violence du corps ; il s'agit plutôt d'une expression de ce « pur ennui de vivre » qui semble surtout le lot des animaux domestiques. Tel quel, ce pullulement sournois, né d'une absence, représente pour lui la seule forme possible de spontanéité. Et gardons-nous d'y voir je ne sais quelle subjectivité immédiate et irréductible : à tous les niveaux l'objet est présent ; je le nommerais plutôt conscience animale du monde.

Ici s'arrête notre première partie : nous avons tenté d'établir, dans ses grandes lignes, la *constitution* de Gustave. Mais nous n'avons atteint, pour autant, qu'un conditionnement abstrait : nul ne peut se vivre sans se faire, c'est-à-dire sans dépasser vers le concret ce qu'on a fait de lui. Nous allons aborder à présent ce que j'ai appelé sa *personnalisation*.

---

1. Cf. *Souvenirs*, p. 107.

Deuxième partie

LA PERSONNALISATION

LIVRE   PREMIER

« *Qu'est-ce que le Beau sinon l'impossible ?* »

I

L'enfant imaginaire

Tel est Gustave. Tel on l'a constitué. Et, sans doute, aucune détermination n'est imprimée dans un existant qu'il ne la dépasse par sa manière de la vivre. Chez le petit Flaubert, l'activité passive et le vol à voile sont *sa manière de vivre* la passivité constituée : le ressentiment est *sa manière de vivre* la situation qu'on lui assigne dans la famille Flaubert. En d'autres termes, les structures de cette famille sont intériorisées en attitudes et réextériorisées en pratiques par quoi l'enfant se fait être ce qu'on l'a fait. Inversement nous ne trouverons chez lui aucune conduite, si complexe et si élaborée qu'elle puisse paraître, qui ne soit originellement le dépassement d'une détermination intériorisée.

Cependant il y a une grande différence entre la simple « *Aufhebung* » d'un donné et le retour totalisant que nous effectuons sur elle, à la fois pour l'intégrer à l'unité organique que nous tentons d'être et pour l'empêcher de nuire à celle-ci, d'y demeurer comme un ver dans un fruit et de la pourrir du dedans. En fait, la totalisation perpétuelle surgit comme une défense contre notre détotalisation permanente qui est moins une franche diversité qu'une unité effondrée. Dans la réalité humaine, en effet, le multiple est toujours hanté par un rêve ou un souvenir d'unité synthétique ; ainsi c'est la détotalisation elle-même qui exige d'être retotalisée et la totalisation n'est pas un simple inventaire suivi de constat totalitaire mais une entreprise intentionnelle et orientée de réunification.

Celle-ci, toutefois, ne doit pas être entendue à la manière de l'unification kantienne de la diversité empirique : il n'y a pas, ici, de catégories s'appliquant du dehors au vécu mais c'est le vécu lui-même qui s'unifie dans un mouvement de circularité, avec les moyens du bord, c'est-à-dire avec les affections et les notions qu'engendre en lui l'intériorisation des structures objectives. Cette retotalisation peut s'opérer d'une infinité de manières selon les individus et, chez le même individu, selon l'âge ou la conjoncture. Il faut comprendre, en effet, qu'elle dépend dialectiquement de la totalisation antérieure et présentement détotalisée (ou menacée de l'être) : celle-ci, étant fortement structurée — même après effondrement ou introduction d'un corps étranger —, se pose comme question singulière à une activité synthétique qui, n'étant rien d'autre que le dépassement de l'ensemble détotalisé, ne peut comprendre et résoudre les problèmes qu'en tant qu'elle est orientée et limitée par la totalité concrète des déterminations qu'elle conserve en elle. En sorte qu'il vaudrait mieux dire que la question et la réponse sont conditionnées par les mêmes « circonstances antérieures » et par les mêmes options ou encore que c'est la question dans sa singularité qui se dépasse elle-même en réponse singulière. D'autre part, le processus d'intégration n'est permanent que parce qu'il est induit en permanence par les *stimuli* extérieurs qui se font intérioriser comme détermination vécue. Par suite, nous comprenons sans peine que ce *perpetuum mobile* soit maintenu en acte par un rapport d'intensité et de qualité constamment variables avec le monde, à la fois dans la mesure où l'individu cosmique intériorise le cosmos et dans celle où il s'y réextériorise et se trouve dans l'obligation de réintérioriser tôt ou tard les conséquences objectives de cette extériorisation (c'est-à-dire son objectivation).

Pour donner quelques exemples, généraux encore mais qui permettront d'accéder au cas particulier de Flaubert, nous supposerons que l'agression cosmique, intériorisée en telle ou telle conjoncture, a pour effet dominant — par la contradiction qu'elle introduit dans le mouvement singulier et global de l'intériorisation — de compromettre l'unité organique et toujours menacée que le *vécu* obtient et maintient en roulant sur lui-même comme une boule de neige et en augmentant sans cesse de volume. Le danger est interprété *à partir* de présuppositions affectives ou notionnelles que l'individu a ramassées en route et des options qui les ont dépassées et maintenues : selon les caractères spécifiques de celles-ci, la réaction totalisante peut s'effectuer par une transformation de tout l'ensemble à totaliser — ce qui revient à un effort pour réduire la contradiction en agissant sur le tout pour qu'il soit en mesure d'intégrer l'élément neuf comme une de ses parties — ou en s'affectant de la croyance pithiatique que cette transformation s'est en effet effectuée. En ce cas la contradiction demeure réelle et l'assimilation est *imaginaire* : les conséquences seront variables selon l'ensemble considéré (microcosme ↔ macrocosme) mais ce qui est sûr c'est que, provisoirement au moins, l'unification en cours comportera en elle une structure d'irréalité. Dans le cas envisagé cette structure concerne l'unité organique dans sa totalité. Mais la réaction totalisatrice peut aussi, pour permettre à l'unification en cours de se poursuivre sans modification essentielle, s'efforcer de mettre entre parenthèses la détermination inassimilable, elle tentera de ne pas la relier à l'ensemble de l'expérience, de ne la rattacher à rien, de ne lui permettre *en rien* de conditionner la réextériorisation de l'intériorité. Dans ce deuxième cas, la suggestion pithiatique portera sur l'élément particulier et se manifestera par une fausse distraction, par un oubli imaginaire. Si cet oubli, en effet, si cette distraction étaient réels, s'ils équivalaient à la totale abolition de l'élément considéré, celui-ci perdrait du coup toute virulence ; mais, comme il ne peut en être ainsi, en raison même de l'*ipséité* du vécu, la distraction doit porter *aussi* sur les modifications que le corps étranger apporte nécessairement à la totalisation en cours. En d'autres termes, l'intention de *rester le même* doit demeurer aveugle aux changements réels et construire, en même temps, une conscience parfaitement irréelle de cette totalisation qui, du coup, devient totalité imaginaire. D'autres fois, le mouvement intégrateur, rejetant l'inassimilable, le pro-jettera ou l'intro-jettera sur l'extérieur : ainsi certains malades mentaux, pour échapper à la culpabilité qui les tourmente, se font faire par les autres les reproches qu'ils se font : du coup, ces reproches, étant *autres*, ont le double avantage de devenir *extérieurs* — l'ennemi n'est pas dans la place, on peut faire face — et *suspects* — qui pourrait affirmer que les accusateurs ne sont pas des sycophantes ou, à la rigueur, des hommes de bonne foi mais insuffisamment informés ou dupés par de faux témoins ? Et d'autres, *projetant* sur autrui leur culpabilité ou leur crainte de fauter, peuvent condamner chez le voisin le vice dont ils ont craint d'être infectés. Dans ces deux derniers cas, on ne maintient l'orientation et l'identité du mouvement intégrateur qu'en irréalisant la relation originelle au monde. Ce qui se produit le plus souvent, toutefois, c'est que l'élément inassimilable provoque par sa simple présence la naissance d'éléments antagonistes et réels qui se jettent sur lui, l'attaquent et tentent de le réduire à l'impuissance — ce qui ne peut avoir lieu sans une altération profonde de la totalisation en cours ; il faudrait comparer ces réducteurs — dont les effets sont pires que le mal combattu — aux anticorps qui se ruent sur un cœur greffé et provoquent la mort de l'organisme qu'ils sont censés défendre. Nous appellerons *stress* l'unité de l'inassimilable et de la défense globale que la totalisation développe contre lui, en tant que celle-ci en est infectée dans la mesure même où elle tente de la neutraliser : en ce sens, la névrose est un *stress* aussi bien que les troubles caractériels ; entendons que cet effort totalitaire pour désamorcer les contradictions ou pour les isoler ne parvient à son but qu'au prix de déviations dangereuses qui altèrent l'ensemble totalisé : pour ne prendre qu'un exemple, l'oubli pithiatique de ce qui gêne devient nécessairement oubli prospectif et généralisé ; en effet, ce qu'on veut oublier n'est pas un fait singulier mais un système de relations dont ce fait est le symbole ou le fondement et qui peut réapparaître n'importe quand et n'importe comment ; ainsi la totalisation « oublieuse » fuit tout affect et toute pensée dans d'autres idées et d'autres sentiments dont elle s'arrache à son tour de crainte de les approfondir ; par là, elle se fait elle-même sa demeure à la surface des expériences à totaliser ; d'autre part l'élément oublié se trouve du coup libéré et gagne la possibilité, comme système autonome, de structurer le vécu à sa manière en provoquant des troubles qui ne seront pas perçus ou qui seront attribués à l'action d'autres facteurs et, comme tels, feront l'objet d'une fausse intégration ; enfin, faute d'être *posé* comme tel et combattu à visage découvert, l'inassimilable, plus encore qu'un agent de détotalisation, devient le principe actif d'une totalisation négative qui se développe à l'encontre de l'autre et la totalise à rebours. Cependant, si dangereux que soit le *stress*, il n'en est pas moins dépassement de l'élément perturbateur, en particulier dans la mesure où la totalisation en cours se réextériorise et s'objective par des conduites ; en ce sens, on a pu dire que tout projet est une fuite et que toute fuite est un projet. Par cette raison, l'autre nom de cette totalisation sans cesse détotalisée et retotalisante c'est *personnalisation*. La *personne*, en effet, n'est ni tout à fait subie, ni tout à fait construite : au reste, elle *n'est* point ou, si l'on veut, elle n'est à chaque instant que le résultat *dépassé* de l'ensemble des procédés totalisateurs par lesquels nous tentons continuellement d'assimiler l'inassimilable, c'est-à-dire au premier chef notre enfance : ce qui signifie qu'elle représente le produit abstrait et sans cesse retouché de la personnalisation, seule activité réelle — c'est-à-dire *vécue* — du vivant. Ou plutôt c'est le vécu lui-même conçu comme unification et revenant sans cesse sur les déterminations originelles, à l'occasion de déterminations plus récentes, pour intégrer l'inintégrable, comme si chaque nouvelle agression de l'extérieur cosmique apparaissait en même temps comme disparité à absorber et comme la chance peut-être unique de recommencer sur de nouvelles bases le grand brassage totalisateur qui vise à assimiler les antiques contradictions jamais détruites, c'est-à-dire à les dépasser dans une unité enfin rigoureuse qui se manifesterait comme détermination cosmique en s'objectivant par un ensemble hiérarchisé d'entreprises. Il se peut d'ailleurs que le rayon de la circularité s'allonge en effet ; il se peut aussi qu'il demeure le même et que l'événement nouveau n'ait d'autre effet que de ressusciter la « scène primitive », dans la même unité intentionnelle d'assimilation. Du point de vue qui nous occupe, il convient d'envisager le mouvement circulaire dans un espace tridimensionnel comme une spirale à plusieurs centres qui ne cesse de s'en écarter ni de s'élever au-dessus d'eux en exécutant un nombre indéfini de révolutions autour de son point de départ : telle est l'évolution personnalisante au moins jusqu'au moment, variable pour chacun, de la sclérose ou de l'involution régressive. En ce cas le mouvement se répète indéfiniment en repassant par les mêmes lieux ou bien c'est la dégringolade brusque de la révolution supérieure à une quelconque des inférieures. De toute manière, la personnalisation n'est rien d'autre chez l'individu que le dépassement et la conservation (assomption et négation intime), au sein d'un projet totalisateur, de ce que le monde a fait — et continue à faire — de lui.

Ainsi, bien que nos descriptions antérieures se soient efforcées de ne rien laisser dans l'ombre, nous n'avons jamais atteint la *personnalisation* du petit Gustave, dans la mesure où celle-ci, dans son activité passive, est un effort d'unification des structures familiales intériorisées. En effet, bien que l'une et l'autre soient inséparables, nous avions décidé de nous en tenir pour la clarté à l'examen de la *constitution* à travers un ensemble de témoignages. Mais le paradoxe venait de ce que la plupart de ces témoignages *sur* Gustave étaient portés par l'enfant lui-même dans les premiers contes qu'il *écrivait*. Nous étions donc amenés à chercher les déterminations constituantes *à travers* une réaction totalisante qui les conservait, certes, mais en les dépassant et que nous passions sous silence. Or il est évident que n'importe quel lecteur, aux environs de 1860, à la question : « Qui *est* Gustave Flaubert ? » — et même si, par impossible, il avait reçu certaines confidences — ne répondrait pas — ou pas d'abord — que c'est un cadet frustré et jaloux ou un mal-aimé ou un agent passif (bien que celui-ci n'ait perdu aucune de ces caractéristiques [1]) mais très certainement : « *C'est un romancier* » ou : « *C'est* l'auteur de *Madame Bovary*. » En d'autres termes, ce qu'on tient alors pour l'*être* de Flaubert, c'est son *être-écrivain* et si l'on veut singulariser cette désignation encore trop générale, c'est à son œuvre singulière qu'on aura recours. Cela signifie qu'il s'est *personnalisé*, aux yeux du public, par le roman qu'il a publié. Entendons par là que l'opinion le tient d'abord pour un créateur et qu'elle établit un lien intime bien qu'insaisissable entre la pure gratuité de l'œuvre, fin en soi (dans la mesure où, pour l'époque, le Beau est fin absolue) et le travail de l'auteur ; mais aussi que, malgré l'impersonnalisme affiché du romancier, elle sent qu'il a objectivé dans cet ouvrage l'ensemble de ses déterminations personnalisées. Il ne s'agit pas, en ce temps, sauf pour Sainte-Beuve et ses épigones, de faire l'analyse spectrale d'un texte ni d'interpréter l'œuvre par la vie de l'écrivain ou *vice versa* mais, à travers un style et un sens particuliers à chaque livre, de le *reconnaître* dans ce qu'il a d'incomparable. Dans le mouvement de sympathie, d'empathie ou d'antipathie qui le rapproche ou l'éloigne de *Madame Bovary* le lecteur se situe par rapport à un homme, c'est-à-dire à un style de vie infiniment condensé dans la vitesse d'une phrase, dans sa résonance, dans l'étalement des paragraphes ou leur brusque rupture : cet homme, il ne le *comprend* pas encore mais déjà il le *goûte* et devine qu'il est *compréhensible* ; de toute manière, cette *saveur* qui se donne immédiatement, c'est cela même qu'il faudrait restituer au terme d'une longue fréquentation ou d'une étude biographique. Or l'objectivation dans l'œuvre est un moment de la *personnalisation* : les contradictions et les dysharmonies de Gustave sont toutes dans son roman mais intégrées imaginairement dans l'objet irréel, qu'il présente et, simultanément, intégrées réellement par le travail comme *moyens* de la création. Enfin, par un choc en retour, le lecteur marque par sa réponse (« *C'est* l'auteur de *Madame Bovary* ») que l'écrivain a dû, par la suite, réintérioriser les conséquences extérieures et sociales de sa totalisation en extériorité : la gloire « infamante », le procès, etc. Et, surtout, la nécessité d'être celui qui *a écrit Madame Bovary*,

---

1. Leur sens et leur fonction, par contre, n'ont cessé de varier puisque chaque révolution les installe dans un ensemble plus riche, plus différencié et mieux intégré : c'est à partir de la retotalisation, en une conjoncture donnée, à quelque niveau qu'elle s'opère, que les déterminations constituantes sont elles-mêmes déterminées comme étant ou n'étant pas assimilables et, dans ce dernier cas, qu'elles se voient assigner un office — réel ou imaginaire selon que l'intégration est effective ou rêvée.

donc qui n'a plus à l'écrire, qui, s'étant résumé, dépassé, objectivé dans un produit de son travail, se retrouve entier, après la publication, avec les mêmes déchirements à intégrer dans une autre œuvre par une révolution personnalisante qui doit englober en outre et assimiler le fait qu'ils ont déjà servi de moyens à la production d'un objet imaginaire. Ainsi le lecteur de Flaubert l'atteint dans son être au niveau de la personnalisation et ne découvre sa constitution qu'à travers l'intention totalisante qui en fait l'outil ou le matériau de l'élaboration de l'homme par l'œuvre et de l'œuvre par l'homme. Ce qui revient à dire que celui-ci pour résoudre ses conflits intérieurs s'est *fait* écrivain. Or, dès les premières lettres de sa Correspondance, nous apprenons qu'il veut écrire. S'est-il pour autant constitué en *écrivain* ? Non mais, petit à petit, le sens de ce terme se précise et s'enrichit : cela veut dire que nous nous élevons d'une révolution à l'autre sur la spirale totalisante. Je *serai* écrivain. Voici la réponse devenue de l'adolescent à sa désunité intime, voici son engagement, son option fondamentale : il s'agit d'envelopper son mal et de l'intégrer comme moyen de s'objectiver par l'écriture. Nous sommes au niveau du *stress* puisque le mal de Gustave (c'est-à-dire sa constitution) transforme à son tour ce projet totalisateur en l'infectant complètement et que la réponse totalisante à cette infection généralisée ne peut être fournie que par une nouvelle révolution, c'est-à-dire par une nouvelle métamorphose de la personnalisation, etc. etc. Dans la première partie de cet ouvrage, nous avons décrit le mal non le stress : c'est que les médiations n'étaient pas encore données. Il faut à présent reconstituer dans toutes ses phases le mouvement dialectique par lequel Flaubert se fait progressivement *l'auteur-de-« Madame Bovary »*.

La réponse de Gustave à son mal, en 1835-1839, c'est d'en faire le moyen d'une entreprise qui vise à produire certains objets dans le monde ; autant dire qu'il se *personnalise en entreprise* pour intégrer ce qui serait autrement inintégrable : l'entreprise en effet est réextériorisation de l'intériorité et telle sera en effet la *personne* de Gustave, médiation permanente entre le subjectif et l'objectif. Plus précisément et d'après son propre témoignage, il se retotalise comme celui qui doit atteindre à la gloire en créant des centres de déréalisation par certaines combinaisons de graphèmes. Cette définition s'applique à Flaubert et non pas à tous les futurs écrivains, elle lui convient à quinze ans et non pas à trente-cinq. Pourtant, même ainsi limitée, elle n'est pas originelle. En 35, ces trois notions : gloire, irréalité, langage structurent une option indécomposable mais, comme il arrive souvent, avant d'être totalisées, elles ont vécu quelque temps séparées. Enfant, Gustave voulait être un grand acteur. Il n'y a renoncé — et de fort mauvaise grâce — qu'après son entrée au collège. À dix-sept ans, il écrit encore : « J'ai rêvé la gloire quand j'étais tout enfant... J'aurais pu faire, si j'avais été bien dirigé, un excellent acteur : j'en sentais la force intime. » Ainsi son option totalisante, au départ, a été sensiblement différente de ce qu'elle est devenue par la suite. Si nous voulons la comprendre dans son mouvement, nous devons tenter de répondre aux questions suivantes : en quoi ce choix d'incarner des personnages imaginaires représentait-il, pour Gustave, un dépassement totalisateur de ses déterminations constituées ? Pourquoi fut-ce le premier moment de sa personnalisation ? Que représentait pour lui la gloire ? Par quelles raisons a-t-il abandonné la scène pour la littérature et qu'est-il demeuré de sa première « vocation » dans la seconde ? Ces questions sont d'autant plus complexes qu'elles portent sur la temporalisation interne d'un projet. Mais surtout, dans la mesure où elles concernent une totalisation sans cesse détotalisée et qui se retotalise en permanence par enveloppement de déterminations nouvelles, elles mettent en jeu les relations de Gustave avec *tout* : non plus seulement avec sa famille et ses familiers mais avec ses condisciples, ses maîtres, la culture qu'on lui dispense, les institutions dont il fait peu à peu l'expérience, l'environnement social, sa classe d'origine et les autres classes. Il faut donc que nous suivions pas à pas l'évolution de Flaubert dans ses relations humaines et dans ses rapports avec l'Art, celles-là conditionnant ceux-ci qui se retournent sur elles pour les conditionner à leur tour par enveloppement. Mais ce que nous devons nous demander avant toute chose — puisque cet élément demeure dans chaque révolution de la spirale et qu'on le trouve dès la première —, c'est ce que signifie le *choix de l'irréel.*

Les enfants sages rêvent leur avenir : ils planteront le drapeau sur une terre vierge, sauveront, pendant une épidémie de choléra, leurs concitoyens par dizaines de milliers, ils seront riches, puissants, décorés. Rien de plus rassurant : ces bons sujets se plaisent à penser que le monde portera leur marque. Leur désir porte sur l'*être* et pas un instant ils ne se détournent en intention du réel et du vrai. En fait, les choses ne sont pas si simples : même chez le plus réaliste d'entre eux, le désir ne correspond pas tout à fait au rêve qui l'assouvit ni d'ailleurs à aucun autre : option complexe, totalisant les déterminations premières — c'est-à-dire familiales —

par un élan qu'elles conditionnent et qui les enveloppe, aucune image, aucun discours ne peut l'exprimer exactement ; en ce sens il y a dans ces imaginations primaires la visée allusive d'une irréalité posée comme telle et, parfois, le trouble plaisir de l'inassouvissement. N'importe : il n'en reste pas moins que l'imaginaire est, ici, vécu en surface comme annonciation du réel et l'inassouvissement comme promesse d'assouvissement futur : l'enfant *sera* réellement cet héroïque médecin, idole de sa ville natale. C'est *comme si c'était fait* ; en ce sens la fiction se présente comme un *postponement* du vrai et comme la permission d'en jouir d'avance. Ainsi, au moins *explicitement*, l'imagination se donne pour ce qu'elle est au niveau de la *praxis* : une médiation qui ne se retrouve pas au terme de l'entreprise — puisque sa réalisation l'abolit — et qui se subordonne aux visées réelles, une exploration systématique et intéressée du champ des possibles, un décrochage de l'être *vers l'être*.

Mais si le rêve se fait rêve d'un rêve futur ? Si l'enfant imaginait un avenir dont il pose lui-même qu'il sera, le moment venu, lui-même un irréel ? Quelle inquiétude pour les parents ! Ils découvrent que leur rejeton passe le plus clair de son temps à se raconter qu'il sera faux médecin. Non pour le plaisir de se représenter comme un vrai escroc futur (d'ailleurs les escrocs sont-ils jamais vrais, même *en tant que tels*) mais bel et bien pour celui d'être faux, c'est-à-dire, conjointement, de ne pas être ce qu'il est et d'être ce qu'il n'est pas. Pis encore, il éprouve une volupté suspecte à engager son être entier dans la production d'une apparence, c'est-à-dire à mobiliser la réalité pour produire un irréel qui se retourne sur elle et la totalise, bref, à renverser l'ordre « normal » et « sain », c'est-à-dire *pratique*, en faisant du réel le moyen de l'irréalité. Voilà, pensera la famille consternée, un suspect dont le premier mouvement est de se mettre *hors de l'humanité* : il se dispose à lâcher la proie pour l'ombre, il préfère le non-être à l'être, à l'avoir le non-avoir, un quiétisme onirique. Ou plutôt, non, c'est plus grave encore car il n'aime point le néant tout pur mais celui qui emprunte à l'être on ne sait quelle malsaine apparence de réalité : tel est le Diable, Seigneur des trompe-l'œil, des mirages et des faux-semblants. Tel est, dès l'enfance, Gustave Flaubert.

À sept ans, il veut être un grand acteur. D'autres enfants, qu'ils aient ou non réussi leur coup, ont opté vers le même âge pour la littérature. Cela ne signifie pas qu'ils étaient mieux faits que lui pour écrire : simplement ils étaient autres et l'art littéraire fut autre pour eux, par eux. Il n'est donc pas indifférent que le projet initial

L'imaginaire

de Gustave ait été si éloigné du projet définitif. Au contraire, si la vérité *devient*, l'écrivain, en lui, doit conserver les principaux traits de l'acteur et son style quelque chose de son jeu. Or nul ne peut jouer la comédie sans se laisser ronger tout entier et publiquement par l'imaginaire.

L'acte imageant, pris dans sa généralité, est celui d'une conscience qui vise un objet absent ou inexistant à travers une certaine réalité que j'ai nommée ailleurs *analogon* et qui fonctionne non comme un signe mais comme un symbole c'est-à-dire comme la matérialisation de l'objet visé. Matérialiser ne signifie pas ici *réaliser* mais au contraire irréaliser le matériau par la fonction qu'on lui assigne. Lorsque je regarde un portrait, la toile, les taches de couleur séchées, le cadre lui-même constituent l'*analogon* de l'objet, c'est-à-dire de l'homme aujourd'hui mort qui a servi de modèle au peintre et, en même temps, dans une indissoluble unité, de l'œuvre, c'est-à-dire de la totalisation intentionnelle des apparences ramassées autour de ce visage célèbre. Quand il s'agit de ce qu'on appelle improprement des « images mentales », l'intention imageante traite en *analogon* des déterminations partielles de mon corps (phosphènes, mouvements des yeux, des doigts, bruit de mon souffle) et, par là, je suis partiellement irréalisé : mon organisme reste l'existant réel qui décroche de l'être sur *un seul point* [1]. Il en est tout autrement lorsqu'il s'agit d'un acteur : celui-ci vise à manifester un objet absent ou fictif à travers la totalité de son individu : il se traite lui-même comme le peintre fait sa toile et sa palette. Kean marchant sur la scène de Drury Lane prête sa marche à Hamlet : son déplacement réel du « côté ville » au « côté cour » disparaît, nul ne le perçoit plus et d'ailleurs [2] ; prises comme telles, les allées et venues de ce petit homme nerveux n'ont aucun sens et pas d'autre but concevable que d'user ses souliers. Mais elles sont absorbées, pour le public et pour Kean lui-même, par la promenade du prince d'Elseneur qui déambule en soliloquant. Ainsi des gestes, de la voix, du physique de l'acteur. La perception du spectateur s'irréalise en imagination : il n'observe pas les tics, la démarche, le « style » de Kean ; il se figure qu'il observe ceux de l'imaginaire Hamlet. Diderot a raison : l'acteur n'éprouve pas réellement les sentiments de son per-

---

1. En un autre sens, pourtant, l'irréalisation doit être tenue pour totale en chaque cas, Mais ce n'est pas ce qui compte ici.
2. On a compris : le souci général de *rendre* Hamlet finit par devenir obsessionnel en sorte que toute circonstance de la vie réelle est saisie comme un motif de déréalisation.

sonnage ; mais ce serait un tort de supposer qu'il les exprime de sang-froid : la vérité, c'est qu'il les éprouve *irréellement*. Entendons que ses affections réelles — le trac, par exemple : on « joue sur son trac » — lui servent d'*analogon*, il vise à travers elles les passions qu'il doit exprimer. La technique du comédien ne repose pas sur la connaissance exacte de son corps et des muscles qu'il faut contracter pour exprimer telle ou telle émotion : elle consiste avant tout — plus complexe et moins conceptualisée — dans l'utilisation de cet *analogon* en fonction de l'émotion imaginaire qu'il doit fictivement éprouver. Ressentir dans l'irréel, en effet, ce n'est pas *ne point ressentir* mais se tromper à dessein sur le sens de ce qui est ressenti : il garde la certitude étouffée de n'être pas Hamlet dans le moment même qu'il se *montre* Hamlet publiquement et qu'il est obligé, *pour la montre*, de se persuader qu'il l'est. L'adhésion des spectateurs lui apporte, à ce sujet, une confirmation ambiguë : d'une part, elle consolide la matérialisation de l'irréel en la socialisant (« Que va-t-il arriver ? *Que fera le prince* après ce nouveau coup du sort ? ») ; d'autre part, elle renvoie l'interprète à lui-même : il tient la salle en haleine et sait qu'on l'applaudira tout à l'heure. Mais de cette ambiguïté même, il tire un nouvel enthousiasme qui lui sert à son tour d'*analogon* affectif [1]. Au reste un rôle comporte toujours des automatismes (habitudes acquises pendant les répétitions) contrôlés par une vigilance sans défaut et qui, pourtant, attendus, inattendus, se déclenchent à point nommé, le surprennent et s'irréalisent sans peine en spontanéité imaginaire pourvu qu'il sache les diriger en s'y abandonnant. Et c'est la vigilance qui lui permet de dire, au baisser du rideau : « J'étais mauvais, ce soir » ou bien « J'étais bon », mais ces jugements s'appliquent *à la fois* à Kean, l'individu de chair et d'os qui a pour fonction de divertir, et à un Hamlet qui le dévore et qui, d'un jour à l'autre, sera plus ou moins profond ou plus ou moins médiocre. Ainsi, pour l'acteur véritable, chaque personnage nouveau devient une *imago* provisoire, un parasite qui, même en dehors des représentations, vit en symbiose avec lui et, parfois, à la ville, au cours de ses activités quotidien-

---

1. Je ne prétends pas que l'irréalisation soit continue. Il suffit d'un rien pour qu'elle cède la place au cynisme (fous rires sur la scène, *aparté* avec sa partenaire à la barbe du public, etc.), mais il n'en faut pas plus pour passer du cynisme à l'exaltation et à l'exploitation irréalisante de celle-ci. C'est que tout se passe dans le cadre d'un projet général d'irréalisation dans lequel les retours du réel sont de simples incidents de parcours.

nes, l'irréalise en lui dictant ses attitudes [1]. Ce qui le défend le plus
efficacement contre la folie, c'est moins ses certitudes intimes —
il est peu réflexif et si son rôle exige qu'il s'élève jusqu'à la réflexion,
son Ego réel sert lui aussi d'*analogon* à l'être imaginaire qu'il
incarne — que la désespérante conviction que le personnage lui
prend tout et ne lui donne rien : Kean peut offrir *son être* à Hamlet, celui-ci ne lui prêtera jamais le sien : Kean *est* Hamlet, frénéti-
quement, entièrement, à *corps perdu* mais sans réciprocité,
c'est-à-dire à cette réserve près qu'Hamlet *n'est pas* Kean. C'est
dire que le comédien se sacrifie pour qu'une *apparence* existe et
qu'il se fait, par option, le soutien du non-être.

Cela ne permet pas de dire a priori que l'acteur a choisi l'irréalité pour elle-même. Il peut avoir voulu mentir pour être vrai comme
font les comédiens formés par Stanislavsky et ses épigones — encore
que ce désir même soit suspect. En tout cas, on ne peut, sans
connaître le détail de sa vie, décider de son option fondamentale.
Cependant, même « réaliste », son choix, beaucoup plus nettement
que ceux de l'écrivain ou de l'artiste, implique une certaine préférence pour l'irréalisation totale. Le matériau du sculpteur est dehors,
dans le monde ; c'est ce bloc de marbre que son ciseau irréalise ;
celui du romancier, c'est le langage, ces signes qu'il trace sur la
feuille : l'un et l'autre peuvent prétendre qu'ils travaillent sans cesse
d'être eux-mêmes [2]. L'acteur ne le peut pas : son matériau, c'est
sa personne, son but : être irréellement un autre. Bien sûr, chacun
joue à être ce qu'il est. Mais Kean, lui, joue à être ce qu'il n'est
pas et ce qu'il sait ne pas pouvoir être. Ainsi recommence-t-il chaque soir une métamorphose dont il sait qu'elle s'arrêtera en cours
de route, toujours au même point. Et c'est de cet inachèvement
même qu'il tire sa fierté : comment l'admirerait-on d'« être » si bien
le personnage si tout le monde, précisément, à commencer par lui-
même, ne savait qu'il ne l'était point. Donc il ne peut être donné
à tous de faire carrière sur les planches : la condition fondamen-

---

1. Ce qui le soutient dans son effort, et peut-être sans effort, irréalisé, c'est sa « mise
en place » — ensemble de positions, de mouvements et d'attitudes indiqués par l'auteur
ou le régisseur. On entend souvent un interprète, au cours de répétitions, dire qu'il ne
sent pas l'indication qui lui est fournie : « Jouer ça assis ? Dire ça en remontant vers
le fond ? Non, mon vieux, je *ne le sens pas.* » Le *sentiment* — l'attitude aidant la parole
— représente ici une médiation entre les sensations réelles (kinesthésie, cœnesthésie, postures) et leur exploitation par l'imaginaire : s'il se lève pour parler, ce brusque jaillisse-
ment hors du fauteuil le disposera dans l'irréel à sentir l'indignation qui a fait sauter
le personnage sur ses pieds.

2. Nous ne tarderons pas à voir que, chez Gustave, cela n'est pas vrai.

tale n'est pas le talent ou les dispositions mais une certaine relation *constituée* entre le réel et l'irréalité, sans laquelle le comédien
ne s'aviserait même pas de subordonner l'être au non-être.

Cette relation, nul doute qu'elle ne fasse partie de la constitution
de Gustave *au moins après la Chute*, puisqu'il monte dès huit ans
sur les tréteaux et n'en veut plus descendre. On dira peut-être que
son désir porte sur un bien réel, la gloire de l'acteur. Mais c'est inverser l'ordre : le désir de gloire vient *après* ; de fait il ne se soucie pas
de la devoir à quelque prouesse mais au bon usage d'une technique
de déréalisation ; ce qui ne peut avoir qu'un sens : découvrant en
lui comme une faille du vécu, comme son anomalie, le renversement
de la hiérarchie « normale » qui fait de l'imaginaire un moyen de
réaliser, il a tenté de se personnaliser dans le projet *enveloppant* de
tourner cette déficience à son profit et de changer sa honte en gloire.
Or, pour choisir de valoriser le rêve en tant que tel, il faut être soi-
même constitué comme un rêve. Seul, un enfant imaginaire peut projeter d'assurer *en sa personne* la victoire de l'image sur la réalité,
par la raison qu'il est constitué à ses propres yeux comme une pure
apparence. Il ne suffit pas, en effet, d'être malheureux pour choisir
l'imaginaire. Il faut, tout au contraire, que l'imaginaire vous ait choisi
et soit à l'origine de votre malheur. Gustave, à huit ans, *souffre son
irréalité* comme un insaisissable manque d'être. Pour comprendre
comment sa *personnalisation* se manifeste d'abord comme une intégration rongeuse de l'irréel à l'entreprise d'exister et comment dans
son *stress* l'irréalité figure à titre de *mal* et comme *moyen d'échapper au mal*, nous nous demanderons, revenant sur les conclusions
de la première partie, quels facteurs l'affectent *au départ* d'une irréalité qu'il se condamne à produire dans la mesure même où il la subit.
J'en vois trois, correspondant chacun à un moment de la temporalisation mais dont les effets se feront sentir à tous les niveaux de
la spirale totalisante : la relation à la mère (l'action, le langage, la
sexualité), la relation au père (le regard de l'Autre), la relation à la
sœur (apparition de la geste).

A. — INACTION ET LANGAGE

La constitution passive que les soins de sa mère ont donnée à
Gustave entraîne la diminution conjointe de *sa* réalité et de *la* réa-

lité. En effet le dévoilement du réel est un moment de l'action :
il se révèle au projet qui le dépasse, à la fois comme champ pratique et comme menace permanente (coefficient d'adversité) ; son
être est résistance et possibilité. Quand la perception n'est plus *pratique*, elle tourne à l'imagination. Ou, si l'on préfère, la différence
s'amenuise entre ce qui est *analogon* d'un objet absent — donc neu-
tralisé et déréalisé — et ce qui paraît subsister comme un simple
être-là sans lien d'aucune sorte avec notre existence. En ce sens,
on peut dire que le quiétisme contemplatif *imaginarise* le contemplé.
Or Gustave est ainsi constitué que, ses besoins satisfaits avant même
de se manifester, le désir ne se donne pas, en lui, pour une exigence
d'assouvissement par la pratique mais pour l'attente rêveuse d'une
satisfaction qui viendra ou ne viendra pas et sur laquelle, de toute
manière, il est sans pouvoir. Cela ne signifie pas que l'impulsion
soit sans violence mais que, faute de s'affirmer, elle est sans droit
et, du coup, contestable dans son être : il lui manque d'être *instituée*, de se savoir un répondant à l'extérieur (pour les enfants aimés,
la mère, médiation sans cesse alertée entre leur désir et son objet),
ainsi va-t-elle — d'elle-même et en pleine veille — vers son assouvissement imaginaire. C'est qu'il n'y a pas tant de différence, pour
une envie violente mais qui ne croit point à soi, entre une satisfaction de hasard, toujours imprévisible, jamais *obtenue* et une satisfaction imaginaire. Inversement, le nourrisson surprotégé se trouve
à l'abri des menaces mondaines et n'a pas à se prémunir contre
elles. Un peu plus tard, quand elles se démasquent, il s'irréalise en
se déréalisant. C'est un fait général, en effet, que, lorsque nous
sommes dans l'impossibilité de répondre aux exigences du monde
par une action, celui-ci, du coup, perd sa réalité : Gide, en gon-
dole, la nuit, au milieu de la lagune, menacé par des gondoliers
qui méditaient de prendre sa bourse et peut-être sa vie, tomba, sans
perdre son sang-froid, dans un sentiment de perplexité amusée :
rien n'était réel, tout le monde jouait. Je me rappelle avoir éprouvé
la même impression, en juin 40, quand je traversai sous la menace
des fusils allemands braqués sur nous, la grande place d'un village,
pendant que, du haut de l'église, des Français canardaient indistinctement l'ennemi et nous-mêmes : c'était pour rire, ce n'était
pas vrai. En vérité, je l'ai compris alors, *c'était moi* qui devenais
imaginaire, faute de trouver une réponse adaptée à un *stimulus* précis et dangereux. Et, du coup, j'entraînais l'environnement dans
l'irréalité. Réaction de défense ? Sans aucun doute ; mais qui ne
fait qu'accentuer une déréalisation dont l'origine est ailleurs : le

salut de ma personne ne dépendant plus de moi [1], je sentais mes actes se réduire à des gestes : je jouais un rôle ; les autres me donnaient la réplique. Poussé à la limite, ce sentiment peut conduire au sommeil : on m'a cité des soldats qui, sous un bombardement sévère, s'endormaient dans le trou qu'ils avaient creusé. Dans ce cas comme dans ceux que je viens de citer, nous avons affaire à un automatisme défensif mais qui ne peut fonctionner que si l'impuissance transforme le danger mortel en cauchemar éveillé. Gustave, pour passer à l'imaginaire, n'a pas besoin de si grands périls : son impuissance est permanente et la moindre exigence de l'extérieur, le moindre déséquilibre le plongent dans l'hébétude ; à ce niveau son imaginarisation et l'irréalisation du monde se font ensemble : l'hébétude est prise comme un *analogon* de l'extase, la mer comme l'analogon de l'infini. N'allons pas croire, cependant, que l'enfant, en profondeur, ne soit pas, comme tout le monde, un « computeur d'être »[2] : au niveau de l'ancrage et de l'intériorisation, la réalité du monde le pénètre et devient sa réalité. Reste que, à tous les niveaux, il s'échappe à lui-même : la carence du pouvoir d'affirmer et de nier le réduit à croire, à *se* croire : on sait que croire et non-croire ne font qu'un : croire, *ce n'est que croire* : l'objet de la croyance se donne donc pour un être instable qui peut, à chaque instant, passer du réel à l'illusoire, en sorte que sa réalité se dénonce, dans sa présence même, comme virtualité d'illusion ; inversement l'illusion, faute d'être niée, se présente toujours à ses yeux comme *pouvant* être crue et contenant ainsi, à quelque degré que ce soit, une réalité virtuelle. Entre l'une et l'autre Gustave n'a pas toujours les moyens d'établir une différence tranchée.

Cette indifférenciation générale le conduit à passer aisément d'un monde insuffisamment réel à un rêve éveillé dont l'inconsistance est insuffisamment sentie et qui risque toujours d'être cru s'il plaît ou s'il rassure. Elle ne permet pas, toutefois, de comprendre, à elle seule, pourquoi l'enfant rêveur a choisi de s'irréaliser publiquement — c'est-à-dire *pour les autres* — en interprétant des rôles. C'est le moment de nous rappeler que la constitution passive de Gustave a eu des incidences fâcheuses sur l'insertion de celui-ci dans l'univers du langage.

---

1. Si je n'avançais pas, les Allemands tiraient : si j'avançais, je me trouvais sous le feu des Français. J'optai, pourtant : du côté des Allemands, le danger était pire : ils ne me rateraient pas. Mais cette option, imposée par les circonstances, était si peu *mienne* qu'elle m'apparaissait comme partie intégrante du rôle que j'avais à jouer.

2. Merleau-Ponty, *Signes*.

La froide surprotection qui s'exerçait sur ses premières années a empêché ses besoins de se constituer en *agression contre l'autre* ; il n'a jamais été souverain, n'a jamais eu l'occasion de brailler sa faim dans la colère ou de la manifester comme un impératif ; il n'a pas senti l'amour maternel et, pur objet de soins, n'a pas connu cette première *communication* : la réciprocité des tendresses. Un peu plus tard, quand, après le sevrage, il lui faut manifester ses désirs dans l'espoir qu'on les assouvira, il est incapable de les *signifier* vraiment : l'ordre du vécu — qui est chez lui végétatif et pathétique — reste sans commune mesure avec l'ordre des signes.

« Les malheureux doivent être discrets. » Ce proverbe des Anciens veut dire — entre autres choses — que nous savons gré à nos amis de nous communiquer qu'ils souffrent de la tête ou de l'estomac à titre de simple information, sans mimique et d'une voix objective : en prenant leurs distances par rapport au mal, ils nous invitent à prendre les nôtres. Mais chacun fait ce qu'il peut et il ne manque pas de gens pour « mettre le ton » — voix déchirante ou blanche ou faussement neutre — et pour s'identifier à leur souffrance, en tout cas pour refuser tout recul par rapport à elle et nous rendre toute distanciation impossible : c'est appel d'amour, bien sûr ; et nous avons raison de dire qu'ils cherchent à se faire plaindre mais tort de nous en agacer. Ainsi de Gustave. Pour lui, le langage demeure l'instrument principal mais, faute d'avoir été initié dès le berceau aux innombrables figures de l'échange, une distance infime et infranchissable le séparera toujours de ses interlocuteurs ; il tient son pathos pour incommunicable et, surtout, il ignore que toute parole est un droit sur l'Autre, que toute phrase, même purement informative, s'insère comme question, sollicitation, commandement, acceptation, refus, etc., dans l'interminable conversation que les hommes poursuivent depuis des millénaires, qu'à toute demande il est répondu, fût-ce par le silence, que deux personnes quelconques, si différentes soient-elles, mises en présence l'une de l'autre, ne cessent plus de dialoguer, quand même elles s'obstineraient à se taire, puisqu'elles sont nécessairement, même dans l'immobilité la plus entière, voyantes et visibles, totalement signifiantes et totalement signifiées. Le dialogue pour l'enfant Gustave — et, plus tard, pour l'homme — n'est pas l'actualisation par le Verbe de la réciprocité, c'est une alternance de monologues. Et, quand vient son tour de monologuer, il est sûr de l'échec avant de commencer : les autres peuvent l'atteindre par la parole ; ils affirment en lui des *phrases autres*, qui le désignent du dehors, viennent se déposer dans sa tête par l'oreille ; il ne peut les reprendre à son compte en raison de la faiblesse de son pouvoir affirmatif et sent, quand il les récite, qu'elles ont perdu leur puissance : il n'atteindra pas son interlocuteur par la simple parole. Dire la souffrance, l'amour, le désir ne suffit pas : il faut les *donner à entendre* ; il n'a aucune chance de persuader autrui à moins de lui proposer sa passion, toute crue, telle qu'il la vit. En d'autres termes, le *pathos* se manifestera dans et par le son et le geste, sans droit, sans autorité, il ne peut que *représenter* son état ; mais pour que cette *montre* entraîne l'adhésion de l'Autre, il est nécessaire qu'elle ne lui soit pas destinée. Ni à personne. C'est le contraire d'une information : renchérissant sur sa passivité, il faut que l'enfant *subisse* l'extériorisation de son *pathos* : il n'avait pas l'intention, le pauvre, de parler avec cette voix altérée par l'émotion ; quant à la mimique qui accompagne ses propos, elle s'est imposée à son insu : tout se passe comme si son interlocuteur l'avait surpris dans sa solitude et le *voyait vivre* son irrépressible souffrance. Ainsi Kean, jouant Hamlet, se met en état d'ignorer son public : c'est la vue du spectre qui lui arrache ces mots balbutiés, ce mouvement de recul — et non point l'attente des spectateurs. Pourtant Kean et Gustave, à travers cette non-communication, visent à communiquer — indirectement et sans réciprocité — un état pathétique : tous deux, ils s'offrent, ils se *proposent* à des maîtres impassibles sans rien savoir de l'accueil que ceux-ci leur réservent. Seront-ils *crus* ? Vont-ils *émouvoir* ? Obtiendront-ils ce qu'ils demandent ? Cela ne dépend pas d'eux : hier la salle était en or, aujourd'hui ce sera peut-être l'emboîtage. Ils se mettent entre les mains de leurs juges : libre au parterre de se laisser (ou non) convaincre, aux parents de Gustave de croire ou de ne pas croire, de se laisser (ou non) attendrir. Bref, l'enfant et le comédien ont la même impuissance et les mêmes visées. À cette différence près que Kean ne ressent pas réellement la peur qu'il *représente* au lieu que Gustave est convaincu d'exprimer ce qu'il ressent. Mais, à mieux y regarder, la distance qui les sépare se réduit notablement : les terreurs de Hamlet, Kean, nous l'avons vu, les éprouve irréellement. Le petit garçon, lui, au départ, éprouve réellement *quelque chose*. L'irréalité porte, dans son cas, sur l'expression : la douleur ou le désir prétendent lui *échapper* et témoigner pour eux-mêmes sans en avoir été priés. À la limite, c'est le *cri*. Le cri *poussé* pour convaincre et qui se donne pour *arraché* par la souffrance ou la joie. Mais peut-on prescrire des bornes à l'irréalisation ? L'émotion que

Gustave exprime n'est pas identique à celle qu'il croit exprimer puisque sa mimique est nécessairement hyperbolique : s'il la *subissait*, comme il prétend, au lieu de la *faire*, elle correspondrait à un bouleversement affectif d'une tout autre intensité. En ce sens, on peut dire que l'affection vécue, quelle qu'elle soit, sert d'*analogon* à l'affection jouée.

Dirons-nous qu'il ment ? Pas du tout. Il veut convaincre. Et, faute de pouvoir affirmer, il exagère. Insincère, oui, sans aucun doute mais à condition d'ajouter qu'il est *affecté* d'insincérité : il en fait trop parce qu'il n'est pas capable d'en faire *assez* ; faute de pouvoir découvrir, construire et affirmer simultanément sa vérité subjective, il n'est sûr de ce qu'il ressent qu'après en avoir fait la montre et qu'après avoir reçu l'approbation des autres qu'il intériorise et conserve en lui comme imitation hystérique d'une affirmation (acte judicatif transformé en geste verbal). Cela signifie que ses émotions, attendant d'être *instituées* par les témoins de sa vie, lui échappent sans se détruire tout à fait, semblent être ressenties *pour être représentées* et, du coup, le *pathos*, au lieu d'être l'absolue présence à soi, devient le moyen de *s'offrir-ému-au-regard-instituant* ; ainsi l'affect éprouvé se pénètre d'un impalpable néant qui devient la saveur même du vécu mais demeure, pour l'enfant, inexplicable puisque, dans l'instant même qu'il se sent insincère, il ressent la sincérité de ce qu'il éprouve et tente de manifester. L'insincérité vient ici de ce que la sincérité est clandestine : certes la présence à soi du vécu — donc la possibilité permanente d'un *cogito* réflexif — est indéniable mais Gustave ne la considère pas comme *index sui* : c'est que le sentiment, débordant la simple présence du ressenti, comporte toujours un engagement rétrospectif (décision touchant l'interprétation du passé) et un serment (engagement de l'avenir) ; c'est par là qu'il échappe à la conscience pour devenir, au sein de la psyché, son quasi-objet ; quasi-objet dont la probabilité croît en proportion de la puissance affirmative du sujet, c'est-à-dire de ses capacités d'*action* donc de sa constitution. Or Gustave ne peut jurer ni décider par lui-même : il reçoit son serment des autres ; aux autres de décider d'après ses conduites présentes de ce qu'il a dû ressentir et de ce qu'il ressentira [1].

---

1. Celui qui se sent *institué* (par l'amour maternel, etc.) et qui décide souverainement, en toute sécurité, n'a pas besoin des autres pour nommer ses sentiments : il s'engage avec certitude. Notons que cette certitude subjective ne change rien au caractère *probable* du quasi-objet.

Reste qu'il faut persuader les autres : si Gustave souhaite infléchir leur jugement, il faut les convaincre ; il convient aussi, en attendant l'*institution*, qu'il puisse, sinon se convaincre lui-même, en tout cas se mettre en disposition de croire à ce qu'il fait : par cette raison, il lutte contre l'impression permanente de porte-à-faux qui le tourmente en intensifiant les manifestations extérieures de son état : c'est se mettre à genoux pour croire, hurler pour s'affecter de la douleur exprimée. S'il pouvait mourir de chagrin sous les yeux de sa famille — on sait qu'il y a songé plus d'une fois —, cette folle outrance équivaudrait, somme toute, au tranquille jugement assertorique : *je souffre*, qui n'est permis qu'aux agents pratiques. Ce serait la *preuve* et qui pourrait en douter ? Personne, surtout pas le malheureux cadet dont le dernier soupir serait un soupir de soulagement : enfin convaincu ! Bref, faut de pouvoir affirmer son *pathos*, il tente de donner à celui-ci la force de s'affirmer lui-même par les ravages qu'il provoque. En vain : c'est lutter contre l'irréalisation constituée en se déréalisant plus encore. Le décalage s'accroît entre l'intensité du vécu et celle de ses manifestations : il ne peut s'empêcher de sentir cette inflation sentimentale : peu d'or, beaucoup de billets circulent. Il s'en agace : quoi qu'il fasse, ça sonne creux : il se taxera bientôt d'hyperbolisme [1]. Plus tard, il se baptise l'Excessif : surnom à double sens qui se rapporte à la fois à ses « hindddignations » réelles (« Je sais, je ne devrais pas… cela n'en vaut pas la peine mais que voulez-vous, *c'est plus fort que moi* ») et aux grands mots, aux éclats de voix, à la gesticulation qui les expriment (« Je sais, j'en fais trop, j'en remets mais que voulez-vous, j'ai la nature d'un saltimbanque… »).

Plus profondément, quand l'enfant s'irréalise pour proposer l'*image* de son état réel, il joue de son impuissance pour mettre l'Autre au pied du mur : « À toi de jouer. Je n'ai pas droit à ton aide et, d'ailleurs, je ne la sollicite même pas : si tu me prêtes secours, ce sera pure générosité de ta part, tu seras mon bon Seigneur ; si tu décides de m'abandonner, libre à toi mais tu auras choisi la liberté-pour-le-Mal et livré le monde à Satan. » Jouer ce qu'on ressent, c'est feindre de se livrer aux autres et, en vérité, essayer de les faire chanter. Mais, bien entendu, cette violence doit rester secrète, même pour celui qui la commet : par là, l'irréalisation s'accroît puisque Gustave cherche à se dissimuler son projet dans le moment même qu'il l'accomplit : sous tous les regards, il

---

1. Cf. le récit du deuxième narrateur dans *Novembre*.

s'imagine pâtir solitairement quand, en fait, il agit sur soi pour amener les autres à compatir. Agir sur soi pour agir sur les autres, se
donner en spectacle pour les émouvoir, c'est le type même de
l'action passive mais ce n'en est pas moins une action : les comédiens la font chaque soir et doivent, eux aussi, oublier leurs vraies
motivations s'ils veulent convaincre leurs juges [1]. A ce niveau, le
langage lui-même devient imaginaire. Entendons que les phrases
dites : « J'ai mal » ou « J'en meurs d'envie », ne contiennent pas
d'information réelle et se bornent à renseigner sur l'image présentée, comme le titre d'un tableau : lorsque Klee, à la fin de chaque
mois, passait en revue ses œuvres nouvelles pour leur inventer des
noms, il se produisait entre le mot et l'objet peint une sorte
d'osmose : le premier structurait le second en en poussant l'irréalisation à l'extrême ; le second, en *appelant* le premier, du fond de
l'irréel, lui communiquait, à l'instant même de l'invention verbale,
son irréalité : ainsi jaillissent tout à coup les mots jamais accou-
plés jusque-là — par exemple : « *Grenouille ventriloque dans les
marais* » — et qui n'ont de sens que par rapport à l'image singulière qui les a sollicités. Chez Gustave, au moins dans son enfance,
la déréalisation du langage n'est pas poussée aussi loin. Il n'en
demeure pas moins que celui-ci apparaît comme une geste verbale,
partie intégrante d'une geste plus générale dont la fonction est de
montrer hyperboliquement ce qu'il ressent.

Le processus de déréalisation ne s'arrête pas là. Le petit garçon,
lent écoulement de synthèses passives, écrasées par le poids de phrases étrangères qui le désignent, est informé par celles-ci qu'il a aux
yeux des autres une *réalité autre* qu'*on* tient pour sa *vraie* réalité :
il est pour eux une personne avec un caractère aux traits arrêtés.
Cette personne, il tente — docilement d'abord puis, après la Chute,
avec emportement — de l'*être* : et c'est justement la *jouer* : il se
guide sur des réussites de hasard, sur son intuition, sur des intentions manifestées par autrui, pour exprimer ses désirs et ses peines
dans un certain style dont il suppose que c'est ce qu'on *attend* de
lui. N'imaginons, chez lui, aucune duplicité : il n'essaie pas, dans
le cynisme, de se faire tel qu'on veut pour plaire : à cet objet qu'il
est pour les autres il reconnaît, nous l'avons vu, la primauté onto-

---

1. Il ne leur faut pas longtemps pour juger un public. Selon les cas, ils jouent serré,
se donnent quelque liberté ou forcent les effets, etc. Mais pour réussir cette interprétation d'un soir, il est indispensable qu'ils ne soient pas tout le temps dans le secret de ce
qu'ils font. La monition « public dur » ou « public du dimanche » ou « public gelé, attention ! » demeure en eux comme un schème directeur et, presque constamment, non verbal.

logique sur le sujet qu'il est pour soi. Gustave pense qu'il est pour de bon cet être inconnu que découvrent ses parents et, dans la mesure où il croit le deviner, il tente de le représenter non pas seulement pour les flatter mais pour s'ouvrir à la réalité objective, pour que celle-ci, convoquée par les gestes qui la miment et la sollicitent, se glisse en lui pour le remplir de sa densité. Bref il tente d'incarner sa *personne autre*, de prêter son corps vivant et souffrant à cet ensemble de déterminations abstraites. Mais à chaque cérémonie d'incarnation, il sent à l'évidence qu'il n'arrivera jamais à être pour soi ce qu'il est peut-être pour autrui. En d'autres termes, il veut capter sa réalité — qui est aux mains d'autrui — pour l'*être* en soi et pour soi mais, comme elle ne coïncide jamais avec le vécu, l'incarnation se donne à la fois comme nécessaire et comme impossible, l'enfant se sent fondamentalement irréel. D'une part, en effet, en tant qu'il est comédien de soi-même, il se saisit comme *personnage* et non comme *personne* ; d'autre part ce qu'il éprouve *pour soi*, le vécu, disqualifié, lui apparaît comme un moindre-être, inessentiel et, d'une certaine façon, sans réalité puisque le ressenti — l'ipséité dans sa pure contingence — se donne pour un matériau brut et inconsistant qui n'a d'autre fonction que de servir, élaboré, à la montre publique de son personnage. Il y a un critère pourtant : il sera vrai s'il convainc les autres. Mais qu'est-ce que cela prouve ? Que Kean est réellement Hamlet ? Ou qu'il a « bien » joué son rôle ? Encore celui-ci est-il applaudi : c'est la sanction qu'il réclame. Gustave, s'il s'est montré convaincant, ne reçoit pas d'applaudissement : on le traite *en Gustave* c'est-à-dire, précisément, comme la personne qu'il ne se sent pas être ; la croyance d'autrui est une prime à son insincérité ; elle devient constitutive en ce sens qu'elle le voue par principe à la représentation de son être et qu'elle lui donne la double impression contradictoire d'avoir *bien joué*, à l'aveuglette, selon des normes fixées d'avance, d'ailleurs mal connues de lui, et d'avoir atteint hors de soi, dans la dimension d'altérité, l'être objectif qu'il est mais qu'il ne peut réaliser pour lui-même. Être réel, pour lui, c'est être cru. Or de cela même il n'est jamais sûr : les conduites des autres sont obscures, imprévisibles et douteuses. Au mieux, il croira qu'on l'a cru : aussi l'enfant n'est-il jamais plus aliéné, jamais plus irréel que lorsqu'il dit : « Moi, je... » Moi : l'unité des profils innombrables qu'il offre aux autres à son insu. Je : le sujet de la praxis et de toute affirmation.

Le rapport vicieux de Gustave avec les mots aura pour effet de

le jeter dans une aventure qui ne se terminera qu'avec sa vie :
le futur écrivain s'est fixé, dès sa petite enfance, au stade oral
du discours. Cela veut dire qu'il s'est *aliéné à sa voix* non
pas en tant qu'elle est le véhicule des significations mais dans la
mesure où elle témoigne, par ses modulations, d'un pathos hyperbolique.

B. — LE REGARD

1. *Le miroir et le rire.*

L'amour filial peut être sincère, c'est-à-dire *ressenti*. La piété
filiale, par contre, est une «*montre*» : l'enfant s'y prête volontiers,
il dit ce que les parents attendent de lui, refait les gestes qui leur ont
plu, il est *en représentation*. En ce sens tous les enfants bourgeois
sont plus ou moins des comédiens. Mais quand les parents répon-
dent à cette «montre» par une autre «montre» et couvrent de
caresses le petit cabotin, le rôle tend à disparaître : tout se passe dans
la vérité intersubjective du vécu familial. Car la vérité de mon
amour, c'est l'amour que l'autre me porte. Bien accueillies, les
mimiques enfantines s'ignorent : elles se dépassent vers leur fin qui
est la réponse de l'être aimé : il *faut* que celui-ci prenne le petit garçon sur ses genoux, dans ses bras et l'institue *fils aimé de ses
parents*; en cette réponse les emportements joués de l'enfant trouvent leur vérité : ce n'étaient que des moyens pour obtenir ce sourire
paternel par lequel l'amour revient sur soi et se confirme; le rôle imposé devient rite sacré, l'insincérité tend à disparaître. Gustave a
connu, dans sa petite enfance, la cérémonie quotidienne de l'amour;
on a sollicité ses élans pour y répondre. L'amour qu'il portait alors
à ses parents, c'était indissolublement une passion et un impératif.
Cette structure est commune à la plupart de nos affections : l'être
y est devoir-être et inversement [1]. Rien de plus rassurant : le cadet
Flaubert, avant la Chute, vivait dans la sécurité, éprouvant ce qu'il
devait éprouver par la raison qu'il était ce qu'il devait être. Déjà
pourtant le petit garçon s'irréalise dans les manifestations de sa pas-

---

1. C'est précisément ce que Hegel nomme *pathos*. On aura compris que c'est *en ce
sens* que nous avons employé le mot dans les pages précédentes.

sion. N'aime-t-il pas son père ? Au contraire, il l'adore. On l'a fait tel qu'il « pousse » un peu. Nous savons pourquoi.

Il mime *trop* ce qu'il ressent mais il arrive aussi qu'il mime ce qu'il ne ressent pas. Ou, du moins, pas encore. Cela se comprend sans peine et, sur ce point, Gustave n'est pas si différent des autres enfants et même des grandes personnes. L'émotion n'est pas séparable des conduites qui l'expriment et, dans un rapport quotidien avec l'« objet aimé », il arrive fréquemment que celles-ci la précèdent et visent à la faire naître. Un enfant qui s'ennuie, tout à coup, s'avise de se jeter dans les bras de ses parents : ce n'est pas le trop-plein *ressenti* de sa tendresse qui l'y pousse, c'est une joie future qui l'attire : celle qu'il éprouvera sous les caresses. Et, chez les amants, l'élan amoureux naît plus souvent qu'on ne le dit de la sécheresse et du vide. L'amour est là, pourtant : passé, à venir ; le souvenir est gage et promesse : si à la tendresse provisoirement absente mais *manifestée* de l'un répond la tendresse réelle mais *provoquée* de l'autre, un événement se *réalise*, dont la structure fondamentale est la dualité : entendons qu'il ne se produit en chacun que par l'autre, il est en chacun réciproque : en provoquant chez l'amante un bouleversement vrai qui le comble, l'amant sent, en lui-même, l'élan joué se transformer en plénitude d'amour. Gustave court vers son père : si celui-ci l'enlève à bout de bras et l'installe sur ses genoux, l'insincérité est éliminée d'office : ce que l'enfant ressent alors avec bonheur ce n'est pas d'abord son propre sentiment, c'est celui que son Seigneur a la bonté de nourrir pour lui : la plénitude naît ici de l'intériorisation en passivité des caresses paternelles, extériorisations d'un amour actif. Il lui apparaît en outre que, répondant à son élan, son souverain *reconnaît* la vérité de l'amour vassal qui lui est voué.

Tant que le *pater familias* voulut bien agréer les démonstrations — même hyperboliques — de son fils cadet, il les valida. Le petit garçon se crut suscité du néant tout exprès pour chanter la gloire de son Créateur et la cérémonie quotidienne de l'adoration lui sembla constitutive de son être de créature ; il ne se trompait pas tout à fait : le docteur Flaubert, bourgeois patriarcal, ne s'abaissait pas jusqu'à solliciter l'amour mais il eût été fort étonné qu'on ne l'adorât point. Cet âge d'or, nous savons qu'il ne dura pas : sombre, nerveux et sceptique, Achille-Cléophas mit fin de bonne heure à toute la comédie. C'était sa contradiction, à cet homme, de réclamer, chef de famille, l'hommage de ses vassaux par sa seule existence et de condamner, scientiste, toutes les conduites féodales au nom de l'atomisme psychosocial. Pour Gustave, ce fut une catastrophe : il tirait sa vérité de l'Autre, n'en ayant par lui-même *aucune* ; que celui-ci reprenne ses billes, ce second sevrage fait une coupure dans la douce confusion immédiate de la vie intersubjective et, déconnexion brusque, rejette l'enfant dans la solitude de l'incommunicable en même temps qu'elle l'affecte d'une insupportable visibilité. L'enfant ne cesse point pour autant d'être expressément convié à la cérémonie d'amour — ne serait-ce que par sa mère, qui doit le confirmer par ses propos dans le sentiment de sa vocation — mais, à peine se met-il en train, le voilà dénoncé par un regard froid, une main qui le repousse, une indifférence affichée ou, pire, un vanne, un quolibet. Cabotin ! Renvoyé à lui-même, c'est-à-dire à la non-vérité, Gustave découvre avec stupeur son irréalité ; il s'agit bien, en effet, de son être : pour échapper à la fadeur de sa facticité, nous l'avons vu, dans la première partie, se donner un *être-pour-adorer*, ce qu'on peut tenir, dans notre nouvelle perspective, pour une aurore de personnalisation. Or c'est cet être même que les refus paternels se trouvent mettre en question. Est-il *voué* ? Il voudrait le croire de tout son cœur, sa mère le lui laisse entendre, son père dénie sa vocation sans baisser pour autant ses exigences. Fait-il mal ce qu'on lui demande de bien faire ? Ou bien ne lui demande-t-on rien du tout ? Où est la preuve de sa mission ? Ce ne saurait être la tendresse *ressentie* : chaque fois qu'il fait un bide — c'est-à-dire de plus en plus souvent — ses élans se découvrent à lui dans leur nudité, démasquant leur insincérité. Il se jetait vers son père pour trouver dans les bras de celui-ci la *chaleur* dont il était privé ; la duplication amoureuse n'ayant pas eu lieu, il découvre qu'il a « joué à froid », qu'un vain désir de plaire s'est manifesté par une parade sans effet. En serait-il de même pour tout enfant d'abord aimé, dont le père, un jour, se détourne ? Tout dépend de la « maternation » : s'il est, si peu que ce soit, un agent pratique, il connaîtra sans doute la stupeur et la détresse mais il s'en sortira — tant bien que mal — en jouant la mère contre le père, c'est-à-dire en tâchant de devenir sa propre vérité : mis en question, il affirmera qu'il *aime*, qu'il n'a jamais *joué* l'amour (ce qui sera partiellement faux) et qu'il y a eu trahison. Cette expérience ne peut aller, bien entendu, sans provoquer des lésions profondes mais, le *trauma* n'étant pas le même, le *stress* sera, lui aussi, différent. Le malheur, pour Gustave, c'est qu'il n'a pas les moyens d'*être sa vérité*, donc de s'affirmer contre son seigneur et de l'accuser de félonie : les actions de grâces, en conséquence, demeurent, à ses yeux, son devoir-être constitutif mais celui-ci se sépare de l'être ; le petit garçon se sent contraint de jouer sans cesse une comédie à laquelle il ne peut plus croire : le souvenir des dégoûts essuyés, la terreur d'échouer — renforcée chaque jour par des échecs nouveaux — suffisent à chasser de lui toute émotion tendre : il s'offre, glacé, à la chaleur qui se refuse, il la sollicite par des conduites de plus en plus hyperboliques au nom d'un amour qu'il ressent de plus en plus rarement. Bref, c'est sa réalité même que le refus du père déréalise : celui-ci n'a d'yeux que pour l'imaginaire (ce qui *n'est pas vrai, n'est pas ressenti*, chez Gustave, mais seulement joué) et, du coup, l'enfant se sent imaginaire sous ce regard. Car le docteur Flaubert est un grand nerveux donc, à ses heures, un méchant : quand il s'agace, il a tôt fait, par quelques mots ironiques, de réduire en « tronçons » les « mensonges » de son fils. Pour celui-ci, tout se passe comme si, sommé de se rejoindre à l'être-qu'il-doit-être, il s'arrêtait à mi-chemin et, mobilisant tout son corps pour en faire l'*analogon* d'un *pathos* montré et jamais ressenti, il n'arrivait qu'à se transformer en *image* d'amour : il ne pense certes pas qu'il joue la comédie — lucidité qui peut-être le délivrerait — mais qu'il est affecté d'un non-être permanent. Il a deux manières d'*exister* : ou bien il s'enlise dans les bourbiers de la contingence, triste marasme où rien n'est faux, ou rien n'est vrai — ou bien il s'irréalise en amant éperdu et le vécu, vampirisé par le non-être, n'a plus d'autre fonction que de fournir au néant ce minimum d'être qui lui permet de paraître. Il aime, pourtant, mais l'amour, étant dualité, tombe, quand il n'est pas partagé, dans le domaine de la *doxa* qui est, en fin de compte, celui de l'imagination. Ainsi, puisqu'on lui refuse la sincérité quoi qu'il fasse, et puisqu'il ne se reconnaît pas le droit de rien éprouver avant que les adultes lui aient donné leur consentement, il est condamné par la méfiance capricieuse du père à ne jamais décider s'il ressent ou s'imagine ressentir. Et sa première réaction défensive sera de s'affecter d'une croyance nouvelle, à savoir que c'est tout un de ressentir et d'imaginer. Le sens profond de cette révolution personnalisante, c'est que l'enfant veut ne plus savoir s'il existe ou s'il fait semblant d'exister. Gustave, par cette option, choisit, à son insu, l'anti-cartésianisme et plus obscurément l'irrationalité. S'il ne parvient qu'à produire des images, n'est-ce pas qu'il est lui-même une image ? Ce serait la clé du paradoxe. Avec cette conséquence fort utile pour sa défense que si tous les sentiments de Gustave sont imaginaires (entendons : vrais dans leur essence mais irréellement éprouvés), il pourra explorer et revendiquer comme siens tous ceux qu'il lui plaira d'imaginer. Ce nouveau paradoxe, dont il saura si bien user plus tard, s'annonce, pour le moment, sans s'expliciter mais sa seule présence achève de l'égarer : pour lui, la vérité existe, il y croit ; simplement elle appartient aux autres ; il a perdu la sienne si tant est qu'il en ait eu quelqu'une mais les autres ont gardé la leur. Quand il se compare à ces êtres solides, déterminés, impénétrables, il s'affole de se sentir fait, en face d'eux, de cette substance diaphane et protéiforme qui peut tout imiter parce qu'elle n'est jamais rien. Toute sa vie il sera hanté par cette angoisse : et s'il y avait des gens qui aiment et qui souffrent *tout de bon*? Il faut le voir à dix-huit ans, fou de jalousie parce que son camarade Hamard (qui vient de perdre un frère) est bouleversé de chagrin : ce crétin souffre et moi je n'atteindrai jamais *dans la réalité* à ce degré de souffrance sauf par l'imagination! Sa réaction défensive, on la connaît : il *joue le rôle* de l'homme le plus malheureux. Dès l'enfance et pendant sa vie entière : après la défaite de Sedan et la chute du second Empire, il écrira — aveu d'une désarmante naïveté — qu'il y a sûrement, en France, des hommes qui ont, plus que lui, des raisons de souffrir mais aucun qui souffre davantage. Le fait est que Gustave, après sa disgrâce, subit une crise d'identification d'une extrême violence parce qu'on lui a volé son être et qu'il *n'est plus personne*.

Pour les autres, cependant, il est réel, bien réel : ils le voient, ils le connaissent, ils ont des renseignements qu'il ignore et qui lui permettent de le juger. Ils détiennent sa vérité et la lui cachent. Puisqu'il ne peut les convaincre de l'instituer comme il voudrait l'être, s'il pouvait, du moins, se voir avec leurs yeux, vivre, *sujet*, l'objet qu'il est pour eux! C'est s'aliéner à cet être-pour-autrui, fuyant, abstrait, qu'on lui propose et qu'on lui refuse tout ensemble, qu'on désigne, en lui, par des phrases qu'il ne peut comprendre. Il sera ce qu'on veut pourvu qu'il soit quelque chose et quelqu'un pour lui-même : la passivité, l'échec, le désespoir le conduisent à la soumission. Dans son impatience de s'accepter, il cherche à diriger sur soi un regard étranger. Il s'agit moins, d'ailleurs, d'un effort pour se connaître que d'une tentative irrationnelle et passionnée : il veut, l'enfant irréel, coïncider avec sa réalité. Par cette raison, il l'a dit cent fois, les miroirs le fascinent. S'il s'y surprend il sera pour lui l'objet qu'il est pour tous ; si, dans l'unité d'une même entreprise, il se sentait sujet au-dehors et objet au-dedans de soi-même, il se récupérerait tout entier et jouirait de sa vérité. Là-bas, dans la glace, il aurait la même consistance que les autres, la même matérialité. En fait le rapport de Gustave à son reflet n'est, originellement, qu'un aspect particulier de son rapport au Père. À cinq ans, s'il faut l'en croire, il court à son miroir dès qu'il pleure. Est-ce pour « voir la tête qu'il fait » ? Oui et non. La grimace ne l'intéresse pas en elle-même. Mais, ayant versé des larmes en l'absence de témoins, il est convaincu — à tort — de sa sincérité. Puisque c'est elle qu'on met en cause, il brûle de contempler sur-le-champ — *telles que son père les verrait s'il était présent* — les manifestations spontanées d'une douleur qui n'est pas contestable. Il est si peu sûr de lui, l'infortuné, qu'il ne se demande pas : « De quoi ai-je l'air quand je pleure ? » mais : « De quoi ai-je l'air quand je suis innocent ? »

Le malheur, c'est qu'il se change aussitôt en coupable et qu'il s'en rend compte. La preuve ? Il nous la donne lui-même : à peine s'est-il placé devant son image, le voilà parti à grimacer, comme faisait, à la même époque, pour des raisons analogues, le jeune Charles Baudelaire, forçant ses pleurs ou ses rires. Gustave attendait une évidence et c'est par cette raison, justement, qu'il est déçu : elle ne convainc pas, cette mimique spontanée qui devait porter la marque de sa sincérité. Cette souffrance, dont elle devait lui découvrir l'être-en-soi, l'image dans la glace n'en est que la vague et banale illustration. C'est qu'il s'attendait à surprendre la *vraie* douleur, bloc imperméable dans l'extériorité, qui s'offre *aux autres seulement* comme une « essence particulière et affirmative » dont son affection intime ne peut être qu'une intériorisation : bref il a renversé les termes et mis l'être dans l'apparence ; le miroir rétablit l'ordre vrai : c'est l'intérieur, si trouble, jamais assez convaincu qui commande au visible et communique son incertitude à ses manifestations extérieures ; et puis l'enfant n'est déjà plus le même : il se regarde pleurer comme on s'écoute parler, cela signifie qu'il pleure pour se regarder comme on parle pour s'écouter. Pleure-t-il encore, d'ailleurs ? Et, s'il peut s'y déterminer, sont-ce les mêmes sanglots qui déforment ses traits ? Il a emprunté les yeux du docteur Flaubert et contemple, incrédule, méprisant, l'enfant qui, dans le miroir, gesticule pour le persuader. Au reste, l'irréalité s'accroît : l'objet vu, c'est *son image*, ce n'est pas lui ; le reflet sert d'*analogon* à son corps visible qui lui échappe ; et quant à lui, sans trop le savoir, il s'est irréalisé : témoin sourcilleux de soi-même, il joue le rôle du médecin-chef. Par réaction contre sa déception et aussi parce qu'il est dévoré — faux témoin d'un faux-semblant — par les flammes froides de l'imaginaire, il se prend à forcer sa mimique pour entraîner son propre assentiment — c'est-à-dire celui de son père. Bref il est renvoyé à la seule tactique qui lui soit possible : il en remet pour convaincre. Le voilà semblable au comédien qui se met devant sa glace pour étudier des « effets ». À vrai dire, il y songeait du premier instant : quand il prétendait ne vouloir qu'observer sa mimique spontanée, il se cachait son intention de l'apprendre pour la reproduire. Comment pourrait-il *se voir innocent* sans souhaiter *se montrer* tel à sa famille ? C'est un accusé travaillant au magnétophone le « cri de l'innocence » pour le pousser au bon moment. Quand il court vers son reflet, Gustave ne songe pas tant à se voir qu'à *se voir vu* pour se corriger *dans la vision des autres*. Or c'est ce qui lui est interdit : le rapport de l'homme à son reflet ressemble à ce que les psychologues nomment la *double sensation* : si mon pouce touche mon index, aucun de ces deux doigts n'est véritablement un objet pour l'autre, puisque chacun d'eux est à la fois prospecteur et prospecté, sentant et senti, actif et passif ; de même, je ne puis voir dans la glace mon sourire ou le haussement de mes sourcils que je n'aie conscience en même temps de les vouloir et de les produire en fonction du reflet de mon visage ; en conséquence je ne vois jamais *un homme qui me sourit* mais l'image qui résulte des contractions musculaires que j'effectue intentionnellement. Non qu'on ne puisse rien apprendre d'un reflet : on y observera, dans une certaine mesure, ce qui a rapport à l'être-au-milieu-du-monde (les relations avec l'environnement) ; l'être-dans-le-monde, jamais [1]. Le personnage que nous *voyons*, qui se plie docilement à nos décisions et reproduit nos mouvements en même temps que nous les faisons, est, pris dans son unité d'ensemble, un *quasi-objet*, prévisible et non totalisable, en tant du moins qu'il apparaît comme agent. Donc l'échec est total et, du coup, le petit garçon prend explicitement conscience de ses intentions : cabotinage ! Que va-t-il faire ? Pleurer de honte ? Enrager ? Pas du tout : il éclate de rire. C'est la deuxième phase de l'opération : faute de pouvoir contraindre les autres à l'instituer dans son être tel qu'il le souhaiterait, l'enfant tente de s'identifier à l'être qu'ils veulent bien lui donner. Dans la Correspondance de Flau-

---

1. C'est par cette raison que nos photos ou un film où nous figurons sont plus révélateurs pour nous qu'une glace. L'attitude que j'ai prise devant le photograhe, les gestes que j'ai faits devant la caméra, ils sont miens, je les reconnais mais je peux les observer dans la mesure où, dans le moment que je *regarde*, je ne prends plus celle-là, je ne fais plus ceux-ci : mon image, libérée de moi, tend à devenir *celle d'un autre* et je tends à la juger avec les yeux des autres.

bert, dès les premières lettres et jusque dans les dernières, le miroir est lié à deux thèmes différents : celui du rire et celui de la féminité. L'un et l'autre expriment sa soumission [1].

Gustave prétend qu'il ne peut se raser devant sa glace sans pouffer. À Ernest, devenu substitut et qu'il soupçonne de se prendre au sérieux : « Regarde-toi dans ta glace immédiatement et dis-moi si tu n'as pas une grande envie de rire. Tant pis pour toi si tu ne l'as pas [2]... », etc. Or le rire est une réaction collective, nous y reviendrons plus loin, par laquelle un groupe, menacé d'un danger, se désolidarise de l'homme en qui ce danger s'incarne. Ce qui ne signifie pas qu'on ne puisse rire pour de bon, seul dans sa chambre : simplement, le rieur, même isolé, actualise par son hilarité son appartenance à quelque communauté (« Je leur raconterai, ils riront bien... » ou « Comme Pierre et Marc riraient, s'ils étaient ici », etc.). Cette conduite n'est pas nécessairement irréalisante ou alors il faudrait croire qu'un prêtre, qu'un officier, qu'un communiste cessent, dans la solitude, d'être réellement communiste, prêtre ou officier. La conduite de désolidarisation, toutefois, a pour intention de briser l'indifférenciation de l'intersubjectivité pour constituer *l'Autre* compromettant en objet et l'événement en spectacle. S'il en est ainsi, peut-on rire de soi ? Pour celui qui en serait capable *pour de bon*, ce serait s'affirmer comme membre intégré d'un groupe *actuel* et se désolidariser de sa singularité en tant qu'elle lui apparaît comme un résidu rebelle à l'intégration. À moins qu'il ne s'agisse de combattre en soi une certaine intégration par une autre : c'est ce que Gustave attend d'Ernest. Il invite celui-ci à mettre à profit son appartenance à la « franc-maçonnerie » des ex-collégiens créateurs du Garçon pour refuser l'esprit de sérieux, c'est-à-dire l'appartenance à la magistrature : qu'il retrouve devant son

1. Comme on peut s'y attendre, un troisième thème apparaît *par réaction* : le miroir *délivre* des *autres*, c'est le rapport de soi-même avec soi. Nos seules victoires, dit-il à Louise pour la consoler d'un échec, sont celles que nous remportons devant notre glace. Et, à Louis Bouilhet qui « fait de la dépression » : « Allons donc, petiot ! Gueule tout seul dans ta chambre. Regarde-toi dans la glace et relève ta chevelure » (*Correspondance*, t. II, p. 237, 4 septembre 1850). Mais les situations à propos desquelles ce thème est évoqué (défaites dans le siècle) montrent assez qu'il est inspiré par l'orgueil de rebond et, par là même, postérieur aux deux autres. Bien entendu, le miroir n'a ici qu'un rôle métaphorique : Flaubert dit à la Muse, à l'Alter Ego : il suffit que nous puissions être contents de nous-même ; nous sommes nos propres juges. Mais le choix de la métaphore en dit long : Gustave choisit pour image du *pour-soi* l'objet qui manifeste, dans un mirage, son *être-pour-autrui*. Ce n'est point s'arracher aux mains des autres mais se mettre dans celles des « *happy few* » imaginaires qui reconnaîtraient son mérite.

2. *Correspondance*, t. I, p. 182, 15 juin 1845.

reflet l'œil collectif de son adolescence, derrière le magistrat il découvre le singe nu ; s'il reste encore sensible au comique de cette bête sans poil qui se mêle de juger d'autres bêtes de même espèce, il sera prouvé qu'il conserve, en dépit de la distance, un lien réel avec ses camarades dispersés : sinon la preuve est faite qu'il appartient tout entier au corps constitué dont il est membre. Donc, selon Flaubert, on peut rire de son image : contestation, signe de jeunesse d'esprit, de santé morale. L'ennui, c'est que, depuis longtemps, il tient qu'Ernest est perdu. Il *fait semblant* de croire que son ami est encore capable de suivre son conseil pour lui présenter une alternative (ou bien tu moques ta personne, considérable insignifiance, ou bien tu es un immonde bourgeois) dont le premier terme est annulé d'avance et dont le second, du coup, devient une sentence sans appel.

Et lui ? Rit-il vraiment quand il se rase ? Qu'il pousse parfois de bruyants éclats de rire, je n'en doute pas ; il en est capable, le monstre qui se poste devant son reflet, dans la chambre de la rue de l'Est, pour imiter le père Couillère ou reproduire le rire du Garçon. Cela signifie-t-il qu'il est la proie de son hilarité, qu'il n'a pu la retenir et ne peut l'arrêter ? Certainement pas : par la simple raison qu'elle n'est pas sincère. De fait, quand il présente aux frères Goncourt le Garçon, il précise que « son rire n'était pas un rire » et par là résume ses exercices devant son armoire à glace, dénonçant du même coup leur vanité. Certes, on peut trouver comique l'obstination de l'homme qui se rase, mélange détonant de nature et de culture, surtout si l'on prend le point de vue de Flaubert qui juge absurde qu'un cadavre ambulant se soucie chaque jour de faucher les herbes qui croissent sur sa future charogne. Mais c'est un comique d'*idées*, qui ne fait pas rire et qui vise la généralité de notre espèce et non Gustave en particulier. Du reste l'hilarité naît de la surprise et notre reflet ne nous surprend pas lorsqu'il illustre des conduites quotidiennes et délibérées dont il est l'indispensable instrument ; disons que le jeune homme essaie de se trouver dérisoire en utilisant le regard de l'Autre pour se désolidariser de son image. Mais tout, ici, est imaginaire : le recours à l'Autre et la désolidarisation ; Gustave, en effet, inverse les termes : la dénonciation de soi n'est pour lui qu'un moyen de s'identifier à ceux qui le dénoncent. Tel est son nouveau but, visé dès l'enfance, ultérieurement rationalisé : il regardait ses pleurs et, déçu, les changeait en sanglots pour *être la Douleur* ; il fait un bide devant lui-même, prend conscience de son imposture et, du coup, exagère sa mimique *pour* se faire rire, c'est dire qu'il accepte à présent d'être l'imposteur qu'il paraît. Tel on le juge, tel il se reconnaît : tout plutôt que cette inconsistance onirique ; ce qui lui est insupportable, c'est de se tenir aux lisières du réel et de l'irréalité. Pour devenir son propre objet, il faut qu'il commence par se désolidariser de lui-même : il empruntera *aux autres* la méfiance hilare que suscitent chez eux ses efforts insincères pour rejoindre la sincérité. Le malaise qu'il ressent devant le reflet peu convaincant de ses larmes, il le changera en *leur* risée. À présent, il fait le pitre pour que *leur* rire le secoue et lui dévoile son *être-visible* ; mais le rire ne vient pas : ses grimaces ne l'amusent pas plus que ses sanglots ne l'attristaient tout à l'heure ; alors il rit : *pour se faire rire* — comme il pleurait pour se faire pleurer. Bref, posté devant son armoire à glace, il *joue le rôle d'un rieur*, espérant que l'imitation sera si parfaite qu'elle ne se distinguera plus du modèle imité : ainsi, quand on veut bâiller, quelques bâillements feints en suscitent immanquablement un vrai. Que veut-il ? Rire ou devenir l'Autre qui rit de lui ? L'un et l'autre : se voir comme il est vu (donc, selon lui, comme il est) et désarmer le rire en se l'appropriant. C'est qu'elle existe ailleurs, cette hilarité cosmique et sacrée, cette négation qui l'*institue risible* : c'est, on l'a compris, celle de son père, démon sarcastique dont l'ironie, en déréalisant les conduites de l'enfant, l'ont fait pour toujours imposteur, c'est-à-dire autre que ce qu'il prétend être, sans lui dévoiler pour autant ce qu'il est. Si Gustave accepte de surprendre dans le miroir sa risibilité, il découvrira peut-être le secret de son essence singulière.

Il y a plus : se mettre du côté des rieurs, c'est mettre les rieurs de son côté. En moquant son chagrin, ses peines d'amour perdues, ses efforts infructueux et grotesques pour communiquer, il s'identifiera à l'agresseur, au *pater familias*, il reprendra à son compte le terrible *regard chirurgical* qui ne le quitte jamais puisque l'autre est déjà en lui, qui l'observe ; c'est, d'une certaine manière, se jucher au-dessus de soi, faire du *moqué* son objet, pauvre chose méprisable mais nécessaire à son *devenir-moqueur*. Bref le désespoir le pousse à cette tentative navrante et contradictoire : être son être en toute soumission et s'en évader en devenant le complice de ses bourreaux, celui qui connaît la musique et tient la vie pour une grosse farce de bateleurs. Gustave va devenir l'homme-qui-rit, comme Gwynplaine, c'est-à-dire un homme qui ne rit jamais. Il va de soi que ce nouvel effort n'a d'autre résultat que d'élargir en lui le secteur de l'irréalité en y faisant entrer le réflexif lui-même.

Le rire, en lui, est *induit* ; il vient du dehors et, même intériorisé, garde sa transcendance : il fait tout pour lui donner l'immanence concrète du vécu mais, faute de pouvoir le subir, ne parvient qu'à le jouer. D'un bout à l'autre de sa vie, le rire de Flaubert *est un rôle* [1].

2. *Le miroir et le fétiche.*

« Je voudrais être femme, pour pouvoir m'admirer moi-même, me mettre nue... et me mirer dans les ruisseaux. » Ces mots, écrits dans *Novembre*, résument assez bien le rapport du miroir à la féminité : Gustave souhaiterait *se mettre nue* devant sa glace ; je ne doute pas qu'il l'ai fait : il a joué, face à son reflet, au sortir de la petite enfance, le rôle d'une femme qui se déshabille. Le rire a cédé la place à l'admiration. Pourtant cette nouvelle entreprise a la même fin et les mêmes structures que la précédente : son être étant aux mains des autres, il tente de le récupérer en se faisant, par sa complaisante soumission, un objet fascinant pour ses bourreaux et, du coup, pour lui-même. L'intention, toutefois, est, ici, plus complexe et, à proprement parler, *perverse* ; la source en est plus lointaine, plus profonde : ce n'est point son *pathos*, son activité passive, qu'il veut recouvrer, c'est sa passivité ; c'est à elle qu'il prétend s'identifier s'il parvient à la faire instituer par les autres. Entendons qu'il essaie de se rejoindre à son *être de chair* et de s'y fondre, dans la mesure où cette palpitante inertie résume en elle et manifeste sa *présence-au-monde*, pathétique, douloureuse et fragile nudité, tripotée, explorée, violée par des mains trop expertes, par un regard trop pénétrant, et qui n'est autre que sa constitution, noyau opaque, sans cesse dépassé, toujours conservé par ses projets. Or cette coïncidence avec le *corps charnel* ne peut se réaliser, il en est convaincu, que chez la femme : une note dans son cahier de *Souvenirs* — à peu près contemporaine de *Novembre* — nous précise sa pensée : « Il y a des jours où l'on voudrait être athlète et d'autres où l'on voudrait être femme. Dans le premier cas, c'est le muscle qui palpite, dans le second, c'est la chair qui s'embrase. » Il y a disjonction : ou bien... ou bien. Donc les deux souhaits lui paraissent s'exclure. Et certes on ne peut être femme

---

1. Il l'a dit de bien des manières, jamais aussi nettement que dans une lettre à Louise de 1852 : « Rien n'est sérieux en ce bas monde que le rire. » *Correspondance*, t. IV.

et champion aux haltères, tout sexe et toute catégorie. Mais il en résulte inversement qu'à ses yeux, on ne peut être hercule et jouir. Le corps est le moyen immédiat de l'agent ou plutôt c'est l'agent lui-même. La chair, c'est le pur pâtir : on ne peut être l'un et l'autre. L'agent désire et prend : voilà le mâle ; or, selon Gustave, la jouissance naît d'un abandon pâmé, de la passivité consentante et heureuse ; la femme jouit parce qu'elle est prise. Elle désire aussi, naturellement, mais à sa manière : sa chair s'embrase *sous* les manipulations de l'autre, le désir féminin est attente passive. Le texte parle de soi : si Gustave veut être femme, c'est que sa sexualité, partiellement féminine, réclame un changement de sexe qui lui permettrait un plein développement de ses ressources. Écoutez plutôt ce que nous confie le jeune héros de *Novembre* : « Je souhaitais des langueurs plus grandes ; j'aurais voulu être étouffé sous des roses, j'aurais voulu être brisé sous les baisers, être la fleur que le vent secoue, la rive que le fleuve humecte, la terre que le soleil féconde. » Le bon jeune homme parle en son propre nom de mâle : c'est son corps masculin qui rêve de ces langueurs. Et pourtant que souhaite-t-il sinon être objet d'agression, devenir proie, se pâmer sous des caresses brutales (on le *secouerait* comme un prunier), être humecté [1], fécondé donc pénétré ? Et, dans les couples qu'il forme successivement avec le vent, le fleuve, le soleil, tous les substantifs qui le désignent sont féminins, masculins tous ceux qui désignent ses partenaires. Ceux-ci, il est vrai, sont des éléments cosmiques (l'eau, l'air, le feu). Lui, c'est la terre (soit comme champ, soit comme rive, soit comme produit de la terre fécondée), quatrième élément ; et l'on a pu, avec raison, voir dans ce passage une expression du panthéisme flaubertien. À condition de souligner que c'est la version *sexuelle* de l'extase panthéiste : Flaubert sait fort bien que la terre est femme et que la femme est terre dans les religions paysannes. Les trois textes se complètent : la passivité constituée prend conscience d'elle-même dans le trouble érotique ; elle *désire* passivement devenir chair sous les manipulations d'autrui ; il s'agit bien, ici, d'une révolution personnalisante : l'enfant *sexualise* la passivité, en exigeant de la subir comme *passivisation permanente* dans les étreintes amoureuses ; elle deviendra *embrasement* si des amants choisis la font naître comme chair en feu par des caresses qui, s'adressant au corps entier — qu'elles *réduisent à l'impuissance*

---

1. Allusion transparente — mais dont l'intention, *pour lui*, ne s'explicite peut-être pas — à la *fellation* dont nous verrons qu'il était friand.

—, produisent une retotalisation de ce corps masculin en chair féminine, ou plutôt reproduisent par leur désir, d'abord, puis par leur
poigne, la totalisation primitive et la délivrent de toute frustration
en la poussant jusqu'au bout : jusqu'à la possession. Pour cette
rêveuse passivité, l'instant de la volupté représente le moment parfait de la coïncidence avec soi. Jouir, pour l'enfant, c'est jouir de
soi en tant qu'il est maîtrisé par l'autre. Du coup, il fait du maître
qu'il se donne la médiation entre sa passivité vécue comme manque
d'être paralysant dans son corps et la même récupérée comme épanouissement heureux de la chair qui s'abandonne. Certes le rôle de
l'autre est capital puisqu'il soumet l'enfant à son désir et qu'il en
fait l'*objet* inerte de la possession; mais c'est justement ce que
réclame ce corps paralysé; Gustave exige de s'identifier à l'*objet désirable* qu'il est pour l'autre; sa «langueur» sera l'intériorisation de
son être-pour-autrui, c'est-à-dire de ce qu'il tient pour son être-en-
soi. En d'autres termes, *aliéné par principe*, il cherche à vivre cette
aliénation sous la forme sexuelle pour charger de convoitise les froids
regards qui le transpercent, pour donner une ardeur secrète aux mains
qui la re-constituent : il serait, du moins, valorisé comme *objet de
convoitise*. C'est désirer la *valorisation* sexuelle par le désir de l'autre.

Parlerons-nous ici d'homosexualité? Peut-être. Mais non sans
précaution. Par cette raison d'abord que notre parti pris de nomi-
nalisme nous interdit les classifications : il faut comprendre les pulsions sexuelles — comme tous les projets — à partir d'une situation
complexe, irréductible à la somme de ses éléments, qui les qualifie
par sa complexité même dans le moment qu'elles la dépassent vers
leur fin [1]. Gustave a besoin de recevoir les caresses plus que de les
donner, il veut être gibier plutôt que chasseur. Nous savons pourquoi. Mais cette postulation de sa passivité ne va pas jusqu'à déci-

---

1. La sexualité n'est, en effet, ni cause ni effet, elle est totalisation du vécu à travers
le sexe, ce qui signifie qu'elle résume en elle et sexualise toutes les structures qui caractérisent une personne; inversement, d'ailleurs, toute totalisation du vécu, quel qu'en soit
le sens, résume en elle et totalise en les dépassant vers une autre fin les structures sexuelles : la situation seule définit le point de vue totalisateur, chacun des points est par rapport à chacun dans une réciprocité de perspective et il n'en est aucun qui soit privilégié.
Par exemple il n'est aucune aliénation économique ou pratique qui ne puisse et ne doive
être vécue en certains moments comme aliénation sexuelle. L'ordre des médiations, certes, est toujours le même, autrement dit il y a hiérarchie objective des structures mais
cet ordre dialectique ne décide pas par lui-même de la manière dont il est vécu : c'est
ce que Marx nous fait entendre quand il parle de la réaction des superstructures sur les
infrastructures dont elles sont issues; ainsi peut-il rendre compte des deux aspects de
la dialectique qui sont la *hiérarchie* (irréductibilité de chaque niveau d'être au niveau
inférieur qui l'a produit) et la *circularité*.

der du sexe de l'agresseur. Il faut plutôt reconnaître que c'est l'agression qui compte et que les circonstances seules décideront du partenaire [1]. Il n'est pas douteux que, lorsqu'un hasard le livre, objet passif, aux mains des mâles, Gustave ressent un trouble profond. Encore faut-il que l'occasion s'en présente : de lui-même, il n'ira pas la chercher. Nous avons, à ce sujet, des confidences précieuses, qui datent de son séjour en Egypte et se poursuivent à travers ses lettres à Bouilhet en des passages que le prudent Conard a cru devoir censurer et que Jean Bruneau restituera dans l'édition qu'il prépare pour la Pléiade :

« ... On avoue sa sodomie, on en parle à table d'hôte. Quelquefois, on nie un petit peu, tout le monde alors vous engueule et cela finit par s'avouer. Voyageant pour notre instruction et chargés d'une mission par le gouvernement, nous avons regardé comme de notre devoir de nous livrer à ce mode d'éjaculation. L'occasion ne s'en est pas encore présentée. Nous la cherchons pourtant. C'est aux bains que cela se pratique. — On retient le bain pour soi, y compris les masseurs, la pipe, le café, le linge et on enfile son gamin dans une des salles. Tu sauras que tous les garçons de bain sont

---

1. Il écrit lui-même la dernière année de sa vie, à Mme Brainne : « Ne suis-je pas un "féminin" comme vous dites ! Lesbos est ma patrie. J'en ai les délicatesses et les langueurs. » Il est frappant qu'il se décrive à une femme qui lui plaît considérablement *comme une lesbienne*. Et, comme la lettre est assez galante, c'est une façon de lui montrer qu'il la désire *en lesbienne*. Quant à savoir qui de ces deux femmes aurait été la plus active, une remarque d'Edmond de Goncourt en 1881 permet d'en décider : il dîne le 9 avril chez Mme Brainne « dont l'ample beauté produit sur moi un peu de l'intimidation de femmes géantes de baraques ».

Ses meilleurs amis ont certainement fait l'objet d'attachements de caractère homosexuel mais platoniques. Alfred, Maxime, Louis. Je pense surtout à Maxime qui l'admirait et qui lui dédie son premier livre *Solus ad Solum*. Ils échangèrent des anneaux. Du Camp écrit : « Nous échangeâmes les bagues. Ce fut une sorte de fiançailles » (*Souv. lit.*). Quand il fait son premier voyage à l'étranger, il envoie à Flaubert des lettres volumineuses et passionnées : « Je t'aime, je t'aime ; je t'embrasse au point de t'étouffer. » Les sentiments de Gustave sont du même ordre. « Étais-tu jeune dans ce temps-là ! Étais-tu gentil ! Et comme nous nous sommes aimés ! » Gustave était, selon un mot de Gautier rapporté par Du Camp, vers cette époque, insolent de beauté. Du Camp n'était pas mal non plus, grand, lui aussi, avec les cheveux frisés, des yeux brillants, un visage régulier. C'est lui qui, dans leur couple, jouera quelque temps le rôle de l'homme.

Enid Starkie accuse bien injustement le pauvre Louis Bouilhet d'avoir eu un commerce pédérastique avec Flaubert. Elle s'appuie sur des passages inédits de lettres de Gustave à Bouilhet qui ne me semblent pas du tout convaincants. Celui-ci, par exemple : « En ce moment j'ai l'aperception de toi, en chemise devant ton feu, ayant trop chaud et contemplant ton vit. » Nous aurons bientôt l'occasion de parler du *ton* général des lettres que s'envoient tous ces jeunes gens ; on verra que celle-ci ressemble à toutes les autres. Avec Laporte, dans les dernières années de sa vie, Gustave se conduisait en maîtresse impérieuse et gâtée. Nous reviendrons à loisir sur ces passions complexes ; pour l'instant nous étudions la pulsion sexuelle dans sa brutalité immédiate et péremptoire.

bardaches. Les derniers masseurs… sont ordinairement de jeunes garçons assez jolis. Nous en avisâmes un dans un établissement tout proche de chez nous. J'y allai. Le drôle était absent ce jour-là. »

Dans la lettre suivante : « Ce jour-là, avant-hier lundi, mon kellak me frottait doucement, lorsqu'étant arrivé aux parties nobles, il a retroussé mes boules d'amour pour me les nettoyer puis continuant à me frotter la poitrine de la main gauche il s'est mis de la droite à tirer sur mon vit et le polluant par un mouvement de traction, s'est alors penché sur mon épaule en me répétant : batchis, batchis (ce qui veut dire : pourboire, pourboire). C'était un homme d'une cinquantaine d'années, ignoble, dégoûtant. Vois-tu l'effet — et le mot batchis, batchis. Je l'ai… repoussé… Il s'est mis à sourire et son sourire voulait dire : "Allons tu es un cochon tout de même, mais aujourd'hui, c'est une idée que tu as de ne pas vouloir." Quant à moi, j'en ai ri tout haut comme un vieux roquentin. La voûte de la piscine en a résonné dans l'ombre. Mais le plus beau c'était ensuite dans mon cabinet, enveloppé de linges et fumant le narguileh pendant qu'on me séchait, je criais de temps à autre à mon drogman resté dans la salle d'entrée : Joseph, le gamin que nous avons vu n'est pas encore rentré ? Non, Monsieur — Oh ! sacré nom de Dieu ! et là-dessus le monologue de l'homme vexé. »

La curiosité de Louis Bouilhet s'est éveillée ; il interroge : que s'est-il passé les jours suivants ? Gustave, si prolixe jusque-là, lui répond brièvement : « … Tu me demandes si j'ai consommé l'œuvre des bains. Oui, et sur un jeune gaillard gravé de la petite vérole et qui avait un énorme turban blanc. Cela m'a fait rire, voilà tout. Mais je recommencerai. Pour qu'une expérience soit bien faite, il faut qu'elle soit réitérée. » Après quoi il ne souffle plus mot de cette affaire : l'Alter Ego ignorera, au moins jusqu'à la fin du voyage, si Gustave a ou n'a pas réitéré l'expérience.

L'histoire est simple et significative : Gustave la commence en fanfaron de vice, il s'engage dans sa première lettre à profiter du relâchement des mœurs égyptiennes pour faire l'amour avec de jeunes garçons. Justement, il en a un sous la main. Il se rend aux bains pour l'y trouver : manque de bol, l'enfant est de sortie. Quelques jours plus tard, il y retourne, sans mauvaise intention, cette fois ; or voici que son masseur, homme « répugnant », entreprend, par conscience professionnelle et pour se faire un supplément, de le masturber. Flaubert s'étend complaisamment sur l'aventure et déclare qu'il a repoussé à temps la main indiscrète : on le croira sans peine si l'on se rappelle l'horreur profonde que lui inspire la laideur. Le

voici donc qui rit aux éclats. Le plus faux des rires, cela va de soi :
sa fonction est de manifester que Gustave apprécie *en esthète* le
comique de la situation. Mais, confie-t-il à Bouilhet, le plus beau
c'est que j'étais troublé. La caresse tarifée d'un mâle qui lui répugne l'excite assez pour qu'il réclame aussitôt son jeune favori. Celui-
ci se fût-il trouvé là, il y passait sur l'heure. Par bonheur le mignon,
une fois de plus, est de sortie : la vertu de Gustave est sauvée de
justesse. Il est évident que ce giton fantôme l'intéresse peu. Pourquoi n'est-il jamais là ? Et puis Flaubert ne disait-il pas, dans la
première de ces lettres, que *les* « derniers masseurs » étaient ordinairement « de jeunes garçons assez jolis » : donc il a le choix ;
j'admets qu'il ait ses préférences mais, puisqu'il s'agit d'une « expérience », et qui doit être réitérée, que n'élit-il pour cette fois le plus
avenant d'entre eux ? C'est qu'il eût fallu le *prendre*. Et Gustave,
s'il en a la curiosité, n'en a guère le désir sinon en imagination.
S'il joue à cache-cache avec ce drôle, toujours absent, c'est pour
garder aux yeux de Bouilhet et peut-être aux siens propres l'allure
d'amateur pervers de tous les vices que ses forfanteries lui ont donnée. Bref en cette histoire de « bardaches », l'élément faible, c'est
le rapport au giton ; l'élément fort le rapport au kellak masturba-
teur : ce qu'il va chercher au hammam, ce n'est pas la docilité d'un
adolescent, c'est sa propre soumission, comme en témoigne un passage non censuré de la Correspondance : « L'autre jour, j'ai pris
un bain. J'étais seul au fond de l'étuve... l'eau chaude coulait partout ; étendu comme un veau, je pensais à un tas de choses ; tous
mes pores tranquillement se dilataient. C'est très voluptueux et
d'une mélancolie douce, perdu dans ces salles obscures... tandis
que les kellaks nus s'appellent entre eux et qu'ils vous manient, et
vous retournent comme des embaumeurs qui vous disposeraient
pour le tombeau [1]. » On notera que soigneurs et clients sont également nus mais que les premiers ont la nudité des corps, les autres
celle de la chair. Entre les mains des kellaks, Gustave se sent
l'impuissance d'un cadavre : on remodèle sa passivité et il l'intériorise *dans la volupté*. Trouble plaisir : il n'ignore pas qu'il est
au pouvoir des « bardaches ». À l'en croire, tout le personnel pratique l'homosexualité : qui lui dit que les soigneurs ne se plaisent
pas à le pétrir de la sorte ? Il est encore jeune et beau : ces hommes
le désirent peut-être. S'ils prenaient le moindre agrément à leur tra-

---

1. À Louis Bouilhet. Fin décembre 49-début janvier 50. *Correspondance*, t. II,
p. 140.

vail, rien ne distinguerait plus leurs gestes tarifés d'une agression amoureuse. Violé ! Il rapporte ailleurs qu'il était, un jour, étendu sur le pavé du hammam quand plusieurs vigoureux gaillards l'ont saisi, comme c'était la coutume, et emporté, doucement, vigoureusement pour l'immerger dans la piscine : ce fut, dit-il, une inoubliable béatitude. Richard a raison d'insister, à ce propos, sur le thème de l'eau chez Flaubert. On pourrait dire que son plaisir est ici de se *liquéfier*. C'est vrai : mais un des sens de l'eau, pour lui comme pour Ponge, c'est la retombée, l'effondrement et, finalement, le calme fourmillant, à l'horizontale. Quand il se baigne dans la mer, il dit qu'il « s'y étale » ou bien qu'« il se roule dans les flots comme sur mille tétons liquides qui (lui) auraient parcouru tout le corps »[1]. Se changer en eau, c'est se réduire à l'innombrable inertie de cet élément. On peut aussi souligner, à juste titre, la structure mystique de sa béatitude : on se penche sur lui, on l'enlève, c'est un don, une Assomption — au moins dans la première partie de l'opération ; une force généreuse se consacre à l'impotence désarmée d'un enfant. Il n'empêche que toutes ces impressions sont ressenties sexuellement. Il existe, en effet, un texte curieux que Gustave a commencé et abandonné en 1840 et qu'il a prudemment nommé *Pastiche* pour donner à croire au lecteur éventuel que c'était une parodie de *Juliette* ou des *Cent-vingt Journées de Sodome* mais dont on ne peut douter qu'il exprime les fantasmes de son auteur[2]. On y lit, entre autres choses : « Que va faire (Assur, prince oriental) maintenant qu'il se réveille gorgé encore de l'orgie de la nuit ; va-t-il se donner à ses mignons ou se faire encenser par les Mages ?… Une porte secrète a laissé sortir les mignons nus — Assur rit avec ses yeux, les embrasse, se fait porter dans leurs bras…[3] » Pour Flaubert, à dix-huit ans, le mignon, c'est celui qui porte, qui emporte et qui prend. Ce texte ne laisse pas de doute sur l'aspect *sexuel* de la jouissance ineffable qu'il a éprouvée dix ans plus tard au hammam : dans les bras des soigneurs, il a obscurément senti que la providence *réalisait* un fantasme érotique de son enfance. Aussi, quand le kellak pétrit son corps abandonné, comme une mère fait de celui de son nourrisson, on pourrait presque dire que la chair de Gustave attend l'offre finale : de fait le commencement de la masturbation suit immédiatement la fin de la « toilette intime » et

1. *Correspondance*, t. II, p. 209. Donc l'eau est femme.
2. Par la raison que Gustave a repris certains d'entre eux à son compte, par exemple dans *Novembre*.
3. *Souvenirs*, p. 74-76.

le masseur, avant de lui « tirer sur le vit », lui a rabattu et lavé les testicules : la caresse apparaît comme la conclusion naturelle, autrefois refusée, aujourd'hui, après des années de suspens, miraculeusement proposée, des soins minutieux et techniques qu'on lui donne. Elle ne fait, cette caresse dominatrice — interrompue par le dégoût du massé pour le physique du masseur et *non pour le sexe* de celui-ci — que donner explicitement à la cérémonie du massage le sens érotique qui l'habitait déjà, c'est le cas de le dire, entre cuir et chair.

Il est alors permis de se demander ce qu'eût fait notre tartarin si le jeune soigneur eût été disponible ? L'eût-il pris ? C'est peu vraisemblable : la manipulation l'a troublé *dans sa chair* et n'a pu, en conséquence, susciter en lui le désir de posséder un jeune mâle ; elle a, tout au contraire, éveillé celui de devenir tout à fait femelle. S'il eût fait appeler l'éphèbe, c'eût été pour lui demander d'achever le travail : le garçon était assez beau pour obtenir le droit, refusé au masseur, de transformer son client en objet ; Gustave, désarmé, consentant, eût senti la montée du plaisir en levant les yeux vers l'impérieuse idole — inaccessible comme est la Beauté pour l'Artiste — qui, penchée sur sa nudité, lui eût dispensé, intouchable, les affres et les délices.

Après cela, dira-t-on, si l'on en croit son propre témoignage, il a « consommé l'œuvre des bains ». *S'il faut l'en croire*, oui. Mais, justement, je ne l'en crois point. Et voici mes raisons. D'abord la brièveté de l'information : en Egypte, Gustave a fait plusieurs fois l'amour avec des femmes ; il ne laisse rien ignorer de ses exploits [1]. Comment se fait-il que, sur une expérience si neuve et depuis si longtemps annoncée, il soit demeuré si laconique ? Et puis que nous en dit-il ? Cela « l'a fait rire, voilà tout ». J'ai montré que le rire est, chez Gustave, un rôle : dès qu'il apparaît, tout devient insincère et forcé. Ce rire donne sa tonalité au paragraphe entier. Il a ri, *voilà tout*. Vraiment ? S'il a vraiment « enfilé son gamin dans une des salles », il a tout de même fallu qu'il entre en érection, donc qu'il se soit ému. A-t-il désiré le jeune gaillard ? Ou s'est-il fait caresser par lui d'abord ? Et s'il avait *désiré un homme*, ne serait-il pas tout heureux d'en faire part à Bouilhet et de lui décrire complaisamment ce qu'il a ressenti ? Du reste sa tendre proie n'est pas fort appétissante : il le souligne ; la petite vérole a « gravé » son visage. Si Gustave a définitivement renoncé au bel éphèbe dont il se disait

---

1. En d'autres passages des lettres de Bouilhet qui ont été victimes eux aussi des ciseaux de Conard.

engoué, pourquoi — puisque tous les soigneurs sont bardaches — a-t-il choisi un des plus désavantagés ? Et s'il s'est trouvé contraint de le faire, comment cette triste figure a-t-elle pu l'émouvoir ? Le garçon pouvait, malgré la petite vérole, garder quelque joliesse ? Alors pourquoi n'insister que sur les défauts de son visage ? D'ailleurs les seuls détails que donne Flaubert — il y en a deux —, je les trouve également suspects : l'un (la maladie qui défigure) est là pour « faire fort » et l'autre (le grand turban blanc) pour la « touche artiste » ; celui-ci frappe d'autant moins que les enturbannés sont légion en Egypte. J'entends bien que Gustave tente de faire voir la scène à Louis : le gaillard se courbe, cul nu, avec son turban sur la tête. Mais, précisément pour ce motif, l'évocation « pittoresque » et « typée » semble imaginaire. Quant à sa promesse de recommencer l'expérience, elle ne convainc guère : elle apparaît ici comme un effort pour terminer le récit en force. Tout se passe comme si Gustave, agacé par la question de Bouilhet mais ne pouvant y répondre par une nouvelle défaite, lui avait dit un « oui, j'ai consommé » qu'il a voulu aussi proche que possible du « *non* ». Oui, j'ai consommé ; cela ne m'a fait ni chaud ni froid, j'ai ri, voilà tout, je ne garde de l'événement qu'un souvenir *esthétique* de turban blanc sur un visage couturé ; bref je n'ai pas vraiment vécu cette aventure, elle ne s'intègre pas à ma vie, *rien ne s'est passé*. Mais, à la réflexion, craignant que la négation, trop mal cachée, ne saute aux yeux de l'Alter Ego, il reprend ses forfanteries. Rien ne s'est passé mais je n'ai pas eu de chance, le gaillard était trop laid ; avec d'autres, peut-être, je goûterai un plaisir inconnu : je vais remettre ça. En relisant le passage à cette lumière, il vient ceci qui est la vraie réponse de Flaubert : « Non, pas encore. Mais n'aie pas peur, j'y songe toujours et je sauterai sur la première occasion. » À mon avis, nous avons le choix entre deux conjectures et deux seulement : ou bien il a tout inventé ou bien, par acquit de conscience et sans la moindre envie de la réussir, il a fait une tentative qui s'est achevée sur un fiasco. C'est au point qu'on peut se demander s'il n'a pas affiché son désir d'expérimenter « ce mode d'éjaculation » pour se dissimuler ce qui l'attire vraiment aux bains turcs : l'envie de *s'irréaliser* sous la poigne des bardaches en homosexuel passif.

Mais, par cette raison même, il apparaît clairement, à relire l'épisode du hammam dans son entier, que l'homosexualité de Gustave est d'occasion : ce n'est point l'homme qu'il recherche, c'est la domination de l'Autre — qui peut tout aussi bien être une dominatrice. Après tout il existe des maisons spécialisées où ce sont des femmes qui jouent le rôle des kellaks : à demi nues, elles massent ou savonnent le client dans son bain ; actives et complaisantes, elles se chargent de tout mais nul n'a le droit de les toucher : c'est interdit par la direction. Puisqu'il s'agit de *passivisation*, ces jeunes techniciennes feraient aussi bien l'affaire de Gustave. Nous reviendrons, plus loin, sur ses relations féminines. Mais, pour retourner à notre point de départ, l'important est qu'il ne désire pas d'abord la valorisation recréatrice de sa passivité en tant qu'il est un homme réel mais, au contraire, en tant qu'il se veut femme imaginaire. Ce qui signifie qu'au départ il fait de sa passivité constituée l'*analogon* d'une féminité secrète. Que cherche-t-il, d'après *Novembre*, ou plutôt qu'a-t-il cherché (puisque le récit autobiographique du premier narrateur rapporte des faits qui remontent à l'enfance) ? Je dirai que son intention première est de se voir femme dans son miroir. Est-ce impossible ? Oui et non : certes il ne peut sans truquage *percevoir* une fillette à la place du reflet d'un gamin. Mais — les mots : « pour m'admirer » nous mettent sur la voie — il lui est possible, au prix d'une irréalisation double, d'imaginer qu'il est un autre qui caresse une vraie femme — lui — de l'autre côté de la glace. Ses mains sont celles d'un autre, elles descendent lentement de la poitrine aux flancs, aux cuisses rondes pendant que son regard suit là-bas le reflet de leur mouvement sur le reflet de son corps. Il y a ici deux *analoga* : ses mains, son image. De celle-ci, il n'appréhende que la chair caressée, négligeant des détails insignifiants tels que son sexe ou sa poitrine de jeune mâle. Cela ne se peut, dira-t-on. Mais si : dans tout *analogon*, on laisse tomber ce qui gêne : quand une vieille actrice joue avec talent le rôle d'une jeunesse, on se laisse emporter, on ne tient pas compte des rides, on « voit » la jeune beauté qu'elle représente ; certes la vieillerie n'est pas supprimée pour autant, elle demeure comme une sorte de tristesse, comme un « ce n'est que cela ! » désillusion secrète que provoque, à cet instant, non point l'actrice dans ce rôle mais la beauté en général. Ainsi la masculinité du petit Gustave colore l'objet visé, à travers le reflet, d'un certain hermaphrodisme. De la même manière, pour se donner les mains d'un autre, il faut qu'il se mette en état de distraction par rapport aux « *sensations doubles* » et aux informations kinesthésiques qui lui signalent que c'est bien lui qui *se* caresse. Tout cela, pourtant, demeure dans l'imaginaire à la fois comme impossibilité dépassée d'être un autre, et comme interpénétration parfaite de l'autre et de soi-même[1]. Mais ces deux résistances — celle du reflet, celle de son corps vécu — le servent en s'accusant réciproquement de faire échouer la tentative : s'il était tout à fait un autre, c'est une femme qu'il verrait dans la glace ; donc *elle y est* ; pour la voir, il ne faudrait que s'irréaliser un peu plus ; si le reflet se laissait féminiser jusqu'au bout, Gustave serait une autre que les mains viriles qui le palpent, il serait enfin *là-bas* l'objet absolu que ses caresses *ici* récupèrent, en l'intériorisant comme *chair troublée*. Un passage incessant et rapide de l'une à l'autre insuffisance lui permettra de concevoir la plénitude de l'illusion comme accessible et même de s'imaginer, en de brefs instants de tension, qu'elle est atteinte.

Si je me suis attardé sur ces jeux compliqués — qui finissent sans aucun doute par la masturbation — c'est pour indiquer qu'il n'est pas nécessaire de recourir à l'homosexualité pour caractériser les conduites sexuelles de Gustave ; je préfère les nommer *perverses* : par ce mot, en effet, j'entends désigner toute attitude érotique qui implique une irréalisation *portée au carré*. Certes l'onanisme est toujours lié à l'imaginaire : ce sont des scènes inventées ou réinventées selon ses fantasmes, c'est-à-dire selon les schèmes directeurs de son imagination, qui troublent un enfant et le conduisent à l'éjaculation. Mais si un jeune homosexuel imagine qu'un camarade l'étreint — et si, d'ailleurs, il n'est pas pervers[2] — l'irréalisation se fait à la première puissance : ce camarade ignore les désirs dont il fait l'objet, rien ne prouve qu'il accepterait de les satisfaire ; en tout cas, il est absent ; c'est lui qui est

---

1. Gustave est un bel enfant : on le lui dit. Cette réputation l'incite à pousser irréellement cette beauté à l'extrême. Il se fait femme, lui qui aurait horreur d'être efféminé, parce que la femme est l'objet d'art parfait, le désirable absolu et le lieu du trouble charnel, de la jouissance. De fait son très jeune corps ne manque pas de qualités qui peuvent aider à l'irréalisation : par exemple, sa peau est douce encore, les mains de brume qui vont glisser sur elle frôleront un satin qui n'appartient qu'au « sexe opposé ». À partir de là, qu'importe si d'autres attributs font défaut : ils sont là *éminemment* ; l'enfant ne commettra pas la faute d'aller les chercher là où leur absence est trop manifeste. Il se les suggère, à partir du tendre contact de sa peau, comme présence implicite sous ses doigts de tout l'organisme féminin. En se lissant les flancs, ses beaux seins de femme se livrent dans l'indifférenciation de la présence charnelle à la condition de n'y pas trop penser, de ne pas s'en former une image explicite, qui se donnerait aussitôt pour ce qu'elle est, c'est-à-dire pour une image *mentale* et non pour un attribut imaginaire mais concret du corps palpé, bref pour une absence et pour une abstraction.

2. On peut dire aussi, cela va de soi, que c'est le trouble lui-même qui produit ces images : le phénomène est circulaire. Ce qui compte, c'est que les fantasmes sont, comme schèmes directeurs, la médiation entre l'affectivité et l'imagination.

visé par la conscience imageante. Mais dans ce cas, l'assouvissement du désir ne réclame pas l'irréalisation du sujet : le petit onaniste se masturbe en rêvant qu'il subit *en personne* les étreintes de l'autre : *c'est lui, c'est bien lui* qui est agressé, maîtrisé, caressé. Il est vrai qu'on ne fait point sa part à l'imaginaire : puisque son corps est irréellement caressé, sa chair s'irréalise tout entière. N'importe : d'abord il n'est pas nécessaire qu'il se donne les mains d'un autre ni qu'il *joue les deux rôles*; une image «mentale» suffira; en outre, même irréalisé, il passe tel quel dans le monde des images : avec sa taille, sa peau, son sexe, ses désirs — car il désire réellement son camarade — et surtout avec *son identité*. Chez Gustave, il en va tout autrement : l'irréalisation se glisse jusque dans l'acte lui-même; il se masturbe moins qu'il ne joue à *être masturbé*. Pour lui, le désir est d'abord mâle, c'est désir de prendre; chez la femme il vient après, comme passivité induite, comme embrasement. Or la convoitise première et inductrice, Gustave se contraint à la jouer par la raison qu'il ne la ressent pas : il faudrait qu'il fût agent sexuel, agresseur, qu'il eût envie de prendre, de transformer l'*autre* en objet. Ce qui est parfaitement contraire à sa passivité constituée. Il arrive à de jeunes mâles de s'émouvoir devant le reflet de leur nudité; perversion provisoire : ils veulent prendre et tentent de voir leur corps comme si c'était celui d'*un autre* ou mieux d'*une* autre; c'est le reflet qu'ils irréalisent, lui seul, pour donner une proie à leurs désirs. Mais Gustave n'a d'autre envie que celle d'être soumis, réduit en esclavage, pour coïncider dans l'orgasme avec son être objectif. Il lui faut donc s'irréaliser à la deuxième puissance : il fait les *gestes* qui correspondent à un désir qu'il n'éprouve pas pour éveiller le trouble dans le beau corps qu'il *n'est pas*; jouant à la fois l'abandon pâmé (à qui donc s'abandonnerait-il dans la solitude de sa chambre ?) et l'agressivité virile, il ne parvient à l'ombre d'un trouble qu'en interprétant le rôle d'*un couple*. Pour tout dire, il n'y parviendrait même pas si le trouble n'était donné d'avance : l'enfant est *réellement* en proie à l'Autre et, par l'éveil de ses sens, il est conduit à sexualiser la primauté de l'extérieur sur l'intériorité. Mais il est ainsi constitué que ce trouble lui-même doit s'irréaliser : réel et vécu il sert d'*analogon* au désir passif qui, selon lui, n'appartient qu'à la femme. À la fin de la comédie, *ses* mains finissent l'ouvrage et lui procurent un orgasme vrai. Mais sont-elles tout à fait siennes ? Après tout Gustave n'est pas narcissiste : ce n'est pas la beauté de son corps qui le trouble, c'est le trouble de son corps qui réclame d'être induit par un mâle désir. En sorte que ses mains conservent jusque dans le spasme final — suivi d'un écœurant retour à la contingence de son sexe vrai — une structure d'altérité qu'elles communiquent au plaisir lui-même. Tout se passe comme si l'enfant, frustré de caresses, tentait misérablement d'incarner celui qui avait mandat de les lui donner.

Celui ou *celle*? C'est sa mère qui, en explorant son corps, le lui a révélé comme corps exploré, ce sont les soins maternels, efficaces et sévères, qui l'ont constitué comme chair palpée. Sous la poigne virile de Mme Flaubert il a connu le trouble; soumis, il désirait que le travail de ses grandes mains s'achevât par des caresses. En vain : elles éveillaient en lui les zones érogènes de la passivité, elles le tournaient et retournaient, comme plus tard celles des kellaks, lui imposant des postures voluptueuses, mais, à peine était-il nourri, lavé, torché, elles s'envolaient, le laissant dans un malaise qu'il n'avait pas les moyens de comprendre ni d'exprimer. Elle n'avait rien d'un homme, pourtant, la timide épouse d'Achille-Cléophas : si l'enfant l'a dotée d'une masculinité secrète, c'est en raison de son impérieuse et froide efficacité. Tout se passa dans l'ombre : Caroline devint pour lui l'*agent* dans la mesure même où elle le changeait en *patient*; c'est ainsi qu'il eut la révélation du couple comme *indissoluble unité* et comme frustration : sa passivité ne pouvait se *vivre* que comme produit d'une activité permanente et, justement, cette austère activité se dérobait sans cesse inexplicablement, faisant de l'enfant comme la moitié d'un androgyne amputé de son autre moitié : c'était le vouer pour toujours à une *vie sexuelle imaginaire*; il a cherché dans l'onanisme et, plus tard, dans les étreintes amoureuses, à reconstituer la totalité disjointe, c'est-à-dire à retrouver l'androgynie primitive. Sans autre résultat que de se faire, en toute circonstance — tantôt mâle, tantôt femelle — un androgyne imaginaire à demi. Quand il tient le rôle de la femme, devant sa glace, et qu'il appelle un partenaire masculin, il ne peut comprendre qu'il réclame en vérité d'être possédé par sa mère pourvue en la circonstance d'un phallus imaginaire.

Il le sait d'autant moins que, dès qu'il peut s'orienter au sein de sa famille, observant les relations de chacun avec chacun, il découvre que Mme Flaubert, mâle d'honneur, est la vassale la plus soumise : le père ordonne, elle s'incline, elle accepte, adorante, le rôle de courroie de transmission. Chute vertigineuse de la déesse-mère : elle est *pathos*, comme son fils cadet, il n'y a qu'un seul agent, le *pater familias*. En ce qui concerne la procréation, nous ne savons ni quand ni comment ni par qui le petit garçon fut affranchi. Mais j'incline à croire que la mise au parfum fut précoce : Achille-Cléophas, positiviste et médecin, ne devait guère se soucier de dissimuler à de futurs médecins des processus qui lui paraissaient *naturels*, c'est-à-dire, en dernière analyse, physico-chimiques ; et puis il y avait tous ces morts nus sur des tables de marbre, qui, épiés par Gustave, lui donnaient une « leçon de choses » muette et fort parlante sur la différence des sexes. Le fait est qu'il fut bouleversé quand il put imaginer que sa moitié virile, au cours des copulations nocturnes, se révélait femme et proie entre les bras de son père. Nous verrons plus loin la rage qui le prendra, à Trouville, quand il imaginera les étreintes d'Élisa et de Schlésinger : la jalousie ne suffit pas à expliquer ses transports. En relisant les *Mémoires*, on verra qu'il a commencé d'aimer la jeune femme quand il l'a surprise donnant le sein à son enfant : c'est-à-dire dans l'exercice de ses fonctions maternelles ; je ne pense pas qu'il ait alors pensé à posséder cette mère douce et forte, à la lèvre ourlée d'un duvet noir, qui se rangeait, à ses yeux de quatorze ans, parmi les grandes personnes. Il a regardé sa poitrine, certainement — il dit dans *Novembre* qu'il a cru défaillir la première fois qu'il a vu des seins nus — mais surtout *ses mains* ; en Élisa, la moitié femelle de l'androgyne retrouvait sa moitié mâle et c'est à l'impuissant nourrisson qu'elle était obscurément désireuse de s'identifier. Quand il vint à penser, peu après, aux plaisirs qu'elle dispensait à son mari, il lui fit prendre, en imagination, des postures ridicules ou infamantes — ou du moins qu'il jugeait telles [1] ; c'était pour la punir de son imposture ou de sa trahison ; elle l'avait dupé, la nouvelle déesse : ce n'était qu'un castrat que son maître possédait chaque soir ; ou bien elle le trahissait : quand Schlésinger entrait en elle, la femme forte s'ouvrait au plaisir de se laisser déviriliser et devenait entre les mains de son mari la passivité heureuse que Gustave eût souhaité devenir *pour* et *par* elle ; celui-ci ressentait alors une étrange *dépersonnalisation sexuelle*, comme si Élisa *lui volait son rôle* ; sa déception ne peut se comparer qu'à celle d'une amoureuse découvrant que l'homme aimé est un homosexuel passif et affiché. Cette année-là, à Trouville, quelque chose a resurgi d'un loin-

---

1. Il le dit explicitement dans les *Mémoires*. Nous y reviendrons.

tain passé : il a retrouvé l'affolement et l'amertume qui l'avaient saisi autrefois quand il a deviné ce qui se passait, le soir, dans le grand lit conjugal des Flaubert.

Mais auparavant déjà, certains de ses écrits, trois, surtout, qui sont restés inédits jusqu'à hier — c'est Jean Bruneau qui les a publiés pour la première fois [1] — témoignent que l'enfant se racontait un « roman familial », au sens que Freud donne à ces mots, qui tentait de reconstruire le fait scandaleux du coït pour le lui rendre acceptable, d'assouvir une rancune féroce qu'il nourrissait contre sa mère et de satisfaire imaginairement ses désirs sexuels. Il s'agit d'un scénario de pièce « historique » : *Madame d'Écouy*, d'un plan de drame : *Deux Amours, deux cercueils*, et d'un conte : *La Grande Dame et le Joueur de vielle*. On peut y ajouter cet autre conte : *La Fiancée et la tombe*. Jean Bruneau pense que ces plans et récits ont été écrits entre 35 et 36. Personnellement j'incline à les dater tous de l'année 35, d'abord parce que l'extrême naïveté des intrigues et du style ne permet guère de les situer *après Le Voyage en enfer* ; ensuite parce qu'ils traitent tous du même thème, qui, par la suite, ne reparaît qu'épisodiquement dans ses œuvres. À partir de *Matteo Falcone*, nous entrons dans ce qu'on pourrait appeler le « cycle paternel » : Gustave règle ses comptes avec son père — et avec son frère aîné. Or les quatre écrits précités mériteraient plutôt de constituer le « cycle maternel ». Le thème qu'on retrouve en chacun, c'est celui de la procréation, de l'enfantement, des relations de la mère et du fils.

En premier lieu, il lui faut, pour que l'idée de la copulation lui soit supportable, préciser qu'elle a lieu sans le consentement de Mme Flaubert. Dans *La Fiancée et la tombe*, Annette, belle et chaste fiancée de Paul, est violée par le duc Robert. Paul va trouver Robert et le précipite dans les fossés, mais « de suite il est garrotté par les gardes et tué à coups de poignard hors du château ». Ce meurtre aussitôt châtié rappelle l'assassinat de François par Garcia : Paul est *réduit à l'impuissance* par la poigne des soldats, il aura le temps de déguster sa mort. Mais, si l'honneur d'Annette est vengé, la jeune fille n'en est pas moins souillée et *coupable* : elle appartient au Diable. De fait Paul, damné, lui enjoint « si elle veut lui être unie (d'aller) chercher la dague

---

1. Cf. Jean Bruneau, *op. cit.*, pp. 99-124, et *passim*.

et la tête de Sir Robert qui est encore dans les fossés». Annette veut obéir mais «elle avait déjà mutilé le corps de deux coups de son épée lorsque l'arme lui échappa des mains». C'est qu'elle est lâche ou, si l'on préfère, pas assez virile pour jouer son rôle d'homme jusqu'au bout. À l'instant le cadavre de Robert se ranime et «se met à danser autour d'elle car c'était Satan sous la figure de Robert». Le Diable veut la séduire; «aidée par le Ciel», elle lui résiste, il disparaît. Mais, enfer et damnation! le spectre de Paul reparaît pour la maudire : elle meurt de saisissement. Comme on voit, la rancune du jeune amant est tenace : il ne lui suffit pas d'avoir occis l'ignoble individu qui abusa de sa fiancée; elle ne sera purifiée, à ses yeux, que si, virilisée, elle prend elle-même l'épée (symbole phallique et social de la masculinité) pour mutiler le cadavre et lui prendre sa dague (autre symbole). La mère est coupable de s'être laissé violer : qu'elle retrouve sa virilité en châtrant l'homme qui l'a rendue femme. Voilà ce que lui demande le fils maudit. Cette exigence survivra, dans l'ombre, à la mort du père. En 1850, il rend visite à la courtisane Kuchouk-Hanem et passe la nuit avec elle. Elle s'endort, il veille, plongé «dans des intensités rêveuses infinies [1]» et voici l'une de ses rêveries : «... une autre fois, je me suis assoupi, le doigt passé dans son collier, *comme pour la retenir si elle s'éveillait. J'ai pensé à Judith et à Holopherne, couchés ensemble.* À deux heures trois quarts, réveil plein de tendresse.» Certes, nous retrouvons ici le désir pervers d'être maîtrisé par une femme. Mais il y a plus : ce désir s'accompagne de crainte; il *trouverait normal* que la courtisane se vengeât en lui tranchant la tête, retrouvant par cette décollation non pas sa vertu mais sa virilité. Ce qui revient à dire que toute femme, pour mériter son estime, doit être une Judith et traiter son mâle en Holopherne. Ce qu'il exigeait de sa mère, il le réclame à présent du sexe féminin tout entier. Vainement, il le sait : la courtisane humiliée s'éveille «pleine de tendresse»; Caroline Flaubert est de jour en jour plus soumise et son amoureux platonique, son fils damné maudit cette Walkyrie qui a gémi sous Siegfried et qui refuse d'aller rejoindre les guerrières célestes.

C'est par cette raison que la mère humiliée devient mère indi-

---

1. Il dit dans le *Journal de voyage* à propos de la même aventure : «des intensités nerveuses pleines de réminiscences».

gne dans *Le Joueur de vielle*, conte qui a ce sous-titre significatif : « La mère et le cercueil ». Cette fois il s'agit d'un abandon : nous retrouvons le même jeune couple que dans la nouvelle précédente ; ils s'appellent, cette fois, Ernest et Henriette. Ils soupirent : le destin les sépare. Henriette de Harcant doit épouser un duc. Le jeune amoureux est « tourmenté par une profonde tristesse » ; Gustave ne manque pas de noter que « la jeune dame, *moins chagrine*, le regardait avec tendresse et *pourtant* (il lui) échappait de *temps en temps* un soupir et des pleurs ». C'est qu'elle épouse le docteur Flaubert travesti en pair de France : « l'un des plus importants capitalistes du royaume ». Bref, un mariage d'argent : c'est une pute, elle se vend. Conduite d'autant plus ignominieuse qu'elle est enceinte des œuvres d'Ernest : sept mois après le mariage « elle eut un fils : on crut que c'était un avorton... » Un avorton ou plutôt un enfant *réputé tel* et qui supportera les conséquences de l'indignité maternelle ; pas de doute, Gustave se présente : me voici, avec mon anomalie, innocente victime des quolibets de mon entourage. Mais il a tenu, cette fois, à préciser qu'il *n'était pas* le fils d'Achille-Cléophas. Non : il n'est pas le produit de ces coucheries infâmes où une « jeune enfant » se livre aux appétits d'un notable ; il ne tient pas sa vie — ni son caractère — de ce mâle riche et fameux, à l'esprit positif. Faute d'avoir été enfanté — ce serait son vrai désir — par quelque parthénogénèse, il se donne un père jeune et douloureux, qui lui ressemble. Le voici, justement : Ernest, ruiné, joue de la vielle dans les cours : « Oh ! le pauvre homme, il a l'air bien triste... » N'importe, c'est « un musicien », un saltimbanque, le sel de la terre. Il s'approche, « d'un air solliciteur », de l'hôtel où la grande dame vit avec son pair ; son fils, âgé de deux ans — la voix du sang — vient se jeter dans ses bras ; le saltimbanque « l'embrasse comme un père ». Mais « la maman » ne reconnaît pas son ancien amant : « On le chasse avec des injures comme un malotru. » Vient « la gigantesque et formidable Révolution de 89 ». Ernest recouvre ses biens, le pair de France perd les siens et meurt. « Sa femme n'ayant plus ni mari ni amant voulut rejeter son affection sur son fils : elle alla pour le reprendre de nourrice. » Peut-on mieux dire qu'elle l'avait négligé aux temps dorés de son bonheur conjugal et qu'elle faisait passer avant lui la bête féroce et velue qui partageait sa couche ? Trop tard ! « Un monsieur était venu le demander et l'avait emporté. » Saltimbanque père et saltimbanque fils sont enfin réunis. Voici la mère punie. Pas assez :

elle se dégrade peu à peu et, la faim l'y poussant, entre au bordel. Elle y est depuis longtemps — à quarante ans, c'est sans doute la doyenne des pensionnaires — quand, un beau jour, un jeune homme de vingt ans, son fils — «bonne tournure, noble manière, figure à séduire toutes les femmes» — y vient tirer son coup et — toujours la voix du sang — choisit sa mère entre toutes, couche avec elle puis «*après avoir payé*, part». Or, Henriette «n'avait jamais ressenti tant de plaisir qu'avec celui-là, jamais les baisers n'avaient été si suaves, les propos de tendresse si doux et si bien choisis». Bref Gustave triomphe : il se venge de son prétendu père, Achille-Cléophas, mort, en couchant avec sa veuve, de sa mère qui l'a négligé dans son enfance en l'obligeant à jouir comme elle n'a jamais joui et, puisqu'elle lui a refusé l'amour maternel, en l'affolant d'amour incestueux. Et, surtout, il se venge de tous les hommes, ces soudards, en enflammant les sens de la pute qu'il a choisie par des caresses de jeune fille : suavité, douceur, tendresse, voilà qui change l'experte catin des viols tarifés qu'elle subit chaque jour. On l'imagine, cette quadragénaire, penchée sur le jeune corps de son fils et s'affairant, dans l'enthousiasme, à lui donner enfin le plaisir qu'elle lui avait refusé vingt ans plus tôt. Ces exquises retrouvailles ne porteront bonheur ni à l'un ni à l'autre : au sortir du bordel, Gustave se fait poignarder par des truands. Mᵐᵉ Flaubert court à son cadavre, «le fixe attentivement, longtemps» et reconnaît son fils. Elle en devient folle et, deux jours après, se fait écraser par les roues du «char funèbre qui le conduit à sa dernière demeure».

Le thème incestueux est repris dans *Madame d'Écouy* : le traitement est plus fruste ; il ne s'agit que d'un quiproquo. Mais le scénario, dans sa nudité, n'en est que plus frappant. Mᵐᵉ d'Écouy, fort belle veuve, attend son amant M. de Bonnechose qui «partage le lit nuptial tendu de noir». Cette fois, la femme n'est ni violée ni achetée : elle se donne. Mais, par cette raison même, c'est un crime comme le montrent assez les mots «nuptial» et «tendu de noir» : les amants se roulent dans le stupre sur le lit d'un mort. Ils seront punis : le soir, le rendez-vous est dans une tonnelle du parc ; par malheur, c'est là aussi qu'Arthur, le fils de la veuve, attend Marie, la femme de chambre. «Il entrevoit quelque chose de blanc qui frissonne dans la tonnelle — il s'approche. Une voix lui dit tout bas : *Est-ce toi*? Et ces mots sont doux, il répond : Oui et s'avance sous la tonnelle.» L'irréparable s'accomplit. Sur ces entrefaites arrive le duc de Bonnechose par une porte secrète. Arthur le rencontre : « Qui es-tu? — L'amant de ta mère. — Tu mens infâme », et il le tue. À cet instant, un cri part de la tonnelle et « du côté opposé », légère et folâtre, accourt une femme vêtue de blanc : « C'est ta Marie! — Oh! enfer, s'écrie l'infortuné jeune homme, je suis maudit! » Cette fois, le fils, après avoir baisé sa mère, tue son amant sous ses yeux. Aucun de ses actes n'a de motivation : le hasard seul en a décidé. Mais l'absence de motifs illustre mieux l'aspect fantasmatique et onirique de l'invention : Gustave ne s'est soucié que d'une chose : coucher innocent avec sa mère coupable et tuer son père par piété filiale (« *Tu mens*, infâme » : le bon fils ne croit pas M. de Bonnechose, il venge sa mère outragée, c'est-à-dire qu'il tue l'amant qu'il vient de remplacer). Quand l'affaire est terminée, la morale reprend ses droits et le cadet Flaubert s'écrie, à son accoutumée, qu'il est maudit.

Dans *Deux Amours, deux cercueils*, point d'inceste. Mais plutôt l'inflexible dégradation d'une femme coupable d'avoir aimé son mari : « union tiède de la part du mari, vive et chaleureuse de la part de Louise ». La malheureuse a une rivale « qui lui vole tout petit à petit ». Son époux « ne la mène plus dans le monde ». Chaque jour « Amalia, courtisane parvenue et jalouse de Louise, lui met de l'arsenic dans son lait ». L'épouse martyrisée meurt ; Ernest, amoureux platonique, tue le mari criminel en disant : « Tu es l'assassin. Je suis le bourreau. » Le récit de cette déchéance, comment ne pas le rapprocher d'un rêve que Flaubert nous dit [1] avoir fait peu après son entrée au collège? « C'était dans une campagne verte... le long d'un fleuve — j'étais avec ma mère qui marchait du côté de la rive, elle tomba. Je vis l'eau écumer, des cercles s'agrandir et disparaître tout à coup; l'eau reprit son cours et puis je n'entendis plus que le bruit de l'eau... Tout à coup, ma mère m'appela : Au secours!... au secours! ô mon pauvre enfant, au secours! à moi! Je me penchai à plat ventre sur l'herbe pour regarder, je ne vis rien, les cris continuèrent. Une force invincible m'attachait sur la terre et j'entendais les cris : je me noye! je me noye! à mon secours. L'eau coulait, coulait, limpide et cette voix que j'entendais du fond du fleuve m'abîmait

---

1. *Mémoires d'un fou*, IV.

de désespoir et de rage.» Gustave et Mme Flaubert marchent dans une campagne verte et fleurie : ils forment couple et c'est le bonheur. Pas longtemps; le pauvre garçon assiste à la *Chute*[1] de Mme Flaubert : elle tombe dans le fleuve, s'enfonce, disparaît, engloutie. L'eau, un instant troublée, reprend son cours et «coule, coule, *limpide*». En d'autres termes, elle est transparente mais Gustave a beau la fouiller du regard, il ne voit rien : sa mère *est devenue fleuve*; elle était debout à ses côtés, elle s'étale au-dessous de lui, plate et couchée. La Chute représente ici tout à la fois sa trahison (elle abandonne son fils et son autorité maternelle pour se fondre dans la docilité liquide), la révélation brutale de son imposture et son châtiment. Le fait est que, disparue, avalée, elle n'est pas morte et n'en finit pas de mourir, de se voir mourir, sa voix résonne encore : je me noie. Et c'est bien ce que sent Gustave : elle se noie dans sa soumission inconditionnelle, dans ses mille occupations ménagères, dans ses innombrables soucis, que le scrupule et la culpabilité poussent jusqu'à l'angoisse; elle se perd, elle n'est plus la femme forte de ma petite enfance. Du coup il s'offre le plaisir sadique de lui en faire prendre conscience : la mère se sait coupable et malheureuse; elle reconnaît son impuissance et — ô merveille ! — elle *implore* le secours de son fils; seul, il peut comprendre sa détresse; seul, il peut venir à son aide. Tout le rêve est fait pour assouvir irréellement ce désir-là : voir cette fausse Penthésilée buter et tomber à ses pieds, reconnaissant sa faute («Je me noie»), lui demandant son pardon et le secours de son bras. Et *lui refuser ce secours*, lui répondre : d'où tirerais-je la force de te secourir? Je suis tel que tu m'as fait, inerte et paralysé. Qu'a-t-il à faire, en effet? Rien d'autre que plonger, quand il en est temps, pour arracher au fleuve le corps de sa mère[2]. Or c'est devenir mâle et agent : voilà justement ce dont il est pour toujours incapable : «à plat ventre sur l'herbe... une force invincible m'attachait sur la terre». La force d'inertie. Mme Flaubert est punie par où elle a péché : elle s'enfonce, réclamant la protection d'un fils qu'elle n'a su ni protéger (comme eût fait la déesse-mère qu'elle prétendait être) ni rendre tel qu'il la protège un jour. La passivité de Gustave est la faute et le châtiment de Caroline. L'assouvissement est

---

1. Tomber : le sens est clair : «Oh n'insultez jamais une femme qui tombe.»
2. Gustave était bon nageur, nous le savons.

complet quand le fils *condamne à mort* sa mère. Car il l'a condamnée, dans son rêve, ce n'est point douteux, comme il a condamné ou condamnera tous les autres membres de sa famille, y compris sa sœur [1]. C'est la revanche de l'inertie, la vengeance du ressentiment.

J'ai insisté sur ces différents thèmes «maternels» pour montrer la *problématique sexuelle* du jeune garçon : il comprend obscurément que sa mère *n'est plus* la moitié active de l'androgyne dont il est la moitié passive. Elle l'a été, pourtant, illusoirement : marquant sur lui son empreinte, elle l'a condamné pour toujours à n'avoir qu'une vie sexuelle *imaginaire*. Femme irréelle entre les mains des hommes, il sera mâle irréel dans son commerce avec les femmes. Dans le premier cas, d'ailleurs, les choses vont plus loin encore : Gustave ne s'accepte pas comme homosexuel — à raison puisque sa passivité exige d'être re-constituée par les étreintes d'une déesse-mère ; aussi, quand il réclame de gémir sous un homme, il s'efforce de se convaincre *devant sa glace* qu'il a l'autre sexe ; et quand sa chair palpite *pour de vrai* sous les caresses des hommes, comme aux bains turcs, il faut que le but visé soit explicitement non sexuel (immersion, soins de propreté, massages «pour la santé») ; si, pourtant, il doit s'avouer la nature du trouble qui l'envahit, il en fait l'*analogon* du désir non ressenti de posséder un jeune garçon : c'est que la pédérastie (au sens propre du terme) lui paraît en quelque sorte la partie noble de l'homosexualité ; on *prend* ; le giton, avec sa peau douce, est le simple *ersatz* d'une femme : comme dit Genet, le mâle qui soumet sexuellement un autre mâle se prend pour un surmâle ; cette supermasculinité, Gustave consent à se l'attribuer dans l'imaginaire, pendant qu'en fait il se pâme sous l'activité diligente des kellaks : c'est qu'il ne lui est possible de s'imaginer femme que dans la solitude ; au hammam, ce grand corps palpé, le sien, il ne peut faire que ce ne soit un corps masculin.

Avec les femmes, il faut bien *jouer le rôle* de la virilité. Par cette raison, elle ne le tentent guère. Celles qui ont compté dans sa vie étaient presque toujours mères (Élisa, Louise Colet, Mme Brainne), plus âgées que lui (Louise Colet et Élisa sont nées l'une et l'autre en 1810 : onze ans de différence), entreprenantes et

---

1. Cf. *La Dernière Heure*, janvier 36 (il vient d'avoir quinze ans).

agressives (Eulalie Foucaud — nous y reviendrons — *l'a pris*. D'une certaine manière, ce fut aussi le cas de Louise Colet ; si l'amour de Frédéric et de Mme Arnoux — incarnation d'Élisa — n'aboutit point, c'est que Mme Arnoux est passive. Encore est-ce elle, à la fin, qui vient s'offrir. Frédéric « l'aimait tant qu'il la laissa partir »). S'il se sent désiré par ces énergiques matrones et s'il peut se figurer qu'il est leur proie, son émotion se traduit par une érection qui n'a rien de « viril » puisque l'organe sexuel, loin de se donner pour l'instrument de la pénétration, lui apparaît comme une passivité active qui se tend vers les caresses de l'autre (fellation, masturbation). C'est alors que Gustave prend cet épanouissement de chair (semblable à celui des mamelons qui s'offrent à la caresse chez une femme troublée) pour *analogon* d'un *phallus-épée* fait pour percer et trouer. L'intention irréalisante, bien que non formulée, n'en est pas moins délibérée : il *met à profit* l'expression d'un trouble passif pour tenir le rôle du mâle, faire les *gestes* de la possession, bref répondre aux exigences de la femme, à charge pour celle-ci de reprendre par la suite son rôle dominateur. Pendant le coït, l'irréalisation s'accroît puisqu'il tente de s'identifier à la femme qu'il possède, de lui voler les sensations qu'elle paraît éprouver : cette chair renversée, pâmée, *c'est lui*, c'est le reflet qu'il a contemplé dans la glace, c'est son objectivité pour l'autre. Après l'orgasme, il retombe, désarmé : c'est à *son tour* de recevoir les caresses. L'*acte* n'a été que le moyen de les obtenir.

Louise Colet est sans aucun doute la femme qu'il a le plus aimée. Il en parle avec les Goncourt, six ans après la rupture, « sans amertume ni ressentiment ». Les deux frères notent dans leur *Journal* que « cette femme... semble l'avoir enivré avec son amour furieux et dramatisé d'émotions, de sensations, de secousses »[1]. Ils sont moins heureux quand ils écrivent : « Il y a une grossièreté de nature dans Flaubert qui se plaît à ces femmes terribles de sens et d'emportement d'âme, qui éreintent l'amour à force de transports, de colères, d'ivresses brutales ou spirituelles[2]. » Il est vrai qu'il ne se plaisait qu'aux « femmes terribles » mais sa grossièreté d'âme était jouée. Louise était violente, vin-

1. *Journal*, t. V de l'édition de Monaco, année 1862, pp. 58 et 59.
2. *Ibid.*, *loc. cit.*

dicative, jalouse : elle avait, un jour, donné dans le dos du pauvre Alphonse Karr un bon coup de canif. Elle parlait de sa sexualité comme un homme : « Un mot de Louise Colet. Elle disait à un ami d'un étudiant en médecine, qui était son amant dans le moment : "Eh bien, qu'est-ce qu'il est devenu, votre ami ? Voici plus de quinze jours que je ne l'ai vu... et à mon âge et avec mon tempérament, est-ce là, croyez-vous, de l'hygiène ?" [1] » Le « mot » est rapporté par Gustave, comme l'indique le contexte. Et l'on peut croire qu'il savait ce qu'il disait : quand il se rendait, de loin en loin, à Paris ou à Mantes, la longue chasteté à laquelle il avait réduit sa maîtresse devait la rendre folle ; elle se jetait sur lui : violé ! C'était l'accomplissement de son rêve. Elle allait plus loin : elle le suivait ou le faisait suivre et faisait irruption, prête à cravacher sa rivale, dans le salon particulier où il soupait entre hommes avec Louis et Maxime. Surtout, elle le *battait* : « Après le dîner, il y a une lutte grossière entre Gautier et Flaubert, le premier étalant une monstrueuse, brutale et répugnante vanité d'avoir battu les femmes ; et l'autre l'orgueil d'en avoir été battu en éprouvant toujours l'énorme désir de les tuer, en sentant, comme il finit par dire à propos de Mᵐᵉ Colet, craquer sous lui les bancs de la Cour d'Assises [2]. » Il y a sans le moindre doute une grande part de vérité dans la jactance de Gustave puisque, sept ans auparavant, il usait de cette même formule pour parler de Louise aux Goncourt : « Lui, l'a aimée aussi avec fureur. Un jour, il a failli la tuer : "J'ai entendu craquer sous moi les bancs de la Cour d'Assises [3]." » Rien ne peint mieux sa sexualité : ce géant d'un seul geste de ses grands bras pourrait, doucement, sans lui faire aucun mal et sans l'humilier, tenir Louise à distance. Il préfère se laisser battre, muré dans sa passivité jusqu'au masochisme, tandis que, dans le fond de son cœur un mâle imaginaire murmure : « Je la tuerai ! » et feint d'être saisi par un vertige de meurtre. C'est, dramatisé pour les besoins de la cause, le mouvement même de sa sexualité [4].

Il l'aimait avec fureur, soit. Mais de loin. A vrai dire, ce qui l'atti-

1. *Ibid.*, t. XV, 1875-1878, p. 129.
2. *Ibid.*, t. VIII, année 1869, p. 167.
3. *Journal*, t. V, p. 59.
4. On retrouve le même témoignage, à peine différent, cité par Frank : « Elle est étrange, cette femme. C'est elle qui a toujours été infidèle et c'est elle qui est jalouse. Dernièrement elle est venue me faire des reproches jusque chez moi. Une bûche brûlait dans la cheminée, je regardais la bûche et me demandais si tout à l'heure, je n'allais pas la prendre pour lui casser la tête et lui enfoncer les charbons dessus. » Bibl. Nat., N.A.F., 23, 827.

rait en elle était aussi ce qui le repoussait. Il le lui a écrit un jour :
« La nature, va, s'est trompée en faisant de toi une femme : *tu es
du côté des mâles*[1]. » Et, vers la fin de leur orageuse liaison :
« J'ai toujours essayé (mais il me semble que j'échoue) de faire de
toi un hermaphrodite sublime. Je te veux homme jusqu'à la hauteur du ventre ; en descendant tu m'encombres et me troubles et
t'abîmes avec l'élément femelle[2]. » Certes il envisage surtout, ici,
la virilité qu'il souhaite donner à Louise comme un mouvement vers
le spirituel : « Nous eussions plané au-dessus de nous-mêmes[3]. »
Mais les termes utilisés sont intentionnellement sexuels : homme
jusqu'à la ceinture — énergie mâle, activité — femme au-dessous.
Gustave ne serait-il pas l'hermaphrodite complémentaire, femme
avec un sexe d'homme ? L'androgyne, coupé en deux, faute de
retrouver sa moitié perdue, rêve d'un couple d'hermaphrodites
pourvus, chacun, d'un sexe réel et d'un sexe imaginaire. Mais ce
qui frappe, c'est que Louise lui est apparue d'abord « du côté des
mâles » : quand il prétend avoir tenté de la changer, on voit bien
qu'il ne songeait point à lui ôter la masculinité mais à sublimer la
féminité : « L'Idée, c'est par là qu'on s'aime, quand on vit par là. »
De fait, il a rêvé d'elle *par avance* lorsqu'il souhaitait, dans son
adolescence, « être aimé d'un amour dévorant et qui fait peur » ou
lorsqu'il rêvait d'une *maîtresse* « être satanique... qui a des esclaves... et siège sur des trônes ». Il l'a décrite sous le nom de Mazza,
l'inassouvissable, qui mord son amant jusqu'au sang et chaque jour
invente des voluptés nouvelles. Le plus étonnant, c'est qu'il s'est
à la fois incarné *en celle-ci* quand des mains d'hommes ont éveillé
cette chair dormante, et en son lâche amant qui, lorsqu'elle devient
le *sujet* du couple par ses exigences frénétiques, est d'abord fasciné par cette fougue puis, terrorisé, prend la fuite. Ernest met
l'Océan entre lui et l'impérieuse Mazza ; Gustave se contente d'une
centaine de kilomètres. Et puis il revient, lui. Pas longtemps, pas
souvent mais, après tout, leur liaison dure huit ans[4]. C'est qu'il
admire l'énergie de la Muse et souhaite se pâmer sous le joug quand
ils font l'amour. Une phrase significative lui échappe dans une autre
lettre : c'est pendant une période de relative accalmie ; il se félicite
de cette bonace qu'il veut croire éternelle : tu vois, dit-il, « *si je*

1. *Correspondance*, t. III, p. 328.
1. *Ibid.*, t. IV, p. 58.
3. *Ibid.*
4. Avec trois ans de séparation (48-51).

m'étais laissé dominer» il y a beau temps que notre liaison serait rompue. Que Louise ait voulu le dominer, j'en doute. Elle voulait l'*avoir*, c'est tout. Mais Gustave a toujours vu dans cette exigence somme toute légitime une volonté d'asservissement. Voilà pourquoi il tient tant à garder ses distances : cette domination qu'il aime ressentir en de brefs moments vertigineux, il est terrorisé à l'idée qu'elle pourrait s'étendre à toute sa vie. Rouen, c'est le refuge. Sa mère l'y protège contre l'impérieuse matrone : grâce à elle, il peut impunément, à Paris, à Mantes, une fois par semestre, s'abandonner à la turbulence de sa maîtresse sans crainte d'être enchaîné pour toujours. Louise le sent si bien qu'elle est à son tour fascinée par Mme Flaubert et réclame sans cesse de lui être présentée. Gustave refuse de les mettre en présence, avec un entêtement significatif : « Je trouve ta persistance, dans cette question, étrange[1]. » Pas plus étrange que n'est la sienne. « Je n'aime pas cette confusion, cette alliance de deux sentiments d'une source différente[2]. » « C'est un tic, tu veux établir entre deux affections de nature différente une liaison dont je ne vois pas le sens et encore moins l'utilité[3]. » Certes les « affections » que lui portent Louise et Mme Flaubert sont, sinon de « sources », de « natures » différentes mais, si l'on reste à ce degré de rationalisation, on pourrait lui répondre que, précisément par cette raison, il n'y a pas grand risque à les « allier » et qu'il n'est pas possible de les « confondre ». Louise ne se laisse pas duper : jalouse, elle pressent que la confusion, si confusion il y a, n'existe que dans les sentiments de Flaubert. Pour être plus juste, il vaudrait mieux dire qu'elle a existé. N'importe, quelque chose en reste, rancune, regret ; c'est ce que veut dire la Muse quand, fort injustement, elle « lui reproche le cotillon de sa mère ». C'est à cause de cela que Louise n'aura de cesse qu'elle n'ait vu l'autre « maîtresse » ; à cause de cela aussi qu'elle perdra définitivement Gustave, peu après la confrontation : « Une fois, elle est venue le relancer jusque chez lui, devant sa mère qu'elle a retenue, qu'elle a fait rester à l'explication, sa mère qui a toujours gardé comme une blessure faite à son sexe, le souvenir de la dureté de son fils pour sa maîtresse. ''C'est le seul point noir entre ma mère et moi, dit Flaubert[4].'' » « *Une blessure faite à son sexe*» : cette interprétation se passe de commentaire.

1. *Correspondance*, t. IV, p. 7.
2. *Ibid., loc. cit.*
3. *Ibid.*, t. III, p. 336.
4. *Journal* des Goncourt, t. V, année 62, p. 58.

Pour raconter la liaison de Léon et d'Emma, Gustave s'inspirera de son vieux rêve et de ces souvenirs. De ce point de vue, les passages qu'il a supprimés du manuscrit définitif et que Gabrielle Leleu a publiés sont les plus significatifs : « Il venait à elle, ému, beau, en chevelure blonde, dans toute la candeur de sa convoitise, avec une timidité de vierge et le sérieux d'un prêtre, Emma le *goûtait* [1] égoïstement, d'une façon discrète, absorbée, profonde, savait bien qu'il était rare et n'en voulait rien perdre et souvent même se jetait sur sa joue, afin de recueillir avant leur chute les larmes brillantes qui tremblaient dans son regard... Cela ressemblait plutôt à la *passion d'un homme pour sa maîtresse* qu'à celle d'une femme pour son amant. Elle était *active* et *dominatrice*, coquette pourtant. Elle le *menait*, l'*excitait* par tous les artifices volontaires ou irréfléchis de son entraînement personnel... N'eut-elle pas la fantaisie de vouloir des vers ?... (Il n'arrive pas même à la rime du second) puis il avoua finalement son incapacité tout en lui en gardant rancune pour cette petite humiliation. Elle ne dura guère car il *n'avait plus d'autre volonté que la sienne.* Il se coupa les favoris parce qu'elle préférait les moustaches et même il lui racontait scrupuleusement toutes ses actions heure par heure... Il entrevoyait *au loin comme de vagues précipices* et Emma commençait presque à l'effrayer bien qu'elle lui parût chaque fois plus irrésistible. Où donc avait-elle appris cet art de vous faire *passer l'âme dans la chair,* et de l'ensorceler *sous* des luxures qui la *dévoraient.* Un jour, en caressant son corsage, il se blessa le doigt à une agrafe et elle *se*

---

1. Le sujet « Il » de la première proposition est ambigu : en principe il désigne l'amour de Léon. Mais très vite il apparaît qu'il se rapporte aussi à Léon lui-même : une métaphore flaubertienne — elles sont poussées, suivies, donnent à l'abstrait une figure concrète — peut présenter un sentiment comme « venant à Emma avec une timidité de vierge », etc ; elle peut à la rigueur nous montrer l'amour « en chevelure blonde » puisqu'une autre variante parle de « passion blonde ». Mais on admettra difficilement que la Bovary puisse se jeter sur *sa* joue pour boire *ses* larmes. Ainsi cette curieuse amphibolie — sans doute intentionnelle — permet à Gustave de maintenir le lecteur dans l'incertitude : Emma goûte-t-elle l'amour de Léon ou Léon lui-même ? Dans la même phrase, « il était rare » s'applique à l'affection (Léon n'est pas rare) et à l'homme (les joues, les larmes, le regard sont à lui). Goûter d'un sentiment : idée reçue, qui n'apprend rien. Goûter de l'homme, voilà qui est mieux : l'amour dévore ; baiser c'est manger — Hegel l'a dit le premier. Mais la maîtresse dévorante qui bouffe son amant, boit ses larmes et son sang (Mazza, déjà, mangeait Ernest effaré) devient du coup l'*homme*, selon la conception du couple qui prévaut dans toute société où la femme est du deuxième sexe. C'est Doña Prouhèze qui dit, désolée, après avoir renoncé à Rodrigue : « Il ne connaîtra pas ce goût que j'ai. » Ainsi pour Gustave le cannibalisme est l'aboutissement de la « possession sexuelle » — ce n'est pas un hasard s'il a reproché (injustement) à Sade d'avoir oublié l'anthropophagie — et c'est la femme, mante religieuse, qui mange, c'est l'homme qui est mangé.

l'enfonça dans la bouche pour sucer le sang[1]... Il se révoltait contre cet *hébétement de sa conscience* et effacement de sa personnalité. Il en voulait à Emma pour ses tyrannies, ses injustices perpétuelles, *sa domination.* Mais comment se défendre de cette créature... Elle l'accaparait par tous les sens ; elle l'ensorcelait, il était sa chose, son homme, sa propriété. C'était plus qu'un amour, qu'une passion, qu'une habitude : cette femme, pour lui, *était un vice.*» Mais dans le texte publié nous trouvons aussi des indications précieuses. Nous venons de voir Emma aimer son amant comme s'il était sa maîtresse. Dans le manuscrit définitif, c'est Léon qui se sent femme : « Il ne discutait pas ses idées ; il acceptait tous ses goûts : *il devenait sa maîtresse* plutôt qu'elle n'était la sienne. Elle avait... *des baisers qui lui emportaient l'âme.*» (Variante : « Elle avait des paroles tendres qui lui enflammaient la chair avec des baisers *dévorateurs* qui lui emportaient l'âme. Où donc avait-elle appris cette *corruption* presque immatérielle à force d'être profonde et dissimulée ? ») Le rapport de l'amante virile à la mère est plusieurs fois souligné : « Elle l'appelait enfant : "Enfant, m'aimes-tu ?"» et « Elle s'informait *comme une mère vertueuse* de ses camarades. Elle lui disait : "Ne les vois pas, ne sors pas, ne pense qu'à nous : aime-moi." Elle aurait voulu pouvoir surveiller sa vie *et l'idée lui vint de le faire suivre dans les rues*[2]». Du reste, c'est à la mère qu'elle se heurtera bientôt ; « ... quelqu'un avait envoyé à la mère (de Léon) une lettre anonyme pour la prévenir qu'il se perdait avec une femme mariée ; et la bonne dame... écrivit à Maître Dubocage, son patron... (qui) le tint durant trois quarts d'heure, voulant... l'avertir du gouffre.» Tous les thèmes sont là, comme on voit[3].

1. Symbole de la possession et de son substitut la *fellation.* Mais comme on voit, l'image est retournée : prenant le doigt de Léon et « se l'enfonçant dans la bouche », c'est Emma qui *possède* son amant : il n'entre pas en elle, c'est elle qui l'aspire par sa bouche-ventouse (du reste c'est à *elle* qu'il s'écorche : cette rose a des épines, celui qui la caresse l'apprend à ses dépens. Ce qui laisse entendre que les timides baisers de Léon, loin de faire « passer l'âme dans la chair » d'Emma, n'ont d'autre effet que de déclencher en elle le désir mâle d'agression dominatrice. Léon peut être facilement totalisé en cette blondeur sans parties, sa chair. Emma non : qui s'y frotte s'y pique.

2. J'ai rappelé, plus haut, que Louise filait ou faisait filer Gustave. Emma y songe mais, plus orgueilleuse que la Muse, elle refuse de s'abaisser à cela. Reste qu'elle a la conduite d'une mère abusive qui veut tout posséder de son enfant, y compris *sa vie,* c'est-à-dire tout ce qu'il sent, pense et fait quand elle n'est pas auprès de lui. Elle retotalise le vécu de l'autre, elle en fait une autre manifestation passive de la chair et, du même coup, s'introduit en lui pour le diriger : « Ne les vois pas, ne sors pas... » La voilà installée en Léon, sous forme d'impératifs ; par elle s'affirme la primauté de l'extériorité et de l'altérité.

3. J'ai souligné les mots et les phrases qui introduisent les motifs déjà indiqués dans les œuvres de jeunesse ou dans les lettres à Louise.

Même celui de la glace : « Elle se déshabillait *brutalement*, arrachant le lacet mince de son corset qui sifflait autour de ses hanches... faisait d'un geste tomber ensemble tous ses vêtements (*texte publié*) qui lui entouraient les talons comme un amas de nuages d'où elle sortait. Alors elle s'envoyait à elle-même dans la glace un sourire d'ivresse tout en s'étirant les bras (*inédit*) et pâle, sans parler, sérieuse, elle s'abattait contre sa poitrine, avec un long frisson (*texte*). » On voit sans peine pourquoi Flaubert a supprimé le clin d'œil au miroir : Emma est androgyne : entre les mains de Rodolphe — « vrai » mâle, c'est-à-dire creux comme les macs de Genet — elle se pâme : c'est le moment du miroir ; nue, elle contemple son corps *désiré*, tente de le voir avec les yeux du chasseur dont elle est la proie. À cet instant Flaubert se glisse en elle, pour s'admirer et rêver de l'abandon futur. Quand elle va faire l'amour avec Léon, le chasseur, c'est elle. Et ce n'est pas le moment, quand elle se déshabille *brutalement*, comme un mâle, d'aller rechercher dans le miroir l'objet de convoitise qu'elle a été pour son premier amant. Même si ce sourire était triomphal [1] — mais on nous dit qu'il est ivre — il ne conviendrait guère au carnassier qui découvre sa proie et va se jeter *sur* elle. En fait, je parle ici de la construction littéraire, non de la réalité : rien n'empêcherait une Emma réelle, prise entre son trouble charnel et son agressivité, de se regarder dans la glace puisqu'elle est active en ceci qu'elle doit éveiller et diriger chez son amant le désir de la prendre : Gustave en est fort conscient puisqu'il a été proie et que d'actives caresses l'ont transformé délibérément en chasseur. Mais il a craint que *littérairement* le contraste finement noté entre la *brutalité* du geste et l'heureuse pâmoison devant le reflet prometteur ne soit trop accusé, qu'il déconcerte le lecteur. Rien ne nous enseigne mieux, pourtant, sur le caractère complexe d'Emma ni sur les rêves et sur l'expérience de Gustave. Il est à la fois, dans cette scène, l'homme qui se déshabille, la femme-vampire qui « s'admire » après « *s'être mise nue* » [2] (car la brutalité du déshabillage peut être aussi vécue — irréellement— comme *mise à nu par un autre*) et la jeune victime déjà nue, qui attend passivement les caresses.

Ce qui frappe surtout c'est que les deux amants ont conscience l'un et l'autre de la perversité de leurs jeux. Léon se demande d'où

---

1. Il faudrait entendre alors qu'Emma recense ses « charmes » comme instruments de son entreprise de fascination : c'est par eux qu'elle tient sa jeune captive.
2. Cf. *Novembre* — cité plus haut : « je me mettrai nue ».

vient l'«expérience» d'Emma ; il sent en elle une «corruption presque immatérielle» ; ces mots ne peuvent avoir qu'un sens : la perversité n'est pas dans les *pratiques* ; quand même ils s'obligeraient
à ne faire l'amour qu'«à la missionnaire», cette corruption demeu-
rerait, impalpable, irréalisable, inquiétante — vaguement promet-
teuse d'une catastrophe *ou d'un crime.* C'est qu'elle réside pour
eux — c'est-à-dire pour Flaubert — dans l'interversion des rôles,
bref dans l'importance croissante de l'*imaginaire.* Ce que cherche
Léon dans Emma, c'est la satisfaction de ce qui est devenu *son vice,*
le désir de se rêver femme sous des caresses de femme. Emma
s'inquiète aussi : à travers le personnage qu'elle joue, qu'elle ne
peut s'empêcher de jouer, on dirait qu'elle pressent le danger irréel
de changer de sexe pour de bon : «... elle souffrait maintenant ou
se délectait à des sensations qui autrefois l'eussent à peine touchée.
Elle avait des bizarreries dans le caractère et des dépravations du
goût comme les femmes enceintes. Elle aimait les fortes saumures,
la pâte incuite et l'odeur âcre de la corne qu'on brûle.» Il ajoute :
«Ces singuliers désirs que l'on a désignés sous le nom d'envies de
femmes grosses comme s'il y avait eu besoin de supposer la volonté
d'un être intérieur, pour en expliquer la puissance.» Autrement dit :
ces désirs s'imposent à la femme comme *désirs autres,* désirs *d'un
autre en elle.* Emma prend goût à des sensations violentes, elle a
peur que l'autre, en elle — ce personnage qu'elle ne peut pas ne
pas jouer —, ne commence à lui imposer son être. En vérité tout
est vécu dans une tension insoutenable, il y a quelque chose de faux
et de «lugubre» dans leurs rapports. «Cependant il y avait sur ce
front couvert de gouttes froides, sur ces lèvres balbutiantes, dans
ces prunelles égarées, dans l'étreinte de ces bras, quelque chose
d'extrême, de vague et de lugubre, qui semblait à Léon se glisser
entre eux, subtilement, comme pour les séparer.» Ainsi le couple
Emma-Léon — hermaphrodisme double — reproduit le désir fondamental de l'enfant Gustave et son inquiétude devant l'irréalité
foncière de son être ou, si l'on veut, devant l'impossibilité de faire
coïncider dans la jouissance sexuelle le sujet vague et fuyant qu'il
est pour soi avec l'objet net et précis — mais hors d'atteinte —
qu'il est pour autrui.

Flaubert aura d'autres maîtresses, des «théâtreuses», la Person,
la grosse Lagier qui lui dit, en public : «Toi, tu es le pot de chambre de mon cœur.» Mais, avec elles, l'amour est trop réel, trop
précis. Il leur préfère les prostituées : avec celles-là on est seul
puisqu'on les paie ; il aime dans les courtisanes leur docilité sans

chaleur d'infirmières : elles l'effleurent de leur belle chair tendre et s'activent, inlassables, sur son corps immobile. Les soins maternels l'ont voué aux colères blanches et aux complaisances de bouches mercenaires. Lorsqu'il n'est pas tenu de s'irréaliser en agent sexuel par les exigences harassantes d'une maîtresse, il bande par imagination. Vers douze ans, nous dit-il, il souhaitait connaître l'amour «*dévorant*» — le mot est déjà dans *Novembre*, quinze ans avant *Madame Bovary* — d'une actrice ; au théâtre, il s'exaltait pendant qu'elle jouait : «Elle tendait les bras, criait, pleurait, lançait des éclairs, appelait quelque chose avec un inconcevable amour et, quand elle reprenait le motif, il me semblait qu'elle arrachait mon cœur avec le son de sa voix pour le mêler à elle dans une vibration amoureuse... On lui jetait des fleurs et, dans mon transport, je savourais sur sa tête les adorations de la foule, l'amour de tous les hommes et le désir de chacun d'eux. C'est de celle-là que j'aurais voulu être aimé... Qu'elle est belle, la femme que tous applaudissent... celle *qui n'apparaît jamais qu'aux flambeaux*, brillante et chantante et *marchant dans l'idéal d'un poète comme dans une vie faite pour elle !*... Si j'avais pu être près de ces lèvres d'où (les notes) sortaient si pures... Mais la *rampe du théâtre me semblait la barrière de l'illusion ; au delà*, il y avait pour moi l'univers de l'amour et de la poésie [1]...» Il était amoureux de la cantatrice dans la mesure où elle s'irréalisait au milieu d'un monde imaginaire. Or, en 1850, c'est très exactement de la même manière que Kuchouk-Hanem provoquera son désir. C'est — il nous le dit — une «courtisane *fort célèbre*» ; elle est vêtue d'un tarbouch qu'il décrit longuement et qui accroît l'impression d'irréalité ; enfin elle danse, «elle s'enlève tantôt sur un pied, tantôt sur l'autre, chose merveilleuse. J'ai vu cette danse sur des vieux vases grecs». Exotisme, beauté, réminiscence de l'Antiquité, danse : la voilà de l'autre côté de la rampe. Il décide de passer la nuit avec elle et fait l'amour furieusement avec cette image inaccessible. Elle s'endort : le voilà plus seul encore. C'est le moment des «intensités nerveuses pleines de réminiscences». Il dit à Bouilhet : «C'est pour cela que j'étais resté [2].» À quoi rêve-t-il ? «En contemplant dormir cette belle créature qui ronflait, la tête appuyée sur son bras, je pensais à mes nuits de bordel à Paris, à un tas de vieux souvenirs... et à celle-là, à sa danse, à sa voix qui chantait des chansons sans signi-

---

1. *Novembre.* C'est moi qui souligne.
2. *Correspondance*, t. II, p. 176.

fication ni mots distinguables pour moi[1].» S'il n'est pas en humeur de jouer l'androgyne ou si la situation ne s'y prête pas, il se plaît à faire l'amour *dans la non-communication*; cette nuit-là, il s'exalte : Kuchouck-Hanem dort, «espèce de morte[2]»; tout à l'heure elle parlait et chantait dans une langue inconnue; à présent il la veille, entièrement seul, libre de s'irréaliser et d'irréaliser la dormeuse comme il veut. Ce sera Judith ou Tanit ou quelque femme antique, n'importe quelle image de la cruelle déesse de l'impossible, de la Beauté; il sera n'importe quel ministre de son culte; Mâtho, mourant dans les supplices sous le regard de Salammbô, naîtra plus tard de ces rêveries.

Il quitte Kuchouk le matin «fort tranquillement» et note sur son journal : «Quel plaisir ce serait pour l'orgueil si, en partant, on était sûr de laisser un souvenir et qu'elle pensera à vous plus qu'aux autres, que vous resterez en son cœur.» Pour l'orgueil seulement? Puisqu'il est aux mains d'autrui, ne souhaite-t-il pas être protégé *dans son être* par cette femme si totalement étrangère, qui conserverait — sans pouvoir l'intégrer à l'ensemble de son expérience — le souvenir nu de ce qu'il est ? Il revient à Esneh un mois et demi plus tard[3] et revoit Kuchouk, avec «la tristesse infinie» qu'il escomptait comme bien on pense. «Je l'ai trouvée changée. Elle a été malade» et, dans le *Journal* : «Elle a l'air fatigué, et d'avoir été malade.» Bref, *ce n'est plus la même*. Et puis, il le sait bien, il «n'est pas fait pour jouir» mais seulement pour regretter : «C'est fini, je ne la reverrai plus et sa figure, peu à peu, ira s'effaçant de ma mémoire.» À Bouilhet il écrit : «Je l'ai regardée longtemps afin de bien garder son image dans ma tête.» Voilà le «travail du deuil» : avec une exquise mélancolie Gustave s'efforce de transformer cette femme de chair et d'os en l'image qu'elle sera demain pour lui. Il ajoute : «Du reste, j'ai bien savouré l'amertume de tout cela; c'est le principal, ça m'a été aux entrailles.»

Il arrive d'ailleurs que l'image jaillisse d'elle-même et que l'environnement se transforme spontanément — ou presque — en spectacle; s'il s'agit de femmes et qu'elles s'offrent, Gustave se dérobe : «Je me suis promené... dans le quartier des filles de joie... donnant à toutes des batchis, me faisant appeler et raccrocher, elles me prenaient à bras-le-corps et voulaient m'entraîner dans leurs mai-

---

1. *Ibid., loc. cit.*
2. Cocteau.
3. Il a quitté Kuchouk le 8 mars et la retrouve le 26 avril.

sons... Mets du soleil par là-dessus ! Eh bien ! Je n'ai pas baisé, exprès, par parti pris, afin de garder la mélancolie de ce tableau et faire qu'il restât plus profondément en moi. Aussi je suis parti avec un grand éblouissement et que j'ai gardé. Il n'y a rien de plus beau que ces femmes vous appelant. Si j'eusse cédé, une autre image serait venue par-dessus celle-là et en aurait atténué la splendeur [1]. »
Il baise pour irréaliser ; si la femme est d'*avance* irréelle, pourquoi se fatiguer : elle a déjà fait le travail ; à la suivre dans sa maison, on risquerait d'y retrouver la réalité. Cette abstention très prémé-ditée [2], Gustave la nomme une « abstention ''stoïque'' ». C'est reconnaître que son but était de changer les almées en pures appa-rences. Gustave est voué à l'onanisme par son entreprise même de faire retotaliser en chair sa passivité constituée. La plupart des enfants et des adolescents se masturbent *faute de mieux* : cette pra-tique disparaîtra ou tout au moins languira dès qu'ils pourront avoir un commerce sexuel (ou plutôt dès qu'ils auront pris l'habitude d'en avoir un) ; ici encore l'imagination est un moyen de fortune qui s'annule quand on peut atteindre à la réalité. Si Gustave est fon-damentalement onaniste, au contraire, c'est que le mouvement de sa personnalisation fait de lui un enfant puis un homme imaginaire. La raison en est simple : pour *se* récupérer comme l'objet qu'il est pour l'autre, il faudrait qu'il soit lui-même et l'autre, qu'il exécute et ressente à la fois le travail de la passivisation et qu'il se saisisse dans la même aperception sexuelle comme chasseur et comme proie, ce qui ne se peut concevoir que dans une tension irréalisante. Or l'autre est ici moyen ; la fin c'est la découverte, dans le trouble, de la féminité : s'il est trop réel, donc imprévisible, le mirage dis-paraît, Gustave se retrouve transcendé par une transcendance énig-matique : il est objet pour cette inconnue, *une* femme, il se sent de nouveau privé de son être puisqu'il ignore ce qu'elle voit, ce qu'elle pense de lui en vérité ; pour le désarmer et pour lui plaire, le voilà contraint d'inventer des rôles nouveaux et de les jouer ; et puis l'être réel de sa maîtresse, sa poitrine, ses hanches, sa peau vraiment féminine aussi bien que son sexe et que ses exigences sexuelles dénoncent l'irréalité de son travestissement : en face d'une femme — fût-elle virile — l'illusion de féminité *prend corps* diffi-cilement. Bref il fait l'amour dans le malaise : le partenaire est un

---

1. *Correspondance*, t. II, 4 juin 50, p. 207.
2. Dans le *Journal de voyage*, Flaubert écrit : « Nous retournons dans la rue des almées ; *je m'y promène exprès...* Je m'interdis de les baiser... »

gêneur. Homme ou femme, son insistante présence empêche Gustave de le convertir tout à fait en image, de s'irréaliser tout à fait.
Et puis, nous le verrons bientôt, le ressentiment le pousse dès
l'enfance à un sadisme d'imagination : par là j'entends que son
inerte méchanceté, incapable de *faire* le mal, ne s'interdit pas de
le rêver ; à quels supplices n'a-t-il pas voué ses camarades et tous
les membres de sa famille ? Et comment douter que leurs malheurs
imaginés ne provoquent en lui un assouvissement sexuel ? Ce
sadisme, bien sûr, est de surface : il apparaît beaucoup plus tard
que le désir masochiste d'être chair soumise, ne tire point sa source
de la passivité constituée et celle-ci, au contraire, s'oppose à lui,
le cantonne dans le domaine de l'onirisme [1] — et de la littérature.
N'importe, il existe et, précisément par la raison qu'il demeure au
stade du rêve, incapable par principe de s'achever en un acte, se
donnant dès le départ pour une fuite dans l'imaginaire, il ne peut
s'assouvir sexuellement que par la masturbation.

N'allons pas croire, cependant, que sa glace lui suffise ou qu'il
se contente de présentifier l'*autre* par des images mentales. Son
masochisme profond et son sadisme épidermique s'accordent en
un point : l'autre doit être représenté par un *moindre-être*, une présence mineure qui le manifeste à la fois comme force virile et comme
objet maniable. Une suite de paragraphes, la plupart inédits [2],
montrent comment, au début de leur amour, avant le départ de
Léon pour Paris et l'épisode de Rodolphe, le clerc en vient petit
à petit à transformer Emma en fétiche, c'est-à-dire à la remplacer
par un gant. Léon ne manque jamais de se trouver aux soirées du
pharmacien : les Bovary y viennent. « Dès qu'il entend la sonnette,
il court au-devant de Mme Bovary, prend son châle et pose à
l'écart... les grosses pantoufles de lisière qu'elle porte sur sa chaus-
sure... » Ensuite, il se place derrière elle et « regarde les dents de
son peigne qui mordent son chignon ». Cette contemplation a un
double but : faire progresser la transformation d'Emma en chose
(et réciproquement de la robe en Emma vivante), transformer le

---

1. Le sadique actif, même s'il n'a pas l'occasion de mettre ses projets à exécution,
imagine le plus souvent qu'il infligera lui-même les supplices ; le sadique passif se contente de rêver qu'il en est le témoin. Pour autant que nous puissions le savoir, les histo-
riettes que Gustave se raconte sont de la deuxième catégorie : il est Néron, par exemple ;
on torture *en son nom*, certes, mais il se garde bien de mettre la main à l'ouvrage. Inerte,
abandonné, il tourne le dos aux victimes, boit ou caresse une belle femme, tirant son
unique volupté des cris affreux qui lui brisent le tympan.
2. Cf. Gabrielle Leleu, I, pp. 365-395. Cf. Pléiade : *Madame Bovary*, pp. 414 et 399.

présent en souvenir (et inversement, de manière qu'il n'y ait plus de différence entre la réminiscence et l'aperception). Premier temps : Léon — toujours derrière Emma — la contemple de haut en bas : elle a, au-dessous du chignon, « tout frisés d'eux-mêmes et se collant sur la peau, comme des accroche-cœur ». Ce qu'il perçoit ici, c'est le corps dans sa vie désirable et charnelle mais *à l'insu* de la femme contemplée. Ensuite viennent les épaules « un peu maigres » ; la maigreur étant ici marquée comme la négation discrète de la chair vécue, comme un rappel de l'inertie osseuse du squelette, ce qui permet de pousser plus avant l'identification de l'organique et de l'inorganique : « De ses cheveux retroussés, il descendait une couleur brune dans son dos qui, s'apâlissant graduellement s'amincissait en se perdant dans l'ombre. Il n'y avait plus, ensuite que le vêtement : il retombait des deux côtés du siège, en bouffant, plein de plis, et s'étalait jusqu'à terre. » Les plis, la retombée « bouffante » sont indiqués, au contraire, comme l'image inorganique de la vie. À partir de là, il ne reste qu'à conclure : « Quand Léon, parfois, sentait la semelle de sa botte poser dessus, il s'écartait comme s'il eût marché sur quelqu'un. » Emma s'achève en robe comme une sirène s'achève en poisson.

Le deuxième moment est décrit dans un long paragraphe qui a été retranché du texte publié ; je n'en donne que des extraits : « Elle portait, en ce temps-là, des bonnets *à la paysanne* qui lui découvraient les oreilles : ils rappelaient à Léon ceux qu'il avait vus au théâtre, quelquefois, dans des opéras comiques et… il lui arrivait à l'âme lentement comme une réminiscence d'émanations analogues et de sentiments oubliés… À ces mollesses du souvenir, de la sensation et du rêve, la pensée du jeune homme se dissolvait avec douceur, et Emma quelquefois lui semblait presque disparaître dans le rayonnement même, qui sortait d'elle. » À cet instant, Léon ressemble étrangement à Flaubert : il déréalise Emma et la change en son « idée » ; quel bonheur de s'élever, *tout seul* et *invisible*, au-dessus de la convoitise. Mais le gêneur survient, qui le replonge dans le réel : « … tout à coup, quand elle tournait vers lui sa figure et qu'il voyait alors ces deux prunelles noires palpitantes, avec les lèvres humides qui parlaient… c'était un désir âcre, précis, immédiat, quelque chose d'aigu qui le traversait d'un seul bond et il avait envie de la palper sur les épaules, afin de la connaître du moins par un autre sens que par les yeux. [1] » Le partenaire sexuel, dès qu'il se

1. Leleu, *ibid.*, p. 383.

manifeste comme transcendance, comme regard, est l'agresseur :
il arrache à la solitude du rêve ; tant qu'il est présent et qu'il peut,
à chaque instant, viser à *communiquer*, il interrompt l'entreprise
de transsubstantiation en s'affirmant comme agent sexuel et en renvoyant son amoureux à l'objectivité de la chair. S'il pouvait être
présent comme objet et, tout à la fois, absent comme sujet, quelle
bonne fortune ! C'est le troisième moment de l'opération. Il n'est
d'abord que rêvé : un soir, Léon trouve dans sa chambre un tapis
de velours et de laine, ouvrage de Mme Bovary : « son cœur bondit... il en parle le soir même à son patron qui l'envoya de suite
chercher par son domestique, pour le voir. Léon, intérieurement,
trouva même ce procédé peu cérémonieux à l'encontre du tapis,
qu'il eût volontiers porté sous sa chemise, contre son cœur, s'il
n'avait pas été si grand ». Pas de chance : le tapis est trop grand,
l'affaire est manquée. C'eût été l'idéal pourtant que de s'entourer
de l'activité fétichisée, passivisée d'Emma : il se fût fait prendre
en permanence mais sans risques par cette femme énergique mais
réduite à l'impérieuse inertie du pratico-inerte. Il ne reste au pauvre clerc qu'à tirer la conclusion de cet échec : l'insuffisance de
l'image mentale est manifeste : « Jamais je ne la rêve ! remarquait-
il avec surprise. Et tous les soirs, il s'efforçait d'y penser, espérant
que, du moins, elle viendrait dans ses songes. » Que faire ? Il tente
de la remplacer par de nouveaux « ersatz » : il embrasse la fille
d'Emma « sur son cou, à la place, toujours, où les lèvres de sa mère
avaient posé », recherchant, ici encore, l'inerte vestige d'une tendre activité. Ou bien, il fétichise le pauvre Charles : « Son mari,
n'était-ce pas *quelque chose* d'elle ? [1] » Dans un paragraphe supprimé, il explicitait sa pensée : « Que de fois en considérant (Bovary)
il a cherché sur toute sa personne la trace invisible des caresses dont
il rêvait. » Mari-fétiche, Charles, propriété d'Emma, est l'inconscient support du travail cristallisé que sa femme a exercé sur lui ;
Léon ne tente pas de s'identifier à lui en tant qu'il possède sa
femme ; il s'irréalise comme objet totalisé par les mains et la bouche de son épouse. Nouvel échec : « Cette union pourtant lui paraissait être si impossible de soi-même, qu'il ne pouvait guère se la
figurer. » Le coup de génie vient aussitôt après. Gustave, sur ces
derniers mots, passe à la ligne et sans autre transition : « Chez le
pharmacien, un soir, Mme Bovary, en cousant, laissa tomber son
gant par terre, Léon le poussa sous la table sans que personne y

---

1. Pléiade, p. 416. C'est moi qui souligne.

prît garde. Mais, quand on fut couché, il se releva, descendit les marches à tâtons, le trouva sans peine et revint dans son lit. C'était un gant de couleur jaune, souple, avec des rides sur les phalanges, et la peau semblait soulevée davantage, au grand morceau du pouce, à cet endroit de la main où il y a le plus de chair. Il sentait un parfum vague, quelque chose de tendre, comme les violettes fanées. Alors Léon cligna des yeux, il l'entrevit au poignet d'Emma, boutonné, tendu, agissant coquettement dans mille fonctions indéterminées. Il le huma ; il le baisa ; il y passa les quatre doigts de sa main droite et s'endormit la bouche dessus. [1] » Il fallait y songer : au lieu de chercher partout la trace du travail ou d'une caresse, voler l'inerte effigie de la main qui fait l'un et l'autre, s'emparer du symbole passif de l'activité. À le lire attentivement, le texte est parlant : le gant nous est d'abord présenté comme *chair* ; c'est le corps tout entier d'Emma : souplesse, abondance charnue à la base du pouce, rides légères (il a « vécu »), vague « *odor di femina* » ; oui, Emma est là tout entière, à son insu, réduite à l'être inférieur de l'ustensile. C'est le sadisme imaginaire de Gustave qui s'assouvit : il réduit une femme vivante à l'état de chose, elle est *livrée*. Ainsi Léon la punit-il de sa propre faiblesse et du désir qu'il éprouve de *se livrer* à elle. Mais, à l'instant, tout change : la punition exalte le désir même au nom duquel elle prétend s'exercer. Le corps passif qu'il tient en son poing, voici qu'il devient corps actif : sous les yeux de son ravisseur, boutonné, *tendu*, il s'érige ; il devient l'*analogon* de la main aux impérieuses caresses, « agissant dans mille fonctions indéterminées ». Le blondinet se pâme. Que fait-il ? « Il y passe les quatre doigts de sa main droite. » Disons, sans calembour gratuit — le mot est familier à Gustave, nous venons de le lire sous sa plume et il n'est pas douteux qu'il lui est venu à l'esprit —, qu'il l'*enfile* aux quatre cinquièmes. Mais cette « possession » reste imaginaire encore. Or Flaubert, dans une note adjointe aux plans que Pommier a publiés, écrit « faire comprendre qu'il se branle avec » [2]. Ce qui peut se faire de deux manières différentes : ou il fait pénétrer sa verge dans le gant et la caressait ensuite à travers celui-ci (qui devenait l'*analogon* d'un corps abandonné) ou il introduit ses doigts (pénétration préalable mais sans liaison directe avec l'orgasme réel — l'intromission n'étant pour l'auteur et son incarnation momentanée qu'une condition nécessaire de la volupté

1. Leleu, *ibid.*, p. 391.
1. *Nouvelle version de Madame Bovary*, par Jean Pommier et Gabrielle Leleu, p. 63 : A).

qu'il désire) et c'est la main virile d'Emma qui le masturbe, le glissement de la « peau jaune » et glacée le long de son membre sert d'*analogon* au va-et-vient de doigts étrangers qui le maîtrisent et le conduisent au plaisir. Le fétiche est main de femme et phallus indistinctement : voyez comme Léon s'endort, « la bouche dessus », comme une maîtresse comblée qui embrasse avec gratitude le sexe de son amant. Nous voilà bien près des fameuses pantoufles de Louise qui représentent pour Flaubert la virilité embaumée de sa maîtresse et dont il use volontiers dans ses divertissements solitaires à titre de *transcendance-objet*. En la pantoufle se résume et s'incarne toute la jambe de la Muse mais tout à la fois comme chair et comme activité motrice. Sans nul doute il préfère cet *analogon* de « mille fonctions indéterminées » à la présence réelle de sa partenaire qui ne cesse de déranger ses rêves. Louise est là, châtiée, humiliée, réduite au mutisme de la matière inanimée et, tout à la fois, active, dévorante-maniable ; quelles jouissances il se donne ! et quelle perversité : un homme utilise imaginairement un accessoire de la toilette féminine comme une femme ferait d'un godmichet.

Le fétichisme de Flaubert est l'aboutissement et le résumé de ses irréalisations sexuelles et celles-ci ne se comprennent que si l'on part de la déréalisation originelle dont on l'a frappé : sa mère, mâle par imposture, femme par trahison, l'a ainsi constitué qu'il ne cesse de réclamer d'elle une forme de retotalisation sexuelle dont elle l'a frustré dès le berceau et qu'elle s'est ensuite révélée incapable *par nature* de lui donner. Cet assouvissement qu'il exige, il sent obscurément qu'il n'est point réalisable puisque personne — homme ou femme — ne peut le lui donner. Et puisque malgré tout, il persiste à le réclamer (par la raison qu'il n'en peut vouloir d'autre), il faut bien qu'il le postule *dans son irréalité*, c'est-à-dire non pas malgré elle mais à cause d'elle. L'amour comme le rire est un rôle qu'il joue devant la glace ou avec un ustensile déréalisé. Et comme ses conduites sexuelles n'ont d'autre fin que de se faire réaliser comme totalité charnelle par un être contradictoire qui n'a pas d'existence vraie, on peut conclure que l'enfant est voué à l'imaginaire dans la mesure même où le mouvement de la personnalisation le porte à réaliser l'irréalisable — ce qui le conduit nécessairement à irréaliser la réalité.

De ce point de vue le fétichisme de Flaubert ressortit à l'interprétation freudienne : tout se passe comme si le fétiche était à la fois l'incarnation et la négation du phallus maternel — à ceci près que la négation est ici beaucoup plus forte qu'elle ne serait s'il était né dans une famille conjugale, puisque la structure *domestique* du groupe Flaubert implique la soumission absolue de la femme à son mari. De toute manière la conduite fétichiste de Gustave est vécue — comme le dit si bien Mannoni — sous forme d'un « Je sais bien... mais tout de même... », l'objet fétichisé tenant lieu du « tout de même » — ce qui est la définition même d'une disqualification obstinée du réel et de la valorisation délibérée du monde imaginaire. Quant à son rapport au miroir, je dirai qu'il lui tient lieu de réflexion contestataire. Entendons-nous : il réfléchit sans cesse, il se voit penser, rêver, désirer. Mais la réflexion est, d'une manière générale, une réponse à l'agression de l'Autre : mis en question, je me retire en moi, pour me totaliser contre autrui et contester la vision qu'il a de moi. C'est ce que j'ai appelé la réflexion complice car elle ne peut s'opposer au *regard autre* qu'en adhérant totalement au réfléchi. Or, s'il est vrai que les parents Flaubert et, de proche en proche, tout son entourage, mettent Gustave en question sans relâche, il est vrai aussi qu'il n'arrive pas à déterminer l'objet qu'il est à leurs yeux ; privé du pouvoir de dire Oui ou Non, soumis d'avance, complice de ses bourreaux plus que de soi-même, sa réflexion n'est, dans les premiers temps, qu'un vague *estrangement* douloureux qui le fait passer de l'ébahissement à l'hébétude sans rien lui apporter de neuf. Nous verrons plus tard que, s'approfondissant, elle va lui donner les moyens de *se comprendre* mieux que ne font la plupart des gens mais non ceux de *se connaître*. Au reste il ne souhaite pas la délivrance puisqu'il aime encore ses tortionnaires ; il veut garder ses blessures parce qu'il espère encore être guéri par les mains qui les ont causées : c'est vouloir tirer son bonheur d'un surcroît de servitude. En ce sens, le miroir est plus important pour lui que le mouvement réflexif : il y vient chercher l'*objet constitué par les autres*, non pour le contester mais pour le rétablir dans sa totalité et s'identifier à lui. Or cela suppose qu'il *se fasse autre* jusque dans son regard puisque l'Autre le possède dans l'intuition totalitaire de la *vue* ou de la *caresse*. Ainsi rire et trouble sexuel expriment *entièrement* l'un et l'autre la même entreprise sur deux plans différents : dans sa personne sociale comme dans son intimité organique il tente de coïncider avec l'être-autre dont les autres l'ont affecté, ce qui implique qu'il *se fasse autre* devant son image soit en riant de soi-même (pour s'identifier à l'agresseur) soit en se convoitant (pour s'identifier à l'agent qui l'a constitué), bref soit en devenant *son père* soit en devenant *sa mère* puisque ce sont eux,

eux seuls, qui connaissent son être. Et le passage de l'une à l'autre identification est facilité par le fait — relevé dans la première partie de cet ouvrage — qu'il n'a jamais tenu, dans sa claire conscience, sa mère pour l'agent responsable de sa passivité constituée et qu'il a toujours considéré la malédiction paternelle comme le facteur primordial de sa passivisation. Par cette raison, il lui est aisé de passer du rire qui est un viol de ses sentiments par Achille-Cléophas au trouble qui est, à ce qu'il s'imagine, un viol de sa féminité secrète par un mâle (le double sexuel du praticien-philosophe), alors qu'il se rêve femme étreinte par un homme faute de reconnaître son envie d'être un homme passif et violé par une femme. De toute manière, cet impossible dédoublement et l'impossible réunification qui doit l'accompagner le condamnent à s'irréaliser pour être, c'est-à-dire à s'affecter d'un être imaginaire.

C. — LA GESTE DU DON

Son rapport à la mère l'a privé de la puissance affirmative, a vicié ses rapports au Verbe et à la vérité, l'a voué à la perversion sexuelle ; sa relation avec son père lui a fait perdre le sens de sa réalité. En dehors d'Achille, qui n'est jamais là, reste un cinquième membre de la famille. Elle a quatre ans quand il en a sept : si elle lui donnait la chance de l'aimer — j'entends : d'une affection forte, modeste et vraie — il serait sauvé. Voyons ce qu'il en est.

Dans une famille fortement intégrée, quels que soient les accidents de leur naissance, les enfants ne se rencontrent pas par hasard mais en prédestinés : leurs sentiments sont escomptés, hypothéqués d'avance, par la différence des âges, des sexes, les relations originelles aux parents, les structures préfabriquées qui les façonnent et que chacun connaît en chacun *d'abord*. Les premiers rapports de Gustave et de Caroline n'auront pas la contingence, l'imprévisibilité, la liberté qui pourraient garantir — au moins du côté de Gustave — leur sincérité et leur réalité : ils sont préesquissés par les structures et l'histoire de la famille Flaubert. Gustave eût été autre s'il eût joué seul dans le jardinet de l'Hôtel-Dieu ou si deux ou trois frères, aînés et cadets de peu, avaient partagé ses jeux. Il n'a qu'une compagne, de trois ans sa cadette. Hasard et nécessité, tout à la fois, comme tout ce qui arrive aux hommes. Mais, en ce cas particulier, la nécessité prime. Ce n'est pas un hasard si l'enfant a une sœur : il est lui-même fille manquée ; quand Mme Flaubert le portait dans son ventre, elle croyait porter Caroline, c'est Caroline qu'elle souhaitait enfanter. En ayant l'impudence de naître masculin, Gustave se destinait par son sexe même à devenir le frère aîné d'une petite Caroline : de fait Mme Flaubert a poursuivi son entreprise qui, nous le savons, n'avait d'autre but que de ressusciter son enfance et le prénom de la petite, quand Gustave était encore à naître, était déjà choisi. Dans sa structure organique, dans le froid dévouement de sa mère, à travers lequel l'enfant s'est découvert et constitué, la menace et la promesse d'une sœur étaient contenues ; il est façonné comme le décevant petit mâle auquel on donnera une sœur cadette qui lui sera préférée. Qui sait si, un peu plus tard, déçue de nouveau par un nourrisson qui eut le bon goût de se retirer, la femme du chirurgien n'a pas laissé échapper quelques remarques qui ont éclairé le petit garçon sur son destin de *futur frère*. Quoi qu'il en soit, il s'est sûrement connu comme *garçon-mal-aimé-devant-être-suivi-d'une-fille-dont-il-usurpe-la-place*. Nous avons trouvé, je crois, la raison essentielle de sa première option personnalisante : déjà passivisé par les activités de sa mère, il a voulu pousser les choses jusqu'au bout et s'est choisi fillette pour gagner l'amour de sa mère. Tel est, je crois, l'élément qui nous manquait pour expliquer ses fantasmes sexuels : il joue la femme désirée par un homme faute de pouvoir s'avouer qu'il se veut comme caressé par une femme et cette exigence elle-même cache l'intention fondamentale d'être une fille adorée par une mère. Ainsi, dès sa naissance et sans doute *avant celle-ci* la petite Caroline est facteur d'irréalisation pour son frère.

Après cela, naturellement, le cadet de Gustave pouvait survivre ; s'il est mort — à moins que ce ne soit de marasme infantile [1] — sa rapide abolition n'est, *par rapport à celui-ci*, qu'un hasard. Reste que Gustave est né prédestiné et que, par un concours de circonstances en partie contingentes, cette prédestination s'est réalisée. Grand-mère, Mme Flaubert racontait sa vie à sa petite-fille et celle-ci

---

1. Certes la mortalité, à l'époque, était sévère. Pourtant la disparition de ces trois jeunes mâles m'a toujours paru suspecte. Faute d'être «materné» un enfant s'éclipse, à un mois, à trois mois. Peut-on imaginer que la vertueuse et «glaciale» Caroline *senior* a été la cause de leur retraite précipitée ? Pour Gustave, impressionnée par les deuils antérieurs, elle aurait fait un effort. C'est à cela qu'il devrait la vie. De justesse. Mais au suivant, elle se serait écriée : «Encore un !» Le nouveau-né, devant cet accueil, se serait hâté de rentrer sous terre.

rapporte avec complaisance des confidences qui montrent que Caroline, sa mère, était la préférée. Si Mme Flaubert, après 46, se dévoua à son fils, Mme Commanville laisse entendre que ce fut un pis-aller : « Le mariage de ma mère, l'année suivante, sa mort peu de temps après celle de mon grand-père, laissèrent ma grand-mère dans un tel chagrin qu'elle fut heureuse de conserver son fils auprès d'elle. » Le texte est clair : c'est le mariage et la mort de Caroline qui plongèrent sa mère dans le désespoir, la mort d'Achille-Cléophas n'est mentionnée que pour dater ces pénibles événements. Bref, quand la petite fille apparaît, très attendue par tous, redoutée par son frère, Gustave ne s'y trompe pas : elle vient réclamer la place qu'il occupe par erreur et l'amour que Mme Flaubert tenait en réserve depuis des années. C'est ainsi qu'il la *rencontre*, c'est en tant que telle qu'il doit la détester ou l'aimer : c'est dire assez que son attitude envers elle, quelque parti qu'il prenne, manquera de spontanéité : ce n'est pas sur la mine de la nouveau-née qu'il décidera mais sur la place qu'on lui réserve dans la hiérarchie familiale. Il y a trois enfants chez les Flaubert : le père préfère l'aîné, la mère préférait d'avance la cadette. Gustave n'est le préféré de personne. Dans quelques années, nous le savons, il jalousera Achille et souhaitera sa mort. Va-t-il jalouser Caroline ?

Il est fréquent qu'un jeune garçon voie d'un mauvais œil son cadet ; plus rare si c'est une cadette. Et puis de toute manière la naissance de Caroline, trop espérée, ne pouvait surprendre son frère : pour le petit garçon, ce n'est pas un *événement*, c'est le destin qui se réalise : « Cela devait arriver ! » Fut-il jaloux, cependant, pendant les premières années ? On n'en sait rien mais cela reste possible quoiqu'il fût, alors, tout occupé par l'amour que lui témoignait son père : sans doute réalisa-t-il abstraitement et sans véritable colère que Caroline était la préférée ; mais, comme elle ne lui *volait rien*, s'il en voulut à quelqu'un, ce fut à sa mère. Reste que cela ne disposait pas le petit aîné à aimer spontanément l'intruse. Au début, il fit semblant de l'adorer. Pour plaire à ses parents ? Parce que cela se devait ? Sans doute. Mais je vois à cela une autre raison, plus profonde ; puisque Mme Flaubert lui préfère Caroline, il ne supportera vraiment cette préférence qu'en la disqualifiant : il fera de sa mère une mère indigne en aimant la petite plus que ne fait celle-ci et *contre elle*. Cela seul explique ses effusions et cette surenchère qui faisaient l'admiration de la famille. Toutefois ces transports étaient trop appliqués, trop publiés pour être ressentis. Certainement il croyait l'aimer puisque les autres le déclaraient. Mais c'était une croyance mineure, trouée d'insincérité, à laquelle il n'attachait pas tant d'importance.

Quand il a sept ans, tout change sans qu'il y paraisse : mêmes caresses, mêmes baisers mais *à présent* le rôle qu'il joue devient essentiel *pour lui*. Il a besoin d'aimer sa sœur : « Séparés seulement par trois années, les deux petits ne se quittaient guère : à peine Gustave a-t-il appris quelque chose qu'il le répète à sa sœur ; il fait d'elle son élève ; un de ses plus grands plaisirs est de l'initier à ses premières compositions littéraires. »

Caroline Franklin Groult survole hâtivement ces deux enfances : il est clair en tout cas que le petit analphabète qui s'évertue vainement devant son alphabet ne peut être celui qui répète à sa sœur ce qu'on lui a enseigné : pour qu'il l'« initie » à ses premières compositions littéraires, il faudra attendre longtemps ; il est établi qu'elle jouait dans toutes les pièces qu'on montait au « billard » mais, justement, les représentations n'ont pas commencé avant que Gustave eût huit ans. Cette relation est complétée d'ailleurs par ce que Mme Franklin Groult nous rapporte de ses relations avec son oncle. Fille de la jeune morte, tout — jusqu'à son prénom — indique que Mme Flaubert et Gustave entendaient voir en elle Caroline ressuscitée : « Mon oncle voulut tout de suite commencer mon éducation... A mesure que je grandissais, les leçons devinrent plus longues, plus sérieuses ; il me les a continuées... jusqu'à mon mariage... Un de ses plus grands plaisirs était d'amuser ceux qui l'entouraient. Pour m'égayer quand j'étais triste et malade, que n'eût-il pas fait ? » Ce texte bénisseur et sot est pourtant significatif. D'autant plus, peut-être, que Caroline Franklin Groult ignore ou veut ignorer qu'elle fut d'abord indifférente à son oncle et que, dans les premières années qui suivirent son voyage en Orient, elle l'agaça souvent [1]. L'attachement de l'oncle à sa nièce commence donc assez tard : à partir du moment où l'intelligence de celle-ci fut assez développée pour qu'il pût l'instruire, l'amuser, la consoler, bref pour qu'il fût lié à elle par la cérémonie quotidiennement répétée du *don*. N'en doutons pas, ce fut celui du grand frère envers sa petite sœur. Nous dirons qu'il l'aimera dès qu'il pourra exercer envers elle sa générosité.

---

1. La *Correspondance* nous apprend qu'il l'a retrouvée, à son retour d'Italie, avec une sécheresse de cœur presque malveillante. Et je montrerai comment la belle scène de *Madame Bovary* — qui montre Emma méchante, exaspérée, repoussant sa fille avec tant de force que celle-ci tombe et se blesse — tire son origine sinon d'une violence semblable exercée par l'oncle sur sa nièce, du moins d'un rêve de violence qui dut se répéter souvent.

Mais, dira-t-on, cette générosité, d'où lui vient-elle ? N'avons-nous pas établi, au contraire, que Gustave, le vassal, se sent l'objet de celle de son père ? Il la reçoit comme sa lumière et sa nourriture mais c'est que son Seigneur est l'*agent* de l'histoire Flaubert ; Gustave, activité passive, ne peut que la subir : au reste il est ainsi fait qu'il ne souhaite rien d'autre qu'en éprouver les effets : c'est elle qui lui donne son statut et sa réalité. Vassal et femme par sa dépendance et sa passivité, il préfère l'obéissance au commandement. Décider, agir, donner, bref régner, c'est l'affaire du Seigneur ; la sienne est de lutter contre la décomposition sensualiste en offrant au regard mâle du maître l'unité consentante d'une féminité pâmée. Plus tard il contestera toutes les autorités mais *verbalement* et ne pourra s'empêcher de leur en vouloir d'être contestables. Tout cela est vrai mais, avant de conclure, laissons se développer sous nos yeux l'histoire des deux enfants.

Pour commencer notons que leur situation s'organise d'elle-même et que c'est elle, au début, qui commande : quand Gustave lui donnera un sens, il sera déjà embarqué. Les deux enfants *jouent*, donc nous sommes déjà en pleine irréalité : il n'y a point d'acte, ici, tout juste des gestes. Quant à la différence d'âge, elle a pour effet de les rapprocher : trois ans, ce n'est rien, surtout quand un aîné, de neuf ans plus âgé que celui qui le suit, enfonce les deux puînés dans une même puérilité. Au sein de l'unité les rôles s'établissent d'eux-mêmes. Caroline est plus jeune, plus faible et puis c'est une fille... Ici intervient la hiérarchie Flaubert, telle, du moins, que Gustave se la représente. Il est vassal, objet des bontés de son père, soit. Mais tous les vassaux ont des vavasseurs : dans l'unité de la petite cellule sociale, la générosité paternelle est un *pneuma* qui circule et revient, pour finir, en celui dont il émane : Gustave rend au *pater familias* un peu du bien que celui-ci lui a fait en le reversant sur la tête de sa petite sœur. Dans ce premier moment, Gustave n'est pas lui-même donateur, c'est tout juste un intermédiaire : par obéissance et gratitude, il transmet ce qu'il a reçu ; il n'a rien à décider, rien à faire, c'est la Bonté du *pater familias* qui passe à travers lui, l'anime et lui donne, par grâce efficace, la force de faire le bonheur de Caroline. L'enfant, quand il s'empresse auprès de la petite fille, n'est plus tout à fait objet mais il n'atteint point pour autant à la dignité de sujet : transmettre le Don, c'est en jouir encore. Ainsi, quand son père l'a emmené en tournée dans sa carriole, raconter à Caroline ce qu'il a vu, ce qui s'est passé et surprendre sur le visage de sa sœur des marques d'intérêt, c'est prolonger son plaisir et le valoriser en le faisant partager : rien de ce qui lui arrive n'est vrai avant d'être cru par un autre ; Caroline, en écoutant ses dires, leur confère une vérité. Mais cette vérité, ne l'oublions pas, n'apparaît que furtivement et le couple se meut, d'ordinaire, sur le terrain du *comme si*, c'est-à-dire du jeu.

Là-dessus, Gustave tombe du ciel ; le Seigneur refuse l'hommage : l'enfant demeure vassal puisque c'est une intention fondamentale de sa personnalisation mais, par la dérobade du Maître, il est métamorphosé en vassal imaginaire. Va-t-il cesser de jouer avec Caroline ? Au contraire. Et si le jeu est modifié c'est uniquement en ceci qu'il devient pour Gustave une *nécessité* : ses conduites ludiques sont transies par une invisible urgence et, paradoxalement, par une gravité qui confine au sérieux. Que s'est-il passé en effet ? Ceci qui le navre et dont il pense mourir : Dieu s'est retiré du monde, la générosité n'existe plus nulle part. L'âge d'or fait place à l'âge de fer : en s'abolissant l'amour seigneurial entraîne dans le non-être la gratitude, le consentement, le dévouement de l'enfant, bref ce qui fut un temps sa personne *réelle* mais induite. Que faire sinon se persuader contre tous et contre soi-même que la générosité n'est pas morte, ce qui n'est pas possible à moins de s'en faire le dépositaire en jouant dans les transports le rôle de donateur. À sa sœur, il transmettait le Don ; il continue mais en se convaincant qu'il a troqué sa fonction d'intermédiaire contre la liberté souveraine du Seigneur ; il conservera son univers féodal en poussant à l'extrême la perversion que nous avons décrite plus haut : il profite du jeu pour s'identifier *à la fois* à Achille-Cléophas et à Caroline. C'est, pourrait-on dire, tendue à se rompre, sa relation irréalisante avec son reflet ; il se fait sujet dans l'imaginaire dans l'intention formelle de devenir objet là-bas en la personne de sa petite vassale. Il reprend le flambeau de la générosité pour *se* combler en Caroline de tout ce qu'on lui refuse aujourd'hui. On dira que cette perversion est des plus communes et qu'on la trouve chez tous les enfants qui jouent à la poupée : de fait ils sont tout ensemble la mère, jeune géante qui les lave, les caresse, les habille et déshabille, et la poupée — c'est-à-dire *eux-mêmes* comme purs objets de sollicitude. Entre le sujet joué — qui est l'Autre — et l'objet déjà imaginaire auquel ils s'identifient, le mouvement dialectique est complexe : des rancunes, de troubles désirs s'assouvissent par ce va-et-vient rien moins qu'innocent. Je n'en disconviens pas ni que Gustave *ait pu* traiter Caroline en poupée quand elle était au berceau [1]. Mais à l'époque de la Chute, Caroline va sur ses cinq ans : il n'est plus question de la pouponner ; cette créature vivante et consciente détient *une* vérité objective de Gustave. En d'autres termes, s'il tente de voir en elle et de maintenir par elle l'objet qu'il a été pour les autres, l'effort d'irréalisation est poussé à la limite puisqu'il s'agit cette fois d'irréaliser une transcendance dont il n'ignore pas qu'au même instant elle le dépasse vers ses propres fins et l'installe comme réalité objective dans son champ pratique. Il convient donc qu'il agisse à la fois *sur lui-même* — pour se dissimuler la souveraineté de Caroline — et *sur sa sœur* — pour l'amener par suggestion à s'affecter elle-même de la docilité du reflet tout en lui conservant assez d'indépendance pour qu'elle ait conscience des désirs qu'il est seul à pouvoir satisfaire. L'entreprise, comme on voit, confine à la folie : il convient d'en décrire les motivations et d'en restituer le déroulement car elle constitue, sous une forme encore fruste, le modèle de toutes les relations que Gustave établira, au long de sa vie, avec ceux qu'il tient pour ses inférieurs (par le sexe, par l'âge, par le talent ou le caractère, par la fortune, etc., etc.).

Qu'a-t-il perdu ? Le bonheur d'être objet aimé, la confiance en soi — que sa mère n'avait su lui donner mais qui venait de naître à la chaleur de l'amour paternel —, enfin la réalité. Le jeu de la générosité doit combler ce triple déficit. Il a l'obscur sentiment qu'il y parviendra s'il circonvient sa cadette : qu'elle se croie l'objet aimé, qu'elle réponde à ses dons par un « femmage » permanent et qu'il suscite en elle *pour l'accepter* le dévouement même dont il faisait montre, hier encore, à son père et que celui-ci, par un inexplicable refus, a frappé d'irréalité, voilà le petit monde féodal reconstitué et Gustave y est, tout à la fois, seigneur *pour* Caroline, *en* Caroline vassal. La première relation, cependant, n'est que le moyen de la seconde : ainsi, dans les relations sexuelles, Gustave ne se fait viril que pour se sentir femelle en sa partenaire ou, après le coït, sous les caresses de celle-ci. Le Seigneur reste l'Autre : Gustave *n'est point* dominateur généreux ni ne souhaite vraiment l'être ; il s'astreint à en jouer le rôle : il peut *faire* l'agent non le devenir, sa passivité constituée y répugne ; ainsi le sujet qui l'habite n'est point lui-même mais un être clos, impénétrable, absent, qui prend consistance à travers ses gestes sans cesser pour autant de lui être

---

1. C'eût été, à l'époque, une vengeance cachée : par le mouvement inverse de celui que nous venons de décrire, il eût tenté de transformer l'intruse en *chose* n'ayant d'humain que l'apparence.

étranger, tel Hamlet pour Kean. Toutefois un tourniquet s'établit aussitôt qui lui dissimule en partie l'irréalité de sa «montre». Il s'exténue à divertir sa sœur; pour l'«amuser», pour la «consoler», que «ne ferait-il pas»? Ce n'est pas rien de se dépenser tout entier, du matin au soir, pour amener un sourire de bonheur sur ces jeunes lèvres. Il joue à donner mais, en jouant, il donne. Comment s'y reconnaîtrait-il? Reste qu'il se fait généreux pour que la générosité existe quelque part dans le monde et non pour changer sa constitution. On pourrait voir ici une première apparition de ce que nous décrirons plus tard comme l'aspect autistique de sa pensée : il *est* la générosité-sujet parce qu'il en veut faire l'objet.

Ce qui le retient, d'ailleurs, de s'illusionner tout à fait et de confondre sa geste avec un acte, c'est que celle-ci, fondamentalement moyen, apparaît subsidiairement comme sa propre fin; soyons sûrs que l'enfant renchérit sur le Don par ressentiment et que, poussant la *représentation* à l'extrême, il veut *aussi* contester l'attitude paternelle, les caprices ou la dureté d'Achille-Cléophas au nom d'un archétype qu'il expose par sa geste : le don total et illimité de soi. Il ne peut, en ce cas, douter qu'il *joue* : il se montre le *bon* Seigneur pour témoigner devant le Ciel — sans en souffler mot et par ses seules conduites — que le *pater familias* est un mauvais maître.

Reste que, pour l'essentiel, son but fondamental est de s'identifier à Caroline : de même que Mme Flaubert a fait une fille pour recommencer et réussir en celle-ci son enfance manquée, de même Gustave comble de bonheur sa cadette pour devenir en elle le vassal heureux et comblé qu'il n'a jamais été tout à fait. L'humble tendresse reconnaissante que Caroline *doit* lui vouer, le petit garçon l'a ressentie autrefois : elle sonne faux en lui, à présent, parce qu'on l'a débouté; la preuve qu'elle existe pourtant et qu'il dépendait de l'Autre qu'elle restât véridique, c'est que, chez sa sœur, elle sonne juste. Quand celle-ci rougit de plaisir et lui manifeste sa gratitude, il retrouve la spontanéité qu'on lui a gâchée, d'autant plus convaincante qu'elle s'offre à lui péremptoirement, en toute indépendance, avec la consistance de ce qui existe *dehors* : quand la petite fille court se jeter dans ses bras, c'est lui-même qu'il voit venir à lui, tel qu'il était hier encore aux yeux d'un père indulgent. Il cherche moins d'ailleurs à s'identifier à Caroline qu'à l'identifier à lui : c'est tenter de se procurer la jouissance immédiate de soi-même en saisissant dans l'autre sa propre subjectivité concrète. Les procédés ne manquent pas, pour cela; le sourire ravi de la fillette, Gustave l'esquisse en même temps que ses yeux le perçoivent; il lui paraît alors qu'il se voit et se sent sourire simultanément. Non pas, cependant, comme il lui arrive lorsqu'il se mire dans une glace : en ce cas, c'est la contraction musculaire qui est première, le reflet ne fait qu'obéir ; cela va de soi puisqu'il cherche l'extériorisation juste de son sentiment. Mais s'il veut rentrer en lui-même sous forme de Caroline, c'est le contraire qui se produit : le visible commande et les zygomatiques obéissent. On conçoit que cet ordre de succession lui convienne mieux : puisque son être est dehors captif des autres, il lui est donné de voir d'abord l'objet indiscutable et lumineux, *son* âme, sur les traits de sa sœur ; quelle joie de s'en emparer et de la sentir, fasciné, se reproduire sur son propre visage. Ce n'est pas seulement sa vassalité retrouvée qui le bouleverse, c'est aussi que le bonheur lui est rendu dans la mesure même où il le donne à Caroline.

Tout irait pour le mieux s'ils n'étaient deux ou plutôt si cette dualité qui a permis à Gustave de se faire généreux n'avait aussi pour effet de le déréaliser davantage. L'entreprise du petit garçon a pour conséquence première de le mettre dans la dépendance de sa sœur. Celle-ci est sa vérité comme l'esclave hégélien est celle de son maître ou, plus exactement, comme le vassal est celle de son Seigneur, et, mieux encore, comme le public est, chaque soir, celle des interprètes. Point ne suffit de lui prodiguer les dons : encore faut-il qu'elle les accepte. Quand elle lève sur lui ce qu'il tient pour un regard de soumission adorable, Gustave est contraint de penser qu'elle l'*institue* son Seigneur : n'a-t-il pas tout fait pour la persuader que sa générosité inlassable devait être payée en retour par un dévouement sans limites ? Au moment qu'il tente de ressusciter en elle l'enfant qu'il a été, Caroline le repousse par sa gratitude même en *reconnaissant* en lui le Maître qu'il se borne à représenter, le *sujet-autre* qu'il ne souhaite ni ne peut être sinon dans l'imaginaire et comme pur moyen de retrouver par elle sa vassalité perdue. Et, d'une certaine manière, c'est bien ce qu'il a voulu. Mais il n'a pas compris la contradiction qui est au cœur de son projet : s'il peut faire de sa sœur une vraie sujette, les élans et l'amour de celle-ci iront à un vrai souverain. Imagine-t-on la stupeur et le malaise de Kean si le public, au lieu de s'irréaliser avec lui dans un Elseneur imaginaire, le prenait tout à coup pour Hamlet lui-même et refusait d'en démordre ? Adieu la gloire, adieu le génie ; il ne resterait qu'un Triplepatte qui ne se décide pas à tuer son beau-père. Le trouble de Gustave est plus grave encore puisque sa relation ludique avec sa sœur s'établit intentionnellement et s'intègre au mouvement de sa personnalisation. Or voici qu'il est contraint de vivre — sans pouvoir se le formuler — ce dilemme : ou bien il proteste que l'*Autre-sujet* n'est qu'un personnage imité — et dans ce cas il s'avoue son imposture : faux seigneur, il n'a droit qu'à des vassales imaginaires ; si Caroline est vraiment vassale, c'est de quelqu'un qu'il singe devant elle, du *pater familias* — ou bien, comme d'habitude, il est fasciné par l'idée qu'autrui se fait de lui et, pris au jeu, exige que l'amour de sa sœur s'adresse à lui, Gustave, le cadet dont elle est la cadette — et comment ne serait-il pas ébloui, l'enfant surnuméraire, persuadé qu'il ne compte pour personne, par la confiance totale qu'il a fait naître en ce cœur qui ne bat que pour lui ? —, alors il faut qu'il soit *pour de bon* l'agent dominateur qu'elle aime. Or il n'y a rien au monde que Gustave redoute autant : cet enfant habité, hanté, truqué par les autres n'a ni les moyens ni l'envie de leur échapper : passif et soumis autant que rancuneux, s'il pouvait faire un souhait, il voudrait que ses propres conduites soient déterminées par la profondeur des traditions, du temps cyclique, bref par l'épaisseur de l'Être, du passé ; refusant à la fois les mobiles atomisés du sensualisme et les fins transcendantes de la révolte, il aimerait que ses actes, nés avant sa propre naissance, modelés patiemment par l'histoire, conservent, quand ils s'empareront de son corps pour s'inscrire par lui dans l'objectivité, l'opacité des événements terrestres. Si la générosité, incarnation de la liberté, devait, par quelque mutation brusque, devenir sa détermination fondamentale, l'Univers se viderait de sa substance : les choses, lourdes présences poétiques, au lieu de susciter ses convoitises, se changeraient sous ses yeux en matériaux à traiter ; le quiétisme de la bouderie, la moite chaleur de la récrimination passive céderaient la place à l'esprit d'entreprise, au sens des responsabilités. Pour être Seigneur, Gustave devrait se faire son propre ciel, émerger dans l'insupportable solitude sans filet, sans toit, qu'est la souveraineté consciente d'elle-même.

Tout cela, il va de soi que l'enfant ne se le dit pas et qu'il ne peut le penser : il le ressent comme un perpétuel malaise. Tantôt le jeu du Don l'écœure sans qu'il sache pourquoi — c'est qu'il prend son imposture en dégoût — et tantôt il le continue dans la résignation — il tient un rôle, soit, mais c'est l'unique moyen de susciter en Caroline l'élan du vassal ; peu importe que cet élan ne s'adresse pas à lui ; l'essentiel, c'est qu'il puisse l'intérioriser pour ranimer sa propre vassalité. Il arrive que l'illusion « prenne », dans la surexcitation ludique : jamais longtemps. La peur succède à la joie, le mirage disparaît et Gustave retrouve le goût saumâtre de sa vie et le sentiment accru de son irréalité.

D'autant que dans la relation de Caroline avec celui qu'elle aime, les deux termes ne sont pas homogènes : l'un est bien réel, l'autre est imaginaire. Si tant est qu'elle ressente le bonheur de sa vassalité, elle en a fait *son propre bonheur* et du coup, en tant que détermination intériorisée, ce bonheur se dénonce comme vécu par *une autre ipséité*, donc il se referme sur soi et se refuse au jeune garçon qui prétend s'en emparer. En tant qu'il la perçoit, nous l'avons vu, Gustave peut transformer la petite fille en quasi-objet imaginaire, il peut voir venir à lui son propre sourire ; en tant que sujet — c'est-à-dire comme sens totalisant et centripète de ce sourire — elle lui échappe, il faut qu'il la vise par une intention vide. Et s'il vise le *vécu* en sa sœur comme son propre vécu, ce sera *comme image*, au prix d'une tension presque insoutenable, en constituant le corps de sa sœur et ses mimiques comme *analogon* de sa propre subjectivité. Ainsi, par un effort épuisant, l'enfant voit venir à soi son Ego (pôle de la psyché, quasi-objet) et son exis — vie comblée, dévouement — comme affectés de non-être, en tant que le vécu imaginaire est un non-vécu conscient d'être tel. Autant dire qu'il se voit contraint d'*imaginer* sa propre subjectivité au lieu de la ressentir. Double échec : le seigneur irréel est vassal irréel en sa sœur. Faux objet pour Caroline, faux sujet en elle ; Gustave se sent doublement irréel ; renvoyé d'une subjectivité à l'autre, ce va-et-vient lui est d'autant plus douloureux que la réalité de sa vassale dénonce sa propre irréalité : dans la mesure même où il provoque intentionnellement un bonheur *vraiment senti* chez sa sœur, il se déréalise et s'exile : l'amour *vrai* qu'elle lui porte — et qu'il est contraint de *lui envier* — démasque à ses propres yeux sa double irréalité de Seigneur aimé et de vassal aimant.

La déréalisation de Gustave va plus loin encore ; cette sœur vassalisée, en vérité, il ne la *voit pas* : il l'*imagine*. D'abord les vrais besoins de Caroline, ses parents se chargent de les satisfaire : reproduire et sauvegarder la vie, voilà le don d'amour. Du coup la sollicitude de Gustave est frappée d'inefficacité, transformée en geste. La mouche du coche, c'était une actrice. Si la petite fille peut franchir seule cet obstacle, qu'a-t-elle besoin du secours fraternel ? Elle ne peut qu'importuner, la main qui s'empresse de l'aider quand, grave et appliquée, l'enfant s'exerce à marcher, à grimper par ses propres moyens. En ce cas, Gustave n'a d'autre fin que de se produire devant un public de choix — ses parents et Dieu — pour les actes → gestes.

sommer de reconnaître son dévouement et, par ce biais, de lui rendre sa réalité. Mais il ne peut manquer de reconnaître qu'il agace et de sentir l'inconsistance de sa pseudo-générosité.

Encore, dans les premières années, la transformation de ses actes en gestes n'est pas si évidente : de fait, malgré les précautions des parents et leur tendance à surprotéger, on peut rarement décider que la surveillance du frère est inutile. Qui sait si sa vigilance n'évitera pas des chutes, des blessures ? Il a risqué sa vie vraiment et vraiment sauvé celle de sa sœur, ce petit montagnard qui s'est battu contre des aigles. Qui sait s'il n'agaçait pas la petite, le matin même, par des précautions inutiles et si son acte n'est pas un geste qui a eu de la chance. Inversement, qui sait si Gustave, en pareille circonstance, n'eût pas été entraîné par sa comédie à faire preuve du même courage, de la même efficacité ? Par malheur, il n'y a pas d'aigle dans le jardin de l'hôpital. Mais on peut toujours rêver qu'il en viendra un ou que la vigilance de Gustave sauve chaque jour la petite d'une mort insoupçonnée mais toujours prête à fondre sur elle, bref Gustave peut se dire que lui aussi, il crée sa sœur à tout instant ou du moins qu'il reproduit sa vie.

Mais le temps ne travaille pas pour lui. Avec les années le caractère de Caroline s'affirme. Car elle ne ressemble guère à son frère : n'est pas vassal qui veut. Dès avant sa naissance, elle était *attendue* : on le lui a fait savoir ; sa mère, par son amour éperdu, lui a donné ce cadeau royal, la confiance en soi. Caroline a reçu toutes les qualités Flaubert : elle ne les doit pas à l'hérédité mais à un bonheur de berceau ; elle a son quant-à-soi, sait affirmer, nier, exiger, connaît la différence qui sépare la croyance de la certitude objective, on n'imagine point qu'elle puisse vivre jamais dans la dépendance des autres ; bref on ne peut être moins doué pour pratiquer le « fanatisme de l'homme pour l'homme » : il n'y a chez elle ni vide à combler ni abandon à compenser ; c'est la pénurie qui a fait Gustave ; elle, c'est l'abondance qui l'a faite. Elle est, sans aucun doute, reconnaissante à son frère de la divertir, elle se plaît à partager ses jeux, à se jeter dans ses bras, essoufflée et ravie ; elle l'aime mais la tendresse de Gustave ne lui fait pas oublier le lien autrement solide et profond qui l'attache à sa mère. L'affection qu'il lui manifeste, c'est un superflu délicieux dont elle ne voudrait se priver pour rien au monde mais elle n'en a pas le *besoin*. Gustave n'a pas trop de toute son imagination et de toute sa mauvaise foi pour voir, dans la gratitude qu'elle lui témoigne, des signes de vassalité. Ainsi s'explique son accablante sollicitude : il est par-

tout à la fois, il l'investit, l'assiège et se fait « excessif » en tout,
au point que la petite, parfois, en est incommodée. Non qu'il
l'ennuie jamais : il la fatigue et, certains jours, il l'agace. Deux lettres très postérieures en font foi. L'une est de Gustave : il est à
Paris et se promet, à son retour, d'étouffer sa sœur sous les baisers ; elle protestera en riant, le repoussera et Mme Flaubert interviendra : « Mais laisse donc cette petite ! » On comprend qu'il décrit
au futur une scène qui s'est fréquemment reproduite dans le passé
familial. L'autre lettre est de Caroline elle-même : elle reconnaît
sans ambages que son frère est parfois saoulant. « Pour nous »,
écrit-elle et l'on peut supposer qu'elle pense surtout à ses parents.
Le fait est, pourtant, qu'elle se range de leur côté. Ces deux indications, pour tardives qu'elles soient, renvoient évidemment à des
traditions qui s'enracinent dans leur enfance commune. Avec Caroline, pour échapper par un mouvement perpétuel à la déception qui
le menaçait sans cesse, Gustave en remettait.

À l'époque de la Chute, l'assimilation des techniques corporel-
les a déjà donné à la petite fille son autonomie physique, sa vivacité d'esprit lui permet d'apprendre rapidement tout ce que son aîné
sait déjà et même, parfois, ce qu'il ne sait pas encore. L'enfant
ne peut même plus feindre que sa générosité se fonde sur le besoin
qu'elle en a. Au moment où Gustave tente de renchérir sur son
empressement pour s'en dissimuler l'insincérité, il se trouve acculé,
par l'indépendance de cette jeune personne décidée, à chercher un
nouveau terrain pour sa geste. Il n'a pas le choix : puisqu'il n'est
généreux qu'en imagination, il faut qu'il assume l'imaginaire pour
en faire cadeau à sa sœur. Il sera l'amuseur de Caroline, il lui racontera des histoires, la divertira par des bouffonneries, fera devant
elle et pour elle les grimaces qu'il réservait à son miroir. Renversement capital. En un sens, sa nouvelle geste est plus proche que
l'ancienne d'une *praxis* : l'efficacité en est indéniable puisqu'elle
comble de joie la spectatrice : dans le vieil hôpital sinistre, la seule
chose qu'une mère passionnée mais sombre, qu'un père accablé de
travail ne puissent donner à leur enfant, c'est la gaieté. Gustave
l'offre à Caroline. C'est un présent considérable et certainement
utile : il a sans doute permis à la petite de vivre en ce triste milieu
sans que son caractère constitué s'altérât. Mais cette gaieté qu'il
lui donne, le pauvre garçon *ne l'a pas* : il faut donc qu'il la joue.
Au terme du processus, un enfant triste, pour rester fidèle à sa générosité imaginaire, doit s'irréaliser en gai luron extravagant. Le
moment n'est pas loin où il montera sur les planches : déjà, par

l'assomption décidée de l'irréalité, il a transformé sa sœur en public et se donne en spectacle. La fissure s'agrandit : auparavant la générosité seule était un rôle ; pour susciter la reconnaissance de Caroline, Gustave tentait de faire de vrais actes ; la réalité — cette chaussée à traverser, ce fossé à franchir, etc. — apparaissait comme une médiation nécessaire entre le Seigneur et sa vassale : c'est le réel qui faisait l'objet du Don fraternel ; l'entreprise se révélant une *geste*, le monde n'est plus l'intermédiaire indispensable ; Gustave ne peut plus rien *faire* pour sa sœur ni rien lui donner *sauf* l'imaginaire ; il s'escamote devant la petite pour qu'un personnage naisse de son suicide. Ici l'irréel est multiplié par lui-même : pour faire naître une apparence de vassalité par une apparence de générosité, l'enfant se produit délibérément *comme image*. Le feint don du réel devient don de soi et celui-ci est tout ensemble don de rien — pure apparence de don — et sacrifice du donateur au néant (il achève de devenir apparence). Certes le rire de Caroline est réel. Mais le fait est que les deux enfants sont séparés par une rampe imaginaire : auparavant, quand ils jouaient au marchand et à la cliente, etc., ils s'irréalisaient ensemble et dans la réciprocité ; à présent la relation réciproque est rompue : Gustave se transforme seul en personnage ; c'est une invitation au voyage, bien sûr ; le but est que Caroline, spectatrice, s'irréalise en s'affectant d'une croyance irréelle au spectacle qu'on lui donne. Mais outre que les deux « passages à l'imaginaire » ne sont pas du même degré (Gustave se fait manger tout entier par l'apparence, sa sœur se borne à « croire sans croire » à l'image proposée), ils ont lieu l'un et l'autre dans la solitude. Gustave le généreux se sépare de sa sœur dans la mesure même où il fait d'elle l'Autre absolu, le juge qui décidera si le petit saltimbanque a réussi son entreprise. En ce sens, il lui fait jouer le rôle du *pater familias* mais *à l'envers* : le rire du médecin-chef dénonçait son fils cadet comme mauvais acteur, celui de Caroline annonce à son frère aîné qu'il est bon comédien. Mais si, dans un cas, l'enfant redoute l'hilarité paternelle et, dans l'autre, sollicite celle de sa sœur, il n'en demeure pas moins qu'il s'offre à la petite fille comme au père cruel, qu'il se met dans leurs mains, qu'il attend leurs verdicts : avec cette conséquence qu'il dépend de l'Autre, à présent, jusque dans son évasion hors du réel. On pouvait s'y attendre, d'ailleurs : dans un premier moment de sa personnalisation, contre l'accusation de ne point ressentir ce qu'il exprime, il cherche à récupérer sa réalité mais n'arrive qu'à se déréaliser davantage, dans un deuxième moment la révolution personnalisante le conduit à intérioriser sa déréalisation permanente, dans le troisième, enfin, il l'assume. Mais, du coup, il faut qu'un Autre lui assure qu'il est bien *objectivement*, c'est-à-dire en soi [1], l'apparence à laquelle il veut se réduire. Malheureusement pour lui les deux fonctions qu'il assigne à Caroline sont incompatibles : elle ne peut être à la fois le juge de son frère et sa vassale.

À ce niveau l'opération se poursuit sur trois plans d'irréalité puisque le Seigneur généreux se transforme en bouffon pour se rejoindre en une autre — où d'ailleurs il est de moins en moins sûr qu'il se trouve réellement — à sa vassalité perdue. Du coup le moment le moins insincère devient celui de la générosité : lorsqu'il prétendait agir, c'était le mensonge capital dont tous les autres découlaient ; puisqu'il ne s'agit plus que de jouer et qu'il se dépense sans compter, il y a dans ses conduites quelque chose comme une vérité. Reste qu'il traite sa sœur *en moyen* et non en fin puisque c'est lui-même qu'il veut combler en elle ; mais il ne s'y méprend pas : la preuve en est qu'il conservera toute sa vie deux conceptions de l'acte généreux, qui peuvent paraître opposées mais sont, chez lui, complémentaires. D'une part, la production de l'imaginaire lui apparaît comme le Don absolu (même si, comme on verra, c'est un cadeau empoisonné) ; ce sentiment est un des facteurs de sa *personnalisation en Artiste*. D'autre part, il dénonce très tôt le truquage qui est à la base du geste généreux. En 1837, il écrit à Ernest :

« ... Depuis que tu n'es plus avec moi, toi et Alfred, je m'analyse davantage moi et les autres. Je dissèque sans cesse ; cela m'amuse, et quand enfin j'ai découvert la corruption dans quelque chose que l'on croit pur et la gangrène aux beaux endroits, je lève la tête et je ris. Eh bien donc, je suis parvenu à avoir la ferme conviction que la vanité est à la base de tout, et enfin que ce que l'on appelle conscience n'est que la vanité intérieure. Oui, quand tu fais l'aumône, il y a peut-être impulsion de sympathie, mouvement de pitié, horreur de la laideur et de la souffrance, égoïsme même ; mais plus que tout cela, tu le fais pour pouvoir te dire : je fais du bien, il y en a peu comme moi, je m'estime plus que les autres, pour pouvoir te regarder comme supérieur par le cœur, pour avoir enfin ta propre estime, celle que tu préfères à toutes les autres... cette théorie te semble cruelle et moi-même, elle me gêne. D'abord elle paraît fausse mais, avec plus d'attention, je sens qu'elle est vraie. »

---

1. J'ai montré que, pour Gustave, l'*en-soi* et le *pour-autrui* se confondent ou, mieux, que celui-ci est le signe de celui-là.

L'aumône — exemple choisi pour sa banalité même — résume et dissimule toutes les conduites auxquelles Gustave se réfère en pensée, autrement dit la pratique du Don. La réflexion, nous dit-il, découvre vite que la générosité est une comédie organisée par l'orgueil : ce n'est qu'une apparence, qu'une geste, puisque les motivations du don sont tout autres que celles qui s'annoncent publiquement. On joue cette farce pour se berner soi-même et pouvoir enfin « s'estimer ». Bref tout est mirage, ici, y compris la fierté de soi — la seule qui compterait puisqu'elle ne vient pas des autres si, justement, elle n'était impossible. Et qu'est-elle, cette postulation de l'orgueilleux Gustave sinon l'humble et légitime désir de sentir qu'il est bien réel, qu'il existe pour de vrai. Humble et légitime mais vain : tout ce que l'enfant entreprend pour le satisfaire est condamné d'avance à n'être qu'apparence. Pour résumer : la générosité n'est qu'un faux-semblant ; la générosité consiste à se sacrifier pour faire accéder l'autre au monde des faux-semblants. Aux yeux de Flaubert, ces deux maximes constituent les deux termes d'une fausse antinomie. Nous verrons plus tard comment il s'arrangera pour surmonter leur apparente contradiction ; je les mentionne ici pour indiquer que Gustave, au temps où il s'improvise le bouffon de Caroline, a conscience de s'enfoncer dans la solitude de l'irréalité.

Une dernière question : *qui* joue-t-il ? Quel est le personnage qu'il interprète à l'origine pour dérider sa sœur ? Si nous pouvions répondre, nous en saurions long sur les premières années de Gustave. Mais, comme bien on pense, les renseignements font défaut. Nous savons seulement que, plus tard, le jeune garçon ne déteste pas se mettre en scène lui-même, poussant certains traits reconnus de son caractère jusqu'à la caricature, faisant l'*idiot* parce qu'il devine ou croit deviner qu'on le tient pour tel, exagérant sa force ou sa voluminosité jusqu'à devenir épique, forçant la générosité dont il veut faire preuve jusqu'à la transformer en une insupportable exubérance. Et tout aussi bien, qu'un de ses plaisirs est d'imiter des personnes — réelles ou inventées — qui ne sont pas lui : le père Couillère, le journaliste de Nevers, le Garçon. Que choisit-il, à sept ans, pour amuser Caroline ? D'interpréter Gustave Flaubert ou un personnage étranger ? A vrai dire, pour que les deux options s'opposent, il faut d'abord les avoir rigoureusement définies. Et, même alors, leur opposition est plus apparente que réelle : on peut jouer l'*autre* et *se* mettre en lui tout entier ; n'est-ce pas ce que fait Gustave conteur et romancier ? Au début, en tout cas, rien n'est tranché, les deux attitudes s'interpénètrent et l'on peut supposer qu'il passe de soi à l'autre et de l'autre à soi-même avec d'autant plus d'indifférence qu'il est soi-même un autre — l'autre que les autres voient. Cela revient à dire que, dans ce premier temps, la révolution personnalisante produit à la fois, par une manière de gémellation, le personnage et la personne et que celle-ci, comme celui-là, se caractérise par une structure d'irréalité. Gustave, en conséquence, ne saura jamais très bien s'il *vit* l'une ou s'il *interprète* l'autre. Cette observation nous permettra bientôt de découvrir l'unité des conduites irréalisantes de Flaubert, c'est-à-dire le sens de sa personnalisation.

*

Quand les jeux finissent, au crépuscule, cet enfant surexcité, en proie à son Ego imaginaire, se retrouve saturé de lui-même, il voudrait oublier ses comédies, redevenir vrai. Or c'est le moment du dîner en famille ; par sa seule présence, le docteur Flaubert change le Seigneur extravagant en vassal imposteur, Gustave se surprend chaque soir à jouer ce qu'il ressent — et à faire des bides. Curieux acteur, exécrable dans son véritable emploi, quand il donne à voir ses amours et ses peines, excellent dans les « contre-emplois » et la « composition ». De fait, au jardin, le public « marche ». L'alternance des succès de plein air et des insuccès familiaux ne fait qu'élargir le fossé qui le sépare des autres : faux à crier quand il est lui-même, convaincant, applaudi quand il se fait passer pour le contraire de ce qu'il est, comment s'étonner que, dans le mouvement de sa personnalisation, il en vienne à rejeter le vécu dans la clandestinité et à lui préférer une insincérité qui paie ? D'autant que la crédulité de Caroline l'amène en des instants vertigineux à s'identifier *presque* à son personnage. La non-communication a causé son malheur : qu'à cela ne tienne, il l'assume et ne communiquera plus de sa vie avec personne sauf dans le domaine de l'irréalité. Ainsi, quand il se donne à sept ans une personnalité fictive — qu'il emprunte à son père — il décide de ses rapports futurs avec tous ceux — camarades, amis, maîtresses — qu'il rencontrera par la suite — à l'exception d'Alfred dont il se fera le vassal et qu'il aimera tout de bon. Ce n'est pas le moment d'analyser ses relations avec Chevalier, avec Maxime, avec Bouilhet : nous y reviendrons plus tard. Mais, puisque notre propos est d'arrêter cet ouvrage en 1857, nous n'aurons pas l'occasion, par la suite, de retracer l'histoire de sa dernière amitié. Or il n'en est aucune qui soit plus parlante, qui nous renseigne mieux sur les rapports de l'imaginaire et du réel dans les conduites affectives de Flaubert. C'est pourquoi j'ai cru bon de la raconter ici, tout de suite après celle de ses «amours enfantines».

Edmond Laporte, son voisin, a dix ans de moins que lui. Ancien étudiant en médecine, il a quitté Paris où il vivait, pour surveiller une fabrique de dentelles à Grand-Couronne, en aval de Croisset. Les deux hommes ont fait connaissance en 1866. Grand, les yeux clairs, Laporte offrait un minimum de ressemblance avec Bouilhet, avec Flaubert lui-même : il a plu tout de suite. Mais c'est après la mort de l'Alter Ego et la guerre de 70 que les relations se resserrent. Il se montre d'une serviabilité proprement infinie, comble Gustave de cadeaux et surtout il a l'avantage d'admirer Gustave plus que n'a fait Bouilhet lui-même : inconditionnellement. Flaubert joue le rôle du Seigneur généreux, accepte son hommage et signe complaisamment «Votre Géant». Le lien de vassalité est déjà fortement marqué par cette dénomination. Mais il faut lire la Correspondance [1]. Ces quelques lignes, par exemple, adressées à Caroline : «Sans doute tu as vu le bon Laporte et il t'aura conté ses tristes affaires. *Elles m'ont navré!* Le pauvre garçon a eu un mot exquis après me les avoir dites : ''C'est un rapport de plus entre nous deux.'' Comme s'il était content de sa ruine qui le fait me ressembler!»

Le «bon» Laporte, comme Louis, est un «pauvre garçon». Nous avons appris à connaître cette bienveillance un peu condescendante. Mais son mot «exquis» nous surprend moins que le commentaire de Flaubert : après tout, la phrase, en elle-même, est assez banale. Nous ne savons pas comment Laporte l'a dite. Mais ici, dénudée, réduite à la pure signification, elle semble surtout une «gentillesse». Laporte, un peu confus de parler de lui — d'autant qu'il avait garanti certaines échéances de Commanville et pouvait craindre que Gustave ne vît dans ses propos une allusion au service rendu — tourne court et dit amicalement : «C'est un rapport de plus entre nous.» À tout prendre, c'est une piètre consolation et bien mélancolique. On peut y voir aussi une excuse : «Je sais : nous sommes dans le même bain.» En tout cas, l'intention profonde est de couper court : le mot est dit *après* qu'il ait «conté ses tristes affaires».

---

1. La totalité des lettres à Laporte se trouve dans les derniers tomes du *Supplément à la Correspondance*.

Ne pas se plaindre devant son géant, ne pas le troubler, ne pas exciter sa compassion. Ce qui ébahit, par contre, c'est que Gustave s'empare du propos, le chauffe à blanc, en pousse le sens à l'extrême : l'unique but de Laporte est de s'identifier au Seigneur ; le malheur le réjouit parce qu'il accélère le processus d'identification. À la limite, il accepterait le martyre et la mort, c'est-à-dire la suppression de son être inessentiel s'il pouvait, à ce prix, devenir Gustave. Nous ne savons trop qui était Laporte : peut-être, après tout, aimait-il Flaubert jusque-là. Pas tout à fait cependant puisqu'il n'accepta pas d'être grugé par les Commanville. En tout cas, c'est Gustave qui nous occupe — et sa promptitude à inventer ou à reconnaître la conduite de vassalité. Il trouve le mot « exquis », il le déguste : c'est ainsi qu'il veut Laporte. C'est ainsi, d'ailleurs, qu'il le décrit. En effet, au moment de leur brouille, Commanville « allait répétant que... si (Laporte) avait donné sa signature, c'était pour entrer plus intimement dans la vie de Flaubert » [1]. Cet interprétation, le mari de Caroline ne l'a pas trouvée seul : elle traduit, non sans bassesse, une opinion de Gustave lui-même. En premier lieu il est bien vrai — et c'est tout à l'honneur de Laporte — que celui-ci a pris ces engagements pour rendre service à son Géant. Mais pour que Commanville y voie l'« intention d'entrer plus intimement dans la vie de son oncle », il faut qu'il ait entendu et mal compris les commentaires de celui-ci. Gustave ne présentait pas — c'est sûr — l'acte de Laporte comme un service librement rendu par un égal à son égal : il y voyait l'effet d'un dévouement de féal. Non certes par ingratitude, mais par la raison qu'il mettait la générosité du côté du Seigneur. Le vassal donne ses biens, sa vie même, parfois, mais par amour, dans cet élan qui le porte à se tenir pour inessentiel en face de son Maître et à se détruire au besoin pour diminuer les distances et mener à bien l'entreprise d'identification. Oui, Gustave expliquait les conduites de Laporte par un désir permanent d'être plus proche de son Géant, plus intime, et de ne vivre que pour et par lui : Commanville a traduit dans son langage — celui de l'intérêt — et il n'en a pas fallu plus pour que le motif devînt absurde. Quel intérêt eût poussé Laporte à pénétrer plus avant dans la vie d'un homme sombre, prématurément vieilli, ruiné ? Et les éditeurs de la Correspondance (*Supplément*) n'ont-ils pas raison d'écrire : « Laporte aurait pu répliquer qu'il était déjà depuis dix ans l'ami de l'écrivain lorsqu'était survenue la déconfiture de

---

1. *Correspondance*, Supplément : note à la lettre du 28 septembre 1879.

Commanville [1]. » Non : les conduites de Laporte s'expliquent par son amitié pour Flaubert dans laquelle, sans aucun doute, il entre beaucoup d'admiration mais, en même temps, une connaissance profonde et vraie de Gustave [2]. Réfractées à travers le milieu féodal, elles deviennent un rapport objectif et quasi institutionnel, lequel, réfracté à son tour à travers le milieu Commanville, apparaît stupidement comme une tactique intéressée, basée sur le calcul. Il faut ajouter que le « pauvre Commanville » a le malheur d'être vaniteux : renfloué après sa « déconfiture », il ne veut être l'obligé de personne. Ce serait reconnaître ses incapacités et que le soutien des amis l'empêche seul de couler. Flaubert peut *accepter* les services que lui rend Laporte parce que ce sont des actes d'amour. Commanville n'est certes pas Seigneur : s'il accepte des soutiens, il *faut* qu'il les attribue à la générosité (ce qui lui est insupportable) ou au calcul. Il opte pour la seconde solution à partir d'anecdotes et de réflexions rapportées par Flaubert et qui ont un tout autre sens.

Car Flaubert ne cesse de *demander* à Laporte sans jamais, pour autant, se sentir *obligé*. Il suffit de feuilleter la Correspondance pour mesurer le nombre et l'étendue des tâches qu'il imposait à « son vieux solide » [3], à son « collabo ». Celui-ci classe des notes pour Gustave, part en quête de renseignements, les collige, les lui donne. Il le met en relations avec des spécialistes qui lui précisent certains détails techniques. Il fait ses commissions, va voir pour lui à Rouen les amis trop silencieux ; Flaubert le fait entrer au comité Louis Bouilhet pour que le « vieux solide » lui serve de factotum et assure les rapports avec la Municipalité. C'est Laporte qui va le chercher à la fin de son séjour en Suisse et qui le ramène à Croisset ; Laporte, encore, qui vient coucher à Croisset, quand Gustave se casse la jambe, qui le soigne et lui sert de secrétaire et mérite par son zèle le titre de « sœur de charité [4] ». Le Géant ne dédaigne pas, à

1. *Correspondance*, Supplément : note à la lettre du 28 septembre 1879.
2. Voyez sa réponse à G.F. du 30 septembre 79, *ibid., loc. cit.*
3. Que Gustave tende à *remplacer* Bouilhet mort par Laporte, c'est ce que montrent clairement ces trois mots : c'est Louis qu'il appelait ainsi.
4. Cf. entre autres *Correspondance*, Suppl., t. III, 27 octobre 74 : « Les notes du docteur (Devouges) sont excellentes. J'en demande beaucoup dans ce genre-là. » Février 75 : « Merci pour le bouquin, cher ami. » Mars 75 : « Si vous avez un moment... allez donc chez Brière... » 16 mai 75 : « Envoyez-moi tout de suite (pour le chien *Julio*) par l'*Union* le saponaire magique promis par votre Excellence. » Juillet 76 : « Apportez-moi votre Grisolles... » 26 septembre 76 : « Pourriez-vous voir dans l'*Astronomie populaire* d'Arago quelque chose qui soit à mon usage... » 16 janvier 77 (à Commanville) : « Examinez avec Laporte s'il n'y a pas quelque chose à faire. » Janvier 77 : « J'attends mon Bob... d'autant plus que j'aurais besoin de lui vendredi matin pour l'affaire Bouilhet. » Janvier 77 : Laporte

l'occasion, de faire agir le vieux « Bob » pour obtenir une commande à Caroline [1] ou pour éclaircir ses propres affaires. « Allez voir ! Allez donc voir !... » C'est le refrain. En lisant les lettres que je cite en notes — et bien d'autres — on verra que la relation univoque

prête une pièce anatomique démontable à Flaubert qui écrit, le 27 janvier : « Je vous engage à m'expédier *illico* votre larbin ténor qui remportera... votre cœur. » Le même jour, à propos de Commanville : « Je voudrais bien vous parler *sérieusement* pendant une heure le *plus promptement* possible... » 29 mars 77 (toujours à propos de C.) : « Quant à vos amis de Paris, il faudrait leur pousser l'épée dans les reins. Ça presse ! » 11 avril 77 : « Si vous passez par la rue des Carrettes, 178 (maison Dieusq), entrez pour voir ce que veut dire (le silence de Philippe le Parfait) et je vous autorise, s'il n'est pas mort ou malade, à lui foutre de ma part un joli savon. » 13 juin 77 : « Il m'est venu à l'esprit des travaux pour vous, puisque vous en demandez, mais les livres manqueraient. Il vous faudrait pour moi toute une bibliothèque... Quand vous pourrez m'avoir votre Raspail et un de ses *Manuels de la Santé*, envoyez-le-moi. » 5 août 77 : « J'ai lu tous *vos* livres... Apportez-moi *Les Pèlerinages.* » 15 août 77 : « Que l'Asiatique (surnom de Laporte) vienne lui-même s'offrir aux exploitations de son Vitellius. » 11 septembre 77 : « Avez-vous fini le travail des notes sur l'Agriculture et la Médecine ? En ce cas, apportez les paperasses. » 1er décembre 77 : « Il faut que l'Asiatique pioche les notes. Je voudrais bien détenir votre travail. » Mars 78 : « Envoyez-moi, dès maintenant, une liste d'ouvrages à consulter. » Mai 78 : « Tâchez de venir à Croisset lundi prochain pour dîner et coucher et apportez toutes vos notes sur la Couronne. » Juillet 78 : « Donnez-moi des nouvelles de Guy. » Mercredi (juillet 78) : « Pensez-vous à la commande pour la copie de Corneille ? » Juillet 78 : « Vous seriez bien gentil de passer chez Charpentier (éditeur de F.) et de lui dire ceci de ma part... » 24 septembre 78 : « Rapportez-moi deux paquets de tabac de la Civette à douze francs... » 28 décembre : « Apportez-moi mercredi *Lefèvre et Nourrisson*. » 4 février 79 : « Si Cordier est à Rouen, vous seriez bien gentil de passer chez lui. » 30 mars 79 : « Quand vous irez à la Bibliothèque, mardi, 1° prenez pour moi *Ars Magna Lucis*, etc... Son poids et sa grandeur vous donneront dans la rue une immense considération... Pour moins vous gêner, prenez chez Pilon, quai du Havre, 7, mes deux sangles. 2° Pendant que vous serez à la Bibliothèque... trouvez-moi dans *l'Illustration*, 1853, une image... Comme on ne vous laissera pas emporter le volume, vous me ferez la description du-dit dessin. » 25 avril 79 : « Comme je disais hier que quelques-uns des conseillers généraux s'étaient proposé d'offrir un souper à Sarah Bernhardt, on m'a nié le fait... Rien ne m'est plus insupportable que ce genre de scepticisme ! Quand j'avance un fait, j'aime qu'on fasse semblant de me croire, et je tiens, mon vieux Bob, à avoir les preuves de celui-là ! Donc, dites-moi *les noms* de nos *élégants* (avec détails) pour que je le close le bec à qui de droit. » 27 avril 79 : « Vais-je me fâcher avec Tourgueneff ? Voilà, depuis huit jours quatre fois qu'il me manque de parole... Voulez-vous venir ce soir me calmer en mangeant le dîner préparé pour ce cosaque ? » 8 mai 79 : « Allez donc voir Guy à son ministère et tâchez de m'avoir des nouvelles de ce qui me concerne. » 10 mai 79 (à propos d'une lettre à la signature illisible selon laquelle on lui proposerait une place à la Mazarine) : « Tâchez donc de me tirer l'histoire au clair et de voir Guy. » 11 mai (à propos de la même affaire) : « Allez trouver (Guy) aujourd'hui dans son bureau et envoyez-moi des éclaircissements... Vous pouvez de ma part aller remercier About et lui dire que... », etc. Juillet 79 : « Quant au livre de *Vivier*, en repassant par Paris, voyez cela et achetez-le pour moi. »

On trouve aussi dans la *Correspondance* des allusions aux nombreux services que Flaubert sollicitait oralement de Laporte.

1. On restaurait la maison de Pierre Corneille pour y installer un musée qu'on souhaitait orner d'une copie d'un portrait du poète. Mme Commanville souhaitait recevoir la commande. Laporte avait été chargé du rapport au Conseil général.

de vassalité s'y manifeste par l'usage constant et délibéré de l'*impératif*. Une lettre à Laporte, c'est un ordre. Bien sûr, nous savons que l'impératif est volontiers employé par Flaubert, avec *tout le monde* (y compris parfois ceux qu'il redoute) et que ces *oukases* lancés du haut de sa chambre solitaire ont pour office, bien souvent, de lui masquer son impuissance. Mais, d'abord, il n'est pas indifférent, pour notre propos, que Gustave ait justement choisi, comme type quasi universel de relation, le commandement qui, dans son cas, reste la formulation *irréelle* d'une demande, d'une prière, d'une suggestion ou d'un conseil. Seul, il joue au Seigneur, sans illusion mais sans répit. Il *sait*, en effet, le rapport réel qui l'unit à tel ou tel correspondant ; aussi a-t-il l'art d'introduire ses « ordres » assez habilement pour ne pas choquer, pour qu'on y voie l'expression, peut-être trop vive, d'un profond intérêt, d'une sollicitude vraie.

Dans ses relations avec Laporte, au contraire, le commandement est brut, brutal. Aucun palliatif ; Gustave ne se donne pas la peine de l'introduire ou de le compenser. Quand il charge son « Bob » d'une commission souvent ennuyeuse, jamais il ne tempère ses ordres par un « s'il vous plaît » ou « je vous prie [1] ». Mieux : il est tellement à l'aise dans le rôle du Seigneur qu'il l'invite à dîner, le plus souvent, sous forme impérative ou même comminatoire. Je cite quelques exemples, au hasard :

1er mars 76 : « Je vous attends. Voilà tout ce que j'ai à vous dire. » 6 avril 76 : « Je compte sur vous vers la fin de la semaine prochaine, n'est-ce pas ? » 17 juillet 76 : « Je vous attends jeudi à onze heures pour déjeuner. *C'est convenu*, n'est-ce pas ? » Janvier 77 : « Mme Régnier vient demain à 11 heures. Donc j'attends mon Bob demain soir à 6 heures et demie, d'autant plus que j'aurais besoin de lui vendredi matin pour l'affaire Louis Bouilhet. » 20 août 77 : « Vous avez dû recevoir... une lettre de votre Géant vous conviant à déjeuner pour demain mardi ?... Je pars jeudi, donc ne manquez pas !... Réponse immédiate s.v.p. et en tout cas à demain par le bateau de 9 heures et demie. » 13 octobre 77 : « Oui, demain à 6 heures et demie. Mais je vous préviens que, quant au départ matinal, il faut prendre d'avance vos précautions parce que cette fois, *on la trouverait mauvaise !* Vous êtes averti, mon bon. » Juillet 78 : « Vous m'embêtez en ne venant pas lundi, comme vous l'aviez promis... choisissez donc dès maintenant votre jour et venez le plus tôt possible. » 15 août 78 : « Voilà ce qu'il faut faire, mon bon.

---

1. Sauf dans ses deux dernières lettres. Nous y viendrons.

Vous viendrez samedi par le bateau de sept heures et vous ne vous en irez que lundi... Pas d'excuses ! Vous n'avez rien à faire du tout. Une bonne séance de pioche et de causerie avec votre Géant vous fera du bien. Autrement "je la trouverais môvoise [1]". » 14 janvier 79 : « Arrangez-vous donc pour me consacrer *tout le dimanche*, jusqu'à lundi matin. Allons, voyons, ne fais pas ta putain. » 20 janvier : « N'oubliez pas, mon bon, que *j'exige* votre présence *samedi prochain*... », etc.

En échange d'un tel dévouement, que donne le Seigneur généreux ? Ce qu'il a toujours donné à ses vassaux : son admirable personne dont la générosité fondamentale consiste à exister. Pendant leur voyage de 1874, il jouera le *Garçon* pour Laporte comme il bouffonnait enfant pour amuser Caroline [2]. C'est l'investir, le dominer, l'entraîner, le saouler de son rire sonore et forcé. Laporte lui fait cadeau d'un chien, de deux monstres chinois en porcelaine Ming ; Flaubert lui offre en retour le médaillon de Bouilhet par Carrier-Belleuse. C'est le décorer de l'Ordre de l'*Alter Ego*. A peu de temps de là, il lui fait cadeau de *son corps de gloire*, du manuscrit des *Trois Contes* (2 avril 77) avec cette dédicace : « Vous m'avez vu écrire ces lignes, mon cher vieux. Acceptez-les et qu'elles vous rappellent votre Géant. » Et le 11 avril, en réponse aux remerciements de l'heureux destinataire : « ... Il ne faut pas me remercier pour une chose qui m'a fait autant de plaisir qu'à vous. Connaissant mon Asiatique, je me suis figuré la joie qu'il aurait à posséder les manuscrits de son Géant. »

Cette joie l'attendrit doucement : d'abord parce qu'il se voit làbas dans la maison de son vassal, sous la forme d'un grimoire sacré, obligeant celui-ci, par cet impérieux don de soi, à la gratitude permanente ; il y sera l'objet d'un culte domestique. Mais, nous le savons, à présent, quand il s'est complu à « se figurer » cette joie vassale, il la vivait par procuration comme un bonheur qui, depuis la Chute, lui a constamment été refusé. En Laporte, il se voit d'avance éperdu, conquis, il redevient l'enfant Gustave s'élançant vers un maître adorable.

Dira-t-on que l'amitié sincère et respectueuse de Laporte donnait pour une fois au *geste* seigneurial une certaine réalité ? De fait,

---

1. Comme on voit, c'est *à Laporte* que doit profiter la « séance de pioche ». Gustave lui rend service en le convoquant.
2. Il semble bien qu'il ait, à cette occasion, ressuscité ce personnage dont il ne parlait plus depuis longtemps.

il sollicite souvent les tâches qu'on lui impose, il aime *servir*, ses sentiments pour Flaubert sont profonds. Recevant le manuscrit des *Trois Contes*, il éprouve vraiment la joie que le donateur escomptait. En échange il s'offre tout entier : « Que puis-je faire pour vous ? » — et le Seigneur répond avec bienveillance : « Restez comme vous êtes. » Tout cela est vrai. Pourtant le rapport véritable, ici comme ailleurs, est entaché d'irréalité ; et la faute n'est pas à Laporte — le seul des vassaux qui ait joué le jeu consciencieusement — mais à Flaubert lui-même.

À mieux lire la Correspondance, on remarque assez vite que Flaubert n'a pas toujours été si impérieux dans ses rapports avec « Bob »[1]. Sans doute, il vit dès le début leur amitié comme un lien de vassalité : c'est qu'il a tout de suite deviné l'admiration que Laporte ressent pour lui. Sans doute, aussi, il le charge de courses et de commissions sur le mode impératif. Mais les exigences vont s'accroître et les ordres se multiplier à partir du mois d'août 1875. En ce mois, Mme Commanville — qui devait 50 000 francs au banquier Faucon — demande à s'acquitter de sa dette par annuités en huit ou dix ans. Le banquier accepte à la condition que cet engagement soit garanti « sur bonne signature ». Laporte garantit Caroline pour la moitié de la somme. Raoul-Duval, député de la Seine-Inférieure, pressenti le 31 août, se porte caution pour le reste. En septembre, Flaubert remercie l'un et l'autre. La comparaison des lettres est instructive.

Il écrit deux fois à Raoul-Duval.

6 septembre : « … Donc, mon cher ami, je profite de votre dévouement en vous disant un grand merci… Je vous serre la main en vous remerciant de nouveau du fond du cœur. »

9 septembre (au reçu d'une lettre de garantie qu'il avait sollicitée) : « … Je ne puis ou, plutôt, nous ne pouvons, ma nièce et moi, que vous en remercier du fond du cœur. Vous m'avez rendu là un vrai service que je n'oublierai pas. Je suis bien malade, mon cher ami, et dans deux ou trois jours je vais me réfugier à Concarneau où je tâcherai de rester le plus longtemps possible. Je vous embrasse. »

C'est vrai : il est malade. Malade de peur et d'humiliation. Il lui en a coûté, c'est sûr, de demander et de remercier : son orgueil de bourgeois, de propriétaire foncier souffre profondément. Pourtant, il n'hésite pas à témoigner sa gratitude à Raoul-Duval : il le

---

1. En 73, lors de l'envoi des monstres chinois, il daignait encore le remercier.

fait humblement, «du fond du cœur» et, loin de poser au stoïcisme, il s'abandonne, se plaint, se fait plaindre. En un mot, il
accepte de jouer le rôle d'*obligé*.

La lettre à Laporte — envoyée le 3 septembre — est d'un tout
autre ton :

«Mon bon vieux.

«Faucon a consenti à ce qu'on lui demandait.

«*La faillite n'aura pas lieu*, grâce à vous.

«J'ai vendu à M. Delahaute ma ferme de Deauville pour deux
cent mille francs, ce qui me permet de sauver mon pauvre neveu.

«Le pire est donc passé ! Il me tarde de vous voir pour vous donner des explications, après quoi je partirai pour Concarneau. Donc,
mon bon, dès que vous serez rentré à Couronne, venez ici qu'on
vous embrasse.»

C'est tout. Dans cette «lettre de remerciement» *pas un merci*.
Gustave attend impatiemment Laporte non pour lui témoigner sa
reconnaissance mais pour lui «*donner des explications*». Le ton
est viril, presque militaire. Et, sitôt après avoir déclaré que *Bob* a
empêché la faillite, Gustave se hâte d'ajouter qu'il a vendu sa ferme
200000 francs : ces 200000 francs donnés à Commanville montrent
l'ampleur du sacrifice de l'oncle et réduisent à sa juste valeur le service rendu par Laporte. Gustave veut indiquer, en outre, qu'il n'est
pas dans le coup : il s'agit, en vérité, du bonheur de sa nièce. On
trouve, il est vrai, quelque chose de cette attitude dans la deuxième
lettre à Raoul-Duval : «Je ne puis ou, plutôt, ma nièce et moi nous
ne pouvons...» mais c'est beaucoup plus discret. En d'autres mots,
avec Raoul-Duval il se laisse aller ; avec Laporte, il se contient et
se durcit. Caroline ajoute quelques mots de la même venue :

«Ne manquez pas de venir à Croisset, lors même que mon oncle
serait parti.

«J'ai bien envie de vous serrer la main et suis heureuse de vous
compter parmi les vrais amis.»

Ces lignes sont inspirées par Gustave ou imitées de lui : Caroline, elle non plus, ne remercie pas Laporte : elle le félicite de sa
bonne conduite et lui permet d'accéder au rang de *vrai ami*. Tout
se réduit, finalement, à une invitation à dîner : «Ne manquez pas
de venir...» qui ressemble, comme celles de Flaubert, à un commandement. Quant à ces quelques mots «lors même que mon oncle
serait parti», ils montrent que Gustave n'envisageait pas de retar-

der son départ jusqu'au retour de Laporte. En fait, il partit vers la mi-septembre [1] mais c'est qu'il était retenu par ses affaires. Le 12, il écrit de Croisset à son ami *qu'il n'a pas revu* en lui promettant simplement : « ... dès que je serai un peu remis, je vous écrirai de Concarneau. » La lettre promise se fait attendre — elle date du 2 octobre — et ne contient qu'une allusion au service rendu : « Vous connaissez bien mes chagrins puisque vous les avez partagés. » Par la suite il n'en sera plus jamais question sauf, en 79, assez aigrement, au moment de la brouille. On dira sans doute que les deux hommes se voyaient souvent et que Flaubert pouvait manifester de vive voix sa gratitude. Mais non : il ne s'agit pas d'une omission mais d'une prise de position. Flaubert refuse d'être l'*obligé* de Laporte. Non qu'il méconnaisse l'importance de l'engagement pris. Mais il juge simplement que son « bon vieux Bob » a fait son devoir de vassal. Pour cela il lui doit de l'estime et même de l'amitié : de la reconnaissance, jamais. Pourquoi, dira-t-on, en témoigne-t-il à Raoul-Duval ? Parce que celui-ci, un *vrai* riche, un notable, un homme politique influent, lui en impose [2]. Laporte, sans être pauvre, n'a pas de grande fortune. Et puis, dès le départ, *il admire*. Raoul-Duval *apprécie*. Ce qu'on appellera générosité chez celui-ci sera, chez l'autre, esprit de sacrifice. Les sacrifices, un Seigneur honore son vassal en les acceptant.

Cette attitude cache un malaise profond. Nous l'avons vu, avec sa sœur Caroline, jouer le donateur pour se sentir en elle objet ébloui de sa générosité. Caroline, du coup, devenait variable indépendante et son frère se mettait entre ses mains : $G = f(C)$. Mais cette relation demeurait *vivable*, Gustave pouvait admettre de dépendre d'une inférieure parce que l'infériorité de sa sœur était provisoire : les deux enfants étaient tous deux *Flaubert*. Or, comme on sait, Gustave a intériorisé l'orgueil de sa famille : il y a le *pater familias*, sa femme, ses enfants, puis rien, puis rien, puis le premier des Non-Flaubert. Ainsi le dernier des Flaubert peut voir, en baissant les yeux, grouiller dans les vallées ses innombrables inférieurs. Contradiction profonde ; ce n'est pas à titre d'*individu* qu'il plane au-dessus d'eux : de ce point de vue, sa constitution, l'inimitié qu'il a pour lui-même, son désir de se soumettre pour s'oublier dans le dévouement ou pour recevoir son statut ontologique de la

---

1. Il arrive à Concarneau le jeudi 16.
2. Les lettres à Raoul-Duval, sous la fausse rudesse bourrue, sont souvent serviles. Voir en particulier celle du 7 février 71.

gracieuse volonté des autres, tout le porterait à une humilité profonde ; il est supérieur au commun de l'espèce en tant que membre d'un groupe. Mais, comme ce groupe l'a rejeté sur la touche et quasiment disqualifié, il ne peut *ressentir* cette supériorité : en lui, l'orgueil Flaubert est négatif et autre, il le vit comme une morsure ; c'est un impératif abstrait et douloureux : « Noblesse oblige », et non pas une calme certitude ; en lui, le devoir de s'élever toujours plus haut s'oppose au désir de tomber à genoux. Dans ses rapports avec Caroline, la contradiction est à peine gênante, puisque le frère et la sœur sont deux parties d'un même tout. Quand cette totalisation à dominante familiale fait place à une révolution personnalisante à dominante sexuelle — avec Louise, par exemple — l'opposition de l'impératif et du désir s'accroît mais Gustave sait la mettre à profit pour se procurer un âcre plaisir : Louise est inférieure comme femme et comme non-Flaubert ; il joue de loin à l'homme dominateur, s'amuse à tourmenter sadiquement la jalouse ; près d'elle, il commence par *se faire* viril et « taureau », mais c'est pour mieux succomber aux caresses dévorantes de la dominatrice. Avec les hommes, la contradiction est *insurmontable* : son homosexualité n'est pas assez développée pour qu'il goûte ou désire goûter à la volupté perverse de se soumettre à des inférieurs ; à la rigueur il accepterait la domination sexuelle d'un Seigneur mais l'orgueil Flaubert lui interdit de chercher un maître chez ceux qui ne sont point de son sang : Alfred fait exception par des raisons très précises que nous exposerons plus tard et qui ne valent que dans ce cas singulier. Avec les autres, il faut dominer, donner *sans donner*, s'imposer, recréer sans cesse la hiérarchie féodale et se percher au sommet. Il va contre sa passivité constituée, sent son insincérité et que cet affolement de générosité reste en surface sans jamais émouvoir vraiment le fond inerte et sombre de son âme rancuneuse : rien n'y fait ; c'est plus fort que lui, il fuit le dégoût de soi en accélérant sa geste et en forçant ses effets.

Cette contradiction nous donne la clé de ses rapports avec Laporte, entre 1875 et 1880. Gustave est bel et bien le débiteur de Laporte, ce qu'il ne peut ni se cacher tout à fait ni supporter sans fureur. Le seul moyen qu'il trouve pour fuir cette évidence désagréable c'est de pousser à l'extrême sa feinte domination. Il multipliera les impératifs, les exigences, chargera le vassal de mille commissions, le dérangera sans cesse, l'accablera de demandes, bref, il le forcera à renchérir sur sa conduite de subordonné pour se *prouver a posteriori* que son ami agissait en vassal quand il garantissait les billets des Commanville, autrement dit, qu'il obéissait à son devoir d'*obligé*, qu'il se jetait avec joie sur la première occasion de manifester sa gratitude pour le Don perpétuel que Flaubert lui fait de sa personne. Et, nous l'avons vu, pour le remercier des services rendus — grands et petits — Flaubert ne trouve rien de mieux que de renouveler ce Don symbolique. Il prétend savoir que Laporte ne désire rien de plus : « Connaissant mon Asiatique, je me suis figuré la joie qu'il aurait », etc.

Ce qui déréalise les relations de Flaubert avec Laporte (à les considérer, au moins, du point de vue de Flaubert) c'est que le Géant joue le Donateur pour masquer le fait que le seul Don réel est venu de Laporte. Bref, il s'agit de contenir celui-ci dans les limites de la vassalité, de le convaincre — par la hauteur bienveillante et bourrue des procédés — qu'il est né pour servir les Flaubert. De la sorte, Gustave se met chaque jour un peu plus dans la dépendance de son féal ; celui-ci devient essentiel dans la mesure où il est la vérité de son Maître et où il faut, par des gestes, le convaincre que cette vérité n'est autre que la *subordination*. Mais la dépendance est plus profonde encore : Flaubert est écrasé par la ruine de son neveu ; il s'effondre, il pleurniche, frappé au cœur ; il ne s'en relèvera jamais. Découragé, vieilli, malade, ce qui se manifeste sans voile à présent, c'est la « constitution » qu'on lui a faite dès la petite enfance : l'angoisse et l'affectivité passive. Il a besoin qu'on l'aime et verse dans la sensiblerie [1] ; il a besoin qu'on l'admire parce qu'il doute de lui ; il a besoin qu'on l'aide [2], surtout, qu'on soutienne son courage, qu'on fasse à sa place les démarches qui le fatiguent et l'ennuient. Par toutes ces raisons, il est bien vrai qu'il lui faut une « sœur de charité ». Ou plutôt — car c'est encore l'orgueil qui renverse les rôles et Flaubert joue la femme dans le couple qu'il forme avec Laporte — il lui faut un homme pour lui donner la force de vivre et le porter à bout de bras, il lui faut un témoin pour qu'il puisse récriminer à son aise devant lui et pour que chacune de ses paroles perde l'aspect fangeux de la rumination intérieure en s'exté-

---

1. C'est vers la fin de sa vie qu'il appelle Maupassant « mon chéri » et qu'il donne du « mon vieux chéri » à Laporte.
2. À Caroline, 21 octobre 75 : « Quand on devient vieux, les habitudes sont d'une tyrannie dont tu n'as pas idée, ma pauvre enfant. Tout ce qui s'en va, tout ce que l'on quitte a le caractère de l'irrévocable et l'on sent la mort marcher sur vous. Si à la ruine intérieure, que l'on sent très bien, des ruines du dehors s'ajoutent, on est tout simplement écrasé. » Dès avant la « ruine » il craignait et craint de plus en plus qu'on en vienne à vendre Croisset dont il serait chassé. C'est le sens — chantage discret au désespoir — de cette lettre.

riorisant devant quelqu'un qui trouve précieux tout ce qui vient de lui. Ce vieillard précoce, malade, passif, sanglotant, hypersensible, qui tient à la fois de la femme et de l'enfant, revient, en somme, à travers l'épaisseur monotone des saisons, à réclamer les soins, la tendresse dont ses premières années ont été frustrées. C'est un piètre souverain pour Laporte. Et celui-ci — s'il l'a jamais été — ne peut être foudroyé, à présent, par la majesté du Maître. La vérité est qu'il aime profondément Gustave et qu'il découvre en lui — malgré son attitude, malgré tant de gémissements et de comédies — un « parfum à sentir » qui s'exprime surtout à travers ses livres. Le sentiment que Laporte éprouve, le véritable nom qu'il mérite est celui de *piété* (au sens de piété filiale). Une fidélité tendre et pitoyable, en grande partie nourrie par des souvenirs et qui couvre respectueusement la déchéance présente. En bref, Laporte dénonce sans le vouloir la comédie du Seigneur parce qu'il ne s'y laisse pas prendre. Non qu'il soit conscient, j'imagine, du sens profond de la Geste Gustave : simplement, s'il fait les commissions du Géant, ce n'est pas par obéissance aux impératifs ; son vrai motif est l'intuition profonde — fondée sur l'amour (et l'admiration rétrospective) — du besoin que cette « vieille femme hystérique » a de lui. Sa dernière lettre est fort claire. Il ne voulait pas — à raison — garantir les traites renouvelées de Commanville. Caroline fait intervenir Flaubert une fois de plus. Celui-ci écrit une lettre autoritaire [1] où les mots « je vous prie » apparaissent, mais soulignés, ce qui leur donne un aspect menaçant :

« Moi, pas comprendre ce qui vous arrête. Enfin, quoi que vous décidiez, mon bon, rien ne sera changé entre nous deux ; mais, avant de vous décider, *je vous prie* de réfléchir sérieusement. »

« *Je vous prie* » ; le trait qui souligne ne peut avoir qu'une signification : « Moi, le Géant, je vais, par générosité jusqu'à vous *prier*, dans votre intérêt, alors que je pourrais commander ; mais que le caractère exceptionnel et, pour ainsi dire, contre nature de cette prière vous fasse rentrer en vous-même et vous remplisse de confusion. » Et pourquoi dire à un ami de dix ans, dont le dévouement reste exemplaire, « rien ne sera changé entre nous deux » ? Cela devrait aller de soi. Au contraire le *nous deux* indique que Laporte se brouille avec Caroline et que, du coup, il se fait une ennemie dans le cœur même de Gustave. En d'autres termes, qu'il se met en danger.

---

1. *Correspondance*, Suppl., 28 septembre 79.

Or, Laporte ne s'émeut pas. Il répond, désolé mais tranquille, à Flaubert : « Voilà bien ce que je redoutais, mon bon Géant. On vous fait intervenir dans une discussion à laquelle vous auriez dû rester étranger. Je ne puis vous admettre comme juge dans une question où votre neveu d'une part, un ami de l'autre, diffèrent d'opinion. Si nous vous exposons nos griefs et nos raisons... vous serez obligé de donner tort à l'un des deux et vos rapports d'affection avec celui-là pourraient s'en trouver atteints. Laissez-moi donc causer de cette affaire avec Commanville seulement. S'il doit en résulter quelques contrariétés passagères, vous n'aurez pas, du moins, à prendre parti pour l'un ou pour l'autre. Sachez bien, mon bon Géant, que je vous aimerai toujours de tout mon cœur. »

On ne peut dire plus galamment : « Mêlez-vous de ce qui vous regarde. » Laporte est entièrement convaincu d'avoir raison : il est lui-même ruiné et voit Commanville sous son véritable jour. S'il renouvelle les garanties, il sait que celui-ci ne pourra pas faire face à l'échéance : en ce cas, Laporte ne sera pas en mesure de tenir les engagements qu'il a pris. Mais il sait aussi que le Géant se laisse facilement duper, ne comprend rien aux chiffres et confond ses espoirs avec des réalités. C'est lui dire : « Laissez les grandes personnes causer entre elles ; je vous servirai, je vous protégerai comme par le passé, mais n'intervenez pas dans une affaire où vous n'entendez goutte. » Le prétexte invoqué : « Vous seriez obligé de choisir entre nous » n'est qu'une défaite. En vérité, si Gustave était normal et lucide, il serait parfaitement qualifié pour servir de médiateur. Lui refuser ce rôle, c'est le contenir dans un autre — celui justement que Laporte lui a depuis longtemps assigné : un cœur d'or, un vieillard de génie qui a gardé — pour tout ce qui n'est pas littérature — sa naïveté d'enfance. Bref, rien d'un Maître : quelque chose, si l'on veut, d'une mère restée jusqu'au bout femme-enfant. Laporte ne se sent pas de *devoirs* envers son ami : il est conscient de *donner*, au contraire. Inlassablement, amoureusement mais librement. Non pas *généreusement*, certes, à la manière d'un aristocrate : mais en toute indépendance, comme un homme qui sait ce qu'il veut et qui le fait. On peut donc s'en convaincre : Laporte *fait* le vassal par amitié ou, plutôt, il met son extrême délicatesse à *ne rien faire* qui puisse détromper son faux Maître.

Ces nuances sont subtiles — puisque l'amour et l'admiration côtoient en lui la piété du Samaritain. Tout se joue dans la pénombre : mais cela suffit pour renvoyer Gustave à sa comédie de mauvais acteur. D'autant plus que, depuis sa ruine, le zèle de Laporte semble se relâcher un peu. Il reste fidèlement le garçon de courses de Flaubert mais il vient moins souvent à Croisset où l'on dirait qu'il étouffe. Dans les dernières années, en effet, sous la superbe de Gustave, on voit percer quelque dépit amoureux : «Vous me lâchez»; beaucoup d'invitations, beaucoup de reproches déguisés [1]. C'est que Laporte aime de moins en moins les Commanville. Et puis il en veut un peu à Flaubert de mélanger, sous l'influence de sa nièce, l'intérêt à l'amitié. «Bob» a déjà plusieurs fois cédé aux instances de Flaubert et renouvelé les garanties; mais c'est contre son gré; il a peur, il sait qu'il ne pourrait pas payer, le moment venu. Et puis, on veut le contraindre à des démarches qui lui répugnent. Par exemple, il préfère n'avoir aucun contact avec Faucon, créancier de Commanville. Flaubert, poussé par Caroline,

1. Je cite, au hasard : 15 août 77 : «Vieux chéri, connaissant votre exactitude, je suis tout perplexe de n'avoir pas de vos nouvelles... Une lettre ne vous est donc pas parvenue?... Nous vous attendons depuis 48 heures car vous nous aviez promis une visite vers le milieu de cette présente semaine...» Le lundi 20 août 77, Gustave invite impérieusement Laporte par deux billets à venir «dîner et coucher» le mardi ou le mercredi. Laporte fait répondre qu'il viendra le dimanche. Et Flaubert, navré, répond le 21 : «Homme sérieux! Vous ne vous souvenez donc pas que je pars jeudi prochain et conséquemment que je ne puis recevoir votre visite dimanche. Le Conseil général vous fait perdre la boule!» 6 septembre 77 : «Voilà quinze jours que je n'ai vu mon Asiatique et il m'en ennuie! Que devient-il?» Les deux amis partent ensuite pour le Calvados mais Laporte quitte presque aussitôt Flaubert, rappelé, dit-il, par ses obligations de conseiller général. Flaubert lui écrit : «Comme je vous ai regretté.» 3 avril 78 : «Eh bien, mon Bob, pourquoi ce silence? Êtes-vous malade? Vite une lettre!» Car depuis quinze jours j'ignore ce que vous êtes devenu.» 7 mai 78 : «Qu'est-ce qu'une conduite pareille? Que devenez-vous? Quand vous reverra-t-on?» et, quelques jours plus tard : «Qu'est-ce qu'une conduite pareille? Pourquoi ne vous voit-on pas? pourquoi n'entend-on pas parler de votre Excellence?» Juillet 78 : «Ici, on trouve qu'il y a longtemps qu'on ne vous a vu.» Juillet 78 : «... Vous *m'embêtez* en ne venant pas lundi comme vous aviez promis. Il y a très longtemps que vous n'avez couché ici...» Voir aussi l'invitation *pressante* du 15 août 78. Le 19 août : «Je vous ai tantôt guigné sur le bateau de Bouille... Ne pas savoir quand j'aurai l'heur de vous posséder me gêne.» 1ᵉʳ septembre 78 : «Votre lettre m'a contrarié : ''Sacré cochon!'' m'écriai-je... Nous eussions passé quelques bonnes heures ce soir, ô Bob! Mais si vraiment vous êtes trop fatigué, je vous pardonne!» 22 septembre 78 : «Me voilà revenu! Quand vous verrai-je? On trouve ici que vous ne prodiguez pas vos visites.» Novembre 78 : «Mon bon, je commence à la trouver mauvaise. Pourquoi pas de nouvelles? Que signifie votre mutisme?» 20 janvier 79 : «J'ai été bien dupe de ne pas voir mon vieux Bob hier. Car il m'ennuie de lui démesurément... N'oubliez pas, mon bon, que *j'exige* votre présence *samedi prochain* pour le fameux déjeuner tant de fois remis...» Mars 79 : «Je vous en prie, mon bon, venez...» 19 juin 79 : «Qu'est-ce que cela veut dire? Où êtes-vous? Pas de nouvelles de Bob depuis 12 jours — et Caroline m'écrit que non seulement vous lui avez manqué, lundi, mais qu'ils n'ont de vous aucune révélation — ni moi non plus, mon Dieu!»

l'exaspère en le pressant de déjeuner avec ce banquier. Cela n'empêchera pas son amitié de se manifester dans toute sa force en janvier 79 quand Flaubert, un jour de verglas, se fracture le péroné : il s'installe à Croisset, y revient coucher tous les soirs, passe les deux premières nuits au chevet de son ami presque sans dormir, lui sert d'infirmier et de secrétaire, répond sous sa dictée aux lettres qu'il reçoit. « Croirais-tu ce fait de la Sœur ? écrit Gustave à Caroline. Lundi, il m'avait quitté par le bateau de 11 heures et devait revenir par celui de 6 heures et demie. Comme la chaussée de Couronne était couverte d'eau, il a retiré son pantalon et a marché nu-pieds dans l'eau pour rejoindre le passeur. La Seine était furieuse... Voilà un ami, celui-là ! qui s'expose à se noyer ou, tout au moins à une fluxion de poitrine pour ne pas manquer un rendez-vous, peu utile en somme. »

On retrouve, entre les lignes, le schéma connu « j'ai un ami qui se ferait tuer pour moi [1] ». Et sans doute Flaubert exagère à plaisir le danger couru. Il n'empêche que Laporte fait preuve d'une sorte de frénésie dans le dévouement et que cet emportement témoigne d'une intention voilée ; tout se passe comme s'il voulait dire : le Géant seul, réduit à la nudité et aux misères de son grand corps brisé, a droit à tous mes soins, à tout mon temps ; sa personnalité *familiale*, faite des liens qui l'unissent aux Commanville, ne me concerne plus. Inversement, on dirait qu'il veut compenser, en s'instituant garde-malade, la réserve croissante dont il fait preuve envers l'*oncle* Flaubert. On sent chez lui une détermination inflexible de prendre ses distances et, en même temps — à la fois pour souligner cette détermination et par regret de l'avoir adoptée —, la volonté de rendre à *Gustave* les services les plus astreignants, les moins ragoûtants [2]. De toute manière, Gustave ne manque pas de sentir l'ambivalence de cette attitude. Il tente, nous venons de le voir, de lui appliquer la grille féodale. Mais il se sent aussi nourrisson désarmé, misérable, entre les mains d'un adulte tout-puissant et retrouve ainsi les vieux désirs frustrés de sa petite enfance : sa mère vient enfin les combler. Aussi peut-il écrire le 30 janvier à Caroline — cinq jours après son accident : « Mon moral est excellent, *meilleur* qu'auparavant (*sic*). Laporte s'étonne de ma patience, de mon caractère angélique. » Il s'abandonne à sa passivité, à la surpro-

---

1. Que Flaubert utilisait en toutes lettres pour parler de Maxime à Louise.
2. Lettre du 11 février 1879 à Du Camp : « Aujourd'hui enfin j'ai pu me lever et je ne me sers plus du *plat-bassin !!!* »

tection de Laporte : dans ce moment de quiétisme heureux, la vérité de leurs relations ne peut être masquée plus longtemps ; chez ce vieillard précocement « envahi par le passé » et qui parfois n'a plus, dit-il, toute sa tête, l'enfance et la féminité se rejoignent, la *geste* féodale s'efface. Reste un « grabataire effaré ».

Bref, au mois de février 79, l'amitié de Flaubert et de Laporte éblouit. En fait, elle jette ses derniers feux. En effet, sept mois plus tard, le 28 septembre, c'est la rupture. On a beaucoup épilogué sur cette brouille. On l'attribue communément aux « manigances » du ménage Commanville. C'est à voir. Que ces manigances aient eu lieu, cela va de soi. Mais faut-il croire, comme le disent les éditeurs du *Supplément à la Correspondance*, que Flaubert est « de plus en plus dominé par sa nièce autoritaire » ? Nous verrons plus tard en détail ce que fut la ruine des Commanville et comment Flaubert la supporta. Mais ce qu'il faut noter ici, c'est qu'il en veut profondément à sa nièce et surtout à son neveu. Sa rancune — qu'il dissimule comme il peut : il faut bien qu'on le tolère à Croisset — se manifeste souvent au détour d'une phrase. En 79, elle était à son comble : il accusait — assez injustement, nous le verrons — le ménage de l'avoir ruiné et, en bonne justice, cette fois, il lui reprochait ses négligences et ses mauvais procédés : de fait, il apparaît, dans le *Supplément à la Correspondance*, que Commanville servait très irrégulièrement à son oncle la rente promise et que celui-ci devait lui réclamer, avec insistance, des sommes minimes et indispensables ; une fois, même, *vingt francs*. Mais si nous connaissons ces misères, c'est *à travers* les lettres de Gustave ; cela veut dire qu'il en était fort conscient. Pour peu qu'on l'ait lu, on connaît la puissance de ses rancunes. Croit-on qu'il puisse oublier les ingratitudes de sa nièce ?

Février 79 :

« Dis à ton mari de m'apporter demain une douzaine de cartes de visite. »

Février 79 :

« ... Pour la troisième fois, je demande mes cartes de visite. Nom de Dieu ! »

Février 79 :

« Je suis H I N D I G N É ! »

« Deux chemises blanches ordinaires. Mes pantoufles de velours ! »

Si l'on voulait croire que ces colères impuissantes (il est au lit, entre les mains de Laporte, il n'y a pas dix jours qu'il s'est fracturé la jambe) demeurent superficielles et ne le bouleversent pas jusqu'au fond de lui-même, qu'on lise, dans ce même mois de février, ce récit d'un rêve qu'il fait, justement, à sa nièce :

« J'ai eu cette nuit un cauchemar affreux, à cause de ma jambe. Je rampais sur le ventre et Paul (le concierge) m'insultait. Je voulais lui prêcher la religion et tout le monde m'avait abandonné. Mon impuissance me désespérait. J'y pense encore. La vue de la rivière qui est splendide me calme peu à peu. » Il n'est pas besoin d'être analyste pour saisir le sens et la portée de cet « *affreux* cauchemar ». Ni pour apprécier à leur juste valeur des phrases jetées comme par hasard, celle-ci par exemple : « Ton pauvre mari n'est point né pour faire mon bonheur ! » Mais pour comprendre l'animosité qui se cache sous une tendresse *jouée*, il suffira de comparer ces deux textes contemporains. Nous sommes au mois de mars. On va « lui offrir » une pension. Il sait qu'il l'acceptera : « *Il n'y a pas à hésiter.* » Mais il écrit à sa nièce : « Je suis humilié jusqu'à la moelle des os. » Et il ajoute — c'est ce que nous retiendrons pour l'instant : « Ma conscience me reproche cette pension (que je n'ai méritée nullement quoi qu'on dise). Parce que j'ai mal entendu mes intérêts, ce n'est pas une raison pour que la patrie me nourrisse ! » La dernière phrase surprend : en quoi Gustave — qui a subi le contrecoup de la malchance ou des maladresses de son neveu — peut-il s'accuser d'avoir mal entendu ses intérêts ? Il va trop loin, semble-t-il, et la phrase sonne faux. Comme aussi la suivante : « … car tu es un honnête homme, chose plus rare qu'une honnête femme [1]. » Mais son véritable sentiment, nous le découvrons dans une lettre à un inconnu, publiée par Maxime et qui est de deux jours — au plus — antérieure à celle que nous venons de citer : « Je ne veux pas d'une aumône pareille que je ne mérite pas, d'ailleurs. Ceux qui m'ont ruiné ont le devoir de me nourrir et non pas le gouvernement. Stupide ! oui ; intéressant, non ! » Qui donc l'a ruiné, sinon le ménage Commanville ? Et qui donc a le devoir de le nourrir (Commanville s'est engagé à lui servir une rente) sinon ce couple qu'il estime avoir sauvé de la faillite ? La rancœur parle : il a été *stupide*. Ce qui veut dire : « il a mal entendu ses intérêts ». Il ne devait pas vendre sa ferme pour secourir des ingrats. Après lecture de ces deux lettres, nous disposons de quelques évidences — que mille autres détails renforceraient s'il en était besoin : Flaubert en veut profondément aux Commanville, il estime qu'ils l'ont ruiné ; devant les mauvais

---

1. C'est, on s'en souvient, ce qu'il disait de Louise.

procédés de son neveu *et de sa nièce* il se juge *stupide* d'être entré dans leurs combinaisons : ils l'ont floué [1]. Et sa rage finissant, comme toujours, par s'exercer contre lui-même, il déclare que *c'est bien fait* : je n'ai que ce que je mérite. Être réduit à accepter une aumône : soyons-en sûrs, *de cela aussi*, il garde rancune à sa nièce.

Il file doux — c'est d'accord — mais il étouffe d'une fureur qui n'est pas loin de la haine : croit-on que Caroline soit en position de force pour le brouiller avec la « Sœur de Charité » qu'il appelle encore « mon chéri » dans une lettre de juillet 79 ? Du reste, les éditeurs de la Correspondance (*Supplément*, p. 266, note 1) avouent ne pas savoir comment elle a pu s'y prendre : « Commanville et sa femme l'ont convaincu — Dieu sait par quels arguments — que Laporte manquait aux devoirs de l'amitié. » Dieu le sait, en effet. Et nous, nous l'ignorons. À moins que Mme Commanville n'ait trouvé un complice *dans Flaubert lui-même* et qu'elle n'ait, en somme, prêché qu'un convaincu.

Par le fait, que peut dire la « nièce autoritaire » ? Les cartes sont sur la table. Laporte, ruiné, ne veut pas renouveler sa garantie. Flaubert sait cela. Et d'autant mieux qu'il a, pendant l'hiver, pensé plusieurs fois étouffer d'angoisse en imaginant le sort du pauvre Asiatique, ruiné et contraint — par les fautes de Commanville — de tenir ses engagements quand il n'était plus en mesure de le faire. Qu'on lise, par exemple, ce qu'il écrit, couché, le 1er mars 79 — on venait de vendre un terrain et une scierie à un prix qu'il estimait

1. Qu'on lise, par exemple, ce qu'il écrit le 17 février 79 *(Supplément)* à propos d'une lettre envoyée par Commanville à Fiennes, propriétaire de leur appartement de Paris : « On ne me laissera donc jamais tranquille ! Qu'ai-je fait pour être persécuté ? Voilà ce que de Fiennes m'envoie. Qu'avait besoin Ernest de lui écrire des injures ? Inepties, insolence, etc. Je comprends que de Fiennes ne soit pas content. Et tout cela pourquoi ? Je n'y comprends plus goutte. Quel est le but *pratique* de cette lettre ? Je suis trop énervé et tremblant pour pouvoir écrire. On me tue avec tout cela. Je voudrais bien ne pas t'affliger, pauvre fille, mais *je n'en peux plus* de chagrin. C'est trop. Va voir de Fiennes. Fais la paix, oh ! mon Dieu ! »
Il avait, depuis 75 et presque constamment, le sentiment que les Commanville le dupaient, lui cachaient le véritable état de leurs affaires. « Pour ne pas l'inquiéter », dit-il pieusement. Mais il pense, à part soi, les choses avec beaucoup moins de naïveté. Cf. ce qu'il écrit le 1er mars 79 : « Je continue à ne rien comprendre à la maudite scierie ! Comment se fait-il qu'estimée six cent mille francs (usine et terrain) sa vente n'en rapporte pas plus de deux cent mille ? et que moi, le plus fort créancier, je ne doive rien toucher du tout ? Il faut donc qu'Ernest se soit encore une fois illusionné ? À quoi passe-t-il ses journées ? Je comprends qu'il ne soit pas gai et qu'il ait des accès de désespoir ! Mais à qui la faute ? Je doute qu'il puisse tenir dans une place quelconque, ce n'est pas à son âge qu'on change de métier et d'habitude. » Et le 9 mars 79, à propos de la même vente : « On ne m'a donc pas dit la vérité ? »

le tiers de leur valeur : « Je ne fais que penser à ceci : Pourra-t-on payer *les amis* ? Qu'en crois-tu, toi ! Cette idée me poursuit à travers tout comme si j'avais commis un crime ! » Bien sûr, Laporte n'avait pas avancé d'argent, mais il appartenait, comme Raoul-Duval, aux amis qu'on ne devait pas faire payer de leur poche les imprudences de Commanville. On voit bien que Flaubert pense à lui, lorsque, revenant sur cette inquiétude dans une autre lettre à Caroline (9 mars) il écrit : « Tu as raison, ma chérie, il faut faire *tout* pour ne pas spolier nos amis. Nous serions toi et moi deux misérables, s'ils perdaient un sou. Car enfin, c'est à nous qu'ils ont prêté. Nous ne *devions* pas faire ça. En ce qui me concerne, les remords me déchirent. » Laporte faisait évidemment partie de ceux qui risquaient d'être spoliés, s'il était obligé de tenir l'engagement pris. L'angoisse de Flaubert — qui, jusqu'à la vente, avait pris son accident courageusement — se traduit par un érysipèle nerveux dont il sait fort bien la cause. Bref, en mars, il est conscient. D'un côté le meilleur des amis qui a « risqué pour lui la noyade » — de l'autre un couple qui l'a ruiné, qui ne cesse de lui mentir [1].

Pourtant, il suffit que Laporte refuse de renouveler des engagements qu'il ne peut tenir pour que Gustave rompe avec lui. Et pour qu'il écrive en octobre 79 à Mme Roger des Genettes : « Un homme que je regardais comme mon ami *intime* vient de se montrer envers moi du plus plat égoïsme. Cette trahison m'a fait souffrir. »

Du plus plat égoïsme, la Sœur de Charité ? Après dix ans de loyaux services ? Et comment Flaubert peut-il écrire « *envers moi* » quand Laporte prenait bien soin de lui dire que cette affaire ne pouvait le concerner, qu'il voulait la discuter avec Commanville ? Mais une tournure frappe avant tout : « que je regardais comme mon ami intime ». Quoi donc ? Laporte *n'était pas* l'ami intime de Flaubert. Il a suffi qu'il refuse une fois, une *seule* fois, de rendre un service — refus motivé par des raisons évidentes et connues — pour que toute leur amitié passée devienne une apparence. Il ne s'agit même pas d'un ami qui s'est mal conduit mais d'un homme que Flaubert prenait pour tel *à tort*. On ne trouvera le fin mot de cet incroyable changement que dans les dispositions profondes de Gustave. La nièce a versé de l'huile sur le feu mais elle n'a pu que ren-

---

1. Flaubert est d'autant plus conscient de la triste position de Laporte qu'il multiplie, après 77, les démarches auprès de Bardoux pour lui obtenir une fonction rétribuée. Vainement : Laporte deviendra inspecteur du travail dans la Nièvre.

forcer l'humeur de l'oncle, non point la changer, et c'est par piété
que les thuriféraires de Flaubert chargent Caroline de toutes les responsabilités. La rupture — voulue par le Géant — est une de ces
circonstances exceptionnelles qui éclairent une personne jusque dans
« son plus secret conseil ».

Flaubert ne se veut point l'obligé de Laporte : quand celui-ci risque la noyade ou la fluxion de poitrine, Gustave s'écrie simplement : « Voilà un ami, celui-là ! », ce qui veut dire qu'il se borne
à informer sa nièce que l'Asiatique se conforme à l'idée platonicienne d'amitié. Quand cet ami, par contre, après avoir passé des
jours entiers au chevet de son Géant se voit contraint de le quitter
pour un jour ou deux, celui-ci s'écrie avec un peu d'humeur : « Mon
compagnon Laporte ne reviendra que mardi (il faut s'habituer à
la solitude comme à la pauvreté et à la vieillesse [1] !). » Comment
ose-t-il parler de solitude, ce vieil homme qui a choisi d'être ermite
et qu'un infirmier volontaire a soigné tout un mois *par amour*?
Certes, il faut voir aussi dans ce mot un reproche déguisé à Caroline. Gustave n'a pas changé : comme au temps de son enfance il
montre ses plaies pour provoquer le remords et la honte chez ses
bourreaux. Mais nul doute que Laporte ne soit visé : on ne lui reproche rien, il a d'autres obligations dont on veut bien tenir compte.
Cependant, il suffit que l'Asiatique cesse un moment — fût-ce pour
les raisons les plus légitimes — de se dévouer à son Seigneur pour
que la relation d'homme à homme soit coupée. Le passé ne pèse
pas, pour Flaubert, sauf s'il est négatif, s'il est perpétué par la rancœur. Mais il ne tient pas compte des états de service, sauf pour
exiger davantage encore. Gustave se contente d'*être* — moteur
immobile ; c'est donner : et les sacrifices des vassaux sont comme
des degrés qui mènent jusqu'à lui et dont chacun n'a d'autre fonction que d'obliger le féal à un plus grand sacrifice. Le lien féodal
permet à Flaubert de fonder ses âpres exigences sur sa passivité.
Telle est du moins la rationalisation et la comédie. Car, si nous
écartons ce vêtement superbe, nous découvrons que cette réclama-
tion passive et insatiable ne ressemble pas mal à ce que Mannoni
appelait « complexe de dépendance ». Cet auteur, à vrai dire, usait
de cette notion pour expliquer les conduites des *colonisés*, à un certain stade de leur histoire. Mais, précisément, le complexe de dépendance apparaît, chez l'indigène, au moment où le colon l'a réduit

---

1. 1er mars 79. Flaubert est hors de danger : l'accident a eu lieu plus d'un mois auparavant.

à l'impuissance. Et c'est bien, en effet, l'exigence passive d'un impuissant. Ou, si l'on préfère, il s'agit d'un stade de la lutte de l'opprimé contre l'oppresseur. Celui-ci a vaincu celui-là par les armes ; une nouvelle génération naît après la défaite, qui continue le combat en se servant comme d'une arme de la passivité qu'on lui impose : il réclame inlassablement de nouvelles faveurs, il contraint le Maître à la générosité. Et Mannoni fait remarquer qu'il suffit d'un refus pour que le colonisé se détourne du colon élu, pour qu'il retombe dans la malveillance sournoise des vaincus. N'est-ce pas comme un effort de l'opprimé pour contraindre son vainqueur à jouer au moins le rôle de Seigneur, pour transformer l'oppression nue en relation féodale, pour se faire objet de don en offrant contre la générosité chaque jour affirmée du Maître sa dépendance chaque jour plus étroite ? La passivité *constituée* de Flaubert le rapproche de la condition coloniale. Son intention fondamentale — née des frustrations originelles — est l'exigence inerte et sans cesse accrue d'un impuissant qui veut humaniser son sort en le pénétrant d'une âpre vassalité. De Laporte il se fait le vassal intraitable ; il se met dans la dépendance absolue de son ami ; et croyons bien qu'il est conscient de sa revendication maxima : à la limite, le Maître doit donner sa vie pour l'esclave. Il « n'est pas fait pour vivre », Gustave : l'idéal serait qu'une mort volontaire justifiât cette vie surnuméraire. En se persuadant, par exemple, que Laporte a risqué la mort pour venir le soigner, il se procure un calme provisoire de l'âme ; il n'était pas viable parce qu'on l'a engendré dans la mauvaise humeur, qu'on l'a soigné sans amour, qu'il est né garçon quand on souhaitait une fille ; mais si quelqu'un, pour perpétuer cette existence indésirable, donne sa propre vie, alors ce sacrifice est comme un nouvel enfantement et le fils délaissé, dévalué, se trouve d'un coup revalorisé. Bien entendu, ce cas limite ne se produit jamais : mais tout service rendu à Flaubert est vécu par lui comme un symbole et une approximation de la générosité suprême. Par cette raison, il se montre insatiable : on n'a jamais assez fait si on ne fait pas tout. Il sera vassal morose, ingrat, sourcilleux. Nous voilà revenus au désir originel de Gustave. Celui qui rompt avec Laporte, ce n'est pas le Seigneur généreux qui devrait justement mettre sa générosité à comprendre ou, tout au moins, à « pardonner » : c'est le féal déçu dans son complexe de dépendance, qui n'a ni les moyens ni l'envie d'excuser le crime inexpiable de son Maître : en refusant de renouveler la caution, Laporte a manqué à son devoir absolu qui est de garantir — et de reproduire — la vie de son vassal : la mère s'est éloignée en reboutonnant son corsage ; l'enfant retrouve son délaissement et ses antiques rancœurs. Il se venge en se punissant : par cette rupture qui lui brise le cœur, il accablera de remords la marâtre.

Comprenons bien, toutefois, que Gustave ne peut se raconter en ces termes son aventure. Laporte est et doit rester son inférieur. Donc tout se retourne : ce qu'il vit dans la dépendance et la vassalité, il l'exprime — à soi-même et aux autres — par le discours du prince. Il se cache que son exigence vient du besoin — seul fondement valable ; il la tient pour un impératif éthique. C'est d'autant plus facile que Laporte vient moins souvent le soir, que, depuis quelque temps, il se dérobe *(à ses devoirs)* et puis enfin qu'il part pour Nevers, ce qui est parfaitement logique (c'est son poste), et pourtant inadmissible (il néglige Flaubert pour ses propres intérêts). L'irréalité se glisse dans la souffrance et dans la colère. L'orgueil la consolide. Et l'unique refus de Laporte suffit à disqualifier tout son dévouement antérieur. Dans la fameuse lettre du 28 septembre qui précède et provoque la rupture, il a ce mot superbe où la morgue du Maître s'allie à la vulgarité bourgeoise :

« R. Duval a accepté cette transmission et (d'après une lettre de lui) est enchanté que Commanville puisse sortir des mains dudit Faucon. Qui vous empêche d'en faire autant ? Que craignez-vous ? Car jusqu'à présent, vous n'avez rien payé et on ne vous demande pas aujourd'hui de payer. »

Cette fois, comme on pouvait s'y attendre, Raoul-Duval, l'autre garant, est donné en exemple. C'est lui le vrai Seigneur, l'homme de qualité. À lui non plus, du reste, on ne doit pas de reconnaissance : puisqu'on vous dit qu'il est *enchanté* ! Gustave n'oublie qu'une chose, c'est que Raoul-Duval, au moment de l'échéance, aurait les moyens d'y faire face et que Laporte ne les a plus. Mais que de grossièreté volontaire dans « vous n'avez rien payé et on ne vous demande pas aujourd'hui de payer » ! On serait tenté de répondre : « Il ne manquerait plus que cela ! » En tout cas, qu'elles qu'aient été les « manigances » du couple, c'est Flaubert en personne qui a écrit ces mots qui soulèvent un peu le cœur ; c'est lui qui, bien que sachant à quoi s'en tenir, refuse carrément de prendre en considération le changement survenu depuis 77 dans la situation de Laporte ; c'est lui qui — pensant de son neveu, nous l'avons vu, qu'il est incapable et menteur — affecte de ne pas comprendre la défiance légitime de son « chéri » et présente comme un coup de chance providentiel ce qui est, en réalité, une dégradation [1].

Colère violente, injuste mais irréelle : ou, si l'on préfère, insincère. Elle fulmine en surface mais recouvre une angoisse exaspérée. La vérité lui échappe dans sa lettre du 27 septembre : « *Ces histoires me font crever de chagrin* [2]. » De fait, il en crèvera. Mais comprenons bien que la raison véritable de la rupture, ce n'est pas le refus que Laporte oppose à Commanville mais la lettre par laquelle il écarte Flaubert du débat et refuse doucement mais fermement de le prendre pour arbitre. Le réel et l'irréel font ici un mélange explosif : l'angoisse rancuneuse du délaissement se joint à la rage exagérée de ne pouvoir continuer à jouer son rôle de dominateur. Après la rupture, que reste-t-il ? La souffrance et le ressentiment. C'est ici, sans doute, que les époux Commanville sont intervenus ; ils se sont déguisés en témoins sévères et impartiaux : « Après ce qu'il t'a fait, tu ne *peux* pas te réconcilier avec lui. » Nous en avons une preuve : pour le Jour de l'An 80, Laporte envoie une lettre à Flaubert. Au lieu d'y répondre, celui-ci la fait tenir à sa nièce comme pour lui demander la permission d'écrire à son tour. Celle-ci garde le silence. Gustave lui écrit le 5 janvier : « Tu ne me dis rien sur la lettre de Laporte dont je t'ai envoyé la copie ? » Pas un mot de plus. C'est une timide ouverture : si Caroline lui déclarait que la brouille s'est trop prolongée, si elle lui conseillait de « pardonner »... La nièce a dû maintenir son jugement car Gustave ne retourne pas à Bob ses vœux de Nouvel An. Et la seule mention qui soit encore faite de Laporte, c'est, dans une lettre à Commanville du 5 février 1880, ces quelques lignes : « Vous avez reçu, n'est-ce pas, hier au soir une grosse enveloppe contenant une assignation d'huissier pour le 13 courant. Je l'ai à peine parcourue et ce que j'y ai compris, c'est qu'elle venait de *Laporte*. Il me semble que c'est *très grave*... Je m'étonne que Laporte avant de me réclamer 13 000 francs ne m'ait pas rendu mes cinq cents. Que faire s'il me les rend... Nous n'aurions plus d'arme reconventionnelle. » Trois mois plus tard Flaubert meurt de chagrin, usé par ses malheurs financiers et n'ayant pu supporter la rupture qu'il a lui-même provoquée. Il *aimait* son « vieux solide » mais l'orgueil Flaubert l'a contraint à travestir cet humble amour anxieux et infantile, à en

1. Il ajoute, en effet : « Les choses n'empirent point ! au contraire ! puisqu'on donne du temps ! »
2. C'est lui qui souligne. Le contexte prouve toutefois que c'est un chantage.

faire de force l'*analogon* d'une impérieuse et condescendante amitié donc à ne le tolérer qu'après l'avoir irréalisé. Mais ce passage à l'imaginaire n'a pas empêché le sentiment vécu de se développer selon ses lois propres : il l'a simplement affecté, au niveau du discours et des conduites, d'une épuisante insincérité.

D. — IL ET MOI

Le miroir, nous l'avons vu, est, pour le petit garçon, un *ersatz* figé de l'Autre. Il cherche à s'y surprendre, transcendance transcendée, avec les caractères qu'il a pour celui qui le transcende. Mais il n'est pas vraiment mis en présence de l'*être-spectacle* qu'il est pour son entourage : il ne voit dans la glace qu'un quasi-objet — cela va de soi : comment pourrait-il transcender sa propre transcendance ? — il s'y retrouve comme un « homme sans qualités », intermédiaire sans consistance entre l'intériorité et l'extériorité. Simplement son reflet le confirme dans le sentiment inquiet de sa *visibilité*, ce caractère — commun à tous les voyants — prend chez lui l'importance du fondamental : il souffre, devrait-on dire, d'une visibilité hypertrophiée ; comment pourrait-il en être autrement puisque le petit garçon, aliéné à l'objet qu'il est pour les autres, tient l'apparence pour l'être absolu ? Même seul dans sa chambre (il court à la glace dès qu'il pleure), il est conscient de son *être-vu*. Les ustensiles le désignent, l'espace qui l'entoure est regard, les murs ont des oreilles. La monition ne s'arrête pas là : il se sent exister au-dehors, dans la ville entière, en acte et peut-être en permanence pour des consciences qui lui échappent et qui l'affectent de caractères inconnus — il s'agit de parents, d'amis de sa famille, de voisins ou de simples passants qui l'ont fréquenté ou vu et qui peuvent à chaque instant le faire comparaître devant eux à son insu. Il est en danger dans le monde, son apparence multiple, omniprésente lui échappe ; il est hanté même dans la solitude par ce volumineux objet audiovisuel, son corps-pour-autrui. Il faut circonvenir tous ces témoins : signifié par autrui, il faut agir sur ce pouvoir signifiant, disposer son corps de manière à suggérer des significations favorables. Ce qui le conduit, nous l'avons vu, à s'identifier imaginairement au signifiant lui-même : le rieur qu'il installe en soi et le mâle dont les mains le palpent devant la glace ont ceci de commun — bien que l'un renvoie au *pater familias* et l'autre à la *genitrix* — qu'ils sont tous deux les simulacres de l'*agent* qu'il ne peut être et qui décide de lui.

Toutefois le miroir n'est pas l'Autre. Ainsi l'Opération Reflet n'est jamais entreprise vraiment, les intentions de l'enfant demeurent implicites faute de pouvoir s'expliciter sans se détruire. En Caroline, il croit trouver le signifiant qu'il lui faut : du miroir elle aura la docilité mais non pas l'inertie. Par cette raison, les intentions de Gustave se précisent : au cours de ses relations ludiques avec sa sœur il se trouve amené à faire son option fondamentale ; il luttait en vain contre la déréalisation, à présent il l'assume et l'utilise ; *il a choisi l'imaginaire.* Avec cette conséquence immédiate que son image lui échappe : dans la glace il voyait un quasi-objet qu'il essayait vainement de totaliser en se donnant le regard de l'Autre ; du moins se trouvait-il en face de sa matérialité ; ou, mieux, du simulacre de celle-ci. Cela tenait à la passivité même du miroir ; Caroline, miroir humain, fût-elle docile et fascinée, est active : il n'en faut pas plus pour que le petit garçon perde son reflet. Cet *autre qu'il est pour les autres*, dans la mesure même où, refusant de le subir, il tente de le gouverner, il ne peut plus que l'imaginer. De toute manière, cet être-pour-autrui — qu'il tient pour son être-en-soi — demeure ce qu'il était : un irréalisable. Mais, en invitant les autres à le réaliser *comme il l'entend*, il prend conscience d'en faire *pour lui* une irréalité. Doublement : d'abord parce qu'il *imagine* l'objet qu'il est pour Caroline, ensuite parce que l'*image* qu'il tente de donner de lui ne correspond en rien à ce qu'il éprouve et pense pour de vrai ; le rieur viril aux mains mâles — ombre à laquelle il essayait sans bonheur de s'identifier — prend à présent une forte consistance : c'est l'*agent*. Mais, nous le savons, l'activité, interdite à Gustave par sa constitution, lui apparaît justement comme le pouvoir de l'Autre. Ainsi lorsqu'il se montre généreux, son entreprise ne peut manquer de se démasquer à ses propres yeux : il ne tente pas d'être *un* autre dans sa singularité — même lorsqu'il imite un ami de ses parents ou lorsqu'il pousse jusqu'à la caricature les caractères qu'on lui attribue, puisque ces comédies, quelle qu'en soit la trame, visent à manifester la générosité ; c'est l'*Autre en général* qu'il représente, l'Autre-sujet dont il ne peut être que l'objet. Il s'agit de *séduire* Caroline pour qu'elle lui donne *là-bas* les puissances dont il se sent *ici* frustré et par la raison même qu'il éprouve cette frustration en permanence. Il se fait objet devant sa sœur pour qu'elle l'*objective comme sujet* ou, si l'on préfère, pour qu'elle le *réalise* comme générosité-objet. Par la même, le contraste s'accentue entre sa réalité clandestine, qu'il atteint, du moins, au niveau du vécu, et ses conduites envers autrui qui, à ses propres yeux, ont, à présent, l'unité d'un rôle. Mais il ne faudrait pas en conclure qu'il veut se donner pour ce qu'il n'est pas. Les autres sont pour lui des êtres *réels* qui ont le pouvoir de donner aux choses et aux personnes leur réalité ou, mieux, *de les instituer réels* : aussi, loin de prétendre les duper, lorsqu'il s'offre imaginaire à leurs yeux, il les sollicite — au départ, du moins — de donner à l'image présentée une réalité plénière. Comme s'il leur disait : moi, je ne peux pas aller plus loin, veuillez achever le travail ; que votre regard transforme l'image irréalisable que je suis pour moi en cette totalité réelle que je suis par vous et pour vous. À défaut de jouir de son être-en-soi, Gustave tente d'orienter la façon dont les autres en jouissent. Si l'opération réussit, si les autres croient et surtout s'ils affirment à sa place qu'il est bien tel qu'il se montre, il se sera recréé. Il ne désespère même pas de se récupérer : au terme de l'entreprise, il y aura coïncidence du subjectif et de l'objectif, non par intériorisation de l'objet extérieur mais par absorption du pour-soi par l'en-soi. Mais *cet Autre absolu* que l'autre le fait être — autre que les autres, autre que soi-même —, il ne peut, pour eux comme pour lui, exister qu'à la troisième personne du singulier. Pour eux parce qu'ils le totalisent hors d'eux dans son être extérieur ; pour lui parce que le Seigneur est un rôle — qui ne trouve sa réalité que par les yeux des spectateurs — et parce que, dans le moment qu'il veut se faire réaliser par eux comme *le* Généreux, il tente de s'identifier à l'élan de vassalité qui les porte vers lui. Il s'ensuit, chez Gustave, une priorité absolue du « Il » sur le « Moi » : sa réalité irréalisable vient nécessairement à lui comme *autre que sa vie*. Le voici transporté sur le terrain de l'acteur. Pour Kean, en effet, Hamlet existe à la troisième personne : c'est un certain objet, créé comme objet par son auteur qui n'en a livré que l'extériorité, c'est-à-dire les dits et les gestes (même son fameux monologue est *extérieur* [1]) que le spectateur, même s'il s'incarne en lui, ne saisit que *dans son paraî-*

---

1. Les monologues, les apartés, les discours que le personnage adresse à son bonnet, que nous écoutons quand nous ne devrions pas même les entendre, par une permission spéciale du poète, ne nous livrent pas vraiment ses désirs et ses pensées puisque nous devons prendre le risque de décider nous-mêmes s'il les exprime vraiment ou s'il les déguise, s'il les rationalise, s'il se ment, s'il nous ment.

tre, et que lui, l'acteur, doit montrer *dans son apparence*, en reproduisant les paroles et les gestes que Shakespeare lui a prêtés, comme une *personne* dont l'intériorité n'est jamais donnée mais doit seulement pouvoir être reconstituée. Kean vient à Hamlet comme à un « Il » dans la peau duquel il doit se mettre ; et, pour que celui-ci obtienne la créance du public, l'acteur se manipule en intériorité pour se donner irréellement les sentiments qui s'expriment par ces conduites : l'intériorité est donc, chez lui, aliénée à une extériorité préfabriquée, l'ipséité ou première personne du singulier n'est qu'un moyen de manifester la troisième. Encore Kean n'est-il — même pour les spectateurs — qu'un Hamlet imaginaire. Gustave, lui, s'imagine que le public, s'il joue comme il faut le Seigneur, le récompensera en lui reconnaissant la réalité seigneuriale. Ce qu'il y a de fondamentalement commun entre Kean et le jeune garçon c'est que, pour l'un comme pour l'autre, le « tu », marque de la réciprocité, est impossible, ils sont sur les planches, intouchables, séparés des témoins plus encore par la flamme de l'imaginaire qui les enveloppe que par les feux de la rampe ; et comment parler sinon à la troisième personne, de celui qui remplace la communication par la *montre* ?

Caroline, pourtant, tutoie son frère. C'est que la rupture de communication n'est pas entière : il se dépense pour elle, il l'amuse, il y a, je l'ai noté, quelque vérité dans leurs rapports. Gustave pourtant n'ignore pas que la gratitude de sa sœur s'adresse au personnage qu'il joue et qui dit *Je* par sa bouche mais dont le petit acteur ne peut parler à la première personne. Par la suite le jeune garçon prend l'habitude de *se penser* comme un Il. Le Je n'est souvent chez lui qu'un déguisement : en vérité Gustave s'atteint par la médiation des autres ; la raison en est qu'il veut suborner les témoins par une double opération : la cérémonie du paraître et l'évocation constante de cette cérémonie (par remémoration ou prophétie). On en trouvera cent exemples dans sa Correspondance : « Étais-je assez beau ? » demanda-t-il à Ernest (fausse interrogation qui n'est qu'un moyen de susciter chez Chevalier une affirmation). « Comme énergumène je serai beau [1]. » À la Muse, dès le début de leur liaison : « Dis-moi comment je t'apparais ? De quelle façon mon image vient-elle se dresser sous tes yeux ? » S'il rappelle à ses correspondants un souvenir commun, il se met à leur place et se décrit comme ils ont dû le voir : « Te souviens-tu, vieux, du pâté d'alouette que j'ai englouti à moi tout seul un Vendredi Saint, du petit vin de Collioure que je humais si lestement ? » Seul un témoin peut s'écrier :

---

1. Il s'agit d'une pièce de Zola : Gustave promet d'assister à la première.

« Ce vin que tu humais si lestement. » Gustave, en fascinant Ernest par des mots, cherche à contraindre celui-ci à réinventer son souvenir pour récupérer la scène à travers la mémoire de son ami, il est d'avance en Ernest et *se* revoit, par les yeux un peu scandalisés de son ami, comme un Pantagruel blasphémateur. Il arrive aussi qu'il se décrive au présent, dans l'avenir, non tel qu'il est ou sera mais comme Chevalier, s'il était présent, pourrait le voir. « Je ferai du ''Mont Doré'' tout à mon aise, fumant le matin mon brûle-gueule sur les boulevards et le soir mon cigare sur la place Saint-Ouen et piété à attendre l'heure de la classe au Café National. » Ou bien encore il se présente tel que d'autres l'ont vu : « (à propos d'une dispute au collège) J'ai été magnifique. Tous les élèves de mon banc étaient émus du boucan que je faisais. » À sa mère, il écrit de Malte : « ... Quant à moi, promenades sur le pont, dîners avec l'état-major, stations sur la passerelle, entre les deux tambours, dans la compagnie du commandant, où je me piète dans des attitudes à la Jean Bart, la casquette sur le côté et le cigare au bec... Le soir, je contemple les flots et je rêve, drapé dans ma pelisse, comme Childe Harold. Bref je suis un gars. Je ne sais pas ce que j'ai mais je suis adoré à bord. Les messieurs m'appellent papa Flaubert tant, à ce qu'il paraît, ma boule est avantageuse sur l'élément humide [1]. » Dira-t-on qu'il ne songe qu'à rassurer sa mère ? C'est ce qu'il prétend dans les lignes qui suivent. Mais, dans ce cas, il faudrait reconnaître qu'il s'y prend bien mal : « Tu vois, pauvre vieille, que le début est bon. Et ne va pas croire que la mer ait été très calme ; au contraire le temps a été un peu dur, le vent d'est nous a retardés de douze heures. » Mᵐᵉ Flaubert a été contente, certainement, d'apprendre que Gustave a le pied marin. Mais la dernière phrase est bien faite pour inquiéter cette femme craintive et pessimiste ; et cela, son fils ne peut l'ignorer : il n'a pas fait la moitié de la traversée ; il faut reprendre la mer ; de Malte à Alexandrie, si elle est mauvaise, le bateau — se dit la « pauvre vieille » — aura cent occasions de chavirer. Mais Gustave, fier d'être un gars, ne peut se retenir d'insister sur les dangers courus. Ce qui lui plaît, somme toute, c'est d'inciter sa mère à imaginer cet Il, pour lui irréalisable (« Je ne sais pas ce que j'ai », « à ce qu'il paraît »), que sa crânerie bon enfant et ses attitudes ont amené les marins à réaliser. Le généreux Seigneur fait don à Mᵐᵉ Flaubert d'un Gustave adoré, adorable, Jean Bart doublé de Childe Harold.

---

1. *Correspondance*, t. II, p. 105, novembre 49.

Entre les « Messieurs » du bord et celle-ci, il fait le médiateur puisque c'est par elle qu'il résumera et totalisera l'objet qu'il est pour eux.

Parfois, d'ailleurs, lorsqu'il tente d'agir par avance sur l'opinion que les autres ont de lui en les sollicitant de l'*attendre* sous tel ou tel aspect, donc de le réaliser dans l'avenir à la troisième personne, il ne se donne même pas la peine de personnaliser le témoin : il brosse un tableau où il se fait entrer ainsi que ses correspondants. Il annonce à sa sœur Caroline qu'il va revenir bientôt : « Ayez soin d'avoir de bonnes joues car j'ai faim de les embrasser. C'est moi qui m'en donnerai ! Décidément, quand j'y pense, je ne pourrai pas m'empêcher de te faire un peu de mal, comme toutes les fois où mes gros baisers de nourrice font tant de bruit que Maman dit : "Mais laisse-la, cette pauvre fille !" et que toi-même, harassée et me repoussant avec les deux mains, tu dis : "Ah ! Bonhomme !" » Ce qui compte dans cette description, c'est le *tableau* objectif que ces trois personnes ont souvent constitué et constitueront bientôt. À leurs propres yeux ? Non certes : aucune d'elles ne peut voir la scène tout entière. Disons plutôt que, dans ce cas, c'est la lumière qui est regard, qui enveloppe le trio et qui exalte la visibilité de chacun. En fait, par la médiation de ce regard, c'est Caroline qui est visée : elle doit s'attendre à figurer un jour dans cette peinture en relief qui dispose deux femmes aimantes autour d'un bon géant dont l'amour même est dévastateur.

Dans les lettres à Louise, le procédé est plus apparent encore. Nous savons qu'il souhaite et craint la domination sexuelle de la Muse : raison de plus pour jouer à distance les dominateurs. Il tente de la persuader qu'il est un surmâle, qu'elle reçoit de lui le *don du plaisir* en vassale énamourée : « Je me souviendrai toujours de l'air de ta tête quand tu étais à mes genoux, par terre et de ton sourire ivre quand nous nous sommes quittés. — Je repense à notre dernière réunion, toute ta figure était souriante, ébahie d'amour et d'ivresse. » Ivre de volupté, ébahie : Louise ne croyait pas qu'un tel homme fût possible ; « Tu te rappelles mes caresses violentes, et comme mes mains étaient fortes ? Tu tremblais presque ! Je t'ai fait crier deux ou trois fois. » De Croisset, il lui décrit d'avance leur prochaine rencontre et s'engage à ressusciter cet ébahissement : « Je veux que... tu sois étonnée de moi et que tu t'avoues dans l'âme que tu n'avais même pas rêvé de transports pareils. » Cette promesse, s'il en était encore besoin, suffirait à prouver que le désir de Gustave est insincère. Ce n'est point au corps de Louise qu'il s'adresse. Ou du moins pas seulement : Gustave veut, en pénétrant sa maîtresse, se rejoindre au reflet qu'il a suscité en elle et, tout à la fois, s'identifier à l'éblouissement provoqué. Son érection est elle-même un *geste* [1]. Ainsi, n'en doutons pas, l'acte sexuel, à Paris ou à Mantes, est fort bien accompli, souvent répété [2] ; mais tout y est faux — du côté de Flaubert. Contraint de « prendre » pour obtenir d'elle ce qu'il réclame vraiment — « quand il était *pâmé*, elle le ranimait par des petits baisers multiples sur les yeux » [3] —, il n'est excité que par sa propre image qu'il veut contraindre Louise à réaliser : *en elle* il se fait Seigneur du plaisir, taureau. Mais *à la troisième personne*, pendant que son ipséité tente de se fondre à l'intimité vécue de sa maîtresse « pâmée ».

On pourrait multiplier les citations. Je n'en retiens qu'une, la plus significative. Elle figure dans la lettre que Gustave écrit à Ernest pour lui faire part de la mort d'Alfred. D'autres lettres, les unes contemporaines, les autres plus tardives, nous apprennent qu'il a considéré cette fin comme une délivrance pour Alfred et, plus secrètement, pour lui-même, que, du reste, la trahison et la rupture ont eu lieu plusieurs années auparavant, enfin que cette mort elle-même n'a pas désarmé la rancune que le mariage de Le Poittevin a suscitée en Flaubert. C'est à ce niveau qu'on peut situer l'ipséité, le vécu et que l'Ego de Gustave, pôle du réfléchi, pourrait apparaître à sa conscience réflexive. Mais c'est justement cela qu'il passe sous silence ou qu'il évoque par des allusions que nous aurons à déchiffrer. C'est que ces sentiments lui apparaissent, la plupart du temps, comme des déterminations *sans visa* de sa sensibilité. Faute de pouvoir être officialisé, le subjectif garde pour lui l'inconsistance profane de la *doxa*. En ces circonstances solennelles, il recourt à l'Autre pour se faire attribuer officiellement le sentiment sacré qui leur sied et qu'il ne ressent pas. « Alfred est mort il y a aujourd'hui huit jours à cette heure-ci (minuit). Je l'ai enterré jeudi dernier. Il a horriblement souffert et s'est vu finir. Tu sais, toi qui nous as connus dans notre jeunesse, si je l'aimais et quelle peine cette perte m'a dû faire. Encore un de moins, encore un de plus qui s'en va. Tout tombe autour de moi. Il me semble parfois que je suis bien vieux », etc. Voilà

---

1. Certains acteurs ne peuvent jouer une scène d'amour sans entrer en érection. N'allons pas croire qu'ils soient nécessairement troublés par l'actrice qui leur donne la réplique. Kean bande pour Juliette avec la verge de Roméo.

2. Si les déclarations de Flaubert ne suffisaient point à convaincre, un poème érotique de la Muse, écrit dans les premiers temps de leur liaison, ne laisse aucun doute à ce sujet.

3. Pommier et Leleu, *ibid.*, p. 18, repris p. 30.

qui est flatteur pour Ernest : ce substitut qu'on accusait un peu plus tôt de sombrer dans l'importance bête et l'embourgeoisement, on le prend à témoin, à présent ; il est seul capable d'apprécier la douleur de Gustave à sa juste mesure. Quelque chose, pourtant, retient de s'attendrir : cela même, j'imagine, qui aura empêché Ernest de goûter cette marque de confiance. Oui, Chevalier *les* a connus. Non point « dans leur jeunesse » mais dès leur enfance. Seulement il n'a pas fait que les connaître : il les a aimés, il a partagé leur amitié ; plus tard, à Paris (c'est bien ce qu'on lui reproche) il a fréquenté Alfred assidûment. En admettant qu'il n'ait pas eu pour celui-ci tout l'amour que lui portait Gustave, est-ce une raison pour lui refuser le droit de souffrir de cette mort ? Pas un mot sur un chagrin que Flaubert devait, fût-ce par politesse, considérer comme possible. Que n'a-t-il écrit : « Mon pauvre Ernest, Alfred est mort, je sais quelle peine cette perte va te faire. » Non : aujourd'hui c'est au « brave Ernest » qu'on destine cette lettre. Pense-t-il que Chevalier restera insensible à cette nouvelle ? Au contraire et c'est par cette raison même qu'il n'en parle pas : à la mort du mari, la veuve triomphante fait interdire à la maîtresse éplorée de suivre le cortège. Il était *à moi, c'est moi* qui le pleure. Prétendrait-on que ces garçons formaient un trio ? Allons donc : Ernest a eu l'honneur d'être le témoin d'une amitié miraculeuse, voilà tout.

Mais, du coup, le troisième larron, disqualifié, prend dans ses nouvelles fonctions une importance considérable. Témoin, qu'il témoigne ! Puisqu'il ne lui appartient pas de partager le chagrin de Gustave, à lui de reconnaître et d'instituer cette souffrance dans toute son ampleur. Quand Flaubert écrit vite, sa plume trahit ses intentions profondes : « la peine que cette perte *m'a dû faire* ». Qui parle ? Ce ne peut être un *sujet* : conscient de ce qu'il ressent, celui-ci dirait tout uniment : « la peine que cette mort m'a faite ». Ce n'est pas non plus tout à fait ce que dirait Chevalier s'adressant à Gustave : si Ernest avait écrit une lettre de condoléances à son ami, il aurait lui aussi employé l'affirmation directe ; dans la phrase que Gustave lui souffle, il y a comme un doute, l'ébauche d'une réserve : même si cette légère réticence correspondait à son opinion véritable, Chevalier se garderait de l'exprimer. « La peine immense que cette perte t'a faite. » Il n'y a donc qu'un locuteur possible : si l'on change le « tu » en « je », le « je » de Gustave se voit transformé, par la structure même de la phrase en un « il » : Ernest parlant aux autres de cet Autre qu'est Gustave pour lui, voilà le seul sujet possible ; il leur dira : « Le pauvre garçon ! Je sais combien *il* aimait Alfred. Quelle peine cette perte a dû lui faire. » Par cette tournure ambiguë deux significations sont introduites. *D'une part* Gustave concède à Ernest qu'il est impossible de garantir inconditionnellement la force et la sincérité de sentiments qu'on n'éprouve pas soi-même, quand même on connaîtrait depuis l'enfance celui qui les ressent : « Selon toute probabilité cette mort *a dû* lui porter un coup terrible ; personnellement j'en suis convaincu mais ce n'est qu'une opinion, je ne suis pas dans sa peau. » Cette prudence, cette retenue sont proposées parce qu'elles sont de nature à séduire l'âme modérée du substitut : Qu'est-ce que tu risques ? tu ne t'engages pas, tu conjectures. Si, d'ailleurs, elles le décident à porter témoignage, l'interlocuteur, en les retrouvant dans l'affirmation *sous réserve* d'Ernest, en sera plus impressionné que par une information trop catégorique. *D'autre part* un élément normatif se glisse sournoisement dans ce qui se donne pour un simple jugement hypothétique : pour Gustave sa peine est un devoir-être : tel qu'il est, pour rester fidèle à son ami mort, à lui-même, à leur exaltante amitié, il *faut* qu'il souffre l'enfer. À Ernest de réaliser cet être et cette souffrance imaginaires : il suffira qu'il en fasse part aux autres ; le devoir-être s'adresse à lui aussi et prend l'aspect d'une sommation : tu as eu la chance de nous connaître, prends garde : tu serais un cœur sec et un sot si tu n'étais pas *assuré* que je l'aimais plus que ma vie et que je crève de chagrin. Ainsi la flatteuse apostrophe — toi, notre unique témoin — contient, en vérité, une perfidie et un chantage à peine dissimulé. Mais surtout elle marque le besoin qu'éprouve Gustave de ressentir *à la troisième personne* — et par la médiation d'un autre témoignant devant d'autres — ce qu'il ne parvient pas à éprouver à la première [1].

1. On notera aussi l'emploi surprenant du passé composé : « la peine que la perte *m'a dû...* » Gustave veut qu'Ernest témoigne de la peine que la mort d'Alfred *lui a faite*. Quoi donc ? Huit jours après ce deuil, prétend-il être déjà consolé ? Pourquoi n'écrit-il pas : la peine qu'elle *doit* me faire ? Dira-t-on que la cause est au passé mais que le chagrin suscité demeure ? Ce serait le concevoir comme se prolongeant par une sorte d'inertie, tout juste comme un mobile persévère dans son mouvement tant qu'aucune force extérieure ne vient s'y opposer. Rien n'est plus éloigné du travail du deuil : en vérité la motivation de la souffrance est constamment présente dans un sentiment vrai ; c'est le « *never more* » qui compte, beaucoup plus que l'instant *écoulé* où Alfred a expiré. Pour ma part, j'interprète le choix du passé composé comme un effort de Gustave pour disqualifier le vécu : ce chagrin qu'Ernest doit instituer, Flaubert ne le ressent pas lorsqu'il écrit. Il préfère donc le localiser dans le passé : non comme une certaine affection qui s'est usée en une semaine (ce qui tendrait à prouver qu'il n'est qu'une petite nature) mais comme un coup de foudre dont il a manqué mourir et qui l'a — nous connaissons le

Pense-t-il pour de bon qu'il va manœuvrer Ernest ? S'en donne-t-il vraiment la peine ? En a-t-il même envie ? Non. Il ne détesterait pas, bien sûr, qu'on se dise de bouche à oreille : Gustave est frappé d'un mal sacré. Mais quoi ? Chevalier est à Calvi entouré de gens qui ne connaissent pas Flaubert et qui lui sont parfaitement inconnus ; celui-ci, d'ailleurs, n'éprouve plus pour son ami d'enfance qu'un mélange d'animosité fielleuse et de mépris. Pourquoi tiendrait-il si fort à le convaincre ? En fait la seule importance que revêt Ernest aux yeux de Gustave, elle lui vient de ce qu'il a été le témoin de leur vie. De ce fait il se persuade que *là-bas*, à Calvi, une conscience embourgeoisée — mais, du coup, témoin à décharge d'autant plus valable — le reconnaît pour la veuve inconsolable de Le Poittevin. Et, pour s'en convaincre davantage, le mieux c'est d'en appeler à son témoignage comme si le contenu de celui-ci était assuré d'avance. Quand Gustave suborne Chevalier et le somme de cautionner sa souffrance, il ne s'agit, une fois de plus, que d'un geste dont le véritable but est moins de persuader le substitut de Calvi que de consolider en Flaubert la croyance qu'il *existe-souffrant* là-bas pour son ex-ami ; tout se passe comme s'il se disait : ma peine a été vraiment atroce, Ernest le sait, lui, il n'a pas douté un seul instant que cette mort m'ait terrassé ; la preuve en est que je m'adresse à lui ; sa prochaine lettre m'affirmera qu'il a mesuré mon malheur. C'est donc Gustave seul qui est en cause : son camarade n'a été que la médiation entre lui-même et lui ; Flaubert ne l'imagine colportant la nouvelle — « Quelle peine cette perte a dû lui faire » — que pour pouvoir rêver à cet « il » ravagé qu'il est pour cette conscience lointaine. Plutôt que de faire apparaître son Moi comme quasi-objet transcendant à l'horizon de sa conscience réfléchie, Gustave préfère souvent produire une réflexion imaginaire *sur* la conscience réelle mais irréfléchie qu'il suppose que les autres ont de lui. Il entre dans leur pensée, il la voit comme si c'était la sienne et l'objet qui apparaît comme le pôle transcendant de leurs jugements et de leurs affections, c'est lui-même à la troisième personne. Dans ces moments il vit son Ego irréellement comme un *Il* tout chargé de la réalité que lui donnent ses spectateurs. La raison en

procédé — vieilli de trente ans. Ce qu'il a éprouvé, semble-t-il dire, c'est une douleur parfaite et totale, l'*eidos* de la douleur qui demeurera en lui jusqu'à sa mort sous forme de vieillesse précoce. Nous avons vu, nous verrons encore la vieillesse servir de médiation symbolique entre une souffrance non soufferte et un décès qui n'a pas eu lieu. Par ce moyen, il se rend plus perméable à l'affirmation qu'il sollicite des autres : un souvenir imaginaire est difficile à révoquer en doute puisque toute réminiscence a, même vraie, une structure d'imaginarité.

est, comme nous l'avons vu plus haut, qu'il n'a pas les moyens d'exercer ce que j'appelle une réflexion complice : quand il s'avise, en effet, de réfléchir, il est déjà aux mains des autres — c'est-à-dire, au départ, de ses parents — en conséquence son Ego *réel* lui apparaît en partie comme aliéné — c'est-à-dire comme Alter Ego —, en partie comme lacunaire — il ignore sur tant de points ce que les autres pensent de lui —, en partie comme mou, velléitaire, instable, hébété. Entre ce Moi aliéné, mal défini et cet Il récupéré sur les autres il ne fait pas tant de différence — d'autant qu'il n'a pas les moyens de distinguer radicalement le faux du vrai. Il passe du « *Je est un autre* », cette réalité qui le déréalise, à « *L'Autre est moi* », réflexion irréelle sur la conscience des autres et la manière dont, en les circonvenant par sa geste, il se fait signifier par elles. Ce qui veut dire, somme toute, qu'il dispose de deux unités synthétiques du vécu, dont la plus récente, imaginaire, est mise en place pour le sauver de l'autre. C'est en partie par cette raison qu'on expliquera l'importance du thème du double dans ses œuvres.

Il ira plus loin encore : d'un bout à l'autre de sa vie, il se donne des surnoms et les garde, différents selon les spectateurs. Pour George Sand il est le troubadour, la ganache, le père Cruchard ; pour Caroline Commanville, la Nounou, le Vieux, le Ganachon, le Chanoine de Séville ; pour les Lapierre (et pour Sand), Saint Polycarpe ; pour Mme Brainne, « Son Excessif » ; pour Laporte, le Géant, etc. Chacun de ces sobriquets représente un rôle : il marque à la fois ce que le spectateur choisi attend de Gustave et l'ensemble des gestes que celui-ci s'engage à faire pour se représenter tel qu'on l'attend. En vérité, il *impose* cette attente et s'engage par serment à la combler. Il va de soi que ces personnages, sous des nominations différentes, ne sont que des aspects voisins ou complémentaires d'une seule et même *persona*. Par cette raison il n'y a pas de différence qualitative entre le fait de « pousser le rire du Garçon » (c'est-à-dire de se projeter en lui pour qu'un public le renvoie à lui-même *comme Garçon*) et celui de se déclarer l'Excessif de Mme Brainne. La preuve en est que les Lapierre, bon public, lui souhaitaient *sa* fête le jour de la Saint-Polycarpe. Cela veut dire qu'ils entrent dans le jeu et que l'entreprise est collective : le public *sait son rôle* comme au temps du Collège Royal. Il entre dans le jeu *juste assez* pour donner à savoir qu'ils prennent l'acteur au sérieux, que Kean les a vraiment persuadés qu'il est Hamlet :

« Je suis encore tout ahuri de la Saint-Polycarpe. Les Lapierre se sont surpassés !!! J'ai reçu près de trente lettres, envoyées de différentes parties du monde. L'archevêque de Rouen, des cardinaux italiens, des vidangeurs, la corporation des frotteurs d'appartements, un marchand d'objets de sainteté, etc., m'ont adressé leurs hommages. Comme cadeaux on m'a donné... un portrait (espagnol) de saint Polycarpe, une dent (relique du saint), etc., toutes les lettres (y compris celle de Mme Régnier) avaient comme en-tête la figure de mon patron. J'oubliais un menu composé de plats tous intitulés d'après mes œuvres. Véritablement j'ai été touché de tout le mal qu'on avait pris pour me divertir. Je soupçonne mon disciple d'avoir fortement coopéré à ces farces aimables[1]...»

Le «disciple» a coopéré sans doute. Mais le principal collaborateur est Gustave lui-même. Il a pris quelques traits du saint — ou plutôt un seul : l'excessive Hhhindignation (*sic*) contre le siècle — et il y a fait sans cesse allusion, dans ses lettres et en public, depuis la lettre à Louise du 21 août 53, en général dans les mêmes termes, pour bien enfoncer le clou[2]. Pourtant quelque chose évolue lentement : son rapport au Saint. D'abord, il «devient comme...», puis il «est comme...». Ensuite — période de transition — le «comme» est supprimé sans que l'identification soit poussée jusqu'au bout : «je suis un *vrai* Polycarpien». Pour finir il signe tranquillement «St Polycarpe» ses lettres à Lapierre : le processus d'assimilation est achevé. Naturellement quand ses amis, si vivement sollicités, «marchent», quand ils s'avisent de le fêter chaque année sous le nom du saint, il feint de n'être pas dupe : ce sont des «farces aimables», on n'a voulu que le «divertir». Mais ces anniversaires sont l'aboutissement de plusieurs années de patients efforts : il voulait qu'on l'instituât Saint Polycarpe et il y est parvenu; son public habilement manœuvré signifie Gustave étant cette *figure de l'Autre* que représente le Saint Indigné. Et, certes, il a raison : les Lapierre *jouent à croire* : ils s'irréalisent dans la mesure où ils prétendent *réaliser* par leurs conduites le personnage qu'il leur propose. N'importe : cela lui suffit. *Avant* la cérémonie, il n'était qu'un Polycarpe irréel pour un public réel; pendant qu'elle se déroule, il est un réel Polycarpe pour un public qui s'est suggestionné au point de s'irréaliser : l'irréalité étant ainsi assumée par les autres fait place, en Flaubert, à une spécieuse réalité

---

1. 28 avril 1880. À Maupassant.
2. Dans la lettre d'août 53 et dans celle de mars 54 (nuit du 2 ou 3) les deux paragraphes sur saint Polycarpe sont à quelques mots près identiques. On trouvera plus tard «Hindigné comme Saint Polycarpe» à plusieurs reprises.

dont la non-vérité est sentie *là-bas*, chez ceux qui en ont pris charge. La dé-personnalisation est poussée, cette fois, à l'extrême, Gustave ne sait plus s'il est sujet ou objet, son Moi est un Il et son Il est un Moi.

Nous reviendrons sur ce sujet, bientôt, quand nous étudierons la *persona* de Flaubert, c'est-à-dire les divers avatars du Garçon. Il suffit de noter ici que la révolution personnalisante engendrant la dichotomie du Il et du Je (l'un, Seigneur sadique, l'autre, enfant masochiste) ne fait qu'aggraver à ce stade l'hémorragie de son être. Le petit garçon a pris très tôt conscience de cette fuite et tenté de boucher l'ouverture par où sa réalité se perdait en imaginaire. Cette nouvelle révolution l'eût sauvé à moindres frais, peut-être, que le stress qui fera de lui, plus tard, l'Artiste, si certaines raisons, dont nous aurons à parler, ne l'eussent empêché d'aller jusqu'au bout de sa tentative. C'est de celle-ci que nous parlerons d'abord car elle a joué, en dépit de son échec, un rôle capital dans la personnalisation de Gustave : pour la première fois, l'enfant prend une vision globale de sa situation et cherche à se tirer d'affaire avec les moyens du bord : de huit à dix ans, il intériorise les reproches qu'on lui adresse et fonde sur eux une conviction nouvelle : il *est* acteur.

II

De l'enfant imaginaire à l'acteur

« J'ai près de trente pièces et il y en a beaucoup que nous jouons nous deux Caroline », écrit-il le 31 mars 1832, à dix ans. Quand Ernest est avec eux, il fait partie de la distribution. Mais ce qui frappe c'est que la plupart du temps le frère et la sœur sont les seuls interprètes : l'amuseur et l'amusée se retrouvent face à face et se donnent la réplique comme au temps où il faisait le médecin ou le commerçant et elle la malade ou la cliente. Avec cette différence considérable que ces premiers rôles étaient improvisés — les enfants imitaient les adultes mais dans la spontanéité — au lieu que, dans le salon du billard, les répliques sont imposées et qu'on les échange selon un ordre préétabli. D'où vient ce changement ? Est-ce une évolution ou une révolution ? Selon moi, l'une et l'autre : Gustave s'est voulu acteur quand il s'est découvert en train de jouer des rôles préfabriqués.

La petite a grandi : leur relation étant ludique, Gustave ne peut plus se borner à faire d'elle son public, il faut la faire entrer dans le jeu, inventer pour elle des personnages plus complexes que ceux de la cliente ou de la mère de famille. On les voit, ils divertissent, ils se *montrent* ; quelqu'un — l'oncle Parain ou Mme Flaubert — les aura conseillés, profitant de l'occasion pour faire de leur entreprise un divertissement instructif : on est allé chercher pour eux, dans la bibliothèque, les *Proverbes dramatiques* de Carmontelle, des œuvres de Berquin, de Scribe, de Molière, le docteur Flaubert, sans marquer beaucoup d'intérêt pour ces enfantillages, a consenti pourtant à leur céder le salon du billard et puis il a bien fallu leur expliquer ce qu'était un théâtre, un rôle, un mise en scène, une répétition, une représentation. Le petit garçon, à l'époque, ne connaissait, semble-t-il, que les marionnettes de Rouen.

On y avait donné *La Tentation de saint Antoine* et l'enfant, quoi qu'on en ait dit, a été moins sensible à la légende elle-même — bien qu'il faille attribuer à la persistance d'un très vieil éblouissement son entêtement ultérieur à donner aux trois versions de sa propre *Tentation* une forme théâtrale que le sujet n'exigeait guère — qu'à la *cérémonie de la montre* : ce fut, pour lui, une initiation véritable ; il assistait à un rite étrange et fascinant, inhumain et humain — la marionnette, morceau de bois mort hanté par un rêve de vie, a des mouvements saccadés d'automate et parle avec une voix d'homme [1] —, sérieux et gratuit tout ensemble puisqu'on payait pour assister à un spectacle parfaitement imaginaire et qui se donnait pour tel. Il comprend sans peine que, dans les vrais théâtres — ceux où l'on va « quand on est grand » — les marionnettes sont remplacées par des personnes mais il en tire cette conclusion — qui n'est pas pour lui déplaire — que ces personnes, quand elles jouent, se transforment en marionnettes, empruntant je ne sais quelle massivité ontologique à la matière inanimée et que, du moins en ce qui le concerne, il aimerait donner la comédie pour acquérir la dignité du bois mort.

Le voici donc jeté dans cette entreprise : il apprend par cœur des rôles, il en fait apprendre à Caroline, il répète chaque jour et, quand tout est prêt, les deux enfants s'exhibent devant un public restreint mais choisi. Reste qu'il pouvait se lasser, se rebuter devant les efforts demandés à sa mémoire ou — c'est ce qui arrive le plus souvent — se donner à ce nouveau jeu par foucades et sans trop de passion, le tenir pour un divertissement agréable mais non point unique. Or ce qu'il faut expliquer, au contraire, c'est son esprit de suite et sa frénésie : il en faut pour se faire menuisier, charpentier, décorateur, peintre et construire de ses propres mains tout un petit théâtre avec une scène, un rideau, des coulisses, des décors et, à l'occasion, des « toits » ; il en faut surtout pour constituer en deux ans — de 1830 à 1832 — un répertoire de « presque trente pièces » — entendons : de trente spectacles déjà montés et qu'il peut présenter à son public du jour au lendemain. Si Gustave s'est lancé à corps perdu dans cette aventure, c'est qu'elle lui a donné d'emblée ce qu'il cherchait à son insu. Il faut distinguer deux moments dans ce

---

1. N'est-ce pas ainsi qu'il voit la *vie*?

processus, encore qu'on ne puisse décider que de l'ordre dans lequel ils se suivent et non pas, faute d'informations, du laps de temps qui les sépare. Gustave a d'abord la passion de jouer la comédie, c'est-à-dire d'interpréter des personnages préfabriqués ; la décision réflexive de devenir acteur est une conclusion qui vient nécessairement *après*, lorsqu'il découvre qu'il l'est déjà.

Jouer des rôles. Il était temps. Déréalisé, il s'irréalisait au petit bonheur, sans succès ; il avait commencé de chercher, devant sa glace, cet Il introuvable que les autres tournent en dérision. De toute façon, cette *persona* l'inquiète et le fuit ; variable, inconsistante, elle est si diaphane qu'il voit le jour au travers et puis il a beau se tendre et s'efforcer, il ne peut ni l'installer en soi ni se dépasser vers elle : de toute manière, ce sont les autres qui en ont le secret. Or, à peine s'est-il glissé dans un rôle préfabriqué, c'est un étourdissement de bonheur, une incroyable révélation : contre la fragilité de sa *persona* improvisée, il pense avoir trouvé la protection la plus sûre. Entre celle-ci et le *personnage* d'une pièce écrite, la différence n'est pas si grande : il s'agit, de toute façon, d'une troisième personne du singulier qui se joue à la première personne, d'un Il qui dit « Je ». Or la consistance, la « *Selbstständigkeit* », la stabilité fondée sur la tradition et, pour tout dire, l'*être* sont du côté du personnage. Il n'a pas attendu Gustave pour naître, ses gestes et ses dicts sont notés et détaillés dans des livres imprimés, les grandes personnes parlent de lui comme d'une de leurs connaissances : il existe, il vit, la preuve en est qu'on dit qu'il est vrai ; puisque ses réactions affectives sont tenues pour authentiques alors qu'on refuse toute vérité à celles de l'enfant déréalisé, celui-ci, pour éprouver vraiment les sentiments de son personnage, n'a qu'à prendre la peine de les *exprimer* comme il convient. Cela signifie d'abord que, *sur la scène*, Gustave prête son corps et son sang et reçoit en échange la garantie que ses conduites sont justifiées. « À la ville », on les lui reproche toujours : elles sont hyperboliques, insincères, immotivées. Or il se trouve que les spectateurs s'accordent sur un point : quel que soit le personnage — avare, stupide ou fanfaron —, il ne fait jamais que ce qu'il peut et doit faire, compte tenu de son caractère et de la situation. À l'instant que le petit garçon se met « dans la peau du rôle », ses comportements seront motivés par les passions de celui qu'il interprète et il n'en faudra pas plus pour les rendre nécessaires. Et le genre comique exige une certaine outrance, la véhémence même que, dans la vie quotidienne, le chirurgien-chef tient pour exagérée : l'hyperbole, ici, ne peut être imputée à l'acteur mais au personnage lui-même que les quiproquos et les contretemps ont vite fait de mettre « hors de lui », poussant à leur paroxysme ses ridicules ou ses défauts. Le petit garçon s'enchante de s'emporter et de s'époumoner *sur ordre* : il est cautionné par les indications d'un poète mort, il n'en fera, croit-il, *jamais trop*. La rigueur et la précision de la machinerie comique, il est encore trop neuf pour les entendre parfaitement mais il les ressent intimement du fait que les gestes et les répliques s'imposent à lui dans leur enchaînement comme autant d'*impératifs* : le rôle se présente comme un *être-autre* qu'il *doit* intérioriser. Et, par là, il séduit doublement Gustave. En premier lieu celui-ci retrouve dans cette obligation le mouvement même par quoi il cherche à intérioriser son être, c'est-à-dire, je l'ai montré, cette apparence qui lui échappe et qu'il est aux yeux des autres. Mais jusqu'alors sa quête était restée vaine : il ne pouvait se *faire* cet objet qu'il savait être pour eux puisqu'il eût fallu d'abord se voir du dehors en empruntant leur regard. Or il se trouve, à présent, que le personnage à incarner est — pour lui comme pour n'importe quel spectateur — d'abord un pur *dehors* qu'il connaît et juge en extériorité tout en n'ignorant rien de ses motivations les plus secrètes. Il est, par rapport à celui qu'il *sera*, simultanément autre et futur soi-même ; ainsi l'apprentissage du rôle est un processus systématique de réappropriation de son *être-autre* par la mémoire, l'intuition et la recréation ; il ne *s'échappe* plus, bien au contraire ; dans cette anamorphose, il vient à soi *connu* et ne cesse de s'approfondir : c'est qu'il doit intérioriser son apparence pour la réextérioriser comme elle lui est apparue. Ainsi lui semble-t-il qu'il réussira sur scène ce qu'il a si souvent manqué dans sa jeune vie. Mais — et c'est l'autre raison de sa jubilation — alors que, devant la glace ou dans ses relations avec Caroline, l'entreprise de récupération le décevait par sa gratuité même (personne ne l'avait mandaté), il se trouve, en tant qu'acteur, *chargé de mission*. C'est la volonté d'un auteur disparu qu'on restitue la chaleur et la vie à ses créatures qui, sans le dévouement des spécialistes, resteraient, dans les bibliothèques, enterrées dans les livres et plus mortes que les cailloux. Et si l'on prétend lui obéir, c'est son exigence expresse qu'on les ressuscite exactement telles qu'il les a conçues. Il va de soi que la soumission totale de l'enfant à ces exigences étrangères, malgré la marge étroite de liberté que lui laissent les indications scéniques, portent son aliénation à l'extrême. Mais il lui plaît d'être aliéné à son être : c'est rassurant et confortable. Une autorité souveraine lui impose de devenir ce qu'il est ; cela signifie que quelqu'un — fût-ce une morte volonté — a la bonté de se soucier de lui ; vassal de Molière, celui-ci lui fait don du faisceau d'impératifs rigoureux qu'on nomme un personnage, il leste de sérieux la tentative de récupération (qui constitue le sens de la personnalisation de Gustave) en la lui présentant comme son devoir le plus sacré. Fais ceci, dis cela, sois l'Avare, sois Pourceaugnac. Ce mandat protège Gustave contre la *persona* diverse et contingente que ses parents lui imposent avec sa complicité. L'ambiguïté, le hasard, les qualifications contradictoires feront place, croit-il, à un ensemble net et rigoureux de prescriptions, à un asservissement délicieux et consenti, au terme duquel il se *montrera* tel que le veut Molière et tel qu'il est.

Il va de soi que le petit garçon, dès qu'il passe à la seconde phase de l'opération, c'est-à-dire à la réextériorisation du personnage, s'aperçoit, non sans quelque déception, qu'il n'a pas quitté le monde imaginaire. Bien au contraire, il s'y est enfoncé davantage : il est ainsi truqué à présent que toutes ses tentatives pour trouver un point d'appui réel ne font qu'accroître son irréalité. Il a cru d'abord qu'il se réaliserait à travers les personnages, il sent, à présent, qu'il s'irréalise en eux : à peine commence-t-il à jouer, tout ce qui, au moment de l'intériorisation, lui paraissait opaque et dense, brusquement perd substance et pesanteur. Même les grands hurlements, les sanglots, la gesticulation qui devaient exprimer la plénitude des passions et leur violence, à peine leur a-t-il prêté sa voix, ses membres, mystérieusement allégés, victimes d'une dématérialisation secrète, échappent à l'attraction terrestre et menacent de l'emporter avec eux dans les airs. C'est qu'il ne ressent pas ce qu'il exprime. Ou du moins, pas tout à fait : disons qu'il ne croit pas assez qu'il est son personnage. Pas assez : un peu, tout de même ; beaucoup plus, en tout cas, que les petits comédiens qui l'assistent. Habitué à ne jamais ressentir exactement ce qu'il exprime, il ne faudrait pas croire qu'il oppose à *Poursôgnac* un certain Gustave qui serait sûr de ses émotions. Tel est Ernest, sans doute, telle est Caroline assurément : celle-ci se prête avec plaisir mais sans perdre ses certitudes intimes. Du jeune Flaubert qui n'a pas de certitudes, on ne dira pas qu'il reproche à son personnage d'être un imaginaire mais plutôt qu'il déplore que les sentiments qu'il a mandat d'exprimer ne soient ni plus ni moins réels que ceux qu'il éprouve en toute spontanéité : jouer la rage ou la peur, pour lui, c'est les sentir, dans la mesure où, depuis sa déréalisation, les sentir c'est les jouer. Reste que *Pour-*

sôgnac existait bien avant qu'il s'en fît l'interprète, qu'il s'impose avec une abstraite rigueur qui, n'étant point sa *réalité*, ne peut être que la marque de sa *vérité*, reste que les autres croient en lui puisqu'ils rient. Cela suffit à Gustave. Certes il est encore bien loin de comprendre ce que les grandes personnes entendent par la vérité d'un caractère : il s'agit plutôt de se conformer aux *ordres* et de produire un *ordre particulier* dont l'être objectif est garanti par sa cohésion et son unité ; cette unité synthétique d'images singulières, dont chacune renvoie à toutes et à chacune, est à l'origine de ce qui lui paraîtra plus tard la *vérité de l'illusion* et qui, en fait, plus qu'aux normes du vrai, ressortit à celles du Beau. Pour l'instant, la vérité du personnage, c'est l'aliénation sécurisante du petit garçon à des impératifs étrangers : il lui semble que sa vie se dépouille et se resserre : les mots et les gestes qu'il reprend en charge, ce n'est pas le caprice d'un Haut Seigneur qui les lui dicte : ils se sont imposés au dramaturge comme ils s'imposent à Gustave car leur fonction expresse est de *faire avancer l'action* ; ainsi, après la parole dite, quelle qu'elle soit, l'enfant ne peut plus revenir en arrière, il est au contraire projeté dans une situation nouvelle et, de proche en proche, il court à la catastrophe. L'enfant passif subissait jusqu'alors, dans l'ennui, le glissement vague et mou, monotone par incohérence d'une temporalisation qui semblait n'aller nulle part ; la durée intersubjective, c'était celle de la famille donc de la répétition, les saisons, les fêtes et les tâches revenaient sans cesse, une occasion manquée se représentait bientôt, on pouvait toujours reprendre son coup. Mais son inquiétude et son fatalisme prophétique s'accommodaient mal de ce temps sans mémoire où rien ne compte, où rien ne s'inscrit et qui semble se perdre *pour rien* sinon pour ressusciter à date fixe, aussi nul. Gustave soupçonnait, derrière ce retour écœurant, une menace. Le propre de la passivité constituée, nous le savons, c'est le fatalisme : une « nature » passive ne fait que se définir lorsqu'elle se dit qu'elle est emportée vers un destin cruel sans rien pouvoir faire pour y échapper. Ainsi de Flaubert, qui « prophétise » de bonne heure, partant du principe que le pire est sûr : c'est éprouver sa passivité comme une paralysie ; quand l'événement lui *manifeste* un avenir possible, celui-ci devient inévitable du seul fait que l'enfant a conscience de ne pouvoir l'éviter. Reste que le temps répétitif et vague du vécu se prête mal aux oracles : toujours recommencé, stagnant ou lentement écoulé, sans direction visible, il ne permet pas au petit garçon de donner à ses malheurs futurs l'évidence et l'imminence qu'il souhaiterait. Aussi, même quand il prophétise, il se sent insincère : non qu'il n'ait l'intuition d'un destin mais la rigueur du *Fatum* ne peut trouver place dans la mollesse contingente du vécu familial. Il faudrait pouvoir ajouter à la première maxime cette autre qui définit un temps orienté : «Tout ce que je ferai pour me soustraire à mon sort n'aura pour résultat que de m'y enchaîner.» Or, dès qu'il monte sur les planches, Gustave découvre avec ivresse l'irréversibilité du temps historique : non point comme le sujet qui fait l'Histoire mais comme l'objet qui la subit. Dans cette perspective, l'irréversible apparaît nécessairement comme un destin. Du coup l'acteur prophétise : il connaît son rôle par cœur, il n'ignore ni la péripétie ni la catastrophe; chaque réplique, chaque geste le rapprochent de l'événement qui clôt la pièce et qu'il contribue à produire par les actes qui tentent de l'éviter. L'avare perdra sa maîtresse, sa cassette : on ne lui rendra ni l'une ni l'autre; il les perdra par sa faute : Gustave le sait; Harpagon ne le sait pas. Mais la connaissance extra-lucide de l'avenir, chez l'interprète, ne fait qu'accentuer le sentiment de son impuissance : loin de pouvoir prévenir son personnage, il est contraint de le faire agir et parler de la manière qui lui sera le plus nuisible; cela signifie que, pour incarner Harpagon, il doit oublier son pouvoir oraculaire et s'affecter, sur ordre, de l'ignorance de celui-ci. Ignorance irréelle qui n'est rien d'autre qu'un savoir passé sous silence : celui-ci, qu'il faut garder comme un schème directeur de l'interprétation tout en l'écartant des zones éclairées de la conscience, se transforme en intuition d'une inéluctable mais inconnaissable nécessité : une à une les tirades sortent de l'ombre et *se font dire*, prévues et imprévues, innocentes et fatales, communiquant au vécu leur urgence, Flaubert-Harpagon court au désastre et le *sent* mais ne peut ni ne veut le savoir : la prophétie sans mot, c'est la trame même de la temporalisation. Le fatalisme de Gustave a deux sources : sa passivité constituée et la Malédiction paternelle qui a réglé sa vie jusqu'à la mort; quand il joue, il découvre le temps irréversible de la malédiction mais une autorité étrangère s'est substituée à celle du *pater familias*, celle de l'auteur, tout aussi sévère mais bénéfique, qui lui donne le destin d'Harpagon pour l'arracher à celui du cadet Flaubert tout en le faisant accéder à la plus haute instance temporelle, à la temporalité orientée dont il a besoin pour penser sa vie, pour se penser.

Certes l'intuition de l'irréversible n'est donnée à Gustave qu'autant qu'il joue un rôle préfabriqué. Quand le rideau tombe, il retrouve la flasque durée végétative qui est son lot au sein de la circularité familiale. N'importe : cette durée-là n'est pas *plus réelle* que l'autre puisque l'idiot de la famille n'est pas plus réel qu'Harpagon. Le résultat, c'est que l'enfant peut se reporter à celle-ci comme à la vérité cachée de l'autre : la face obscure du temps cyclique c'est le temps, irréversible, du théâtre. Ainsi se glisse-t-il dans un temps imaginaire et vrai, celui-là même dont il avait besoin quand Harpagon réclama son jeune sang et lui céda, du même coup, l'implacable durée théâtrale. L'enfant est *chez lui* quand il se temporalise en avare : il admire la beauté funeste de la séquence d'impératifs qui s'engendrent les uns les autres et l'enferment dans un destin qu'il *déguste* tant qu'il joue et dont il garde mémoire quand il retourne à son exil : désormais la *catégorie* d'irréversibilité lui permet de prophétiser plus hardiment ; il *ne vit pas* dans le milieu de l'irréversible mais il peut le penser puisqu'il y a vécu et *peut* y revivre sans cesse ; le résultat, c'est qu'il déréalise le réversible cyclique et sa contingence : c'est sa temporalisation théâtrale, devenue schème directeur de ses pensées, qui lui permet de concevoir sa vie, d'en avoir « un pressentiment complet ». Ce sera un des charmes singuliers et inimitables de *Madame Bovary* que de nous présenter simultanément les deux durées, l'une vécue dans sa lenteur répétitive, dans son ennuyeuse langueur, l'autre tout oraculaire mais cachée, temporalisation théâtrale sous-tendant la temporalisation romanesque et qui, se manifestant de temps à autre par des intersignes, nous révèle, en ces instants de foudre, qu'Emma court à sa perte et s'acharne à réaliser son destin de damnée. Le lecteur, en se prêtant à cette temporalité en partie double, a parfois le sentiment de retrouver le goût du vécu chez Flaubert, la déréalisation réciproque du temps subi et du temps conçu, de la contingence et du destin, de l'ennui et de l'angoisse. Quand l'enfant, en tout cas, se fait interprète, il fait, dans l'imaginaire, une expérience complète de tout ce qui lui manque pour *être* enfin soi-même : cela signifie d'abord qu'il connaît la volupté pour lui nonpareille de *s'oublier* et de *se faire un autre* qui pourtant n'est pas différent de lui-même. D'une certaine façon, il serait juste de considérer l'interprétation théâtrale, chez Gustave, comme une absence tirant son origine des hébétudes de l'enfant, mais plus complexe en ceci qu'elle est téléguidée ; il se jette en Harpagon, s'y dépasse et s'y retrouve non comme sa réalité mais comme sa vérité normative ; pour les spectateurs et *par eux*, il est Harpagon, en ce sens son être le fuit toujours, à ceci près, qui est capital, qu'il *sait* ce qu'il est pour eux et que son office est de les amener, conformément aux prescriptions d'une volonté sacrée, à constituer et à enrichir peu à peu *cette apparence qui est son être*. En connaissance de cause, par tous ses gestes et par tous ses mots : rien de trop, ses comportements, dégraissés, asséchés sont *tous* efficaces, il n'en est pas un seul qui ne soit indispensable, pas un seul qui, tout en le peignant, ne soit en même temps vécu par lui-même et par le public comme un rite solennel et sacré, pas un seul qui ne l'engendre tel qu'un géniteur mort a voulu qu'il soit ; ainsi, dans le monde semi-réel de l'inter-subjectivité familiale, ses comportements, quoi qu'il en ait, visent à le réaliser tel que l'a voulu le *pater familias*. Mais, quand il croit faire montre de son obéissance, ses comportements sont jugés inadéquats par défaut ou par excès, Achille-Cléophas ne le *reconnaît* pas — sans doute parce que ce terrible Moïse a engendré son cadet tout exprès pour ne pas le reconnaître. Au lieu que l'autre géniteur, Molière, par exemple, si le petit garçon se soumet à toutes ses exigences, ne pourra faire moins que de reconnaître sa créature, disant, par sa voix d'outre-tombe : tu as été ce que je voulais que tu fusses, c'est bien ! Par son obéissance même, Gustave est dégagé de toute responsabilité, sauf celle de *manifester* clairement ce qu'on lui enjoint d'être : quant à ce qu'il *est*, avare ou fat ou sot, il ne s'en tient pas pour responsable ; non qu'il se désolidarise de Poursôgnac ou d'Harpagon : c'est lui qui pleure sa cassette perdue ; mais, ici, l'auteur prend tout sur soi, on ne reprochera jamais à Gustave d'être *trop* ladre, tout juste pourrait-on, s'il jouait mal, lui faire grief de ne l'être pas assez. La coïncidence parfaite du petit acteur avec son personnage, loin de lui être reprochée, apparaît au contraire comme louable puisqu'on la salue par des applaudissements. Ainsi l'irréversibilité du temps montre son ambivalence bénéfique puisque, depuis la première réplique, le personnage court inéluctablement à sa perte et l'interprète à son triomphe. Mais, pour l'enfant déréalisé, absentéiste, le personnage n'est autre que sa *persona* créée et garantie par la bienveillance de l'Autre : protégé par une armure invisible, il s'offre aux coups, exhibe, irresponsable, la transposition préétablie de ses ridicules et de son malheur. Irresponsabilité, soumission, vassalité heureuse et récompensée, caution de l'Imaginaire par une volonté souveraine, par la nécessité des enchaînements, par la tradition et le consentement universel, connaissance *a priori* de son être-pour-autrui, ambivalence du *Fatum*, justification du *pathos* — c'est-à-dire non seulement de sa gesticulation excessive mais de sa passivité constituée qui, lui interdisant l'action, l'incite à s'abandonner à ce qu'il est et à montrer ses passions par des gestes —, croyance pithiatique, jamais entière mais consolidée par celle d'autrui, qu'il éprouve en vérité ce qu'il exprime, voilà ce que l'enfant reçoit de son expérience théâtrale, tant qu'elle demeure dans l'immédiat de la spontanéité irréfléchie, autrement dit, tant qu'il se produit sur la scène, mû par le seul besoin d'échapper à sa *persona* inconsistante et fastidieuse en lui substituant l'être d'un personnage.

A. — ÊTRE ACTEUR

Malheureusement le passage à la réflexion n'était pas évitable. Quelqu'un lui aura dit, sans y attacher d'importance : « Tu ferais un excellent acteur. » Cet éloge étourdi a pour résultat de changer l'objectif de sa quête et le sens du processus de récupération. Les mots font des ravages quand ils viennent à nommer ce qui était vécu sans nomination : ils suscitent une réflexion complice en lui proposant une signification du réfléchi qui n'est en vérité qu'une hypothèque sur l'avenir, qu'une extrapolation qui ne peut être acceptée réflexivement sinon par un serment. J'ai cité déjà cette phrase de Mosca parlant de Fabrice et de la Sanseverina : « Si le mot d'amour vient à être prononcé entre eux, je suis perdu. » Par ce terme, la collectivité affirme son droit de regard sur l'intimité la plus purement subjective, elle socialise la tendresse un peu folle qu'éprouvent l'un pour l'autre la jeune tante et son neveu : celle-ci était indéfinissable non parce qu'ils avaient peur de la définir mais parce qu'ils ne se souciaient simplement pas de lui donner un statut, parce qu'ils la vivaient au jour le jour pour le simple plaisir de la vivre et qu'elle n'était jamais plus et jamais moins que ce qu'elle leur *paraissait*, quand ils étaient ensemble, ne se dépassant que par les regards, les sourires et les gestes qui la communiquaient de chacun à l'autre ; parce qu'elle échappait encore au vertige de l'engagement. « Que le mot d'amour soit prononcé[1] », la voici dotée d'un passé, d'un avenir, d'une essence objective, constituée par l'évolution historique des mœurs, la sagesse des nations, d'une

---

1. En fait, il ne le sera pas. On sait comment tourneront les choses.

valeur positive et souvent d'une anti-valeur qui témoignent l'une et l'autre des contradictions de l'idéologie en vigueur ou des idéologies qui s'opposent ; ses développements — elle n'en avait aucun d'abord, elle *existait*, rien de plus — sont prévus, sa fin connue d'avance, médiocre ou tragique, bref c'est un quasi-objet, un produit de culture qu'il faut intérioriser. La réflexion est prise au piège : elle entérine et, pour préserver son pouvoir signifiant, reprend à son compte la signification. Le changement est radical : l'émotion, la tendresse, le trouble même étaient leur propre fin, on souriait de bonheur ou dans un élan vers l'autre ou parce que l'autre souriait et qu'on voulait sentir sur ses propres lèvres ce sourire offert. Changement à vue : l'amour est la fin, l'émotion tendre, le désir sont des moyens de le maintenir à l'être, c'est-à-dire de rester fidèle au serment ; ce sont des *preuves*, des promesses renouvelées et, en même temps, des aliments de cette flamme abstraite, de l'amour-autre — ou amour des autres — qui réclame sans cesse du combustible car il n'est rien qu'un serment soutiré à chacun d'eux par la société avec la complicité de l'autre et qu'aucun des deux ne peut « trahir » sans se renier lui-même : on nourrira donc le vampire, on s'aliénera à cette tâche infinie pour cette fin dernière — ou ultime mystification — la fidélité à soi.

Encore ne s'agit-il que d'un sentiment ; pour le pauvre Gustave, le serment proposé l'aliénera *dans son être*. Un officieux mal inspiré croit lui plaire en lui signifiant *sa réalité* — d'ailleurs hypothétique. C'est la première fois depuis la Chute : on peut penser que l'enfant déréalisé se jette dans le piège qu'on lui tend ; il passe vite du conditionnel au catégorique. *Tu serais... tu ferais* ; son interlocuteur veut dire : si ton père n'avait sur toi d'autres desseins ; Gustave s'empresse d'entendre : si tu n'étais pas paresseux, instable ; de là au futur simple, il n'y a qu'un pas : si tu t'appliques, tu seras acteur. C'est donc qu'il l'*est* déjà, au moins en puissance. La réflexion surgit aussitôt, opère une transsubstantiation : pendant qu'il croyait être Harpagon, Poursôgnac — sans en être, d'ailleurs, tout à fait convaincu — il *était* en réalité un comédien, c'est-à-dire un être vivant qui a la puissance d'animer des personnages imaginaires. Au niveau réflexif, en effet, les créatures de Molière et de Carmontelle révèlent leur inconsistance : certes elles sont impératives et vraies mais elles resteraient dans les livres si Gustave ne leur prêtait sa vie. Gustave : non pas la *persona* du cadet Flaubert mais celui qui se définit par sa puissance d'incarner tour à tour Harpagon et Poursôgnac et qui, conséquemment, ne peut se résumer ni dans l'un ni dans l'autre. Ainsi, pense-t-il, mon être m'échappait : il réside en fait dans un pouvoir que j'ai — puisqu'on me le reconnaît. Plus tard, en effet, quand il repense à la période du billard, il dit fièrement : « Je pouvais être acteur, *j'en avais la force intime* », ce qui montre assez que la révélation réflexive lui a découvert son être comme une *plénitude* : il est ce que l'on appelle au théâtre un « tempérament », il a de la « présence ». Le Don réapparaît sous sa forme seigneuriale ; il « a du don » ; le don de se donner au public, de lui donner à voir un personnage auquel il donne le trop-plein de sa vie. Jouer la comédie, c'est pratiquer la générosité, combler des spectateurs qui, en retour, lui rendent l'hommage de leurs bravos. Aussitôt dit, aussitôt fait ; il a prêté serment : je serai ce que je suis, l'*Acteur*.

Le pauvre enfant ! On l'a mis dans de beaux draps : un fâcheux bien intentionné mais redoutable lui a donné à croire que son génie dramatique était la conséquence rigoureuse d'une exubérance naturelle qui cherchait à se dépenser. Quand il s'apercevra — entre neuf et douze ans — que c'est tout le contraire et que l'on doit intervertir les signes, remplacer la plénitude par la pénurie, il sera déjà trop tard. S'il se jure d'être acteur, c'est qu'il a cru que les autres le tenaient pour tel ; le processus nous est familier : c'est de la même façon qu'il a été vassal, puis, de bien mauvais gré, seigneur ; toujours en quête de son être-autre, il a tenté de rire de son reflet puis de voler leur être aux personnages de la comédie classique. À présent le malheureux se jette dans un nouveau guêpier et se met à *faire l'acteur* : ce n'est certes pas qu'il ait *senti sa force intime* ; c'est qu'il demeure une image en quête de sa réalité. Il croyait l'avoir trouvée dans des rôles préfabriqués : en le complimentant sur son talent, on lui a fait comprendre que, loin de se lester de leur être, il ne donnait vie à ces personnages qu'au prix d'une déperdition du sien. Reste qu'il s'est irréalisé en eux et que l'acteur est au moins cela : un *être* qui se perd pour montrer des images. Ce qu'il cherche en vérité, il le comprendra vite, ce n'est point la puissance de l'acteur mais le minimum d'être que confère à celui-ci son statut. Cherchons avec lui ce que ce pis-aller, l'être d'un montreur d'images, peut apporter de *réalité* à un enfant en proie à l'imaginaire. Ou, si l'on préfère, s'il peut satisfaire son humble besoin de récupération en passant de cette constatation chagrine : « Je ne suis rien d'autre que les rôles que je joue », à ce cri d'orgueil : « Je suis un être dont l'office réel est de jouer des rôles. »

*

Une statue, c'est une femme imaginaire : cette Vénus n'est pas, n'a jamais été. Mais le marbre existe comme *analogon* de la déesse : et comment distinguer la beauté, la pureté de la matière de cette forme qui la vampirise ? Et le sculpteur existe ou a existé, qui l'a conçue et réalisée par son ciseau au prix d'efforts bien réels. Bref Vénus n'est pas mais la statue existe : on la connaît, on l'apprécie, elle a un prix défini, quelqu'un ou quelque organisme la possède ; veut-on l'envoyer en pays étranger pour exposer les œuvres de son auteur, on connaît son poids, sa fragilité, on prendra des mesures pratiques. J'appelle cet étrange objet pour la première fois ici d'un nom que nous retrouverons souvent par la suite, centre réel et permanent d'irréalisation. De fait s'il a un être individué, s'il n'est pas demeuré pierre dans les montagnes de Carrare, c'est qu'on lui a donné la fonction de figurer un certain non-être ; mais inversement, dès lors que ce non-être en tant que tel est reconnu comme détermination de l'imaginaire social, l'objet tout entier est *institué dans son être* : la société lui reconnaît donc une vérité ontologique dans la mesure où l'être de cet objet est considéré comme incitation permanente à se déréaliser en irréalisant ce marbre en Vénus. L'objet est support de l'irréalisation mais l'irréalisation lui donne sa nécessité parce qu'il faut qu'il soit pour qu'elle ait lieu. Ici, loin que l'imaginaire soit fuite, vague, sans contours, il a lui-même la force, l'impénétrabilité et les limites du morceau de marbre. L'être compact et inerte de la pierre est là pour se déréaliser publiquement en déréalisant ceux qui le regardent ; mais du coup quelque-chose de sa consistance immuable et de sa radieuse inertie passe dans la Vénus ou la Pietà ; la femme de pierre, c'est l'idéal de l'Être : la figuration d'un pour-soi qui serait comme le rêve de l'en-soi. Ainsi la pierre sculptée, minéral indispensable à une irréalisation en commun possède sans doute le *maximum d'être* si nous pensons que dans l'intersubjectivité sociale l'*être* est l'être-pour-autrui quand il est institué.

J'ai pris mon exemple au plus simple : l'être, ici, c'est le pratico-inerte de l'imaginaire ; un impénétrable à demi clos, reconnu de tous, une marchandise avec au centre une fuite *déterminée* et fixe ; une fonction, une valeur, une exigence. Mais c'était pour en venir au statut de l'acteur. Ce qui complique les choses, ici, c'est que l'acteur n'est point un bout de matière inorganique qui a absorbé du travail humain mais un homme vivant et pensant dont l'irréalisation, chaque soir, est un dosage imprévisible de répétitions et d'invention : au pis, il approche de l'automate, au mieux il dépasse les habitudes acquises en « essayant » un effet. N'importe : il ressemble à la statue en ceci qu'il est centre permanent, réel et reconnu d'irréalisation (la permanence étant ici perpétuel recommencement plutôt qu'inerte subsistance). Il se mobilise et s'engage tout entier pour que sa personne réelle devienne l'*analogon* d'un imaginaire qui se nomme Titus, Harpagon ou Ruy Blas. Bref, chaque soir, il se déréalise pour entraîner cinq cents personnes dans une irréalisation collective. La différence qui le sépare du petit Gustave qui, lui aussi, s'irréalise à longueur de journée, c'est que celui-ci le fait à l'aveuglette, sous l'influence de pulsions qu'il ignore et qu'il prend à la fois pour des hasards et une inspiration maligne ; en outre l'enfant se perd : telle qu'il la pratique, l'imagination fuse dans le non-être, c'est une décompression d'être, d'autant qu'il opère *sans mandat* ; vague et floue, en dépit de certaines redites, cette irréalisation ne revient pas sur lui comme un *office* ; il ne sait même pas qu'en se donnant en spectacle, il invite les autres ou à le démasquer ou à s'irréaliser avec lui : de fait, nous le savons, il joue pour que l'irréel — c'est-à-dire l'apparence — soit *ici* le paraître et là-bas, l'être irrécupérable contre lequel il ne cesse de se prémunir. Bref il est comédien-mythomane, c'est-à-dire conscient de se muer en apparence pour que les autres, plus ou moins dupes, prennent cette apparence pour son être et, par leur croyance manifeste, la lui renvoient comme son être et le persuadent qu'il est. Position instable qui entraîne ensemble le cynisme et la naïveté, la conscience d'être imaginairement ce personnage pour les autres et, somme toute, de les duper et, simultanément, le fol espoir que, par leur médiation, il reviendra à soi comme étant réellement ce qu'il joue. Il y a, comme toujours chez Gustave, une conscience *retenue*, qu'il empêche de se développer ; car s'il développe jusqu'au bout la conscience de se faire apparence pour les autres, il n'échappera pas à cette conséquence : *ou bien* ils saisissent en effet l'apparence pour ce qu'elle est donc ils ne croient pas ce qu'il prétend leur faire accroire *ou bien* ils sont dupes et leur témoignage perd toute importance. Par cette raison, d'ailleurs, il se dépense devant des juges impénétrables : ou bien le magistrat suprême *rit de lui* ou bien les autres se taisent et regardent ou bien leurs commentaires ne sont point convaincants. Ce qu'ils disent, c'est alors ce que Gustave souhaite qu'ils disent mais il n'y a aucun moyen d'apprécier la *valeur* de leurs dires. Pourtant — et ce sont ces intuitions qui le caractérisent aussi — à travers l'erreur, il pressent obscurément le vrai : il peut, *en jouant et parce qu'il joue,* demander aux autres d'instituer son être ; il s'est trompé en un seul point : ce qu'ils déclarent réel à bon droit, à l'instant même qu'ils le réalisent, ce n'est pas le personnage, c'est l'interprète. C'est ce qui a fait que Parain ou n'importe qui a déclaré : tu seras (tu es en puissance) un acteur.

Kean est *reconnu* par son public comme la *Vénus* de Milo. Quand on pense à lui, c'est comme à un être réel qui est la médiation indispensable entre les réalités individuelles — qui, en tant que telles, n'ont pas d'imagination commune — et cet irréel collectif qu'est Hamlet par exemple. On s'arrache les billets pour aller voir Kean en Hamlet, ce qui rappelle que les touristes se pressent à San Pietro dei Vincoli pour voir un marbre de Carrare en Moïse. L'acteur est créé par les rôles comme les médecins par la maladie. Un théâtre national a un *répertoire*, détermination fixe de l'esprit objectif, et ce répertoire *attend ses hommes* : *les* Hamlet passent, Hamlet demeure, exigeant de nouveaux interprètes et les suscitant ; les rôles se groupent en emplois et désignent, dans l'abstrait d'abord, leurs futurs titulaires ; il y a le jeune premier, le grand premier rôle, les troisièmes couteaux, les rondeurs, etc. Dans la mesure où ils sont eux-mêmes des centres réels d'irréalisation (ils sont le produit d'un travail, conservés et retravaillés d'une génération à l'autre, on peut les approfondir mais non pas y changer un mot, celui qui les interprète les installe en lui comme des impératifs catégoriques), ils désignent leurs futurs interprètes *dans leur réalité* : il faut avoir la voix, la taille, l'air de tête qui convient. Mieux : le caractère constitué entre en jeu ; la timidité, une certaine incapacité de conduire les événements jointes à un nez en pied de marmite : voilà le jeune premier comique, toujours bousculé, ballotté par le cours des choses ; une agressivité jointe à quelque superbe désigne pour les emplois de rois et de reines dans les tragédies. À vrai dire, il s'agit surtout d'apparence et l'on imagine sans peine que le monarque de tragédie recrute ses interprètes parmi ceux qui *jouent les monarques* dans la vie. N'importe : entre le rôle et l'homme — nous le verrons mieux tout à l'heure — il faut qu'il y ait appropriation ; et comme le rôle exige l'homme avec le sérieux et l'intransigeance du pratico-inerte, c'est-à-dire d'une matière ouvrée, l'apparence du candidat, s'il est finalement accepté, reçoit un statut d'*être*. Il est désigné comme ayant les « *qualités* requises ». À partir de là, le lauréat fait un dur et long apprentissage : il *travaille*, tout comme un forgeron ou un charpentier ; il *apprend le métier*, c'est-à-dire l'ensemble des techniques d'irréalisation collective : comment *produire* l'illusion, comment *empêcher* qu'elle s'évanouisse. Bref l'imaginaire n'est plus l'abandon spontané au paraître : c'est la fin d'un travail rigoureux ; on réapprend tout : à respirer, à marcher, à parler. Non *pour soi* : pour que la marche soit une *montre*, pour que le souffle permette de moduler cette autre *montre* : la voix. L'apprentissage est long : la formation d'un acteur entraîne une dépense sociale qu'on peut calculer. S'il sort premier du Conservatoire, l'investissement sera rentable : pendant un nombre d'années qu'on détermine en fonction des chances de vie contemporaines, il contribuera à remplir le théâtre, à faire monter les recettes dont une partie sera réinvestie dans le théâtre même : en principe, il est donc *productif*. En conséquence de quoi, il arrive, par exemple à la Comédie-Française, qu'il signe un engagement avec l'État : il ne quittera pas le théâtre avant une date déterminée. Le voici défini d'avance dans son être : c'est un fonctionnaire, un salarié qui remplit un certain emploi pendant une certaine durée et qui, en échange, reçoit un pouvoir réel, celui d'irréaliser selon certaines techniques et certaines directions (prescrites par le rôle) certains soirs sept cents personnes en les faisant participer à sa propre irréalisation. Ainsi est-il *institué* ; la faveur du public fera le reste et, quand elle est grande, il sera comme l'*homme de l'illusion*, élevé au rang de *bien national*. C'est *dans son être* qu'on le sacrera — dans certains pays — héros du travail, stakhanoviste de l'illusion — et que, dans d'autres, chez nous par exemple, on le décorera ou, en Angleterre, on l'anoblira. Cela signifie qu'on lui reconnaît un *pouvoir réel* d'illusionniste et qu'on le remercie d'en faire usage au profit de la communauté. Par cette raison, les jeunes gens sont souvent un peu déçus, quand ils rencontrent un acteur célèbre, de voir un homme d'une élégance stricte, à la physionomie sévère, aux gestes sobres, qui porte un ruban à la boutonnière et semble fort ennuyeux par la modération affichée de ses opinions : où donc se cachent-elles, la folie du roi Lear et la fureur d'Othello ? La réponse est qu'elles ne se cachent nulle part : elles ne sont point, voilà tout. Ce soir, il retrouvera sa déperdition d'être. Sans risque puisqu'elle est calculée, contenue de toute part par des règles de fer. Pour l'instant, laissons-le jouir de son être : il *est* sociétaire de la Comédie-Française, apprécié pour ses capacités et sa conscience professionnelle ; il est cet homme honorable, qui appartient aux classes moyennes et qui, outre son salaire, touche au cinéma d'importants cachets, d'autant plus soucieux de son être réel que l'irréalité est tout ensemble blanche et noire et qu'il faut lutter contre la mauvaise réputation que lui font certains irresponsables. Après cela, bien sûr, il est fou à lier, l'imaginaire le ronge ; le respectable bourgeois que vous voyez, c'est son être et c'est aussi *sa montre* : il se montre comme celui qui, sauf sur les planches, a horreur de se montrer. Mais, cette fois, c'est *son être* qu'il donne en spectacle, il s'irréalise dans la réalité qu'il a gagnée. Disons qu'il se cramponne à la vérité qui lui est venue du dehors. Un acteur — surtout s'il est grand — c'est d'abord un enfant volé, sans droit, sans vérité, sans réalité, en proie à de vagues vampires, qui a eu la chance et le mérite de se faire récupérer par la société tout entière et instituer dans son être comme citoyen-support de l'irréalité. C'est un imaginaire qui s'épuisait à jouer des rôles pour se faire reconnaître et qu'on a finalement reconnu comme ouvrier spécialisé dans l'imagination : son être lui est venu par la socialisation de son impuissance à être.

Voilà ce que Gustave entrevoit quand, par chance, une voix familière lui dit qu'il ferait un bon acteur. Il se fait en lui une conversion véritable et, à mon sens, capitale : puisque, dans la société qu'il fréquente, l'être s'exprime avant tout par la profession qu'on exerce et se mesure à l'efficacité pratique et puisque d'autre part il ne peut combattre la déréalisation dont il souffre qu'en s'irréalisant chaque jour un peu plus, il va réparer cette fissure sans cesse agrandie en faisant de l'irréalisation son métier. La conversion s'opère au niveau du *rôle* : nous avons vu qu'il joue son être et cherche à mystifier son public pour que celui-ci, à son tour, le mystifie en lui retournant l'illusion qu'il a produite. On dirait que la réflexion lui a permis de supprimer la mystification en tant que telle et qu'il commence par dénoncer dans l'illusion son caractère illusoire : il ne s'agit pas pour lui de ne plus jouer mais bien de ne plus tromper, de mettre les cartes sur la table : ce n'est pas moi que je joue, je tiens le rôle d'*un autre*, qui n'existe pas ou qui, s'il existe, *n'est pas moi* — c'est le père Couillère, c'est tel autre, une dame qui vient chez nous et qui dit des bêtises —, et si, d'aventure, je me fais le comédien de moi-même, je ne fais pas mon portrait mais je me caricature : radicalisant mes défauts, excessif, hyperbolique, je m'applique à faire rire d'un moi que justement je ne suis pas. L'irréel est de but en blanc démasqué dans son irréalité et présenté d'emblée comme tel. Acteur, Flaubert ne trompera personne : qui donc, parmi les spectateurs, ignorera qu'il n'est ni ne peut être Don Sanche d'Aragon, Harpagon ni Alceste ? Une affiche les renseigne à l'entrée et, du reste, c'est Flaubert dans *L'Avare* ou dans *Le Misanthrope* qu'ils seront venus voir. En d'autres termes, on leur présente des *images* et ce sont des *images* qu'ils réclamaient. Donc plus de malentendu. Tout au contraire un accord : s'ils ont payé leur place, s'ils se sont dérangés, c'est qu'ils ont avec l'acteur une complicité secrète ; il leur paraît comme à lui qu'il est important de présenter l'imaginaire en tant que tel. Le public, par son enthousiasme, prouve à Gustave que l'*irréalisation*, en dépit de son inutilité, demeure un besoin social qui doit être cérémonieusement assouvi. Dès lors, en renonçant *à se montrer*, à jouer sur les deux tableaux de la comédie mythomaniaque (être et non-être), en affirmant que, dans certaines limites tenant à son sexe, à certains caractères physiques, il lui est indifférent, *pourvu qu'il joue*, d'interpréter tel rôle ou tel autre, Gustave, par la faveur de la foule, est mis en possession de sa vérité ; celle-ci, en effet, ne concerne pas, en Gustave, le personnage déterminé qu'il interprète et que, conséquemment, il n'est pas : elle définit son être comme le pouvoir d'être dans l'imaginaire tous les personnages. Il *n'est* personne parce qu'il peut comprendre et donner à voir imaginairement n'importe qui ; il n'a pas de traits particuliers parce qu'il est, dans son être, le spécialiste de la générosité. Plus tard, il dira sa stupeur devant Shakespeare, ce génie qui n'a rien été personnellement et réellement parce qu'il a imaginé toutes les passions, toutes les situations, celles des femmes comme celles des hommes. Entendons bien que l'imaginaire a une fonction analogue à celle qu'Husserl lui assigne dans l'intuition eidétique ; ce qui est imaginé par l'acteur, c'est l'homme qui est le jouet d'une passion : Harpagon n'existe pas, on le joue ; et l'acteur n'est pas avare, peut-être, ou s'il l'est, nul ne s'en occupe : mais ce qui est vrai, ce sont les moments dialectiques du processus passionnel. Cette vue naïve, que nous retrouverons plus tard, au temps de la première *Éducation sentimentale*, a justement pour fonction de resserrer l'*être* que Gustave se donne en tant qu'acteur : il n'est rien parce qu'il peut tout jouer, parce qu'il peut imaginer toutes les structures de la comédie humaine, parce qu'il produit publiquement des hommes qui sont amoureux, avares, etc. : ainsi peut-il résoudre à son profit l'antinomie du vécu, insignifiant, ennuyeux, monotone et du rôle éblouissant — quel qu'il soit — qu'il interprète. Son être est de représenter tous les hommes, c'est par cette raison même que ses affections réelles sont si pauvres : elles ne lui servent à rien, puisqu'elles ne sont que siennes et, du coup, elles glissent atrophiées dans le passé. Tout à l'heure encore l'enfant n'arrivait point à justifier l'ingratitude du vécu : à présent celle-ci lui semble nécessaire aux fastes de l'imagination : une passion, une jouissance le retiendraient dans les bornes de leur particularité : il est heureux de n'en point avoir. Ainsi plus le visage de l'acteur sera celui de tout le monde plus il sera capable d'exprimer des sentiments divers et de s'irréaliser comme *analogon* de têtes diverses.

Il faut, comme on voit, un renversement complet de perspective pour parvenir à l'idée — qu'il n'exprime certes pas comme je vais le faire — que son être objectif est celui d'un centre vivant de déréalisation. En particulier il faut renoncer à s'exprimer, à faire la montre de soi-même. N'y a-t-il pas là une révision déchirante ? En vérité non. Abstraitement, cette première mouture de l'impersonnalisme, qui implique un renoncement à vivre, à se voir, à être une personne comme tout le monde, peut paraître d'une austérité navrante. Mais il faut se dire, en vérité, qu'elle n'a jamais été que partielle : d'un bout à l'autre de sa vie, Gustave a joué *son* personnage : il sera le Garçon, l'oncle Flaubert qui a le pied marin, le révérend père Cruchard, l'ermite de Croisset, l'Excessif, Saint Polycarpe, bien d'autres. Avec d'autant plus de tranquillité qu'il s'est découvert son statut véritable de *Maître de l'irréel*. Somme toute il se *rassure* en se jugeant par avance institué, intégré par cette société qui le refuse et, lesté par sa profession, il s'abandonne à sa passivité constituée qui fera de lui toute sa vie le martyr de l'irréalité. La « vocation » de comédien est une spécification partielle et momentanée de son option fondamentale, elle ne la modifie pas dans son ensemble : acteur puis écrivain, Gustave fera de plus belle le Seigneur, comme s'il se disait : cette irréalisation-là n'a aucune importance, elle n'est qu'une obsession de ma vie et ma vie ne compte pas, mon être est ailleurs. Du reste, il ne faut pas exagérer l'extériorité des personnages représentés, comme nous verrons plus loin : à la fois il se met en eux, comme celui dont on disait : « Il se met toujours à la place des autres mais c'est toujours lui qu'il y met » et puis, inversement et surtout, il s'affecte provisoirement de leur être, disons qu'il *se croit* tacitement le personnage qu'il joue. Cela n'étonnera pas : il ne distingue pas facilement le réel de l'imaginaire ; tout sentiment réel, en lui, lui paraissant joué, tout sentiment joué lui paraît réel. Ainsi jouant la passion d'un avare, il s'en affecte et se fait Harpagon. Mais surtout les autres le fascinent sans d'ailleurs qu'il cherche à les comprendre : et ce n'est pas seulement parce qu'ils sont sa vérité mais aussi parce qu'il n'est pas la leur ; ses regards glissent sur cette falaise polie, brillante et impénétrable, si définitive, si impitoyablement et hermétiquement soi, une personne vue du dehors. S'il les imite, ce n'est pas ou pas seulement pour s'en moquer, c'est pour tenter de sentir ce qu'elles sont du dedans — même le père Couillère qui, vraisemblablement, est un imbécile mais dont l'insondable bêtise a une consistance qui le fascine. Les personnes vivantes qu'il caricature, somme toute, c'est pour leur voler leur être un instant et savoir ce que c'est que d'avoir un être objectif dont on jouit. Nul doute qu'il ne soit persuadé d'*être* le père Couillère dans le moment qu'il le *fait*, ni que ce vol-possession (il se fait vampiriser par l'être qu'il a volé) ne se puisse exécuter sans ce pithiatisme qui caractérise en général les passivités constituées.

Ceci dit, reste que, se voulant *acteur*, Gustave fait une réévaluation de l'imaginaire : il le considère, c'est vrai, comme son propre produit, ce qui le distingue de tous les autres : c'est vrai, ce sera de plus en plus vrai. Mais en même temps, il mange le morceau : ce qu'il produit *n'est que* de l'imaginaire ; valorisation proclamée de l'irréel, dévalorisation secrète ? Nous étudierons dans quelques pages le premier effet de cette contradiction qui, sous des aspects divers, le poursuivra toute sa vie. Il faut pour l'instant reconnaître qu'elle ne le tourmente guère ; c'est que la profession qu'il souhaite d'exercer, seule, peut lui donner la compensation dont il rêve : son père ne l'écoute pas par la raison qu'il ne croit pas à ses mensonges ; des foules viendront tout exprès, plus tard, pour les écouter. Le succès, pour l'acteur, garde un aspect puéril, archaïque et par là même enivrant : c'est la famille qui se recrée quand l'enfant a bien dit son compliment. C'est en effet le cercle familial qui permet seul de retrouver un équivalent au moment où des hommes se lèvent au parterre et crient « bravo ! » en frappant des mains. Dans les formes plus complexes, la notoriété est une contestation tournante : elle est partout et nulle part, elle se donne et fuit, nul ne peut en jouir : il faut n'y jamais penser ou s'aliéner à cette absence. Pour l'acteur, cette contestation existe aussi, c'est la seconde instance. En première instance, s'il réussit, il a l'intuition pleine et directe de sa victoire. Gustave rêve de compenser les bides qu'il ramasse à l'Hôtel-Dieu par l'intérêt passionné et reconnaissant que lui porteront ses spectateurs.

Quoi ? Tous des Caroline, alors ? Oui : tous. Ils lèvent les mains, jettent des bouquets, remercient. Puisque la société — et l'on n'en peut douter si l'on a été au théâtre —, d'esprit plus large que le docteur Flaubert, estime que l'imaginaire est un besoin social et puisqu'elle est reconnaissante à celui qui s'irréalise selon certaines règles, voici que l'acteur Gustave Flaubert est, par ces témoignages de gratitude, remis en possession de sa générosité. Le Don qu'il faisait à Caroline, voici qu'il se multiplie à l'infini. Il n'a plus besoin de jouer le généreux : c'est en jouant l'avare qu'il sera généreux pour de vrai. De fait, l'acteur se tient volontiers pour un Seigneur ; écoutez-le traiter le public de femme ; il prétend le courber sous son joug, pénétrer en lui comme le mâle en la femelle, dompter l'auditoire le plus rétif. Quelle erreur ! Captiver le public, c'est se montrer tel qu'il entend qu'on se montre, deviner ses humeurs et s'y adapter, escamoter ce qui pourrait déplaire, bouler les répliques dangereuses, gommer les effets qu'on a forcés la veille. Bref s'offrir pour fasciner et pour produire l'irréalisation collective. En ce sens c'est le public qui est mâle, acceptant ou refusant les femelles en sueur qui lui prodiguent sur la scène leur activité passive. Cela dit, il faut reconnaître que ce travail de courtisane, avec ses mille « complaisances », finit par attirer le mâle dans le traquenard : il est séduit, il « marche » et le comédien, pendant la *montre*, sent naître et croître une tension qui ne peut se résoudre que dans un triomphe ; il les tient, il leur fait don de son corps. En vérité il ne leur donne rien d'autre que l'imaginaire, que la puissance d'irréalisation que chacun possède virtuellement et n'a pas souvent l'occasion d'actualiser. C'est cette attention passionnée d'un public épiant ses gestes que Gustave est contraint de désirer par l'indifférence témoignée par Achille-Cléophas à ces mêmes gestes : un public les aimera parce que ce sont des gestes quand, par la même raison, le docteur Flaubert les méprisait. Et le petit imposteur en assumant son imposture se fera reconnaître pour le Seigneur des illusions, le bienfaiteur des hommes par une foule enfiévrée. En somme, dans un premier temps Gustave a tout abandonné, il s'est reconnu menteur et mythomane, il a déclaré qu'il n'était rien à personne et, dans un deuxième temps, qui suit immédiatement le premier, tout lui a été rendu : les spectateurs en délire l'ont institué Maître des ombres, ils lui *font hommage* tous les soirs ; tous les soirs il se donne à ses vassaux.

En vérité, ce n'est qu'un songe. À neuf ans, Gustave n'est pas cet acteur reconnu, encensé : il joue à l'être ; et de ce point de vue il s'irréalise au second degré puisqu'il imagine qu'il est un producteur professionnel d'imaginaire. Par cette raison, il va, le plus souvent possible, abandonner son propre rôle pour se couler dans des rôles préfabriqués. Son but ? Goûter par avance à la gloire, comme le montre cette lettre à Ernest — qui date d'une ou deux années plus tard : « Victoire, victoire ! » etc. C'est que pour instituer contre vents et marées cet être-en-soi qu'il poursuit et qui se refuse, il ne lui faut rien de moins que la célébrité. Ces remarques permettront de mieux comprendre ce qu'a été pour l'enfant son furieux désir de gloire — dont il fait souvent état — et ce qu'il est ensuite devenu pour l'adulte.

B. — GLOIRE ET RESSENTIMENT

S'il a, dès l'enfance, farouchement désiré la gloire, n'imaginons pas qu'il la voulait abstraitement et sans la connaître. Depuis qu'il sait parler, elle le frôle de son aile : certes Achille-Cléophas n'est que notoire. Mais un grand homme de province éblouit ses enfants qui font de ses mérites relatifs une valeur absolue. La gloire, c'est le pain quotidien pour la famille du médecin-chef, c'est la source de l'orgueil Flaubert : il faut être glorieux quand on a un tel père. Et, si l'on devait, par impossible, le battre sur ce terrain, ce ne serait pas trop, pour triompher, des suffrages de tout l'univers.

Reste à savoir pourquoi, de cette consigne collective, l'enfant a fait son désir singulier et sa possibilité la plus intime. Plusieurs passages de la Correspondance nous l'indiquent. Dans une lettre de son adolescence, après avoir reconnu qu'il n'a vécu, enfant, que pour la gloire, il ajoute aussitôt qu'il ne la désire plus. Mais il s'agit ce jour-là d'un découragement passager qu'exagère une forfanterie de pessimisme : « Je n'ai plus ni conviction ni enthousiasme ni croyance. » Il se plaint volontiers cette année-là : Alfred et Ernest sont à Paris — et *ensemble*, ce qui ne lui plaît guère. Mais quand Ernest se permet de le plaindre, il se hâte de répondre : « Nous nous créons des maux imaginaires (hélas, ceux-là sont les pires)... Non, je suis heureux. Et pourquoi pas ?... » En 46, par contre, il est beaucoup plus sincère quand il écrit à Louise : « Après la mort de mon père et celle de ma sœur, le désir de gloire m'a quitté. » À ceci près que Caroline est évoquée pour brouiller la piste. Il est bon que Louise comprenne, mais jusqu'à un certain point. *Avec* Caroline, la phrase prend un sens bénin : je voulais faire le bonheur des deux êtres qui m'étaient le plus chers ; puisqu'ils ont disparu, mon désir n'a plus de sens. *Sans* Caroline, elle paraît beaucoup plus inquié-

tante : « Depuis la mort de mon père, le désir de gloire m'a quitté. »
Pourtant c'est cette phrase qui est vraie. La jeune fille était d'un
autre orgueil : elle se sentait assez sûre de soi pour nourrir des ambitions modestes. Quand elle s'est mariée, son choix s'est porté sur
Hamard, que Gustave traitait avec une condescendance méprisante
et plaçait au-dessous d'Ernest lui-même : c'est un imbécile, imitateur servile de son ami, le grand Flaubert, un demi-fou. Il semble
que ce choix — qui a stupéfié son frère — marque une véritable
révolte de Caroline contre cette famille de grosses têtes dont elle
avait assez : deux praticiens dont l'un, par-dessus le marché, philosophe et un futur génie, c'était plus qu'elle n'en pouvait supporter : l'amour de sa mère lui avait donné assez de force pour qu'elle
refusât de jouer, près d'une autre grosse tête, le rôle effacé de celle-
ci ; elle a voulu, semble-t-il, en profonde sympathie avec la femme
d'Achille-Cléophas et pour prendre en son nom revanche sur le sexe
masculin, protéger un homme, jouer par rapport à lui le rôle d'une
mère qui l'avait tant comblée : cette jeune fille fragile de santé mais
forte et riche d'une générosité vraie, n'avait rien d'un être relatif ;
elle avait choisi un mari sensible et féminin qui, ignorant les sciences, ne songeait plus à écrire, s'il y avait jamais songé, et terminait
paisiblement ses études à Paris sans le noble dégoût d'Alfred ou
les déclamations distinguées de Gustave. Non, Caroline aimait son
frère mais, si elle souhaitait qu'il écrivît avec succès, c'était pour
lui, non pour elle. Et Gustave le savait, qui, je le montrerai plus
tard, a pratiquement rompu avec sa sœur — intérieurement du
moins — dès qu'il a appris ses fiançailles. S'il la mentionne dans
sa lettre, c'est qu'il veut cacher à Louise le lien de son ambition
folle avec la malédiction du père. Sur la fin de sa vie, Matisse disait
avec dépit de son père mort depuis près d'un demi-siècle : « Il ne
croyait pas à ma peinture ! » Quand le vieil homme se rendait à
Paris, il entrait dans l'atelier de son fils encore inconnu, regardait
les toiles avec méfiance, parlait de tout sauf de ce qu'il voyait autour
de lui et repartait assez froidement, déçu. Il mourut sans être
détrompé. Et Matisse ajoutait coléreusement à la veille de sa propre mort :« À dater de ce jour, tous les succès m'ont été gâchés !
Je ne pouvais plus le convaincre et je n'avais souhaité que cela. »
Ce n'était, je suppose, pas tout à fait vrai. Mais, de quelque façon
qu'on la prenne, l'anecdote montre que la gloire est une relation
de famille et que l'invincible entêtement d'un mort peut, si par
extraordinaire elle vient couronner un vivant, gâcher les joies de
l'orgueil. Qui donc, en effet, le glorieux voudrait-il convaincre sinon

un père qui l'a poussé, par défiance, jusqu'à la souveraineté du génie et qui aime mieux disparaître que s'avouer battu ? C'est ce que sent profondément Gustave. Et, bien entendu, sa déception est plus radicale que celle du vieux peintre : quand Achille-Cléophas meurt, son fils est au plus bas de la pente. Il connaîtra le succès — foudroyant, infamant — onze ans plus tard. Bref, le cadet de famille fut frappé au cœur [1]. Ce dégoût, on dira peut-être que c'est une comédie de plus ; mais non : lisez sa Correspondance jusqu'au bout ; vous verrez qu'il ne dédaigne pas *quelquefois* les minuscules plaisirs de la notoriété — mais peu d'écrivains célèbres ont été si peu satisfaits de leur renom. La perfection de l'œuvre est son unique objectif. Nous connaissons, nous connaîtrons les nombreuses aliénations de Gustave. A partir de quarante-six ans, une d'elles fait défaut : il ne s'aliénera jamais à la gloire, à la figure qu'il a prise aux yeux de ses lecteurs. Dès qu'on parle de lui, fût-ce pour signaler un événement insignifiant de sa vie, il écume de rage et de terreur. Après la mort du père, en tout cas — et avant de se mettre au premier *Saint Antoine* —, il doute s'il écrira jamais. 9 août 46 : « Il est fort problématique que jamais le public jouisse d'une seule ligne de moi ; si cela arrive ce ne sera pas avant dix ans. » 15 août 46 : « Tout ce que je demande, c'est de pouvoir continuer à admirer les maîtres avec cet enchantement intime pour lequel je donnerais tout, tout. Mais quant à arriver à en devenir un, jamais ; j'en suis sûr. Il me manque énormément. » 24 août : « Je ne fais rien, je ne lis plus, je n'écris plus si ce n'est à toi. Où est ma pauvre et simple vie de travail d'autrefois ?... Je ne la regrette pas parce que je ne regrette rien. » 15 septembre 46 : « Tant mieux si je n'ai pas de postérité. Mon nom obscur s'éteindra avec moi et le monde continuera sa route comme si j'en laissais un illustre [2]. » Ce der-

---

1. Nous verrons que la mort d'Achille-Cléophas a été ressentie comme une délivrance par Gustave, qui s'est même, un moment, cru guéri de sa névrose. Il n'y a pas contradiction ; ou plutôt si, mais c'est que la position de Gustave par rapport à son père est fondamentalement contradictoire. Et je ne parle pas seulement, ici, de l'ambivalence de ses sentiments mais de sa situation elle-même : chef indiscuté et perspicace de la famille, Achille-Cléophas contribuait à maintenir le jeune homme dans un état névrotique qui lui donnait une raison de se séquestrer à Rouen et d'arrêter ses études ; en ce sens, sa mort a bien eu pour effet sinon la guérison de Gustave du moins une rémission de son mal. Mais la relation fondamentale et archaïque de l'enfant à son père (le convaincre de son éminente valeur) n'en est pas moins demeurée : ainsi rémission s'est accompagnée d'une frustration profonde.

2. On comprend que *postérité* a un sens précis : Louise avait eu des craintes ; elle l'a averti que ces craintes n'étaient pas fondées. Il n'en est que plus frappant de voir Flaubert passer du refus d'avoir un fils au refus de la gloire.

nier texte (on en trouverait dix autres dans la même période) marque clairement que, dans la période qui suit la mort du père, l'illustration du nom et son oubli total acquièrent une sorte d'équivalence. Tout s'éclaire : avec le père une hargne amoureuse et jalouse disparaît ; Flaubert a ce malheur très singulier : la gloire déjà lui paraît vaine alors qu'il s'est embarqué pour la conquérir et qu'il est presque sûr de ne l'attraper jamais. Et qu'on ne croie pas à quelque compensation d'une négation par l'autre comme si l'extrême difficulté de la tâche entreprise et les probabilités presque infinies d'échouer dussent l'inquiéter moins du fait que l'objectif avait moins de sens et que le principal témoin avait pris congé. C'est le contraire : la conquête de la Toison d'Or devient d'autant plus nécessaire qu'il a construit sur elle sa vie ; mais elle fait voir au même moment — sûre de n'être pas interrompue — son aberrante absurdité. Ce n'est pas même le Néant : c'est une exigence absolue et c'est, en même temps, un absolu non-sens. La conclusion s'impose : si ce solitaire a pu rêver d'une consécration officielle, si ce misanthrope a souhaité l'admiration des hommes, c'était d'abord pour étonner le docteur Flaubert. En somme, nous retrouvons — dans toute la blancheur de l'innocence — le rêve noir du suicide par ressentiment. La gloire semble de loin le consentement universel : mais dans le cœur de l'enfant qui la désire, elle subordonne l'universel aux relations particulières. Puisqu'il n'est pas un homme au monde qui puisse intimider Achille-Cléophas et le confondre en disant du cadet : « C'est le meilleur des deux ! » le chirurgien-chef apprendra sa bévue de tous les hommes ensemble et la sotte suffisance d'Achille sera ruinée par le jugement du genre humain : « Achille, dira-t-on, vous savez bien : le frère de Gustave. » Mais, bien que l'enfant en appelle à l'humanité présente et future, celle-ci n'est qu'un moyen ; la fin, c'est le médecin-philosophe.

Il y a dans une lettre de Gustave à Louise Colet un bien curieux passage : « Mon pauvre père, dit-il, que j'ai si souvent fait pleurer... » Pleurer ? Je n'en crois rien. Sans nul doute, Achille-Cléophas, sombre, nerveux, aigri, surmené avait, par-dessus le marché, conservé la sensibilité du XVIIIe siècle : les hommes ont pleuré volontiers jusque sous le premier Empire et il n'est pas douteux non plus qu'il ait été préoccupé par les hébétudes, les insuccès scolaires et la santé mentale de son fils. Il s'est emporté cent fois, c'est l'évidence. Mais s'il y eut des éclats, ce fut à sec. Même après le grand charivari, quand Gustave fut chassé du collège, Achille-Cléophas dut enrager, crier peut-être. Mais pleurer ? À vrai dire,

il suffit de lire le contexte pour comprendre : Gustave *se* joue la
comédie à travers Louise. Quand il veut se convaincre d'une idée
qui lui plaît, il commence par l'en persuader. En particulier, on
connaît sa volupté favorite : se présenter comme un damné. D'abominables souffrances — qui ne sont pas autrement précisées — l'ont
anesthésié. C'est, bien entendu, par cette sécheresse de cœur qu'il
a, suggère-t-il, arraché au médecin-philosophe ces larmes précieuses. Et, à prendre le sens général du passage : « J'avais un père qui
m'adorait, je l'ai tourmenté jusqu'à le faire pleurer : aujourd'hui
c'est toi qui m'adores, que veux-tu ? On m'a rendu méchant et tu
vas souffrir comme tous ceux qui m'aimeront ! »

C'est le plus fieffé mensonge. Ou plutôt non : la plume de Flaubert ne distingue pas le fantasme de la réalité. Ici le hâbleur renverse la situation réelle, donne ses rêves passés pour de vrais
souvenirs : son plus tenace grief, nous le savons, c'est de n'avoir
pas été *préféré* ; son père a rempli tous ses devoirs envers lui mais,
pense-t-il, sans inclination particulière et sans attendrissement.
Quand le jeune homme s'émeut sur les pleurs du docteur Flaubert,
il joue sur la candeur qu'il s'obstine à prêter, bien mal à propos,
à sa correspondante et se sert d'elle pour réaliser, pithiatiquement,
un désir simple et profond de son enfance. Désir positif, d'abord :
Gustave eût été fou de bonheur s'il avait vu ces yeux si lucides se
tourner vers lui et s'embuer d'attendrissement. Et puis, après la
Chute, le ressentiment fait tourner ce beau songe au négatif. Après
un sarcasme du père, après quelque gentillesse témoignée par celui-ci
à son fils aîné, une violente pulsion bouleversait le cadet, il *voulait*
la gloire, tout de suite, à tout prix : « Je te ferai pleurer ! » De
honte ? de bonheur ? Au début, c'est tout un : l'enfant docile et
sournois souhaite donner une grande joie à l'aimable auteur de ses
jours pour le récompenser de ses soins et de ses peines ; mais peut-
il empêcher, le pauvre, que cette joie ne soit en même temps une
leçon cruelle et salutaire ? Un triomphe, voilà ce qu'il faut à Gustave : c'est répondre au Mal par le Bien et punir par sa seule générosité : « Voici mes trophées, je te les offre, ils sont à toi, à ma
famille. » Ce sera sa seule vengeance. En fait elle est exemplaire ;
tout le petit monde du praticien-philosophe en est bouleversé : il
a misé sur le mauvais cheval, il n'a pas su comprendre le génie de
Gustave ; si le vieil homme a été capable d'une telle bévue, que reste-
t-il de sa sagesse, de son cynisme, de son arrogante philosophie ?
Reconnaissant mais brisé, le médecin prendra sa retraite ; il passera comme convenu ses charges et ses honneurs à son aîné mais

il connaîtra l'amertume de ne tirer son bonheur, désormais, que des succès du fils qu'il a méconnu et rejeté. La gloire et le suicide ont ceci de commun, chez l'enfant, que la première comme le second figurent le meurtre du père. L'une et l'autre, en effet, ont la passivité pour alibi : « Moi, tuer Papa ? Allons donc ! Je vous dis que je *me* tue, conformément à ses prescriptions et à la nature qu'on m'a fabriquée ! » Et : « Moi, vouloir humilier mon père, l'écraser de ma renommée ? Est-ce ma faute si l'on m'emporte aux nues, si l'on m'acclame ? Est-ce ma faute si je suis grand ? » De toute manière, quand l'enfant réagit, le père, sacrificateur démoniaque, Abraham dont nul ange n'a retenu le bras, *a déjà tué* son fils cadet. À Gustave de jouer : ou bien il transforme, par respect pour son père, cet assassinat en suicide, prenant sur lui la faute monstrueuse ; ou bien, mort et embaumé, il trouve au royaume des ombres le génie, les portes du Sépulcre sont arrachées, il revient, terrible et doux, vers son maître bien-aimé. Dans le premier cas, Achille-Cléophas, les yeux dessillés, découvre trop tard les torts accumulés, il mesure, dans le désespoir, la profondeur de l'amour que lui portait sa victime. Dans le second, il assiste éberlué à la résurrection d'un géant, au regard insoutenable, qui le foudroie en se penchant pour l'embrasser. Ainsi le doux rêve de gloire, tout blanc, attendrissant pour les amateurs, est plus perfide encore que le rêve de mort volontaire. Le suicide n'est qu'une proposition de remords ; peut-être le père regrettera-t-il sa dureté de cœur, peut-être pas : par cette raison, justement, qu'il a le cœur dur ; et puis un Seigneur repentant reste un Seigneur. La gloire lui conteste *tout* et d'abord l'intelligence dont il est si fier : le Prince de l'entendement est déposé ; en outre l'ascension verticale reprend à sa manière la mutation brusque qui a fait un grand médecin d'un futur vétérinaire. C'est tout juste si Achille peut *continuer* sur la lancée de son père. Mais Gustave, lui, est un vrai mutant, comme Achille-Cléophas : du coup il se dé-classe, la renommée le dé-situe ; il a pris son essor et plane au ciel où nul Flaubert ne peut le rejoindre : c'est de sa renommée, à présent, que viennent les lumières qui font resplendir sa famille ; le père est disqualifié.

Ce désir de renommée ne trahit pas seulement la rancune de l'enfant contre son père : il nous révèle le ressentiment que Gustave dès neuf ans nourrit contre l'humanité entière. Relisons un texte peu connu, son « Éloge de Corneille [1] », dont il parle dans

---

1. Reproduit intégralement *in* Jean Bruneau : *Les Débuts littéraires de Gustave Flaubert*, pp. 40-41.

une lettre à Ernest, le 4 février 1831. Gustave a peu de traits communs avec cet écrivain qui n'a pas eu sur lui d'influence décelable. Deux circonstances, pourtant, le rapprochent de celui qu'il appelle « mon cher compatriote » : tous deux s'occupent de théâtre, tous deux sont rouennais ; ainsi peut-on penser sans risque d'erreur que le petit garçon fait de son illustre prédécesseur l'éloge qu'il voudrait qu'on fît de lui-même deux siècles plus tard. Or nous trouvons cette phrase qui ne peut manquer de surprendre : « Pourquoi es-tu né si ce n'est pour abaisser le genre humain ? » Maladresse de style ? Non : il s'explique aussitôt : « Qui ose entrer en ligne avec toi ? » Nous retrouverons en septembre 38, il a seize ans, comme un écho de cette formule quand il écrit à Ernest : « Rabelais et Byron, les deux seuls qui aient écrit dans l'intention de nuire au genre humain et de lui rire à la face. Quelle immense position... » Dans l'« Éloge », il n'est pas dit que Corneille ait l'*intention de nuire*. Il rabaisse par sa seule stature, sans même y prendre garde, et cette indifférence méprisante est pire, peut-être, que l'« intention de nuire » — qui ne peut naître que de passions mal apaisées. Le rapprochement, toutefois, fait ressortir la négativité secrète du compliment. On voit combien l'enfant dès neuf ans se trouve éloigné de tout humanisme : il aime Corneille *contre* notre espèce. C'est exactement l'envers de la pensée commune : on tient en général qu'un homme de valeur *honore* l'humanité, qu'il l'*élève* par ses œuvres ou ses exploits : Armstrong a fait marcher tous les hommes sur la Lune ; avec Valentina, toutes les femmes ont tourné autour de la Terre. Il faut remarquer toutefois que l'idée contraire est vraie aussi : l'œuvre, l'invention, l'action, quand elles sont toutes neuves ouvrent des possibilités à tous *pour plus tard* ; dans le présent, il arrive souvent qu'elles appauvrissent : Armstrong est cosmonaute pour tous mais la plupart de ses contemporains peuvent penser simultanément : « L'homme a fait quatre pas sur la Lune mais *moi* je n'y mettrai jamais les pieds. » Bref le talent a pour effet la paupérisation relative des générations les plus anciennes — à commencer par la sienne : ceux qui ont le même âge qu'Armstrong sont immédiatement définis par son exploit comme ceux qui ne l'ont point fait ni ne pourront le refaire — pour enrichir les générations nouvelles et futures. Ces remarques, cependant, ne valent pas toujours pour les ouvrages de l'esprit ; du vivant de Corneille, nombre de gens « entraient en ligne avec lui » : ses lecteurs qui, ranimant l'œuvre morte en la lisant, étaient élevés et enrichis par leur lecture. Ces vérités de bon sens sont rappelées pour mieux marquer à quel point le jeune Flaubert en est éloigné : il est frappant en effet que les grands hommes à ses yeux, ne font pas partie de notre espèce bien qu'ils en soient issus. En notre siècle, tout le monde est convaincu que le héros, le penseur, l'artiste, le politique, si haut qu'ils soient montés, *sont des nôtres* ; du temps de Flaubert, on n'en était pas si sûr : il y avait eu Napoléon et le « culte de la personnalité », il y avait Hugo et ses entretiens familiers avec Dieu le Père. Pour Gustave, le grand homme, né en exil comme Almaroës, s'aperçoit très vite que, seule, son apparence extérieure est humaine ; il s'en écœure, ouvre ses ailes et va se percher sur le mont Atlas. Sa rancune contre notre espèce vient de ce qu'on l'a fait à la ressemblance de celle-ci. Du coup il ne se contente pas de s'élever au-dessus d'elle, il la ravale au-dessous de lui. À vrai dire Flaubert, s'inspirant de son expérience visuelle, considère les deux opérations comme inséparables et complémentaires : il l'a répété cent fois dans sa Correspondance mais ne l'a jamais dit plus clairement que dans une note de son cahier de *Souvenirs* : plus haute est la cime d'où on les regarde et plus les hommes *sont* petits ; pour les rapetisser, il suffit donc de gravir une colline, une montagne, etc. Il suffit, pour les élus *dont il est*, de lire Corneille : pour celui qui s'incarne en cet auteur ou dans l'un de ses héros magnifiques, ses soi-disant prochains semblent des pygmées. Certes le désir de gloire, pour Gustave, est *d'abord* pulsion ascensionnelle mais, qu'on le veuille ou non, il est immédiatement lié à sa misanthropie.

Malheureusement pour lui, gloire et misanthropie sont à la fois complémentaires (dans son esprit) et incompatibles. C'est par mépris des hommes qu'il cherche la renommée mais qui la lui donnera si ce n'est eux ? Dans le même « Éloge », il écrit : « L'enfant, l'homme mûr, le vieillard, tous s'accordent à t'applaudir. Personne dans tes œuvres (ne) trouve un défaut. » C'est fonder la gloire sur le *consensus* universel. On demande à l'espèce entière de désigner ses grands hommes. Mais comment le pourrait-elle si l'on a commencé par la réputer abjecte ? Il faut choisir : pour le misanthrope conséquent, être fameux c'est être infâme ; donc si l'on veut briguer les suffrages des hommes, il faut commencer par les estimer. Je reconnais que nos beaux esprits aiment à jouer sur les deux tableaux : l'un d'entre eux, mûr et juvénile, sollicite l'indulgence des critiques par des lettres privées, quitte à leur refuser avec morgue dans ses articles le droit de juger ses œuvres et même celui de les louer. Mais le résultat, c'est qu'ils vivent dans le malaise, comme fera Gustave, plus tard, quand il détestera *Madame Bovary*, le livre qui l'a, en quelques jours, fait passer de l'obscurité à la célébrité la plus tapageuse. L'admiration du public, ce ramassis, ne compensait pas à ses yeux le blâme infligé par le souverain.

C'est que Gustave — chance ou malchance — naît avec le premier romantisme qui fut, entre tant d'autres choses, une franc-maçonnerie de jeunes aristocrates arrivistes et de bourgeois ambitieux qui trahissaient leur classe. Tous royalistes, au moins jusqu'en 1830, ils bénéficiaient — Hugo le premier — de la faveur du monarque et tenaient pour la juste récompense de leur talent ce qui n'était, dans l'esprit du roi, que la rémunération d'une entreprise publicitaire, vaine mais adroitement menée. C'était ressusciter la gloire «Ancien Régime» qui n'est pas séparable du principe monarchique : le souverain garantit les valeurs spirituelles ; elles sont à lui comme tous les autres biens de la nation : s'il décide d'élever à lui un Ronsard, les titres — toujours nobiliaires même si l'anoblissement n'a pas lieu pour de bon : Ronsard était prince, le prince des poètes — qu'il lui plaît de décerner à l'écrivain qui a illustré son règne, son successeur les *reconnaît* et transmet à ceux qui viendront après lui la mission de les reconnaître à leur tour et de les conserver. Le poète est mort depuis longtemps : s'il est déclaré immortel, c'est que la Maison royale lui a cédé un peu de sa pérennité : Dieu a fait les Bourbons pour régner et les Bourbons font, de droit divin, la fortune des poètes : quand Ronsard pense que son nom survivra, il est convaincu que la monarchie française durera jusqu'à la fin des siècles et qu'il participe à son pouvoir charismatique. Nul doute que ces vieilles idées n'aient séduit l'enfant Gustave : d'abord parce qu'elles sont enfantines. Ensuite parce que des écrivains jeunes et déjà prestigieux les ont déterrées et rajeunies. Mais, surtout il y trouvait ce qu'il cherchait en vain depuis la Chute : une féodalité reconstituée, la garantie par le souverain de l'ascension verticale, un déclassement opéré par le haut, un ravissement pareil à celui qu'il a éprouvé le jour où, porté à bout de bras, il a reçu le sourire de la duchesse de Berry, une métamorphose passivement subie, l'assurance que son destin posthume sera lié à celui de la famille royale. Qui d'autre que le roi, ce père de tous les pères, pourrait en acceptant l'hommage de ce petit Ganymède compenser l'injustice d'Achille-Cléophas et contraindre le chirurgien-chef à respecter dans la personne de son fils le décret adorable et souverain qui l'a sacré artiste ? Le médecin-chef estimait Voltaire, Helvétius, Holbach, Diderot, vingt autres qui avaient su exprimer les vœux et les sentiments de la bourgeoisie montante. Mais ce collaborateur discret de tous les régimes était mal placé pour s'apercevoir que les auteurs du XVIIIᵉ siècle collaboraient de grand cœur avec le régime qu'ils dénonçaient. Gustave, au contraire, avant même de les avoir lus, c'était cette collaboration qui lui chavirait le cœur : Achille-Cléophas voyait en eux les porte-parole de leur classe et le petit garçon, ravagé d'envie, n'avait d'yeux que pour leurs privilèges ; pour lui, c'étaient les chouchous de l'aristocratie. En d'autres termes, le petit misanthrope ne s'était pas mal débrouillé : il pouvait détester l'espèce et revendiquer la gloire puisque celle-ci s'obtenait par le seul consentement des êtres supérieurs qui règnent sur celle-là. Le déclassement par la renommée, c'était l'anoblissement : l'enfance et la vassalité perdues, on les lui rendrait ; la première mutation Flaubert avait transformé un rural en bourgeois, la seconde arracherait le fils du muté à la pesanteur bourgeoise et lui donnerait la grâce ailée de l'aristrocrate. Comme on peut voir, c'est un rêve mignon de la haine : pour que la faveur du monarque l'anoblisse, pour pouvoir s'enorgueillir de l'amitié des grands, il faut que la vertu du sang et de la naissance s'imposent à tous indéniablement ; bref l'enfant ne souhaite rien de moins que la résurrection du régime disparu ; il voudrait que la France retrouve un Roi-Soleil. Cela signifie proprement que cet enfant bourgeois veut humilier sa classe, lui ôter tous les avantages qu'elle a conquis et la jeter à genoux devant le trône qu'elle a tenté de renverser. La vengeance est poussée jusqu'au bout : la gloire dont Flaubert est assoiffé, ce n'est pas seulement celle qui aura l'avantage de restituer à l'usage de l'enfant une vassalité secrète et de démoraliser le praticien-philosophe ; elle doit en outre, socialement et publiquement, provoquer l'écrasement définitif de ce bourgeois libéral sous le talon de l'absolutisme restauré, la disqualification de ses capacités scientifiques donc roturières par les inaliénables valeurs de ceux qui sont nés et la destruction de son idéologie détestable par celle du régime restauré.

Ce n'est qu'un rêve. À l'instant où l'enfant nourrit confusément ces rancuneuses songeries, les Bourbons sont en fuite, la bourgeoisie victorieuse a mis sur le trône un usurpateur, fils de régicide à qui Gustave ne pardonnera jamais de s'être déclaré roi-citoyen et d'avoir souillé sa couronne en prétendant n'être que le premier des Français. Très tôt, Gustave jugera que l'aristocratie, quand elle ne boude pas stérilement sur ses terres, déshonore ses aïeux en s'embourgeoisant. Il ne restera rien qui puisse l'emporter vers les hautes sphères, ni Dieu, ni roi, ni prince. Au reste, sa contradiction majeure, c'est que, profondément, la bourgeoisie seule est qualifiée à ses yeux pour lui donner la gloire parce que c'est d'elle seule qu'il a essuyé tant de camouflets et de dégoûts. La renommée, pour lui, ce ne peut être qu'une revanche ; et sur qui la prendre sinon sur ceux-là mêmes qui lui ont fait tort : le *pater familias* et ceux qui l'entourent et l'idolâtrent, les bourgeois de Rouen, qui auraient pu, s'ils s'y étaient mis tous ensemble, faire revenir le père sur sa malédiction et qui, tout au contraire, l'ont reprise à leur compte. Il ne s'agit pas tant, d'ailleurs, de leur *demander* la gloire — comment ces imbéciles, comment ces philistins pourraient-ils la donner ? — que de la leur *faire subir* comme un affront : ils demeureront passifs et la renommée de Gustave entrera en eux ; intériorisée, elle deviendra une pensée qui contredira toutes les autres, produisant un humiliant désordre dont ils souffriront. Par cette raison, l'enfant n'avait pas tort de se vouloir recruté par en haut : il joue, il écrit, peu importe et puis, un jour, un gant de fer jaillit du ciel et l'enlève sous les yeux stupéfaits des Rouennais. N'empêche : ce qui compte avant tout, pour lui, c'est l'ébahissement de cette populace. Sans ce consentement forcé mais innombrable, c'est tout juste s'il serait l'élu d'une infime minorité : les nobles ont eu, en leur beau temps, de nombreux favoris qui ne sont pas pour autant passés à la postérité. Ainsi l'opération est double : il y a cette assomption publique, il y a la gloire proprement dite, c'est-à-dire la conscience que les bourgeois, élevant leur regard vers le zénith, prennent de leur *abaissement* : « En montant aux cieux, il nous fait connaître que nous rampons. » Mais si les aristocrates et le monarque ont perdu le droit de *distinguer*, la question se pose à nouveau : qui sera *qualifié* pour sacrer les grands hommes ? Au XIXe siècle, la bourgeoisie représente à elle seule les neuf dixièmes du public : il faudrait donc lui demander d'être, à la fois active et généreuse, accordant spontanément le sacre, et passive et avare, toute en refus, subissant par contrainte et dans le dépit la supériorité qu'elle vient elle-même de consacrer. Il faudrait surtout, pour accorder quelque valeur à ses choix, cesser de la haïr et de la mépriser : nous revenons au point de départ. Flaubert ne sortira jamais de ce cercle vicieux : entre ce Dieu chrétien qui est tout en n'étant point, qui comble les uns de ses dons et les autres de sa malédiction, cette aristocratie qui incarne et déshonore le principe hiérarchique et cette bourgeoisie stupide, qui est *objet* de la gloire mais non sujet glorifiant, bien qu'on mesure le renom des grands hommes à la fréquence et à l'intensité de ses applaudissements, il faut que le jeune

garçon tourne sans cesse et très vite, passant d'une idée à l'autre
en faisant bien attention de ne pas s'en apercevoir ou, au contraire,
usant de chacune contre chacune ou contre toutes les autres sans
jamais se départir d'une certaine vue syncrétique, issue de ses passions plutôt que de son entendement : s'il arrêtait sa ronde tout
s'effondrerait dans les contradictions et l'inconsistance. Je ne dis
point que cette incertitude ne tienne qu'à ses dispositions intérieures : les désordres subjectifs, fussent-ils pathologiques, comportent
nécessairement l'intériorisation d'une structure ou d'un fait objectif ; et c'est un lieu commun que la gloire est un mirage, du moins
dans nos sociétés déchirées. Mais on voit rarement un enfant la désirer avec tant de force, s'y préparer avec un tel acharnement et s'ôter
systématiquement tous les moyens d'en jouir si jamais il l'obtient.

Flaubert, adulte, conservera le tourniquet de l'enfance, comme
le montre sa lettre à la Muse du 22 avril 53. Louise avait présenté
son poème « L'Acropole » à l'Académie française, elle vient
d'apprendre qu'on ne l'a pas couronné. Mis au courant, Flaubert
commence par *s'indigner*. Il est *déçu* : « C'est étrange mais hier soir
j'avais bon espoir, j'étais dans un bon état. » Il « flétrit » les académiciens : « Tous ! Tous ! Enfin, mes vieilles haines sont donc justes. Mais j'aurais voulu que le ciel, cette fois, ne me donnât pas
si bien raison. » On voit le tourniquet : ce qui est en cause, c'est
la consécration par un corps d'élite. Or il méprise l'Académie. Pourtant il se désole de voir ce mépris justifié. Il est vrai qu'il ne s'agit
pas de lui mais de la Muse. Mais il ne l'a pas détournée de son projet [1]. Mieux, il l'a conseillée, lui a indiqué la tactique à suivre : par
exemple en janvier 53 : « Je ne t'engage pas à inviter Villemain et,
avec ma vieille psychologie de romancier, voici mes motifs : 1° tu
as besoin de lui pour ton prix ; 2° nous sommes jeunes ; 3° il est
vieux », etc. Le 17 février 53 : « Pioche ''L'Acropole''... Veille surtout à la correction, pour ces messieurs. Tu sais quels pédants, et
ils ont raison de l'être. Si on leur ôtait cela, que leur resterait-il ? »
Le 26 mars : « Sois sûre que l'Académie, toute pédante qu'elle soit,
tient plus aux vers qu'à une description technique... Si tu as fait,
comme tu me le dis, les coupures et nos corrections les plus importantes, j'ai bon espoir. Mais agis comme l'an passé, ne néglige pas
tes petites recommandations. » Lui-même, d'ailleurs, tente de faire
pression sur le préfet de Rouen, par son médecin, cousin d'un de
ses camarades (pourquoi sur le préfet de Rouen ?). Mésestime-t-il

---

1. « Je me suis mis dans la tête qu'il faut que tu aies le prix... » 2 novembre 52.

à ce point Louise Colet ? Je ne le crois pas et nous le verrons plus tard enseigner à Bouilhet, l'*Alter Ego*, un art de parvenir qu'il refuse pour lui-même. En vérité il se juge supérieur à l'une comme à l'autre mais en toute amitié : ce qui est bon pour eux ne l'est pas pour lui, voilà tout. Et puis il adore intriguer de loin, conseiller : cela le confirme dans l'idée qu'il caresse si souvent : « L'action m'a toujours dégoûté au suprême degré... Mais quand il a fallu ou quand il m'a plu, je l'ai menée, l'action, et raide et vite et bien. Pour sa croix d'honneur, à Du Camp, j'ai fait en une matinée ce qu'à cinq ou six gens d'action qu'ils étaient là, ils n'avaient pu accomplir en six semaines... L'incapacité des gens de pensée aux affaires n'est qu'un excès de capacité [1]. »

Il est dans le coup, tout entier complice. La veille encore, il exhortait Louise : « Ce sera ta bataille de Marengo. » Et, tout à coup, la désillusion. Que fait-il aussitôt ? Il en appelle au public. C'est le public, à présent, qui va disqualifier le corps des spécialistes et, finalement, lui forcer la main : « Moi, à ta place, je lèverais le masque (le jour de la distribution des prix) et je publierais mon ''Acropole'' retouchée, puisqu'on n'en a lu que des fragments ; ce serait une bonne farce. Mais par exemple je ne laisserais pas *un* vers qui ne fût bon et l'année prochaine, au mois de janvier, je renverrais une autre ''Acropole''... Cette fois-ci je m'arrangerais pour avoir le prix en m'y prenant (politiquement) mieux et qui est-ce qui aurait un pied de nez ? Ce serait assez coquet de souffleter deux fois ces messieurs avec la même idée, une fois devant le public et par le public et la seconde fois par eux-mêmes. » Mais le *public*, y croit-il vraiment ? La même année en février, il écrivait : « Ta *Paysanne* a du mal à paraître. C'est justice. Voilà une preuve que c'est beau... Ce qui a de la valeur est comme le porc-épic, on s'en écarte. Mais patience, la vérité a son tour... On a de tout temps crié contre l'originalité, elle finit pourtant par entrer dans le domaine commun et, bien que l'on déclame contre les supériorités, contre les aristocrates, contre les riches, on vit néanmoins de leurs pensées, de leur pain. Le génie, comme un fort cheval, traîne à son cul l'humanité sur les routes de l'idée. Elle a beau tirer les rênes... l'autre, qui a les jarrets robustes, continue toujours au grand galop... » Bref, le génie s'impose avec le temps, il est reconnu — après sa mort, en général — mais, de son vivant, au moins, le public ne fait que le brider, n'a pas qualité pour le reconnaître. Toute gloire est un viol, un effet

---

1. 5-6 mars 53. Il faudrait citer tout le passage qui est proprement délirant.

direct du génie et seulement de lui : il « rabaisse » l'espèce humaine.
Flaubert, après l'échec de Louise, continue sa lettre de condoléances en disant : « Qu'est-ce que ça fout, tout cela ? Il n'y a de défaites que celles que l'on a tout seul devant sa glace, dans sa conscience.
J'aurais eu mardi et mercredi cent mille sifflets aux oreilles que je n'aurais pas été plus abattu. Il ne faut penser qu'aux triomphes que l'on se décerne, être soi-même son public, son critique, sa propre récompense. Le seul moyen de vivre en paix c'est de se placer tout d'un bond au-dessus de l'humanité entière et de n'avoir avec elle rien de commun qu'un rapport d'œil. » Ce verbiage trahit l'inquiétude. Se placer au-dessus de l'humanité, c'est fort beau.
Mais si l'humanité ne reconnaît pas la supériorité du surhomme, qui les départagera ? La postérité, bien sûr : en cet instant, il y croit, faute de mieux. Mais, la plupart du temps il ne lui fait pas confiance par la raison que ses contemporains sont *aussi* une postérité :
« Si Tacite revenait au monde, il ne se vendrait pas autant que M. Thiers. Le public respecte les *bustes* mais les adore peu. On a pour eux une admiration de convention et puis c'est tout. Le bourgeois (c'est-à-dire l'humanité entière maintenant, y compris le peuple) se conduit envers les classiques comme envers la religion. Il sait qu'ils sont, serait fâché qu'ils ne fussent pas, comprend qu'il sont une certaine utilité très éloignée mais il n'en use nullement et ça l'embête beaucoup, voilà. »
Bref, la postérité des classiques — nous — est déplorable. Y a-t-il une chance historique pour que la postérité de Gustave lui convienne mieux ? Ici il faudrait éclaircir ses vaticinations variées sur l'avenir : ce n'est pas le lieu. Disons en tout cas que rien n'est moins sûr. Bref, le concept même de gloire posthume éclate entre les mains de Flaubert. Comprenons-le : ce n'est pas sa faute ; c'est l'idée monarchique de gloire qui, en passe de disparaître, se cherche en vain, par lui, une remplaçante. Mais on a vu plus haut la curieuse assimilation des riches, des aristocrates et des génies : on déclame contre eux mais « on vit néanmoins de leur pensée, de leur pain ». L'adjonction de la richesse aux deux autres espèces de « supériorité » en dit long sur « le bourgeois qu'il a sous la peau » : il accepterait à la rigueur le suffrage des riches parce que la propriété les affine. Mais la véritable *convenance* reste celle qui approprie l'aristocratie de naissance à l'aristocratie de l'esprit. Nous revenons au point de départ. Pas tout à fait, cependant : même la noblesse d'épée, Flaubert en est moins sûr à présent. Tout se termine par un éloge de la solitude : il faut, devant la carence de

tout lecteur possible « être soi-même son public, son critique, sa propre récompense ». C'est renoncer à la gloire. Et comment pourrait-il en être autrement puisque le génie, ce surhomme, n'a qu'« un rapport d'œil avec l'humanité » ? Encore faudrait-il avoir, aberrante ou fondée, la certitude intérieure d'être un grand homme : certains l'ont eue, qui ont fini à l'asile ou sur un trône. Mais Flaubert n'est pas de ceux-là : malade, irritable et douteux, il fuit le jugement des autres parce qu'il y est trop sensible et, en dépit de son orgueil négatif, n'a rien à lui opposer ; il a mis des années à se remettre du bide qu'il a fait en lisant *Saint Antoine* à Maxime et à Bouilhet ; certes il a *refusé* le jugement de ses amis mais il ne l'a pas contesté : il l'a gardé en lui comme une blessure sans en tirer la moindre conclusion. Devant sa glace, soyons sûrs qu'il ne remporte aucun triomphe ; tout au contraire il y cherche le reflet d'un vaincu, d'un raté. Il demandait, enfant, à la renommée qu'il comptait acquérir de l'instituer dans son être comme un universel singulier : pourvu qu'elle réparât le mal que lui avait fait son père et qu'elle fît honte à celui-ci de ses mauvais procédés, Gustave s'inquiétait peu, à l'époque, de savoir *qui* le glorifierait ; ses succès d'acteur seront une revanche complète : voué par Achille-Cléophas à l'irréalisation, il fera de celle-ci la raison de sa célébrité, c'est-à-dire de l'humiliation paternelle ; ainsi la boucle sera bouclée ; c'est tout ce qui lui importe. Mais, dans la confusion et le syncrétisme, son désir, né du ressentiment, se structurait : haine, mépris, nuisance, tout son fiel s'y dégorgeait. Tant que son père vécut, sa furieuse passion masquait en partie les contradictions ou, tout au moins, empêchait qu'elles se développassent : il fallait convaincre le *pater familias*, il le fallait à tout prix, on n'avait ni l'intention ni le loisir de se montrer regardant sur le choix des moyens. Après la mort du médecin-chef, l'idée de gloire, cette poudrière, explose. Cessa-t-il vraiment de la désirer, comme il le prétend ? Non, sans doute, mais il n'y attachait plus le même prix : il ne s'agissait plus que de se prouver à lui-même que son père avait misé sur le mauvais cheval et que de convaincre les Rouennais qu'ils avaient méconnu le seul grand homme, après Corneille, qui fût né dans leur ville. À part cela, s'il rêvait encore d'atteindre à la gloire, il ne savait plus, à la lettre, quel était l'objet de son désir. Quand elle vint, fulgurante, il était trop tard, elle lui fit plus de peur que de plaisir. Ce fut elle, pourtant, qui, au moins jusqu'en 46, fut le désirable absolu et le premier moteur de son zèle d'artiste.

C. — DU COMIQUE CONSIDÉRÉ
COMME MASOCHISTE

Les seuls triomphes sont ceux qu'on remporte devant la glace. Les seules défaites, aussi... « J'aurais eu hier soir cent mille sifflets dans les oreilles... » Ces métaphores nous renseignent : à trente et un ans, plongé dans *Madame Bovary*, Gustave utilise encore des images empruntées au monde du théâtre ; il se regarde dans la glace — c'est la *montre* ; il essuie des défaites, gagne des batailles devant son miroir : à qui cela peut-il arriver sinon à un acteur guettant son reflet pour juger d'un « effet » qu'il vient de mettre au point ? Et qu'est-ce qui l'attend, cet acteur, le jour de la première, sinon des applaudissements ou des sifflets ? Les écrivains ne connaissent point ce genre de plébiscite, du moins en tant qu'ils ne font qu'écrire. Leurs œuvres se vendent ou ne se vendent pas, ils se font éreinter ou louer par une trentaine de personnes baptisées critiques, leurs amis leur font part plus ou moins sincèrement de leurs opinions, c'est tout. On voudra bien observer d'ailleurs que les académiciens, en ne couronnant pas, cette année-là, le poème de la Muse, n'ont rien fait qui se puisse comparer à un emboîtage ; tout au contraire, c'est leur silence que Louise leur reproche : son nom n'a pas été prononcé. Cet échec honorable n'a rien de commun avec le « bide » qui menace les mauvais acteurs. Une fois de plus, la pensée de Flaubert décolle du sujet et nous montre, par le libre jeu des associations, les structures qu'il s'est données dans son enfance et qui, depuis, n'ont pas varié. Dès l'âge de huit ans, théâtre et gloire sont liés. S'il parle de celle-ci, en quelque domaine que ce soit, il la décrit, sans même y prendre garde, telle qu'un acteur peut la connaître — ou, dans certains cas, un orateur. C'est dire à quel point le désir l'a hanté, enfant, de récupérer son être par la montre. À présent *que montrera-t-il* ? Quels rôles interprétera-t-il ? A-t-il décidé de son emploi ? Caroline Franklin Groult prétend que non : dans le salon du billard, on aurait joué aussi des tragédies. Je reconnais que la nièce prétentieuse d'un acteur se sentira plus honorée, à tant faire, s'il est tragédien. Mais, dans le cas présent, c'est invention pure : dans les lettres que Gustave écrit à Ernest avant son entrée au collège, il n'est pas une fois question d'interpréter des rôles tragiques : toutes les pièces mentionnées, qu'elles soient « empruntées » au répertoire ou « adaptées » — on verra que la différence n'est pas grande — sont du genre comique et, souvent, s'apparentent à la farce plus qu'à la comédie. En d'autres termes, il est clair que Gustave a choisi d'*atteindre-à-la-gloire par le comique* et qu'il n'y a pas là deux options mais une seule. Et qui s'est maintenue durant toute sa vie puisque, du Garçon à Saint Polycarpe, tous les personnages qu'il interprète en public sont bouffons. Humour noir, tant qu'on voudra, inquiétante bouffonnerie, cela va de soi et nous y reviendrons au prochain chapitre : n'empêche que Flaubert prétend se faire plébisciter par le rire.

Pour comprendre les raisons de ce choix, il faut nous demander *qui* rit et de *quoi on rit* : nous verrons que ces deux questions n'en font qu'une. Mais ce n'est pas le lieu de tenter une explication du rire : je ne veux que rappeler quelques vérités acquises — en particulier depuis l'étude de Bergson et celle de Jeanson — dans la mesure où elles nous permettront d'avancer dans notre entreprise. Chacun sait, par exemple, que le rire est une conduite intentionnelle, une activité passive de défense mais il est bon de garder cette idée présente à l'esprit pour découvrir les intentions exactes de Flaubert. On dira sans doute que le comportement d'hilarité est complexe et divers ; je n'en disconviens pas ni de ce que les considérations qui suivent ne peuvent s'appliquer à *tous* les rires. Mais l'hilarité, comme toutes les déterminations culturelles, a une histoire qui commence avec l'apparition des hominiens ; l'acculturation du rire en a fait une conduite polyvalente ; il faut donc considérer ses différents aspects comme des superstructures qui se sont produites dialectiquement à partir d'une structure élémentaire : celle-ci, d'ailleurs, s'est conservée. À la fois comme infrastructure cachée de toutes les hilarités et, en toute indépendance, comme réaction immédiate et collective des individus sociaux quand ils sont témoins d'événements bien déterminés. C'est ce rire antique et primitif, vieux comme l'humanité, irruption de la préhistoire dans nos sociétés historiques, que nous tâcherons de décrire : parce que Flaubert veut — nous en donnerons les preuves — se faire instituer par lui.

Dans toute collectivité, les individus ont en commun une certaine représentation de la personne humaine qui naît des institutions, des mœurs et de l'histoire et qui définit ce qu'ils sont par ce qu'ils doivent être et ce qu'ils doivent être par ce qu'ils sont. Lorsqu'un membre de la communauté révèle par son comportement que cette représentation risque fort d'être un mensonge, lorsqu'il caricature, volontairement ou non, le *personnage humain* qui a cours dans cette communauté, les autres membres se trouvent du même coup en danger dans leurs personnes : si le « caractère français » n'est qu'un tissu de contradictions, s'il suffit pour qu'il éclate d'en radicaliser les traits principaux, c'est dans *mon* caractère de Français, structure socialisée de mon Ego, que je suis contesté et, simultanément, l'ordre national est gravement menacé puisque, somme toute, la personnalité française n'est que le condensé syncrétique de l'histoire et des structures de la France. Dans la mesure où le membre de ma collectivité, quelle qu'elle soit, vient à moi dans le milieu de l'intersubjectivité comme mon prochain et mon frère, comme un autre moi-même, je suis compromis en tant que je suis pour lui un autre lui-même, un frère, un prochain. S'il me met en danger en sa personne, il importe au plus vite de prendre mes distances, de briser les liens qui m'unissent à lui. Quand un ensemble social est en jeu, quel qu'il soit, la rupture des liens est un acte décidé et exécuté par la majorité des membres présents. Qu'il s'agisse de la pure et simple liquidation physique ou d'un bannissement (expulsion, mise en quarantaine, incarcération), les mesures adoptées ont trois caractères inséparables : la collectivité, quel que soit son statut antérieur, se constitue en groupe ; elle s'unifie par une action dont chaque individu assume la responsabilité entière, elle purifie son intersubjectivité par la suppression de l'élément perturbateur et, pour un certain temps, elle atteint à un degré d'intégration supérieur. De toute manière il y a sanction donc colère et vindicte : c'est donc que la conduite délictueuse ne s'est pas bornée à proposer une image offensante de la « personne humaine » ; à tort ou à raison le groupe estime qu'elle a eu ou qu'elle pourrait avoir des conséquences graves.

Il arrive cependant que la contestation de l'homme n'entraîne aucune perturbation. Il est des ivrognes qui tuent mais *cet* ivrogne, bien connu de ses voisins, ne fait de mal à personne, il est doux comme un enfant. Il n'en demeure pas moins qu'il conteste publiquement le maintien type et la dignité standard du Français moyen, la station debout dont nous sommes si fiers et la voix humaine, souffle sacré ; il vient à son prochain comme son image inquiétante et grotesque, il rappelle que la « personne humaine » ne résiste pas à l'absorption d'une certaine quantité d'alcool. Cela, nous le savons tous, dès l'enfance, et souvent par expérience directe : mais nous ne voulons pas qu'on nous le *donne à voir*. Ceux qui se sont saoulés, fût-ce une fois, ont éprouvé dans leur chair la soudaine impossibilité d'être l'*homme-moyen* qu'ils avaient mandat d'incarner, ils ont senti leurs jambes trébucher, ils ont vu les choses environnantes vaciller ou tourner, ils ont entendu leurs mots, décomposés, se bousculer au portillon ; en même temps ils ont tenté désespérément de compenser cette décomposition, ce démantèlement des montages et des automatismes, par les attitudes les plus noblement humaines : la distinction, l'esprit de sérieux, une gravité un peu sentencieuse ; à peine les avaient-ils adoptées, elles se corrompaient, tournaient à l'aigre ou à l'ignoble, manifestant — à eux et aux autres — que le « personnage humain » est un rôle injouable à moins que *toutes* les circonstances ne soient favorables ou, si l'on préfère, que l'Homme existe *où et quand* il est toléré, bref, sous condition. Voilà ce qu'ils ne veulent plus jamais ressentir (au moins lorsqu'ils sont à jeun), voilà ce qu'ils ressentent là-bas, en la personne du pochard titubant. Mais qu'est-ce à dire ? Ce brave homme est trop bourré pour agir : sa saoulerie, commencée n'importe où, hors de vue, s'achèvera, hors de vue, dans le sommeil ; c'est une pure apparition qui se donne pour telle, qui n'a point de passé (sinon dans le temps cyclique du retour éternel) et point d'avenir et qui glissera dans le néant sans laisser une seule trace ; pourtant cette pure représentation, sans relation pratique avec notre expérience présente, se manifeste avec force, requiert notre attention, le gars tonitrue, interpelle les badauds, s'impose : on dit qu'il « se donne en spectacle ». Et c'est bien cela : la réalité, ici, n'a pas sa pesanteur ordinaire ; en un sens, elle n'est pas *sérieuse* : elle ne concerne en rien l'assouvissement de nos besoins, je ne peux rien en faire et rien en tirer : ni bien ni mal. Pourtant ce spectacle — qui s'est constitué lui-même comme tel — reste redoutable aux gens sérieux : il les dénonce dans leur sérieux même puisque l'ivrogne se prend au sérieux, bafouille sentencieusement et démontre que la gravité n'est qu'une attitude. Que faire contre lui ? Son innocuité paralyse, affecte les passants du statut de *spectateurs* ; ils sont par rapport à lui en état d'activité passive. Entendons qu'ils le refusent sans lever un doigt pour le frapper ou le chasser. Le problème sera donc : comment supprimer un spectacle qui déplaît sans quitter cette passivité qui est le propre du spectateur ? On peut se détourner, naturellement, mais c'est jouer perdant : derrière les dos indignés la ridiculisation de l'Homme continuera. Le rire est la seule réponse adaptée.

Cet ensemble de contractions spasmodiques, subies et consenties, tout ensemble, doit être un des comportements les plus anciens de l'humanité ; il est apparu au stade prélinguistique puisqu'il est signal plus que signe, qu'il incarne et reproduit par un curieux mimétisme la structure dominante de l'objet risible, enfin puisqu'il est l'instrument d'une communication indirecte ou marginale et qu'il se propage, non pas comme un billet qui passe de main en main mais comme un bâillement, par contagion. C'est avant tout l'intériorisation stupéfaite d'une contradiction objective et scandaleuse qui s'empare du rieur, le possède, se fait mimer sous forme de spasmes, d'une succession de contractions et de détentes, d'inspirations et d'expirations et qu'il réextériorise en la projetant sur l'objet risible.

Dans le cas de l'ivrogne, la contradiction qui se résout par le rire nous saute aux yeux : il est homme — c'est-à-dire : personnage humain — il ne l'est pas. Il se tient pour mon semblable et, m'interpellant, me constitue objectivement comme son prochain ; je refuse toute similitude avec lui, encore que je sois conscient qu'il me ressemble ; il fait *mes* gestes, il parle *ma* langue mais, déformant tout, il paraît vouloir me ridiculiser dans mon rôle de personne humaine. La thèse est l'homme, l'antithèse ce que j'ai nommé ailleurs le contre-homme, c'est-à-dire un inhumain qui a pris les dehors de notre espèce dans l'intention de lui nuire. Le rire est une riposte globale : j'intériorise la contradiction et je m'en délivre en forçant sur l'antithèse : l'ivrogne n'est ni mon prochain dégradé ni mon ennemi diabolique ; c'est un sous-homme qui se prend pour un homme et j'assiste, moi, personne humaine de droit divin, à ses efforts grotesques et vains pour approcher de notre condition. Ou, si l'on veut, l'opposition essentielle et particulièrement troublante est celle de l'intériorité et de l'extériorité : intérieurement, l'ivrogne se prend au sérieux, il est pénétré du sentiment de sa dignité ; extérieurement il se déconsidère sous l'effet d'un poison. Le rire jaillit dans l'intention vécue — et non connue — de radicaliser l'antithèse en réduisant l'ivrogne à la pure extériorité. De cette façon j'expulse le fâcheux de l'intersubjectivité : celle-ci ne peut s'établir qu'entre des existants pourvus d'une intériorité et celui qui n'est qu'un *dehors*, qui se présente comme une surface plate et sans profondeur, s'exclut *ipso facto* de la vie intersubjective. En poussant les choses jusqu'au bout, la contradiction qui s'incarne dans les spasmes du rire pourrait se définir comme celle du vitalisme et du mécanisme. Le personnage risible croit, selon les rieurs, être à l'ori-

gine de ses actes alors qu'ils sont le résultat des circonstances antérieures et de facteurs externes ; celui-là prétend jouir d'une liberté
tout au moins relative, être l'unité d'intériorité des processus
psychosomatiques quand ceux-ci savent parfaitement qu'il est
manœuvré, soit que les conduites qu'il croit spontanées ne soient
que l'envers d'une *volonté autre*, précise et rigolarde, s'appliquant
à lui faire tout ce qui peut le conduire au bord de la disparition
sans jamais aller plus loin que la manifestation permanente de cette
mort en sursis, soit qu'il s'agisse d'un robot dont les actions s'expliquent du dehors comme la direction, la vitesse, l'énergie cinétique
et les relations internes d'un système mécanique et que les spectateurs puissent prévoir rigoureusement les comportements qu'il croit
imprévisibles. En ce sens la risibilité s'apparente à l'erreur : il faut
que l'objet risible se trompe et se prenne pour un sujet. Un *objet
qui se trompe*, un robot qui se tient pour un homme, c'est une
absurdité. N'importe : les rieurs n'explicitent jamais le sens de leur
rire : ils rient, c'est tout. Il se peut d'ailleurs qu'ils accordent au
risible une intériorité limitée : la bêtise, par exemple, est dérisoire
parce qu'elle agit, de l'intérieur, à la façon d'un manipulateur
externe, déviant une intention qui paraît d'abord humaine pour la
faire aboutir à la négation de l'humain et, tout particulièrement,
de la praxis. Gribouille en est un exemple, qui se jette à l'eau pour
éviter la pluie. Le départ est juste : il faut se protéger contre l'averse.
Mais la sottise de Gribouille est donnée ici pour une fixité mécanique qui l'empêche de saisir la totalité de son intention ; bref l'idée
est fausse, comme dit Spinoza, parce qu'elle est incomplète : c'est
contre l'*eau* qu'on doit se protéger ; du coup le projet du malheureux, application mécanique d'un précepte tronqué donc incompris,
apparaît comme la ridiculisation en lui d'une conduite humaine mais
ne compromet point car il est victime d'une force maligne, son imbécillité, qui lui interdit de penser ses propres pensées et les transforme,
à peine nées, en déterminations inertes, extérieures à lui, extérieures à elles-mêmes. Bref les rieurs n'accordent l'intériorité qu'à la
condition qu'elle se supprime elle-même sous leurs yeux : il est clair
que Gribouille *croit* penser, il s'imagine qu'il prend une vue synthétique et articulée de la situation ; en fait, il se trompe : ses idées
sont des embolies, des caillots projetés dans son cerveau. Et de rire.

On rit des maladroits, des malchanceux, des cocus, de la merde :
la scatologie fait crouler de rire, beaucoup plus rarement la pornographie à moins qu'elle ne vise à ridiculiser le corps féminin, à montrer, sous la réserve de la femme, la femelle qui « veut être foutue ».

On rit, en général, de tous les besoins parce que, dans nos sociétés bourgeoises, ils passent pour rabaisser le personnage humain. On rit des défauts, des vices, des bévues, des échecs ; nous pouvons rire de toutes nos inclinations et de tous nos goûts pourvu qu'ils apparaissent *chez l'autre* comme des agents de déshumanisation, de la mort même, comme le prouvent les *Famous last words* recueillis par les humoristes anglais [1]. C'est dire que le rire est impitoyable. Ou, plus exactement, qu'on y a recours *contre la pitié*. Toute compassion, même fugitive, serait suspecte et dangereuse : elle prouverait que nous nous *mettons à la place* de l'individu scandaleux et que nous commettons la faute de lui attribuer une intériorité (quand ce ne serait que le pouvoir de souffrir) et, par conséquent, que nous ne sommes pas si différents de lui ; il faut, en effet, s'il excite notre compassion, que ce soit un homme — ce qui est un sacrilège — ou que nous soyons nous-mêmes des sous-hommes — ce qui n'est pas tolérable.

Reste que nous sommes pitoyables et que, dans d'autres circonstances, nous l'avons prouvé. Reste que la relation fondamentale entre les hommes, masquée, déviée, aliénée, réifiée tant qu'on voudra — est la réciprocité. Pour rire d'une infortune, il faut que nous nous fassions autres que nous ne sommes ou plutôt le rire est une mutation brusque qui affecte le rieur autant que l'objet *devenant risible*. En d'autres termes, pour saisir le personnage compromettant dans son extériorité, il faut que nous soyons extérieurs à nous-mêmes. Voilà pourquoi nous intériorisons sa contradiction profonde : les spasmes du rire manifestent l'intériorité affirmée et sans cesse refusée. Mais cette mutation ne peut en aucun cas être l'œuvre d'*un seul*. Le rire est collectif par essence ; il se sent contagieux, il ne naît pas sans l'intention de l'être et, quand il éclate, il renchérit sur lui-même pour se faire entendre et se propager : il reste incomplet tant qu'il ne provoque pas une mutation collective qui reviendra sur lui pour le compléter, achevant la transformation de l'individu en rieur. C'est ici qu'on peut comprendre le sens fondamental du rire : au lieu que le lynchage ou le bannissement

---

1. Prononcés par des automobilistes, ils traduisent tous ce sentiment d'ivresse et de liberté qu'on éprouve au volant. Mais, mieux placés que le conducteur, nous voyons, sur l'image, ce qu'il ne voit pas. D'où notre jubilation. Car le monde est une bête fauve aux aguets et, par exemple, la route où il s'est bravement engagé conduit à un précipice. Cet homme est risible car il est *déjà mort* et continue d'affirmer sa souveraineté de vivant. Il se croit maître de l'Univers à l'instant où celui-ci qui l'avait, jusque-là, toléré par indifférence, porte sentence contre lui et l'oblige à s'en faire lui-même l'exécuteur.

sont des actions du groupe qui renforce par elles son intégration, le rire exclut l'objet risible de l'intersubjectivité en supprimant toute relation interne entre les rieurs. Ou, si l'on préfère, en suspendant provisoirement la *catégorie* d'intériorité. Les liens qui s'y rapportent étant abolis, l'objet scandaleux perd le pouvoir de compromettre. N'allons pas croire, pour autant, que la suppression des rapports intersubjectifs aboutisse à une pure dispersion moléculaire : en retrouvant leur solitude, les spectateurs pleureraient peut-être mais assurément ne riraient pas. L'hilarité ne disperse pas, elle fait passer d'un type de société à un autre ; la morphologie de l'ensemble social que forment les témoins se transforme : le groupe, si groupe il y a, ou la demi-solitude des badauds devient *série*. Je ne reviendrai pas ici sur la structure sérielle que j'ai décrite ailleurs : je rappelle simplement que, dans la série, chacun est conditionné par tous les autres mais *en extériorité* ; les rapports de réciprocité et d'univocité sont exclus, tout ce qui *passe* de l'un à l'autre et, de proche en proche, à tous paraît se transmettre mécaniquement, comme une ondulation, ou, en tout cas, aveuglément comme une grippe : le rire entre en chacun par l'oreille, c'est déjà le rire de l'autre et celui qu'il possède à présent se fait en riant *autre par tous les autres*, transmetteur d'une hilarité qu'on lui a transmise de l'extérieur et qui, du coup, le rend extérieur à soi-même ; donc *autre que soi* ; en lui le rire s'annonce comme *celui de tous* mais non pas comme l'acte commun du groupe (décidé en toute souveraineté par chacun, en pleine réciprocité par tous grâce à la médiation du tiers), tout au contraire comme l'*indice de séparation* — partout le même — de chaque unité sérielle par rapport à la précédente et à la suivante. Je ris *parce que* mon voisin rit et *parce que* nous renonçons d'un commun accord à nous connaître, à nous reconnaître : de fait, quand ce voisin est par ailleurs mon parent, mon ami, mon supérieur ou mon subordonné, si je ne cesse pas de vivre le lien qui nous unit, si je rapporte sa conduite présente à ce que je sais de sa personne et de sa vie, le rire ne « prendra pas », l'intériorité réaffirmée empêchera la contamination de se produire. Si, par contre, je me sérialise assez pour n'avoir plus avec mon frère même que le double rapport d'identité (en tant que terme de la série) et d'extériorité *vécue* (en tant que la réaction autre s'imposant à moi comme une force étrangère me métamorphose en un être sans intériorité), je suis et je me fais membre de la *société du rire* : un « collectif » vient en effet de se constituer qui perçoit, ressent et pense *sériel*, c'est-à-dire selon la catégorie d'extériorité ; en celui-ci, chaque membre s'est fait *mécanique* grâce à tous les autres et a remplacé son Ego par un *alter ego* pour considérer l'objet scandaleux comme une machine, c'est-à-dire du point de vue de l'antithèse radicalisée, autrement dit du mécanisme.

Ce magistrat qui conduisait un cortège glisse et tombe sur le cul. Il fait la grimace, se relève et repart en boitillant. Bergson pense, à juste titre, que, si l'on rit, c'est que cette chute malencontreuse montre «du mécanique plaqué sur du vivant». Mais il ne nous donne pas le sens social et l'intention de cette hilarité. Il n'est pas sûr d'abord que les badauds s'égaieront : ce dignitaire peut être aimé. Ou redouté. Au contraire, s'il est prévaricateur et corrompu, s'il s'est fait détester par sa morgue, le fou rire s'en trouvera facilité : c'est une plaisante revanche que de transformer le signifiant hautain et redoutable en signifié. Mais la fonction protectrice du rire, en cet exemple, est tout ailleurs. Imaginons en effet que les spectateurs soient consternés : l'esprit de sérieux subsiste comme aussi le milieu intersubjectif. Mais c'est au prix d'une catastrophe métaphysique : ils assistent dans la terreur à la négation du sacré par la pesanteur. Tout est sens dessus dessous puisque la nature commande au surnaturel qui doit la gouverner. Un président à mortier les quatre fers en l'air, c'est un sacrilège commis par la matière inanimée ; celle-ci, brusquement révoltée, rejette en la personne de cette « autorité » la hiérarchie politico-religieuse que *cette* société a établie et qu'elle tient pour le fondement de l'ordre humain : en ce cas *tout* est possible, soit que le sacré dévoile une suspecte ambiguïté, soit que le Ciel se fâche et foudroie les assistants : dans le milieu de l'intersubjectivité, il n'y a jamais de témoin innocent. C'est pour éviter l'angoisse que ceux-ci, si les circonstances le permettent, vont instituer en hâte la société du rire : la foule se sérialise pour saisir l'incident en pure extériorité c'est-à-dire par une pensée que sa structure et ses principes empêchent de concevoir le sacré. De fait le rire l'escamote : le pouvoir charismatique n'existe nulle part sauf dans la tête de ce vieux fou qui croyait en posséder une parcelle. La chute prouve à tous, sauf à lui-même, qu'il n'a jamais participé au numineux et qu'il est soumis comme tout le monde aux lois de la nature ; la vérité de cet homme, c'est la pesanteur, il y est asservi au même titre que la matière inerte. La contradiction que dénonce l'hilarité n'est pas, dans cet exemple, celle qui oppose la nature au surnaturel puisque celui-ci a vidé les lieux en hâte mais c'est le contraste entre l'opinion erronée que ce dignitaire a de lui-même et sa réalité qu'il découvre soudain dans l'égarement. En particulier, l'instant qui déchaîne le rire, c'est celui de la rupture d'équilibre : ses gestes sont inhumains et trop humains, en ce sens qu'ils se dé-composent, paraissent simultanément des mouvements imposés par l'attraction terrestre à un objet pesant et de vains efforts pour retrouver la station debout qui caractérise la personne humaine ; ses vêtements souillés, sa robe retroussée gardent cependant une dérisoire majesté ou plutôt témoignent que toute majesté est dérisoire. Bref le soi-disant surhomme s'effondre dans la sous-humanité. L'intériorité du malheureux n'est pas abolie, elle est disqualifiée ; en cette masse déséquilibrée qui s'entête à se croire sacrée, la conscience ne peut être qu'un épiphénomène : un malin génie l'a réglée de telle sorte qu'elle se prend, inévitablement et en toute occasion, pour le contraire de ce qu'elle est. Cet animal-machine, hanté par un cauchemar absurde, provoque par ses grognements et sa claudication une tempétueuse hilarité : il s'entête à croire qu'il souffre. Elle est irrésistible, cette vieille carcasse, conglomérat provisoire d'atomes crochus en instance de décrochage, qui, oubliant qu'elle est poussière, et qu'un frisson cosmique suffira pour disperser cet embouteillage de molécules, rêve qu'elle est entéléchie à tout instant rassemblée et maintenue par l'unité synthétique d'un acte souverain. Le rire est dit « sain » parce qu'il remet les choses en place et substitue le *fait* au *droit* ; il se déchaîne en cas de danger — c'est-à-dire de spectacle compromettant — pour désolidariser les spectateurs de l'objet qui se donne en spectacle et, à cet effet, abolit la solidarité ; il entérine et radicalise la dénonciation par le cosmos de l'esprit de sérieux chez un microcosme particulier : ce petit univers qui se croit le maître du monde ne subsiste qu'autant qu'il y est toléré et sa prétendue souveraineté n'est que le plus sûr moyen de le conduire à sa perte. Rien n'est plus divertissant, dans un film comique, que la sage prudence, les manœuvres avisées, les précautions d'un conspirateur qui rase les murs, marche à pas de loup, s'arrête pour tendre l'oreille, bref manifeste en toutes ses conduites une gravité consciente et appliquée pendant que ses ennemis, invisibles pour lui, pour nous fort visibles, le regardent nonchalamment faire exactement tous les actes qui le mettront à leur merci ; liberté, connaissance, confiance en soi, organisation rationnelle des moyens en vue d'une fin valable : quand le rire n'en fait pas de simples apparences, il constate que, dans ce monde truqué, elles se retournent nécessairement contre celui qui en fait usage : c'est un homme piégé, ce conspirateur qui, *déjà découvert*, s'obstine à jouer jusqu'au bout son rôle fastidieux de conspirateur.

Piégé par ses capacités mêmes, usant contre lui de ses propres pouvoirs. Sa souveraineté a, nous l'avons vu, la structure ontologique de l'erreur : elle persévère dans son être, faute de savoir qu'elle n'est pas.

Après ces quelques remarques, on serait fondé à croire que le rire s'institue contre le sérieux de la vie. De fait nous venons de voir que le rieur, abolissant tout rapport intersubjectif, se donne la même structure en extériorité qu'il entend imposer au risible. N'est-ce pas laisser entendre que la vérité de l'homme ne se dévoile qu'au rire, que la « personne humaine » est une imposture et une impossibilité : celle-ci, loin d'être absurde (l'absurde ne se présente jamais comme le produit d'une contradiction ; de lui-même, il va plutôt vers le non-sens), aurait au contraire la rigueur d'une farce-attrape ou d'une bombe à retardement. Dans ce cas, la seule attitude possible serait de rire « à la face » de tous les hommes, à commencer par soi-même. Nous reviendrons sur cette attitude et sur cette conception du rire universel puisque Flaubert, plus tard, s'en réclamera. Mais avant même d'examiner si cette position est tenable, il faut observer qu'elle ne peut exister — si tant est qu'elle existe — à moins d'être réflexive et secondaire, ce qui signifie qu'elle s'oppose fondamentalement au rire originel qui est un comportement primaire, spontané, irréfléchi, immédiat. Or celui-ci se donne pour but de sauver l'esprit de sérieux, nous l'avons vu : à la première menace de contamination intersubjective, la socialité se rétracte, fait voler l'intersubjectivité en éclats de rire, la remplace par le rapport sériel. Mais c'est *pour la mettre à l'abri*. Dans l'hilarité première, en effet, le rire détruit toutes les valeurs et toutes les normes, son champ est un désert inhumain, irrespirable pour les hommes, où l'on ne rencontre que des mécaniques mystifiées mais il pose, dès qu'il éclate, un principe juridique qui n'existait pas dans le milieu de l'intersubjectivité : en riant, le rieur affirme son *droit de rire*. Le président à mortier *a tort* d'être risible et les spectateurs *ont raison* de se faire rieurs ; ils *ont raison* de lui refuser la compassion qu'il demande et, le cas échéant, de trouver risibles ses souffrances, *raison* de se montrer bêtes, méchants, cruels et bornés, de ne rien vouloir comprendre, de s'en tenir à la pure extériorité : s'ils prennent le point de vue de la matière inanimée, c'est pour pétrifier l'agresseur et lui ôter ses apparences humaines, en un mot, c'est pour déjouer le contre-homme ; l'exhibition scandaleuse qui se fait sous leurs yeux aurait pour effet, s'ils n'y mettaient bon ordre, de les convaincre que la « personne humaine » est un rôle ignoble ou impossible à jouer. Ils plongent aussitôt dans le rire pour entraîner avec eux l'objet scandaleux dans l'extériorité. « L'homme est impossible ? Bien sûr : impossible pour toi. » Le rieur ne dit pas plus : de fait la pensée analytique ne peut aller plus loin. Mais l'envers du rire, c'est l'homme intégré : le droit de rire n'est accordé qu'aux non-risibles ; ou plutôt on se fait non risible en riant, on *prouve* qu'on est digne de rire. Qu'on se rappelle les souffre-douleur, au lycée. Leurs camarades ont décrété qu'ils étaient ridicules : s'ils se trouvent être deux, la classe entière rit de l'un ou de l'autre suivant son bon plaisir mais il est interdit à celui dont, provisoirement, on ne s'occupe pas de se joindre à l'hilarité générale. La loi n'est pas écrite, pas même formulée, mais à peine a-t-il commencé, le rire se retourne tout entier sur lui : « Tu te marres, hein, tu te marres ? Tu t'es donc pas regardé », etc. Le rire est le propre de l'homme parce que l'homme est le seul animal qui se prenne au sérieux : l'hilarité dénonce le faux sérieux au nom du vrai. Le souffre-douleur ne doit pas rire : c'est un sous-homme affecté en permanence de l'illusion subjective ; il faut qu'il persévère dans son faux sérieux : il est drôle quand on le bat et qu'il cherche vainement à se protéger des coups, quand il a mal, quand il pleure, quand il essaie de sauver un peu de cette dignité humaine qu'il croit bien à tort posséder, quand on l'effare par des farces et des attrapes soigneusement agencées mais, précisément pour cela, il serait dangereux de lui accorder un droit réservé aux vrais hommes.

Ceux-ci sont profondément sérieux ; quand ils chassent le contre-homme, ils entrent résolument dans l'inhumanité pour battre l'ennemi sur son propre terrain. Mais cette métamorphose cache provisoirement les précieux rapports d'intériorité qu'ils entretiennent avec leurs pairs au sein d'une société exquise et grave, où personne n'est risible, où personne ne songe à rire. Cette société n'est pas nommée ni ne peut l'être, quand ses membres s'inhumanisent, mais c'est elle, justement, qui donne le droit de rire, elle reste tout entière présente dans cette agression défensive puisque le rieur attaque pour la défendre. Il arrive souvent que le fanatisme rie. Surtout à droite, où il s'agit de *conserver*. Car, on l'a compris, le rire est conservateur. En ce cas, le militant moque ses interlocuteurs profanes, répond tout exprès par des bourdes à leurs questions, à leurs arguments. L'organisation dont il se réclame — et qui représente pour lui la société d'intériorité — lui inspire un respect si profond qu'il ne daigne pas même en exposer le programme et les objectifs aux sous-hommes qui l'entourent : ce serait les prendre au sérieux. Il est préférable de les entraîner dans l'arène du rire et, par des bouffonneries calculées, les dénoncer publiquement comme des caricatures de la « personne humaine » et susciter des rieurs pour les mettre de son côté.

Cette société d'intériorité au nom de laquelle les spectateurs créent le champ du rire, faut-il admettre qu'elle existe en vérité ? En certains cas — par exemple, le fanatisme — on peut lui accorder une existence virtuelle. Mais la plupart du temps elle reste embryonnaire ou parfaitement irréelle : l'hilarité collective a précisément pour office de sauver le « personnage humain » dont l'homme social a fait son modèle, en la présupposant. Mais ce modèle sécurisant n'a jamais été exclusivement le produit d'un groupe : c'est un ensemble impératif de recettes et de conduites dont certaines ont pour origine l'idéologie dominante et d'autres se sont établies dans le milieu de la sérialité, ce milieu même où le rieur prétend descendre pour sauver l'intériorité. En bref, il s'agit d'un objet pratico-inerte dont l'origine est à chercher aussi bien dans la séparation des individus sociaux que dans leur union. Dans nos sociétés complexes où coexistent tous les types d'ensembles sociaux, où la liberté n'existe que pour s'aliéner et où les forces de massification s'exercent en permanence même sur les groupes les plus intégrés, la société du rire est proposée en permanence, pourtant l'on ne saurait dire que les relations humaines soient transparentes ni de pure réciprocité. Le rire sera moins facile dans certaines communautés, plus restreintes et plus intégrées, où la part du sériel est moins importante : l'étranger compromettant, plutôt que du rire, risque de faire l'objet de violences physiques. N'importe : en riant, je *valorise* la sérialité puisque je l'adopte ou que je l'accentue spontanément comme instrument de défense adopté par le groupe dont je prétends être membre. Bien sûr, c'est mettre la vérité cul par-dessus tête : si le rire est possible, c'est que la sérialité existe partout au moins à titre de menace ; s'il est contagieux, c'est que la récurrence est la règle des réactions sérielles. En ce sens, il est *panique*, comme les scandales, les déroutes, les « grandes peurs ». Reste qu'il jaillit pour protéger un modèle sécurisant (pour moi et pour tous) que chacun tient pour sa vérité sociale et qu'il ne peut le défendre sans en faire le bien commun des rieurs, donc le libre produit commun d'un groupe qui ne peut pas ne pas avoir existé antérieurement et ne peut pas ne pas renaître après la stérilisation défensive. De fait, si le rire, en démasquant le faux sérieux, ne se référait pas au sérieux

« véritable » il faudrait que les rieurs en tirent cette conclusion aveuglante : tous les sérieux sont faux. Mais c'est celle, justement, que lui propose le contre-homme qui se donne en spectacle et c'est pour l'éviter qu'il affecte celui-ci de risibilité. De fait le rire commence en panique mais s'accompagne très vite d'un sentiment de supériorité : moi, je ne me casse pas la figure quand je fais partie d'un cortège pas plus que mes voisins et que tous ceux qui rient avec moi ; moi, je respecte le sacré et je ne risque pas de le compromettre par ma naïveté et il en est ainsi de tous les hommes qui m'environnent ; moi, je sais boire, je tiens l'alcool ; moi, je ne suis pas cocu, j'appartiens comme tous les présents à ces maris vraiment humains que leurs épouses ne tromperont jamais. C'est par cette raison que le rire, quoique né de la peur, s'accompagne d'un plaisir intense ou, tout au moins, d'une excitation gaie : contagieux et consenti, tout ensemble, il est venu à moi *par l'Autre* et s'est emparé de mon corps, cela veut dire qu'il *m'a élu*, je ne l'ai pas produit, je l'ai subi et j'y ai adhéré ; c'est la preuve que j'ai toutes les qualités d'un homme. Triomphe du « qualunquiste », le rire est un *satisfecit* que l'homme moyen se donne à lui-même. Et par « homme moyen », j'entends, naturellement, n'importe qui dans l'instant qu'il rit [1].

Suscité par un *spectacle*, c'est-à-dire par une *montre* sans conséquence pratique et qui, en conséquence, est, par rapport aux témoins, une réalité incomplète, le rire, activité passive, s'apparente à l'imaginaire en ceci qu'il achève de déréaliser son objet. Par cela même, il a le caractère d'une sanction : le malheureux président à mortier doit intérioriser l'hilarité qu'il a provoquée ; c'est comme une sentence qu'on signifie au condamné : tu n'es qu'une apparence d'homme ! Que faire contre elle ? Un air de dignité outragée, un discours majestueux ne feraient que redoubler l'hilarité générale en montrant que le vieux fou est indécrottable. Il faut qu'il accepte, pour l'instant, sa déshumanisation et la déréalisation de sa vie subjective ; dans le moment même où, chassé de l'intersubjectivité, il voudrait trouver refuge dans son intériorité de solitaire,

---

1. Il existe un rire « ignoble ». Nous rions bassement quand un de nos congénères, ayant tenté *pour de bon* de s'élever au-dessus de lui-même, c'est-à-dire de nous, s'est cassé les reins. Mais, là aussi, nous rions au nom de la « personne humaine » telle que notre société l'a définie. Cela signifie que cet ensemble pratico-inerte ne peut être ni dépassé ni même réformé : ce téméraire l'a bien montré qui, pour avoir pris au sérieux (au faux sérieux) ses rêves de grandeur, a fini par s'écraser à nos pieds. Sous-homme en ceci qu'il voulait être surhomme. Ce rire-là déguise sa bassesse en se réclamant d'une éthique rigoureusement conformiste.

les vagues du rire déferlent sur lui pour lui enjoindre de ne pas se prendre au sérieux et pour disqualifier d'avance l'asile qu'il s'est choisi : tu ne souffres pas, tu crois souffrir, tu n'es qu'un morceau de matière hanté. C'est le moment où l'objet risible, saisi d'un effarement horrible mais émerveillé, « n'en croit pas ses yeux » et « souhaite rentrer sous terre », faute d'échappatoire. Bref, il se sent lui-même extérieur à soi et n'en revient pas. La meilleure solution dans bien des cas — mais non dans le sien — serait de rire le premier de soi-même mais c'est achever de se déréaliser car ce rire-là est *joué*. Voilà pour le puni. Mais les juges, eux, sont rassurés par cette condamnation à l'irréalité : en réduisant le spectacle à n'être qu'une pure apparence, ils lui ont ôté toute nocivité. Rien n'est arrivé sinon qu'un sous-homme a été pincé au moment où il se donnait les allures d'un homme ou, mieux, qu'on a démasqué un sous-homme qui n'était rien d'autre qu'une apparence humaine. C'est un émerveillement agréable qu'éprouve le rieur en voyant l'objet scandaleux perdre toute profondeur et toute réalité pour devenir une image plate, inventée plutôt que perçue par la foule hilare, comme si une Divinité obscure envoyait de temps à autre des sous-hommes travestis au milieu de nos villes et de nos campagnes pour nous divertir par de plaisantes caricatures et nous confirmer dans le sentiment de notre valeur. En ce sens, le comique spontané, c'est un *happening*, c'est le théâtre dans la rue. Les hommes sérieux s'en amusent un instant et puis ils reprennent leur gravité ; déconcertés par l'irréalisme et la gratuité du spectacle, ils ont oublié qu'ils en sont les auteurs ; c'est que le sérieux reconquis commence par renier le rire — comme ces spectateurs qui, pendant une comédie-bouffe, ne cessent ni de se tenir les côtes ni de chuchoter à leurs voisins : « C'est idiot. » Ainsi la boucle est bouclée : le rire a sauvé l'esprit de sérieux qui, dès qu'il reparaît, se hâte de le désavouer.

Ce rire « bête et méchant » du conformisme, c'est à lui, pourtant que Flaubert demande de consacrer sa gloire. Bien sûr, on peut éclairer cette option par les raisons mêmes qui l'ont fait choisir d'être acteur : son père l'a déréalisé en moquant ses élans de tendresse. L'enfant se croit affecté de risibilité et nous l'avons surpris à grimacer devant la glace pour tenter de récupérer son être-en-extériorité. On l'a vu, c'est un échec : il bouffonne mais ne rit pas *pour de vrai*. Pourtant, il a fait de son mieux pour être drôle ; entendons : pour s'assumer risible, pour reprendre à son compte en les exagérant les conduites que son père dénonce par l'hilarité. Il n'en faut pas plus pour que le miroir lui suggère cette autre récupération : gouverner le rire des autres, le provoquer *à volonté*. De ce point de vue, le choix de son emploi est indissolublement lié au choix de sa carrière : ce qui était mon vice de constitution deviendra la source de mon pouvoir ; bouffon, je me libérerai en produisant ce que je subissais ; plus tard, chaque soir, devant des salles combles, je régenterai les autres, je les châtierai par où ils ont péché puisque je retournerai contre eux la domination qu'ils exerçaient sur moi ; provoqué, suscité à l'improviste, le rire les étouffera ; je serai roi, on m'obéira au doigt et à l'œil, je leur ferai suer leur méchanceté, leur vulgarité, je les abrutirai par une cascade de petits scandales imprévisibles, nécessaires et rapides qui disparaîtront quand ces bonnes gens seront à l'instant de les comprendre et de s'en formaliser. Il s'est dit tout cela, c'est sûr, il sait, sa Correspondance le prouve, que le rire est méchant ; il admire la superbe position de Byron et de Rabelais qui rient à la face de l'humanité. Rire des hommes, c'est bien. Les faire rire d'eux-mêmes, c'est mieux : Gustave les abaissera doublement : le petit garçon voudrait croire que l'homme va au théâtre pour se moquer des autres hommes et, par conséquent, de lui-même.

En fait, amuseur de Caroline puis comédien au salon du billard devant un public choisi, l'enfant ne tarde pas à réaliser l'ambiguïté de son emploi. Nous venons en effet de décrire le rire sauvage, réaction défensive qui naît à l'improviste et partout : or le théâtre comique n'est autre que son institutionnalisation. La comédie-bouffe a, tout comme la tragédie, une fonction *cathartique* : elle conserve le rire comme conduite de désolidarisation et fournit en permanence aux individus sociaux l'occasion de se désolidariser des ridicules et des vices qu'il découvre chez son prochain et qui le compromettent parce qu'il n'a pas toujours le temps ou la possibilité de les tourner en dérision. Un cocu, bien sûr, c'est à mourir de rire ; pourtant, si c'est mon frère et que je vois qu'il souffre, je risque fort de lui témoigner une compassion suspecte : le théâtre est là pour me tirer d'affaire ; c'est au théâtre que l'on rit des cocus et, du coup, que je peux moquer mon frère, implicitement, puisqu'il est dans le lot ; le roi de la nature se rend au spectacle majestueusement pour affirmer avec une saine et mâle gaieté sa supériorité de *race* sur les sous-hommes qui ont le front de l'imiter. Un hilote s'y dévouera pour provoquer un rire collectif d'autosatisfaction en se vautrant publiquement dans la sous-humanité pour se charger des souillures qui risqueraient de ternir le « personnage humain » et les donner à voir comme les tares d'une race inférieure qui tente vainement d'approcher de la nôtre. Dans les salles obscures, la « personne humaine » délivrée, innombrable, jubile sur tous les fauteuils, affirmant son règne par la violence de son hilarité. À la différence du magistrat qui, après sa chute malencontreuse, est *fait risible* par une sérialisation hâtive et spontanée des témoins et qui en souffre, refusant vainement le statut d'extériorité qu'on lui impose, le comique professionnel cherche à provoquer la sérialisation de ses spectateurs en leur donnant à voir la contradiction manifeste de son être-extérieur-à-soi et de son illusion subjective. Il se prend au sérieux pour que ce sérieux soit à l'instant démenti par une impitoyable machinerie — au-dehors de lui et dans sa fausse intériorité elle-même — qui le réduise à une pure apparence ; il n'entreprend d'agir que dans l'intention que son acte, bousculé, dévié, annulé ou retourné contre lui par la force des choses, se dénonce lui-même comme un rêve dérisoire de souveraineté, révélant du coup que la *praxis*, privilège du genre humain, est interdite aux sous-hommes. Sa fonction cathartique commence là où finit celle du rire sauvage : celui-ci entreprend la déréalisation du coupable, le comédien l'achève : il s'irréalise en *un autre*, abcès de fixation pour tel ou tel de nos ridicules ou pour tous à la fois, dont le public est solennellement prévenu, par voie d'affiches, qu'il n'a jamais existé. C'est comme une monition pour le public : l'objet de vos rires sauvages ne vous compromettra jamais, il n'existe pas ; l'homme ivre n'existe pas ni le président à mortier qui s'est cassé la figure : ce sont des rêves de sous-hommes aussitôt dénoncés. Rien n'est réel qui ne soit sérieux, rien n'est sérieux qui ne soit réel. Par ces raisons, l'acteur comique apparaît comme un pitre qui délivre l'homme de lui-même par un sacrifice ignominieux dont nul ne lui sait gré. Qu'il n'espère point, en effet, la sympathie des rieurs : ne sollicite-t-il pas qu'une salle entière se désolidarise de lui et le traite *en extériorité* ? Mais surtout, comment les gens sérieux qui le regardent se contorsionner ne jugeraient-ils pas suspecte et fondamentalement *risible* son intention affichée de provoquer leur hilarité ? Le rire sauvegarde le sérieux mais celui dont la profession est de se faire objet risible, comment serait-il sérieux ? Comment ne l'assimilerait-on pas aux sous-hommes que le rire sauvage *institue* risibles puisque, somme toute, il ne fait rien d'autre que les incarner ? Et quel étrange propos, s'il est homme comme sont les spectateurs, que de se présenter chaque soir comme sous-homme ? Il faut que la sous-humanité le fascine. Dans ce cas, il est plus inquiétant et plus coupable qu'un ivrogne ou qu'un cocu : ceux-là ne savent ce qu'ils font. Mais lui, c'est sciemment qu'il s'offre au châtiment par le rire et, conséquemment, c'est un traître à son espèce, une « personne humaine » qui a pris le parti des ennemis de l'homme. Sans doute le spectacle comique est sain, il rassure et délivre, il faut l'approuver — prudemment — comme *institution* ; mais les individus sociaux qui le *présentent*, il faut qu'ils soient vils ou tarés : ce qu'un homme digne de ce nom refuse par définition — à vrai dire il n'a même pas à le refuser — c'est d'être exilé par le rire de la compagnie de ses semblables ; comment ne mépriserait-il pas les misérables qui mettent leur zèle à s'en faire exclure tous les soirs ? Mieux, comment ne s'en désolidariserait-il pas en riant d'*eux*, qui sont, après tout, les plus compromettants ?

On alléguerait en vain qu'on ne rit pas d'eux mais de leurs personnages. Le public ne distingue guère entre ceux-ci et ceux-là. Il n'a pas entièrement tort, par la raison que pour nourrir le projet de présenter aux autres un personnage comique, il faut être prédestiné, c'est-à-dire *déjà risible*, par quoi nous savons qu'il faut entendre, déjà déréalisé par l'hilarité des autres. En ce sens, l'*Alter Ego* dont les rieurs affectent l'objet risible et la *persona* que le comique leur montre ont ceci de commun qu'ils sont l'un et l'autre imaginaires. La chanteuse comique Odette Laure a mangé le morceau, qui a dit un jour, au cours d'une interview : « Pour être chanteuse comique, il ne faut pas s'aimer beaucoup. » Voilà le fond de l'affaire : pour se livrer aux fauves chaque soir, pour exciter sciemment leur cruauté, pour refuser tout recours à l'intériorité et se réduire publiquement à une apparence extérieure, il faut que l'acteur ait été à une époque décisive de sa vie constitué pour lui-même en extériorité. On rit des enfants en bas âge, ils le savent et se plaisent à faire rire : mais ce rire-là est bienveillant, l'adulte se divertit à voir ces sous-hommes imiter l'homme qu'il est, il rit de voir ses propres gestes décomposés par ces petits corps maladroits qui tentent de les apprendre, mais c'est avec bonté : il n'ignore pas que ces sous-hommes sont des hommes en herbe. Les enfants renchérissent, pour plaire, sur leur maladresse et leur sérieux. Mais, en général, le stade de la comédie ne dure pas longtemps : elle disparaît dès que l'enfant acquiert la certitude intérieure de sa singularité, dès qu'il peut opposer à ce qu'il est pour et par les autres ce qu'il se fait être dans l'intimité de la présence à soi. Le futur comique est celui qui *se fixe* à l'âge de la risibilité : il faut qu'un accident ou que la structure familiale l'ait constitué en extériorité : qu'on le tienne à distance, qu'on refuse de prendre en considération les motivations vécues de ses actes, de participer à ses plaisirs, à ses peines, qu'on le juge non sur le sens singulier de ses conduites mais sur la conformité de celles-ci aux exigences d'un modèle préétabli ; l'enfant se découvrira d'abord comme celui à la place de qui personne ne se met jamais ; il sentira que la souveraine autorité des grandes personnes tend à faire de son extériorité la vérité de sa vie, et de sa conscience un simple bavardage ; il s'apercevra, sans en comprendre les raisons, que le rire bienveillant qu'il se plaisait à provoquer tourne à l'aigre. C'est que, pour un motif ou pour un autre, ses parents et ses proches tiennent que son développement s'est arrêté, que ses maladresses — qu'ils jugeaient un an plus tôt adorables — signifient, à présent, qu'il n'intériorisera jamais la « personne humaine » que la société lui propose et, conséquemment, qu'elles dénoncent en lui cette impossibilité d'être homme qui définit précisément la sous-humanité ; du coup le rire familial est, d'une certaine manière, une désolidarisation : les parents manifestent qu'ils ne se reconnaissent pas dans leur rejeton, qu'ils ne retrouvent point en lui *leur sang*. Bon début pour un futur comique. Si le petit garçon, par docilité, en vient à éprouver une difficulté croissante à *se mettre à sa propre place*, éprouvant encore ses sentiments mais n'y entrant plus, s'il vit sa souffrance ou son *estrangement* dans la clandestinité de l'irréfléchi et s'il s'en désolidarise au grand jour de la réflexion, s'il veut n'y voir que des moyens de provoquer l'hilarité des autres par un désir navrant de rire le premier de lui-même pour rejoindre au moins les adultes dans leur sérialité, une vocation de comique est née et du même coup une *image risible*, asservissement furieux de l'intérieur à l'apparence plate de l'extériorité. Le voici donc, ce monstre, irréalisé par le rire sauvage des autres : dès ce moment, traître à lui-même, tout lui est bon pour nourrir cette image qu'il est pour eux. S'il devient, ensuite, acteur pour de bon, s'il joue Sganarelle ou Pourceaugnac, qu'y a-t-il de changé ? Ce sont des *rôles*, bien sûr. Mais quelle certitude interne a-t-il à leur opposer ? Loin qu'il puisse prendre ses distances par rapport à ces personnages, il faut qu'il ait été lui-même *constitué* en personnage pour pouvoir les incarner. Il existe chez lui une *persona* permanente qui est tout simplement le *risible* et d'autres qui sont provisoires, images d'un soir ou d'une saison. Mais n'allons pas croire qu'il s'irréalise en celles-ci plus qu'en celle-là puisque, de toute évidence, l'irréalisation fondamentale est déjà constituée, puisque le malheureux est condamné depuis longtemps à exploiter son corps et son intériorité comme l'*analogon* de l'*imago* fondamentale qui est celle du sous-homme qui se prend au sérieux. Certes la *persona* permanente se donne pour sa propre personne et passe sous silence son irréalité au lieu que les personnages sont donnés pour des interprétations et que le public est informé par voie d'affiches qu'il rira cette nuit de Hirsch *dans « Arturo Ui »*. Mais, en vérité, le rôle, quel qu'il soit, n'est qu'une information singulière de la *persona* fondamentale : celle-ci sera travaillée, ciselée, modifiée sur certains points, accentuée en d'autres ; rien de plus. *Avec quoi* veut-on que l'acteur fasse rire sinon avec le seul *analogon* dont il dispose et par quelle autre opération que l'exploitation systématique du vécu pour produire le dérisoire ? Ce soir on donne *Pourceaugnac* : celui-ci peut avoir cent visages mais celui qu'il a aujourd'hui, sur ces tréteaux, aux feux de cette rampe, c'est celui de Fernandel ; le corps de Fernandel et nul autre se prête au bélître périgourdin, ce derrière et nul autre est menacé par les clystères que les apothicaires pointent vers lui. Et si le comédien veut exprimer l'ahurissement du pauvre provincial, n'allons pas imaginer qu'il s'inspirera des conduites étudiées chez autrui. Certes l'observation sert : il en usera pour se contrôler. Mais il ne reproduit point : il invente. Et, dans ce cas précis, on peut accorder à Wilde que la nature imite l'art : il n'y a d'imbéciles parfaits que sur la scène. Bref il nourrit son personnage de sa propre substance ; ce serait encore trop peu de dire qu'il *fait la bête*, qu'il devient dans l'irréel l'imbécile qu'il serait s'il était frappé d'imbécillité : pour produire l'*analogon* de la *persona* qu'il donne à voir, il se fait le sot *qu'il est*. Cette masse ténébreuse d'affolement, d'incompréhension terrorisée, de peur, d'obstination, de mauvaise foi et d'ignorance qui, sous le nom de bêtise, est pour chacun l'indice de son aliénation, l'acteur la réveille en lui et la baratte pour s'irréaliser à travers elle en crétin magnifique. Que fait-il, en somme, sinon ce qu'il a toujours fait depuis qu'un mauvais contact l'a constitué risible ? Bien sûr, entre le personnage et l'interprète une dialectique s'instaure : celui-ci transforme celui-là dans la mesure même où celui-là le transforme. Mais ce sont rapports entre images. Et puis le rôle sert d'alibi : l'acteur se repose de sa *persona*, il croit s'évader dans le personnage. En vain : dans l'alacrité légère et grisante de n'être plus qu'une image étrangère subsistent un malaise et cette inimitié profonde qui le pousse à s'avilir pour que les autres triomphent ; c'est qu'il a conscience, en vérité, de choisir tel ou tel déguisement *pour faire rire de soi* comme il a toujours fait.

Le public ne s'y trompe pas : quand les badauds reconnaissent en un passant solitaire et grave, absorbé dans ses pensées, tel comique célèbre, ils éclatent de rire. Beaucoup d'acteurs s'en sont plaints : l'un d'eux déclare qu'il ne peut voyager par le chemin de fer sans voir, aux arrêts, des visages rigolards s'écraser contre les vitres de son compartiment ; un autre s'agace de ne pouvoir entrer au restaurant sans provoquer l'hilarité des dîneurs, un troisième a dû renoncer aux bains de mer, à moins de les prendre dans une crique déserte : dès qu'il paraissait en maillot de bain, c'était une tempête de rire au ras du sable. Nous *faisons rire*, disent-ils tous, à certaines heures, c'est notre métier ; nous ne sommes pas, hors ces moments ouvrables, moins sérieux que vous. D'un point de vue, c'est vrai : si l'on ne savait pas « ce qu'ils font dans la vie », que verrait-on ? des hommes semblables à tous les hommes et, plus particulièrement, dans nos sociétés, des bourgeois semblables à tous les bourgeois ; confortablement, élégamment vêtus, ils ont des visages indéchiffrables et vides, comme tout le monde, une courtoisie aisée, du liant, tout pour rassurer ; signes particuliers : néant. Quant aux soucis qui, présentement, les occupent, ils sont ceux de tous les bourgeois : l'argent, la famille, le métier, une liaison, peut-être, et, bien sûr, l'auto. De quoi passer inaperçu. Or, ils ont beau faire, la foule les démasque : leur sérieux n'est pas un vrai sérieux d'homme, c'est celui de sous-hommes qui se prennent au sérieux ; quelque chose va se produire, c'est sûr : cette démarche souple et tranquille, cet air reposé vont se décomposer, il va tomber, le bonhomme, son visage reflétera l'effarement et la stupidité qui l'ont rendu célèbre, un oiseau va lui chier sur la tête, l'univers ou sa propre maladresse vont révéler sa risibilité secrète, c'est-à-dire, selon le public, sa vérité. La seule erreur de ces témoins sans bienveillance, c'est de confondre risibilité et vérité : il faut plutôt dire que l'acteur comique n'a pas de vérité puisqu'il sacrifie l'existence concrète à l'être abstrait de l'apparence et que le sérieux qu'il affiche à la ville — bien qu'il soit « bon teint » tout autant que celui des rieurs — a ceci, qui le distingue de tous les autres, qu'il s'est constitué *contre* la risibilité fondamentale : en ce sens, il ne diffère pas tant de celui qu'il manifeste sur la scène, dont la fonction est de s'affirmer contre le comique, pour être vaincu, finalement, par l'implacable enchaînement des catastrophes et dénoncé comme faux sérieux. Une seule différence : à la scène les catastrophes sont *sûres*, le personnage perdra sa dignité humaine ; à la ville, on peut les dire improbables ; autrement dit, ce monsieur respectable et légèrement intimidant traversera la rue sans encombre et sera bientôt hors de vue : rien ne lui arrivera. Mais les passants n'en tiennent pas moins sa dignité pour une invitation à rire : elle se propose *pour être détruite*, au milieu de l'hilarité ; et si le ciel ou l'enfer ne la prennent pas au mot, c'est leur affaire, non la sienne : l'acteur a fait tout ce qu'il fallait. Ils disent vrai : le digne personnage, c'est un rôle que le comique assume, à la ville ; né d'un effort pour masquer la risibilité, il n'est ni plus ni moins vrai que celle-ci : disons qu'il est commode en certaines circonstances et que l'acteur ne pourrait pas vivre s'il ne savait s'affecter, au bon moment, de respectabilité ; mais il est vrai qu'il n'y croit guère et que c'est un rôle de composition ou plutôt qu'il l'emprunte à ses personnages — où donc le prendrait-il, sinon ? — et que c'est, si l'on veut, la thèse sans l'anthithèse, le moment de la souveraineté en tant qu'il se pose pour soi, coupé de celui, négatif, où la force des choses en démasque l'imposture et révèle que le souverain n'est qu'une mécanique affolée. En ce sens, il est clair qu'il invite de lui-même les témoins qui reconnaissent l'acteur à l'attente hilare d'un démenti. Ou plutôt le moment de la contradiction qui s'incarne dans le spasme du rire, c'est celui de la reconnaissance : voici un homme honorable — mais non, c'est Rigadin ; le sérieux se pose et se décompose et renaît pour se décomposer encore, c'est de l'être qui se dissout en apparence. L'agressivité du rire, ici, vient de l'indignation : tu as voulu nous duper, te faire prendre pour un homme mais nous ne sommes pas si bêtes, nous savons que tu es un bouffon.

Étrange sacrifice enragé que celui de faire rire à ses dépens. Pourquoi le fait-on ? Je n'en sais rien. Je crois avoir établi qu'on ne saurait être comique si l'on n'a point été *constitué risible*. Mais tous les enfants risibles ne deviennent pas des comiques : il faut des médiations. Peut-être en trouverait-on d'universelles si l'on pouvait comparer les vies. Mais ce n'est pas mon affaire : ce qui importe ici, c'est le choix du petit Gustave. Il veut la gloire pour éblouir et châtier son père : affaire entendue. Mais il prétend l'obtenir en faisant rire de soi. C'est convoiter la gloire infamante des bouffons. N'est-ce pas s'écarter de son intention primitive ? Peut-il vouloir *à la fois* faire l'orgueil et la honte de sa famille ou, plus exactement, illustrer le nom de son père en le déshonorant ? Et, plus profondément, pourquoi s'obstine-t-il ? *Malgré* l'infamie ou *à cause d'elle* ? Les deux questions n'en font qu'une, comme on va voir. Nous leur donnerons diverses réponses qui sont organiquement liées entre elles, en allant des plus superficielles — qui tirent leur origine des circonstances mêmes de l'option — aux données infrastructurelles — qui plongent leurs racines dans sa proto-histoire.

J'ai souligné déjà qu'il part battu. Il n'a choisi l'irréel qu'après avoir été déréalisé ; au reste, ce n'est point l'irréalisation pour elle-même qu'il recherche : il veut se *réaliser* comme l'artisan qui produit l'imaginaire par métier. N'est-ce pas accorder tout d'avance à son père et proclamer la primauté éthico-ontologique de l'être sur le non-être ? Considérons de plus près son option. Nul doute qu'elle n'ait la structure d'un *défi* : c'est que cette conduite est le propre des activités passives ; je jette le gant, je me campe près de cet objet inerte et j'attends, immobile, impénétrable, dense bloc de matière inanimée : cette image commune et parlante marque assez qu'il s'agit d'un geste, d'une *montre* ; dans le défi, c'est toujours à l'autre de jouer [1]. J'ai décrit ailleurs un certain type de défi qu'on pourrait appeler l'impuissance provocatrice puisqu'il est lancé quand l'ennemi est déjà vainqueur : lorsque toute résistance est impossible, le vaincu réagit par la montre agressive de la passivité à laquelle on l'a réduit ; il reprend à son compte orgueilleusement ce que l'autre a fait de lui. On trouve cette attitude dans sa pureté chez les colonisés à un certain stade de leur lutte, c'est-à-dire quand ils prennent conscience de l'oppression sans avoir encore le moyen de chasser l'oppresseur : en ce cas, ce défi, idéal et inefficace, manifeste à la fois l'impossibilité de la révolte et sa nécessité. Il y a un demi-siècle, l'Africain, petit-fils d'esclave, colonisé, surexploité, traité de « nègre » par des colons racistes, reprenait les notions et les vocables dont ceux-ci se servaient pour le penser et le signifier. Il « les ramassait dans la boue, a dit un poète noir, pour s'en parer dans la fierté ». Nègre, oui, et sale nègre si tu veux : mais en t'arrachant tes mots, tes concepts pour me les appliquer souverainement, en revendiquant cette nature que tu méprises mais dont tu ne peux éviter de reconnaître l'originalité, je reprends l'initiative, j'ose me penser, je me personnalise contre toi et je deviens pour toi ce scandale permanent : l'*autre* conscient de soi. Ainsi est née la notion de « négritude ». Les circonstances seules déterminent les représentants d'un peuple — par exemple les poètes africains — ou des indi-

---

1. Il va de soi que cette attitude peut devenir le premier moment d'une entreprise pratique : le défi du challenger au champion se terminera, s'il est relevé, par un combat. Reste que, si on le prend en lui-même, il a tous les caractères de la passivité. La plupart du temps, au reste, ce qui est présenté comme défi par la grande presse est le résultat d'arrangements soigneusement calculés.

vidus qui ne représentent qu'eux-mêmes à prendre cette attitude.
« Vous m'appelez voleur, dit Genet, quand il est déjà trop tard pour
refuser cette dénomination. Qu'à cela ne tienne, je serai *le* Voleur. »
En chaque cas, le signifié tente de devenir le signifiant mais ne peut
le faire qu'en assumant la signification imposée. C'est se libérer
idéalement mais, *en réalité*, c'est introduire en soi les jugements
de valeur et la « *Weltanschauung* » de l'ennemi ; au lieu que l'esclave
soit la vérité du maître, il accepte, comme un moindre mal, que
le maître soit sa vérité, à la seule condition d'intérioriser cette vérité
et de pouvoir la jeter à la face de l'oppresseur : oui, je suis cela
et je le serai ; et après ? Certes la « négritude », retravaillée par les
poètes, a pu aider les Africains, en un certain moment de leur histoire, à refuser d'être les purs objets du colonisateur et à se poser
devant lui en sujets. Il n'en demeure pas moins que la notion de
nègre dont elle est issue a un contenu négatif, soi-disant tiré de
l'expérience et qui consiste en appréciations racistes sur un prétendu
caractère noir (« ils » sont insouciants, paresseux, enfantins, voleurs,
menteurs, leur cerveau n'est pas développé, etc.), produits et justi-
fications de la surexploitation coloniale. Aussi ne peut-on s'assumer comme « nègre », fût-ce dans l'orgueil et le défi, sans donner
son assentiment — involontaire mais inévitable — à ces jugements
hostiles, dépréciatifs, nés de la haine, de la peur et sans, du même
coup, consentir au système colonial. En les ramassant dans la boue,
ils n'ont acquis d'autre liberté que celle de se proclamer des sous-
hommes. De la même façon, Genet, en se déclarant *le* Voleur et
en se vouant au Mal, n'a rien fait d'autre que reconnaître la primauté absolue de la table des valeurs au nom desquelles on l'a
condamné. De là, chez celui-ci comme chez ceux-là, une contention épuisante, une vigilance de tous les instants, une susceptibilité
toujours en éveil : il leur faut ne jamais dormir, ne jamais oublier
l'ennemi — il est partout, jusque dans leur chambre — ni cesser
un instant de vouloir le scandaliser en reprenant dans la fierté les
insultes qu'il leur envoie, puiser leur douloureux et fragile orgueil
dans la seule reconquête de leur liberté formelle d'être ou plutôt
de se *montrer* sujets, résister à la tentation permanente de la honte,
lutter sans faiblesse contre la lézarde de l'intériorité qui ne cesse
de s'agrandir et dont l'origine est leur effort courageux et pervers
pour traiter en positif le négatif comme tel. Vains travaux : ce que
les poètes ont ajouté de leur cru à la « négritude », c'est un enrichissement certain, une relation vécue aux traditions culturelles de
l'Afrique ; mais rien n'est précis, toute cette contre-acculturation,

faute de se faire dans la révolte pratique, demeure une brume trouble qui masque à peine le roc des jugements racistes qu'ils ont intériorisés. Et j'ai montré ailleurs la tentative gigantesque de Genet pour renverser la table des valeurs et qu'elle était vaine puisque l'éthique du Mal suppose l'universalité victorieuse de l'éthique du Bien. La conséquence est que la passivité provocatrice, par le déséquilibre interne qu'elle produit, est vouée à une disparition rapide dès que l'opprimé sort de la passivité — entendons : dès qu'il vole ses armes à l'oppresseur ; elle cède la place à une conscience *pratique* de l'oppression ; la « négritude » tombe en dehors de la pensée africaine depuis les luttes révolutionnaires du Tiers Monde : l'Africain se pense en sujet dans la mesure même où la lutte armée en fait un agent de sa propre histoire et où le colon devient son objet. Il se trouve beaucoup de gens, aujourd'hui, pour juger que cette notion — éminemment poétique et, par définition, non-pratique — était contre-révolutionnaire ; c'est injuste : elle le *serait* aujourd'hui car ses effets ne pourraient être que démobilisateurs mais il faut la replacer en son temps comme moment abstrait de la personnalisation ; on reproche aussi à ceux qui l'ont élaborée d'avoir été les complices objectifs des colons, ce qui est exact à la condition d'ajouter que le processus révolutionnaire ne peut commencer que dans la complicité objective de l'opprimé avec son oppresseur et que cette ambiguïté même permet la maturation lente des contradictions. De la même manière, Genet entérine sa défaite quand il se personnalise en Voleur ; mais ce moment instable le conduit à renverser la situation en se personnalisant comme le Poète du Mal — c'est-à-dire que le délinquant inefficace devient le démoralisateur efficace de ses lecteurs, les honnêtes gens.

Le défi du petit Gustave est une impuissante provocation en ceci qu'il revendique dans l'orgueil ce qu'il a vécu dans la honte : tu m'as déréalisé ? Fort bien, je serai le Seigneur de l'Irréel ; tu me traites de cabotin quand je te montre ma tendresse, tu en ris ? Qu'à cela ne tienne, je serai *le* comique, celui dont la tendresse et tous les bons sentiments sont machinés de telle sorte qu'ils ne peuvent se *montrer* sans provoquer le rire. Plus prudent ou moins superbement téméraire que Genet, l'enfant ne s'obstine pas dans le vice qu'on lui reproche, ne tente pas d'en faire le pur principe de sa personnalisation ni de l'intérioriser pour en devenir le sujet et le radicaliser par la montre. *Voleur ? Je serai le voleur* : si Gustave devait se conformer à cette maxime, il déclarerait au *pater familias* : « Tu me déréalises ? Fort bien, je serai le *fou*. » Nous verrons que cette forme du défi-complice sera, elle aussi, une attitude de Gustave et qu'elle le conduira à la crise de janvier 44. Mais, pour l'instant, il n'y songe pas ou bien elle lui fait peur : se revendiquer comme fou, c'est-à-dire comme tout à fait irréel, ce serait dissoudre son être même dans l'imaginaire, soit qu'il accepte et réclame le non-être de l'image, soit qu'il ne s'accorde qu'un être imaginé. En ces années 30, tout au contraire, le petit garçon glisse du non-être à l'être, de l'apparence à la réalité, de l'inconsistance désordonnée d'images folles à la profession de producteur d'images. N'empêche : par ce choix, autant et plus peut-être que les poètes de la négritude et que l'auteur des *Paravents*, il donne *d'abord* raison à l'ennemi. Dans son projet initial, qui est d'acquérir de l'être en réclamant l'investiture de la gloire, il pose la supériorité absolue de l'être sur l'imaginaire : comme si nul n'avait le droit de rêver à moins que la société ne lui en ait donné mandat en le chargeant d'enrichir l'imaginaire collectif. Et sans doute cherche-t-il à se faire instituer dans cette irréalité que son père dénonce et blâme mais, du même coup, il renonce à en faire *contre son oppresseur* la valeur suprême : la complicité réside en ceci que l'enfant reconnaît avec le *pater familias* l'être-réel comme valeur absolue. D'abord il faut s'assurer de son être ; ensuite on imaginera si l'on veut. C'est à ce niveau qu'apparaît pour la première fois une contradiction majeure et indépassable que nous retrouverons à toutes les époques de sa vie : c'est par elle que s'expliquera l'attitude complexe de Gustave envers le « réalisme » ainsi que son incertitude, cachée sous les garçonnades ou les mouvements de plume, mais constante et profonde, touchant ce que j'appellerai la valeur métaphysique de l'Art. À nous en tenir à la forme encore fruste sous laquelle elle se manifeste chez le petit garçon, on pourrait l'exprimer en ces termes : le projet d'étonner son père par sa gloire et de s'envoler au ciel, déclassé par en haut, en laissant le vieux praticien et son fils aîné s'obstiner à grimper sur une taupinière, il ne peut le nourrir sans poser du même coup que l'imaginaire — fruit du grand désir et de l'insatisfaction — est *par principe* supérieur à la réalité et, pour aller vite, que l'Art, s'occupant exclusivement de ce qui est trop beau pour exister, l'emporte de loin sur la Science qui se borne à recenser les vulgarités de l'Être. Mais, dans le même temps, cet enfant du scientisme ne peut s'empêcher de tenir le métier de producteur d'images comme un pis-aller : l'art du comédien, c'est ce qu'il a choisi quand toute autre option lui était interdite, du jour où il s'est cru dénoncé comme l'idiot de la famille, et qu'on lui avait interdit pour toujours l'accès aux sciences de la nature et à la gloire de son père, homme d'action et chercheur : Djalioh est poète parce qu'il ne sait pas lire, parce que son cerveau n'est pas fait pour saisir les «liaisons logiques». Il se promet de régner sur des ombres mais c'est qu'on l'a d'abord banni de la réalité : le réel est premier, dans tous les sens du mot, il appartient *aux autres*, aux vrais hommes qui le déchiffrent et le gouvernent ; jamais la gloire d'un illusionniste ne vaudra celle d'Achille-Cléophas, infatigable bienfaiteur de l'humanité. Cette contradiction ne cessera pas de le tourmenter. C'est à cause d'elle qu'il revendique le coup d'œil chirurgical de son père et l'esprit d'analyse en même temps qu'il se déclare anti-prose, anti-vérité, affirmant que rien ne vaut un beau vers. Par cette raison même, il tentera de présenter la «psychologie» dont il prétend qu'elle est l'apanage du romancier, comme une science exacte, et l'imagination comme une technique rigoureuse et un mode d'appréhension du réel. Mais, tout de suite après ou simultanément, il fait de celle-ci, au contraire, l'unique moyen d'échapper à la hideur du monde vrai. À partir de là, il oscille sans cesse entre deux extrêmes : tantôt la Beauté lui semble un gouffre insondable et qui fait peur et tantôt il met en doute non seulement son talent mais la valeur même de la littérature : il est un anachorète, un saint, le ministre d'un culte inconnu du vulgaire ; c'est un numismate, un philatéliste, l'écriture est son *hobby*, bref «je suis un bourgeois qui vit à la campagne et s'occupe de littérature». Nous reviendrons sur tout cela. Ce qui importe, en ce chapitre, c'est que, complice de l'ennemi, il affirme, en ce qui le concerne, la primauté de l'antithèse sur la thèse, comme font les rieurs ; l'imagination, ce n'est pas le domaine de sa souveraineté, c'est la conséquence de sa passivité ; quand il tire vanité des images qui le hantent, qu'est-il d'autre qu'un songe-creux qui se prend au sérieux, qu'un sous-homme qui se tient pour un homme ? Donc il est éminemment *risible* : non seulement quand son père rit de lui mais jusque dans la position de repli qu'il a dû choisir. C'est ce qu'on peut lire entre les lignes de certains passages des *Mémoires d'un fou* ; dans un premier temps, c'est l'orgueil blessé qui parle : eux, rire de moi ! Les imbéciles ! Moi, dont les rêves grandioses... moi qui me noie aux lisières de la création, etc. Et puis l'orgueil se brise : quand ils sauraient mes songes, ils continueraient de se moquer de moi, ils me prendraient pour un «montreur d'animaux», pour un «faiseur de livres». Ces réalistes étroits sont imperméables à ses extases grandioses et *ils ont raison*, voilà ce qu'il se dit quand le découragement succède à l'effusion lyrique. Ils ont raison parce que leur option — pratique, scientifique et technologique — leur donne un pouvoir injuste mais total sur lui et qu'il n'a aucun moyen de les fasciner par ses rêves, disqualifiés d'avance par ce choix. Il ne les convaincra jamais, il ne convaincra jamais son père : le seul rapport qu'il puisse avoir avec eux, c'est le rire collectif de désolidarisation qu'il provoquera en se *montrant* dans son onirisme passionné ; cela signifie pour lui que le meilleur de lui-même, son mouvement d'irréalisation permanente, est affecté par principe de risibilité. Et que la gloire, s'il l'obtient, sera elle-même risible. Il lui faudra plus tard, tel Genet, s'épuiser dans une entreprise gigantesque et subversive pour renverser la table des valeurs. Toutefois, bien que, dans les deux cas, la subversion soit totale et porte sur toutes les catégories (Bien, Mal ; Être, Non-Être ; Possible, Impossible ; Vie, Mort, etc.), l'accent n'est pas mis sur les mêmes normes. L'opération du voleur vise à constituer une Éthique du Mal pour disqualifier celle du Bien ; celle de l'adolescent imaginaire a pour but d'établir une ontologie normative où le Non-Être aura la primauté sur l'Être, l'Apparence sur la Réalité, l'Impossible sur le Possible. Il essaiera de mettre la Création cul par-dessus tête pour prouver qu'un enfant déréalisé qui s'irréalise, supérieur aux réalistes les plus efficaces, est, comme il le dira plus tard, un « aristocrate du Bon Dieu ». Nous verrons qu'il y réussira, non pas rationnellement et logiquement et pas davantage par les « paradoxes dont il se grise » mais par ce saut dans la folie qui le fera choir aux pieds de son frère, une nuit de janvier 44, et par l'enfant de cette « nuit d'Idumée », par *Madame Bovary*. Réussite précaire : il aura un terrible réveil quand la réalité, sous forme de casque à pointe, pénétrera jusque dans sa chambre et viendra se poser sur son lit, crevant d'un seul coup ses rêves et ceux de la France impériale. Pour l'instant, il est coincé entre les ciseaux d'une contradiction insurmontable ou bien il oscille sans cesse de la thèse à l'antithèse. De sa risibilité même, à l'époque du « billard » et des premières années de collège, il ne sait que penser : tantôt il y voit le signe de son élection et tantôt la marque de son infamie.

Grandeur du risible : le premier archétype de l'imaginaire social dont il ait eu connaissance, ce Don Quichotte dont on lui lit à haute voix les aventures, sans cesse moqué, domine de toute sa taille les rieurs. À vrai dire, le personnage, tel que l'a créé Cervantès, est autrement complexe mais les lecteurs, aux siècles classiques, l'ont simplifié à l'extrême en riant de lui sans réserve : c'est ainsi qu'ils l'ont transmis, grotesque et méprisé, aux premières générations romantiques, dans le moment qu'elles s'employaient à remettre à la mode le Moyen Age, ses burgs, ses chevaliers errants. Le travail collectif que ces jeunes gens ont effectué sur ce héros comique a donc été de le recueillir tel qu'il était, déjà battu, déjà moqué et, tout en le reconnaissant risible, de disqualifier les rieurs : l'aboutissement de cette transformation systématique, nous le trouvons dans une pièce « fin de siècle » de Richepin, un demi-siècle plus tard : le Chevalier à la triste figure délivre des forçats de leurs chaînes et ceux-ci, qui représentent la bassesse de la plèbe, n'ont rien de plus pressé que de ricaner de sa sottise ; ils lui crachent au visage, le couvrent de quolibets et, s'il m'en souvient bien, le lapident : jamais le héros n'a été si grand qu'en cet instant où, sans haine et sans regret, il s'apprête à mourir au milieu des rires qu'il a provoqués. Le XVIIe siècle a tourné le personnage en dérision parce qu'il se prend pour un preux chevalier du Moyen Age, en un temps où la chevalerie n'a plus de sens et où les prouesses de solitaires sont impossibles ; du romantisme au symbolisme, la grandeur du Seigneur de la Manche lui vient au contraire de ce que, vivant au temps de la chevalerie impossible, il se fait, au grand dommage de son corps et de son cœur insatisfait, l'*impossible chevalier*, autant dire le chevalier de l'impossible. Par sa folie raisonnante et soutenue, il l'emporte sur les paladins les plus fameux qui, quel que fût leur courage, n'entreprenaient que ce qu'ils avaient au moins une chance de réussir, car il se dévoue quand il a toutes les chances d'échouer pour que subsiste, au-delà du réel, la pure image du preux, belle preuve que l'homme ne se revendique qu'en acceptant d'abord son indépassable impossibilité.

Comme on voit, ces auteurs bien intentionnés ont campé le pauvre sire dans l'attitude typique de l'impuissance provocatrice puisqu'ils commencent par reconnaître que ce chercheur d'absolu, déplacé sur cette terre, ahuri, insolite est *pour les réalistes* un objet permanent d'hilarité. On conçoit sans peine que l'enfant imaginaire et risible, qui deviendra plus tard, au carrefour du siècle, le précurseur dont se réclameront à la fois les naturalistes et les symbolistes, ait vu dans ce héros piteux et sublime son modèle et sa consolation. Don Quichotte, à ses yeux, est, lui aussi, un imaginaire : il rencontre des moulins, croit voir des géants, charge, lance haute, et se casse la figure comme un vulgaire pitre. Mais n'est-il pas inspiré, ce gentilhomme merveilleux qui vit jour et nuit dans un monde où l'on trouve à chaque pas des géants et des princesses captives ? Ce qui émeut Gustave par-dessus tout, c'est que ce Galaad, ce Roland, ce Lancelot n'est vraiment pas doué : le don, ce serait, ici, la force physique et l'habileté dans le maniement des armes, indispensables à celui qui prétend combattre seul contre vingt. Or, un souffle suffit à renverser cette vieille carcasse maladroite qui passe la moitié de son temps les quatre fers en l'air comme un vulgaire président à mortier. Inopportun, anachronique, appelé par une voix mystérieuse et peut-être diabolique, il perçoit ce qui n'est pas et ne fait jamais ce qu'il prétend faire, Gustave se reconnaît en lui : n'est-il pas voué à la gloire et, s'il en croit sa famille, privé de tous les dons qui lui permettraient d'y atteindre ? Il *faut donc* qu'il soit comique, l'enfant sans qualités, puisqu'il sera, comme son maître, un travailleur de l'impossible. Il sera comique parce qu'il ratera, faute de dispositions particulières, tous ses effets. Et parce qu'il s'entêtera à les recommencer. Là sera son génie : il jouera le sous-homme qui se prend pour un homme, le lâche qui se prend pour un dur, le gringalet qui se prend pour un matamore, puisant son talent dans sa maladresse et mettant sa grandeur à signifier que, par-delà le ridicule qui s'attache justement aux songe-creux, il est beau de se prendre, contre tout démenti, pour celui qu'on sait ne pas pouvoir être.

Signifier, soit. Mais à qui ? Non pas aux rieurs féroces, qui le moquent au nom du réalisme ou, ce qui revient au même, de l'esprit de sérieux, du sens commun. Pas davantage aux nobles ou au monarque : ils sont devenus suspects et puis ils n'ont guère d'estime pour les comiques. Reste Dieu. C'est le meilleur témoin, c'est le père aimant : il verra tout, les rires, la souffrance du moqué, son sacrifice sublime et ignominieux, c'est lui qui reconnaîtra la grandeur de Gustave, c'est lui qui la récompensera par une gloire éternelle. *À condition qu'il existe.* Nous reconnaissons ici le tourniquet qu'ont formé les deux idéologies grippées l'une à l'autre. Quand il sent en lui ce qu'il a nommé l'«aurore» de la Foi, il n'est pas loin de croire que son sacrifice l'anoblit : s'offrir au rire des autres, c'est l'équivalent, somme toute, du Don féodal. C'est qu'il se sent cautionné par l'absolu. Mais l'aurore ne dure jamais longtemps, la nuit se referme sur elle et l'écrase ; le Grand Témoin n'a jamais existé. Tout bascule, Gustave retrouve *son* monde — c'est-à-dire le monde de son père — où le pire est toujours sûr. Dans ce monde-là, on est puni en proportion de la noblesse de ses ambitions ; le désir de gloire, le plus noble de tous, doit n'être qu'un piège et conduire au plus exemplaire châtiment. Un enfant donnerait sa vie

pour être, fût-ce un seul jour, un Talma, un Frédérick Lemaître.
Qu'arrivera-t-il ? Qu'il restera obscur ou fera des bides et mourra
dans le désespoir ? Parbleu, ce n'est pas le pire. Le pire, c'est ce
qui arrive parfois dans les sketches de Mack Sennett et, sous une
forme un peu différente, dans certains films de Charlie Chaplin :
le tragédien se prend au sérieux, monte sur la scène, déclame et,
loin de faire un bide, obtient un franc succès de *rire*, le directeur
du spectacle l'engage aussitôt pour qu'il refasse dans la gravité la
plus entière les discours et les gestes qui ont déchaîné l'hilarité. La
gloire viendra mais ce sera un cauchemar ; c'est la gloire *obtenue*
qui sera le châtiment exquis du désir de gloire puisqu'elle couronne
le malheureux acteur non pour ce qu'il prétend faire dans sa souveraineté d'homme mais pour ce qu'il fait en réalité et qui en est
exactement le contraire : les lauriers vont au plus mauvais tragédien de la terre, à celui qui se prend pour Auguste ou pour le vieil
Horace quand toutes ses attitudes, à la fois guindées et vulgaires,
le dénoncent pour un valet de comédie qui s'est trompé d'emploi ;
il fait rire parce que les spectateurs le connaissent dans sa nature
et le prévoient tandis qu'il s'ignore, parce qu'il se fait sous leurs
yeux objet grotesque par son entreprise même de s'imposer comme
sujet. Si le rire stigmatise l'énorme bourde du sous-homme se prenant au sérieux, ne figure-t-il pas le prototype du risible, celui qui
se fait comique malgré lui en se prenant au tragique ? La punition
du plus noble des souhaits, c'est qu'il est exaucé et que son objet
se révèle ignoble : coup de théâtre, renversement rigoureux, passage du positif au négatif sans avertissement préalable, ces farces-
attrapes sont communes dans le pire des mondes possibles. Et, cette
fois, Dieu est de sortie : nul ne témoignera que le tragédien ridicule a raison contre le peuple ; on rit de lui, voilà sa seule vérité
et l'on ne trouvera nulle grandeur à cet acteur exécrable qui s'obstine dans son erreur. Après l'ignominie, d'ailleurs, vient l'avilissement consenti ; engagé par le directeur, le comique malgré lui
devient comique en connaissance de cause : pour accroître son
renom ou tout simplement pour gagner son pain, il a la bassesse
de se désavouer totalement et, par un abject sacrifice, de reproduire sur scène ses grandes attitudes pour divertir le public à ses
dépens. Cela, Gustave le sent : il aurait pu, il a souhaité peut-être
compenser sa déréalisation première en s'irréalisant dans des rôles
de monarques et de guerriers. Plus tard, dans la solitude, n'aime-
t-il pas s'imaginer qu'il est Néron ou Tamerlan ? Mais l'ironie déni-
grante d'Achille-Cléophas s'est glissée jusque dans le rêve compen-

sateur : elle disqualifie d'avance toutes les tentatives de l'enfant pour échapper à son père ; celles-ci seront *toutes* risibles et d'autant plus qu'elles viseront plus haut. Une seule ressource : prendre les devants ; au lieu de se résigner après coup, par bassesse, à être l'objet risible, prendre les autres de vitesse et provoquer délibérément leur rire avant qu'ils aient pris conscience de la situation. Il ne s'agit pas seulement, ici, de théâtre et de gloire : Gustave est de ces Gribouille qui font rire d'eux délibérément et constamment pour être sûrs, au moins, qu'on ne moque pas en eux un ridicule qu'ils ignorent. Adolescent, jeune homme, adulte, il s'opiniâtre à faire rire de lui — et des autres, mais ceci est une autre affaire dont nous parlerons bientôt — ses camarades, ses parents, ses confrères. Il aime à rappeler qu'il a fait « rouler de rire » Ernest ou Caroline, il invente le Garçon — nous y reviendrons —, il fait la danse de l'idiot devant les Goncourt, il se dépeint comme double : rat de bibliothèque dans la solitude, commis voyageur quand il a du public — car, dès qu'il entre dans une réunion, quelle qu'en soit la nature, les participants sont pour lui *avant tout* des spectateurs ; c'est dire qu'il les redoute et que, de peur qu'on ne le moque derrière son dos, il revêt aussitôt sa cuirasse de comique, le voici en représentation, jouant aussitôt le sous-homme qui se prend au sérieux pour montrer à tous qu'il *ne se prend pas au sérieux* mais, du coup, se livrant au rire tel qu'il est, dans sa souffrance et sa gravité profondes, et, par défi complice, se caricaturant jusqu'à l'ignoble pour que, dans l'ignominie, du moins, il soit souverain.

C'est ce qu'il tente d'exprimer par cette formule dont nous avons déjà parlé et qu'on a souvent mal comprise : « L'ignoble est le sublime d'en bas. » Certes, par sa structure même, elle rappelle les antithèses et la rhétorique du romantisme ; mais elle offre un sens spécifiquement flaubertien. Hugo va jusqu'à glisser une grande âme dans un corps grostesque ; il donne à voir la force de l'amour paternel chez un bouffon professionnel. Mais il n'est pas subversif, l'interviewer favori de Dieu, ou du moins pas de cette manière-là : l'ignoble, pour lui, n'est qu'ignoble et les grands sentiments, même s'ils s'éveillent dans le cœur d'un pitre, restent grands ; loin d'être ridiculisés par celui qui les éprouve, ce sont eux, au contraire, qui le transfigurent. Chez Gustave, c'est tout le contraire. On le saisira sans peine si l'on tente de construire la maxime symétrique et complémentaire qui paraît sous-entendue : « Le sublime est l'ignoble d'en haut. » Car cette phrase qui est, à la lettre, un non-sens nous prouve *en tout cas* que la symétrie allusivement évoquée n'existe pas. Certes, il y a un « haut » puisqu'on nous parle du bas : nous avons vu, d'ailleurs, que l'espace mental de Flaubert est structuré selon la verticale absolue. Mais que trouve-t-on, en haut, sinon la désillusion la plus amère : en haut le sublime, objet du désir le plus légitime, se révèle un mirage diabolique : qui veut faire l'ange fait la bête, celui qui a voulu s'élever vers la région « noble », faute de trouver un point d'appui, se renverse et dégringole ; il se cassera les reins au milieu de la risée. *Subie*, cette chute n'est que ridicule ; elle sera ignoble et sublime si la victime sait la transformer en un plongeon spectaculaire dans la boue. Ignoble : c'est la radicalisation de la bassesse, de la lâcheté, du sadisme, du cynisme veule et cruel ; c'est le choix délibéré d'être sous-homme par haine de la condition humaine ; c'est la décision de s'affecter de grands sentiments pour les ridiculiser un à un, soit en montrant qu'ils sont impossibles — et grotesques par leur imperturbable sérieux — soit en dénonçant la sottise et l'égoïsme que couvre leur idéalisme affiché. Pour Gustave, l'ignoble est une *montre*, une forfanterie de vice que le public entérine par son rire : l'acteur ignoble se fait moquer en jouant l'amour, la générosité, la souffrance parce qu'il les ridiculise en sa personne ; c'est après eux, c'est après lui qu'il en a. Flaubert adore se *montrer* ignoble, tenir des discours ignobles, raconter en riant des histoires de carabin qui soulèvent le cœur, il tire le Garçon vers l'ignoble, il se plaît à la fréquentation de femmes ignobles qui, par leurs propos et leurs manières, dévoilent l'ignominie de leur sexe et conséquemment de l'amour. L'actrice Lagier, dont il apprécie la compagnie, n'est pas ignoble en elle-même, c'est lui qui l'oblige à jouer le rôle d'une volumineuse obscénité ; elle en est, d'ailleurs, fort consciente. C'est à ce niveau — au plus bas — que l'on rencontre le sublime. Le vrai, le seul puisque le ciel est vide. Et qu'est-ce donc, pour Gustave, sinon cette fureur auto-destructrice, cet acharnement contre soi qui achève le *job* commencé par le *pater familias* sans le moindre espoir de récompense ; il fait rire de soi par dégoût de lui-même et de l'humanité, il détruit en sa personne et publiquement toutes les valeurs humaines pour montrer à la fois qu'il est indigne d'elles et qu'elles sont indignes de son immense et grotesque désir, sans autre but que de provoquer l'horreur et un rire méprisant qui le condamne : si le monde n'est que cela, je montre le cas que j'en fais en devenant immondice. Misanthrope, je réclame la solitude de l'ermite ou l'infamie de la gloire : je montrerai ma haine des hommes en me jetant à leurs pieds pour qu'ils se désolidarisent de moi par le rire et marquent par leurs crachats qu'ils se sentent supérieurs à moi. Sublime, je choisis de proclamer publiquement le triomphe justifié des réalistes sur mes rêves ; ce triomphe que je hais, je l'assume pour pousser à la limite mon désespoir tout en refusant de le prendre au sérieux et tout en témoignant *pour personne* — ce sera mon ultime ridicule — que toute noblesse, en ce bas monde, n'est que le rêve grotesque d'un visionnaire mais qu'un monde sans noblesse est en soi-même ignominie.

Le sublime d'en bas, somme toute, c'est la négativité absolue : Gustave ne prétend pas suggérer ce que pourrait être le positif à travers ses négations. Bien au contraire il commence par reconnaître la vanité de ses rêves : l'imaginaire, n'étant plus gagé par rien, s'effondre dans le néant ; sans Dieu, Don Quichotte n'est qu'un vieux gâteux fabulant, sa risibilité n'est pas la mesure de sa grandeur mais la vérité de son être ; Gustave n'est que l'idiot de la famille et s'il rêve l'impossible c'est que la nature ingrate et la malédiction paternelle l'ont privé de toute possibilité réelle. S'il *se* refuse, s'il invite les autres à le refuser, s'il se roule dans la merde devant les hommes sérieux, suscitant, par un défi complice, un verdict infamant, c'est qu'il met son orgueil immense et misérable dans cette pure souveraineté passive, la libre assomption du refus que les autres lui ont opposé depuis sa naissance. La négation vient d'eux mais, en la reprenant à son compte — de lui-même, nous le savons, il n'a pas les moyens d'affirmer ni de nier —, il la radicalise et s'en fait le martyr : ainsi la noble impossibilité d'être chevalier errant devient, dans cette nouvelle optique, l'ignoble impossibilité d'être Gustave. Il n'y a rien d'autre que le monde réel mais le martyre du jeune Flaubert met en accusation la réalité tout entière puisqu'elle révèle, en lui, que ses produits sont des loups, que l'homme n'est pas viable puisqu'il disparaît sous les rires en dénonçant le réel tout entier, royaume de Satan, comme une impossibilité qui s'ignore. Rien de plus : sa seule liberté, le seul signe qu'il est autre chose et plus que cette chair pantelante et dérisoire, c'est la négation horrifiée de soi-même et de tout.

Qu'il joue le rôle de Don Quichotte ou celui du pitre infâme et scurrile, nous nous retrouvons, en tout cas, aux antipodes du premier projet compensateur : le chevalier de l'Impossible et l'impossible Gustave font l'un et l'autre l'objet de la dérision universelle. Celui-ci se perd sans compensation, celui-là est l'élu du Dieu caché mais l'un et l'autre font le désespoir de leur famille. Tout à l'heure, Achille-Cléophas, ébloui par la gloire de son fils méconnu, pleurait de bonheur et, plus secrètement, de remords. À présent le remords n'est plus de saison : le médecin-chef peut se féliciter d'avoir bien jugé son fils cadet ; s'il pleure, c'est de rage et de honte. Observons toutefois que ces deux projets contradictoires ont en commun quelques traits fondamentaux. Dans l'un et l'autre, Gustave est glorieux : grand homme ou pitre, la terre entière répète son nom. Dans l'un et l'autre, l'orgueil demeure. Et l'intention farouche de châtier le père qui l'a maudit. Dès lors, on ne s'étonnera pas que le petit garçon oscille entre ces extrêmes : la raison doit en être cherchée dans les structures particulières du ressentiment. Celui-ci, vindicte ruminée par une passivité constituée, entend punir, cela va de soi, mais jamais par un acte ni directement : il advient à la victime — sans qu'elle sache pourquoi ni comment, la pauvre — que, dans une situation qu'elle n'a ni ménagée ni prévue, sinon par le « vol à voile », elle se trouve être, par sa seule existence, le bourreau de ses bourreaux. À partir de là, le projet rancuneux offre deux caractères opposés et complémentaires. 1° Condamné, l'homme du ressentiment compte sur le cours des choses pour révéler aux magistrats qu'ils ont commis une monumentale erreur judiciaire : le prétendu coupable était un ange ; non seulement son innocence est manifeste mais il est établi que, de toute manière, il échappait à leur juridiction. L'obéissance, ici, consiste pour cet ange infortuné à accepter la sentence, à faire taire en lui le cri de l'innocence et, sans pour autant se tenir pour coupable, à purger sa peine benoîtement ; c'est sur l'indignation des autres qu'il compte pour le venger des mauvais juges : on le découvre au bagne, on se jette à ses pieds, on lui baise les mains et les membres du tribunal s'enfuient sans qu'il ait même pensé à les blâmer. Ainsi le petit Gustave méprisé, ridiculisé par le *pater familias*, donne la main à tout, s'incline et se met au travail dans le domaine ingrat où on l'a relégué : il sera le premier surpris quand la gloire anoblissante viendra le couronner devant le médecin-chef confondu. 2° Mais, dans le ressentiment, comme dans le bagne de Kafka, la sentence est intériorisée, cousue dans la peau du condamné qui incline à donner raison aux juges sans cesser pour cela de leur garder rancune. L'obéissance, autrement manipulée, devient impitoyable et noire, elle se fait défi-complice, la victime assume la sentence et, par un inflexible respect de la magistrature, prend soin de la radicaliser : puni pour un crime qu'il n'est pas sûr d'avoir commis, il met son zèle à se faire criminel et finit par assassiner ses juges pour leur donner pleinement raison. La gloire blanche, Gustave y rêve naïvement, dans l'immédiat, tant qu'il croit vivre dans un monde féodal et tant qu'il ne se pose pas de question sur la valeur de l'imaginaire et sur son rôle d'amuseur public. À peine remet-il en question, sous l'influence de l'ironie paternelle, le sens et l'importance de l'irréalisation — qu'il tient pour son lot —, il se jette à radicaliser la sentence, soi-disant pour se conformer à la volonté de son père, en fait pour arracher son rire à ce premier rieur et le retourner contre celui-ci en le rendant universel : moque-moi tant que tu voudras, je me ferai moquer par la terre entière ; si tu n'es pas content, qu'y puis-je ? Je ne suis que ce que tu m'as fait : le bouffon de l'humanité. Bref, en ce deuxième projet, Gustave devient le méchant qu'il croit être : dans une folie de rage il veut faire le Mal et qu'on lui fasse le plus grand Mal pour que les insultes et les rires atteignent à travers lui son père : quelle que doive être sa honte, il ne paiera jamais trop cher l'aigre et délicieux plaisir de rendre cet honorable savant le fameux géniteur d'une illustre immondice. « Oui, criera-t-il alors dans un paroxysme d'orgueil, je jouis du mépris universel, je suis le dernier des hommes, on crie à la chienlit sur mon passage et j'en suis fier. Mais toi, père indigne qui m'as précipité dans l'abjection, tu vaux moins que moi puisque tu n'as pas le courage de faire face au déshonneur. »

La variable indépendante, en somme, c'est l'idée qu'il se fait du public et, par conséquent, de lui-même : tantôt il pense que celui-ci, plein de gratitude, respecte en lui l'homme de métier, le psychologue qui sait tirer les ficelles et connaît les lois du rire ; et tantôt il lui paraît qu'il se livrera sans défense à de mauvais plaisants qui viendront au théâtre pour l'y voir s'avilir. Mais, de toute manière, on ne se trompera pas en pensant que le propos originel a d'abord été optimiste : l'enfant a cru trouver une issue dans la gloire, le projet noir de s'avilir n'a pu venir qu'après, quand, à la réflexion, il a vu l'imaginaire se dévaloriser sous ses yeux. Le tourniquet qui l'emporte sans cesse du blanc au noir et du noir au blanc, de la gloire divine à la gloire infâme et inversement, s'est constitué entre sa neuvième année et ses premières années de collège : il rêve de bonheur et d'argent, de revanche douce, d'exercer sur les foules une mystérieuse domination et puis le rêve tourne au cauchemar ; quand il a touché le fond du dégoût, quand il s'est persuadé que le sous-homme par excellence risible, c'est celui qui prend les images au sérieux, il faut qu'il remonte ou qu'il crève, il revient à la gloire et la désire pour elle-même, sans préciser, par prudence, à quelle prouesse il la devra. Peu à peu, il reprend confiance, il espère

et c'est au cœur de l'optimisme que ses venins habituels vont renaître : le pire est sûr, les hommes sont infâmes, les réalistes ont raison. La roue tourne. Elle ne s'arrêtera plus.

Jusqu'ici l'enfant joue de malheur mais, comme disait Jung, les
oiseaux le mordent pour de bon : quand il vient à choisir la gloire
infâme, c'est qu'il ne peut faire autrement. S'il en remet, s'il hyperbolise, c'est que la réalité humaine — en lui comme en chacun —
ne peut comprendre une situation qu'en la dépassant. Il ne faudrait pas, cependant, se contenter de cette analyse : nous avons
quitté, certes, les motivations de surface mais, pour l'instant, nous
ne faisons que nager entre deux eaux ; en faisant appel à la passivité constituée pour expliquer le tourniquet de la gloire, il est certain que nous nous sommes adressé au fondamental mais nous ne
lui avons demandé que de nous faire mieux entendre le sens et
l'usage de certaines affections et des notions déjà très élaborées
(gloire, acteur, comique et tragique, etc.) qui leur correspondent.
Nous n'avons pas encore, en ce chapitre, envisagé ce fondamental
en soi, c'est-à-dire non pas comme un caractère abstrait mais comme
le vécu lui-même dans sa saveur première et dans son exigence profonde. Cette exigence, pourtant, nous la connaissons : c'est la *chair* ;
nous avons vu le petit Gustave se caresser devant sa glace *par les
mains d'un autre* pour tenter de devenir cette lourde douceur ténébreuse et satinée qui n'existe que pour donner de la volupté au guerrier et qui ne s'atteint qu'à travers le plaisir que celui-ci prend à
la manipuler. Que veut-il, en ce cas, sinon reproduire en la modi-
fiant ce qu'on peut appeler — en détournant quelque peu de sa
signification courante un mot d'analyste — la scène primitive : il
s'est découvert, aux environs du premier sevrage, objet pétri par
de belles mains insensibles dont la parfaite efficacité le réduisait
à son impotente nudité. C'est sous cette forme qu'il a vécu son attachement sexuel à la mère et que, du coup, son désir sexuel a été
structuré : désirer l'autre, pour lui, c'est se pâmer devant une beauté
sévère pour que des mains expertes, en le manipulant, le restituent
dans sa nudité de nourrisson. Cet état premier, pourtant, s'il veut
le retrouver, ce n'est certes pas qu'il subsiste en son corps comme
l'obscure mémoire d'une plénitude : tout au contraire, il y a été
constitué du même coup comme passif et comme frustré. Et si, dans
le trouble physique, il aspire à le ressusciter, c'est pour recevoir
de l'autre ce dont les soins maternels l'ont privé. Est-ce l'amour ?
En principe, oui. Mais s'il est vrai que l'amour lui a manqué, il

faut comprendre aussi que le défaut d'amour l'a constitué de telle manière qu'il est incapable de réclamer des autres ce dont on l'a réellement frustré. Ce qu'il désire, en fait, c'est le recommencement de la scène primitive avec ceci en plus que sa mère prenne un plaisir sexuel à le transformer en objet maniable et ductile. Il devrait *logiquement* se plaindre de ce qu'une certaine sécheresse dans les manipulations n'a pas permis qu'il se constituât en sujet ; mais, précisément parce que la notion même de sujet souverain demeure chez lui atrophiée au même titre que la puissance affirmative, il lui est parfaitement impossible de revendiquer une souveraineté dont le sens même lui échappe ; c'est elle pourtant qui est en jeu mais son besoin d'amour, réfracté à travers sa constitution passive, se change, au contraire, en désir d'être *radicalement objet* : l'autre doit jouir de lui, le traiter en instrument sexuel et prendre son plaisir à l'asservissement charnel où il le plonge. Ainsi la scène primitive est corrigée, améliorée : le but des mains maternelles était *pratique*, utilitaire ; l'asservissement de l'enfant n'était qu'un moyen, l'alimentation, les soins, l'hygiène étaient les faits. Dans la scène sexuelle, telle qu'il la rêve, c'est le contraire qui se produit : les manipulations qui le réduisent à une voluptueuse passivité et qui disposent son corps au gré de l'autre, il les souhaite *inutiles*. Inutiles *pour lui*, bien sûr ; le manipulateur, lui, n'a qu'un but : son propre plaisir. Insensible aux vœux de Gustave — et celui-ci, d'ailleurs, n'en forme aucun, sinon dans l'intention précise qu'il ne soit point exaucé —, l'autre fera donc renaître les attitudes imposées par la mère — tiens-toi tranquille, oui, comme ça, il n'y en a plus pour longtemps — mais sa fin sera plus radicalement étrangère au grand corps caressé puisqu'il fera de celui-ci un moyen de jouissance ; le sens du désir passif de Gustave, c'est que sa mère, en gardant son adorable sévérité — le petit enfant sentait son corps comme un moyen choisi par elle pour accomplir inflexiblement des tâches qu'il ne reconnaissait pas pour siennes —, fît de lui le moyen de ses plaisirs et qu'elle daignât jouir de lui. On l'a compris, les caresses dont il rêve sont hostiles : l'indifférence maternelle — qui, comme telle, est insupportable — se change en violence sexuelle ; le partenaire jouit d'être indifférent, cela fait partie de son rôle : il se plaît à négliger les pensées, les sentiments, les désirs d'un homme qu'il est en train de transformer en chose ; ou, plus exactement, il fait semblant de les négliger car, en vérité, son plaisir réside en partie dans son refus méprisant d'en tenir compte cependant que ses mains savantes les empâtent, les transforment, quels qu'ils soient, en somnolences troubles, en acquiescements charnels. La volupté [1] viendra, chez Gustave, quand il se sentira tout entier possédé *contre son gré, avec son consentement pâmé*, par l'impitoyable *activité* de l'autre. Être soumis par un vainqueur qui ne tient compte de l'intériorité que pour la réduire savamment, par un trouble graduellement imposé, à la pure extériorité charnelle, accepter, dans l'ivresse des sens, d'être sous-humanisé et réduit au statut de la chose inanimée, reconnaître, pâmé, la supériorité de race du manipulateur, qu'est-ce donc sinon se comporter en masochiste, dans un lit, ou, sur la scène, en comique ?

Le second sevrage ou malédiction par le rire, Gustave, à certains niveaux du vécu, tente de l'assumer pour le combattre : c'est le défi-complice. Mais, au niveau du fondamental, il y adhère parce qu'il y consent de toute sa chair ; il rêve d'être acteur et risible parce que le rire est un châtiment sexuel : l'enfant peut bien se jurer qu'il *fera rire* les spectateurs en les manœuvrant par des procédés éprouvés, il est averti, par son masochisme même, que ce langage, né de la jactance des comédiens et de leur misère, présente les choses à l'envers : l'acteur est femme, il s'offre, le public est mâle et décide souverainement. S'il consent à se dérider, son hilarité dénude totalement le « risible » : Gustave sera tout nu, à la renverse, manipulé par les rieurs, réduit à sa pure extériorité, on fera publiquement violence à son intimité secrète, le rire témoigne qu'on refuse d'en tenir compte, qu'on nie la prétendue souveraineté du sujet et qu'on jouit de la réduire à un mirage. L'enfant aura les délices d'être transformé en *chose* ; réduit à l'impuissance, il sentira l'aigre volupté de faire la joie, lui, sous-homme, des hommes qui le regardent gigoter en vain et que ses inutiles tentatives pour se faire prendre au sérieux confirment dans le sentiment triomphal de leur supériorité. En ce sens, on reconnaîtra au fond de sa « vocation » un fantasme exhibitionniste. Rousseau montrait aux lavandières l'« objet ridicule » : rien d'étonnant puisque les mémorables fessées de Mlle Lambercier avaient, si j'ose dire, érotisé son derrière. Ainsi de Gustave : ce grand et beau garçon tourne l'« objet ridicule » vers les spectateurs. Mais, bien que le bas des reins prenne, dans les farces, une importance particulière (coups de pieds au cul, clystères), l'objet ridicule n'est autre, ici, que sa personne tout entière. C'est à la fois son profond désir d'acquérir un statut réel et son effort pour s'irréaliser en s'appropriant le monde imaginaire qu'il livre

---

1. Sexuelle, mais non génitale.

en pâture au public pour que celui-ci les disqualifie l'un et l'autre par le rire : il jouit de s'exhiber, femme ridicule, de se livrer à ces témoins impitoyables et de se pâmer sous leurs poignes de soudards. À l'origine de cette *montre* obcène, il y a la tentation vertigineuse de l'acquiescement : eh bien ! oui, je l'avoue, je le confesse publiquement, je suis sous-homme, je suis robot, je suis chose, je ne trouverai de repos que lorsque votre fou rire, intériorisé, m'aura enfin appris à me désolidariser de moi-même et, pantelant encore, à devenir tout à fait *votre* objet. Sans aucun doute, quand il se fait *ignoble*, pour que la dérision s'accompagne du blâme et pour que ses compagnons se désolidarisent de sa scandaleuse charogne, la laissant pourrissante et nue mais encombrante encore, il vise à satisfaire sa pulsion masochiste en radicalisant son exhibitionnisme. Nous en verrons plus d'une preuve dans les chapitres suivants.

Toutefois, bien que la pulsion masochiste soit au niveau du fondamental, il n'y a pas lieu de la privilégier par rapport à la tentative de récupération et de compensation qui pousse Gustave à revendiquer la gloire. En d'autres termes elle ne représente nullement *la* vérité de Gustave, le recours à la gloire n'étant qu'un prétexte, le voile dont elle s'envelopperait, mais bien *une* vérité dialectiquement liée à toutes les autres. Sans aucun doute elle représente une détermination protohistorique de sa sexualité et, comme telle, c'est une dimension latente ou actuelle de toutes ses conduites. Cela ne signifie nullement qu'elle les produise. Le fondamental ne doit pas se confondre avec les infrastructures et l'on aurait tort d'appliquer aux personnes les schémas qui s'imposent pour comprendre la réalité sociale. Les conditionnements extérieurs sont les mêmes mais la personnalisation les intériorise et les totalise selon un ordre singulier et d'ailleurs variable d'un moment à l'autre suivant les circonstances. Le masochisme de Gustave est certain mais son sadisme ne l'est pas moins, qu'il affiche un peu trop complaisamment peut-être mais qui naît de son orgueil négatif et des songeries de sa rancune exaspérée. Nous y reviendrons. Signalons simplement qu'il incarne volontiers, pour lui seul et en silence, tous les rôles historiques de conquérants et de destructeurs ; il se donne la toute-puissance et se plaît à en user *mal*, soit pour consommer un génocide, soit pour faire périr un individu dans les plus affreux supplices. Et, bien entendu, il s'agit d'un rôle : il est en train de dépeupler la France ou d'équarrir un sénateur lorsque la cloche sonne, il se lève, suit ses camarades dans la cour et redevient le géant paisible qui « n'a jamais abusé de sa force pour humilier les petits ».

Comment pourrait-il en être autrement puisque les modèles qu'il se donne sont tout en actes, sujets purs, agents de l'histoire ; et, par le fait, le sadisme est une activité, je dirais même que c'est — entre autres choses — le projet de parvenir à la *praxis absolue* par le plein emploi de l'autre et par sa transformation en objet. Par cette raison, la passivité de Gustave ne peut qu'être hantée par des rêves cruels ou, si l'on préfère, il ne peut que rêver qu'il est *autre* et jouer pour sa propre satisfaction le rôle de l'*homme d'action*. Et, quand il s'impose partout, criant, gesticulant, couvrant la voix des autres ou leur coupant la parole au point de les importuner, il est parfaitement conscient de ne pas les dominer pour de vrai — aucun d'eux ne se laisserait faire — mais de jouer au dominateur, de faire semblant d'être le premier. Bref l'orgueil Flaubert, né chez Achille-Cléophas de ses réussites pratiques, débouche nécessairement, chez l'enfant humilié, sur un sadisme imaginaire, il devient une image d'orgueil et, tout à la fois, un puissant agent d'irréalisation. En ce sens la gloire positive que Gustave réclame, il la conçoit en elle-même comme imaginaire : tout à l'heure il incarnait Attila, Néron, à présent il joue le rôle d'un acteur adulte qui s'incline sobrement devant un public en délire qui l'ovationne. La gloire, la toute-puissance, la praxis : c'est le même rêve sadique du vaincu qui, réduit à l'*im-puissance*, prend sa revanche *en imagination*.

De ce point de vue, le masochisme semblera plus conforme à sa constitution véritable : qu'est-il, en effet, pour Gustave, sinon le consentement à sa passivité ? Sadique, il s'irréalise en son contraire ; maso, il se fait être ce qu'il est. A cela je réponds qu'il *n'est rien* et que, lorsqu'il radicalise sa passivité constituée, il faut aussi qu'il s'irréalise, à la fois parce qu'il ressuscite la scène primitive *pour la modifier*, donc pour la vivre telle qu'elle n'a pas eu lieu pour de bon, et parce que l'*idée masochiste* en lui — être un en-soi-pour-soi à *l'envers*, devenir *par autrui* un pour-soi totalement englouti par l'en-soi et qui garde assez de conscience pour jouir atrocement de la métamorphose — ne peut se manifester qu'en imagination. Ce sujet transi par son hyperobjectivité, on voit qu'il est *impossible*, ni plus ni moins que Don Quichotte. Le missile est placé sur orbite, voyez plutôt comme il tourne. L'orgueil d'abord (non qu'il soit premier, je le prends pour commencement par commodité mais tout le mouvement est circulaire) : Gustave joue le rôle de Kean, de Frédérick Lemaître ; « il y en a qui vont grincer des dents ». Puis la catastrophe : le rire est infamant ; l'enfant rugissant de fureur se jette, par défi-complice et par ressentiment, à vouloir la gloire ignominieuse pour déshonorer sa famille. Quand il tire sa fierté de son acharnement à se détruire et de ce que j'ai appelé son impitoyable obéissance, il n'est pas encore masochiste, il s'agit plutôt d'une forme secondaire de sadisme qui vise à punir autrui par une autodestruction systématique. À ce moment il apparaît, comme dit Odette Laure, que l'enfant ne s'aime pas beaucoup et que, d'une certaine façon, il se châtie sadiquement, lui aussi, mais *en tant qu'autre*. Cette rage autopunitive, je l'appellerais volontariste si Gustave était capable de volonté : disons plutôt que le volontarisme fait partie du rôle et que l'enfant joue de bon cœur le personnage, sa passion coléreuse sert ici d'*analogon*. N'importe, jouée ou non — de toute manière il tente de croire au personnage —, cette violence l'éreinte ; l'abjection qu'il vise au prix d'une contention extrême, il ne la *voit* pas, elle ne s'impose pas et demeure une fin abstraite qui n'a pas de consistance par elle-même et s'anéantirait s'il ne s'obstinait à la soutenir à l'être. Mais, tandis qu'il s'absorbe à trouver le sublime dans l'ignoble, quelque chose s'éveille en lui, comme une trouble consistance, comme une invite au consentement, la fin qu'il maintenait par force tout à coup lui échappe, elle se concrétise et, se proposant d'elle-même, se fait vertige sexuel et tentation : il suffit qu'il s'abandonne, l'abjection l'envahira comme un imprévisible produit de sa spontanéité. Que s'est-il passé sinon que l'Autre a repris sa primauté : l'enfant voulait le soumettre, en tout cas s'arracher à lui ; ensuite, jugeant la victoire impossible, il en a fait le moyen de se torturer et de punir son père ; voici que ce projet, par une dialectique prévisible (il a restitué ses pouvoirs à l'Autre pour s'en servir contre son père, c'était se démettre et, tôt ou tard, se soumettre), ressuscite la vieille emprise vertigineuse, la frustration et le profond désir de sa chair passive ; l'acharnement à *se faire* objet se passivise et se change en croyance pithiatique : il se sent horriblement et délicieusement la *chose de l'Autre*. Les mouvements contraints, efforcés par lesquels il tentait d'atteindre au grotesque, tout en le refusant, disparaissent, inutiles, dès lors que l'acquiescement s'est substitué au refus ; une immobilité qui se voudrait léthargique les remplace, hébétude abandonnée, essoufflée qui s'accompagne parfois des râles du plaisir. Le jeune garçon s'est-il aperçu de la transformation ? Forcément puisqu'il l'a *vécue*. Mais il peut fort bien la passer sous silence — même si elle s'achève en masturbation — puisque, grâce à elle, la fin est atteinte. Il voulait être ignoble, il l'est. L'est-il vraiment ? En aucune façon : il n'a rien fait que s'abandonner à la poigne de l'Autre et que réclamer ses rires comme des caresses féroces. Ce n'est pas l'ignominie qui l'a tout à coup envahi, c'est sa passivité en tant qu'une autre l'a constituée ; elle lui a servi d'*analogon* pour jouer son rôle d'objet inanimé à la merci d'un seigneur cruel. Son nouveau personnage — dépassement de son corps vers l'impossible —, il le *tient*, il le *sent*, comme disent les acteurs, bref il y croit. Il n'en est pas moins un imaginaire. Tout comme l'Autre, en cette circonstance, est irréalisé, qu'il soit ou non présent à la comédie : Gustave n'a rien fait d'autre que lui refiler son sadisme. Néron s'adonnant aux plaisirs de la table et de l'amour pendant qu'on supplicie un malheureux dont il entend les râles avec une voluptueuse indifférence, c'était, tout à l'heure, l'enfant lui-même ; à présent c'est l'Autre qui l'interprète et Gustave se charge, lui, de jouer le rôle du supplicié. L'indifférence impériale qui disqualifie la douloureuse intériorité de sa victime, elle devient chez l'Autre l'hilarité cruelle qui réduit le paillasse à son extériorité. On en conclura sans peine que Gustave, en Néron, se glissait parfois, sans même s'en rendre compte, dans la peau du martyr ; inversement, quand il râle, impuissant, sous les yeux durs des spectateurs, il n'oublie jamais de se cacher, fût-ce un instant, au milieu d'eux pour *se* voir. Reste que l'accent est mis tantôt sur l'un tantôt sur l'autre de ces deux personnages.

Quand Flaubert est au comble de l'humiliation consentie, surtout s'il peut assouvir le désir qui l'a terrassé, il finit par se prendre en horreur : c'est que, tout à coup, il découvre que sa voluptueuse humiliation risque de se tourner en résignation *réelle*. Il se trompe, bien sûr : à ce niveau d'irréalité, l'imagination ne renvoie jamais qu'à elle-même. N'importe : tout se passe pour lui comme s'il allait toucher à sa *réalité* et trouver son être dans un consentement vrai à l'insupportable condition qu'on lui a imposée de toute éternité. Or sa conduite masochiste, comme la sadique, est en fait un moyen de s'en évader : ne faut-il pas y voir *avant tout* le choix de l'imaginaire ? C'est une chose de s'irréaliser en un monstre abject, objet d'un mépris universel — c'est-à-dire en un poupon mal aimé —, c'en est une autre que d'accepter docilement d'être le moins doué des Flaubert et que de reconnaître la supériorité d'un aîné détesté ; il y a, pour certains, quelque plaisir à s'avilir aux pieds d'une Vénus aux fourrures, implacable beauté qui traite les hommes en esclaves, d'autant plus facilement qu'elle n'existe pas [1] ; il n'y en a pour personne à reconnaître des torts, des erreurs, une modeste médiocrité ; les maso sont fous d'orgueil, c'est connu et Gustave, tout particulièrement, puisqu'il est infecté de l'orgueil familial. C'est l'orgueil Flaubert, en lui, qui s'affole quand l'enfant se trouble et joue la soumission ; se déclarer infâme par rage, passe. Mais subir tout à coup le vertige de l'infamie, n'est-ce pas dangereux ? Qu'arriverait-il, après les délices de la chute, si le petit garçon ne pouvait plus se relever ? Qu'arriverait-il si Gustave, pour pousser à l'extrême les voluptés de la honte, s'humiliait devant Achille et lui disait d'une voix sincère : tu es plus intelligent que moi ? Il suffirait d'un rien, pense-t-il, c'est jouer avec le feu que de renouveler sans cesse le *geste* d'un consentement qu'on ne veut donner *en acte* pour rien au monde. Le masochisme de Flaubert est plus profond que son sadisme parce qu'il vient de plus loin et qu'il est conforme à sa constitution ; aussi peut-on l'appeler sa tentation permanente, c'est un appel constant de ce grand corps accablé — qui, plus tard, à Croisset, quittera cent fois sa table de travail pour se laisser tomber sur son divan. Mais, par cette même raison, rien ne le dégoûte davantage : à peine s'est-il laissé prendre, il rebondit à l'instant dans un orgueil farouche et crispé, dans un sadisme de nervosité qui l'épuise et le surexcite mais le rend à sa fierté : le missile a fait un tour complet puisque que Gustave retrouve à la fois son optimisme et sa méchanceté, en un mot l'*objet* imaginaire se retrouve imaginaire *sujet* et l'on comprend que le petit garçon oscille d'un rêve à l'autre puisqu'il n'est, dans la réalité, ni sujet ni objet tout à fait.

Le circuit s'est refermé : la gloire, le théâtre, le rire, tout est en place ; le personnage du sadique est une « composition », Gustave s'applique à se faire Seigneur méchant ; celui du masochiste est plus conforme à son emploi : il n'a point à se forcer pour jouer dans les transes le vassal bafoué, renié mais fidèle. Un seul ennui : ces révolutions perpétuelles accroissent la déréalisation ; dans le circuit où il tourne sans cesse, l'enfant n'a jamais affaire qu'à des images ; puisque, dans les années décisives, sa sexualité s'est irréalisée, nous verrons plus tard que ses relations sexuelles seront *pour lui* irréelles : avec les femmes de chair et d'os, il n'aura de rapport que par l'intermédiaire de l'imaginaire ; il leur fera jouer des rôles sans qu'elles le sachent pour qu'elles lui permettent, bon gré mal gré, de jouer les siens.

1. Les femmes qui ont fouetté Masoch ou qui l'ont fait passer, sur sa demande, pour leur valet de pied, n'y ont consenti que par une soumission bien éloignée du mépris qu'il réclamait d'elles : il était beau et elles l'aimaient, donc elles se prêtaient à ses caprices comme sans doute elles l'eussent fait s'il eût été sadique. Il ne l'ignorait point et n'en était, j'imagine, pas trop mécontent : ces tremblantes fouetteuses le renvoyaient à l'imaginaire ; elles *jouaient le rôle* de la cruelle Amazone qu'il ne voulait que rêver à travers elles.

III

De l'acteur à l'auteur

Gustave, se faisant acteur pour récupérer son être, est amené à jouer dans des pièces que d'autres ont écrites, son rêve de vassalité y trouve son compte ; mais vers la même époque, il lui arrive aussi d'écrire des pièces pour les jouer. Cette conduite n'est-elle pas le contraire de la soumission ? Les impératifs demeurent mais c'est lui qui choisit de se les imposer. Comment faut-il l'entendre ? Faut-il imaginer que sa « vocation » véritable s'est enfin éveillée ? Il suffit de consulter ses premières lettres. Elles nous permettront de comprendre comment le petit garçon passe insensiblement du théâtre à la littérature et comment l'écrivain se ressentira toujours d'être né de l'acteur.

Il vient d'avoir neuf ans. Il écrit à Ernest Chevalier, le 31 décembre 1830 : « Le camarade que tu mas envoyer a l'air d'un bon garçon quoique je ne l'ai vu qu'une fois. Je t'en veirait aussi de mes comédie. Si tu veux nous associer pour écrire moi, j'écrirait des comédie et toi tu écriras tes rêves et comme il y a une dame qui vient chez papa et qui nous contes toujours des bêtises je les écrirait. »

Mais le 4 février 1831, il a changé d'avis :

« Je t'avais dit que je ferais des pièces mais non je ferai des romans que j'ai dans la tête... J'ai rangé le billard et les coulices... Il y a dans mes proverbes dramatiques plusieur pièce que nous pouvon joué... »

À la même époque, il vient d'écrire l'« Éloge de Corneille » et l'« explication de la *fameuse* constipation » que Mignot fera autographier l'année suivante. Le 11 février il presse Ernest d'entrer en collaboration avec lui. « Je te prie de me répondre et me dire si tu veux nous associer pour écrire des histoire, je t'en prie dis-moi le, parceque ci tu veux bien nous associer je t'enverai des cathiers que j'ai commencé à écrire et je te prirait de me les renvoyer, si tu veux écrire quelque chose dedans tu me fras beaucoup de plaisirs. »

Après onze mois de silence (ou y a-t-il des lettres perdues ? En mars 32 Gustave mentionne sa lettre de janvier précédent en l'appelant : « une de *mes* lettres »), le 15 janvier 32, Flaubert apprend à Ernest qu'il prend des notes sur Don Quichotte. Il ajoute :

« Le billard est resté isolée, je ne joue plus la comédie car tu n'y est pas... J'ai oublier à te dire que je m'en vais commencé une pièce qui aura pour titre l'Amant avare, ce sera un amant avare, mais il ne veut pas faire de cadeaux à sa maîtresse et son ami l'attrape... Je commencerai aussi une histoire de Henri 4, de Louis 13 et de Louis 14... »

Deux mois et demi plus tard :

« Nous avons remonté sur le billard, j'ai près de 30 pièces... J'ai fait un morceau de vers intitulé *une mère* qui est aussi bien que *la mort de Louis 16*. J'ai fait aussi plusieurs pièces et entre autres une qui est l'Antiquaire ignorant qui se moque des antiquaires peut habiles et une autre qui est les *apprêts pour recevoir le roi*, qui est farce » (31 mars 32).

Et dans la lettre suivante que l'édition Conard date approximativement du 3 avril 32 (il a dix ans et demi, il est au collège) :

« Victoire, victoire

« Victoire, Victoire, Victoire, tu viendras un de ces jours, mon ami, le théâtre, les afiches tout est prêt. Quand tu viendras Amédée, Edmond, Mme Chevalier, maman, 2 domestiques et peut-être des élèves viendront nous voir joué, nous donnerons quatre pièces que tu ne connais pas mais tu les auras bientôt apprises. Les billets de 1er, 2ème, 3ème sont fais, il y aura des fauteuils il y a aussi des tois des décorations ; la toile est arrangée, peut-être il y aura-t-il 10 à douze personnes. Alors il faut du courage et ne pas avoir peur. »

Donc, à neuf ans, il a déjà *écrit* des pièces : il faut qu'il les ait faites à huit. Ce n'est pourtant pas sa seule activité littéraire. Le 31 décembre 1830, il ajoute : « Je t'en vérait de mes discours politique et constitutionnel. » Discours fort sérieux : il se dit « constitutionnel-libéral » et admirateur de La Fayette : on notera la parenté des « genres » où il s'exerce : il écrit pour réciter ou déclamer. L'acteur et l'orateur sont deux branches issues d'un même tronc.

Son « Éloge de Corneille », vers la même époque, est fait pour être dit : l'enfant interpelle l'auteur du *Cid*, il le tutoie et le couronne ; il n'hésite pas d'ailleurs à se mettre lui-même en scène, il parle à la première personne et se dénigre pour faire rire : « Je ne suis qu'un gamin : excusez-moi de vouloir parler de Corneille mais trêve de compliments, mes bons amis, attendez-vous à une brioche qui est bonne à mettre aux cabinets », etc. Cet éloge, d'ailleurs, ne le sort point de ses préoccupations coutumières : celui qui en fait l'objet est l'auteur dramatique et rouennais ; en célébrant une gloire du théâtre, l'enfant se met sous la protection de son illustre prédécesseur et concitoyen[1].

Cependant il lui faut d'autres pièces : le théâtre du billard en consomme beaucoup. Il en informe Ernest et lui propose une association : il ne s'agit pas de collaborer à la même œuvre mais d'écrire dans un même cahier. L'enfant définit avec netteté leurs rôles respectifs : il n'est pas question qu'Ernest compose fût-ce une seule comédie ; on ne lui reconnaît que le droit d'interpréter celles de Gustave ; pour le reste, il est sollicité d'écrire *ses rêves*, bref, gentiment et fermement cantonné dans la rêverie lamartinienne. Le cadet Flaubert se tient pour le meneur de jeu : à lui revient d'inventer l'argument et de le mettre en scène. Les « bêtises » de la-dame-qui-vient-chez-papa (pourquoi pas « chez nous » ou « chez mes parents » ?) seront peut-être transcrites sans commentaires dans un sottisier : de toute manière, ce sont choses dites, transmises oralement ; donc elles sont de son ressort ; à lui de les fixer par écrit.

---

1. « La belle explication de la *fameuse* constipation », qui nous a été conservée et que M. Bruneau a reproduite intégralement, date sans doute de 1830-1831. Je tends à n'y voir qu'une « blague » — comme en écrivent beaucoup d'enfants sans prétendre pour autant à la gloire littéraire. Elle souligne pourtant l'horreur puritaine de Gustave pour les fonctions naturelles et, contrepartie nécessaire de son dégoût, son inclination sadique et masochiste (cf. le chapitre précédent) pour l'ignoble *scatologique* : nous retrouverons cette attirance vers le « sublime d'en bas », dont la merde reste à ses yeux le meilleur symbole. L'influence de Molière n'est pas douteuse : c'est un Diafoirus qui parle. Autrement dit, c'est Gustave jouant le rôle de Diafoirus, pour se ridiculiser en ridiculisant la médecine. *Bien entendu*, son père n'est pas visé, son père est un *grand* médecin, etc. N'empêche que c'est le premier des nombreux écrits où Gustave révèle l'ambivalence de ses sentiments. Je révèle aussi le rapprochement — qui frapperait à juste titre un analyste — de « la mer qui ne produit pas d'écume » et de la mère qui ne fait plus d'enfant, double métaphore pour signifier le corps qui ne peut plus déféquer. Nulle part la relation de symbolisation réciproque de « mère » et de « mer » n'est plus manifeste mais il faut y ajouter ici un troisième terme qui est la merde car l'enfant maudit se venge en assimilant le *noble* enfantement à l'*ignoble* défécation. Et, bien entendu, lui-même à un étron qu'on « fait » et qu'on abandonne.

La lettre du 4 février 31 témoigne d'un brusque revirement. Il a « rangé le billard et les coulisses » : il n'écrira plus de pièces : si, d'aventure, on revenait à jouer la comédie, les *Proverbes* de Carmontelle suffiraient. D'où vient cela ? Du dépit, sans aucun doute : Ernest n'est jamais disponible ou bien on aura « vexé » Gustave en critiquant une de ses comédies ? Le fait est que c'est l'*auteur* en lui qui se récuse, non l'acteur : celui-ci jouera de bon cœur Carmontelle, tandis que l'autre se change en romancier par dépit. De fait, les titres de ses œuvres futures sont significatifs : « la belle Andalouse, le bal masqué, Cardenio, Dorothée, la Mauresque, le Curieux impertinent, le Mari prudent ». Quatre d'entre eux, M. Bruneau l'a fait remarquer, ont pour source directe certains épisodes de *Don Quichotte*. Il faut noter aussi que ces deux titres : « le Curieux impertinent » et « le Mari prudent », se rapprochent par leur structure même de « l'Amant avare » et de « l'Antiquaire ignorant » qui sont des titres de comédies. Il s'agit dans l'un et l'autre cas de présenter un caractère « typé » dont le défaut majeur est en contradiction avec les autres personnages ou avec les mœurs et de le mettre dans une situation telle qu'il engendrera de lui-même la catastrophe finale, bref nous pressentons derrière ces appellations la nécessité et l'irréversibilité du temps dans les farces classiques. Le Curieux impertinent sera puni par sa curiosité ou par son impertinence ou par les deux conjuguées. Le mari prudent est comique en tant que mari c'est-à-dire comme cocu probable. Est-il *trop* prudent et ses précautions auront-elles pour effet de précipiter son infortune conjugale ? Ou bien sa prudence est-elle une vertu — comme celle des époux de *La Coupe enchantée* qui refusent de connaître leur sort ? En ce cas c'est la femme qui est moquée et, peut-être, pour produire un effet de contraste, quelque imprudent trop sûr de son épouse qui, comme dans la pièce de La Fontaine, s'apprête à boire et voit l'eau de la coupe lui sauter au visage ? De toute manière, il s'agit du temps rigoureux de la machinerie comique et non du temps moins prévisible (en apparence) de l'événement ou de l'« aventure ». On dirait que le petit garçon, dépité, a décidé brusquement de traiter en « narrations » certains sujets qu'il avait conçus d'abord comme des intrigues théâtrales. Du reste, pas un de ces romans n'a été écrit : quand Amédée Mignot, en 32, fait publier l'« Éloge de Corneille » il trouve « dans les pupitres des deux gamins... l'Amant avare... et certaines élucubrations... dont (il fait) autographier plusieurs... » Il déclare lui-même avoir laissé de côté l'« épitaphe au chien de M.D. » en vers « d'une poésie brillante et d'une liberté romantique » mais ne fait aucune mention des récits que Gustave se proposait d'écrire. Il signale au contraire que l'Amant avare est « une pièce à sept scènes et à quatre personnages ». L'adoption brusque du genre romanesque comme moyen d'expression semble donc n'avoir été qu'un caprice de bouderie : l'enfant choisit ce pis-aller parce qu'il veut continuer d'écrire : la littérature se pose un instant pour soi parce que son art dramatique ou sa vocation d'interprète ont été contestés.

Pourtant quelque chose ne va pas puisque, après onze mois, Gustave déclare solennellement qu'il abandonne le billard. Est-ce définitif ? On n'en décidera pas : je ne *joue* plus, dit-il — et non « je ne jouerai plus ». Il s'agit pourtant d'un échec, le ton nous le fait clairement sentir. De sa décision, il donne une seule raison, reproche déguisé : « tu n'y es pas ». N'y a-t-il pas d'autre motif ? Quand il « remonte sur le billard », Ernest est toujours absent et « nous jouons nous deux Caroline » : ne pouvait-il, deux mois plus tôt, se contenter de ce partenaire unique mais privilégié ? Ce qu'on aura remarqué, d'ailleurs, c'est un curieux renversement de ses projets : en février 31, le dépit lui fait abandonner *toute* activité théâtrale, il ne sera plus ni acteur ni auteur. Le 15 janvier 32, par contre, il semble dissocier l'art du comédien et celui du dramaturge : dans la même lettre où le premier prend congé, l'autre s'affirme : « J'ai commencé... l'Amant avare. » Nous savons qu'il l'a achevé. Faut-il entendre qu'il l'écrivait pour d'autres interprètes, pour la postérité ? Ce serait supposer qu'il renonce pour toujours à conquérir la gloire sur les tréteaux. En outre les renseignements que Mignot nous a fournis — et ceux qu'a donnés Gustave lui-même — prouvent qu'il s'agit avant tout d'une version simplifiée de la pièce de Molière : c'est donc qu'il songeait encore à l'interpréter avec ses partenaires habituels. Nous ne retiendrons ici qu'une conduite nouvelle, le « *postponement* » : Gustave se montre capable d'écrire une comédie *pour plus tard*, sans être certain de l'époque où il pourra la représenter ; ainsi, sans que les deux moments de l'opération se détachent l'un de l'autre, les liens qui les unissent se relâchent un peu : le Gustave d'aujourd'hui écrit pour un Gustave futur qui ne sera pas tout à fait lui-même sans être autre tout à fait, du coup la première entreprise, sans cesser d'être le moyen de la seconde, gagne en importance et en valeur.

Du reste, dès mars 32, il a changé d'humeur ; il est « remonté sur le billard », il a « fait » plusieurs comédies dont une farce et il révèle à Ernest qu'il a un répertoire de « presque trente pièces »,

ce qui implique qu'il a travaillé contre vents et marées, en dépit
de tous les découragements. Trois jours après, tout s'explique : ce
que Gustave ne disait pas à son ami, le 31 mar, c'est qu'il avait
engagé de délicats pourparlers pour obtenir l'autorisation de se produire devant le grand public, c'est-à-dire au moins douze personnes : les vacances de Pâques ont commencé, il convie Ernest à se
joindre à eux. Il semble qu'il ait mis quelque sournoiserie à dissimuler un projet qui remonte sûrement à plus d'un mois : s'il a repris
ses activités de menuisier-charpentier-peintre-décorateur, s'il a
recommencé à jouer la comédie, fût-ce avec la seule Caroline, s'il
a tant noirci de papier, c'est dans l'unique dessein de donner une
représentation publique ; à la fin de janvier ou en février, il a
entrevu la possibilité de réaliser son grand projet pendant les vacances de mars-avril et cet espoir a suffi pour qu'il se jette furieusement au travail [1]. Sa lettre du 3 avril n'est qu'un cri de triomphe :
il exulte, il jubile. On ne peut s'y tromper : son but, soigneusement
dissimulé à tous, peut-être même à Caroline, n'a jamais varié depuis
qu'il s'est approprié le billard : se montrer à des spectateurs véritables et, par là même, devenir un véritable acteur ; tous ses efforts
souvent rebutés mais inlassables — ceux de l'auteur comme ceux
du comédien — n'ont tendu qu'à cela. Quels qu'aient été ses dépits
et ses bouderies, il n'a jamais cessé de tenir l'écriture comme un
moyen parmi d'autres et le spectacle pour sa fin absolue. Que la
représentation d'avril 1832 ait été le résultat de deux ans de labeur,
qu'elle n'ait été précédée d'aucune autre de même ampleur (il y avait
parfois deux ou trois grandes personnes dans la salle, des parents,
des amis de la famille, des familiers — le docteur Flaubert semble
n'y être jamais venu), l'enthousiasme et le trac de Gustave suffisent à le prouver. Curieusement, cette apothéose paraît aussi marquer le déclin rapide sinon la liquidation brutale de toute
l'entreprise. Gustave écrira d'autres pièces — en petit nombre —,
il a laissé aussi des plans de mélodrames mais jamais plus, dans
sa Correspondance, il n'est question du billard sinon beaucoup plus
tard, quand Flaubert se rappelle un passé déjà fort lointain. La seule
allusion qu'il y ait faite, ce sont les Goncourt qui la rapportent et
l'on n'est pas trop sûr que leur mémoire ne les ait pas trahis ; de
toute façon, elle concerne une époque postérieure : Gustave a
quinze ans, le Garçon vient de naître ; le petit groupe d'initiés se
réunit dans la pièce abandonnée, les jours de sortie, pour pronon-

---

1. Il écrivait sans doute au collège, pendant la semaine, et répétait le dimanche.

cer des plaidoiries bouffonnes ou des oraisons funèbres et grotesques. Si ce témoignage est exact, le salon du billard a changé d'office : il est devenu le lieu d'improvisations collectives et sans spectateurs. Rien ne montre mieux que Gustave, à une date incertaine, entre 1832 et 1835, a *dû* renoncer pour toujours à la carrière d'acteur.

Nous n'en sommes pas encore là et je n'ai signalé la représentation de Pâques 32 — dont nous ne savons rien sinon qu'elle a eu *probablement* lieu — que pour restituer le processus dans toutes ses phases et dévoiler sa véritable orientation. Il faut l'embrasser tout entier si nous espérons répondre à la question que nous posions au commencement de ce chapitre. Beaucoup d'enfants rêvent de jouer la comédie et la jouent en effet pendant quelque temps, qui n'éprouvent pas le besoin de tailler et de coudre eux-mêmes les personnages qu'ils interpréteront. Pourquoi Gustave, dont la passivité nous a frappés d'abord, est-il si différent ?

La première explication qui vient à l'esprit est circonstancielle : les pièces du répertoire étaient trop longues et trop difficiles, elles réclamaient trop d'acteurs. Ernest n'était pas souvent disponible ; Caroline avait cinq ans en 1830, il ne fallait trop exiger d'elle. Aussi peut-on se demander si les pièces de Gustave n'étaient pas avant tout des arrangements *nécessaires*, des adaptations. Voyez « l'Amant avare ». C'est une réduction de la pièce de Molière : celle-ci comporte douze personnages, sans compter le commissaire et son clerc ; Flaubert n'en a gardé que quatre : le grigou, amant ridicule et puni de sa ladrerie, rôle en or qu'il se réservait, son inconstante maîtresse, interprétée, cela va de soi, par Caroline, l'ami qu'Ernest jouerait quand il en aurait le temps et un personnage de moindre importance qu'un des trois acteurs interpréterait sous un déguisement. Les scènes sont elles aussi en nombre réduit : Gustave, j'imagine, en eût joué vingt sans se fatiguer mais ses partenaires — surtout sa sœur — avaient moins de souffle ; il fallait les ménager. La conséquence, c'est que l'intrigue est simplifiée : Gustave ne gardera que les amours d'Harpagon. Une seule modification semble n'avoir pas été inspirée par la nécessité d'économiser, de couper et de condenser : le jeune auteur n'a pas jugé bon de conserver dans sa pièce la rivalité amoureuse du père et du fils. Mais c'est qu'elle eût choqué, qu'elle le choquait tout le premier : elle eût transformé le spectacle — le sentait-il obscurément ? — en une sorte de psychodrame où il eût tenu le rôle de son père et se fût vengé du Seigneur noir en le couvrant d'opprobre. La blessure était trop fraîche, l'ambivalence des sentiments trop forte : le *pater familias* était d'autant plus sacré qu'il avait maudit et renié son fils [1]. Cette transformation, au fond, n'est pas si différente des autres — encore que celles-ci soient quantitatives et que celle-là porte sur la qualité. Elle n'est pas issue de je ne sais quel besoin postitif d'*améliorer* l'intrigue, c'est une autocensure : le travail de l'auteur ne vise pas seulement à faire les coupures et les compressions qui s'imposent, il consiste, en outre, à donner de son grand modèle une version expurgée.

Et *Poursôgnac*? dira-t-on. Il ne prétend pas l'avoir fait. Pourtant la pièce de Molière comporte au moins vingt personnages : on ne pouvait la monter au salon du billard sans en retrancher la moitié des scènes et les quatre cinquièmes des personnages, ce qui implique quelque effort de *rewriting* : quand on supprime dix répliques qui se suivent, dans un dialogue, la coupure est saignante à moins de trouver une phrase qui puisse les remplacer. Mais *Poursôgnac* est une des premières pièces qu'il intègre à son répertoire : il est dans sa neuvième année, tout entier possédé par le désir d'être un comique célèbre ; il se rend compte que la pièce est injouable et, alléché par le rôle du balourd provincial, il y apporte dans l'innocence et la maladresse les modifications qui permettront de la jouer : le résultat, n'en doutons pas, c'est, plutôt qu'une comédie nouvelle, un spicilège : on donnera « sur le billard » des « scènes choisies » de *Monsieur de Pourceaugnac* ; l'enfant en est conscient : *Poursôgnac*, cet arrangement mal arrangé, n'est pas son œuvre ; seules les mutilations sont de lui ; encore ne s'en juge-t-il pas responsable : elles s'imposaient. Ce qui lui échappe, c'est que, donnant ses coups de ciseaux à tort et à travers, il a commencé son apprentissage d'auteur ; il le poursuivra, deviendra de plus en plus adroit, passant, à travers de nombreuses expériences, de l'office d'équarrisseur à celui d'adaptateur ; un pas de plus et le voilà qui se *découvre* dramaturge comme il s'était, un peu plus tôt, découvert comédien en se surprenant en train de jouer la comédie. Cette évolution comporte donc trois phases : *Poursôgnac* date de la première ; *L'Amant avare* de la seconde ; *L'Antiquaire ignorant* et *Les*

---

1. Il se moque de la médecine dans « La belle explication... » mais son intention reste enveloppée, d'autant qu'Achille-Cléophas ne devait pas épargner, en famille, les mauvais médecins. L'enfant peut donc se persuader, dans une certaine mesure, qu'il imite le praticien-philosophe. Surtout, il ne le vise pas nommément dans sons rôle de père. Tout se passe dans un clair-obscur bienveillant.

Apprêts pour recevoir le roi marquent le début de la troisième. Il n'est pas impossible que ces deux dernières « œuvres » aient des sources que j'ignore mais on ne peut douter que Gustave ne se soit enhardi jusqu'à prendre de grandes libertés avec ses modèles et qu'il n'ait apporté aux intrigues des changements qui n'étaient pas exigés par la pénurie d'acteurs et la pauvreté des moyens, pour le simple plaisir de s'approprier davantage les pièces des autres. L'auteur reste au service du comédien mais il a pris conscience de ses pouvoirs.

Cette interprétation des faits semble juste *à son niveau*, c'est-à-dire en surface : *cela s'est passé ainsi*. Mais elle deviendrait fausse si nous nous en contentions : Gustave pouvait demeurer au stade des arrangements et se plaire à les améliorer d'une pièce à l'autre sans leur donner ce coup de pouce qui transforme une adaptation en œuvre originale. Ou plutôt — car l'essentiel est là — il pouvait apporter aux ouvrages des autres les modifications indispensables sans pour autant *se prendre pour un auteur*. Se prendre pour tel, c'est, je l'ai montré au précédent chapitre, *décider qu'on l'est* donc *jurer qu'on le sera*. L'*intention*, ici, ne fait qu'un avec la *découverte* : c'est elle qu'il nous faut mettre au jour et décrire.

Voici qui facilitera notre approche : Gustave, bien qu'il n'y ait pas vu clair tout de suite, n'est aucunement surpris par ce nouvel avatar de sa personnalisation : loin de se jeter dans l'inconnu, il suit un grand exemple ; l'acteur-auteur, pour lui, ce n'est pas encore Shakespeare : c'est Molière ; copiste indiscret, il pille ses œuvres, les massacre ou les plagie : autant d'excellentes raisons pour imiter sa vie ou, mieux encore, pour se l'approprier. Il veut *être* Molière, l'enfant imaginaire : c'est le nouveau rôle dans lequel il s'irréalise. Corneille, il a fait son éloge, c'est un héros éponyme pour la ville de Rouen, tutélaire pour Gustave qui, cependant, ne souhaite pas s'identifier à lui ; à ses yeux, la faiblesse secrète de son concitoyen, c'est qu'il fait jouer ses pièces par les autres ; par la faute de ce tragique, l'acteur est ravalé au rang de moyen, la tragédie *écrite* devient la fin. Molière, c'est l'acteur absolu : loin de s'être fait comédien pour mieux servir ses pièces, il n'a écrit ses pièces, pense l'enfant, que pour se donner de beaux rôles ; inventant Tartuffe, Argante ou M. Jourdain en fonction de son « tempérament » et dans l'intention avouée d'y déployer toutes ses ressources, il crée ses « caractères » en se guidant sur les exigences de sa « force intime » qui réclame de s'extérioriser en sa totalité. Voilà justement ce que Gustave veut être. Ce modèle est d'autant plus fascinant qu'il s'agit d'un *comique*, qui n'hésite pas, pour faire rire de lui, à préparer lui-même, auteur, le bain d'ignominie où, acteur, il se vautrera. Le petit garçon lui doit aussi, c'est certain, la tranquille audace avec laquelle il présente ses plagiats comme des ouvrages originaux : on aura dit à Gustave que *L'Avare* a été écrit par Plaute et récrit par Molière ; que fait-il d'autre, le cadet Flaubert, quand il en donne une troisième mouture sous le titre de *L'Amant avare* ? À vrai dire, tous les enfants qui s'avisent, vers huit ans, de composer des pièces ou des romans, ne font qu'imiter servilement et se croient écrivains quand ils ne sont que des copistes : mais, la plupart du temps, c'est faute de comprendre ce qu'ils font. La fréquentation de Molière donne au contraire à Gustave une arrogance lucide et cynique qui lui permet, en connaissance de cause, de se tenir pour un créateur. Il persistera assez longtemps dans cette attitude : ses premiers contes sont des imitations ; le sujet, l'intrigue, la construction, parfois des phrases entières ou le style, tout est emprunté. Pourtant l'enfant a raison d'affirmer son originalité : ce qui vient de lui, c'est le *sens* qu'il donne à ces emprunts, c'est la manière dont il ressent l'histoire qu'il semble décalquer. Bref son illustre devancier n'est pas seulement un exemple à suivre ou un rôle à tenir : c'est une lumière interne ; quand Gustave se met dans la peau de Molière, il lui semble se comprendre mieux, ses pulsions obscures sont déchiffrées et rationalisées, il croit en avoir la clé. Reste, précisément, qu'il a *choisi* ce nouveau personnage et qu'il l'interprète dans la passion. Il faut qu'il y ait entre eux quelque affinité ou du moins que le petit garçon s'en soit convaincu : c'est à ce niveau que nous trouverons l'intention qui transforme la situation vécue en la dépassant par un serment. Ce que Molière lui donne, c'est le moyen le plus simple de reconnaître et de penser son projet ancien et profond de totaliser le monde et la vie en sa propre personne. Depuis longtemps, cet agent passif, dans ses hébétudes et dans ses extases, se sent visité par l'Univers en même temps qu'il se dilue dans l'infini et s'y perd. Plus tard, il répétera — en d'autres termes — qu'il y a, entre le micro- et le macrocosme une réciprocité de perspective comme si chacun d'eux était le reflet totalisant de l'autre. Nous savons d'où lui vient cette pulsion vers le Tout qui fera plus tard de lui, dans *Madame Bovary* autant et plus peut-être que dans les trois *Saint Antoine*, un écrivain cosmique [1]. Originel-

---

1. Je n'entends point par ces mots un penseur ou un philosophe mais très exactement un auteur dont le sujet permanent est le monde. Tels sont, entre autres, Victor Hugo et Jules Verne.

lement cet enfant mal vissé dans le langage et dans son environnement familial tend à s'en évader ; son orgueil le pousse à survoler
la réalité qui l'emprisonne ; son *estrangement* l'oblige à se retourner sur elle, en plein essor, pour tenter de l'embrasser tout entière
par une intuition compréhensive qui la totalise et la déchiffre enfin :
une intellection complète de la réalité pourrait seule lui révéler ce
qu'il peut bien y foutre. Par cette raison nous le retrouverons bientôt
sur un sommet de l'Atlas rêvant sur le monde qui s'étend à ses pieds.
Je dis qu'il rêve par la raison que sa passivité constituée l'empêche
de conclure : dans *Le Voyage en enfer* c'est de l'Autre qu'il tiendra le mot clé et, même alors, il reste perplexe et sceptique devant
ce savoir-autre, ne pouvant ni le rejeter ni l'intérioriser tout à fait.
Mais cette passivité, nous le savons, est active en ce sens qu'elle
ne peut même exister sans se faire dépassement du donné. Ce qui
doit s'entendre de deux manières à la fois : elle a sa méthode à soi
pour atteindre ses objectifs — c'est le vol à voile —, elle est, en
outre, hantée par le fantôme de la *praxis* qui lui est donnée à chaque dépassement comme ce dont elle est *a priori* incapable. D'où
l'ambivalence de l'agent passif envers l'action proprement dite qu'il
voudrait être capable d'exercer et qu'il déteste dans la mesure même
où cette capacité lui est refusée. Ce qui hante l'enfant cosmique
c'est l'Acte sous sa forme la plus haute ou, si l'on préfère, c'est
son achèvement, la synthèse, restitution de l'unité du multiple ou,
mieux, articulation des parties selon des règles rigoureuses dont les
relations sont établies à partir du Tout. Cet instrument manque à
son père, à son milieu, à sa classe, à son époque ; sa passivité
constituée ne l'empêche point de le pressentir — tout au contraire,
c'est faute d'être agent pratique qu'il se porte à l'instant où l'entreprise s'achève sans passer par les différents moments qui, très souvent, se posant pour soi, masquent aux agents celui où l'opération
se retournant sur elle-même se rassemble et se totalise — mais elle
ne lui permet ni d'y accéder ni de le concevoir exactement. Inactif,
il rêve de se refermer sur le macrocosme par un acte qui en découvrirait et en constituerait tout ensemble l'unité. D'une certaine
manière, c'est se mettre à la place du Créateur absent pour nier
la dispersion du mécanisme. Chez le petit garçon, la Totalité n'est
pas une notion, c'est la matrice de son affectivité tout entière, le
fantasme d'une création qui lui permettrait de produire ce Tout
qui l'écrase. Il comprendra, nous le verrons, dès son adolescence,
que cette production démiurgique ne peut être qu'imaginaire. A
huit ans, c'est un besoin qui se *vit* mais ne peut ni se connaître ni

se penser. Et, s'il veut être acteur au départ, nous savons que c'est pour d'autres raisons — celles-ci, en vérité, ne sont pas sans liaison avec cette postulation cosmique puisque la gloire, pour ne parler que d'elle, lui apparaît comme l'unification du genre humain par l'admiration commune de tous pour un seul ; mais la poursuite de l'être et l'évasion hors du réel, bien que dialectiquement liées, ne s'en orientent pas moins dans deux directions opposées. Quand il aborde l'œuvre de Molière, il s'est déjà promis d'illustrer son nom par son talent de comédien mais, dès qu'on lui raconte la vie de l'auteur-acteur, c'est un éblouissement nouveau, il prend conscience de sa pulsion totalisatrice et croit en comprendre le sens : Molière est grand parce qu'il a fait une *œuvre totale* et voilà justement ce que Gustave, il s'en rend compte dans l'enthousiasme, se trouve en train de tenter, deux siècles plus tard. Gustave se trompe : il ne peut pas savoir encore que l'œuvre totale est celle qui se donne pour objet la déréalisation de Tout ; surtout, nous l'avons vu, il est en quête de sa *réalité* ; aussi prend-il cette révélation dans le sens le plus réaliste : l'œuvre est totale si elle contient en elle jusqu'aux conditions matérielles de sa réalisation : Molière se charge de tout ; il est directeur de troupe, administrateur et gestionnaire, metteur en scène, auteur dramatique, acteur ; l'acteur enveloppe tout : c'est lui qui, dans le moment sublime de la représentation, paraît en Sganarelle, en malade imaginaire et, rassemblant autour de lui, par son jeu, son œuvre et sa troupe, offre au public en l'espace d'une soirée le Tout, des mois de travaux et de peines, depuis les plus humbles jusqu'aux plus nobles tâches, c'est lui, l'homme-orchestre, qui peut dire avec orgueil : j'ai tout fait de mes propres mains. Tel sera Gustave ; bien sûr, les mots d'*œuvre totale*, il n'en use pas et pour cause, la notion même, dans son abstraction, lui demeure étrangère : il veut être Molière, c'est tout, mais dans la passion qu'il met à le ressusciter, nous découvrons, sous sa forme la plus fruste, l'option totalisante. L'autonomie de son ouvrage au sens artisanal du terme, exige *au même titre* l'aménagement du billard en théâtre, l'invention d'un scénario, avec des personnages dont les gestes et les paroles seront établis d'avance et fixés par écrit, des décors appropriés qu'il choisira et qu'il brossera seul ou avec l'équipe qu'il dirige, la distribution des rôles, les répétitions, la mise en place des acteurs, et, pour finir la représentation, qui ne sera rien d'autre que l'unité en acte de toutes ces démarches, au sens où la fin est l'unité synthétique des moyens qui ont permis d'y atteindre. La pulsion totalisante est partout, au début comme au terme de l'entreprise, dans les coups de marteau qu'il donne pour clouer les planches, dans les mots qu'il trace sur le papier, dans les rugissements qu'il pousse devant les spectateurs : sa création sera entièrement sienne, s'il part de rien et fabrique tout lui-même.

Jouer la comédie, c'est donner : il fera montre au public de sa générosité-objet en se sacrifiant pour le faire rire ; d'autant plus généreux que l'objet montré, avec ses infra- et ses superstructures, ne tire son existence que de lui. Seigneur, il fera éprouver à ses petits vassaux sa générosité-sujet : il taille et coud leurs rôles, il leur en fait don : ces présents se referment sur les bénéficiaires et les corsettent. Ses obligés sont contraints d'apprendre et de réciter « avec le ton » les tirades qu'il leur impose. Gustave les soumet à ses fatalités ; en Caroline, en Ernest, il devient impératif catégorique, comme l'ont été pour lui Molière et Carmontelle : « Exprime-toi sur la scène comme si le personnage inventé par l'auteur était ta vérité objective ». C'est un autre aspect de l'œuvre totale que de transformer le chef de troupe en destin pour les autres acteurs : s'il choisit de jouer un « proverbe dramatique », le destin sera Carmontelle, s'il fait jouer une œuvre de son cru, c'est dans son monde à lui qu'il fait entrer son ami et sa sœur ; il les capture pour les recréer selon son dessein général, ils auront pour office de tourmenter le monstre grotesque qu'il incarne, il en fera les moyens d'exaspérer ses vices et ses ridicules. En les enrôlant dans l'œuvre totale, il affirme sa toute-puissance par ce miracle : la résurrection créatrice du genre humain.

Je dis résurrection et non pas irréalisation, car le créateur imaginaire ne s'avise pas qu'il ne fait rien d'autre qu'entraîner Caroline et Ernest dans son irréalité : l'ambition de l'œuvre totale, en effet, c'est *aussi* de pallier la déréalisation décevante que Gustave ne peut s'empêcher de vivre lorsqu'il se donne à son rôle et ne ressent pas assez ce qu'il exprime. Quand il se fait tapissier, menuisier, auteur, il voudrait par ces entreprises pratiques et réelles (il tape pour de vrai sur de vrais clous qui s'enfoncent dans de vraies planches) lester de réalité l'irréalisation finale : il tente de donner à la représentation qui ramassera en elle tous ces moyens un fond de *sérieux*, comme si elle n'était que le dépassement de ce donné réel, comme si l'ensemble de ces matériaux ouvrés constituait son *être* et, en conséquence, comme si ces activités d'artisan constituaient l'être pratique de Gustave ; la vérité de l'acteur serait ce travail cristallisé dans les objets ouvrés qui le rendent possible et du coup l'engendrent *ex nihilo* ; pour finir, c'est aussi un objet qu'on présentera au public [1].

*

Le moment de l'écriture apparaît donc aux yeux de Gustave comme une étape inessentielle dans l'œuvre totale qu'il veut produire. Et pourtant, à le considérer objectivement, on ne peut manquer d'y voir un renversement radical du processus en cours : un agent passif quitte son rôle de cautionné pour devenir son propre cautionneur ; autrement dit la caution subsiste dont l'acteur a besoin quand il joue, mais les impératifs, c'est Gustave lui-même qui les a établis dans une phase antérieure de l'opération : il y a donc en lui une nature naturée et une souveraineté naturante ; la seconde garantit la première mais paraît elle-même dépourvue de garantie. Cette libre activité, n'est-elle pas, justement, interdite à Gustave ? L'auteur n'est-il pas un agent, un seigneur, décidant du destin de ses créatures comme Moïse-Flaubert a décidé du destin de ses fils ? Or Gustave peut *jouer* au Seigneur comme il faisait pour amuser Caroline mais il n'a ni l'envie ni la possibilité de l'être en vérité — et, par-dessus le marché, l'activité souveraine et la responsabilité plénière lui font peur. Il redoute, s'il se place au sommet de la hiérarchie, de n'avoir plus que le ciel vide au-dessus de sa tête et ne brigue, au fond de lui-même, que la place de premier vassal. Construire une scène et des coulisses, à la bonne heure : c'est obéir ; il y a des impératifs hypothétiques qui sollicitent le petit travailleur et soutiennent son zèle : si tu veux que les planches tiennent ensemble, que les tréteaux soient solides et bien plantés... ; ce sont des recettes de métier, des conseils de grande personne : aliéné à son entreprise, Gustave agit sans sortir de la passivité : il n'a rien à décider : les règles s'imposent d'elles-mêmes, il sert les exigences futures de ses personnages, quels qu'ils soient, sans songer un ins-

---

1. On ne peut se tromper davantage : non que ces activités soient des illusions, ni les objets sur lesquels elles s'exercent. Mais ces réalités sont des moyens d'irréalisation : la toile de fond sera « *une maison* » imaginaire. Donc, loin qu'elle cède son être à l'apparence, c'est l'apparence qui l'affecte de son non-être, l'entreprise entière est déréalisée. À condition bien sûr que l'œuvre totale soit le produit d'un seul. La division du travail, dans les vrais théâtres, entraîne dans l'entreprise même d'irréalisation des zones de réalité : les machinistes concourent à une opération dont le but est la montre de l'imaginaire mais cet aspect de leur travail est, pour eux, tout à fait marginal : ce sont des ouvriers qui ont une tâche manuelle et qui l'exécutent pour un certain salaire.

tant à leur imposer sa loi. Mais que lui arrive-t-il ensuite ? N'est-il pas conscient, quand il se fait auteur — croyant simplement continuer son travail — d'une brusque rupture de continuité, d'une témérité dont il se pensait incapable ? Comment *vit-il* ce retournement ? Il faut que nous tentions de le savoir : ces débuts littéraires vont décider de toutes ses œuvres ultérieures.

Disons, pour commencer, que sa hardiesse, au début, lui échappe ainsi que sa souveraineté naturante : c'est que créer n'est d'abord qu'imiter : il taille, il retape, il rafistole mais, même quand il lâche un peu la bride à son imagination, le modèle est là, comme schème directeur et caution : en écrivant *L'Amant avare*, Gustave devient à soi-même sa fatalité future ; d'une certaine manière il en décide : le rôle est un chapelet d'impératifs mais Harpagon s'est glissé dans l'invention du rôle, comme un impératif de la création. Sous cette forme la fonction de l'auteur ne peut effrayer : il se fait le médiateur entre deux consignes ; obéissant à l'une, il produit l'autre et la transmet à l'acteur. D'ailleurs la conception classique de la création est, je l'ai dit, fort rassurante : il faut imiter les anciens ou les retravailler dans l'humilité. Cette idée ne peut déplaire aux enfants qui voient avec leurs yeux neufs le *déjà-vu* de leurs parents. Bref, entre le vieux et le neuf, entre l'adaptation et l'œuvre originale, le petit garçon fait peu de différence puisqu'il est, dans tous les domaines, à la fois un apprenti qui répète et un nouveau venu dont l'expérience est irréductible à celle des générations précédentes.

Quand il se découvre auteur dramatique, il faut qu'il prenne conscience de sa hardiesse. Mais, finalement, est-elle bien sienne ? Cette audace lui est advenue, il n'a pas eu à en décider : il se trouve *en état de témérité subie*. En d'autres termes, écrivant pour jouer et non pas pour écrire, sa liberté ne peut lui faire peur : elle est étroitement limitée, d'une part, par les modèles qui lui servent encore de schèmes directeurs et, de l'autre, par le rôle secondaire qu'il assigne à l'auteur. Mais il y a plus : composant pour réciter, il s'aliène pour toujours à sa voix. Cela signifie qu'il subordonne l'action d'écrire à la passion de « gueuler » et, plus précisément, que la passion du récitant est le but final et l'inspiration présente de son activité littéraire : autant dire — nous aurons l'occasion d'y revenir souvent — que la littérature lui apparaît, dès le départ, comme une activité passive.

Dans les sociétés qui possèdent l'écriture et pour tous ceux qui savent lire, toute détermination du discours est audiovisuelle mais l'accent est mis, selon les cas, sur l'une ou l'autre de ces deux composantes et il arrive que celle qu'on néglige tende à s'annuler. Aux siècles classiques, par exemple, le principal souci des essayistes et des romanciers, c'est de proposer *aux yeux* leurs ouvrages : si leur prose est harmonieuse, ce n'est certes pas l'effet du hasard mais la musique de leurs phrases fait l'objet d'une intention marginale, le but essentiel étant de condenser le plus grand nombre d'informations sous la forme la plus claire avec la plus stricte économie de moyens. C'est le regard du lecteur qui ressuscite par le mouvement des yeux les mots articulés sur le papier par le mouvement de la main. Le corps verbal ici, c'est le graphème : il représente la matérialité verbale, c'est-à-dire la *présence en personne* du signe : celui-ci a sa transcendance propre, il se dépasse vers un objet absent; qui est le signifié mais, en tant que matière signifiante, il ne renvoie à aucune autre forme de matérialité, pas même à celle du son qui lui correspond — bien qu'il s'accompagne parfois, chez le lecteur, de résonances intérieures qui ne lui ajoutent rien. La conséquence : tout est en acte dans la lecture classique ; en même temps qu'il reconstitue les mots, le regard les tient à distance, les scrute ; rien dans les mains, rien dans les poches ; la tricherie n'est pas possible, il n'y a ni physionomie ni mimique ni port de voix qui puissent capter l'adhésion : il faut convaincre, à la lettre, sans *toucher* ; par l'enchaînement des raisons.

Gustave, à neuf ans, c'est tout le contraire : il n'écrit pas ses pièces pour être lu mais pour être entendu. Et, certes, je ne prétends pas opposer le phonème au graphème, *en général*, comme la passivité à l'action. Le langage oral peut transmettre des ordres, des consignes, des informations, des jugements affirmatifs ou négatifs, des décisions, des raisonnements : c'est même, pour tout dire, sa fonction *pratique*. On peut « lire à haute voix » un texte classique et rendre parfaitement ses intentions bien que l'auteur ne l'ait pas destiné à être transmis par les organes de phonation. Reste que notre voix, c'est nous-même en l'autre. La vue découvre les signes mais les tient à distance au lieu que, dans la communication orale, le locuteur entre dans le locuté par l'oreille : en un sens, il se donne comme une hostie, en un autre il compromet et puis enfin il se perd. La voix, c'est la personne entière puisqu'un geste, une posture peuvent toujours remplacer un vocable sans que le discours s'en trouve interrompu. Mais c'est notre corps *pour autrui* puisque nous ne l'entendons ni ne la connaissons tout à fait, qu'elle demeure un quasi-objet et que nous ne la *reconnaissons* guère quand un disque ou un magnétophone nous la présente dans son objectivité : elle n'acquiert sa consistance objective que dans l'oreille de l'auditeur et, du même coup, elle nous échappe et se perd. Quand j'expose mes raisons à un étranger, il se peut que celui-ci pense, à part lui : « Quelle voix désagréable ! » et que je pressente son impression, que je la devine à son air de tête sans en être jamais tout à fait sûr ; de toute manière, je sais qu'il intégrera son sentiment à l'argument que je lui propose et dont la puissance logique se trouvera affaiblie. Contre ma situation de « transcendance transcendée » je me défendrai par l'usage d'auxiliaires parasémantiques tels que l'intonation, le timbre, la mimique, le charme, l'autorité, etc. Je baisserai le ton, je le rendrai moins aigu, j'éviterai de nasiller ou de parler de la gorge. Ou, tout au contraire, si j'ai la voix belle, j'en userai en connaissance de cause, pour convaincre : la conséquence est que je me soucierai plus de la *montre* que de la force démonstrative de mon discours. Il s'agit moins, en effet, de *prouver* que de fasciner et de corrompre. En d'autres termes, quel que soit le message, la transmission orale comporte toujours une part de représentation donc de *pathos* : parler, c'est souvent un acte mais celui-ci se transforme en *geste* à la première difficulté.

Pour Gustave, c'est le *pathos* pur : il n'use jamais de sa voix pour raisonner, il s'exhibe en elle comme *passivité constituée*. Il faut qu'il s'y abandonne ou, ce qui revient au même, qu'elle *lui échappe* et le livre. Nous savons pourquoi : il y a en lui, dès la protohistoire, un malaise verbal ; il *est parlé* ; des locutions déposées en lui ne le désignent pas à lui-même, elles se tournent vers l'extérieur, il est leur *signifié* mais pour les autres. Il veut être acteur pour assumer la situation et se réapproprier — ou s'approprier — son être en fascinant les autres par sa voix. Il connaît, ce « criard », la force de son organe : celui-ci lui permettra de s'imposer en se livrant, de se donner impérieusement en spectacle ; il ne prétend pas se faire autre qu'ils ne le voient mais les obliger par la *montre* à le voir tel qu'ils l'ont fait : il *se* parlera comme on *le* parle en radicalisant la parole. Du coup, quand il écrit *L'Amant avare*, les significations produites — ou reproduites — s'empâtent de leur sonorité future. Il est inspiré, dans le moment de la composition : cela veut dire qu'on lui parle à l'oreille, qu'il s'abandonne à cette voix et qu'il écrit sous sa dictée. Cette conception romantique de l'inspiration, il la connaît — ses lettres en font foi ; elle lui sert : car il écrit sous la dictée de sa propre voix, écoutant ses éclats futurs et les fixant sur le papier pour pouvoir les reproduire, puis relisant tout haut chacune de ses phrases pour contrôler leur puissance vocale. Ainsi, dans cette première période, il apparaît clairement que la création est, pour l'enfant, une forme du vol à voile ; la hiérarchie des objectifs classiques est renversée : le sens fait l'objet d'une intention marginale puisqu'il est le moyen de déclamer : on ne le conserve que pour donner une unité aux inflexions vocales et aux auxiliaires parasémantiques qui les mettront en valeur, ce sera la règle imposée aux râles, aux rugissements, aux balbutiements de rage ou de stupeur que Gustave entend déjà et qu'il produira bientôt devant un public. Point d'acte, ici : le *pathos* présent est une simple préfiguration du *pathos* futur. Les graphèmes ne sont que les indications abstraites qui lui permettront de moduler sa voix, plus tard, telle qu'elle retentit, aujourd'hui, irréelle encore, à ses oreilles : tant qu'ils n'existent que sur le papier, *L'Amant avare* ou *Les Apprêts* ressemblent aux partitions dont usent les chefs d'orchestre ; ce sont des notations sans valeur ni consistance propres qui renvoient à l'exécution. L'écriture, simple médiation, s'effacera quand la tirade, apprise par cœur, se sera imposée au corps de l'acteur sous forme de montage. Au lieu que le graphème, dans la littérature classique, représente à lui seul la matérialité verbale, il renvoie, ici, à la matérialité du phonème, conçu comme « bouchée intelligible ». Pendant la composition, le souci de comprendre, de se faire comprendre est secondaire : la signification est différée jusqu'au jour de la représentation publique, alors seulement le Verbe acquerra sa plénitude d'être, c'est-à-dire sa matérialité sonore et son dépassement vers une absence ; ce jour-là, un événement vocal, soutenu par la mimique appropriée, viendra remplir les oreilles des spectateurs, tournoyer dans leur tête, éclater ; on compte sur eux pour l'*entendre*, à tous les sens du terme, et pour lui conférer un sens qui échappe partiellement à l'acteur. Le maître des mots, pour Gustave, c'est l'Autre : à lui de leur donner leur vérité.

Beaucoup de comédiens sont ainsi, qui ne comprennent pas ce qu'ils disent et n'en jouent pas plus mal : ils ne prennent en considération que les significations affectives de leur rôle ; dans bien des cas, cela peut suffire ; ils perdraient leur peine à vouloir déchiffrer les autres couches sémantiques qui composent leur personnage : c'est au public de les rétablir. Encore faut-il qu'elles aient été préétablies (au moins partiellement) par l'auteur. L'originalité de Flaubert, enfant, c'est qu'il n'est jamais tout à fait dans le secret de ce qu'il écrit ; non par étourderie mais parce que son premier souci est d'utiliser sa passivité constituée pour exprimer vocalement la passion. Disons mieux : c'est la passion *comique* qui est en cause, celle du robot qui se prend pour un homme, caractérisée par l'erreur, le non-savoir et l'incompréhension. Par son emploi même, Gustave est donc voué à ne point comprendre ce qu'il fait : pour mieux interpréter *Poursôgnac* ou *L'Avare*, il s'abandonne au sens qui lui advient, qui le traverse et ne se laisse déchiffrer que par les autres. Ainsi, celui qui deviendra, plus tard, un styliste acharné, qui se nommera artisan, ciseleur, ouvrier d'art, etc., a commencé par affirmer l'inconsistance de la chose écrite, moyen inessentiel de l'expression vocale ; il a fait confiance, au départ, à l'inspiration et, ce qui revient au même dans son cas, le matériau originel de son art a été cet « arbre de vie » enraciné dans ses poumons, la colonne respiratoire. Or nous le retrouvons, deux ou trois ans après la représentation de Pâques 32 — si tant est qu'elle ait eu lieu —, tout occupé de produire une « œuvre totale » ; simplement, celle-ci a changé de nature : il décide vers treize ans d'éditer et de diffuser au collège un journal hebdomadaire dont il sera — à une exception près [1] — l'unique rédacteur : nous retrouvons ici la création totalisante, l'entreprise qui tire son objet du néant et comporte des phases de travail artisanal — copier à plusieurs exemplaires [2], distribuer ; seulement la fin poursuivie a changé puisque c'est à présent le discours écrit qui se referme sur tous les moments de l'entreprise et devient tout à la fois son origine (dans le moment de l'écriture) et (dans le moment de la lecture) son objectif essentiel. Comment faut-il comprendre cette soudaine primauté du visuel sur l'auditif ? Comment s'est-il produit, ce « renversement de la praxis » ? Comment Gustave l'a-t-il vécu ? Quelles en seront les incidences sur sa personnalisation en cours et sur ses premiers ouvrages ? Voilà ce qu'il faut examiner à présent.

Il est impossible de considérer un pareil changement comme le résultat d'une simple évolution. Certes nous verrons que les mots rongent la voix mais cela ne suffirait pas pour expliquer ce tête-à-queue brutal : il faut une intervention extérieure. Par là, je n'entends pas que *quelqu'un* soit explicitement intervenu pour le décourager ni qu'un événement quelconque ait pu le détourner de sa première option. Non, Achille-Cléophas n'a rien interdit. Non, la représentation pascale n'a pas sombré dans le ridicule. Que dit-il lui-même à ce propos ? Peu de chose. Mais on trouve dans sa

---

1. Ernest y a écrit au moins une fois.
2. Peut-être Caroline faisait-elle fonction de copiste.

Correspondance deux allusions à sa vocation refusée ; la première
dans une lettre à Ernest de juillet 39, la seconde, le 8 août 46 dans
une lettre à Louise Colet : elles s'éclairent de feux réciproques.
« J'aurais pu faire, si j'avais été bien dirigé, un excellent acteur »,
écrit-il à Chevalier. Et, à Louise, sept ans après : « Le fond de ma
nature est, quoi qu'on en dise, le saltimbanque. J'ai eu dans mon
enfance et ma jeunesse un amour effréné des planches. J'aurais été
peut-être un grand acteur, si le ciel m'avait fait naître plus pauvre. » Ce deuxième texte correspond curieusement à une remarque
de Stendhal qui date de 1832 et que Gustave ne pouvait connaître : « Il paraît que Kean est un héros d'estaminet et un crâne de
mauvais ton. Je l'excusais facilement : s'il fût né riche ou dans quelque famille de bon ton, il ne serait pas Kean mais quelque fat bien
froid [1]. » Ce rapprochement marque assez le mépris où l'on tenait
encore le métier de comédien. Kean a été parfois le compagnon nocturne du prince de Galles : cela n'empêche point que les nouveaux
Messieurs, froids et puritains, le jugent « de mauvais ton ». Les
acteurs ont gagné le droit de se faire ensevelir en terre sainte mais
non point celui d'être invité à dîner dans une famille bourgeoise.
Achille-Cléophas, en tout cas, ne les eût point admis à sa table :
non tant par dégoût de leur ignominie que par entière indifférence.
Il va quelquefois au théâtre — quand il passe par Paris avec sa
famille — mais le monde de l'imaginaire lui est parfaitement étranger et, nous l'avons vu, il ne viendra pas à la représentation d'avril
32 : il a bien autre chose à faire ; sans doute ne s'est-il pas même
indigné si Gustave a osé lui faire part de ses ambitions : il n'y a
pas cru, c'est tout. Et si, comme il est probable, l'enfant s'est tu,
le *pater familias* n'a pas même soupçonné que son fils cadet voulait exercer plus tard une profession si décriée : il écoutait d'une
oreille distraite les récits qu'on lui faisait des activités de Gustave
et Caroline ; ces enfants, selon lui, jouaient à l'acteur comme ils
jouaient au docteur et à la malade, avec cette différence, toutefois,
que leur nouveau jeu — par cette raison, il n'y était pas défavora-
ble — leur permettait l'accès à la culture classique et développait
leur habileté manuelle. Il n'a pas été même effleuré par l'idée qu'un
fils de savant pouvait avoir des *dispositions* pour monter sur les
planches : s'il l'en eût seulement explicitement détourné, Gustave
se serait entêté peut-être ; ce qui découragea l'enfant, c'est de sentir qu'on ne redoutait même point qu'il déshonorât la famille.

---

1. Stendhal, *Souvenirs d'Égotisme* (*in* Pléiade, Œuvres intimes, p. 1443).

Quand on est Flaubert Junior, on ne devient pas un bateleur, voilà tout. Cela n'est point une éventualité à redouter ou à frapper d'interdiction ; il n'y a pas même lieu de dire : cela ne se fait pas. Le *fait est* qu'un fils de chirurgien-chef devient médecin ou juriste *par la force des choses*. Le petit comédien a eu beau « ramasser dans la boue » le mot de « cabotin » qu'on lui lançait naguère, *il n'est pas pris au sérieux*. Le petit garçon s'est-il rendu compte qu'il n'irait pas loin sans conseils ni « direction » ? Demanda-t-il à prendre les leçons d'un acteur ? En ce cas sa demande fut rejetée sans éclat mais sans recours par des parents modérément surpris, à peine divertis par ce qu'ils considéraient comme un enfantillage. Ainsi sa tentative même de donner un statut réel à sa déréalisation se trouve déréalisée. Nul n'y croit, nul ne lui reconnaît l'*être* d'un acteur. Pour s'opposer à cette fin de non-recevoir, pour rentrer en soi-même et déclarer tout bas : « on verra ce qu'on verra », il eût fallu que Gustave pût s'arracher aux mains des autres : nous savons qu'il n'en est pas capable et que sa vocation même n'était qu'une proposition faite à autrui ; l'origine en est cette phrase compensatrice prononcée par un autre : « Tu pourrais faire un excellent acteur », et sur laquelle il s'est jeté passionnément, par malentendu. *Un autre* lui suggérait une issue mais c'était une fausse fenêtre puisque *les autres* n'y ont pas cru. Il aurait fallu, pour qu'il persévérât dans son enthousiasme, que son père s'écriât dans l'horreur : « Ce garnement va déshonorer la famille, je sens en lui l'étoffe d'un comédien. » Mais cela même, il n'a pas pu l'obtenir. Certes il demandait au consentement universel de l'*instituer* contre son père donc, en principe, il importait peu, au départ, ou même il était préférable que son père le méconnût. Mais, en l'absence de toute consécration publique, pour qu'il crût assez à sa « force intime » pour se lancer dans cette carrière ignominieuse, il convenait avant tout que le *pater familias* lui donnât un commencement d'investiture. Faute de quoi, il est battu jusque dans son défi. Traité de cabotin, il s'écrie : je serai l'acteur. On lui répond : « Un cabotinage de plus ; tu fais *semblant* de vouloir jouer la comédie mais la nature Flaubert, en toi, a d'autres visées. » La gloire et l'ignominie, à l'instant, tombent dans l'imaginaire : il y croyait, il ne peut plus qu'en rêver.

Comment reçut-il le coup ? Très mal. Il en souffre encore quand il écrit *Un parfum à sentir* : un des thèmes du récit, c'est l'injuste mépris où l'on tient les saltimbanques. L'amertume de Gustave s'éclaire si l'on pense qu'il se tient pour un saltimbanque dont on a réprimé et faussé l'instinct fondamental. Il a vécu, je l'ai montré, sa « vocation » sous la forme négative d'un appel d'être ; mais nous l'avons vu, quelques années plus tard, la présenter à Ernest puis à Louise sous celle, positive, d'un trop-plein, d'une débordante générosité (« force intime »). Le changement de signes s'est fait à l'instant que la vocation se déréalisait et que Gustave assouvissait son désir de gloire par un onirisme éveillé. Il se « voit » sur la scène, il se prête une incroyable puissance, le public se roule de rire sous sa forte poigne. Du coup, la vocation naît d'un don : acteur génial, il a besoin de *se* dépenser. L'intention profonde est ici de se dissimuler sa déroute : il n'a pas eu le pouvoir de maintenir sa croyance envers et contre tous ; dans l'imaginaire, tout se renverse : il avait le génie, la force intime, on l'a brisé. « Si j'étais né pauvre » éclaire le « si j'avais été bien dirigé ». Cette dernière proposition n'a qu'une fonction de couverture : elle cache un « si l'on n'avait tout fait pour me décourager » que l'enfant préfère sous-entendre et qui est expressément conçu pour travestir l'aveu qu'il ne veut pas *se* faire : « Si l'on m'avait donné le moindre encouragement. » Voici la faute rejetée tout entière sur les autres : d'un côté l'amour *effréné* des planches, la nature de saltimbanque, le génie, de l'autre le hasard qui l'a fait naître dans une famille honorable. Hasard aveugle, injuste, imbécile. Mais il a bon dos, ce hasard, et Gustave ne l'évoque que par prudence : l'aveuglement et la cruauté, c'est à la famille qu'il les reproche, au conformisme imbécile de ces bourgeois qui lui ont *coupé* les ailes ; tout se passe en effet comme si Gustave, en accusant ses parents de lui avoir ôté sa force, voyait dans sa vocation refusée le symbole d'une castration très ancienne et *recommencée* en 1832. Il est permis ici d'utiliser le vocabulaire de la psychanalyse et d'appeler castration la constitution, par les soins maternels, d'une activité passive qui empêchera pour toujours le cadet Flaubert de montrer — en quelque domaine que ce soit — une agressivité « virile » : or c'est à sa passivité constituée que l'a rendu l'indifférence familiale, écrasant dans l'œuf sa première tentative pour s'assumer en se dépassant.

Les conséquences de ce que nous appellerons sa « vocation contrariée » sont d'une importance qu'on ne saurait exagérer. Elles se développeront dans trois directions différentes que je me borne ici à indiquer par la raison que nous aurons lieu d'en reparler : on les retrouve en effet à chaque moment de sa vie, dans chacune de ses lettres, à chaque page de son œuvre.

1° S'il renonce à la *carrière* d'acteur, il ne peut se défaire pour autant de « son amour effréné des planches ». Il ne cessera jamais de *jouer des rôles en public*. Ce qui est en question, ici, c'est tout autre chose que son insincérité : celle-ci, dont j'ai parlé souvent, peut se définir, chez Gustave, comme sa déréalisation *vécue*, c'est-à-dire l'impossibilité où il se trouve de distinguer ce qu'il ressent de ce qu'il exprime ; elle est donc *à l'origine* de sa vocation contrariée et la nouvelle castration ne peut que la renforcer : toutefois, dans la mesure où c'est le tissu même de sa vie, elle est faite et subie, jamais nommée. Les *rôles*, au contraire, se donnent explicitement pour tels : Gustave interprète le journaliste de Nevers, le père Couillère, le Garçon, Saint Polycarpe, etc. Tantôt ce sont des imitations, tantôt des créations ; de toute manière, il décline leurs noms et titres ; il ne prétend pas *être* le Garçon — quels que soient les liens intimes qui unissent la créature et le créateur — mais le faire [1] : « Je *fais* le rire du Garçon, l'entrée du Garçon », écrit-il. Il ne peut s'empêcher de constituer ceux qui l'entourent — famille, camarades, confrères — en public ou en partenaires. Tout à coup, s'irréalisant devant eux, il leur impose le statut de spectateurs et prend à charge de les faire, bon gré mal gré, « rouler de rire », il obsède, il importune, il saoule mais, faute de pouvoir devenir professionnel, il les oblige à l'instituer comédien amateur. Ou bien il improvise, interpelle les présents — comme ces chanteurs, au music-hall, qui appellent la salle entière à reprendre en chœur leurs refrains —, il les métamorphose, fait d'eux ses « répliques » et les entraîne dans des *happenings* bouffons et sinistres dont il sort hébété. Tantôt pitre, tantôt metteur en scène, le cadet Flaubert se revanche de ne pouvoir monter sur la scène en faisant du *théâtre dans la vie* : on lui a interdit de se déréaliser à heures fixes devant un public payant, du coup on a fait de lui un exhibitionniste de la déréalisation ; acteur de métier, il eût assouvi son « amour effréné des planches » tous les soirs et se fût montré, pense-t-il, bon citoyen, bon camarade le reste du temps : le théâtre eût joué le rôle d'un abcès de fixation. Mais on a débridé trop tôt la plaie et le pus s'est répandu partout ; en d'autres termes le *spectacle* — soit qu'il se donne à voir soit qu'il invite la compagnie à participer à la montre — devient, *dans la banalité quotidienne*, son rapport à autrui le plus fréquent : avec *un* interlocuteur, il n'est qu'insincère ; deux, c'est un auditoire virtuel ou une troupe en puissance, le démon théâtral

---

1. On dira que le Garçon est une création collective. C'est vrai. Encore faut-il savoir — nous y viendrons — ce qu'on entend par là.

le tourmente, il est rare qu'il résiste à la tentation. Indisable insincérité ou comédie proclamée, c'est à choisir : il n'aura — sauf peut-
être avec Alfred, nous y viendrons — pas d'autres relations
humaines.

2° La brutale déception de 1832 a pour résultat de provoquer
une fixation : sans cette castration renouvelée, il eût liquidé, peut-
être, cette phrase *orale* du discours ; frustré, dépossédé de son être,
il demeurera pour toujours aliéné à sa voix. Il suffit pour s'en persuader de se reporter à sa Correspondance. Épistolier, Voltaire est
parfaitement conscient de s'adresser à des absents. Mieux : il *utilise* cette absence, il en profite pour prendre son temps, refuser les
premiers mouvements de sa plume et ne laisser passer que les mots
qui révéleront le plus clairement ses intentions explicites en occultant
le plus sûrement ses intentions « indisables » ; bref il est sur ses gardes et fait de ses lettres comme de ses œuvres un moyen de communication *contrôlé*. Flaubert *parle* aux destinataires des siennes :
il leur écrit la nuit, quand ils dorment, dans l'absolu silence, et les
mouvements de sa plume s'irréalisent en mouvements imaginaires
de sa glotte, il écrit *des sons*, convoquant par des incantations ses
interlocuteurs pour les transformer en public : niant la distance et
le temps, il les interpelle en feignant l'abandon incontrôlé — celui-
là même qu'il tenait pour l'*exis* de l'acteur : le discours écrit *reste*,
comme au temps de *L'Amant avare*, l'*analogon* d'un discours oral,
les treize volumes de sa Correspondance paraissent l'enregistrement
d'une conversation d'un demi-siècle. C'est ce qui les rend si précieux. Ses lettres frappent par trois caractères singuliers dont la réunion les distingue entre toutes.

D'abord par ce que j'appelais plus haut l'interpellation. Je cite
au hasard. Voici le début d'une lettre à sa sœur :

« Toi, mon vieux rat, m'ennuyer ! Allons donc ! tu badines, tu
plaisantes. Dis plutôt que tu t'ennuyais de m'écrire... »

Autre début, à la même :

« Comme je m'ennuie de toi, mon pauvre rat ! »

À Ernest, qui vient de perdre son père :

        « Pauvre cher Ernest,

« Que te dirais-je ? Il n'y a pas de consolation pour de telles
douleurs... »

À sa nièce Caroline, début d'une lettre :

« Comment vas-tu ? Causons un peu. »

À Ernest, pour la mort de sa mère :

        « Mon pauvre cher Vieux,

« Que veux-tu que je te dise ! J'ai moi-même passé par là... »
Il commence en ces termes une lettre aux Goncourt :
« N'y allez pas par quatre chemins, mes bons ! »
On pourrait multiplier les exemples de ces débuts brusques et rapides, de ces interrogations rhétoriques, de ces conseils qui, par leur forme, en tout cas, exigent la présence de l'intéressé mais il faudrait étudier aussi, dans les paragraphes qui les suivent, l'attaque, les négligences voulues de la plume, les grandes envolées oratoires.

Il y a plus : dans son attitude épistolaire comme dans son *exis* d'auteur-acteur, le sens fait l'objet d'une intention marginale ; Gustave en est parfaitement conscient : il s'abandonne au *pathos*, la signification naîtra — *pour l'autre* — des mots qui se déposent, hurlés, sur le papier. Le 5 juillet 39, après quelques lignes assez obscures — par défaut plutôt que par excès — il écrit (à Ernest) : « Allons, maintenant me voilà lancé dans le parlage, dans les mots ; quand il m'échappera de faire du style gronde-moi bien fort, ma dernière phrase qui finit par ''brumeux'' me semble assez ténébreuse et le diable m'emporte si je me comprends moi-même ! Après tout, je ne vois pas le mal qu'il y a à ne pas se comprendre ; il y a tant de choses qu'on comprend et qu'on ferait tout aussi bien de ne pas connaître, la vérole par exemple ; et puis le monde se comprend-il lui-même ? Ça l'empêche-t-il d'aller ? Ça l'empêchera-t-il de mourir ? Nom de Dieu que je suis bête ! Je croyais qu'il allait me venir des pensées et il ne m'est rien venu, turlututu ! J'en suis fâché mais ce n'est pas de ma faute, je n'ai pas l'esprit philosophique... »
Il est remarquable que, dans ce passage, le style — pris, d'ailleurs, dans une acception péjorative — soit assimilé au *parlage*, c'est-à-dire au discours oral. Plus remarquable encore que Gustave ne puisse s'empêcher de retomber dans son « vice » à l'instant même qu'il prie son ami de l'en corriger. D'abord, en effet, il dénonce sa tendance à préférer le *parlage* à la signification : il parle pour parler, pour le plaisir d'émettre de beaux sons liés entre eux *au moins* par la syntaxe, mais n'entend rien à ce qu'il dit. Mais, tout aussitôt, il revient sur sa déclaration première : « Je ne vois pas le mal qu'il y a à ne pas se comprendre... » Cette réflexion, par elle-même fort intéressante, pourrait, s'il l'approfondissait, l'amener à une *compréhension* plus précise de lui-même *en tant*, justement, qu'il ne voit pas de mal à ne pas se comprendre — ou plutôt à ne pas comprendre son discours. Mais il brise net, interrompt sa pensée et se lance dans un verbiage pseudo-philosophique ; analogies

truquées, métaphores : le propos se perd [1]. Il s'en aperçoit et par un nouveau renversement réflexif il revient à se moquer de lui-même. Toutefois le thème de la réflexion a un peu changé : il se reproche cette fois de faire confiance aux mots, de les jeter tels qu'ils lui viennent, sûr qu'ils produiront un sens que l'autre déchiffrera (ou qu'il déchiffrera lui-même, en tant qu'autre, c'est-à-dire quand il se relira). Bref il se laisse posséder par des phrases, par je ne sais quelle synthèse passive qui articule les mots au-dedans de lui, dans les ténèbres de la mémoire, ou au-dehors sur la feuille blanche dans l'espoir que ces combinaisons harmonieuses produiront *par-dessus le marché* une idée, comme le comédien se laisse posséder par un rôle porteur-de-sens sans chercher à comprendre celui-ci. Dirons-nous qu'il n'avait aucune intention signifiante au départ ? Ce serait une erreur puisqu'il nous confie lui-même « Je croyais qu'il allait me venir des pensées... » Il semble au contraire avoir saisi intuitivement un schème abstrait qui s'est enseveli ensuite sous la parole. Disons qu'il entrevoit une théorie anticartésienne du langage : pour lui la conception ne précède pas l'expression ; c'est l'inverse : on parle et le sens advient par les mots. Thèse insuffisante, à la prendre isolément, mais juste correctif de l'intellectualisme classique : on est parlé dans la mesure même où l'on parle — et réciproquement ; ainsi le sens nous advient, *autre*, dans la mesure où nous le faisons : on dit plus qu'on ne sait, plus qu'on ne comprend, alors même qu'on s'efforce de n'exprimer que ce qu'on a conçu clairement ; en sorte que la *chose dite* est à la fois *avant* le parlage (en tant qu'elle est connue par le locuteur) et *après* (en tant qu'elle vient de la parole elle-même) et n'apparaît d'abord qu'au locuté. Il n'est pas douteux, toutefois, que cette ambiguïté du discours apparaît surtout lorsqu'il est oral. L'écriture, en général, réduit la part du sens *advenu* : il y a contrôle, correction, omission volontaire ; surtout dans l'écriture classique. Ce qui est singulier chez Flaubert c'est que, dans ses lettres, il exagère l'attitude orale au point de ne plus saisir qu'un des deux aspects complémentaires du langage parlé.

Ce non-contrôle dirigé n'a pas seulement pour résultat de briser tout lien logique entre les propositions et de laisser au langage nu

---

1. La phrase concernant la vérole n'a, à proprement parler, aucun sens. Celle sur le monde paraît dans sa première moitié se rattacher vaguement au thème proposé : le monde n'a pas besoin de se comprendre pour « aller »... (le cosmos obéit à des lois rigoureuses qu'il ne connaît pas) mais une incroyable fuite de pensée (ça l'empêchera-t-il de mourir ?) amène Gustave à se contredire — au moins en apparence. Il en est si conscient qu'il s'arrête net : « Nom de Dieu... »

le soin de produire les significations : il a aussi pour effet de relâcher la vigilance et de laisser passer dans le discours des aveux et des confidences que Gustave ne souhaite pas faire, des vérités qu'il voudrait se cacher et dont il ne s'aperçoit même pas qu'elles se sont coulées sur le papier en échappant à sa plume. Je l'ai fait remarquer déjà et nous aurons cent autres occasions de le noter : ce qui fait de ses lettres un témoignage sans pareil, c'est que Flaubert les écrit en s'abandonnant au *pathos* et que les phrases s'y ordonnent sur le modèle des associations libres. Je ne veux point y revenir mais seulement en donner ici une des raisons : les « associations libres » ne sont concevables que dans le discours *oral* ; il faut aller vite, se prendre soi-même de surprise, se confier à sa propre voix, la laisser parler ; si Gustave en truffe sa correspondance, c'est précisément qu'il écrit comme on parle sur le divan de l'analyste — à ceci près que le patient, même en le laissant aller, ne perd jamais conscience qu'il s'agit d'une quête et qu'il se dévoile à un témoin pour se dévoiler à soi, au lieu que Flaubert souhaite produire pour l'autre des « pensées » mais non point se chercher ni surtout se trouver. N'empêche : le résultat est le même, il ne cesse de se trahir et de se déborder ; cela signifie qu'il se met dans les conditions mêmes qui permettent les associations libres : l'urgence et la rapidité, l'irréversibilité du temps, l'impossibilité de reprendre son coup, de revenir sur ce qui lui a « échappé » ; bref il parle vite sur le papier.

L'acteur déçu trouve une autre manière d'utiliser sa voix : l'éloquence. Ses lettres sont des discours : il ne les écrit pas pour les prononcer lui-même mais pour qu'elles résonnent dans l'oreille de ses correspondants. Il a rêvé d'être orateur, nous en avons des preuves : il prête à plusieurs de ses personnages — à Frédéric en particulier — l'ardent désir (vite éteint) de remuer les foules par des paroles et d'arracher un acquittement au jury. Dans ses lettres d'adolescence, il est plus explicite : il ne défendra jamais, dit-il, la veuve et l'orphelin. Pourquoi le ferait-il, en effet, ce misanthrope ? On le voit mal s'exalter à l'idée de sauver un innocent. S'il plaide, nous dit-il, ce sera pour faire acquitter un coupable. Le plus grand des coupables, bien entendu, celui dont les crimes seront évidents et prouvés. On conçoit bien qu'il ne s'agit pas, pour Gustave, de démolir cet arsenal de preuves, comme un Perry Mason, en les réfutant une à une, en produisant d'autres indices et en reconstruisant le délit de telle sorte que l'accusé ne puisse pas l'avoir commis. Non : il troublera le jury par des paradoxes (dans le genre de ceux qu'il a vainement tenté de mettre sur pied dans la lettre que je viens de citer) et puis il s'abandonnera au *pathos*, aux mouvements de manchettes, à son «organe», et fera verser sur son client, le monstre, un déluge de larmes. Je sais : son propos est, à l'époque, de démoraliser ; il entend ridiculiser la justice : quoi de plus drôle, dit-il, qu'un homme qui en juge un autre ; c'est ce qu'il démontrerait en faisant systématiquement acquitter les coupables et — je ne jurerais pas qu'il n'y ait jamais pensé — condamner les innocents. Mais, sous ce projet explicite et publié, simple rêve, il est un autre rêve : il veut donner au Verbe la puissance terrible de changer les hommes malgré eux. L'avocat de la défense tel qu'il le voit a, tout comme l'acteur, un public ; il doit, lui aussi, le fasciner : par le geste et la voix ; pas plus que l'acteur il ne dit la vérité puisqu'il tend, par de grandes attitudes et en s'abandonnant au *pathos*, à faire acquitter celui qu'il sait coupable. Toutefois, il ne peut convaincre sans être soi-même convaincu, c'est-à-dire sans *s'irréaliser* dans le rôle de l'orateur qui *croit* à ce qu'il dit. La différence ? Gustave, quand il se veut démoralisateur, ne prétend pas seulement se donner en spectacle : acteur débouté, son ressentiment se radicalise ; il entend à présent exercer une action négative sur son public et user de ses pouvoirs pour le *pervertir*. Il sera du barreau, puisque son père le veut, mais son *être d'avocat* sera la *subversion instituée* ; comédien, il eût fait rire les autres ; avocat, il leur reprendra le rire et les rendra risibles en leur faisant prendre systématiquement des vessies pour des lanternes. Ces deux attitudes — celle du comique et celle de l'orateur — s'éclairent l'une l'autre : la seconde, étincelante de méchanceté, nous fait mieux comprendre la nuisance secrète de la première : en faisant rire de soi, il affecte les rieurs de bassesse, il se sacrifie pour les rendre ignobles, pour les obliger à refuser toute compassion ; inversement, la première nous révèle le sens de la seconde : le comique irréalise les spectateurs, c'est un centre de déréalisation ; l'orateur n'est pas différent : les jurés porteront une sentence contraire à leur sentiment profond dans la mesure où l'éloquence du défenseur les déréalisera en les affectant d'une croyance irréelle dans l'innocence du coupable. Sganarelle se change en Scapin, l'homme dont on rit en celui qui fait rire des autres. L'essentiel, en ce nouveau rêve de gloire, ce n'est pas tant, d'ailleurs, qu'il nous fasse voir la radicalisation du ressentiment chez le petit comédien dépité mais avant tout, qu'il nous montre le projet créateur de l'enfant comme une relation polyvalente à sa voix.

3° Dans cette perspective, on ne s'étonnera point que les premières œuvres de Gustave soient conçues, elles aussi, sur le modèle oratoire. Nous avons vu que, dès neuf ans, il propose à Ernest de lui montrer ses « discours ». Ce n'est donc pas un hasard ou l'effet d'un caprice s'il intitule ses premières œuvres non dramatiques : « Narrations et discours » (1835-1836) [1]. Le mot de « discours » a été ajouté à la réflexion : l'écriture en est plus formée ; Gustave a relu son cahier, sans doute à la fin de l'année scolaire, et il a jugé que le titre général devait en être complété. C'est d'autant plus significatif qu'il n'y figure aucun « discours » à proprement parler. Peut-être songeait-il à en écrire : en ce cas il met sur le même plan le récit et le morceau d'éloquence qui — comme le couplet de l'acteur — est fait pour être parlé. Ou bien — ce qui me paraît plus vraisemblable — il a été frappé par l'aspect oratoire de ces premières narrations. De fait, l'épilogue d'*Un parfum à sentir* montre, quelques mois plus tard — il a quatorze ans — qu'il est conscient d'écrire ses œuvres comme ses lettres : au gré du *pathos*, sans toujours comprendre ce qu'il dit, en interpellant un auditoire imaginaire : « Je viens donc d'achever ce livre étrange, bizarre, incompréhensible. Le premier chapitre, je l'ai fait en un jour, j'ai été ensuite pendant un mois sans y travailler ; en une semaine, j'en ai fait cinq autres et en deux jours je l'ai achevé. Je ne vous donnerai pas d'explications sur sa pensée philosophique ; elle en a une... cherchez-la. Je suis maintenant fatigué, harassé et je tombe de lassitude sur mon fauteuil sans avoir la force de vous remercier si vous m'avez lu ni celle de vous engager à ne pas le faire (s'il en est encore temps)... »

Le futur doctrinaire de l'impersonnalisme ne peut se tenir, à l'époque, de se *montrer*. Rien ne l'obligeait à écrire cet épilogue sinon le plaisir de parler de soi. Il se donne en spectacle ; le voici qui se met en scène : il est dans sa chambre et tombe de lassitude dans son fauteuil ; devant lui, sur sa table, des feuillets où il trace péniblement les derniers mots de son « livre ». On le notera, l'histoire qu'il vient de terminer veut être cruelle et sinistre : nul ne doit rire — sinon les méchants qui peuplent son récit — des malheurs de Marguerite ; mais dès qu'il se donne à voir, le ton change : il est imperceptiblement mais intentionnellement comique, cet auteur harassé qui tombe sur ses bottes ; en même temps il interpelle son

---

1. Mots tracés sur la couverture d'un cahier qui comprend *Matteo Falcone, Chevrin et le Roi de Prusse, Le Moine des Chartreux. Mort de Marguerite de Bourgogne, Portrait de Lord Byron, San Pietro Ornano.*

public, comme il faisait Ernest ou Caroline dans ses lettres mais avec quelle agressivité : il y a une pensée philosophique, cherchez-la ! Je suis trop fatigué pour vous remercier de m'avoir lu et d'ailleurs vous auriez mieux fait de ne pas me lire…, etc. Tel il se montre ici, bouffonnant agressivement sans quitter le négativisme passif (je n'expliquerai pas, je ne remercierai pas), à moitié comédien, orateur à moitié, tel nous le retrouverons *dans sa vie*, au collège et, plus tard, boulevard du Temple ou chez Mathilde Bonaparte.

Il y a plus : ce précieux épilogue nous renseigne sur la manière dont Gustave compose, à l'époque, et il est clair qu'elle ressemble fort à celle dont usait l'acteur-auteur, quelques années plus tôt, pour faire ses pièces. L'inspiration l'a saisi puis quitté le même jour : il écrit le premier chapitre et laisse tout en plan, par dégoût sans doute — nous connaissons ses grands enthousiasmes et ses retombées. Calme plat, un mois passe et tout à coup le vent se lève : cinq chapitres en sept jours ; nouveau dégoût qui le tient éloigné de sa table pendant un laps de temps qu'il ne précise pas, puis nouvel envol : il boucle son récit en deux jours. *Un parfum…* est écrit en février-mars, donc pendant la dernière partie du second trimestre. La fatigue, à cette époque de l'année, s'est accumulée chez les collégiens, tous les professeurs le savent. Ceux-ci, cependant, doivent se montrer plus exigeants : ces deux derniers mois sont décisifs ; au troisième trimestre, sauf exception, les jeux sont faits, il ne s'agit que de récapituler. Produire, en pleine compétition scolaire, un ouvrage d'une soixantaine de pages imprimées [1], aux lignes serrées, aux paragraphes denses et souvent longs, cela tiendrait du tour de force si, chaque fois que Gustave s'y remet, tout ne lui venait d'un jet : il s'abandonne au discours, sa plume parle, il ne revient jamais sur ce qu'il a dit, ne corrige rien et, du coup, se livre, comme dans ses lettres, à travers de nombreux *lapsus calami* qui sont, en fait, des *lapsus vocis*. Comprend-il tout à fait ce qu'il écrit ? Non : pas plus qu'il ne faisait, comédien, pas plus qu'il ne fait, épistolier. Il le dit en toutes lettres : Je viens donc d'achever ce livre étrange, bizarre, incompréhensible. Bien entendu, il s'adresse aux lecteurs et nous devons entendre d'abord : incompréhensible *pour vous*. Mais faut-il nous en tenir là ? Il est rare qu'un auteur se juge inintelligible ; rare aussi qu'il détourne de lire ses ouvrages. Or, sur ce dernier point, nous savons que Gustave, au moins pendant son adolescence, est aussi sincère qu'il peut l'être : il a peur d'être

---

1. Éd. Charpentier, pp. 42-102.

démasqué — nous y reviendrons dans un instant. Tout se passe comme si l'enfant sentait lui-même la bizarrerie et l'incompréhensibilité de ce qu'il vient d'écrire et s'en effrayait. En d'autres termes, il est dépassé par son œuvre ; quand il la relit, elle lui paraît étrangère : il s'est abandonné à l'inspiration et ce qui s'est déposé sur le papier, c'est sa « particularité » en tant qu'elle apparaît au regard malveillant des autres et qu'elle lui échappe. Les mésaventures de Marguerite, il sent fort bien qu'il les a inventées avec ses propres malheurs et pourtant il ne se reconnaît pas dans cette épouse laide et délaissée. Qu'a-t-il voulu dire ? Il ne le sait plus, il craint que les autres ne le sachent ou, en tout cas, qu'ils ne voient dans l'étrangeté de son produit l'absurde bizarrerie de sa propre personne. L'objet est là, *comme autre*, le jeune auteur constate en celui-ci l'altérité de son inspiration qui a projeté sur le papier son incompréhensible *anomalie*. Il ne doute point qu'il y ait dans son récit une « pensée philosophique » mais il ne sait trop ce qu'elle est : ce sera l'office des autres que de l'expliciter. Ainsi, dans la lettre précitée : « Je croyais qu'il allait me venir des pensées et il ne m'est rien venu... », le discours produit lui-même son propre sens ; à Ernest, aux lecteurs de dégager celui-ci. Une seule différence : dans la lettre la « pensée » a crevé comme une bulle et Gustave s'en est aperçu ; dans *Un parfum...* il est convaincu qu'on doit pouvoir la lire entre les lignes. Et c'est justement ce qui l'inquiète. Dans l'Avant-propos, pourtant, il semblait assuré de ce qu'il voulait faire : l'anecdote devait nous donner à voir la puissance inflexible et méconnue de la déesse Ananké. Le sens « philosophique » du récit nous était exposé *par avance* et en toute clarté. Pourquoi prétend-il, dans l'Épilogue, que ce sens est caché ? C'est, sans aucun doute, qu'il a senti l'idée se déformer et s'enrichir par le discours qui devait l'illustrer et que, dans cette mesure même, elle s'est obscurcie à ses yeux. La nécessité de l'épilogue vient de ce qu'il traduit l'*estrangement* de Gustave devant son produit. De fait, nous l'avons vu, l'inspiration le saisit, le bouscule et le quitte comme un pouvoir *autre*. Il est tout à la fois responsable et irresponsable de l'objectivation de son anomalie.

Si l'on veut comprendre ce rapport complexe de Gustave et de *son* inspiration, il faut revenir au cahier de « Narrations et Discours ». Dans ces toutes premières œuvres on retrouve les procédés de l'auteur-acteur et l'enfant s'y révèle un génial copiste. Nous l'avons noté à propos de *L'Anneau du prieur*. M. Jean Bruneau a reproduit l'argument et le corrigé tels qu'ils figurent dans les *Nou-*

velles Narrations françaises d'A. Filon [1]. Que le lecteur s'y reporte : il verra que Flaubert a suivi de près la « Narration » de Filon : l'ordre des événements est respecté, il y a correspondance étroite des paragraphes et, bien souvent, les phrases sont identiques dans l'un et l'autre texte. J'ai indiqué, pourtant, que l'originalité de Gustave est entière : il *fait servir* la narration copiée à un dessein obscur et profond. Il lui suffit pour cela d'apporter ici et là quelques changements — si subtils et si discrets qu'ils ont échappé à M. Bruneau lui-même. Mais il est frappant que, pour s'exprimer, le jeune auteur ait besoin d'un texte préfabriqué — tout juste comme, acteur, il avait besoin d'un rôle pré-existant. On dira qu'un enfant, pour ses débuts d'écrivain, doit s'appuyer sur quelque chose — et qu'il imite beaucoup plus qu'il ne crée. Cela est vrai. Mais Flaubert a treize ans. C'est bien tard pour *copier*. Surtout quand on fait preuve, en même temps, d'une si puissante personnalité. Si Gustave, à cet âge, use encore de modèles, c'est délibérément : il veut intérioriser un ordre objectif et rigoureux pour le réextérioriser, modifié, à travers le mouvement subjectif d'une inspiration fondée sur la mémoire. Le jeune auteur écrit comme l'acteur joue : il restitue un inflexible schéma *appris* ; la seule différence est que l'acteur interprète — c'est-à-dire soumet entièrement son activité passive à la règle objective — tandis que Gustave apprend à changer, à trahir élégamment, insensiblement, les impératifs qu'il s'impose par des altérations systématiques : vasselage et trahison. L'originalité — donc le commencement de la littérature — est du côté de la trahison. Mais il n'est pas encore temps de nous en occuper. Ce que je voulais marquer ici c'est que, dans *Un parfum...*, l'inspiration paraît *autre* par la raison que Gustave l'a voulue telle, au départ, quand il adaptait *Poursôgnac* pour pouvoir l'interpréter. À treize ans, l'enfant, écrivant pour sa voix, ne sait pas encore trop s'il est auteur ou interprète.

Nous verrons plus tard que le secret du style dans les grandes œuvres de Flaubert, c'est qu'il est éloquence refusée. Et refusée *par l'autre*. Gustave écrit *Madame Bovary* dans l'abandon oratoire puis taille et coupe sous le contrôle de Bouilhet. Ainsi l'orateur est là, partout, mais censuré, refusé, douloureux ; on le chasse, on le comprime, mais il revient *dans la compression même* pour donner une étrange vibration sonore aux phrases les plus dépouillées. Ce qu'il faut seulement indiquer ici — et que nous reprendrons plus

1. Bruneau, *op. cit.*, p. 59, etc.

longuement par la suite — c'est que la *voix* demeure jusqu'au bout *l'achèvement de l'écriture*. Non que le style des grandes œuvres soit *oral*, bien au contraire. Mais plutôt parce que l'écriture même est à double face et qu'elle devient un moyen audio-visuel de communication : comment comprendre sans cela qu'il « fasse passer au gueuloir » toutes les phrases qu'il écrit [1] ? En vérité, l'aboutissement de ses ouvrages est, sans aucun doute, le moment où il en fait lecture devant un cercle choisi d'amis ou de confrères. C'est à ce moment que le mot prend sa plénitude et qu'il emprunte sa singularité au timbre particulier de la voix qui le modèle. Certes les lectures publiques étaient de mode : on a beaucoup déclamé dans les salons de l'Arsenal. Mais il s'agissait avant tout de poèmes ou de pièces de théâtre. Gustave, lui, convoque Maxime et Louis à Croisset pour leur infliger *trente-six heures* de spectacle : il *interprète* devant eux son premier *Saint Antoine*. Le plus navrant, c'est que sur cette unique et harassante audition, il sollicite un verdict. Comme si les mots, prononcés par lui, articulés en phrases par son souffle, acquéraient du coup une intelligibilité plénière, comme s'il était possible de juger sur une seule épreuve un gros ouvrage rempli de paradoxes, dont chacun devrait faire l'objet d'une longue réflexion. Naturellement la sentence des auditeurs est négative : cela est bon à mettre au cabinet. Ne se rend-il pas compte qu'il se dessert ? Oui et non : il en a l'obscur pressentiment mais il persévère dans l'erreur. Non seulement parce qu'il aime s'irréaliser dans sa voix mais surtout parce qu'il ne peut concevoir la beauté d'un paragraphe sans son organisation musicale. Ni son sens, qui, selon lui, s'offre plus clair aux spectateurs à travers l'articulation des bouchées intelligibles. L'idéal serait, en somme, que les mots écrits se parlent avec sa voix dans la tête des inconnus qui liront ses livres. Et, puisque cela ne peut être, la véritable fête sera la lecture publique ; le moment de la publication — fût-il lu par tous les Français — lui apparaît forcément comme une dégradation. De ces sentiments complexes et contradictoires témoigne un billet qu'il envoie aux Goncourt pour les inviter à entendre *Salammbô* qui sera déclamé devant ses confrères : « de 4 à 7 heures et après le café jusqu'à crevaison des auditeurs ». On dirait qu'il fait exprès de tout mettre contre lui et qu'il s'en avise mais ne peut s'en empêcher : il sait fort bien qu'il fera « crever » son public. Non, certes, d'une

---

1. Nous verrons plus tard que l'aspect audio-visuel du langage est à l'origine de son goût pour les calembours.

crise cardiaque mais d'ennui, en exigeant de lui un effort d'attention presque insupportable et qui se terminera tôt ou tard par un tétanos de la pensée. Il le sait mais il y va : il est le bon géant, le donateur (c'est un nouveau mythe dont nous rendrons compte dans un prochain chapitre) et tant pis pour le récipiendaire si la bonté de ce Pantagruel l'écrase. L'essentiel, c'est la *donation* de son œuvre et la transformation de celle-ci en un spectacle dont Gustave est l'unique interprète. Le voici donc, en cette dernière phase de la création, redevenu l'auteur-acteur, habité par les impératifs qu'il s'est donnés en tant qu'autre. Reste que ce retour à l'interprétation est fort rare : pour se donner une fois le plaisir de déclamer, il faut peiner pendant plusieurs années. Et puis il sait fort bien que la lecture à haute voix — qui est *pour lui* l'aboutissement d'un labeur ingrat — ne représente en réalité qu'un moment inessentiel du processus littéraire : le livre sera lu par des milliers d'*yeux*; pour ces lecteurs, la sonorité du texte, si elle existe confusément, n'est qu'une agréable rémanence, l'essentiel demeure le silence. Non pas seulement celui du cabinet mais avant tout le *sens* au-delà du langage qui est la totalisation muette de l'ouvrage écrit, c'est-à-dire de tout ce qui s'y est exprimé par des mots. En d'autres termes, bien que l'aspect audio-visuel du vocable lui reste toujours présent, ce n'est qu'une tentative assez vaine de récupération : Gustave, renvoyé sans ambages aux graphèmes, subit une perte sèche qu'il ne pourra jamais compenser suffisamment.

Dirons-nous qu'il en est conscient ? Sans aucun doute. À partir de quatorze ans, il explicite son mécontentement contre les mots écrits — qui durera jusqu'à la crise de 44, au moins ; ceux-ci sont d'une insuffisance manifeste : ils ne peuvent rendre ni les sentiments ni les sensations ni les extases. Cette dénonciation revient sans cesse sous sa plume et, nous le savons, ses raisons les plus profondes sont ailleurs ; mais s'il la glisse dès quatorze ans dans la plupart de ses premières œuvres, c'est pour un motif occasionnel mais de première importance : en lui interdisant la carrière d'acteur, on a privé les mots de leur accompagnement ordinaire de gestes, de mimique et d'intonation ; du coup les voilà mutilés, réduits à d'inertes jambages, comment pourrait-il leur rendre leur ancienne plénitude ? On lui a ôté ses anciens outils sonores et on les a remplacés par des instruments frustes et muets qui, faute d'être chauffés par son souffle, n'exprimeront jamais le *pathos* qui l'anime. Bien sûr il lira son texte à haute voix ; il l'interprétera, il donnera de nouveau *par le timbre* un aspect singulier au vocable universel, il pourra — rarement — conserver l'illusion qu'il l'*enfante* par expectoration. Mais il le sait bien : lire, ce n'est pas tout à fait jouer. Même l'aspect ludique de la littérature n'a rien de commun avec le jeu du comédien [1]. Et, surtout, *écrire* pour des lecteurs inconnus, c'est tenter de les capter et de les séduire par des graphèmes sans défense, qu'ils peuvent interpréter comme ils veulent. Rien dans les mains, rien dans les poches : l'écrivain trace ses pattes de mouche et s'en va, les soumettant aux plus malveillantes inspections. C'est une des intentions profondes de Flaubert *styliste* que de trouver un équivalent écrit de la séduction orale : acteur, il eût fasciné, pense-t-il ; donc il faut trouver un *truc* pour fasciner par écrit : mais cette recherche viendra plus tard, après bien des colères, et nous verrons qu'il y laissera la santé déjà précaire de son esprit. Pour l'instant, on l'a jeté dans une contradiction dont il ne sort pas : il garde au fond de lui-même, en écrivant, le rêve d'un aboutissement oral de son travail littéraire mais, dans le même temps, il découvre ce qui, à l'auteur-acteur, demeurait caché : *on n'écrit pas comme on parle*. Je ne prétends pas que cette banalité soit vraie. Mais elle n'est pas non plus tout à fait fausse. Il est sûr qu'un écrivain apprenti est bien souvent démuni : j'en ai connu, parmi mes anciens camarades, qui séduisaient dans la conversation, que nous ne nous lassions pas d'entendre — leur charme physique et intellectuel se communiquait aux mots qui naissaient d'eux et venait à nous comme leur image sonore — et qui, par écrit, se ternissaient sous nos yeux, à notre grande surprise. S'ils ont progressé, ce n'est pas en se rapprochant dans leurs œuvres du discours oral mais en faisant — comme fera Gustave — un *autre usage* du langage ; et en inventant, pour les yeux des lecteurs, des équivalences écrites de leurs gestes, de leur voix, de leur style de vie. On n'écrit pas comme on parle et pourtant on écrit, au moins dans la vie courante, lorsqu'on ne peut pas parler. Voilà l'antinomie à laquelle se heurte l'enfant. Qu'est-ce donc qu'écrire ? Il donnera une réponse et nous la connaîtrons. Pour l'instant, maussade, inquiet, l'écriture lui fait l'effet d'un austère pis-aller.

La preuve en est que son désir de gloire s'éclipse et, par moments, se tourne en refus de toute notoriété. Acteur, il devait illustrer son siècle : il n'en doutait pas ; le tourniquet sado-masochiste ne pouvait fonctionner que sur la base de cette certitude. A présent, il ne sait plus : que faire, d'abord ? que réussir sur ce mauvais instru-

---

1. Ils appartiennent l'un et l'autre bien sûr à la même catégorie.

ment dont la moitié des cordes ont sauté ? Et quand d'autres sauraient s'en servir, cela démontrerait simplement qu'ils avaient la vocation d'écrire. Gustave, en dépit de son orgueil, ne peut se convaincre qu'il soit voué puisqu'il est assuré que son génie le portait vers l'art dramatique : il s'agit donc pour lui d'exercer une activité inférieure et pour laquelle le don lui manque. Le voici plongé dans le doute et dans la rage : son état d'esprit nous est révélé dans le passage de la lettre — sans doute un peu tardive — qu'il écrit à Ernest, le 23 juillet 39 et que j'ai partiellement citée : « J'aurais pu... être un excellent acteur, j'en sentais la force intime et maintenant je déclame plus pitoyablement que le dernier gnaffe, parce que j'ai tué à plaisir la chaleur... Quant à écrire, j'y ai totalement renoncé et je suis sûr que jamais on ne verra mon nom imprimé ; je n'ai plus la force, je ne m'en sens plus capable... » Nous verrons plus tard les causes occasionnelles de ces doléances. Mais le texte est parlant : c'est *d'abord* de son talent d'acteur qu'il parle ; talent gâché par le refus des autres et sa propre tendance à l'autodestruction. N'importe : son talent, c'est lui-même. Et, à la façon dont la littérature est introduite dans le paragraphe, nous comprenons qu'il s'agit d'une activité secondaire, d'un pis-aller qui le concerne à peine : il *aurait pu* être acteur ; mais il n'a pas tenté, selon lui, d'*être* écrivain : il a écrit, c'est tout, sans doute pour se dissimuler la perte sèche qu'on lui a fait subir en refusant de sanctionner sa vocation véritable. La locution prépositive « quant à » — « pour ce qui est de... » — indique clairement que l'information donnée par Gustave est d'ordre marginal : c'est l'inessentiel ; elle complète le tableau et répond d'avance à une objection d'Ernest : « Tu déclames comme un gnaffe, soit. Mais, tout de même, tu écris ? » Pour Gustave, l'information capitale est donnée dès la première phrase : du moment que je ne pouvais devenir ce que je suis et me préparer à jouer la comédie, « j'ai tué à plaisir la chaleur. Je me suis ravagé le cœur avec un tas de choses factices et des bouffonneries infinies ; il ne poussera dessus aucune moisson ! tant mieux ! Quant à écrire », etc. L'essentiel est dit, la totalisation faite : je suis sec et froid, je ne lis rien, je n'écris rien, je ne suis rien parce que je me suis détruit de mes propres mains pour achever la besogne des bourreaux qui m'ont frustré de moi-même. J'avais « la *force intime* » d'un grand acteur : on n'a pas voulu reconnaître mes dispositions, et, du coup, je l'ai perdue, je suis un Samson tondu. Le mot de « force » est répété lorsqu'il s'agit d'expliquer pourquoi Gustave renonce *aussi* à écrire : « Je n'en ai *plus* la force. » Il l'a donc eue, au passé ? Sans nul doute, il le croit mais il ne prétend pas avoir possédé à un moment quelconque de sa vie antérieure un don spécial pour la littérature et pas davantage un mandat. Il se reporte, tout simplement, à cette chaleur, à cette puissance intime qui l'ont voué à la carrière dramatique : même après quon lui en eut interdit l'accès, il gardait, pense-t-il, assez de feu pour se jeter dans l'éloquence et l'écriture. Et il est vrai que l'option artistique, dans les premières années, est souvent polyvalente. Reste qu'il existe une hiérarchie en chaque cas singulier, conditionnée par les structures familiales et la protohistoire. Ravel eût pu *aussi* écrire et peindre, dans son jeune âge : reste qu'il s'est fait musicien. Imaginons l'impossible : à peine a-t-il entrevu sa vocation principale, on lui interdit de composer ; il aurait peint, sans doute, ou écrit. Mais on peut deviner ses rages, ses regrets et sa conviction amère — d'ailleurs sans fondement réel — d'être inférieur, artiste plastique, à ce qu'il eût été, musicien, et de s'acharner à faire ce pour quoi il n'était pas entièrement fait [1]. Tel est Gustave pendant son adolescence. Kafka disait : J'ai un mandat mais je ne sais qui me l'a donné. Flaubert, écrivain, n'a pas eu cette chance merveilleuse. Et nous le verrons hanté, toute sa vie, par cette interrogation inquiète : ai-je seulement un mandat ? ne suis-je pas « un bourgeois qui vit à la campagne en s'occupant de littérature » ? Si nous voulons comprendre les raisons de l'insistance avec laquelle il répète le mot de Buffon : « Le génie n'est qu'une longue patience », il faut se rappeler qu'il n'est pas « entré en littérature » par la voie royale mais par la porte étroite et que, n'étant point *élu* dans ce domaine, il est contraint de bonne heure, dès quinze ans, à remplacer l'inspiration — ceux qui sont sûrs de leur élection n'ont qu'à s'y abandonner ; chez les autres, c'est une duperie, un méchant tour que leur joue le Diable, ils croient chanter et ne font que braire — par le *labor improbus*. Nous y reviendrons bientôt.

Certes, il ne faut pas pousser trop loin cette interprétation : on peut entendre tout autrement la lettre du 23 juillet 39 : si Gustave décide de ne plus écrire — très provisoirement puisqu'il produit un mois plus tard, en août, *Les Funérailles du docteur Mathurin* — c'est qu'il est mécontent de *Smarh*, achevé en avril : nous verrons, dans un prochain chapitre, quels immenses espoirs il fondait

---

1. Le choix fondamental des artistes est polyvalent, dans l'enfance, parce qu'il est avant tout choix du *ludique* et de la déréalisation par l'imaginaire. Des circonstances extérieures, en s'intériorisant, le précisent et l'orientent mais il demeure toujours *plural*.

sur cette œuvre quand il l'a conçue. Lorsqu'il la relira, un an après l'avoir achevée, il sera fortement déçu : « Il est permis de faire des choses pitoyables mais pas de cette trempe. » Or nous savons que, dès avril, sans oser encore rouvrir son manuscrit, il est inquiet, il pressent que le « fameux mystère est veuf d'idées » [1]. Aussi faudrait-il renverser l'exposé de ses motifs tel qu'il le présente à Ernest : c'est sur un échec *littéraire* qu'il prend la décision de renoncer à la littérature. Et s'il parle d'abord de sa vocation contrariée, c'est pour rejeter sur les autres la faute de cette faillite : je n'en serais pas là si l'on m'avait encouragé à monter sur les planches. Et c'est aussi pour échapper à la tentation de se dévaloriser : mieux vaut être un génie comique que ses proches ont étouffé dès sa naissance qu'une pure et simple nullité, sans vocation ni mandat, « un imbécile », un « bouche-trou dans la société ». Il prophétise, dans la même lettre : il sera « un homme honnête, rangé et tout le reste... Je serai comme un autre, comme il faut, comme tous ». Mais, tant qu'il peut penser qu'on a méconnu et brisé sa « force intime » et que sa faillite littéraire vient de ce que *sa mission* était *ailleurs*, il demeure supérieur à cette médiocrité qu'on lui inflige. Le centre de ses préoccupations, l'*essentiel*, serait donc la littérature ; et il n'invoquerait, à son habitude, sa première option que pour cacher à Ernest et à lui-même le cours véritable de ses pensées.

Cette interprétation est tout à fait valable et je la crois aussi vraie que l'autre. Mieux, bien qu'elles paraissent à première vue incompatibles, je suis convaincu qu'il faut les adopter l'une et l'autre. À dix-sept ans, Gustave s'est accommodé de la substitution qu'on lui a imposée. D'abord résigné à écrire, il a fini par *investir* dans cette nouvelle entreprise : il a compris sans doute que la gloire de

---

1. 15 avril 39, à Ernest : « J'ai fini hier un mystère qui demande trois heures de lecture. Il n'y a guère que le sujet d'estimable... »
13 septembre de la même année : « Le fameux mystère que j'ai fait au printemps demande seul trois heures de lecture continue d'un inconcevable galimatias ou, comme aurait dit Voltaire, d'un "galiflaubert"... »
On notera l'importance de la lecture orale : Gustave a *minuté* son texte. Il ajoute d'ailleurs : « (pour la prochaine visite que tu vas me faire)... j'ai de quoi t'embêter avec mes productions pendant un long temps, plus bruyant qu'agréable ».
Inconcevable galiflaubert, lecture plus bruyante qu'agréable : ces mots ne doivent pas nous tromper ; nous sommes accoutumés à l'insincérité de Gustave, à sa fausse modestie. Après tout, il n'est pas si dégoûté de *Smarh*, à l'époque, puisqu'il envisage de le lire à son ami. Reste que les mots, cette fois, particulièrement violents trahissent, malgré tout, sa peur d'avoir manqué son œuvre. Sans doute comptait-il sur l'admiration d'Ernest pour le convaincre qu'il l'avait réussie.
Comme on voit, le grand dégoût d'écrire est proclamé au mois de juillet, en sandwich entre deux autres lettres qui l'éclairent.

Molière couronne le créateur plutôt que l'interprète. Dans la hiérarchie de ses options personnelles l'acteur précède l'écrivain, sans aucun doute ; dans la hiérarchie sociale — dont il est plus que tout autre dépendant — c'est l'inverse qui se produit. Romancier, il sera plus grand que s'il se bornait à jouer les Sganarelle. Entre ces deux échelles de valeurs, toutes deux intériorisées, une tension s'établit : troublé, il va tenter d'écrire, *scripta manent*, il marquera son siècle et son œuvre, moins éphémère que le *flatus vocis* de l'acteur, lui survivra longtemps. Il accepte donc de faire ce qu'il aime le moins. *À la condition d'exceller dans son art* : s'il met la main à la plume, il faut qu'il soit au moins le premier écrivain de son temps. Quand il peut le croire, quand il se persuade — au moment de la conception — que l'ouvrage projeté, par son ampleur, sa richesse et sa beauté l'égalera aux plus grands morts, il oublie ou renie sa vocation première et se jette à écrire dans l'enthousiasme : peu lui importe, en cet instant, le chemin qui le conduit à la célébrité ; *c'est la renommée* qui compte, c'est elle seule qui comblera son orgueil et son ressentiment. Mais dès qu'il passe à la *réalisation*, il se dégoûte de ce qu'il écrit. Cela va de soi : il n'a qu'un seul sujet, l'Univers, et son art n'est pas encore à la hauteur de ses ambitions. Du coup, il redécouvre sa folie : qu'avait-il besoin de s'imposer ce *pensum*, l'écriture, lui qui sentait au fond de son cœur la chaleur, la force intime d'un comédien génial : il est puni d'avoir écouté les autres et trahi sa vocation. *Pensum* : c'est ainsi qu'il appellera plus tard son roman sur la Bovary ; mais il faut remonter plus haut et se convaincre que ce mot — sauf quand il s'abandonne à l'éloquence — désigne à ses yeux la littérature entière, ce travail abstrait et soutenu qu'il fait sans joie. Par cette raison, nous ne sommes pas étonnés qu'il confesse, dans la lettre du 23 juillet : « En voulant monter si haut, je me (suis) déchiré les pieds aux cailloux. » Il jouait *Poursôgnac* dans le bonheur, en s'abandonnant à sa « nature » ; pour produire *Smarh*, il peine et manque son but (« je me serais rendu malheureux, j'aurais chagriné tous ceux qui m'entourent », 23 juillet) *donc* il s'administre la preuve qu'il n'était pas fait pour écrire. Il reviendra, plus tard, à parler de gloire. Jamais comme avant : d'abord, il s'est persuadé qu'elle lui échappera toujours ; et puis la terne et diffuse, l'insaisissable renommée littéraire n'a rien de commun avec le rêve de son enfance, avec l'enivrante jouissance d'un succès immédiat, toute la salle debout, applaudissant et criant.

Il va plus loin encore : comédien, il se livrait à tous avec sadisme, avec masochisme ; dans le salon du billard, il fait le pitre et tend son derrière aux clystères, il ne craint point de subir un martyre ignominieux et de provoquer le rire. Bref, nous avons pu l'appeler exhibitionniste. Ses écrits, au contraire, il les cache. A part Alfred et Ernest — encore celui-ci n'est-il pas toujours admis aux lectures à haute voix — nul n'en a connaissance. Jusqu'à la publication de *Madame Bovary*, écrire lui apparaît comme un *péché solitaire* [1]. Il lui arrive souvent d'interpeller, à la fin ou au début d'un conte, les inconnus qui seraient tentés d'ouvrir son manuscrit : « *Ne me lisez pas !* » Voyez plutôt le début d'*Agonies* — il a seize ans : « (L'auteur) a écrit sans prétention de style, sans désir de gloire comme on pleure sans apprêts... Jamais il n'a fait ceci avec l'intention de le publier plus tard ; il a mis trop de vérité et trop de bonne foi dans sa croyance à rien, pour la dire aux hommes. Il l'a fait pour le montrer à un, à deux tout au plus... Si par hasard quelque main malheureuse venait à découvrir ces lignes, qu'elle se garde d'y toucher ! car elles brûlent la main qui les touche, usent les yeux qui les lisent, assassinent l'âme qui les comprend. » On pourrait citer mainte autre mise en garde. Il a fait mieux, d'ailleurs ; il a « dédié et donné » les *Mémoires d'un fou* à Alfred, ce qui signifie qu'il les a écrits pour celui-ci, seul, et s'est arrangé pour que lui seul en prenne connaissance. Il répète cent fois dans sa Correspondance qu'il ne publiera jamais. À Louise, dans le style épico-oratoire qu'il emploie volontiers, pendant les premières années de leur liaison, il déclare qu'on l'enterrera avec ses manuscrits, inviolés, comme un guerrier avec son cheval. Et, sans cesse, ce vœu revient sous sa plume : ne pas laisser de traces sur terre, effacer les pas, être oublié, deux fois mort, comme si l'on n'avait jamais existé. Ainsi le passage de l'art dramatique à l'art littéraire apparaît chez le jeune Flaubert comme celui du *social* à la singularité secrète. N'entendons pas, pour autant, qu'il s'arrache à l'emprise des autres, tout au contraire : interprète, il se livrait, créateur, il écrit dans la peur et le ressentiment, il se camoufle mais, dans l'un et l'autre cas, il reste dominé par Autrui : se cacher, n'est-ce pas reconnaître implicitement la primauté de celui dont on se cache ? D'où vient

---

1. La comparaison entre le travail de l'artiste et la masturbation revient souvent sous sa plume : « Masturbons le vieil art jusque dans le plus profond de ses jointures. » « Enfin l'érection est arrivée, Monsieur, à force de me fouetter et de me manustirper », etc. Cf. Roger Kempf : « Le double pupitre » in *Cahiers du Chemin*, octobre 1969.

alors la différence entre les deux attitudes ? Eh bien, d'abord,
comme toujours, des conditions matérielles que dépasse la praxis
et qui la structurent. Jouer la comédie *implique*, quels que soient
les sentiments de l'acteur, qu'il *représente* un personnage à un
public : le théâtre est collectif ; écrire le rôle qu'on jouera — ce
que fait l'auteur-acteur — implique déjà un certain isolement ;
j'entends que, dans le moment qu'il compose un rôle ou qu'il
invente des répliques, celui-ci, physiquement ou mentalement, fait
retraite, se tient à distance pour avoir le loisir d'envisager la situation dramatique dans son ensemble ; mais cette retraite-là est *passée*
sous silence et l'auteur-acteur ne s'en aperçoit qu'à moitié, par la
raison qu'il écrit pour la représentation et pour les comédiens de
sa troupe : il est donc *au milieu de la foule*, même dans le silence
du cabinet, supputant les réactions du public et tentant d'utiliser
ses camarades au mieux de leurs possibilités. S'il s'agit, par contre,
d'écrire un ouvrage destiné à la lecture purement *optique*, la retraite
est pleinement consciente ; elle fait l'objet d'une intention formelle
et, certes, l'auteur est au milieu de ses personnages, il se demande
à chaque instant quelles sont les réactions qui conviennent le mieux
à leur caractère — « puis-je pousser à l'extrême les passions de cette
blonde ? d'après ce que j'en ai dit jusqu'ici, lui est-il possible d'avoir
des sentiments si forts ? » ce qui revient à dire : « est-elle bien le
personnage ? » — mais c'est vivre avec *ses* créatures, demeurer dans
son univers imaginaire : il n'y a plus, en ce cas, cette osmose qui
fait l'auteur-acteur comparer sans cesse les fantaisies de son esprit
avec les capacités de personnes vivantes, inventant — parfois sur
la scène, à chaud, au cours des répétitions — des répliques que les
acteurs lui suggèrent par leur façon même d'interpréter leur rôle
et, en d'autres cas, retranchant un couplet que le comédien ne parvient pas à « sortir » comme il conviendrait. En ce sens l'écrivain,
même lorsqu'il envisage *dans l'objectif* tel ou tel de ses personnages, demeure seul avec lui-même. Non qu'il lui soit impossible —
comme le subjectivisme bourgeois l'a trop souvent prétendu — de
parler d'un autre que soi ni que ses créatures soient nécessairement
la projection de lui-même dans le milieu de l'altérité : la question
est plus complexe et l'on n'y peut répondre que par un traitement
dialectique de ses données premières ; nous aurons dans ce chapitre même l'occasion d'étudier les premières créations de Gustave,
dans ce qu'elles ont encore de fruste et d'archaïque. Mais, de toute
manière, l'auteur, dans la mesure où il invente, reste en commerce
avec soi : ses fictions ne sont pas toujours lui-même en tant qu'autre

mais elles ne cessent d'être *siennes* et il ne cesse, quant à lui, de sentir, en créant, la « mauvaise odeur » de son imagination [1].

De la même manière, nous n'entendons pas nier qu'il conserve, écrivant, un lien direct avec le public auquel il s'adresse. Mais ce lien, à *cette* époque et dans *cette* société, ne peut que le confirmer dans sa solitude. Non pas seulement, comme nous verrons, parce qu'il fait son œuvre au temps du public introuvable. Mais aussi parce que le lecteur, pendant l'acte de lire, est — c'est la coutume de ce temps — aussi seul que l'écrivain quand il écrit. J'ai montré ailleurs que certaines œuvres brisent la barrière de la sérialité et créent, jusque dans l'isolement le plus complet, une manière d'appel à la solidarité du groupe. Mais il va de soi que, dans le moment du post-romantisme, la lecture sérialise et renvoie le lecteur à son individualité sérielle. Ainsi, quand même l'auteur viserait sans cesse son public et tenterait à chaque mot tracé par sa plume de prévoir les réactions de celui-ci, il n'aurait qu'une impression confuse de solitudes juxtaposées, ce qui, nécessairement, le confirmerait dans la sienne. La relation littéraire entre les membres du couple créateur peut donc, en cette conjoncture, être qualifiée de *nocturne* : Gustave est renvoyé à la masturbation parce que cette relation lui apparaît comme un onanisme à deux. Contre cela, il réagit en imposant à ses intimes des séances « plus bruyantes qu'agréables » de lecture à haute voix. Mais cet effort de socialisation ne fait qu'accroître son délaissement : en réservant son œuvre à deux ou plutôt à un seul *auditeur*, il se contraint à refuser tous les inconnus qui pourraient aimer ce qu'il a produit. Comment écrire, toutefois, sans désirer être lu ? La conséquence de ces postulations contradictoires, c'est que Gustave établit son rapport au public par-delà la négation radicale de celui-ci. Ce qui se marque assez par la naïveté dont il fait preuve à la fin d'*Un parfum...* lorsqu'il prétend détourner de lire son ouvrage ceux qui, nécessairement, l'ont déjà lu d'un bout à l'autre. Il s'en avise d'ailleurs et tente de corriger

---

1. Je ne dis point que la solitude est imposée *par essence* à l'écrivain : il existe des formes *sociales* de création littéraire : la collaboration en est une. Il en est d'autres : la révolution culturelle peut amener à la production collective d'une œuvre écrite (comme aussi bien à contester l'art au nom de la création pratique). Je décris la situation la plus commune au XIXe siècle, symbolisée par le fait que beaucoup d'écrivains pour s'isoler à l'extrême (comme Balzac ou George Sand) travaillent la *nuit*, quand le sommeil abolit la société qui les entoure (Stendhal, en se levant à l'aube, manifeste qu'il appartient encore aux siècles classiques et qu'il prolonge l'attitude littéraire du XVIIIe jusque dans les temps de la solitude « romanticiste »).

sa fausse candeur par un ironique « s'il n'est pas trop tard ». Dans *Agonies*, il se garde de tomber dans la même erreur et c'est dès le début qu'il prie de rejeter ce « livre » dont les lignes « brûlent les yeux ». Mais quoi ? N'est-ce pas déjà un *livre* ? N'est-il pas déjà « mis en circulation » ? Gustave peut-il s'empêcher, dans l'instant du refus, de désirer la publication ? Les derniers mots de son premier chapitre prouvent que « quand il désespère, il espère encore » trouver un Alter Ego inconnu, qui, malgré les avertissements prodigués, passe outre et « lui sache gré... d'avoir réuni dans quelques pages tout un abîme immense de scepticisme et de désespoir ».

Nous pouvons, à présent, comprendre l'aspect clandestin de l'écriture chez le cadet Flaubert : acteur, il voulait faire rire donc il n'avait pas peur du ridicule ; c'est que la comédie, de la conception à la réalisation, est tout entière sociale : elle naît d'un fait collectif, l'hilarité, et aboutit au comique, proposition à l'auditoire du *risible retravaillé*. L'enfant se produit comique parce qu'il se découvre risible ; en ce sens la fuite vers le rôle est ambiguë : il se livre, certes, en jouant les bouffons mais, dans le même temps, il gouverne le rire et puis le personnage interprété est, malgré tout, autre que lui. Bref il ne découvre à l'honorable compagnie rien d'autre que ce qu'elle a fait sciemment de lui. Socialisé par la dérision, il tente de se faire instituer comme représentant qualifié de tous les risibles ; l'aspect *social* de l'entreprise le protège contre toute tentation de se dévoiler dans sa vérité de solitaire : au niveau du comique, ces vérités-là n'ont pas cours, on ne les conçoit pas puisque l'acteur ne fait rire qu'en se désolidarisant de lui-même. Du commencement à la fin, tout est public : cela débute par un « *impact* » des autres sur Gustave et cela devrait finir par un « *impact* » de Gustave sur les autres. Triomphe ignominieux, certes, mais où l'enfant n'a rien à perdre. Tout à coup, l'entreprise est *refusée* : le petit garçon reste risible, on lui refuse le droit de se faire comique, c'est le rejeter dans sa vérité de solitaire ; mieux, c'est lui dévoiler sa subjectivité *non socialisée*. En fait l'intériorité même, à son plus profond, nous l'avons vu, a été, chez lui, façonnée par les autres et la prise de conscience qu'il fait présentement de son anomalie, ce sont les autres qui la provoquent en refusant qu'il élabore socialement la risibilité dont ils l'ont affecté. Puisque la littérature, au départ, c'est, pour l'enfant, l'art dramatique *refusé*, elle se présente à lui comme son insociabilité — son exil en lui-même. Le refus circonscrit et sanctionne son *anomalie* : risible, il l'est déjà — donc objet de scandale mineur — mais en lui interdisant d'exploiter son caractère social, on l'oblige à se défendre *en se prenant au sérieux*. À la comédie, il demandait l'institution de son être-autre, c'est-à-dire de son être-pour-autrui ; débouté, il demande à la littérature de l'instituer — contre sa dimension sociale, qui demeure mais qu'on lui défend d'exploiter et qu'il doit subir dans l'humilité — dans son être-pour-soi, qu'il vivait jusque-là dans l'étourdissement de l'immédiat ; le résultat : contre le rire, il pleure par écrit ; ses premiers ouvrages, à peu d'exceptions près, sont sinistres. On dira qu'il les a faits sous l'influence du romantisme, de sa triste vie au collège ; et dans une certaine mesure, que nous apprécierons plus loin, on n'aura pas tort. Mais n'oublions pas que l'auteur de *L'Amant avare* avait lu, déjà, des tragédies et des drames et qu'il n'était pas heureux : il n'a pourtant écrit que des pièces comiques, à l'époque. Et puis ses relations, au collège, ne devaient pas tant lui déplaire, dans le commencement, puisqu'il invite des collégiens au billard pour bouffonner devant eux. La raison principale du changement à vue, c'est qu'on le ramène à l'intériorité et qu'elle lui apparaît comme elle est, pour la première fois de sa vie : un nœud de vipères ; ce qu'il dépassait dans la parade comique devient à présent l'indépassable ; non que l'intériorité se pose pour soi : c'est le refus extérieur qui réduit Flaubert à n'être plus que ce malheur ingrat et ce ressentiment. Si du moins le hasard en avait fait un narcissiste. Mais non : il ne s'aime guère. En sorte que ses « *cris écrits* » ne peuvent être, au service de l'indépassable, que de la haine criée contre autrui et du dégoût proclamé de soi-même. En même temps les phrases assouvissent d'étranges désirs noirs qu'il ne se connaissait pas. Le plus frappant, peut-être, de ce point de vue, ce ne sont pas les textes que nous avons interprétés dans notre première partie mais les plans de « mélodrames » qu'il a conçus sans jamais les traiter tout à fait. Au travers des fabulations de son désespoir, on surprend l'étrange « roman familial » dont j'ai parlé plus haut : sa mère est violée ou séduite et abandonnée. De toute façon, dépucelée dans le mensonge ou dans l'horreur, la misérable accouche de lui, on lui prend l'enfant, elle roule au ruisseau. Pour finir Gustave, au bordel, se la fait pour cent sous. Ayant reconnu — trop tard — son fils dans son amant, l'infâme se jette sous les roues du corbillard qui le porte en terre. Quelle est cette pleureuse, cette victime, cette femme bafouée dans ses sentiments les plus sublimes ? Eh, nous l'avons vu, c'est Mme Flaubert et c'est Flaubert en personne. Mais comment l'enfant est-il passé de la comédie bouffe à ces élucubrations perverses et moroses ? Tout simplement parce qu'il ne se donne pas de rôle dans les pièces qu'il prétend écrire. L'auteur-acteur ne pouvait faire que des farces puisqu'il s'agissait pour lui de se ménager des « rôles en or » ; l'acteur ayant pris congé, l'auteur rêve de composer pour le théâtre mais, la consigne de faire comique ayant disparu, il y a changement à vue et les pièces en chantier virent au noir absolu car elles ne sont plus — au même titre que ses autres écrits — un moyen social de produire aux yeux de ses bourreaux le monstre qu'ils ont fait de lui mais un effort nocturne et masturbatoire pour donner de la consistance à ses rêves rancuneux, à ses désirs interdits, à ses humeurs, en les *déposant* sur le papier.

Par cette raison, son attitude envers son nouvel état est ambivalente : il veut et ne veut pas être là. Qu'un autre masturbé, la nuit, s'il trouve, par hasard, un manuscrit de Gustave, le lise à la chandelle, en se cachant de sa famille, pour y trouver la confirmation de ses terreurs et le trouble assouvissement de ses désirs, l'écrivain-malgré-lui ne manque pas de le souhaiter : c'est que ce lecteur est, par définition, le contraire d'un rieur ; il est désarmé par la solitude. Encore le jeune Flaubert n'a-t-il pour cet *Alter Ego* qu'un minimum de sympathie : trop proche, pendant ses fêtes nocturnes, pour conférer aux œuvres un *être-objectif* véritable, il reste d'un instant à l'autre susceptible de se mêler à ses camarades et de moquer tout à coup l'imbécile qui, peu auparavant, lui faisait verser des larmes ; le mieux serait qu'il se tuât, comme ce fut de mode après la publication de *Werther*. De toute manière, le danger de la littérature est là : en exprimant par des mots écrits son sentiment intime, Gustave le risible donne aux rieurs de nouvelles occasions de rire ; s'il leur parlait, sa présence, sa force, sa conviction, sa voix pourraient peut-être freiner leur hilarité ; mais il s'est coulé dans les graphèmes inertes qui ne sont que ce qu'ils sont ; le voici tout nu, à la renverse, prisonnier de ces pages barbouillées, sans défense, qu'on peut interpréter comme on veut, sur lesquelles peut tomber un froid regard chirurgical ou qu'une bande de jeunes drôles peuvent voler pour les lire à haute voix en se tapant sur les cuisses. C'est contre cela que Gustave tentera plus tard de se prémunir par l'« impersonnalisme », ensemble de procédés qui visent non point à supprimer la *présence-en-personne* de l'auteur mais à la dérober aux jobards qui liront ses livres. En attendant, d'un bout à l'autre de son adolescence, il n'écrit que pour se plaindre et crève de peur qu'on ne se moque de ses plaintes [1]. D'où sa double écriture, agressive et déplaisante : il s'abandonne et se prend au sérieux pour aussitôt se moquer de lui-même *le premier*. Celui qui se désolidarise de soi le premier, nous l'avons vu, risque d'échapper au rire collectif ou, tout au moins, de mettre les rieurs de son côté. Mais, s'il ne s'agit pas d'un hasard, d'une circonstance inattendue qui l'a rendu provisoirement risible, quelle pénible attitude ! En toute occasion, on se guette, on se déchiffre, on surveille son discours pour y surprendre avant les autres les calembours qu'on a faits sans intention, les allusions involontaires et malheureuses à des événements trop connus, etc., etc. : les souffre-douleur, au collège, sont ainsi ; il leur est défendu de rire des autres mais ils restent libres de rire de soi, quitte à provoquer chez les bons Pharisiens qui les entourent le mépris que nourrit l'honnête homme pour celui qui se tourne lui-même en dérision — « pour faire l'intéressant », disent ces braves cons, alors qu'il ne s'agit pour les infortunés que d'éviter les grincements qui les isoleraient et de les compenser, en tout cas, en les dénonçant quand ils se produisent. Tel est donc Gustave auteur, dans le temps de son adolescence : il s'abandonne à se plaindre et se hâte de se désolidariser de ces plaintes en les déclarant risibles. Bref ses écrits sont clandestins dès le départ : il les protège de l'Autre en les mettant sous clé dans ses tiroirs et, dans le texte même, par le recours au rire. Ce nouvel avatar permettra de mieux comprendre l'évolution du comique, chez l'adolescent, et comment il passe d'objet risible à sujet du rire (non plus en gouvernant le rire des autres mais bel et bien en se l'appropriant pour le transformer en un piège, attirant les autres à rire de lui-même pour qu'ils se constituent risibles par leur rire même et pour qu'il puisse enfin les découvrir comme objets purs de sa dérision), bref comment il passe de *Poursôgnac* au dieu Yuk. Au moment présent, il emprunte le rire des autres pour prévenir d'intolérables moqueries, pour proclamer avant ou après ses plaintes : lecteurs, ce sont des jérémiades, ne vous gênez pas pour vous en gausser, je les transcris pour vous divertir et je ne me prends pas au sérieux. Mais, précisément, il *se prend au sérieux*, son ironie n'est que de précaution, elle grince ou plutôt

---

1. « Si je me hasarde à montrer (ces pages) à un petit nombre d'amis, ce sera une marque de confiance... » (*Un parfum à sentir : Deux mots*). « Peut-être riras-tu plus tard... en rejetant les yeux sur les pensées d'un pauvre enfant... qui t'aimait par-dessus toute chose et qui avait déjà l'âme tourmentée de tant de sottises » (*Agonies* : dédicace à Alfred). « Et puis le Christ pleura... et Satan poussant un plus horrible rire que celui de la mort... » (*Ibid.* Conclusion). Etc., etc.

elle est jouée. Par là, elle lui découvre qu'elle est *altérité*, point de vue des autres sur lui-même, et que, d'une certaine manière, il la leur a volée, qu'il en connaît les ressorts et peut retourner contre eux leur hilarité. Du point de vue de Gustave, la démarche est capitale. Mais on peut aussi — nous y viendrons bientôt — y voir la transformation, *par le travail*, du comique primaire (le bouffon se livre aux hommes qui le tiennent pour un sous-homme) à une de ses formes secondaires (en riant de soi, le comique rit de sa nature humaine et le rire qu'il provoque chez les autres délibérément tourne en dérision par eux et en eux le genre humain tout entier). Il n'en demeure pas moins qu'à cette époque, ce mélange d'abandon candide et d'humour noir n'est qu'à lui.

Reste à montrer quelle est, en sa treizième année, cette intériorité passionnée et sinistre à laquelle un souverain refus l'a renvoyé. Dirons-nous qu'il la découvre ou qu'il la crée ? L'un et l'autre. En vérité, elle existait déjà implicitement comme ce qu'il tentait de dépasser vers l'être de l'acteur, comme l'humus profond mais inconnaissable d'où il tirait, par sa confiante inspiration, les plus comiques de ses effets, autrement dit comme *ce qu'il devait ne pas prendre au sérieux*. Il a voulu, nous le savons, fuir sa déréalisation en *se réalisant acteur*. Acteur refusé, il se retrouve dans sa *déréalité constituée* d'enfant imaginaire. Mais celle-ci, depuis ses jeux avec Caroline, s'est enrichie d'un contenu négatif ; à l'origine, ce n'était que l'amour refusé, que le *pathos* vécu mais dénoncé de l'extérieur comme un mensonge ; à présent, la castration originelle s'est deux fois répétée : il y a eu la Chute puis la vocation contrariée ; le ressentiment se découvre et se travaille, tout le vécu que nous avons décrit dans la première partie tend à s'expliciter, à se poser pour soi : n'est-ce pas en lisant ses premières œuvres que nous avons pu déchiffrer les intentions profondes de ce cœur déchiré ? Jalousie, envie, rancunes, misanthropie, fatalisme, scepticisme, lutte de deux idéologies opposées, tout est là ; à treize ans, « le pire est toujours sûr », il n'en démordra plus. Mais ce *pathos* induit, pour s'être développé et largement explicité, n'en reste pas moins *déréalisé*. Il souffre, il déteste, il enrage, c'est sûr, mais il n'arrive jamais à se convaincre tout à fait qu'il ressent ses passions *pour de vrai*. C'est d'abord qu'elles n'enveloppent pas la puissance affirmative : elles se déchaînent et l'emportent comme des forces naturelles mais il est privé, par sa passivité constituée, de toute possibilité de les assumer ou de les combattre ; par là même — et par le regard chirurgical qui les désarme — il subit leur violence comme un rêve

sans pouvoir les *reconnaître* ni statuer sur leur réalité ; le voici donc
revenu à l'insécérité première, incapable de savoir s'il souffre pour
de vrai ou s'il joue à souffrir et, du coup, truffant ce *pathos* ressenti mais sans visa de sentiments imaginés — tel que le Grand
Désir, dont nous avons parlé plus haut — dont il s'affecte mais
qu'il ne subit point ou, plus précisément encore, dont il ne sait si
ce sont les siens propres ou ceux d'un autre qu'il s'appliquerait à
ressentir correctement dans toutes leurs phases mais *en imagination*. En d'autres termes, le bouffon social, après ce nouveau bannissement, rejeté vers une solitude *autistique* où ses pensées se
développent sans aucun réducteur, loin de s'y trouver lui-même
comme *personne*, se voit tout à coup plongé dans le monde impitoyable et sombre de l'imagination, intérieur et extérieur, subjectif et objectif, rapport mouvant d'un macrocosme illusoire avec
une illusion de microcosme, où tout est ressenti « entre parenthèses » par *Il* et par *Je* indistinctement. Auparavant, je l'ai dit, cet
ensemble trouble s'engloutissait dans l'*interprétation* ; à présent,
celle-ci lui est interdite. Certes, il ne se privera pas de *jouer des
rôles* devant ses pairs ni de se montrer à ses intimes par le truchement de ce que j'ai appelé plus haut la *geste*. Mais l'orgueil l'empêche de se livrer aux autres dans toute sa déréalité : vassal, il donne
à voir la *geste* du Seigneur ; au collège, il joue le *rôle* du méchant
gargantuesque ; pour *tout le reste*, pour toute sa misère et sa honte,
il n'a qu'un moyen d'expression : le mot. Ses inconsistantes affections ne prendront de la consistance qu'en se déposant sur le papier ;
la plume seule transformera sa déréalité en irréalisation. Réduit au
monologue, parlant seul et ne sachant *qui parle en lui* ni *à qui*, ni
ce que cet *en lui* veut dire, il n'échappera à la désintégration totale
qu'en se personnalisant *au moins* comme celui dont l'office est de
transcrire les voix qu'il entend.

Voilà donc l'option nouvelle ; on peut dire qu'elle s'est faite sous
la contrainte et dans l'urgence ; rejeté dans la déréalisation, il ne
s'agit pas pour l'enfant de *s'exprimer* par des mots mais de se personnaliser par eux. Il sera l'*auteur*, soit. Mais ce choix d'une muti-
lation imposée ne peut manquer de lui présenter la *chose littéraire*
comme un ensemble confus de contradictions. Objectivement
l'auteur se place plus haut que l'acteur ; subjectivement, pour Gustave, c'est le contraire. Entre ces deux systèmes axiologiques il y
a l'incompatibilité pure et simple. Mais leur antagonisme n'est pas
franchement vécu : en premier lieu, l'Autre est souverain, c'est lui,
aux yeux de l'enfant, qui tient les clés de la réalité ; si le passage

de l'art dramatique à l'art littéraire est tenu pour un progrès, il faut que ce soit vrai ; la *vraie* gloire est celle de Hugo, non celle de Kean. Cette affirmation de l'Autre, en lui, est d'autant plus éclatante qu'elle est, en profondeur et sournoisement, reniée par le vécu : Gustave *tombe de haut* dans la littérature, il la subit, il éprouve contre les mots un ressentiment secret. En conséquence de quoi, l'objet littéraire lui apparaît d'abord comme ambigu ou plutôt comme singulièrement décevant. L'ambivalence de Gustave en ce qui concerne sa nouvelle entreprise se marque par l'alternance de ses enthousiasmes et de ses dégoûts. Il entrevoit un sujet qui lui paraît grandiose et qui n'est autre, nous le savons, que la totalisation. À ce niveau d'abstraction, peu importe que l'entreprise totalisatrice soit le fait de l'auteur-acteur ou celui de l'écrivain : quelle que soit la façon de l'aborder, l'œuvre — c'est l'essentiel — n'en sera pas moins le Tout pris au piège. Il brûle, les joues en feu il se jette à écrire, la désillusion vient par le mouvement même de sa plume : ce n'est pas cela qu'il voulait ; il souhaitait crier, se pâmer, et qu'a-t-il à faire des gribouillis muets qui sèchent sur son papier ? Le voilà qui abandonne : rappelons-nous *Un parfum...* repris, laissé, repris : un jour de travail, un mois sans rouvrir son cahier, une semaine pour les cinq chapitres suivants puis, après un nouveau silence dont nous ignorons la durée, deux jours pour écrire les sept derniers chapitres et la conclusion : on dirait qu'il se hâte, à la fin, pour venir plus vite à bout d'une tâche qui l'écœure. Ce n'est pas tout à fait cela : disons qu'il s'abandonne à l'inspiration dans la mesure où celle-ci est oratoire et que les mots le déçoivent dans la mesure où ils se détachent de son monologue intérieur pour devenir — par une transsubstantiation qui ne manque jamais de le surprendre — des carapaces noires d'insectes morts ; ambiguïté dont nous savons les raisons : il se plaît à pousser jusqu'au bout son éloquence, *en même temps* la désillusion l'envahit et il prend le mors aux dents pour *en avoir fini* au plus tôt, avant que l'ennui le prenne et l'oblige à plaquer tout, laissant l'ouvrage interrompu. Il ne s'agit pas ici d'une insatisfaction qui porterait sur ses insuffisances d'auteur : le dégoût vient après, quand il se relit. Ce qu'il ressent profondément, sans toujours l'expliciter, c'est l'insuffisance du langage écrit : chaque phrase lui apparaît, sur le papier, comme un appauvrissement de ce qu'il prétend concevoir ou sentir et qui n'est, en fait, que la richesse sonore — et imaginée — de son éloquence. À la relecture, il recense ses défauts : tout se passe comme si, pendant le travail, il pensait obscurément : cet instrument n'est pas fait pour moi et, plus tard, comme si, relisant avidement son ouvrage pour y trouver des traces de talent, il concluait : je ne suis pas fait pour jouer de cet instrument. N'allons pas croire qu'il a horreur d'écrire : il prend plaisir au contraire à écouter les mots qui jaillissent dans sa tête ; disons plutôt que ce plaisir lui est sans cesse gâché par la nécessité de *transcrire*. Et qu'il conserve, à l'époque, une sourde animosité contre sa propre entreprise. Animosité, malaise cachés sous l'exubérance de l'inspiration : voilà comment il *vit*, au début, ses rapports à la littérature.

Autre contradiction qui, tout comme la première et par les mêmes raisons, loin d'être un affrontement de principes opposés, se manifeste comme une ambiguïté objective : son style *bruit*, entendons qu'il existe, dans ses phrases, une rémanence du sonore : nous avons énuméré, plus haut, les principales conséquences de cette *suraudibilité* ; mais il n'ignore pas, en même temps, que sa tâche d'écrivain est d'avantager le *visible* pour compenser la disparition du sonore et de ses accompagnements gestuels. Il y a plus : la primauté du phonème se maintient en sourdine, avec tout ce qu'elle comporte pour Gustave de socialité immédiate — c'est son *être-public* refusé — cependant que la structure du graphème renvoie nécessairement le jeune auteur à une solitude qu'il ne peut assumer — c'est en effet celle de la déréalité et non un isolement *réel*. À ce niveau, nous pourrions dire sans exagérer que l'ambivalence de son entreprise se traduit en ceci qu'elle le fascine (vertige du soliloque et de la masturbation, tentation perpétuelle de quitter le « rire rabelaisien », son nouveau rôle public, pour les mornes et louches commodités de la tristesse et de pousser à l'extrême, dans l'imaginaire, son anomalie) et qu'elle lui fait peur (comme justement l'onanisme et l'enlisement en une bouderie narcissiste peuvent effrayer un enfant bourgeois et truffé d'interdits).

Ce qui, d'ailleurs, contribue à voiler ces antinomies, c'est que le *pater familias* n'a guère plus d'indulgence pour les gens de lettres que pour les comédiens. Certes le métier d'écrivain ne déshonore pas mais il n'en demeure pas moins indigne d'un Flaubert. Sur ce point, la pensée d'Achille-Cléophas devait être plus nuancée : il admirait Montaigne, je suppose, puisqu'il le cite dans une lettre à Gustave. Et Voltaire. S'il avait acquis, par quelque monition surnaturelle, la certitude que son cadet se serait égalé plus tard à l'un ou à l'autre de ces grands hommes, il se serait, peut-être, laissé attendrir. Mais il n'était que trop sûr du contraire : son fils n'avait pas la tête trop bien faite, il ne s'élèverait jamais au niveau de ces moralistes. Le praticien-philosophe qui se piquait lui-même de bien écrire — comme le prouvent les élégances appliquées de sa thèse — jugeait à la fois que la littérature est à la portée de tous (un bon esprit cultivé et qui connaît bien sa langue maternelle est toujours capable de trousser un billet ou de ficeler un discours) et qu'il faut être une forte tête, une intelligence aiguë, un génial observateur des mœurs humaines pour oser sans ridicule s'y spécialiser. Gustave était parfaitement renseigné sur ce point. Son père n'ignorait pas qu'il écrivait et n'y voyait pas de mal pourvu que les études du jeune homme n'en souffrissent point ; sans doute eût-il accepté l'idée que son fils, devenu médecin, sous-préfet, procureur ou notaire, dût publier un jour à frais d'auteur quelque plaquette de poésies rédigées à ses moments perdus mais il ne concevait pas qu'on pût consacrer sa vie à cette occupation futile. Ainsi l'interdit demeurait et l'enfant, qui en était conscient, sentait bien qu'il restait, en écrivant, sur le plan de l'imaginaire, qu'il jouait à l'écrivain : l'aspect ludique de cette activité le détournait d'enquêter sur ses aspects contradictoires. Comme il ne rencontrait pas, chez ses proches, le même inflexible refus qu'ils avaient opposé à sa vraie vocation, Gustave n'éprouvait ni la passion ni l'emportement sadique et masochiste qui le tourmentaient alors, il ne rêvait plus de s'affirmer contre eux par la « gloire du vaurien » : au début, du moins, il se borne à vivre en concubinage avec la littérature sans décider s'il est fait pour elle ou si, comme il dira bientôt, l'Art est la plus sublime et la plus décevante des illusions ; il ne craint pas non plus tout à fait qu'on lui interdise un jour de s'y consacrer. En tout cas, si interdiction il y a, celle-ci n'aura pas le caractère d'un anathème ; on pourra la combattre ou la tourner (nous verrons plus tard la lutte sans merci qui opposera Gustave à son père et l'activité passive du premier à l'activisme volontariste du second) ; moins menacée, cette nouvelle occupation n'a pas la fragilité déchirante de la première ; il est moins tenté de s'y cramponner désespérément. C'est par ces raisons qu'il ne se presse pas de jeter son deuxième défi à la face de sa famille — « *Je serai l'écrivain* » — et d'engager par un serment précipité son avenir tout entier. Il écrit entre parenthèses, comme ça, sans trop se soucier de savoir pourquoi ni de forcer ses intentions immédiates : la littérature est un jeu morne et solitaire, il y joue faute de mieux, sans plaisir vraiment pur mais sans ignorer que, tandis qu'il feint d'écrire, quelqu'un ou quelque chose, au fond de lui, est en train de le prendre au sérieux — ce qui provoque en lui, plutôt que de la joie, une profonde inquiétude.

Voici donc un enfant qui s'était lancé dans une formidable entreprise à laquelle il se croyait voué. On le déboute, il est contraint
de se spécialiser dans une activité qui correspond, selon lui, à une
phase inessentielle de la première ; il écrivait comme il clouait les
planches de son théâtre : pour jouer la comédie. Ce moyen de
moyen devient pour lui sa fin indépassable ; le choc serait à peine
plus rude si, pour avoir planté des clous avant de jouer *Poursôgnac*, il se retrouvait soudain menuisier. La métamorphose est en
tout cas plus radicale puisqu'il est renvoyé de la socialité à l'autisme
et qu'il découvre en lui, sans trop savoir *qui* les pense, un grouillement confus de pensées qui lui font horreur. Du même coup, son
problème essentiel semble perdre toute chance d'être résolu : il
devait se faire instituer par les autres comme centre de déréalisation *dans son corps*. Fini : le corps est rendu à sa réalité animale,
l'irréalité demeure en son âme. On le dépouille de sa grande voix
comique, de ses gestes bouffons, il sent sa frustration dans le dégoût
à chaque mot qu'il trace. Mécontent, inquiet, il pense à chaque instant qu'on lui a fait lâcher la proie pour l'ombre. S'il en est ainsi,
une question s'impose : pourquoi s'obstine-t-il à écrire ? Pourquoi
tout ce labeur ? toutes ces pages passionnément griffonnées ? Si la
littérature est un pensum, pourquoi en fait-il de si bon appétit ?
D'autres, sans doute, auraient tout plaqué, quitte à devenir fous
ou imbéciles. Par quel sublime ou stupide héroïsme, Gustave
s'obstine-t-il à suivre un chemin dont il croit savoir qu'il ne le
mènera nulle part ? Comment peut-il, dans le même ouvrage, nous
indiquer clairement ses dégoûts d'écrivain et s'écrier tout à coup :
« Vous ne savez peut-être pas quel plaisir c'est : composer ! Écrire,
oh ! écrire, c'est s'emparer du monde, de ses préjugés, de ses vertus et le résumer dans un livre ; c'est sentir sa pensée naître, grandir, vivre, se dresser debout sur son piédestal et y rester
toujours [1] » ? Cela ne se peut comprendre à moins que la deuxième
castration n'ait été à l'origine d'une progressive *conversion*. C'est
ce qu'il nous faut étudier à présent.

1. Fin de *Un parfum à sentir*.

Scripta manent

La conversion apparaît ici comme une phase de la personnalisation : il ne s'agit plus seulement d'intérioriser ce qu'on subit ni même de l'assumer dans l'unité du stress ; dans le cas de Gustave, il s'agit en outre d'*accompagner* l'impulsion qui lui fait faire un tête-à-queue brutal, de la diriger peu à peu et, après une rotation de 180°, d'assumer sa situation en la dépassant vers un *ailleurs* défini et posé par une option nouvelle et spontanée, comme si ce bouleversement devait être la chance de sa vie.

Une précaution d'abord : la littérature, chez Gustave, naît d'une vocation contrariée, elle en portera toujours la marque. Mais je rappelle que cette vocation originelle n'était aucunement un don, au sens où l'on a coutume de prendre ce terme : il ne s'agissait ni d'une plénitude ni d'une capacité mais d'un besoin ; Gustave, comme acteur, n'est pas *doué*[1] ; s'il joue la comédie, c'est pour lancer un appel d'être en exploitant les moyens du bord, c'est-à-dire sa déréalisation même. Mais, dira-t-on, ne regrette-t-il pas lui-même de n'avoir pas été encouragé ? Bien dirigé, ne pouvait-il s'imposer au public et connaître la gloire sur les planches ? Je réponds que la question est privée de sens : Gustave, justement, n'est pas Kean et il le sait fort bien : fils de famille, sa vocation première est née *pour être contrariée*. Et s'il s'était révolté ? S'il s'était enfui de la demeure paternelle ? Alors, il n'aurait pas été *ce* Gustave dont nous savons que toute révolte active lui est interdite. Nous ne pouvons faire qu'une seule demande sensée : le comédien amateur qu'il *a été* — devant ses camarades, sa famille, ses confrères — quand il tenait ses *rôles* favoris, le Garçon, l'Idiot,

---

1. Personne ne l'est.

le bon Géant, l'Excessif ou Saint Polycarpe —, que valait-il ? était-il convaincant ? Pour le savoir, il faut nous en tenir aux témoignages de ceux qui l'ont vu. Ils sont variables d'un témoin à l'autre et, pour certains, d'un moment à l'autre ; il a fasciné parfois ou inquiété : les Goncourt, après la danse de l'Idiot, restent tout stupides ; son père prenait peur quand il imitait le Journaliste de Nevers. Il entraîne, parfois — de là son ascendant sur ses condisciples — mais surtout il harasse ; et puis on le perce vite à jour : Jules et Edmond ont très vite senti dans son jeu quelque chose de grinçant et de faux qui tuait l'illusion. Plus tard ni Laporte ni Lapierre ne croyaient à Polycarpe ou au Géant : ils jouaient les convaincus, par amitié, pour lui plaire. Mais l'essentiel, ici, c'est qu'il est fait pour incarner *un seul* personnage — car tous ses avatars se ressemblent — non point tout à fait le sien mais la *persona* qu'il veut paraître aux yeux des autres et que nous décrirons dans un prochain chapitre. Ainsi sa vocation première ne semble guère plus que la réaction la plus simple et la plus immédiate à sa déréalisation : et j'entends bien que celle-ci et, tout autant, sa passivité constituée et son pithiatisme auraient pu le servir s'il était monté sur les planches. Mais outre que ces déterminations n'auraient pas suffi, chacune d'elles est avant tout négative. Par cette raison, l'acteur refusé, en lui, ne pouvait gêner l'écrivain débutant, à la façon dont une géniale exubérance, un trop-plein d'énergie orientée eussent pu à chaque instant contrarier ou dévier son inspiration ou son travail littéraires. Ce n'est rien : tout juste un vide, un manque à gagner, une nostalgie. La nouvelle solution enveloppe en elle-même la solution refusée, elle se fait négation et, par là même, risque de mieux s'approcher de la positivité ; en même temps qu'elle *subsiste dans* ce dépassement qui change les termes mêmes du problème, la première vocation *coexiste avec* celui-ci, sans institution ni visa, comme besoin sauvage de jouer les rôles publiquement, ce qui, d'une certaine manière, donne licence à l'écriture d'être plus rigoureuse, moins éloquente, puisque les improvisations de Gustave lui permettent de se défouler par la voix.

À l'origine donc la littérature apparaît comme une solution de remplacement, à la fois urgente et douteuse. Le problème reste le même : cet enfant n'est sûr de rien ; peut-être imagine-t-il qu'il existe ; comment donner à l'imaginaire une consistance qui le rapproche du réel ? Quelque chose a changé pourtant dans les données ; le refus castrateur a relégué Gustave dans un autre secteur de l'irréel : celui des images qu'on appelle improprement « menta-

les » et que le romantisme a baptisé le domaine du « rêve ». Jusque-
là, il va sans dire qu'il rêvait déjà mais sans donner de statut particulier à ses songeries : prises entre les extases [1] et la comédie [2], les
images fuyantes, en lambeaux apparaissaient et glissaient dans
l'oubli au gré d'un monologue intérieur (nous allons y revenir) qui
restait assez pauvre. Au début il ne songe pas du tout à faire de cette
imagerie la matière de son art. C'est qu'il est comédien. À Ernest, au
contraire, il abandonne très volontiers ces exercices de plume : « Si
tu veux nous associer pour écrire moi, j'écrirait des comédie et
toi tu écriras tes rêves et comme il y a une dame qui vient chez papa
et qui nous contes toujours des bêtises je les écrirait. » La division
du travail est clairement indiquée : à moi l'art dramatique, à toi
la littérature [3]. Il est frappant que le rêve — qu'il faut prendre ici
au sens de rêverie poétique — ne lui apparaisse d'abord comme
digne d'être transcrit que dans la mesure où c'est celui d'un autre.
Ernest lui faisait part sans doute de ses projets d'avenir, de ses souhaits, de ses regrets ; peut-être allait-il jusqu'à inventer des histoires mélancoliques et douces dont il était en tout cas le principal
personnage. On sait qu'il était un peu plus âgé que Gustave : dix
ans, ce n'est pas trop tôt pour rêver de passions tendres, d'amour
chevaleresque. Le jeune Chevalier était-il, à cette époque, plus
romanesque, plus « romantique » que Gustave ? Celui-ci, en 1831,
marque qu'il possède déjà une culture assez étendue mais *classique* exclusivement. Imaginerons-nous que son ami lui confiait ses
jeunes émois ? C'est vraisemblable. Évidemment, la satire burlesque des épiciers en uniforme qu'Ernest écrira peu après sous le nom
de *Soliloque d'un Garde national* — et qu'il donne en contribu-
tion à la dixième soirée du journal *Art et Progrès* — ne semble pas
marquer chez lui une forte propension aux méditations poétiques.

1. Ou hébétudes.
2. Toute la geste qui tente de lui faire ressentir à l'extrême ce qu'il ne ressent pas
assez à son gré.
3. D'après ses lettres et ses écrits de l'époque on peut dire que Gustave divise la prose
en cinq secteurs : le *discours* (« Éloge à Corneille », « Discours politiques »), l'*histoire*
(il offre à sa mère, en 31, un résumé du règne de Louis XIII), le *document humain* d'origine orale (transcription de choses entendues : la dame qui dit des bêtises...), le *théâtre*
et le *rêve*. Sans doute, il écrit aussi des poèmes (« Épitaphe au chien de M. D... », etc.),
mais ceux-ci sont en général de circonstance et ne s'inspirent certes pas des *Méditations
poétiques*. La lettre du 31 décembre 1831 nous apprend, somme toute, que sur ces cinq
secteurs, deux sont, aux yeux de Flaubert, privilégiés : la *comédie* qui, à sa façon, ramasse
en elle le document et le discours puisqu'elle est pour lui l'aboutissement de la littérature
orale ; le *rêve* qui, au contraire, vient directement du cœur : ici les mots remontent des
profondeurs à la plume sans passer nécessairement par le stade oral.

Mais, bien que le personnage qui parle à la première personne soit un ridicule *composé* sans aucune projection lyrique de l'auteur, le *Je* d'Ernest semble plus structuré, plus affirmatif que celui de Gustave (tel qu'il apparaît dans *Le Voyage en enfer*), plus étroit, aussi. Ce Je-là peut fort bien s'abandonner à un onirisme dirigé sans perdre jamais sa vigilance. Il semble bien d'ailleurs que le futur procureur se soit abandonné, entre 39 et 40, aux mélancolies d'un romantisme bourgeoisant : il lit Rousseau [1], admire George Sand, ressent des effusions religieuses [2], braille des sanglots, envoie à Gustave scandalisé des épîtres graves et poétiques sur l'amitié [3] et, curieusement, à dix ans de distance, retourne à Gustave la proposition que celui-ci lui avait faite en 31 : « Tu me dis de te dire quels sont mes rêves [4]. » À cette époque, Gustave lui reproche avec hauteur le ton élégiaque de ses lettres : « Qu'avais-tu donc, le jour où tu m'as écrit ? Ignores-tu encore que, d'après la poétique de l'école moderne (poétique qui a sur les autres l'avantage de n'en être pas une), tout Beau se compose du tragique et du bouffon ? Cette dernière partie manque dans ta lettre [5]. » Nous apprendrons plus tard, par une lettre que Gustave adresse à sa mère en 1850, que « Chevalier, lui aussi, a été artiste : il portait un couteau-poignard et *rêvait* [6] des plans de drame ». « Comme Antony », précisera la *Préface aux Dernières Chansons*. Bref il est fort vraisemblable qu'Ernest est passé d'une voluptueuse et sombre tristesse à un sérieux de fer : parfait exemple de ce que Drieu appelle « rêveuse bourgeoisie ». L'important, c'est que Gustave, rêveur clandestin, découvre le rêve par les confidences orales d'un autre, comme si l'abandon à soi, l'intimité douce-amère avec soi lui venaient de l'extérieur par le discours et lui découvraient du dehors à la lumière de l'altérité ses propres moiteurs et sa louche promiscuité avec lui-même. Il le fallait : son Ego n'était pas assez fortement structuré pour qu'il assumât le discours anonyme qui se tenait en lui avec les mots des autres. Toujours est-il que l'enfant, en 31, tout en reconnaissant que le rêve fournit le matériau de la littérature, n'entend pas cultiver ses songes ni surtout les coucher par écrit, soit qu'il ne croie point en avoir, qu'il les juge indignes d'une trans-

1. *Correspondance*, t. I, p. 35. L'influence du « Vicaire savoyard » est manifeste.
2. 15 avril 39.
3. 19 janvier 40.
4. 14 janvier 41.
5. 19 janvier 40.
6. C'est moi qui souligne.

cription ou qu'il tienne le genre littéraire pour inférieur. On dirait un dialogue de sourds entre un extraverti, Gustave, uniquement soucieux de découvrir « le monde, ses préjugés et ses vertus » et un introverti, Ernest, attentif aux seuls mouvements de son cœur. On sait que cette apparence ne résiste pas à l'examen : Ernest s'adaptera fort bien aux réalités de sa vie ; l'extroversion de Gustave n'est en vérité que l'impérialisme d'une introversion conquérante. Il n'en demeure pas moins que, dans les années 30, le cadet Flaubert veut conquérir l'objectivité par le théâtre et renvoie son ami à l'exposition d'âme, c'est-à-dire à sa subjectivité.

Or, après le refus castrateur et l'entrée au collège, Gustave à qui l'on vient, à la lettre, de *couper le souffle*, se trouve condamné malgré lui à la vie intérieure, c'est-à-dire à une déréalisation qui ne peut s'extérioriser ni par les gestes ni par la voix. La famille refuse sa vocation et, nous le connaissons, il se soumet dans le ressentiment : *en lui-même aussi* son univers déréalisé ne postule plus de s'exprimer par de bruyants épanchements ; entre l'intériorité et l'extériorisation le courant est interrompu. Quant à ses camarades, il se figure qu'ils l'épient ; si les hébétudes ou les extases le surprennent en classe, en étude, et qu'ils s'en avisent, ils éclatent de rire : la dérision paternelle le poursuit jusque sur les bancs du vieil établissement. L'inversion est complète : son vain désir de réaliser son irréalité le poussait à communiquer ce qu'il ressentait et, par voie de conséquence directe, à *ressentir pour communiquer*. L'universel ostracisme, à présent, intériorisé en interdit majeur, l'oblige à considérer les mouvements de son cœur ou de son esprit comme non-communicables. À vrai dire, il ne s'agit que d'un impératif hypothétique : si tu ne veux pas qu'on se moque de toi... Mais l'orgueil et le radicalisme de cette âme ulcérée ont tôt fait de le transformer en impératif catégorique : nous connaissons la musique et comment la victime veut pousser jusqu'au bout sa cruelle obéissance pour se faire bourreau de ses bourreaux. Gustave va plus loin encore et, par ressentiment, il transforme l'interdit en impossibilité : ce qu'il ressent est *par principe* indisable, les hommes ne communiquent pas entre eux. C'est poser pour lui-même l'imaginaire intérieur car, pour s'être replié sur soi, Gustave n'en demeure pas moins déréalisé. Mais, du même coup, par un processus intentionnel d'autodéfense, c'est valoriser, contre l'ennemi vainqueur, l'imaginaire en tant que non-réel et non-être. Se retirer en soi, pour le petit garçon, ce n'est pas retrouver sa vérité contre l'universel mensonge, mettre un terme au doute par l'affirmation d'un *Cogito* :

c'est fuir le réel qui se refuse, fuir les quatre murs de l'internat où on l'a enfermé, en n'attribuant de valeur qu'aux fantasmagories qui le hantent, dans la mesure même où elles ne sont pas susceptibles d'être transmises par l'expression. L'enfant imaginaire a cherché, jusqu'ici, à lester ses imaginations d'objectivité en les socialisant ; après son échec retentissant, il inverse son mouvement, il se donne des affections imaginaires ou bien il assouvit ses désirs par des images, *pour assumer son exil*, pour n'être pas comme les autres, pour n'être plus du tout réel, pour échapper à la réalité qui l'enserre : c'est revendiquer son anomalie et la transformer en mystère. La non-réalité le terrorisait ; il s'enchante à présent de s'irréaliser, invisible, inaudible, au milieu des «imbéciles» qui l'entourent. Mais puisque ses jeux intimes sont par principe *insonorisés* et qu'il a tranché le lien qui les unissait à sa geste, il en résulte, cela va de soi, une modification de leur structure. L'image — ce que j'appelle ailleurs la conscience imageante — n'est plus la prévision du rôle ou son produit, elle ne se rapporte plus au *jeu* public. Et si l'*analogon* dépassé vers... se trouve encore — comme chez tous — dans les mouvements du corps humain, ceux-ci deviennent imperceptibles ou même seulement esquissés, au reste ils intéressent rarement le corps entier mais plutôt certains organes en particulier : globes oculaires, extrémités digitales, organes de phonation. C'est là, précisément, l'*analogon* des images dites «mentales». Mais il faut voir aussi que l'intention imageante est inversée : elle était centrifuge et présentait *aux autres* un décor avec Gustave dedans. Elle devient centripète. Non qu'elle ne vise pas un *extérieur* absent ou inexistant. Mais elle le vise *pour en entourer* l'enfant imaginaire, pour établir un rempart autour de lui, pour entourer cet Ego fictif de présences fictives qui lui soient homogènes. Disons, si l'on veut, que l'intentionnalité se montre ici double : l'objet imaginaire ayant perdu sa dimension sociale (et du coup la *refusant*) n'est posé dans son objectivité que pour confirmer l'Ego déréalisé dans sa fictive subjectivité. C'est cela précisément qui se nomme l'autisme : cette affinité du fantasme silencieux et de toute la fantasmagorie avec le témoin fantasmatique qui se trouve au centre de la parade, en sorte que, par convenance réciproque, les images confirment leur imaginaire producteur *dans son être* (irréel) autant qu'il les confirme dans le leur ; en ce circuit, la réalité comme négation de l'irréel est radicalement écartée et l'*apparence d'être* vient précisément à la fantasmagorie de ce que son témoin n'existe qu'en apparence et ne peut, en conséquence, leur opposer son être réel dans l'instant même qu'il les produit [1]. Disons, pour être bref, que la question de l'être *ne se pose plus*, dans la mesure où l'enfant se résout à ne tenir compte, en cet univers dont il est le centre, que de l'*être de l'apparence*. Il n'en subsiste pas moins, en lui, un malaise fort réel et c'est par une tension constante qu'il peut maintenir la fiction contre l'omniprésente et protéenne réalité. Qu'il *s'imagine* aux Indes, rajah fabuleux, souverain de la Rome antique ou cavalier barbare, galopant derrière Attila ou, tout simplement, l'amant follement aimé d'une grande dame exotique, il a besoin pour étayer cette évanescente imagerie d'éléments solides et matériels à travers lesquels il la produise et qui soient comme les racines et le tronc de cette prodigieuse et fragile floraison, tantôt servant d'*analogon*, tantôt incitant par leur ambiguïté à les dépasser vers l'image visuelle ou auditive, tantôt, quand tout chancelle, soutenant l'édifice par leur consistance de *choses*. On l'a compris : ces soutiens ne peuvent être, en lui, que les *mots des autres*, ou, si l'on préfère, le langage *en tant qu'autre*, tel qu'autrui l'a déposé en lui, les lourds vocables appris, en tant qu'ils offrent à l'Autre leur signification et tournent vers Gustave leur opaque matérialité. Encore faut-il entendre que l'inversion s'étend à présent jusqu'au Verbe. Acteur imaginaire, l'enfant imaginait — avant les représentations publiques — sa voix comme se faisant entendre aux spectateurs, il se donnait leurs oreilles pour s'écouter ; il empruntait leurs yeux pour se voir : bref l'imagination était commandée par l'activité passive. À présent le *visuel* est subi dans la mesure même où il est produit : Gustave est aux Indes, il ne se donne plus en spectacle ; ce sont les hommes, les temples, les montagnes qui *se donnent à voir*, il les reçoit, il en jouit. Et pareille-

---

1. Imaginer, c'est à la fois produire un objet imaginaire et s'imaginariser ; je n'ai pas assez insisté là-dessus dans *L'Imaginaire*. Toutefois si la personne qui produit une conscience imageante n'a pas eu de difficulté à s'adapter au réel, elle conserve la conscience non thétique (de) se produire irréelle dans un univers réel. Cette conscience non-positionnelle suffit à réduire, par sa réalité consciente (de) soi, ses productions à leur véritable statut ontologique de pure apparence. Dans le cas d'une pensée plus ou moins entachée d'autisme, cette conscience non thétique demeure mais sa monition n'est pas entendue : les raisons de cette surdité intentionnelle sont différentes selon les cas. Chez Gustave, nous le savons, elle s'explique par l'« impact » de l'Autre, qui l'a, dès la petite enfance, détourné de prendre en considération d'évidence intime et permanente de son ipséité. En d'autres termes, constamment *averti* de l'irréalité de son rêve, il met l'avertissement entre parenthèses parce que la caractéristique induite de son être-pour-soi c'est la dévalorisation et l'être-en-défiance-devant-soi. Ainsi, paradoxalement, c'est la primauté subie de l'Autre qui incline l'enfant à rechercher les fables de l'autisme, c'est-à-dire d'une solitude qui tend à se radicaliser.

ment les mots sont introvertis : il ne les convoque point comme *dits* et jetés vers l'autre mais comme entendus et vus par lui-même, comme des *occupants subis* ; dans le *vocable-pathos*, il se fait une contraction de la dyade audio-visuelle, les deux aspects s'interpénètrent : de fait, dans l'audio-visuel du petit acteur, la séparation tenait avant tout à ce que l'*audible* était visé en l'autre comme résultat d'une activité, alors que le *visible*, dans le mot, n'était que le *moyen subi* de la déclaration future. Depuis que les contacts sont coupés, le flot du vécu charrie les paroles comme elles ont été *reçues*, impénétrables et belles, *se disant d'elles-mêmes*, telles qu'elles ont été lues par l'enfant ou prononcées devant lui : la mémoire restitue l'une et l'autre dimension dans une indissoluble unité ; c'est pour de bon l'« écouter-voir ». L'oreille voit, l'œil écoute, c'est cela la structure « mentale » du mot subi, qui ne se brisera qu'à l'instant de la praxis quand il faudra écrire ou parler[1].

Il convient, d'ailleurs, de laisser la parole à Gustave : il s'est parfaitement expliqué sur ces exercices spirituels, dans *Novembre*. « Au collège, nous dit-il, je rêvais les passions, j'aurais voulu toutes les avoir[2]. » Le caractère autistique de ces ruminations nous est confirmé par ces lignes d'une force indéniable : « De tout ce qui va suivre personne n'a jamais rien su, et ceux qui me voyaient chaque jour pas plus que les autres ; ils étaient par rapport à moi comme le lit sur lequel je dors et qui ne sait rien de mes songes[3]. » Cette image *réifiante* en dit long sur les dispositions de Gustave à l'égard de son entourage : on notera qu'il compare ses rêves éveillés à ceux qu'il fait dans son sommeil ; songer, c'est quasiment dormir. Plus loin, d'ailleurs, il insiste sur la paralysie qui l'entrave en ces moments d'onirisme dirigé : « J'étais un chaos dormant de mille principes féconds qui ne savaient comment se manifester ni que faire d'eux-mêmes... j'étais, dans la variété de mon être, comme une immense forêt de l'Inde... parfums et poisons, tigres, éléphants... dieux mystérieux et difformes cachés dans le creux des cavernes... large fleuve... îles de fleurs..., cadavres verdis par la peste. J'aimais

---

1. N'allons pas croire que l'enseignement audio-visuel restitue *dans la perception* cette unité d'interpénétration. Entendre un mot pendant qu'on le voit, c'est, à coup sûr, être informé simultanément de ses deux aspects inséparables. Mais la synthèse rationnelle qui s'opère ici n'a rien de commun avec le syncrétisme de la mémoire. Il faudrait plutôt comparer celui-ci avec les condensations du souvenir et du rêve qui nous offrent souvent plusieurs personnes en une seule.
2. Édition Charpentier, page 311.
3. *Id., ibid.*

pourtant la vie, mais la vie expansive, radieuse, rayonnante; je l'aimais dans le galop furieux des coursiers... Et au milieu de tout, *je restais sans mouvement ; entre tant d'actions que je voyais, que j'excitais même, je restais inactif, aussi inerte qu'une statue entourée d'un essaim de mouches qui bourdonnent à ses oreilles et qui courent sur son marbre* [1].» Ainsi la fantasmagorie la plus déchaînée a pour corrélatif indispensable, chez lui, l'immobilité la plus absolue : il s'abandonne à sa passivité constituée. Sourd, muet, aveugle et ligoté, il rompt les contacts avec le monde extérieur et se laisse glisser dans une intimité solipsiste avec sa vie, sa chaleur corporelle, sa chair; il présente, d'ailleurs, la nuit comme l'achèvement de cette retraite : «Et quand le soir était venu, que nous étions tous couchés dans nos lits blancs, avec nos rideaux blancs et que le maître d'études seul se promenait de long en large dans le dortoir, comme je me renfermais encore bien plus en moi-même, cachant avec délices en mon sein cet oiseau qui battait des ailes et dont je sentais la chaleur ! J'étais toujours long à m'endormir, j'écoutais les heures sonner; plus elles étaient longues plus j'étais heureux... [2]» En rapprochant ces passages, on est contraint de se convaincre que Gustave n'entend pas nous décrire les molles rêveries sans cesse brisées d'un adolescent «adapté» mais bien un état presque névrotique, intentionnel certes mais débordant son intention claire, et subi dans la mesure même où il est produit. Quand on l'en sort, d'ailleurs, les *Mémoires* nous décrivent son égarement stupide : il semble qu'on l'ait tiré d'un profond sommeil, il ne sait plus où ni qui il est pour de vrai. C'est que, lorsqu'il «se referme sur soi-même», c'est-à-dire sur sa déréalité intériorisée, il exécute dans le ressentiment la sentence que les autres ont portée sur lui : le *lit*, qui est au centre de toutes ces descriptions, est à la fois le symbole de cette évasion dans l'hypnose et, curieusement, de sa haine pour son entourage; non seulement il *représente* la famille et les collégiens, transformés du coup en une paillasse mais encore le jeune garçon, dans ses moments d'onirisme, *fait litière* de ses proches et se vautre sur eux : la conscience humaine, c'est le rêve ; ceux qui ne rêvent pas, Gustave les affecte de l'opacité ténébreuse de la matière inorganique. On ne peut qu'applaudir à ce tour de passe-passe, prélude d'un renversement plus radical encore dont nous aurons à rendre compte dans le troisième tome de cet ouvrage :

---

1. Édition Charpentier, p. 327. C'est moi qui souligne.
2. *Id.*, p. 313.

ce que fuit Gustave, en vérité, c'est le regard déréalisant des autres
— d'*un* autre, surtout — bref, c'est une conscience aiguë qui décide
souverainement de ce qui est réel et de ce qui ne l'est pas. Mais,
à peine installé dans son soliloque, il transforme imaginairement
cette lucidité en obtuse inconscience et le réel en amas de torpeurs :
voici le praticien-philosophe désarmé. Non sans une tension épuisante : l'enfant est *envahi* par l'imaginaire et pourtant ce n'est point
trop de tous ses efforts pour se maintenir irréalisé : « N'usant pas
de l'existence, l'existence m'usait, mes rêves me fatiguaient plus
que de grands travaux... [1] » Il s'agit à la fois d'un abandon à la
passivité et d'un exercice spirituel : pour que l'imaginaire triomphe, il faut qu'il se conserve en état de *distraction permanente* par
rapport à la réalité. Et, surtout, il faut qu'il dépasse en l'assumant
sa déréalité pour la transformer en *irréalisation*. Le *soi* qu'il rejoint
quand il se « renferme en soi-même » est, en effet, Gustave en
convient, une pure image : « ... je m'imaginais être grand, je m'imaginais contenir une incarnation suprême dont la révélation eût émerveillé le monde, et ses déchirements, c'était la vie même du Dieu
que je portais dans mes entrailles... » Voilà donc l'Ego avec qui
il a si souvent rendez-vous : une incarnation suprême et le Dieu
qui s'y incarne, l'un et l'autre de ces augustes personnages ne pouvant être atteints que par un effort d'irréalisation. Dès qu'il se lasse,
dès que le fil casse, il retombe dans sa médiocrité égarée : « Je suis
plus vide, plus creux, plus triste qu'un tonneau défoncé dont on
a tout bu [2] » et, après une extase panthéistique : « ... bien vite je
me rappelai que je vivais, je revins à moi, je me mis en marche,
sentant que la malédiction me reprenait, que je rentrais dans
l'humanité ; la vie m'était revenue, comme aux membres gelés, par
le sentiment de la souffrance... » [3]. En ce beau texte, Gustave est
formel : retrouver la « vie », c'est retrouver la malédiction d'Adam,
c'est rentrer dans son enveloppe humaine. Le jeune garçon hésite
entre deux interprétations de ce retour écœurant. L'une, insupportable, est plus proche de la vérité : il retombe dans son « anomalie » — qui n'est autre que l'ensemble de ses carences personnelles
—, bref dans sa sous-humanité ; en ce cas le rêve est évasion et
compensation : il fuit son infériorité en s'irréalisant dans un Dieu
incarné. L'autre interprétation, c'est l'orgueil qui la lui souffle :

1. Édition Charpentier, p. 326.
2. *Id.*, p. 323.
3. *Id.*, p. 338.

ces tristes réveils le font retomber *dans l'humanité*. Il en était donc
sorti ? Oui : parce qu'il est maître de l'Imaginaire. Il faut supposer ici un renversement de la table des valeurs ordinaires : l'enfant
sera surhomme, il s'arrachera à l'espèce, s'il dévalorise radicalement la réalité qu'on lui refuse et si, assumant sa déréalité comme
la condition de sa grandeur, il fait de l'irréel la valeur suprême.
Tel est un des aspects de la conversion en cours : celle-ci, de ce point
de vue, ne s'achèvera pas avant l'hiver 1844 : nous aurons à y revenir. Mais dès l'entrée au collège, il met son orgueil à se sentir *autre* :
« Je voyais les autres gens vivre, mais d'une autre vie que la mienne :
les uns croyaient, les autres niaient, d'autres doutaient, d'autres
enfin ne s'occupaient pas du tout de tout ça et faisaient leurs affaires, c'est-à-dire vendaient dans leurs boutiques, écrivaient leurs
livres ou criaient dans leurs chaires [1]. » Bref les hommes se définissent par leur contact pratique avec le réel : leur faute inexcusable est de ne point le *contester*. En ce curieux passage, Gustave met
dans le même panier les « épiciers » qu'il méprise tant et les écrivains, ses futurs confrères, les dogmatiques — croyants ou athées
— et ceux qui doutent (alors qu'il déclarait dans les *Mémoires* pousser le scepticisme jusqu'au désespoir). C'est qu'il les envisage tous
du point de vue de l'imaginaire : douteurs et fidèles, athées et
croyants s'affrontent sur la question de la *réalité* du Tout-Puissant ;
ils ont donc au moins ceci de commun que le réel est leur grande
affaire : nul chrétien ne répondra aux arguments du libertin : « Que
m'importe qu'Il ne soit pas puisque je L'imagine » ou, mieux
encore, retournant la preuve ontologique : « Puisque j'ai en moi
l'idée d'un Être tout parfait et puisque l'Imaginaire est plus parfait que la réalité, l'essence de cet Être implique qu'il n'existe que
dans mon imagination. » Et si le faiseur de livres ressemble au boutiquier, c'est dans la mesure où il exerce une activité réelle en
communiquant à des lecteurs réalistes des idées vraies (ou tenues
pour telles) sur la réalité. Dans son adolescence, Gustave est « anti-
prose » et « anti-vérité ». Il se juge poète et la poésie, nous le comprenons à présent, c'est, pour lui, l'opéra fabuleux qui se joue dans
sa tête et dont il pense souvent qu'il ne pourrait l'écrire sans le dégra-
der. À cette époque, radicalisant son option, il se dit qu'il vaut
mieux rêver d'écrire un poème sublime que tenter de l'écrire en effet
— ce qui trahit les incertitudes et les répugnances de l'acteur déchu
devant la littérature. Ce qui nous importe, ici, c'est que Gustave,

---

1. Édition Charpentier, p. 329.

après le refus castrateur, persiste à s'irréaliser en un personnage. Mais — c'est un autre aspect de la conversion — ce personnage fictif n'est pas conçu comme un *rôle à interpréter* : il ne s'agit plus de l'extérioriser pour les autres mais de l'intérioriser contre eux comme le schème directeur de son imagerie : en d'autres termes, il faut que Gustave s'affecte imaginairement de la subjectivité héroïque et sublime de son Ego fictif en ce qu'elle a de non-communicable.

Rien ne le montre mieux que l'étude du contenu de ses fabulations. Puisque le personnage est, par définition, un surhomme et puisque c'est lui qui rêve, il faut de toute évidence que ses rêves manifestent en eux-mêmes cette surhumaine grandeur ; et puisque, depuis longtemps, pour Gustave, la valeur d'une créature se mesure à l'ampleur de ses exigences insatisfaites, les songeries de son Ego imaginaire se présenteront comme les assouvissements fictifs de ses infinis désirs. Mais, la conséquence s'impose, ces infinis désirs seront eux-mêmes imaginaires. Une apparence d'appétit reçoit une apparence de satisfaction : quel est le fondement réel de ce jeu d'illusions ? Le désir de ces désirs. Sur ce point, Gustave est d'une parfaite lucidité. « Je rêvais les passions, j'aurais voulu toutes les avoir. » « Je fus bientôt pris du désir d'aimer, je souhaitai l'amour avec une convoitise infinie, j'en rêvais les tourments [1]. » Il « prend dans sa pensée » la première venue — pourvu qu'elle soit belle — et se veut persuader qu'il en est épris : « Mais... je sentais que je me forçais à aimer, que je jouais, vis-à-vis de mon cœur, une comédie qui ne le dupait point... Je regrettais presque des amours que je n'avais pas eues et puis j'en rêvais d'autres dont j'aurais voulu pouvoir me combler l'âme [2]. » Il reconnaît que « le but où ces vagues désirs convergeaient... était, je crois, le besoin d'un sentiment nouveau et comme une aspiration vers quelque chose d'élevé dont je ne voyais pas le faîte ». À la base, il y a un « désir sans objet » [3] : « vaguement, je convoitais quelque chose de splendide que je n'aurais su formuler par aucun mot ni préciser dans ma pensée sous aucune forme mais dont j'avais néanmoins le désir positif incessant » [4]. Cette aspiration incertaine — plus négative que positive, quoi qu'il en dise —, désir de *tout*, donc désir de rien, n'est au vrai que l'envie de rompre la monotonie d'une existence terne

1. Édition Charpentier, p. 316.
2. *Id., ibid.*
3. *Id.*, p. 326.
4. *Id.*, p. 311.

et réglée, de combler l'infinie lacune intérieure par je ne sais quelle infinie plénitude. C'est elle pourtant qui, dans sa *réalité*, servira d'*analogon* pour les passions imaginaires de l'« incarnation ». Voyez plutôt comment il décrit ses frénésies d'imagination : « Quelquefois, n'en pouvant plus, dévoré de passions sans bornes, plein de la lave ardente qui coulait de mon âme, aimant d'un amour furieux des choses sans nom, regrettant des rêves magnifiques, tenté par toutes les voluptés de la pensée, aspirant à moi toutes les poésies, toutes les harmonies, et écrasé sous le poids de mon cœur et de mon orgueil, je tombais anéanti dans un abîme de douleurs... Je ne voyais plus rien, je ne sentais plus rien, j'étais ivre, j'étais fou, je m'imaginais être grand. » Lisons bien : cet amour furieux de choses sans nom peut-il être réel ? C'est l'objet qui définit l'amour. La fureur n'est ici que la contention sauvage d'un cœur vide qui veut inventer la passion. Quant aux rêves magnifiques, que ne les refait-il au lieu de les regretter ? Le regret d'un rêve, chez Gustave, n'est que le rêve d'un regret. Les voluptés de la pensée, de même, ne font que le tenter : pas au point qu'il essaie d'exercer son entendement ; c'est, nous le savons, que l'affirmation et la négation lui sont refusées ; il s'agit donc ici d'une vague convoitise pour une activité judicative qu'il pressent obscurément sans l'avoir jamais exercée et qui représente à ses yeux les pouvoirs intellectuels de l'Autre. Tient-il tant que cela, d'ailleurs, à analyser, à déduire, à *conclure* ? Non : mais le Personnage, de même qu'il contient en lui le Tout sous forme de désir, souhaite retotaliser le *cosmos* par une intuition fulgurante et synthétique ; mieux encore, il le retotalise sans cesse par la méditation, cette imitation vide de la pensée : « Et j'étais au haut du mont Atlas, et de là je contemplais le monde et son or et sa boue, sa vertu et son orgueil. » Tel est notre Gustave imaginaire : perché sur une cime, la tête creuse, il feint de contempler l'Univers pour se donner, dans l'irréel, les joies de l'intellect. À cet instant, son cœur éclate : il s'est pris à son rôle, habité par de si grandes pensées, par de si beaux désirs quand même les unes et les autres ne seraient que des apparences, ne faut-il pas qu'il soit lui-même un géant ? « Oh ! comme j'aurais aimé si j'avais aimé ! » s'écrie-t-il [1] naïvement. Mais voici la contrepartie : « Je n'ai rien aimé et j'aurais voulu tant aimer... je n'étais pour tout ni assez pur ni assez fort [2]. » Il éprouve « de l'indifférence pour (les choses) les plus ten-

---

1. Édition Charpentier, p. 327.
2. *Id.*, pp. 323-324.

tantes et du dédain pour les plus belles [1] ». Il avoue : « Je ne voyais rien qui valût même la peine d'un désir [2]. » Et : « Ces passions que j'aurais voulu avoir, je les étudiai dans les livres [3]. » En d'autres termes, le réel n'est jamais désirable. Ce même enfant tout palpitant d'amour pour un objet infini, invisible, inexistant, se juge sec et froid dès qu'il entre en contact avec des êtres individués, nommés et vivants. N'est-ce pas la signification la plus profonde de *Rêve d'enfer* ? Almaroës, le Robot, ne désire rien. Ce n'est point faute d'avoir essayé : « Je tâchais d'imiter les hommes, d'avoir leurs passions, leurs intérêts, d'agir comme eux, ce fut en vain », dit le duc de Fer. À cela, il donne deux raisons dont chacune exclut l'autre : la première, c'est que « pour le dernier mot de la création », les biens de ce monde « petit et misérable » n'ont rien d'attirant : « Nos pauvres voluptés, notre mesquine poésie, notre encens, toute la terre avec ses joies et ses délices, que lui faisait tout cela, à lui, qui avait quelque chose des anges ? » Cette explication *par excès*, nous la retrouvons dans *Novembre* : l'enfant cosmique n'aime point parce que rien de ce qui *est* ne vaut la peine d'être aimé. L'explication *par défaut* se trouve, elle aussi, dans les deux ouvrages : Almaroës ne s'attache à rien parce qu'il n'a point d'âme, autrement dit par sécheresse de cœur. Et c'est ce que répète, en sourdine, le héros de *Novembre* : « Je suis vide et creux. » Ou encore : « J'ai vécu dans une aire élevée où mon cœur se gonflait d'air pur, *où je poussais des cris de triomphe pour me désennuyer de ma solitude* [4]. » Ces cris de triomphe lancés dans le vide, pour rompre l'ennui, ce sont les fulgurations imaginaires du Grand Désir et de l'Amour fou. Quand les jeux de son imagination auront pris fin, Gustave — il situe cette rupture vers sa seizième année — conservera encore cette image sublime et sacrée de lui-même, le Personnage, que soutiendra l'orgueil Flaubert : mais il reconnaît que c'est un contenant sans contenu : « J'avais fait de moi-même un temple pour contenir quelque chose de divin, le temple est resté vide. »

Entre les deux interprétations de son anorexie généralisée, l'adolescent ne choisit pas. Mais nous, qui savons que le malheur, l'humiliation et le ressentiment ont coupé, de bonne heure, en lui, les racines de certains désirs, force nous est d'admettre la seconde : les débauches d'imagination, chez Gustave, sont doublement

1. Édition Charpentier, p. 321.
2. *Id., ibid.*
3. *Id.*, p. 319.
4. *Id.*, p. 321.

compensatrices : il compense ses cuisants échecs en s'inventant un Ego sublime, et son indifférence ennuyée à tout en s'inventant le grandiose désir de tout et en s'affectant de toutes les passions à la fois sans en ressentir aucune.

C'est un prisonnier qui hait sa prison et s'en évade chaque jour en bondissant à travers le temps pour retomber au seuil de sa vingtième année : avec le sérieux des Flaubert, il se refuse en général à feindre qu'il n'est pas au collège ; il lui paraît préférable de se raconter qu'il en est sorti. C'est accepter tacitement de purger jusqu'au bout sa peine : il le faut bien, n'est-ce pas, et, quand on est fils du célèbre chirurgien, noblesse oblige à passer le baccalauréat. Donc il a vingt ans, il entre dans la vie, laissant Rouen et sa famille derrière lui. Cela posé, le jeune rêveur s'efforce de compenser ses vexations de mal-aimé en se comblant de gâteries ; « Je m'arrangeais des histoires, je me bâtissais des palais. Je m'y logeais comme un empereur, je creusais toutes les mines de diamant et je me les jetais à seaux sur le chemin que je devais parcourir [1]. » Il est « aimé d'un amour dévorant et qui fait peur, un amour de princesse ou d'actrice qui nous remplit d'orgueil et vous fait de suite l'*égal des riches et des puissants* [2]. » Dans ce dernier scénario, d'ailleurs, la compensation est manifeste. Le mal-aimé se venge de l'indifférence familiale en se faisant adorer par une grande dame, actrice célèbre ou princesse. C'est toujours le schème de l'anoblissement : une femme royale l'élève à elle, l'égale aux riches et aux puissants ; la gloire ne vient pas couronner ses efforts, cette fois, il la reçoit par personne interposée. Il change de peau, à l'occasion, ou de sexe. Le voici empereur : « pour la puissance absolue, pour le nombre des esclaves, pour les armées éperdues d'enthousiasme ». Le voici femme : « pour pouvoir m'admirer moi-même, me mettre nue... et me mirer dans les ruisseaux ». Roi des Indes, il monte un éléphant blanc ; César, il assiste à des fêtes antiques ; triumvir, il fuit sur la galère de Cléopâtre. Ce qui ne change pas, d'un récit à l'autre, c'est sa passivité ; jamais il n'est *agent* dans ses rêves : il *reçoit*. On l'adule, on l'idolâtre, on lui obéit, ses armées lui sont fanatiquement dévouées. Quant aux femmes, quand son tempérament s'éveille, elles le couvrent de caresses et il s'abandonne, pâmé, entre leurs bras. De toute manière et sous quelque forme qu'il s'imagine, il est le centre passif d'un univers fabuleux et soumis

1. Édition Charpentier, p. 313.
2. *Id.*, p. 315. C'est moi qui souligne.

qui n'est fait que pour lui. Et cette passivité du héros rassasié d'honneurs et de gratifications tendres ne fait que refléter celle du rêveur qui s'abandonne à son rêve. Ces *dons* compensateurs ne font de toute évidence que nous introduire dans l'univers des désirs noirs et de leurs assouvissements oniriques. Il est d'autres rêves, que le « large fleuve » entraîne, « cadavres verdis par la peste », mais nous n'en saisirons le sens que si, d'abord, nous interrogeons Flaubert sur la technique de l'irréalisation : car cette activité passive exige des exercices spirituels et des instruments maniables. Il s'en est ouvert dans *Novembre* : « Je me dépêchais bien vite de faire mes devoirs pour me livrer à l'aise à ces pensées chéries. En effet, je me le promettais d'avance avec tout l'attrait d'un plaisir réel, je commençais par me forcer à y songer, comme un poète qui veut créer quelque chose et provoquer l'inspiration ; j'entrais le plus avant possible dans ma pensée, je la retournais sous toutes ses faces, j'allais jusqu'au fond, je revenais et je recommençais ; bientôt c'était une course effrénée de l'imagination, un élan prodigieux hors du réel, je me faisais des aventures, je m'arrangeais des histoires [1]... »

Ce texte est très important : il montre que Gustave n'atteint à l'extase irréalisante que par une sorte d'auto-hypnose : il « se force » et se concentre sur un objet de méditation ; le bond « prodigieux » hors du réel n'aura lieu qu'après. En d'autres termes, quelque chose est donné d'abord sur quoi Gustave se fascine mais le jeune garçon en cette phase de l'ascèse ne considère pas qu'il soit pour autant tout à fait sorti de la réalité : c'est au terme de cette longue méditation pithiatique qu'il s'abandonne à son état provoqué et subi de créature imaginaire. Reste à savoir *sur quoi* l'enfant fixe son regard intérieur, sur quelle sorte d'objet, tourné et retourné « dans sa tête », il s'hypnotise.

Dans les *Mémoires d'un fou*, il semble laisser entendre qu'il accédait directement à l'univers des images sensibles : il pensait, nous dit-il, « à ce que l'imagination d'un enfant peut rêver de plus sublime » [2]. Il ajoute : « Je *voyais* l'Orient et ses sables immenses... je *sentais* le parfum de ces Océans tièdes du Midi... quelque femme à la peau brune, au regard ardent, m'entourait de ses deux bras et... *me parlait* la langue des houris. » Ce serait donc la fête des sens : il voit, il entend, il sent, il suscite sans aucune médiation des visions qui seraient des perceptions à peine affaiblies. A vrai dire,

---

1. Édition Charpentier, p. 313.
2. *Mémoires d'un fou.* Charpentier, pp. 90-91. C'est moi qui souligne.

le passage n'est guère convaincant : d'abord le propos de Gustave est autre ; il ne s'agit pas de décrire ses pratiques mais de comparer son « imagination sublime » à l'étroit réalisme de ses condisciples. Et puis, il s'agit déjà d'un « morceau » de littérature : ses visions sont écrites et généralisées. Ce qui rend ses confidences suspectes, ce n'est pas seulement qu'elles ne tiennent pas compte de ce qu'il faut bien appeler la *pauvreté essentielle* de l'image, c'est surtout qu'elles remplacent la sensation, sans cesse échappant à qui veut la reproduire, par une organisation visuelle où il se complaît et où les mots jouent le rôle d'*analogon* pour les objets imaginés. Or, ce qu'il omet de dire dans les *Mémoires*, il ne fait aucune difficulté, dans *Novembre*, pour nous le révéler : les médiateurs entre l'enfant déréalisé et le monde irréel où il se transporte par sa propre irréalisation, *ce sont les mots*.

En premier lieu, dans le texte cité plus haut, il insiste sur la structure narrative de son onirisme : je me faisais des aventures, je m'arrangeais des histoires. Il n'est plus question d'inventer des sensations nues, de produire des perceptions absolument neuves pour le plaisir gratuit et esthétiquement pur de contempler : Gustave reconnaît, à présent, qu'il charpente des « aventures » dans l'intention de se donner dans l'irréel les biens — richesses, puissance, amour — qu'on lui refuse dans la vie quotidienne. Et, certes, il n'écrit pas : « Je me racontais des histoires », sans doute pour éviter la nuance péjorative que comporte cette locution. Mais il est évident qu'une telle structuration de l'imaginaire ne peut même se tenter sans les bons offices du discours.

Il pousse la sincérité beaucoup plus loin : car c'est de lui-même que nous apprenons le rôle incantatoire des mots dans son entreprise : « Certains mots me bouleversaient, celui de *femme*, de *maîtresse* surtout ; je cherchais l'explication du premier dans les livres, dans les gravures, dans les tableaux dont j'aurais voulu pouvoir arracher les draperies pour y découvrir quelque chose… Quant à une *maîtresse*, c'était pour moi un être satanique dont la magie du nom seul me jetait dans de longues extases… J'avais tant lu chez les poètes le mot amour et si souvent je me le redisais pour me charmer de sa douceur, qu'à chaque étoile qui brillait dans un ciel bleu par une nuit douce… je me disais : "J'aime, oh ! j'aime !" et j'en étais heureux, j'en étais fier, déjà prêt aux dévouements les plus beaux… La vie humaine roulait, pour moi, sur deux ou trois idées, sur deux ou trois mots, autour desquels tout le reste tournait comme des satellites autour de leur astre… les contes d'amour se plaçaient dans ma tête à côté des belles révolutions, les belles passions face à face des grands crimes... Je rêvais la douleur des poètes, je pleurais avec eux leurs larmes les plus belles ; des pages... me transportaient, me donnaient des fureurs de pythonisse, je m'en ravageais l'esprit à plaisir, je me les récitais au bord de la mer ou bien j'allais, tête baissée, marchant dans l'herbe, me les disant de la voix la plus amoureuse et la plus tendre... Il est beau de vivre ainsi (''en se répétant des strophes amoureuses'') dans la beauté éternelle, de se draper avec les rois, d'avoir les passions à leur expression la plus haute, d'aimer les amours que le génie a rendues immortelles... Il y eut dès lors pour moi un mot qui sembla beau entre les mots humains : adultère. Une douceur exquise plane vaguement sur lui. Une magie singulière l'embaume ; toutes les histoires qu'on raconte, tous les livres qu'on lit, tous les gestes qu'on fait le disent et le commentent éternellement pour le cœur du jeune homme, il s'en abreuve à plaisir, il y trouve une poésie suprême mêlée de malédiction et de volupté [1]. »

Rien de plus clair : l'objet médiateur, c'est le mot. C'est sur lui qu'on médite, sur lui qu'on se fascine ; c'est lui qu'on tourne « sous toutes ses faces » et qui, après un long envoûtement, sera le tremplin. On peut appliquer à Gustave, à cette époque, ce qu'on dira plus tard de Gottfried Benn : (pour lui)... « l'ivresse et le rêve (sont) concentrés dans quelques vocables privilégiés qui agissent sur les couches profondes du Moi comme de véritables hallucinatoires » [2]. Et il pourrait écrire ces phrases de Benn lui-même et les revendiquer pour soi : « J'y écrivais (dans une nouvelle) ''alors il lui arriva l'olive'', non pas : alors il eut devant lui l'olive, non pas : alors son regard tomba sur une olive mais alors il lui arriva celle-ci, la disparition de l'article étant, à vrai dire, encore meilleure. Donc il lui arriva ''olive'' et la structure en question fait une irruption torrentueuse qui recouvre l'argent des fruits, le bruissement léger de leurs forêts, leur cueillette et leur fête du pressoir [2]. » A ceci près que la « structure » verbale n'apparaît pas d'abord chez Gustave comme *recouvrant* les significations sensuelles mais plutôt comme les *représentant* : celles-ci sont à la fois *en elle*, données dans l'indistinction, et hors d'elle, visées au travers du matériau. Le mot, chez Gustave, apparaît à la lettre comme un hallucinatoire mais non point en agissant sur les couches profondes du vécu : ce sont, au

---

1. *Novembre*, pp. 311, 313, 314, 317, 319, 340.
2. Jacques Bouveresse, Gottfried Benn, in *Critique*, août-septembre 1969.

contraire, ces forces profondes qui le suscitent pour s'y résumer et s'y dépasser vers l'objet. Ici sa fonction est double : d'une part il stoppe et réfléchit sur elles-mêmes les passions vraies ou feintes qui s'y engouffrent comme s'il était leur objet en chair et en os, d'autre part, il s'offre comme l'index tendu qui désigne un horizon, comme un signal orientant et définissant une quête. Voyez plutôt comme Gustave en use : le terme de *maîtresse*, par exemple, ne possède, à ses yeux, aucune signification conceptuelle. D'abord par la raison que le mot est un mutant qui conserve alors un double sens. Quand il lisait Corneille, quand il écrivait *L'Amant avare* («il ne veut pas faire de cadeaux à sa maîtresse») le nom lu ou tracé par sa plume désignait — comme au XVIIe siècle — la femme aimée et n'impliquait ni n'excluait les relations sexuelles entre celle-ci et son amant. C'est au point qu'il servait souvent de synonyme à fiancée. Mais dès le milieu du XVIIIe siècle, sans perdre tout à fait sa première signification, il s'en adjoint une autre, qui sera bientôt la dominante : la «maîtresse» d'un homme s'est donnée à lui en dehors du mariage. Gustave apprit la seconde sans avoir oublié la première et, sans doute, à un âge où il était bien loin de se représenter nettement l'«œuvre de chair» puisque, comme il le dit dans le même paragraphe, il ignorait encore comment les femmes étaient faites. Pour ces motifs, en même temps que le mot se refermait sur ses deux acceptions qui s'interpénétraient librement, il invitait à une recherche, se référait à un au-delà mystérieux de ce que Gustave pouvait concevoir, à l'au-delà des baisers et des caresses. Cependant le vocable prend une couleur affective très forte, en conséquence du puritanisme bourgeois et de l'interdit religieux qui frappe les liaisons illégitimes. «Maîtresse» devient alors, pour l'enfant, le synonyme de femme damnée. En d'autres termes, il accepte le tabou familial : amours défendues, créatures perdues et vénales qui ruinent les ménages, il prend tout cela pour argent comptant. Avec cette réserve, toutefois, que la femme fatale, ennemie de toutes les épouses et de tous les époux, ne parvient pas à lui masquer la bien-aimée platonique, la radieuse fiancée d'autrefois. La «maîtresse» garde donc, jusque dans ses pires désordres, la pureté d'une épée de Tolède ou d'un kriss malais. C'est le Mal tout nu, dans sa splendeur satanique. Et l'enfant, plein de secrètes rancunes, aime la buveuse de larmes pour le Mal qui est en elle. Réaction typiquement flaubertienne ; il commence par l'obéissance aux normes bourgeoises, ce n'est pas lui, certes, qu'on verra rompre des lances pour défendre les femmes qui mènent une vie irrégulière ;

ce sont des diablesses, acharnées à perdre l'honnête homme, le père de famille. Après quoi, précisément pour les crimes qu'on impute aux « maîtresses », il se jette à les aimer. Le mot prend à ses yeux — comme celui d'adultère — un charme poignant, « une douceur exquise plane sur lui, une magie singulière l'embaume ». Tout se retourne : vénales ? Oui mais quelles grandioses et terribles exigences : « c'était pour leurs maîtresses que les rois ruinaient et gagnaient des provinces, pour elles... on tournait l'or, on ciselait le marbre, on remuait le monde ». Gustave l'hyperbolique pousse la condamnation bourgeoise à l'extrême : ces terribles goules sont les démons de la dépense inutile, elles usent, pour mener le monde tout entier à l'abîme, de l'incroyable empire qu'elles ont sur les puissants. *Maîtresse, luxe* et *or* s'attirent et forment une constellation d'éblouissements. De fait, c'est dès ses premières années de collège que l'enfant a découvert ces mots « magiques ». Or, huit ou neuf ans plus tard, le jeune auteur de *Novembre* les reprend à son compte avec tous les thèmes qui leur sont associés, quand il déclare, au présent, cette fois — comme une maxime universelle et, tout ensemble, comme une confession : « Celui qui n'est pas assez bien né pour ne pas vouloir de maîtresse parce qu'il ne pourrait pas la couvrir de diamants et la loger dans un palais... se défend d'aimer comme d'une faiblesse. » Dans sa douzième année, il n'a pas même l'idée de cette orgueilleuse résignation ; au reste, c'est un rêve, il lui est donc permis de rêver aux maîtresses qu'il comblera de ses largesses : c'est se donner la plus fabuleuse richesse pour avoir la joie de la gaspiller inutilement ; tout l'or de son père, le rajah, y passera, il fera suer le sang à ses sujets ; pour satisfaire les caprices de sa favorite, quel plaisir il se fera de pressurer son bon peuple comme un citron. Quant à la femme damnée, indifférente et cruelle, elle vivra « sur un trône, loin de la foule dont elle est *l'exécration et l'idole* » [1]. Belle revanche du fils maudit : la foule infâme qui l'a tant fait souffrir ne peut se retenir d'idolâtrer la favorite qu'elle exècre ; le petit méchant se donne cette volupté exquise : imaginer que le Mal se découvre avec impudence et que sa démoniaque beauté oblige ceux qu'il écrase à le vénérer. A cela s'ajoute la troisième détermination du vocable qui s'étend tout à l'aise à travers les deux autres : une maîtresse a des esclaves sur lesquels elle exerce un droit de vie et de mort. Et c'est bien ainsi que l'entendent les amants courtois de la Pléiade : leurs maîtresses sont cruelles, elles les font

---

1. *Novembre*, p. 314. C'est moi qui souligne.

dépérir, leur donnent des ordres barbares. Le masochisme de Flaubert y trouve son compte tout autant que sa passivité : il obéira, des mains féminines en pétrissant sa chair l'enchaîneront au char d'une dame sans merci qui le conduira tout droit à sa perte. La boucle est bouclée : élevé au-dessus des hommes par la faveur d'une déesse, il usera de sa puissance pour les ruiner et, du même coup, ruiné lui-même, s'abattra aux pieds de la triomphante démone. Que de jouissances il se promet !

Mais, si le mot résonnant dans sa tête ou vaguement prononcé fait fonction d'hallucinatoire, qu'a-t-il besoin, Gustave, de le faire passer dans sa plume pour le déposer, écrit, sur sa feuille ? La réponse est qu'il veut le *matérialiser* et, tout ensemble, en pousser à fond l'*imaginarisation*. Les vocables qu'il répète dans sa tête et que personne n'entend ressemblent trop à des images, en un sens, pour fournir à la conscience imageante de bons *analoga*. Fugitifs, inécoutés, ils glissent et, malgré leur fascinante *altérité*, semblent appartenir au vécu dans sa pure subjectivité. Même quand, dans la solitude, le petit Flaubert les prononce à voix haute, ils sont trop *siens* encore pour s'imposer à son onirisme et le soutenir jusqu'au bout car ils n'existent dans leur actualité sonore que le temps même que *sa* voix les déclame. *Scripta manent.* Certes *sa* main trace les graphèmes mais ils survivent au mouvement des doigts, s'isolent, se referment sur soi, prennent, dès que l'encre a séché, une existence indépendante, objective. Cela ne se peut faire en effet, même s'il y a subvocalisation, sans que la composante visuelle devienne la dominante, ce qui implique aussitôt la distanciation et la mise en perspective qu'effectue normalement le regard. Mais, dans le cas qui nous occupe, la visualisation apparaît nettement comme un enrichissement : ce qui était en moi, sourde vibration sans contours, se donne hors de moi comme un bel objet clos, splendidement matériel et réel, plein de rêves pourtant, sans perdre pour autant, dans ma tête, sa sourde présence sonore. Tout à fait autre, irréductible et toujours plein. Gustave écrit, dans ce moment de sa vie, pour pousser à l'extrême la *satisfaction verbale*. Pour comprendre ce qu'il faut entendre par là, il suffirait d'ouvrir au hasard les premiers tomes de sa Correspondance : les exemples abondent. Mais j'ai préféré, sautant quelques années, donner les plus typiques, qui se trouvent dans *Novembre* : « Oh ! se sentir plier sur le dos des chameaux ! devant soi un ciel tout rouge, un sable tout brun, l'horizon flamboyant qui s'allonge... Oh ! l'Inde ! l'Inde surtout ! Des montagnes blanches, remplies de pagodes et d'idoles... Puissé-je périr en doublant le Cap, mourir du choléra à Calcutta ou de la peste à Constantinople ! Si j'étais seulement muletier en Andalousie ! et trotter le jour, dans les gorges des Sierras, voir couler le Guadalquivir... » Je cite cinq lignes : il y en a cinq cents. On voit le procédé : la phrase est seulement optative, mais les vocables sont si riches qu'ils comblent le souhait (irréellement) quand ils ne prétendent que l'exprimer : un désir s'expose en façonnant une matière réelle et par cette matière même, irréellement, s'assouvit. Inde ! Cap ! Calcutta ! Constantinople ! Andalousie ! Guadalquivir ! La beauté visuelle de ces mots sert d'*analogon* à la beauté des villes et des sites qu'ils désignent : mieux, ils la ramassent et la totalisent irréellement dans leur simple *physionomie*. Je ne connaissais pas encore la côte dalmate quand j'appris, avec un fort désappointement, que la belle et fière Raguse (fierté, beauté qui s'étaient ramassées dans son nom) s'appellerait désormais Dubrovnik : il y avait trahison, escamotage, on avait fait disparaître de l'univers non pas seulement une appellation contrôlée mais toute une cité blanche et lustrée que je ne verrais jamais [1]. Et Gustave, qu'eût été l'Inde pour lui si justement elle ne se fût appelée Inde ? Relisons le texte précité : on voit qu'il y fait paraître de faux désirs pour susciter le mot qui, irréalisé à vue, en assouvira d'autres irréellement sans qu'ils se soient manifestés. « Mourir de la peste à Constantinople, du choléra à Calcutta » : voilà le type du faux désir dont le modèle est évidemment le populaire « Voir Naples et mourir ». Ce dernier souhait, toutefois, garde quelque vraisemblance : l'accent est mis, ici, sur « Voir Naples » ; le « mourir » qui vient après a deux significations qui s'interpénètrent : 1° « Et s'il faut pour cela mourir, soit. » 2° « Naples étant la merveille du monde, il faut perdre la vie après l'avoir vue, plutôt que de souiller ses yeux en laissant traîner leur regard sur des spectacles vulgaires. » Mais le jeune Flaubert ne dit rien de tel ; l'objet de son vœu est bien précis : crever de la peste à Constantinople, du choléra à Calcutta ; l'interchangeabilité des lieux indique clairement que l'option vise la mort — on peut aussi se noyer en doublant le Cap — et que la beauté des sites n'est pas inégalable : il semble même qu'on puisse dresser des listes de ce qu'on pourrait appeler des postes de décès. Or, il est certain que Gustave, dans *Novembre*, insiste particulièrement sur son désir de mort : « Je veux périr mais dans la gloire, à Calcutta, à Constantinople », etc., telle serait donc la formulation correcte

---

1. L'ayant vue, depuis, je n'imagine plus d'autre nom pour elle que Dubrovnik.

de son souhait. Par malheur, le jeune homme choisit des morts atroces et qui n'ont rien de volontaires ; se tuer à Calcutta, voilà l'idéal : il se promène longtemps dans la ville, nouveau Werther, revoit les rues et les temples qu'il a aimés, rentre chez lui et, à l'aube, après une nuit de méditations, il se fait sauter la tête, calmement. La cité n'a cessé, jusqu'au dernier instant, d'être présente. Dans les douleurs du choléra ou de la peste, par contre, elle s'éloigne ; la fièvre monte et lui fait perdre l'esprit : à quoi bon Calcutta, si c'est pour y crever, fou de souffrances, ou pour y tomber, comateux, sur un grabat. Du reste, dans la même page, il choisit aussi la vie : muletier, il « trotte » le long du Guadalquivir. L'essentiel n'est donc point de trépasser mais d'*être un autre*, un Indien agonisant, un muletier andalou, tout sauf le touriste Gustave Flaubert : il faut appartenir au paysage de quelque manière, être né dans la cité indienne, prendre le lieu comme le matériau de son travail, être rongé par les maladies que sécrètent ces contrées malsaines. De ce point de vue et *dans le moment qu'il l'exprime*, le désir de mort est un faux désir : il y a même une contradiction entre le choix suicidaire (s'il faut se tuer, pourquoi ne pas le faire à Rouen, sans tant d'embarras) et la nomenclature des postes de décès. C'est que l'option affichée en dissimule une autre, plus véritable : « Je ne veux pas mourir avant d'avoir vu Calcutta » qui, elle-même, est déterminée par le désir profond de faire naître un mot-assouvissement. Produire « Calcutta », l'écrire, se voir l'écrire, le relire, quand l'encre a séché, c'est, pour l'adolescent, se produire autre et imaginaire au centre de Calcutta. Le vrai désir n'est pas même celui d'habiter la cité lointaine mais de tracer les huit lettres du maître mot et de s'y enfermer.

Voici donc ce que signifie « écrire ses rêves » : c'est faire de l'optatif un moyen de jouissance irréelle, se projeter, imaginaire, dans le graphème et, du coup, l'imaginariser en lui conservant sa somptueuse matérialité. D'une certaine manière ce serait, en poussant à l'extrême, n'avoir de désir que dans le discours et ne se satisfaire que par la partie non-signifiante des termes du discours. Encore faut-il préciser : dans le texte précité, l'entreprise consiste à utiliser simultanément la fonction signifiante et la fonction imageante du mot écrit : Gustave ne se soucie explicitement que de la première ; il nous informe de ses désirs. Mais s'il s'en tenait là, les cinq lignes se réduiraient à cette seule phrase : « Je souhaite être un autre, ailleurs. » Il faut que la signification — sans pour autant que le propos se perde — serve de prétexte à l'élection de matières rares et précieuses qui symbolisent avec l'objet souhaité. C'est élire le vocable pour sa physionomie, je l'ai dit. Mais qu'est-ce que cette physionomie ?

Celle d'un mot écrit à la main, tous les graphologues y sont sensibles. J'en ai vu rejeter avec dégoût des lettres dont l'écriture trahissait de la bassesse ou des « perversions » : ils réagissaient aux graphèmes comme à des visages, parfois comme à un sexe brusquement exhibé. Je ne mentionne le fait que pour mieux faire comprendre la singularité, l'individualité du mot *lu* ; mais, dans le cas qui nous occupe, il ne s'agit pas de l'écriture personnelle : quand Gustave trace ses lettres, il ne se reconnaît pas en elles par la raison qu'il vise à travers elles les caractères imprimés. Cela veut dire qu'il saisit « Calcutta » dans sa forme universelle et objective, en dépassant la forme idiosyncrasique que lui donne sa main. Le langage imprimé est platonicien en ce sens qu'il n'y a qu'un seul mot « Calcutta » tiré à des centaines de milliers d'exemplaires mais tout entier présent et manifeste en chacun d'eux : à ce niveau, chaque vocable, ramassant tous les autres en sa détermination différentielle, apparaît dans sa véritable individualité, totalisante et totalisée, qui est celle d'un universel singulier. L'appréhender comme signe, c'est une activité voisine et complémentaire de la perception. Le saisir dans sa singularité matérielle, c'est l'imaginer. Sa « physionomie » ne se révèle que dans certaines circonstances qui découvrent des structures non-signifiantes mais étroitement liées à la signification, à différents niveaux de profondeur.

1. La configuration graphique du mot. Elle n'est dévoilée que par le rapport général du terme à la phrase conçue comme un organisme. Et la phrase elle-même ne livre son organisation que si nous la replaçons dans l'unité du contexte qui — fonctionnant comme *conjoncture* — lui donne son office réel, au-delà de la signification. Si je dis : « Mon cousin de Bombay vient d'être nommé consul à Calcutta », ou « Puissé-je mourir du choléra à Calcutta », les deux phrases sont également signifiantes. Mais c'est le contexte qui décide de leur *sens*, c'est-à-dire de leur essence singulière [1], de leur présence impénétrable d'individualité structurée. La première peut être strictement informative : il se peut qu'on veuille donner à connaître que le cousin a enfin trouvé un emploi. Dans ce cas, Calcutta ne dévoile pas ses prestiges. La seconde, replacée dans la longue énumération des souhaits de Gustave, est en même temps pourvue

---

1. Bien entendu le contexte définit aussi et précise leur signification *intégrale*. Mais ce rôle évident ne nous intéresse pas ici.

d'une signification et d'un sens symbolique : sa configuration fonctionne comme *analogon*. Si vous lisez : « perdus, sans mâts, sans mâts... », l'organisation poétique anime le mot : barré en croix, le *t* s'élève au-dessus des autres lettres, comme le mât au-dessus du navire ; autour de lui les lettres se ramassent : c'est la coque, c'est le pont ; certains — dont je suis — appréhendent dans cette lettre blanche, la voyelle *a*, écrasée sous l'accent circonflexe comme sous un ciel bas et nuageux, la voile qui s'affaisse. La négation qui s'exprime par *sans* agit surtout dans l'univers signifiant ; le bateau est démâté, perdu : voilà ce que nous *apprenons*. Dans le monde obscur du sens, elle ne peut déstructurer le mot de « mât ». Disons qu'elle le *pâlit* jusqu'à en faire l'*analogon* de je ne sais quel négatif de photo. Le navire *a* un mât à mes yeux, bien que je sache qu'il n'en ait plus : il se transforme en bateau fantôme. C'est d'ailleurs ce que veut expressément Mallarmé : ruiner en douce des mots somptueux, provoquer la collision du sens (dépassement vers l'irréel de la présence physique) et de la signification au profit de l'indétermination et, finalement, d'un néant subtil sur la surface duquel l'Être glisse. En vérité le mot de mât n'a aucune ressemblance objective et réelle avec l'objet qu'il désigne. Mais l'art d'écrire, ici, consiste justement à contraindre le lecteur, de gré ou de force, à en trouver une, à faire descendre l'objet dans le signe comme présence irréelle. On dira que, dans ce cas, n'importe quel mot — en dépit de son caractère conventionnel — peut avoir une fonction imageante et je réponds que cela est évident : en effet il ne s'agit pas de ressemblances dues au hasard entre le matériel signifiant et l'objet signifié, mais des bonheurs d'un style qui contraint à saisir la matérialité du vocable comme unité organique et celle-ci comme la présence même de l'objet visé. Nul doute, par exemple, que le rythme fiévreux de l'hémistiche et la répétition des deux mots « sans mâts » donne au deuxième « mât » une intensité particulière, comme si la phrase, accroissant continuellement son volume et sa vitesse, ne trouvait son unité que dans ce mot ultime, et comme si celui-ci, dernier échelon d'une ascension passionnée, rempart contre lequel elle se brise, ramassait en lui tout le sens exprimé. Mais, comme le premier « sans mâts » donne, à lui seul, toute la signification (navire démâté), le second, ainsi exalté, ne peut être utile *en tant que signe* : les lecteurs, assurés de son importance par sa place et sa mise en valeur mais n'y trouvant rien de plus que dans le premier, sont amenés par cette contradiction à le saisir *autrement*, c'est-à-dire comme matérialité irréalisée ou symbole, comme une présentification de l'objet désigné. Qu'on n'aille pas croire, d'ailleurs, que cette construction déréalisante soit propre aux seuls poètes. Toutes les phrases de la prose ont des vitesses : on passe à l'imaginaire dès qu'on se prête au mouvement. « Le moi est haïssable, vous, Miton, le couvrez mais vous ne l'ôtez point. » Voilà un rapide encaissé entre des falaises. Il y a aussi de longs fleuves majestueux. Mouvements semi-réels, *apprésentant* aux yeux les soi-disant mouvements de l'esprit. Emporté par le cours plus ou moins vif de la phrase, le mot s'étale ou se resserre ; l'*allegro* est astringent : le vocable, déréalisé, livre sa matérialité sous forme de dur petit caillou, dense présence ; l'*adagio*, au contraire, déploie la somptuosité d'un mot. Et lesquels, dira-t-on, ont ce caractère somptueux ? Tous. Voyez plutôt ce que deviennent trois lettres et un accent circonflexe, « mât », selon l'usage qu'on en fait. Il s'agit de traiter les vocables — place dans la phrase, rythme, organisation du paragraphe, cent autres procédés connus ; si le traitement est approprié, le lecteur prendra n'importe quel graphème pour *analogon* du signifié qu'il vise. Pour montrer l'artiste au travail, revenons aux cinq lignes de *Novembre* : *peste* à Constantinople. *Choléra* à *Calcutta*. Dans le premier cas les deux mots ont en commun une structure interne : la présence des deux consonnes *st* qu'on ne peut manquer de percevoir (surtout s'il y a subvocalisation) ; dans le second, ils ont chacun trois syllabes, commencent tous deux de la même manière (*ko* et *ka*) et pour finir, assonent l'un avec l'autre. Il est vraisemblable que le choix de ces vocables n'a pas été délibéré : il n'en demeure pas moins intentionnel ; et l'intention, pour obscure qu'elle ait été aux yeux de Flaubert lui-même, n'en est pas moins manifeste aux nôtres : il s'agit, par des similitudes internes — en elles-mêmes non-signifiantes —, par des assonances, par une symphonie en *a* majeur (o-é-a-a-u-a) d'exalter la matière verbale et de l'imposer à notre attention. S'il n'était précédé de choléra, Calcutta aurait moins d'opacité, moins de mystère (par là, j'entends la présence irréelle et paradoxale du signifié dans le signifiant en tant que celui-ci est *aussi* non-signifiant). Le fond de tout cela, c'est en effet que la lourdeur visuelle et la consistance de n'importe quel mot imprimé sont habilitées pour *représenter* la consistance impénétrable de n'importe quel objet rencontré dans l'expérience. Les structures graphiques secondaires ne sont alors que des modulations : bien dirigé, le lecteur saura les exploiter.

2. Cela ne suffirait pas pour alimenter le rêve. Il se trouve très souvent, pour le plus grand bonheur de Flaubert, que le graphème,

par sa configuration physique et *avant tout traitement*, éveille des résonances. C'est qu'il contient en lui, en tant qu'organisme, tout ou partie d'autres organismes verbaux. Pour citer le premier exemple qui me vient à l'esprit, le château d'Amboise se trouve lié pour moi — et pour un très grand nombre de personnes — à *framboise*, à *boisé*, *boiserie*, à *Ambroisie*, à *Ambroise*. Il ne s'agit point ici des relations idiosyncrasiques qui ont pu se nouer au cours de mon histoire personnelle [1], mais de rapports objectifs et matériels, accessibles à toute lecture. Comme ceux-ci n'ont pas été établis par un acte de l'esprit et que pourtant ils s'imposent dans une indissoluble unité, on peut les appeler des *synthèses passives*. De fait, plus on s'abandonne au rêve, plus ils ressortent. Ici, toutefois, les significations des mots associés, bien qu'introduites par leur matérialité, s'intègrent à la « dominante » (Amboise). Mais, à peine affleurent-elles à la surface du mot « visualisé », elles perdent leur transcendance (ou *visée vers le signifié*) et demeurent en lui dans l'immanence comme de simples qualifications matérielles. Le château d'Amboise n'a aucune liaison signifiante avec les framboises : ce n'est pas une pépinière de framboisiers, on n'y vend point de framboises, il n'est pas peint en rouge framboise et, si l'on ne connaissait point son nom, nul n'aurait l'idée de comparer à ces doux fruits fragiles ce puissant édifice. Autrement dit, la signification du vocable associé n'altère en aucune façon celle de la dominante. Disons qu'elle se glisse dans le « visualisé » comme une qualification interne de sa matérialité. Ou, si l'on préfère, comme un facteur matériel d'unification. Elle demeure *dans le graphème*, incomplète (deux lettres — *fr* — manquent) et pourtant entière, passée sous silence et pourtant ressentie, comme ces obscures réminiscences qui jouent un si grand rôle dans l'appréhension des visages nouveaux : bref, c'est une information « indisable » de la matérialité du vocable sur elle-même. Presque inaperçue quand la phrase tend à réduire celui-ci à son rôle de signe (ce qui n'arrive jamais entièrement) — « On me télégraphie, d'Amboise... », etc. — elle s'exalte et s'enrichit quand, au contraire, le style vise à imaginariser le mot pour que la matière verbale soit saisie comme l'*analogon* du château lui-même. Alors la présence irréelle de celui-ci

poésie

---

1. Celles-ci existent, cela va de soi. Une analyse pourrait les mettre au jour. Elles constituent, chez chacun de nous, le fond singulier et incommunicable de toute appréhension du Verbe. Mais, si le poète peut — choisissant la semi-communication — les utiliser dans ses poèmes, le prosateur ne peut s'en servir. Par cette raison, il serait oiseux d'en parler ici.

se trouve, dans le langage et *dans le langage seul*, avant l'expérience ou en dépit de celle-ci, structurée matériellement par la matérialité complexe du vocable, par je ne sais quelle organisation « framboise moins deux lettres » qui s'étend à la totalité de la construction. Si l'on voulait rationaliser, changer cette obscure immanence en transcendance signifiante, il faudrait dire que l'objet appréhendé irréellement, édifice de luxe plutôt que construction militaire, se donne pour un tendre et beau fruit de la Renaissance. Mais ce ne serait qu'une approximation. D'abord parce que la synthèse passive est, par définition, irréductible à la signification. Ensuite « framboise » contient elle-même d'autres synthèses passives qui la qualifient dans sa matière et qui qualifient Amboise du même coup[1] : celles-là mêmes que j'ai citées plus haut — *boisé*, *boiserie*, etc., de sorte que la plénitude de la qualification par le nom du fruit n'est jamais entière : elle est contrariée, traversée, stoppée, enrichie par un au-delà d'elle-même, fait de résonances qui s'interpénètrent et, brouillées, finissent par donner à la présence imaginaire une merveilleuse, une inépuisable densité[2]. La construction de la phrase, nous l'avons vu, dispose le lecteur à s'ouvrir à ses richesses, c'est-à-dire qu'une force douce l'incline à s'irréaliser. Mais, inversement, les mots ont parfois de telles résonances que ce sont eux qui s'imaginarisent sous nos yeux et produisent du même coup l'irréalisation de la phrase entière et de celui qui les lit. Ce sont ces organismes métastables, toujours prêts à verser d'un côté ou de l'autre — réel, irréalité — que le jeune Gustave préfère à tout. Dès ce moment il a choisi — il ne comprendra son choix qu'après 44 — de traiter le discours écrit comme un *analogon* immense de toutes les absen-

---

1. Il se peut que certaines d'entre elles, inaperçues quand la dominante est « framboise », s'actualisent quand le maître mot est « Amboise ».
2. Notons par exemple la désinence féminine qui constitue le fruit et le château comme femmes ou *choses de la femme*. Ou que l'absence du « fr », consonnes assez dures dans « framboise », donne au château présentifié — comme eussent dit les muscadins — une incoyable douceu. Je n'ai pas le temps ici de m'attarder sur les relations constitutives. Mais il est certain que même cette matérialité graphique fonctionne sur fond de langage totalisé, donc en liaison avec d'autres mots absents mais qui la façonnent à distance : nul doute que la douceur féminine d'Amboise ne soit profondément accentuée par son rapport *verbal* avec Blois. Les deux mots se donnent comme deux variations d'une même cellule sonore : Boise, Blois. Et, par là, ils s'opposent et se différencient comme le masculin et le féminin. Rien ne montre mieux que ces différenciations secrètes et imaginaires s'opèrent dans le discours et sans rapport avec l'expérience : il peut arriver en effet que deux édifices qui se font face ou qui se jouxtent se donnent *à la perception* comme de sexe opposé (austérité de l'un, charme de l'autre, etc.), mais il n'en est certes pas ainsi des deux châteaux que j'ai cités.

ces qu'il veut présentifier, de toutes les connaissances qu'il voudrait posséder. Comme je viens de le montrer, en effet, les structures matérielles du signe, en présentifiant la chose, lui donnent *leur* physionomie, qui devient son *sens*. Mais cette physionomie, qui n'était constituée que par des relations intérieures au discours, n'est rien d'autre que verbale et donne une image inconsistante de l'expérience. Le lecteur rencontre Florence, femme et fleur, au détour d'une page : ainsi fait-il des événements ou des objets. Mais dans la mesure où ce mot désigne une ville et, irréalisé, la présentifie, le *sens* n'est qu'un faux-semblant car la cité des Médicis, capitale dure, sèche et virile de la Banque, n'a rien à offrir à ses visiteurs que son ingrate et splendide beauté. Choisir la somptuosité des noms, c'est déjà préférer l'univers du Verbe à celui des choses, et l'assouvissement par les mots — ou faux assouvissement — à la jouissance réelle des biens de ce monde. Cela n'ira pas sans peine car on ne peut obliger le discours à exercer *à la fois* la fonction sémantique et la fonction imageante. L'écriture — et la lecture qui en est inséparable — impliquent, à ce niveau, une dialectique subtile de la perception et de l'imagination, du réel et de l'irréel, du signe et du sens. Car il faut bien, pour présentifier une Calcutta imaginaire et parée de tous les charmes de son nom, conserver au moins un savoir rudimentaire : c'est une ville située aux Indes, ses habitants sont indiens. Mais, si l'on fait subir aux mots le traitement approprié, dans le moment de l'imaginarisation la signification devient structure implicite du sens verbal. Cette dialectique et ce traitement ne sont autres que la *littérature,* au moins telle que le XIXe siècle la conçoit. C'est en tout cas cette littérature-là que Gustave choisit dans son adolescence. Voyez ce qu'il écrit à dix-sept ans, s'efforçant de définir les « besoins de l'âme », ceux justement que les écrivains et surtout les poètes ont mission de combler : « (ce sont) une soif immense de l'infini, (un besoin) de rêveries, de vers, de mélodies, d'extases... »[1]. Il est clair que le petit Flaubert en vient à l'écriture parce que le mot écrit, inerte permanence, objet de médiations auquel on peut sans cesse revenir, est un meilleur agent de déréalisation que la « bouchée intelligible ».

3. J'ajoute que le passage constant du signe à l'image et *vice versa* ne serait pas même possible sans médiation. Et je renvoie ici à ce que j'ai dit plus haut des mots de « femme » ou de « maîtresse » que Gustave se plaît à répéter. Pour lui, comme pour tous les ado-

---

1. *Les Arts et le Commerce*, janvier 39.

lescents de son âge, ces vocables ont une signification conceptuelle — qu'il pressent longtemps avant de la connaître — et un sens « indisable » fait de notions qui s'interpénètrent sous le contrôle d'un désir inarticulable. À ce niveau la richesse syncrétique est intermédiaire entre le signe comme transcendance et la présence irréelle de la chose comme immanence. D'une certaine manière, en effet, il y a *désignation* : la femme est visée par le terme « femme » que Gustave murmure. Cependant elle n'est pas visée par un savoir — au moins au début — mais par une ignorance. Flaubert le dit expressément : jusqu'à son adolescence, c'est le mystère du sexe qu'il désigne par ce mot ; organes féminins, rapports sexuels, il pressent tout sans rien connaître. La femme, c'est le vide noir et fascinant vers quoi tend son désir. Par cette raison, elle est aussi dans le mot, comme nappe immanente, comme *sens*, ou, si l'on préfère, comme matérialisation des significations en qualité. Cette caractéristique métastable du syncrétisme sémantique — la femme, cette inconnue, est visée là-bas sur toute femme, elle est ce qui rémane dans le mot qui l'incarne — permet à chaque instant la dialectique du sens et du signe : toujours prête à s'évaporer vers l'objet, à se dépasser, à s'oublier pour qu'il se manifeste, la visée syncrétique est, en même temps, toujours déboutée et du coup tente toujours de se fondre dans la matérialité du graphème qui devient le chiffre et l'incarnation de la féminité.

Ainsi nous avons dévoilé trois niveaux de l'imaginarisation du vocable. Et le troisième nous renvoie au véritable moteur du style, au *désir*, que la littérature — telle que Flaubert adolescent la conçoit — assouvit dans l'irréel en ce qu'il a d'inarticulable. Ces remarques nous obligent à formuler les deux problèmes essentiels : en quoi l'écriture est-elle assouvissement ? Quels désirs s'assouvissent dans les premières œuvres de Gustave ?

À la première question nous avons donné une réponse : *scripta manent*. Mais, au point où nous sommes parvenus, elle paraît insuffisante ou, du moins, insuffisamment élaborée. De fait s'il est vrai que l'écrivain vient, incomparable et totalisant, à la rencontre de cette idiosyncrasie incomparable et totalisante, le mot, il est tout aussi vrai qu'il suscite et pressent cette rencontre, qu'il prophétise, avant de le connaître, le vocable qui monte à ses lèvres en sorte qu'il ne s'agit jamais que d'une quasi-rencontre, que d'une pseudo-expérience, indiquée, tentée et qui s'effondre dans la trop grande familiarité : avant d'en tracer les lettres, je ne savais pas au juste quel il serait, ce vocable ; en les traçant, je m'aperçois que je l'ai toujours su. La véritable expérience, c'est le lecteur qui la fait : le mot saute sur lui comme un voleur. C'est le lecteur qui subira le choc imageant, le passage à l'imaginaire. C'est pour lui que le mot fonctionnera comme un « hallucinatoire ». Écrire, serait-ce tirer les marrons du feu pour des inconnus ? Pourtant Gustave est formel : « J'écris pour me faire plaisir [1]. » Et il ajoute : « Si j'écris, c'est pour me lire [2]. » Et : « Je suis affamé de me conter à moi-même [3]. » Toute la question est de savoir quel est cet Ego qui lit. Il est évidemment postérieur à celui qui écrit ; il faut donc comprendre : je fais mes livres pour le lecteur futur que je serai. De fait, quand le docteur Cloquet « l'engage à mettre par écrit et sous forme d'aphorismes toutes mes idées, de *(sic)* cacheter le papier et de l'ouvrir dans quinze ans », il accepte avec enthousiasme : « Ça peut être un fort bon conseil, je vais le suivre. » Mais, visiblement, ce qui le séduit avant tout, c'est la remarque dont Cloquet fit suivre son conseil : « Vous trouverez un autre homme. » Autrement dit : dans quinze ans, vous serez autre que vous n'êtes et vous vous regarderez avec les yeux d'un autre, décidant *en vérité* de votre être présent. Le conseil fut donné en été 1840. S'il a fasciné Gustave au point que celui-ci s'est mis au travail et, entre le 25 janvier 41 et les premiers jours de février [4], a pondu trente-six aphorismes, c'est que le jeune homme est depuis longtemps — en fait depuis qu'il écrit — « affamé de se conter à soi-même ». Sous ce jour, l'utilisation irréalisante du graphème prend un autre sens : écrire pour

---

1. *Souvenirs*, p. 103 ; 21 mai 1841.
2. *Id., ibid.*
3. *Id., ibid.*
4. Il écrit, après le dernier et en tête d'une sorte de Journal : « *repris le 8 février* ». Il n'est pas même impossible qu'il les ait écrits tous en une journée. En tout cas c'est un des sens admissibles de la parenthèse qui termine le numéro 36 ; « Souvent je voudrais pouvoir faire sauter les têtes des gens qui passent et dont la mine me déplaît (un autre jour, je finirai ces formules). » En fait il n'a jamais repris ce « formulaire ». Mais nous sommes habitués à ces abandons brusques, contrepartie de ses enthousiasmes. Le genre « maxime » lui a plu — bien qu'il ne sache pas trop en user et se mette en scène dans la plupart d'entre elles — parce qu'il a du goût pour le « paradoxe », qui expose, en une phrase brève, une contradiction scandaleuse. Et puis, il s'en est dégoûté, conscient tout à coup de la profonde bêtise du docteur Cloquet et de ses bons avis. Cloquet, en fait, comme le prouve le contexte, agacé par le pessimisme de Gustave, ne cessait de lui répéter : Vous changerez (ce qui, dans sa bouche, signifiait : vous vous embourgeoiserez, vous deviendrez un père tranquille) et son fameux conseil est empreint d'une certaine hostilité : foutez-nous la paix avec vos idées noires, écrivez-les, mettez-les sous enveloppe cachetée et ne nous en parlez plus jamais. Dans quinze ans vous vous moquerez du jeune hâbleur que vous êtes aujourd'hui. Cloquet cherchait, en somme, la complicité de Gustave adulte contre Gustave adolescent : il ne pouvait plus mal tomber ; peu d'hommes mûrs ont été aussi fidèles à leur jeunesse.

estrangement

se lire (le conseil même que M. Lepic donne à Poil de Carotte), cela ne suppose pas nécessairement que les deux opérations aient lieu à quinze ans l'une de l'autre. On peut devenir son propre lecteur à quinze jours du moment où l'on se faisait son propre écrivain. En ce cas tout change : l'adulte Gustave, c'était pour l'adolescent l'Autre même, mystérieux, enviable et terrifiant. S'adresser à lui, ce n'était pas chercher à lui plaire puisqu'on ignorait ses goûts, ses partis pris, sa vision du monde : on se soumettait à son jugement. Du coup les mots perdaient leur somptuosité : ce regard inconnu et futur les ternissait. Mais si l'on écrit pour se lire la semaine prochaine, on s'adresse à un Ego qui n'est « ni tout à fait un autre ni tout à fait le même ». Ce sera le même Gustave, autre seulement en ceci qu'il n'entrera plus tout à fait dans son œuvre. Il faut et il suffit qu'il l'ait suffisamment oubliée pour qu'il se trouve en état d'*estrangement* par rapport aux mots écrits. Il rencontrera ces quasi-objets dans une quasi-expérience (le processus entier pouvant s'appeler quasi-lecture) ; il saura, sans conteste, le sens général de son travail, il reconnaîtra au passage des pages entières mais certains mots et certaines ruses du style qui les imaginarisent ressusciteront de l'oubli, tout neufs, et le surprendront. En ce sens, la persévérance inerte du graphème est une promesse de délices futures au lieu que la vocalisation du mot, toujours instantanée, ne peut que se répéter, toujours subjective, sans se modifier ni s'enrichir. C'est le vocable écrit qui produit ce renversement : Gustave auteur devient quasi-objet pour lui-même en tant qu'il est là, étalé sur les pages de son cahier. En vérité la chose n'est pas si simple : il faut longtemps pour sortir de son ouvrage et pour le considérer avec les yeux étonnés d'un étranger. Et puis, nous le savons, ces retours sont souvent désolants. N'importe : dans le moment même de l'écriture, il y a, pour lui, ce *postponement* : la surprise qu'il se prépare, et cela suffit à donner au graphème — du moins sous forme de pressentiment — son coloris futur. Je ne dirai pas que Flaubert s'en délecte d'avance mais qu'il jouit du mot en tant qu'il y voit la promesse d'une délectation. Ainsi font les auteurs de graffiti qui, traçant leurs inscriptions sur les parois des urinoirs, sont exquisement troublés par le trouble scandalisé qu'ils espèrent susciter chez autrui — à cette différence près qu'autrui, pour Gustave, c'est lui-même demain. Les lecteurs inconnus [1] ne sont pourtant pas absents de

---

1. Et connus : Alfred et Ernest ont droit de regard. Mais Gustave n'écrit pas *pour eux.*

ses soucis : nous savons qu'ils sont inessentiels. N'importe : dans la mesure où, tout en les craignant, souvent même, tout en souhaitant leur dérober ses œuvres, il sait — *scripta manent* — qu'un tiroir peut être forcé, qu'un manuscrit peut *toujours* tomber en des mains étrangères, leur présence a pour effet de consolider marginalement l'objectivité future des mots ; quand il reviendra sur celui que sa plume trace présentement, il ne peut ignorer qu'il ne le verra pas seulement comme le résultat d'un acte oublié mais aussi comme un collectif, échappant par sa structure de sérialité mais, par là même, le comblant par son altérité. « Le futur me ravit »[1] : tout est là. Quand il écrit, à soi-même futur, déjà tout imaginaire, il jouit dans l'irréel de son irréalisation *prochaine par l'imaginarisation* des graphèmes.

N'y a-t-il pas, cependant, chez lui, dans l'acte même de composer, un assouvissement irréel encore mais plus immédiat ? Si : celui du désir de désirer. 8 février 41[2] : « J'ai écrit une lettre d'amour[3], pour écrire, et non parce que j'aime. Je voudrais bien pourtant me le faire accroire à moi-même ; j'aime, je crois en écrivant. » Il est revenu sur cette idée, quelques années plus tard, dans une lettre à Louise Colet que nous commenterons en son temps. On voit ici le passage du phonème au graphème : crier à tous les vents de la nuit : « J'aime ! Oh ! J'aime ! » c'est peut-être enchanteur mais, à la longue, cela devient de moins en moins convaincant. Or, le texte précité le fait voir clairement, ce qui est en jeu, pour Gustave, c'est la crédibilité du langage : sous quelle forme le discours — son propre discours — sera-t-il plus apte à entraîner l'adhésion pithiatique du jeune garçon ? Sa réponse est formelle : l'écriture. On en saisit les raisons : celle-ci apparaît comme un passage à l'acte, comme une extériorisation et, par-dessus le marché, comme une composition. Il ne s'agit pas de copier cent fois le mot « je t'aime » ; ce serait un pensum. Il faut *inventer* l'amour, faire des trouvailles, s'arracher des phrases passionnément authentiques, donc *se mettre en état*, du dedans, de les repérer. Cela signifie qu'il faut imaginer qu'on aime. En somme l'ordre des moyens et des fins est apparemment renversé : oralement Gustave parle d'amour pour s'imaginer qu'il est amoureux ; écrivant sa lettre à Eulalie, il s'imagine qu'il l'aime pour pouvoir jouer l'amoureux. Mais ce n'est qu'en

1. *Souvenirs*, p. 103.
2. *Ibid.*, p. 99.
3. À Eulalie Foucaud.

apparence, il sait bien, au fond — la preuve est qu'il le dit le jour même — que son but n'a pas changé : « Me faire accroire que j'aime » pour sentir les douloureuses délices de la passion. Reste qu'en surface l'aspect pithiatique de l'entreprise n'est pas déniable : ce n'est pas qu'un jeu (c'est *aussi* un jeu), c'est une tentative réussie, au moins tant que va sa plume, d'autosuggestion. Et, sans doute, il faut compter avec la destinataire : une fois de plus c'est l'Autre, qui, en définitive, jugera sans appel de sa sincérité. Si Gustave la persuade de ses sentiments, il les éprouvera pour de vrai : ce schème nous est à présent familier. Mais Gustave n'est pas inquiet : ses mots naissent d'élans imaginaires mais *justes*, entendons : conformes aux descriptions qu'il a, nous l'avons vu, « apprises dans les livres » ; elle va pleurer de joie, la bonne Eulalie, elle pleure déjà : « Tu m'aimes donc tant ? » « Eh oui, je t'aime et plus encore que tu ne crois. » La plume court, une émotion douce s'empare du jeune épistolier : je crois, mon Dieu, je crois, je *ressens* enfin le désir de l'absente, le regret, la triste mélancolie de la séparation. Comme je suis heureux ! Il faut bien finir par signer, le bonheur s'efface mais on peut, n'est-ce pas, chaque jour recommencer. Et puis faut-il vraiment que ses lettres aient un destinataire ? Ne peut-il s'écrire à lui-même et, « se racontant ses rêves », faire de l'onirisme consolidé ? Je ferai des comédies et tu écriras tes rêves, propose-t-il à Ernest ; un peu plus tard, sans doute par dépit, il change d'avis : j'écrirai des romans. Ces romans, qui, certes, sont, à en juger par leurs titres, fort proches encore des comédies qu'il abandonne, que représentent-ils dans son intention sinon ses rêves écrits ? En ce sens l'écriture, en même temps qu'elle le sauve de l'autisme, est l'objectivation et la matérialisation de celui-ci. L'écriture, pour Gustave à cette époque, est un rôle qui, à mesure que l'acteur le joue, sans cesser d'être une détermination irréelle, persuade celui-ci qu'il *est* le personnage pour de bon. Et par cette croyance même, jamais complète, le comédien accède pleinement au monde de l'imagination. La littérature du jeune Flaubert, c'est l'imaginaire matérialisé.

Il n'est pas vrai, cependant, qu'il se soit fait écrivain pour contenter son seul désir de désirer. C'est pourquoi il faut revenir à la seconde question que nous avions posée : *de quoi*, dans les premières œuvres, y a-t-il assouvissement ? Ce qui nous permettra de trouver la réponse, je crois, c'est l'examen d'un paradoxe qui saute aux yeux. Dans les *Mémoires* et dans *Novembre*, quand Gustave nous rapporte ses exercices spirituels, il les fait commencer dès son entrée au collège et nous laisse entendre qu'il les a poursuivis longtemps après qu'il eut entrepris d'écrire. Or il nous les donne pour ce qu'ils sont sans aucun doute : des rêveries dirigées, organisées autour de quelques mots «magiques» et dont la fin est l'assouvissement de quelques désirs fort simples : l'enfant voudrait être un personnage d'exception, que ses mérites placent au-dessus de tous, il voudrait posséder les biens les plus rares et les femmes les plus belles, parcourir le monde, voir les contrées et les villes légendaires. Il parle de poésie, d'extase ; il se noie dans l'infini, se dit anti-vérité, assigne à la littérature un seul office : alimenter et soutenir les belles rêveries des gens de bien. Rien de mieux : voilà, semble-t-il, les désirs blancs d'un adolescent sage. Mais, dans son œuvre écrite et, tout particulièrement, dans les récits qui sont contemporains de ces nobles aspirations, tout est noir : horreur, misère, souffrances, une loi d'airain veut que la vertu soit toujours punie et le vice toujours récompensé, c'est l'Enfer, les damnés, douloureux et cruels, sont, les uns pour les autres, des démons. Le changement de signes est rigoureux, automatique ; je n'en donnerai qu'un exemple, on en trouverait cent. Flaubert aime à répéter qu'«il y a en lui du saltimbanque». Par là, il donne je ne sais quelle *aura* romantique et *positive* à son irréalité. Le mot est beau : s'il demeure dans la tête de Gustave, il lui permettra d'assouvir son rêve de nomadisme. Et il est vrai que le thème du saltimbanque — de Hugo à Mallarmé en passant par Baudelaire et Gautier — a marqué la poésie sédentaire du XIXe siècle. Le petit Gustave a vu des forains, il nous a dit qu'ils le fascinaient, aussi bien par leurs chamarrures que par leur incroyable liberté. Il veut écrire sur ces bohémiens fantasques et sans le sou qui l'éblouissent et qui lui semblent de sa race. Or, c'est plus fort que lui : dès qu'il parle d'eux *avec sa plume*, le positif passe au négatif absolu ; dans *Un parfum...* ils deviennent les plus misérables et les plus décriés des hommes : leur travail est dur et ne paie pas, ils meurent de faim et de froid, se traînent de ville en ville et font l'objet d'un universel mépris. Et, bien entendu, c'est — un peu noircie — la vérité. Mais Gustave n'a pas écrit par souci de la vérité objective : il cherche certains assouvissements. Comment se fait-il que, dans son rêve intérieur, les baladins soient les chevaliers de l'imaginaire et qu'il s'enorgueillisse d'être des leurs au lieu que, s'il en écrit, il les accable de tous les maux et charge une danseuse ridicule, laideron obscène et jaloux, de le représenter au milieu d'eux ? Qu'est devenue leur liberté ? Cette suprême insouciance, ce mépris des bourgeois qu'il admirait en eux, que sont-ils devenus ? Ce cri d'orgueil : « Je suis un saltimbanque », qu'il lançait pour rompre l'ennui de sa haute solitude, pourquoi l'encre en a-t-elle fait cette plainte humiliée : « Je ne suis qu'un saltimbanque » ? ou, comme il dira dans les *Mémoires* : « un montreur d'animaux » ? L'enfant qui rêve d'être une belle femme pour se voir nue dans la vasque et s'admirer, pourquoi, la première fois qu'il ose matérialiser son rêve, faut-il qu'il se donne le corps repoussant de la pauvre Marguerite ? Comment peut-il à la fois « s'arranger des histoires » merveilleuses dans sa tête pour compenser la Chute, le refus castrateur, et n'user de sa plume que pour en arranger d'autres, parfaitement atroces, qui le mènent sans compensation au désespoir ?

Dira-t-on qu'il se raconte les premières pour fuir une vérité que les secondes s'efforcent de cerner ? La réponse ne paraît guère satisfaisante : dans l'un et l'autre cas il s'agit de fictions et qui nous prouve que dans ses récits écrits Gustave cherche *sa* vérité pour l'*exprimer par des paroles* ? Nous serions plus proches, je crois, des intentions de Gustave si nous disions que le désir de désirer — qui pousse celui-ci à se bâtir intérieurement d'abord, puis extérieurement un monde imaginaire — est le seul explicite mais non point le seul réel. Pour tout dire, à supposer qu'il ne soit pas joué tout à fait, il est celui qui possède le moins de réalité. En sorte que, si l'apprenti sorcier se met à sa table de travail, ses démons sont à l'œuvre, tout se renverse et le voilà qui assouvit irréellement mais *matériellement* ses désirs noirs. Du reste sont-ils si blancs, ceux qu'il rumine chaque jour à l'étude et au dortoir ? D'abord ils naissent souvent de l'orgueil humilié : « les imbéciles ! eux, rire de moi ! eux, si faibles, si communs, moi dont l'esprit se noyait sur les limites de la création ». La rêverie est donc réaction de défense et condamnation de l'autre dans l'instant qu'elle se produit. Plus profondément, elle témoigne d'une agressivité passive. Que souhaite-t-il, le bon petit sujet ? Les voyages, la gloire, l'amour ? Rien de mieux. Mais : « C'était Rome que j'aimais, la Rome impériale, cette belle reine se roulant dans l'orgie, salissant ses nobles vêtements du vin de la débauche, plus fière de ses vices qu'elle ne l'était de ses vertus. » Dans cette capitale du monde, quel rôle eût-il souhaité ? Ni plus ni moins, celui de Néron. « Amours de tigre... immenses voluptés... illuminations sanglantes... divertissements qui brûlent Rome. » L'amour que Gustave souhaite éprouver, son personnage néronien ne sait pas même ce que c'est : il prend les femmes ou les hommes pendant qu'on supplicie dans la même pièce un infortuné qui lui a déplu. Bref à quoi rêve le jeune garçon ? Il tente, par autosuggestion, de se persuader qu'il est, dans une ville splendide et pourrie, l'empereur, le plus pourri de tous, et qu'il y met le feu pour le plaisir de regarder les *belles* flammes qui la dévorent et de faire rôtir ses concitoyens. Il y revient dans *Novembre* et, de nouveau, se sacre empereur : « pour la puissance absolue ». Et qu'en ferat-il, de cette puissance ? « J'aurais voulu anéantir la création... Que ne me réveillai-je à la lueur des villes incendiées ! J'aurais voulu... galoper sur des peuples courbés et les écraser des quatre fers de mon cheval, être Gengis Khan, Tamerlan, Néron... » Sans doute, à lire attentivement les ouvrages autobiographiques, on distingue des périodes : les fureurs qui le portent à ces fantaisies génocides seraient, d'après lui, très postérieures à ses premières rêveries : « Il me prit contre la vie, contre les hommes, contre tout une rage sans nom. » Soit. Mais, dans les *Mémoires d'un fou* il situe bien plus tôt — dès les premiers mois du collège — cette « irritation nerveuse qui (le) rendait véhément et emporté comme le taureau malade de la piqûre des insectes ». Il avait alors, dit-il, « des cauchemars affreux », il décrit l'un d'eux dont le contenu, nous y reviendrons, renvoie évidemment à des souvenirs de sa petite enfance. En bref, il truque : son humeur atrabilaire — nous le savons — se manifeste *avant* l'entrée au collège, bien que le contact avec ses pairs et ses professeurs l'ait exaspérée. Et quand il rêve d'être aimé — très tôt, s'il faut en croire *Novembre* — nous savons qu'il souhaite une maîtresse, « être satanique » qui lui voue un « amour *dévorant et qui fait peur*... qui vous fait de suite l'égal des riches et des puissants ». Ainsi la naïve pureté de Chérubin dissimule la volonté de puissance, le ressentiment et la haine. Le désir blanc — amour de l'amour — existe, n'en doutons pas, ce n'est pas même un prétexte : il représente une tentative perpétuellement recommencée pour échapper aux forces nocturnes, à son destin de misanthrope et de solitaire. Aimer, être aimé : communiquer, sortir de soi, oublier à jamais ses « ténèbres épouvantables », s'évader du monde de la peur. Rien à faire : à peine formulée, la blanche postulation vire au noir ; rappelons-nous : Calcutta, Constantinople, voilà le mirage empoisonné. Doubler le Cap, oui ; mais ce souhait crève, la conduite d'échec devient la dominante : il ratera cette entreprise, comme toutes les autres, et se noiera au large, *avant* de l'avoir doublé. N'estce pas là cette « poésie suprême » qu'il définit lui-même comme un « mélange de malédiction et de volupté » ? Les désirs blancs ont une existence *irréelle*, les mots sont chargés de les susciter ; les noirs sont parfaitement réels, l'écriture est chargée de les assouvir *irréellement*.

N'allons pas croire toutefois qu'ils se découvrent à lui par le graphisme : il a depuis longtemps l'habitude de les satisfaire par cette comédie : le langage intérieur. Il y a, dans les ébauches de romans qu'a publiées Mme Durry, une notation très instructive. Flaubert — il a déjà écrit *Madame Bovary* — esquisse en quelques mots l'histoire d'un couple. Le caractère de la femme est déjà plus fouillé que celui du mari. Nous apprenons qu'elle est humiliée par lui, qu'elle le déteste mais qu'elle est contrainte de le supporter par amour du luxe. Cette condition féminine, c'est précisément celle de Flaubert dans sa famille : humilié, il ne peut rompre — non par goût du luxe (il n'y en a pas l'ombre dans la famille Flaubert) mais par goût du confort et crainte de manquer. Nul doute, Flaubert, une fois de plus, *se voit en femme*. Et c'est de lui qu'il parle quand il dit de son héroïne : « Elle se venge par le monologue. »

Cette phrase brève n'est suivie d'aucun commentaire. L'auteur, qui n'écrit ici que pour lui-même, n'a nul besoin de développer : il sait de quoi il parle. Le « monologue », évidemment, est fait pour n'être pas entendu ; cela suffit pour nous marquer que la vengeance est irréelle : ce discours sans voix n'aurait d'effet réel que s'il était tenu à voix haute : « Crève donc salaud. Mon Dieu, faites qu'il crève », ou : « Tu es une ordure, mon vieux, tu arrives à le cacher aux autres mais moi je le sais et tu ne sais pas que je le sais. » Le parleur muet prend plaisir à expliquer leur caractère aux personnes qui l'entourent, à dénombrer leurs ignominies, à prédire leur destin, à les vouer aux pires malheurs. Ou bien il décrit sa misère, le sort affreux qu'elles lui ont ménagé, il leur fait toucher du doigt les dommages irréparables que leur dureté de cœur lui a causés. Tout cela, naturellement, personne n'en doit rien deviner. Mais, loin que l'irréalité de sa conduite provoque chez le monologueur un malaise, une certaine insatisfaction, il y trouve des avantages. D'abord, pour divers motifs, il a besoin que sa vengeance soit irréelle : si l'épouse quitte ou tue son mari, la poule aux œufs d'or meurt du coup ; Gustave, lui, ne peut pas vivre s'il ne s'enkyste dans sa famille, il ne supporterait pas d'en être chassé. Donc le monologue est complet tel qu'il est. Et puis le muet renverse la situation : ce n'est pas lui qui se tait, ce sont les autres qui n'entendent pas, il crie à tue-tête au milieu de sourds. Et ceux-ci sont d'autant plus ridiculisés qu'ils ignorent qu'on les a démasqués et qu'on est en train de leur dire leurs quatre vérités. N'est-il pas comique, ce Monsieur qui sourit affablement à celui qui lui jette en pleine face un « Vieille ordure » qui n'est pas même entendu ? Enfin, il y a Dieu. Dieu ou la puissance ontologique du Verbe. Ces paroles inécoutées, Dieu les écoute, il en prend bonne note. Ou, si vous préférez, les choses dites demeurent, ce sont des pierres : il ne se peut pas que quelque changement n'en résulte dans l'Être. Et quel orgueil, quand on respecte encore son père, de se sentir réprouvé, maudit pour l'avoir traité mentalement de sale con. L'acte, le voilà, pense le monologueur avec une âcre jouissance : je l'ai bel et bien dit, qu'il était con, mon père et, si je n'ai rien fait d'autre, j'ai attiré sur moi les foudres du Tout-Puissant. Ainsi se désennuient les âmes amères et passives où s'est logé le ressentiment.

De lui-même, le monologue tend vers la fiction : à la fois parce qu'il est imaginaire et parce que les souhaits, quand ils se prennent pour des réalités, tournent volontiers à la prophétie. Selon le caractère du parleur, les mots s'uniront dans sa tête pour affecter l'ennemi intime des pires malheurs, c'est-à-dire pour raconter la vie de celui-ci telle qu'elle se déroulera dans l'avenir ou pour lui narrer l'histoire de sa victime pour qu'il mesure sa faute par les résultats anticipés de sa méchanceté. Ou, comme fait Gustave, pour entrelacer les deux récits, mille fois ressassés. On peut voir dans ses premières œuvres — où ses héros sont de braves monologueurs et parlent à leur bonnet à l'instant que, sous l'aiguillon de la souffrance, ils sont parvenus au comble de la méchanceté — la dialectique interne du monologue flaubertien, c'est-à-dire le conditionnement réciproque des deux types de récits. « Oh ! se disait-il à lui-même, en pleurant de rage. » C'est Garcia : après ce beau début nous le voyons pousser *par les mots* son malheur à l'extrême, prédire le pire, raconter en détail ses humiliations futures et se plaire à leur donner l'inflexibilité du destin : « Moi, son frère, *toujours* pauvre et obscur... » Sadique et masochiste à la fois, il assouvit d'abord son désir de punir ses bourreaux en s'acharnant sur soi et, tout aussitôt justifié, il passe au rêve de vengeance active : « Ah ! je comprends maintenant les joies du sang, les délices de la vengeance, et l'athéisme et l'impureté ! » En sorte que, finalement, cet *aparté*, placé au début du conte [1], semble la matrice dont toute l'histoire est sortie : Garcia, fou de colère, tue en effet son frère et connaît à la fois les joies du sang et celles de l'impureté. Mais, nous l'avons vu, le meurtre de François n'est rien moins que convaincant ; il convient donc de maintenir ces violences sur le plan

---

1. Au chapitre II de *La Peste à Florence*.

du langage : tout se passe comme si Garcia était incité par son récit intérieur à *écrire l'histoire* de cet assassinat qu'il est bien incapable de commettre. Ou, mieux encore, comme si le monologue de Gustave avait exigé d'être transmué en l'histoire écrite de Garcia. Je pense, en effet, que le passage à la littérature se fait, chez l'enfant, à deux niveaux : les désirs irréels s'assouvissent au niveau du mot isolé ; les désirs réels, exprimés par le monologue, s'assouvissent par la fiction écrite. Ou, si l'on préfère, les premiers récits de Flaubert sont la matérialisation de vengeances irréelles. Pourquoi le monologue exige-t-il d'être transcrit et pourquoi cette transcription le métamorphose-t-elle en fabulation pure dont les personnages mêmes sont fictifs, voilà ce qu'il faut nous demander à présent.

À la première question, il est facile de répondre : dans la mesure où le monologue se fait *histoire*, il révèle assez tôt son inconsistance. La pensée autistique rassemblée autour d'un ou deux mots se suffit. Mais dès qu'elle se dit, elle s'organise et entreprend de se rationaliser. À ce niveau, déployée en récit, elle réclame une temporalisation intérieure : il faut que le sucre fonde, que le père dénaturé prenne tout son temps pour mourir de honte. Or, en ce cas précis [1], la temporalisation vraie, loin de soutenir la durée imaginaire, joue contre elle : elle disperse et bouscule le récit ; il n'est pas vrai que le monologueur puisse rêver *en détail* les supplices qu'il infligera à son frère : à peine a-t-il posé le décor, celui-ci disparaît dans l'oubli, il faut le repêcher, en inventer un autre et celui-là comme le précédent, en dépit de ce qu'en croit Loyola, manque de la solidité requise pour qu'on fasse entrer les acteurs. Plus généralement l'histoire peut être schématiquement contée mais non développée : aucun moment, aucun épisode ne peut servir de tremplin pour l'épisode suivant, chacun d'eux étant marqué par la pauvreté essentielle qui caractérise l'image mentale et la parole intérieure ; surtout aucun d'eux n'a d'effet d'aucune sorte sur ceux qui viennent après lui, par la raison que la conscience les produit isolément, qu'ils se *remplacent* au lieu de s'enrichir les uns les autres et que leur inerte succession n'est soutenue que par la durée vécue : un acte synthétique peut certes les lier les uns aux autres mais c'est *du dehors* et puis quand on rejoint l'événement présent aux faits antérieurs, ceux-ci déjà *ne sont plus*, par quoi il faut entendre qu'ils ont coulé dans l'absence en emportant avec eux les éléments indis-

1. Le temps propre du lecteur, justement, se perd pour que la durée romanesque existe.

pensables à la suite du récit : « Je te crèverai, tu saigneras comme un porc. » Fort bien : voici le plancher rougi de sang. « Tu crieras grâce et je rirai. » La bouche s'ouvre dans l'ombre, le cri s'en échappe mais cela ne se passe nulle part : le plancher et son sang ont disparu. Quant au rire, c'est bien autre chose : en le prophétisant, le vengeur se retrouve tout seul, *aujourd'hui*, riant sous cape des événements *futurs* qu'il prédit. Que faire sinon recommencer : il y a une monotonie profonde de ce discours qui n'arrive jamais au bout de lui-même faute de s'appuyer sur une plate-forme stable. Cette plate-forme, c'est la chose écrite : une fois encore, *scripta manent*. On n'avancera, on n'enrichira l'histoire de tout son passé qu'en tenant registre de tout : aussitôt conçue, l'invention est fixée ; on y peut revenir sans cesse, le plancher sanglant est solide, à présent, il passera d'un épisode à l'autre, il s'y intégrera : il suffira d'un rappel, d'une allusion, pour en faire une constante du récit. Dès lors, la vengeance, qui est minutieuse, peut se complaire à détailler les supplices qu'elle rumine : les spasmes de la victime, son fier visage à présent défiguré par la terreur, les instruments de supplice, la délectation du bourreau, on peut tout décrire et rassembler, par la raison que *l'écriture est accumulation*. Pour Gustave qui, auteur-acteur, a déjà l'habitude de la plume, la chose s'est faite sans qu'il s'en aperçût. D'autant que l'écriture, après les jeux publics du théâtre, est une solitude et presque une clandestinité — donc homogène par essence au monologue. Née d'un refus castrateur, elle dira les souffrances et la revanche du châtré. Mieux : elle *sera* cette revanche elle-même. Réduite au silence la grande voix parle encore dans l'intériorité et les paroles muettes qu'elle engendre trouvent, en dépit de tout, le moyen de s'extérioriser dans les mots qu'une main trace silencieusement.

C'est ici qu'il faut donner réponse à la seconde question. Si la littérature, en sa forme primitive, est un moyen d'articuler et d'organiser le monologue vindicatif de Gustave, d'où vient qu'on ne trouve jamais dans ses cahiers ce qu'on y devrait trouver : des diatribes contre son père ou des plaintes faussement résignées, la dénonciation de l'usurpateur Achille et le dénombrement complaisant des malheurs que l'avenir lui réserve ? D'où vient que, dans *Matteo Falcone*, la plus primitive de ses vengeances — et la plus élémentaire —, au lieu de lire ces lamentations : « Père à l'injuste justice tu me crucifies, ma mère en mourra », nous trouvions le sec récit — sujet d'ailleurs emprunté — d'un drame familial en Corse, où un certain Matteo tue son fils de ses propres mains ? Quel plaisir

Flaubert, s'il est vrai qu'il se venge, trouve-t-il à faire évoluer ces étrangers dans un pays qu'il ignore et dans des circonstances extrêmes dont l'expérience lui fait défaut ? Il est de la plus grande importance, pour qui souhaite connaître Gustave, de trouver une solution à ce problème car ce qui est en question n'est rien de moins que la conception du romanesque, telle que l'enfant se l'est faite dès ses premiers ouvrages et telle que l'adulte la conservera. Notons tout de suite que le petit Flaubert a un savoir et des modèles : on lui a lu *Don Quichotte* ; plus tard il a connu d'autres romans. Ce savoir lui facilite le passage du monologue à l'écriture mais il peut fort bien — nous aurons à en décider — lui en masquer la véritable signification. Notons aussi que le jeune garçon ne passe pas de la réalité (ses *vraies* souffrances familiales, ses *vrais* projets de vengeance) à la fiction mais d'une fiction qui le concerne (il en est le sujet) à une autre qui, à s'en tenir aux apparences, ne le concerne pas. J'ai dit, en effet, plus haut que son soliloque était un assouvissement irréel de son ressentiment, par quoi il faut entendre qu'il a nommément pour office de satisfaire dans l'irréel un désir qu'on entend bien ne jamais satisfaire réellement. Bref nous demeurons dans l'imaginaire : sous cet aspect aussi la parole muette et le graphème sont ici homogènes. Ceci dit, il faut se garder d'accuser Gustave de cynisme, comme si, par prudence, il avait maquillé les faits, changé les lieux et les noms. Il est vrai que, chez lui, la prudence est extrême et que ses premiers écrits romanesques sont liés à une méfiance universelle. Nous avons vu son étrange relation contradictoire avec les lecteurs : il les repousse avec horreur tout en souhaitant qu'ils le lisent. D'où ce double caractère de ses premières œuvres : elles sont lisibles donc offertes à tous et *livrées* ; à cause de cela, elles sont par essence *cachées*. Mais cela veut dire surtout qu'il enferme ses manuscrits à double tour ; cette précaution, d'ailleurs, il sait fort bien, hélas, qu'il la prend contre un danger imaginaire : ni le docteur Flaubert ni son épouse n'iront forcer les tiroirs pour contrôler la production de leur fils ; ils ont d'autres chats à fouetter. J'ai, d'autre part, montré plus haut qu'on trouvait, dans les récits mêmes, quand l'anecdote risque d'être trop évocatrice, la trace de déguisements : le jeune écrivain semble insister sur les différences qui séparent les événements réels de l'événement conté, tout se passe comme s'il occultait le sens véritable de son œuvre. À qui fera-t-on croire, pourtant, qu'il adopte en pleine connaissance de cause la forme romanesque pour couvrir sa pensée et satisfaire sa vindicte en toute sécurité ? Des gens l'ont fait peut-être mais s'ils ont pris la littérature pour moyen, il est vraisemblable qu'ils n'ont pu aller fort loin : elle exige d'être une fin. Il en est d'autres d'ailleurs qui monologuent par la plume et, dans leur journal intime, disent tout bravement — au moins tout ce dont ils ont une conscience explicite —, quitte à renchérir sur la vigilance : ceux-là, d'ailleurs, ne veulent pas tant s'assouvir que se connaître ; ce n'est pas d'eux que nous parlons. Gustave, en effet, partant de l'autisme ne songe pas à se connaître mais à se rêver par écrit. Tout est là. Par cette raison, il ne faudrait pas tomber dans l'erreur opposée : certes l'adolescent dit beaucoup plus qu'il ne veut dire ; il se livre sans le savoir : il nous suffit d'analyser pour entrevoir ses « ennuyeuses profondeurs ». C'est ce que je tente ici même. Mais, d'une certaine manière, il le pressent et les mesures de sécurité qu'il prend visent bien plus à écarter le lecteur pénétrant que les membres de sa famille (en cela aussi, d'ailleurs, elles demeurent symboliques, inefficaces) ; nous verrons plus tard qu'il se comprend à merveille sans pour autant se connaître : de là cette peur de dévoiler à son insu sa nudité misérable. Mais ce qui le trahira, il ne l'ignore pas, c'est la manière de raconter l'histoire ; en ce sens il importe peu que le héros soit Gustave en personne ou un porte-parole ou dix porte-parole contradictoires et simultanés. Mais, s'il craint de livrer à un lecteur éventuel des coins poussiéreux de son âme qui lui sont obscurs à lui-même, bref de donner un avantage à l'ennemi, il est fort conscient d'écrire pour clamer son désespoir et satisfaire son ressentiment : la littérature, chez lui, ne découle-t-elle pas du monologue ? Relisons les premières pages d'*Agonies* ou la préface et la conclusion d'*Un parfum à sentir* : nous verrons qu'il réclame, tout en maudissant son lecteur possible — ou tout en le moquant — la responsabilité entière du pessimisme et de la misanthropie qui s'y manifestent. Il sait ce qui en est et à quoi il s'engage : ce qui lui fait peur, ce n'est pas ce qu'on prétend qu'il cache (les noms et les états civils des vrais protagonistes de son drame familial) et pas seulement ce qu'il ignore et craint d'exprimer sans l'avoir voulu, mais surtout *ce qu'il dit*.

Si nous tentons d'expliquer le passage au romanesque en évitant ces deux écueils, l'interprétation par le cynisme et celle par l'inconscience absolue, il nous vient tout de suite à l'esprit que le monologue, en général, ne comporte pas seulement des fictions du premier degré mais aussi, par moments, à l'état d'ébauches, celles du second. C'est ce que Freud appelle le « roman familial ». L'enfant se raconte une histoire pour combler dans l'imaginaire des désirs d'ailleurs variables : ses parents ne sont pas ses vrais parents, il en a d'autres, secrets ; lui-même, en conséquence, n'est pas ce qu'on croit ; ou bien ce sont les mêmes mais leur condition est différente et, du coup, ses relations avec eux, sa vie quotidienne, ses aspirations sont autres. Il dit encore « Je » mais se voit de l'extérieur. De ces ruminations nous trouvons des traces nombreuses dans les premières œuvres de Gustave. Il y a ces plans de mélodrame, d'abord : sa mère est une pute, son père un grand seigneur infidèle à sa parole ; quant à lui, pour ses vingt ans, en toute innocence, le pauvre, il baise la putain qui lui a donné le jour. Ou bien la malheureuse est une esclave noire, violée par un orang-outang, son père est à la fois la bête sauvage et le savant éclairé qui ordonna l'expérience par curiosité scientifique. Ce ne sont pas là, bien entendu, les premiers « romans familiaux » du jeune garçon : ces écrits sont trop élaborés, trop pénétrés de savoir. Du moins laissent-ils paraître un goût très ancien pour ce genre de fabulation : sans aucun doute son monologue en fut marqué.

En cela toutefois Gustave ne diffère point de beaucoup d'autres enfants qui pourtant n'écriront point. Ce qui fait son « anomalie », c'est que le désir d'être autre, chez lui, se confond avec celui d'être réel. J'en ai assez parlé pour n'y point revenir. Je veux seulement marquer que, son être objectif étant aux mains des autres et sa vie subjective demeurant irréalisée, il faudrait, pour qu'il jouisse enfin de sa réalité, qu'il se surprenne comme l'Autre qu'il est pour les autres. Pour lui, « Je » est présent mais irréel. « Il » est réel mais visé à vide, absent. Il a tenté, par la comédie, de se faire pour autrui cet autre que les autres voient. À présent, quand il se projette dans le langage écrit pour *se* lire, il s'offre *autre* à un témoin qui *n'est autre* que lui-même ; en d'autres termes il s'incorpore à la matérialité du graphème et, à défaut de réalité, il se donnera la pesanteur matérielle en se faisant *objet autre* à ses propres yeux. Le Je subjectif demeure où il est mais, dans le vocable qu'il trace, un retournement du Je en Il s'opère. Transformation à vue : non pour assouvir le désir de se connaître mais tout simplement celui d'exister. Gustave aura besoin de plusieurs années pour conquérir le Je littéraire : encore celui-ci ne sera-t-il bien souvent qu'un Il déguisé [1]. Ce changement spontané est sans aucun doute intention-

1. Dans les *Mémoires*, quand Flaubert raconte son amour pour Mme Schlésinger il dit Je. Et, en principe, c'est bien *Je* qui parle puisqu'il nous fait part d'une aventure vraie et des sentiments qu'il a vraiment éprouvés. Pourtant il ne peut se tenir de changer l'âge du narrateur — par intermittence, il est vrai — et de se donner pour un vieillard

nel. Mais n'allons pas croire qu'il soit explicite et délibéré : Gustave n'y voit que du feu ; il veut parler d'*un autre* qui le séduit par sa consistance (celle du graphème, en fin de compte) quasi réelle et qui vivait au XVIᵉ siècle et qui est *lui-même enfin visible pour lui*. Non pas le triste collégien qui ne saurait rien dire de lui par la raison qu'il ne se connaît pas et qu'on l'a frustré de sa réalité [1] mais un être dense et vivace qui n'a rien de commun avec lui sinon qu'il a mandat d'assouvir en lui-même et par lui-même les farouches rancunes de son créateur. Entendons que celui-ci ne se reconnaît pas explicitement en sa créature ; ou, si l'on préfère, il ne sait pas clairement que c'est de lui-même — comme présence objective — qu'il jouit : comment serait-ce possible que la nébuleuse s'identifie au caillou brûlant qui s'est éjecté d'elle ? Pourtant l'identification a lieu, silencieusement : c'est le désir qui l'opère ; les souffrances, les rages et les plaisirs de ses personnages touchent étrangement Flaubert parce que ce sont les siens. Et son assouvissement sera d'autant plus violent qu'il aura lieu *là-bas* dans un personnage extérieur à lui, qui tend à se refermer sur soi en affirmant son indépendance par rapport à son auteur. Gustave en tant qu'enfant imaginaire « n'est pas assez pour avoir » : soit ; il ne sait donc point ce que c'est que la jouissance ; mais Mazza, mais Marguerite, mais Djalioh, dures et denses petites statuettes bariolées, c'est bien autre chose : sans être plus réelles, elles possèdent assez de matérialité pour que les sentiments indécis qui traversent l'*animula vagula* du petit garçon prennent en elles toute leur fastueuse violence et, surtout, deviennent ce qu'ils sont. Djalioh n'est pas créé et mis au

évoquant un souvenir d'enfance. Inversement, cela va de soi, il y a des « Il » qui sont des Je déguisés. Plus complexe encore, le procédé de Fromentin dans *Dominique* : le narrateur parle à la première personne ; il rencontre le protagoniste, qu'il décrit à la troisième personne ; un jour celui-ci se laisse aller aux confidences devant l'auteur ; le voilà donc parlant de soi à la première personne bien qu'un léger décalage temporel (il évoque son passé) empêche une coïncidence parfaite du Je parleur avec le Je dont il raconte l'histoire. Ainsi le Je brisé, passé, dépassé de l'étranger qui se confesse est celui d'un Il dont un narrateur qui dit Je nous rapporte les propos (on pourrait continuer à l'infini, d'ailleurs, et placer dans le récit de l'étranger d'autres étrangers qu'il a connus et qui, un jour, lui ont fait part de leurs ennuis à la première personne) et cette perspective « en abîme » comme on dit joliment (la vache portant entre ses dents une boîte de fromage dont l'étiquette représente une vache portant entre ses dents..., etc., etc.) ne saurait empêcher que Fromentin ne soit l'unique narrateur puisque c'est sa propre histoire qu'il fait conter par l'étranger — à quelques modifications près. Cependant cette triple distanciation interne, dans le récit, n'est pas un artifice purement formel : elle exprime d'une certaine manière la *distance à soi* qui caractérise le vécu chez Fromentin (au moins pendant une période de sa vie).

1. « Je suis si difficile à connaître que je ne me connais même pas moi-même. » *Souvenirs*, p. 100.

monde pour symboliser les souffrances du jeune Gustave mais au contraire, si Gustave a fait ce monstre, c'est pour pouvoir souffrir les souffrances de Djalioh.

Ce qui achève de rendre l'hypostase méconnaissable, c'est l'organisation et la rationalisation que l'écriture introduit dans le rêve. L'enfant, tant qu'il s'enferme dans l'autisme, peut combler imaginairement son désir d'être femme sans, pour autant, s'affecter d'altérité. Qu'il prononce tout bas le mot clé « femme » ou qu'il se répète « je suis femme », le résultat est le même : il se métamorphose sans perdre son identité ; il l'*est*, il l'a toujours été ; il caresse sa peau fraîche et tendre d'adolescent et *s'imagine* que lui, Gustave, pourvu d'un sexe féminin est objet de désir pour les mâles et se tord de volupté sous leur étreinte. À la bonne heure ! Dans cette image instable et fugace, qui, au prix d'une tension éreintante, peut durer le temps d'une masturbation, l'autre et le même s'interpénètrent sans s'opposer. À peine écrit-il, c'est l'altérité qui l'emporte. Certes, il peut griffonner — il l'a fait — sur un bout de papier : « Je voudrais être femme », mais cela ne le mènera pas loin. Comment jouir du « deuxième sexe » à moins de se créer femme par les mots, avec un nom de femme, une vie, des mœurs, une condition, un destin de femme. Le voilà métamorphosé : elle s'appelle Marguerite ou Mazza. Sans doute pourrait-il se donner le plaisir de dire : « Je » : et après ? C'est ce que fera Marie, un peu plus tard — inspirée par Eulalie mais surtout par les désirs de Flaubert : « Je suis de la campagne, mon père était fermier... Pour (celui qui saura se faire aimer) je me tordrai dans des mouvements de couleuvre, la nuit j'aurai des soubresauts furieux et des crispations qui déchirent. » Mais en dépit du « Je » ou plutôt à cause de lui, Marie devient *l'autre* ; elle vole la première personne du singulier à l'auteur et affirme contre lui sa consistance illusoire de sujet : c'est *une* femme qui dit Je, donc un *objet* pour Gustave. C'est d'autant plus inévitable que le désir sexuel de Gustave est contradictoire ; Roger Kempf, dans un excellent article [1], a trouvé le mot juste pour le définir : androgyne. La femme qu'il décrit — Marie ou Mazza — c'est à la fois celle qu'il voudrait être et celle qu'il voudrait posséder. Donc *l'autre et lui-même* sont le noyau de ces créatures. Plus profondément encore : son désir originel n'est pas tant d'être pénétré par un sexe d'homme que de se pâmer sous les mains d'une femme qui le manipule ; mais, en même temps, cette

---

1. Cf. « Le Double Pupitre », *Cahiers du Chemin*, oct. 69.

forte femme un peu moustachue, en tout cas plus âgée que lui, il a le désir mâle d'entrer en elle : quand ce ne serait que pour légitimer à ses propres yeux et à ceux de sa partenaire les caresses dominatrices auxquelles il aspire ou pour s'identifier (comme il faisait pour Caroline), seigneur de comédie, à l'humble vassale qui se pâme dans ses bras. Il y a donc, au cœur même du personnage féminin qu'il invente, un tourniquet permanent ; c'est bien, comme dit Picasso, « le désir attrapé par la queue » : cette femme n'est l'objet de Gustave que dans la mesure où il aspire à devenir au plus vite l'objet docile de celle-ci et, par cette raison le Je et le Il — en Mazza, par exemple — sont entraînés dans un mouvement circulaire qui ne s'arrête jamais. En elle, il jouit, il décrit les voluptés infinies, insatiables qui lui échappent, qu'il recevrait s'il était femme ; en elle il assouvit ses ressentiments par le monologue et par le crime. Mais, tout à coup, elle se dresse *devant lui*, la Déesse Mère, la dévorante, la satanique : il devient son objet, elle lui réclame, l'inassouvie, un assouvissement sans fin ; il y laissera sa peau. Ernest, du coup, vert de peur, s'enfuit à l'autre bout de la terre : Gustave s'est fait Ernest pour devenir l'objet de cette revendication impérieuse : en Ernest, il avoue que l'amour qu'il souhaite inspirer à une « maîtresse » lui *fait peur*. La femme dominée ne l'intéresse que dans la mesure où l'on éveille chez elle la femme dominatrice, infinie puissance *noire* qui lui inspire une frousse voluptueuse jusqu'à l'instant où il s'abandonne entre ses bras. À cet instant, le créateur, terrorisé, est l'objet de sa créature : c'est qu'il la crée telle qu'elle puisse satisfaire cette terreur qu'il redoute et convoite. Mais, du même coup, orgueilleuse, suppliciée, méchante, elle redevient son hypostase : dans ses monologues, qu'il veut délirants et sublimes, elle se fait son porte-parole : nous retrouvons la « mise en abîme » dont je parlais à propos de Fromentin dans une note qui précède, car le *Je* de cette Elle renvoie à celui de l'auteur. Mazza, à ce moment de la création, c'est l'auteur se faisant peur à lui-même. Comment se reconnaîtrait-il en ce personnage complexe — non par le caractère mais par les tourniquets et la « mise en abîme » — qui est *lui* et *l'autre, lui comme autre* et *l'autre en tant que lui* ? D'autant que — nous le verrons plus bas — il ne se prive pas d'exercer son sadisme sur l'*objet* Mazza, faisant d'elle, par là, *l'Autre absolu*. Mais aussi, comment ne s'y reconnaîtrait-il pas ? Il s'y perd et, du coup, son personnage lui apparaît comme un mélange déconcertant et instable de transparence et d'opacité.

Du reste, la complexité « indisable » de ses pulsions ne peut se résumer en un seul protagoniste. D'abord le récit lui-même, ne serait-ce que formellement, exige une pluralité d'acteurs : comment décrire les souffrances de la victime sans parler du bourreau qui les lui inflige. Que serait Mazza sans Ernest ? Ou Garcia sans le vieux Cosme et François ? Et puis, la vengeance écrite suppose la punition des méchants : le drame familial se réorganise, méconnaissable, autour du triste héros. A ceci près que Gustave, c'est *aussi* sa revanche, entre dans la tête de ces « troisième couteau » et leur prête des pensées tout exprès pour se donner le plaisir de les déchiffrer. Mais du coup, se mettant à leur place, c'est bien *lui* qu'il y met : lui et quelque chose d'autre : ainsi chacun d'eux est plural car il joue docilement le rôle qui lui est attribué mais Flaubert s'est glissé en lui et c'est en tant que Flaubert qu'il pense ce que l'autre fait. Voyez Isambart, qui incarne la cruauté gratuite : s'il torture Marguerite, c'est qu'il hait la laideur, comme Gustave, ou plutôt c'est que Gustave, en lui, motive son sadisme par la haine de ce qui est laid. Donc il a besoin d'Isambart pour s'exprimer tout à fait mais comme celui-ci, selon le caractère qui lui est assigné, se conduit en tortionnaire, l'hostilité craintive d'un enfant égaré contre tout ce qui l'inquiète nous est présentée sous un jour ignominieux. Un en plusieurs, plusieurs en un. Le docteur Mathurin n'est-il pas le père Flaubert et son fils cadet à la fois ? Si nous considérons *Quidquid volueris* dans son syncrétisme, nous y reconnaissons, habilement mariés, deux thèmes fondamentaux ; le plus ancien, nous le connaissons depuis longtemps : malédiction du père, *injuste* triomphe de la culture sur la nature et de la science sur la poésie ; l'autre, Gustave l'a rapporté de Trouville : jalousie sexuelle, *injuste* possession d'Elisa par Schlésinger. Les deux motifs s'accordent fort bien entre eux : le pivot reste l'Usurpation mais elle a doublé de volume ; usurpation des honneurs au nom d'un faux mérite, usurpation des femmes. M. Paul est chargé d'interpréter le double usurpateur : cela signifie qu'il est produit par un téléscopage d'Achille et de Schlésinger. Or il est en même temps l'incarnation du *pater familias* qui a maudit son fils en l'engendrant et l'a condamné à n'être ni homme ni bête. Dirons-nous que Gustave lui a donné le mandat explicite de représenter tous ces gens à la fois ? Certainement pas. L'unité du personnage — qui est indéniable —, sa manière subtile d'échapper à toute définition viennent avant tout du fait qu'il a été créé par la fable elle-même et que, dans celle-ci, le deuxième thème a surtout servi à rajeunir le premier. N'empêche : il est dans l'essence de M. Paul d'être double ou triple comme

les visiteurs de nos rêves nocturnes, non seulement parce qu'il est
bourreau et deux fois usurpateur mais parce qu'en lui les pulsions
de Gustave se plaisent à enfermer des personnes réelles et diverses,
également coupables à ses yeux, qui tantôt s'interpénètrent et tantôt s'amalgament, pour dévoiler leurs ignominies diverses en une
seule dénonciation. Ajoutons que Gustave ne détesterait pas, par
moments, se glisser dans la peau de ce personnage : jeune et déjà
célèbre, savant, explorateur, aventurier, intelligent, insensible, aimé
des femmes sans les payer de retour, celui-ci réunit en lui tout ce
qui manque à Gustave, tout ce qui ferait du petit garçon l'homme
le plus heureux. Et, naturellement, nous savons avec quelle ironie
vengeresse l'auteur a inventé cette « merveille de la civilisation » :
c'est tout ce qu'il déteste. Oui, mais aussi tout ce qu'il envie ; nous
n'ignorons pas qu'il brûle, parfois, de « briller dans les salons » et
qu'il crève de n'être pas millionnaire. Aussi s'aliène-t-il parfois à
M. Paul, son pire ennemi, pour pouvoir, un instant, goûter aux
biens qu'il craint de ne posséder jamais. Tel est donc Gustave en
ses contes : omniprésent, méconnaissable. Il n'est pas une de ses
créatures dont il ne soit complice, pas une qui ne lui fasse horreur.

Il le faut s'il veut porter partout ses haines et ses rancunes au
paroxysme. Il faut que le discours écrit, au fur et à mesure qu'il
a lieu, se pose en étranger, comme s'il était le produit d'une écriture automatique. Le monologue était de lui, c'était lui : par ce
fait, il ne pouvait aller si loin que les exemples donnés plus haut
pour simplifier : le respect demeure — ou ses apparences —, la
haine est occultée ; des interdits divers refoulent ou déforment ses
pulsions sexuelles. Écrire, pour lui, c'est se défouler. D'abord parce
que les signes, quand l'encre est sèche, ne lui appartiennent plus :
quelque chose s'est déposé là, qui appartiendra au premier lecteur
qui feuillettera ces pages. Peu importe que ce premier et unique
lecteur ne soit autre que lui : reste qu'il ne peut plus rien faire de
l'écrit sinon le *lire*, se prêter passivement à la résurrection des significations. Mais, *avant tout*, si les personnages, ondoyants et divers,
lui opposent une irréductible matérialité, s'il *sent* qu'ils sont ses
images mais ne le connaît point, si ce n'est jamais lui qui torture
et punit, si les sévices ont lieu à l'intérieur de l'histoire et sans *deus
ex machina* par la seule faute de ses créatures, s'il ne peut tuer François que par le poignard de Garcia et Garcia que par l'épée de
Cosme — et Cosme que par les conséquences inévitables de sa
conduite —, Gustave peut faire sauter toutes les censures ; il n'est
responsable de rien : une histoire tragique et sanglante s'écrit à tra-

vers lui et le dépasse. Il a pitié peut-être de Garcia, peut-être voudrait-il arrêter le bras de Cosme : en vain, ces hommes ont décidé de leur destin. Ainsi quand un dormeur timide rêve du *meurtre du père*, il s'arrange pour le faire accomplir par un autre qu'il tente inutilement de retenir : il ne lui restera plus qu'à se jeter en pleurs sur le cadavre. Le petit Flaubert, toutefois, à la différence du rêveur, est conscient de diriger sournoisement son onirisme. Mais il ne se le dit pas ; il n'a plus de mots pour se le dire : ils sont tous au bout de sa plume. Il se peut, par exemple — je n'en sais rien — que Gustave n'ait jamais été dans le secret de ses intentions fratricides ou qu'il n'ait jamais voulu voir dans les imprécations de son monologue intérieur (« Je te tuerai va ! » etc.) que des figures de rhétorique. Mais à peine a-t-il conçu le pauvre Garcia que les mots écrits l'entraînent : la pensée du cadet Médicis ou sa matérialisation devient décision et celle-ci va d'elle-même à l'exécution. Gustave, lui, n'est que l'historiographe : il raconte, rien de plus, et s'il jouit, c'est en douce et par-dessus le marché. Pour qu'il puisse, en particulier, assouvir sur tous ces malheureux son masochisme sadique et son sadisme masochiste, il faut qu'il puisse être, tout ensemble, le Je et le Il de chacun d'eux.

Le masochisme est premier : Gustave s'incarne en Marguerite, en Garcia, en Mazza, en Djalioh, palpitants et torturés. Il jouit de souffrir en eux mille morts. Ressentiment, orgueil, passivité. La première et trouble volupté, c'est de subir. La malédiction du Père et l'intromission, c'est tout un : son Destin l'enfile. Mais s'il pousse — par écrit — son malheur à l'extrême, c'est pour dénoncer l'infamie de son bourreau, par cette inflexible obéissance dont nous avons parlé dans notre première partie. Enfin, si Mazza souffre infiniment, c'est qu'elle est possédée par le désir de l'infini — que Gustave lui prête dans la mesure où il est lui-même bien incapable de l'éprouver. Nous sommes ici au niveau du dolorisme, ce masochisme orgueilleux et vindicatif. Ici se combinent une aigre fierté — je suis le plus grand manque — et une puissante rancune — on m'a privé de *tout*.

Mais dans la mesure où le personnage, refermé sur soi, dense et secret, devient objet pour Gustave, dans la mesure où Mazza, par les mots mêmes qu'il emploie pour la décrire, se pose pour soi comme une belle jeune femme au corps splendide, il s'acharne sur elle avec une coléreuse cruauté : non plus pour condamner, au travers d'elle, le monde et son père mais pour le trouble plaisir de s'intégrer à la meute, de redoubler les souffrances de la pauvre abandonnée, de déchirer sa chair somptueuse et, en la conduisant à la mort, d'anéantir symboliquement l'Univers dans cette disparition singulière. Il ne l'épargnera pas même après décès : elle est nue et morte, donc plus que nue ; le commissaire, venu pour faire le constat, souillera cet obscène abandon d'un regard de voyeur. Marguerite — en tant qu'il se projette en elle — est un « parfum à sentir » ; mais il a plu aussi à son créateur démoniaque qu'elle fût une certaine femme laide et malheureuse : tout ce qu'il déteste. Quelle jouissance il éprouve à la torturer ! Isambart, aussitôt convoqué, représente certes la méchanceté humaine : il est là, comme on l'imagine, à titre purement représentatif. Mais, tout à coup, Gustave passe en lui — sans même le savoir, je suppose — et se fait l'exécuteur de ses propres basses œuvres. On sait la suite et comment le petit garçon « doux comme un mauvais ange » mènera sa victime, de déchéance en déchéance, jusqu'au marbre de dissection : il prend un plaisir sadique à détailler les infortunes de la vertu pour donner corps à sa croyance masochiste que le pire est toujours sûr. De cet assouvissement double — par le martyre et la férocité — résulte, pour nous, lecteurs *étrangers*, la surprenante et profonde ambiguïté de ses personnages : ils sont méchants comme des diables, on nous le dit, mais sans jamais les en blâmer ; ils sont les meilleurs fils de la terre puisqu'ils souffrent et que leur infinie souffrance montre l'immensité de leurs désirs, l'auteur l'affirme mais sans jamais marquer sa solidarité avec eux. Hernani, lui aussi, est un damné de la terre, il porte malheur à tout ce qui l'entoure ; mais Hugo s'aime, il s'est mis en lui avec tant de complaisance que, du coup, nous aussi nous nous y mettons ; bannis et grandioses nous pleurerons sur nous. Quel lecteur pourrait s'identifier à la calamiteuse Marguerite, à Garcia le maupiteux et même à l'inquiétante Mazza ? Ils n'inspirent ni estime ni pitié mais plutôt un agacement intermittent qui est celui-là même qu'éprouve le jeune écrivain devant ces créatures qui ne sont pas assez lui-même et pas assez autres, qu'il a créées pour se voir comme autre et dont l'altérité, à présent, le trouble puisque leur indépendance relative s'accompagne d'une dépendance totale et qu'il peut disposer d'elles à son gré, souverainement, pourvu que ce soit par personnages interposés. Dirons-nous qu'on nous les présente comme de purs objets ? Ce ne serait pas juste puisque nous entrons sans cesse en eux et sommes invités sans cesse à reprendre leurs monologues. Toutefois, à peine ces plaintes éloquentes nous ont-elles attirés dans le cœur de ces martyrs, nous en sommes chassés, on nous convie à jouir de leurs souffrances en bourreaux. À cet instant, leur subjectivité même devient (ou plutôt deviendrait, si l'art d'écrire égalait, chez l'enfant, la richesse des intentions) pour le lecteur sadique *objet de jouissance* : il peut, à son gré, pénétrer de nouveau dans la victime pour sentir au plus près ce qu'elle ressent — sans quitter pour autant sa confortable altérité — ou feindre d'ignorer qu'elle a une conscience humaine et qui souffre, pour mieux affirmer sa toute-puissance. Mais ces conditions mêmes et le perpétuel retournement du dehors et du dedans rendent l'objectivité de celle-ci incertaine : on entre en elle, on *est* sa souffrance et son discours sur le mode irréfléchi, on en sort, on se délecte de voir son corps palpiter, on retourne en elle, on devient la *réflexion autre* de sa conscience qui devient conscience réfléchie, quasi-objet d'un sujet réflexif qui lui échappe. Bref nous ne pouvons jamais nous situer confortablement par rapport à ces créatures parce que l'auteur les a créées dans l'inconfort, sous la dictée de désirs multiples et contradictoires. Telles qu'elles sont, pourtant, leur mouvement pendulaire — oscillation sans trêve du sujet-martyr à l'objet supplicié, qui correspond à celle de leur auteur entre le ressentiment doloriste et la férocité — leur donne une présence suspecte et une grinçante ambiguïté jamais rencontrées jusque-là dans le roman européen. Dès ses premiers écrits, Gustave a structuré pour toujours son intuition créatrice : celle qui donnera naissance, plus tard, à Emma Bovary. Mal aimé, ne s'aimant guère, il invente pour le lecteur un nouveau malaise : c'est qu'il charge ses personnages de matérialiser et d'individualiser, au-delà des mots qui les décrivent ou rapportent leurs actes et leurs pensées, ce qu'il y a d'inarticulable dans son désir fondamental.

Nous n'avons pas encore atteint le stade de la conversion proprement dite : celle-ci se caractérise en effet par un retournement complet et une assomption décidée. Or nos descriptions n'ont montré que les phases d'un processus d'intériorisation : on a réduit Gustave à se parler en sourdine, il s'écrit. La littérature lui paraît un moyen d'échapper à l'autisme en matérialisant et en rationalisant l'imaginaire ; elle lui permet du même coup d'assouvir irréellement son désir de désirer et ses désirs réels. Mais ce n'est encore qu'un moyen : il s'en sert dans la morosité en regrettant la puissance sonore des vocables ; il a peur de s'engager dans une voie sans issue. S'il n'était pas doué ? Il « entrera » définitivement « en littérature » lorsqu'il considérera celle-ci comme sa fin absolue. Or, le 1er avril

36 [1], dans la postface qu'il donne à *Un parfum à sentir* — il a donc quatorze ans —, il s'écrie : « Écrire, oh ! écrire c'est s'emparer du monde... » et nous pouvons considérer que la conversion est achevée. Que s'est-il passé ? Pour le comprendre il faut relire le paragraphe entier tel que je l'ai cité à la fin du précédent chapitre.

Ce qui frappe d'abord c'est la mise en pleine lumière de l'intention totalisatrice. « Écrire, c'est s'emparer du monde et le résumer dans un livre. » Et surtout c'est sa transformation radicale. L'ambition de totaliser, Gustave l'a depuis longtemps : dans le « salon du billard » nous l'avons vu exercer tous les métiers afin de produire *de toutes pièces, ex nihilo*, l'objet final, c'est-à-dire la représentation publique. Mais à l'époque il concevait la totalisation en extériorité, comme ces concentrations verticales qui permettent à certaines entreprises de contrôler un produit depuis l'extraction du matériau jusqu'au stade ultime de la fabrication. J'appelle ces totalisations « extérieures » parce qu'elles permettent peut-être d'abaisser les coûts et d'augmenter la productivité, en éliminant, par exemple, les intermédiaires, mais elles n'améliorent pas forcément la qualité du produit ni ne réduisent substantiellement la quantité des heures de travail nécessaires à le produire. En d'autres termes, il est indifférent *a priori* au producteur et au consommateur que la fabricant de papier possède ou non la forêt qui fournit la matière première. Certes, considérées dans l'ensemble d'une économie, ces concentrations auront d'importantes incidences — qui peuvent même bouleverser une société — mais c'est *a posteriori*, en tant qu'elles accélèrent le processus d'intégration qui caractérise le capitalisme d'aujourd'hui ou en tant que la possession de mines ou de forêts outre-mer a pour conséquence la mise à sac des pays sous-développés [2] : en ce qui concerne le papier, on ne peut décider s'il sera meilleur ou pire. Ainsi des pièces montées par Gustave. Il est bien vrai qu'il a tout fait lui-même et qu'il en tire orgueil à bon droit mais la totalisation extensive aboutira à produire cette pièce *singulière, L'Amant avare*, qui nous montrera les malheurs comiques d'un *individu* fortement « typé » : à l'instant qu'il se glisse en cet épigone d'Harpagon, qu'importe que ce soit Gustave qui ait

---

1. Nous ne prétendons pas que la conversion ait eu lieu ce jour-là ni qu'elle se fit en coup de foudre. Ce qu'on peut dire plutôt, pour les raisons qu'on verra ci-après, c'est que Gustave a pris conscience de ce que signifiait pour lui le fait d'écrire, *au plus tôt* pendant l'année scolaire 34-35, *au plus tard* le 1er avril 36.
2. Mais cette sur-exploitation et ce pillage ne seront pas différents en nature si une compagnie étrangère achète le sol ou le sous-sol du pays considéré et se borne à assurer l'extraction d'un matériau qu'une autre compagnie étrangère se chargera d'élaborer.

cloué les planches sur lesquelles il monte plutôt que n'importe quel habitant ou familier de la maison ? Il faut jouer. Et que la pièce soit bonne.

Dès qu'il écrit, tout change : la totalisation est intériorisée dans le produit fini. *Le Voyage en enfer* date de 1835 ; il n'y a pas plus de dix-huit mois que Gustave a « rangé le billard » pour toujours. Or aucun écrit ne manifestera plus clairement, plus naïvement que celui-ci, la nouvelle intention totalisatrice : le sujet de la nouvelle n'est autre que le monde ; après l'avoir parcouru d'une manière exhaustive, l'enfant découvre que c'est l'Enfer. Il s'agit en somme de totaliser une expérience infinie mais imaginaire. L'aspect objectif et subjectif de cette expérience sont fortement marqués puisque d'une part elle « résume » le monde et que d'autre part elle « constitue » l'auteur. Gustave sera plus explicite, un an plus tard, quand il écrira dans la postface : « Écrire, c'est s'emparer du monde... » et, conjointement : « c'est sentir sa pensée naître, grandir, vivre, se dresser debout sur son piédestal, et y rester toujours ». La totalisation objective du *cosmos* ne peut se faire que dans le milieu subjectif de la totalisation d'une *personne*. Pour finir l'une et l'autre se confondent dans l'œuvre qui est la pensée objectivée, dressée à jamais sur un piédestal, c'est-à-dire séparée de l'auteur. Le livre est simultanément la subjectivation de l'objectif et l'objectivation du subjectif.

Dans *Le Voyage en enfer*, pourtant, bien que l'ambition totalisatrice soit fortement marquée, il s'en faut de beaucoup que le jeune garçon en ait pleinement conscience. D'abord ce n'est point l'auteur qui totalise mais Satan. Gustave ne prend pas parti : après tout, son guide n'est-il pas souvent dénommé le « Trompeur » ? Pourtant le rapport de l'objet littéraire au sujet qui le compose est donné *dans l'écriture* : car l'Enfer n'est pas simplement défini comme le lieu des pires souffrances : c'est le *royaume* de Satan ; c'est celui-ci qui répartit les malheurs et veille à ce que le pire soit toujours sûr ; ainsi l'unité du monde et la sinistre cohérence des mouvements qui le parcourent reflètent la volonté du démon et ses intentions malignes : le monde est son produit, c'est l'objectivation du Maudit ou, mieux, son être objectif. Satan est un romancier ; le *cosmos* qu'il régit, soumis à des lois générales et à des décisions particulières, a ceci de commun avec un livre qu'il est un universel singulier. Inversement, un auteur est un diable — Gustave le dira bientôt, qui ne se privera pas de précipiter ses créatures dans l'infernale bouilloire.

Pour l'instant, il prétend se cacher une liberté créatrice qui lui fait peur. Il copie et trahit, comme aux beaux temps de l'auteur-acteur ; le paradoxe c'est qu'il a pris les *Paroles d'un croyant* [1] pour modèle. On notera, en effet, l'irréalité décidée de l'auteur : « Et j'étais sur le mont Atlas », etc. Qui parle ? Le petit garçon qui dira un an plus tard, dans la postface d'*Un parfum...* : « Le premier chapitre *je* l'ai fait en un jour » ? Certainement pas. Le *Je* du *Voyage en enfer*, le premier *Je* littéraire de Flaubert, c'est celui de Lamennais ou plutôt celui de Gustave jouant à se prendre pour Lamennais. Du reste le jeune auteur emprunte les thèmes de son aîné et va jusqu'à en copier le style : *Le Voyage* est écrit en versets bibliques qui commencent presque tous par la conjonction « et ». Or l'inspiration de Lamennais puise temporairement sa source dans l'optimisme révolutionnaire. Gustave le sait si bien qu'il ne peut s'empêcher, parfois, d'imiter cet optimisme même : au cours de son voyage, le narrateur voit Liberté triompher d'Absolutisme en lui déchargeant sur le crâne un bon coup de la massue Raison. Liberté, d'ailleurs, s'appelle aussi Civilisation. Voilà du Lamennais tout pur. Cette société d'hommes libres et raisonnables que nous prédit le jeune auteur, est-ce donc l'enfer ? Non mais le résultat du Progrès, cette utopie bourgeoise que Flaubert va bientôt prendre en horreur. Gustave ne s'émeut pas pour autant : peu lui importe si quelques réminiscences du modèle traînent çà et là dans son manuscrit. L'essentiel est la transmutation du positif en négatif : la majesté religieuse et biblique des *Paroles d'un croyant* est utilisée sournoisement pour exprimer un désespoir grinçant. En ce sens Flaubert, en son jeune âge, ressemble fortement au Démon : comme l'Esprit qui toujours nie, il a besoin du positif et de l'Être pour le vampiriser et s'en faire la négation ; auteur, il devient le parasite d'un texte déjà écrit qu'il tire vers ses propres fins en lui faisant dire le contraire de ce qu'il dit [2]. Son procédé consiste, ici,

---

1. Paru en 1834. Indigné par l'attitude de Grégoire XVI, Lamennais avait abandonné le pessimisme (caché) de la théocratie pour l'optimisme démocratique.

2. Nous avons déjà rencontré le procédé quand nous parlions de *L'Anneau du prieur*. J. Bruneau en donne une excellente démonstration dans son ouvrage : *Les Débuts littéraires de Gustave Flaubert* (pp. 235 et 236) quand il rappelle la parabole du voyageur dans Lamennais et l'usage qu'en fait Flaubert dans *Agonies*. Lamennais : *des* voyageurs ; une roche pesante barre la route ; unissant leurs efforts il la déplacent et reprennent leur marche. Flaubert : *un* voyageur devant le même rocher qu'il ne peut déplacer ; il tente de l'escalader, retombe épuisé, crie au secours, personne ne vient l'aider, les tigres le dévorent.

à se laisser posséder par une totalité étrangère dont il apprend par cœur les structures et les rythmes pour pouvoir ensuite confondre récitation et inspiration. Inspiré, il restitue par écrit sa leçon et se borne, par des chiquenaudes, à inverser les signes jusqu'à ce que la conclusion, négation totalitaire, s'impose à lui dans toute sa rigueur. Ce choix paradoxal des modèles nous fait comprendre, en tout cas, que Gustave, en 1835, n'est pas pleinement conscient des conséquences de son option littéraire. Ce qui s'est passé, évidemment, c'est que le langage *par lui-même* lui a dévoilé la totalisation en intériorité. Dès qu'on y entre, en effet, pour le cultiver et non pour s'en servir, on n'en sort plus jamais ; l'œuvre est son propre fondement : entendons qu'étant détermination du langage, elle trouve en lui ses matériaux et ses instruments : qu'a-t-on besoin de clous et de planches puisqu'on a les *mots* de planche et de clou et puisque la justification d'une œuvre littéraire ne peut être fournie que par un autre discours qui relève aussi de la littérature [1] ? Bref, le langage est une totalité conventionnelle : à peine a-t-on accepté de prendre les mots pour les choses, ce que fait tout écrivain, ce que vient de faire Gustave, le verbe se change en monde ou, si l'on veut, l'être-dans-le-monde apparaît comme un être-dans-le-verbe. Il en résulte aussitôt que, pour un esprit de type totalitaire, la totalisation ne peut être qu'intensive. Quand les mots symbolisent autant qu'ils signifient, ils ne renvoient qu'aux mots par la double raison que le graphème par l'ensemble de ses fonctions signifiantes est déjà totalisation d'une absence, c'est-à-dire du langage tout entier et que, prise comme *analogon* d'un signifié, cette totalisation sémantique a pour incidence de faire apparaître sa matérialisation *sur fond de montre*. Autrement dit l'unité du langage comme totalisation perpétuelle donne à la dispersion réelle de l'Univers l'unité imaginaire d'une *Création*.

Tout cela, bien entendu, Gustave ne le *sait* pas quand il commence à écrire : ce sont les mots qui l'entraînent à l'intérieur du langage, ce sont eux qui le comblent de telle manière que l'enfant, après avoir tenté un moment de trouver — dans la publi-

---

1. À moins que, comme dans *La Modification*, le discours intérieur au roman rende compte de *tout*, y compris du roman lui-même : on conduit le personnage jusqu'à l'instant où il devient nécessaire et urgent pour lui qu'il prenne la plume, c'est-à-dire que la dernière page du récit justifie la première et réciproquement. Il faut reconnaître toutefois que cette tentative de circularité — qui a de nombreux précédents* — n'est pas ce qu'il y a de plus heureux dans ce livre remarquable à tant d'égards.

* Par exemple *Werther*.

cation de son Journal de collège — un équivalent graphique de la totalisation extensive, n'en éprouve plus le besoin et réduit le travail matériel de celui qu'il appellera plus tard l'ouvrier d'art à la simple écriture. Il va de soi, pourtant, qu'il n'aurait pas subi cet entraînement s'il n'était à la recherche d'une *Nature-organisme*, en lui et hors de lui, pour l'opposer au mécanisme de son père. « Œuvrant », il devient *son* œuvre, la création du monde imaginaire par les mots ne peut se faire sans qu'il se constitue, contre la dissémination moléculaire, dans l'indécomposable unité organique du créateur. De fait, le caractère totalisateur du verbe a souvent échappé aux meilleurs écrivains, soit qu'ils n'aient voulu produire que des déterminations singulières du discours — ce qui arrive à ceux que j'appellerais des caractères anecdotiques — soit qu'ils visent le signifié dans sa réalité — ce qui est le cas, par exemple, des pamphlétaires. Il se manifeste à Gustave dans la mesure même où cet enfant imaginaire s'accommode de la présence irréelle du totalisé.

Flaubert, pourtant, eût mis beaucoup plus de temps à s'en aviser si, précisément, l'idéologie du premier romantisme n'eût été, elle aussi, totalitaire par haine et mépris du libéralisme bourgeois. On ne sait quand il a lu *Faust*, ce magnifique « miroir du monde » qui devait avoir sur lui, plus tard, une action décisive — par la raison que le sujet du drame n'était autre que Tout. Maynial date cette rencontre de 1834 mais sans preuves convaincantes. Du reste l'Ego de l'auteur allemand n'y est pas visible pour un très jeune garçon. L'*Ahasvérus* de Quinet, semble-t-il, n'est pas connu de Flaubert avant 1836. Mais Lamennais lui suffit. Sans les *Paroles d'un croyant* il n'eût pas fait le saut ; ce qu'il y trouve — outre l'Univers —, c'est la possibilité de faire totaliser un monde irréel par un sujet imaginaire. Non que, chez Lamennais, le sujet ne soit *réel* : c'est bien le théocrate déçu qui s'exprime dans son livre. Mais, dès que l'enfant se livre à son inspiration-récitation, il *joue le rôle* d'un prophète biblique et sentencieux. De cette manière, il y a homogénéité parfaite entre l'Ego qui parle et ce qu'il dit : l'un et l'autre sont imaginaires. Il fallait cela, au début : seul un auteur irréel peut tenter la totalisation de survol — donc irréelle — de l'Univers. Gustave, rongé, pourtant, par l'imagination, n'aurait pu concevoir seul que son projet magnifique de s'emparer du monde et de l'anéantir en l'irréalisant exigeait de lui qu'il procédât du même coup à sa propre irréalisation. Lamennais lui offre son Moi et un texte à ronger : l'enfant s'empare de l'un et de l'autre : dans le texte la totalisation se présente comme déjà faite ; le faux Lamennais n'a plus qu'à la reprendre en négatif : le monde de Dieu, c'est le petit monde du Diable. On se représentera sans peine la fascination qui saisit le petit garçon à la lecture des *Paroles d'un croyant* : échapper à sa condition d'enfant sans expérience auquel les adultes refusent le droit d'exprimer son « pressentiment complet de la vie », emprunter le savoir et la voix d'un quinquagénaire et, pendant qu'il y est, s'arracher à la condition humaine, se percher, géant, sur une cime et, de là-haut, embrasser du regard la planète entière ; nous savons, en effet, que son histoire familiale l'a depuis longtemps préparé à l'ascension verticale et que la verticalité a fini par structurer ses hébétudes, par les changer en extases imaginaires. Plus tard, dans *Agonies*, il reproduira l'épisode du *Voyage*. Mais — nous verrons cela de plus près dans un autre chapitre — le narrateur, qui parle à la première personne et que le diable a emmené dans les plis de son manteau, c'est un enfant désolé. Ou plutôt, *c'était* un enfant : son aventure *a eu lieu*, il la raconte. C'est que Gustave, entre-temps, a vu clair, comme le prouve la postface d'*Un parfum...* : pour s'irréaliser dans son Ego de survol, point n'est besoin de se transformer en un Memnon colossal ; il suffit de totaliser. L'entrée en littérature ressemble à l'entrée dans les ordres : on voue sa vie et son âme à l'imaginaire en tant qu'il se profile à travers les mots. Pour Gustave, la littérature n'a d'autre sujet que *tout* et chaque œuvre, longue ou brève, doit *tout* dire à sa manière. Il s'agit donc d'une réquisition totale de sa personne.

N'allons pas croire, cependant, que Gustave, même au temps où il écrit *Un parfum...*, se rende compte des implications extrêmes de son option : il n'y parviendra pas avant la crise de janvier 44. Ce qui le frappe avant toute chose quand il relit, en avril 35, l'histoire de la pauvre Marguerite, c'est qu'il a pris le monde et la société humaine au piège de son anecdote et que, du coup, il a conquis *sa personne* : le devenir-livre du monde ne peut se faire, en effet, sans le *devenir-monde* de sa pensée — qui doit être prise ici au sens le plus large (sensibilité, affections, imagination, entendement). Celle-ci, d'abord hésitante — elle vient de naître — se cherche, s'approfondit et s'amplifie jusqu'à embrasser l'univers infini. Quelle joie d'orgueil ! Nous ne sommes pas fort loin de l'orphisme mallarméen. Et quelle volonté de puissance : *s'emparer du monde* ! Son pouvoir surpasse celui de Néron : cet empereur régnait sur Rome mais non sur le soleil ; Flaubert règne sur tout, même sur les astres pourvu que ceux-ci soient descendus dans les mots qui les désignent.

Voici donc la revanche de l'enfant déshérité : il n'était rien, n'avait rien ; il est tout, il a tout. En une phrase, il fait tomber dix têtes et peut provoquer une collision de planètes ; et, quand il revient, lecteur, à son manuscrit, il en dégage, à la longue, quelque chose qui est à la fois le sens objectif de l'Être et le caractère fondamental de sa propre pensée. C'est dans son œuvre qu'il se fera Tamerlan, Gengis Khan et tous les ravageurs célèbres ; c'est en elle qu'il fera paraître la relation d'intériorité qui l'unit, microcosme, au macrocosme qu'il décrit. Du coup, la conversion s'accomplit ; c'est un moment nouveau de sa *personnalisation*, il a trouvé son *être* : puisque son Ego n'est autre que le monde totalisé, il sera celui qui, d'un même mouvement, capte l'infini par des mots et constitue sa propre personne. C'est ce qu'on pourrait appeler la tentation démiurgique : il y cède, rien n'effraie son orgueil. Et, dans cet instant, il veut oublier que sa toute-puissance n'existe que dans l'imaginaire et sur des mots-images : dans l'ouvrage « étrange, bizarre, incompréhensible » qu'il vient de relire, il a trouvé une consistance, les résidus impénétrables d'une pensée oubliée, de *sa* pensée, une vie autonome qui, du coup, le renvoient à la consistance impénétrable de *sa* personne, c'est-à-dire du bâtisseur qui ne se montre jamais que dans la singularité des édifices qu'il construit. On notera en effet que, dans la postface, rien n'indique que la totalisation naisse de l'irréalisation réciproque du producteur et de son produit. Gustave le *sait*, pourtant, en tout cas il en a conscience. Mais, dans ces moments — si rares chez lui — d'intense jubilation, quand il se trouve en face du quasi-objet qu'il a tiré du néant, il s'efforce — comme il faisait, acteur — de se dissimuler que son pouvoir discrétionnaire sur l'Être n'est que l'envers irréel de son impuissance absolue. Après 44, tout s'éclaircira : génial et fou, l'idiot de la famille sera devenu Gustave Flaubert ; d'ici là, il hésitera sans cesse entre le Vrai et l'Anti-vérité, entre l'imaginaire réel et le réel imaginé. Un passage des *Mémoires d'un fou* marque clairement ses incertitudes : « Il y a des poètes qui ont l'âme toute pleine de parfums et de fleurs, qui regardent la vie comme l'aurore du ciel ; d'autres qui n'ont rien que de sombre, que de l'amertume et de la colère... Chacun de nous a un prisme à travers lequel il aperçoit le monde ; heureux celui qui y distingue des couleurs riantes et des choses gaies... » Ce texte, dans sa tolérance bénigne, veut indiquer que chacun, selon son histoire et son tempérament, a sa *Weltanschauung* particulière et que le monde est assez riche pour les supporter toutes : celui qui prétendrait le réduire à ce qu'il en voit à travers son prisme, celui-là, par son exclusivisme, verserait aussitôt dans l'Imaginaire. L'Univers ne serait donc jamais « résumé » dans un livre, il n'y paraîtrait jamais que sous les couleurs qui caractérisent la personne de celui qui l'y dépeint. Mais il n'est pas une ligne des *Mémoires* qui ne démente cette tolérance feinte : le Mal, voilà le sens secret du monde ; et Gustave utilise la diversité des opinions pour justifier son scepticisme désespéré. Le pire est toujours sûr, *est-ce vrai* ? ou bien est-ce *imaginé* ? Il ne décide pas encore puisqu'il ne possède pas la puissance affirmative. Mais il n'ignore pas, au fond, qu'en choisissant les mots, il a opté pour le non-vrai, pour l'apparence et le non-être ; mieux : qu'il a d'une certaine manière entériné son impuissance absolue. La preuve en est, dans les mêmes *Mémoires*, son cri de rage : s'ils savaient, les imbéciles, ce qui se passe en moi, ils me prendraient « pour un montreur d'animaux, pour un faiseur de livres ». S'il ne veut pas s'effondrer, il ne faut pas qu'il se borne à imaginer le monde, il faut aussi qu'il s'imagine qu'il l'imagine tel qu'il est. Pour l'instant du moins : tant qu'il n'aura pas solidement établi la supériorité absolue de l'imaginaire sur la réalité.

De toute manière, il s'empare du monde pour le mettre dans ces petits herbiers, les livres, nous savons que ce n'est pas pour le connaître mais pour le posséder et l'abolir. Doublement : en le réduisant à l'univers des mots, dont il sait user ; en le pénétrant du principe négatif, le Mal, qui, s'il régit seul le cours des choses, ne peut signifier que l'autodestruction systématique de l'Être. On peut voir, dans ces conditions, comment la conversion, issue dialectiquement de l'assouvissement irréel de désirs singuliers par la matérialisation du mot, se referme sur ceux-ci, les totalise et les dépasse. Que sont-ils, en effet, ces désirs, sinon des pulsions destructrices nées du ressentiment et de son besoin de compensations et muées par sa passivité en rêves sadiques et masochistes ? Ils représentent, chacun pour soi, l'être-dans-le-monde de Gustave. Laissés à eux-mêmes, tantôt ils s'isolent et se fixent sur un mot et tantôt ils s'interpénètrent et se satisfont ensemble dans un syncrétisme sans unité réelle. La littérature se présente donc comme leur unification. Non pas au sens d'une rationalisation ou d'une articulation mais, tout au contraire, en tant qu'elle développe et hyperbolise dans son propos originel le ferment négatif qui est en chacun d'eux le même. Elle se donne en effet pour une entreprise de possession (toute-puissance compensatrice) et d'abolition (mots substitués aux choses, imaginaire mis à la place du réel, dénonciation du Mal) radicales puisque son objet est explicitement le *Tout*, c'est-à-dire toutes les formes de l'Être, attirées dans son rêve vénéneux. Ce qui est obscur dans les pulsions, c'est-à-dire au premier degré, devient parfaitement clair au second degré, c'est-à-dire dans le projet littéraire. Celui-ci, pourtant, loin de remplacer les désirs primaires, les laisse *s'organiser* librement au sein d'une histoire dont ils déterminent à leur gré les épisodes et à laquelle il n'impose rien d'autre que l'unité totalisante d'un récit, c'est-à-dire d'une succession d'événements apparemment liés, quelles que puissent en être les sources profondes. Bref, les postulations cachées, celles qui n'osent dire leur nom et celles qui le bégayent, ne cessent de s'assouvir oniriquement c'est-à-dire sous un déguisement : en une certaine Marguerite, en une certaine Mazza, le jeune auteur peut se gâter sans se reconnaître. Mais, l'intention littéraire étant totalisante, les désirs se satisfont *sur fond de monde*, et chacun d'eux, dans l'histoire, est expressément chargé de dévoiler l'être-dans-le-monde du personnage en qui il trouve satisfaction. En outre chacun d'eux est exalté du fait qu'il se sent entraîné dans une vaste entreprise, assouvissement total de la haine par l'abolition de l'Être : il se reconnaît en elle comme elle se reconnaît en lui, en même temps qu'elle lui marque sa place dans le récit comme *moment inessentiel* (je veux bien qu'Isambart torture Marguerite mais qu'il fasse vite) et comme *phase nécessaire* (puisque l'entreprise globale d'abolition est au sein de chaque entreprise anecdotique comme le tout est dans la partie). Ainsi chaque désir, dans le moment qu'il se satisfait à l'intérieur du récit, honteusement, sous un masque, se sent assouvi éminemment par la construction de l'objet littéraire auquel il participe. Et cet assouvissement supérieur et total se fait cette fois *sans masque* puisque c'est l'auteur qui se satisfait dans et par le projet de dénoncer le monde. L'auteur, à vrai dire, reste un imaginaire mais c'est pourtant Gustave, le montreur de marionnettes, tel qu'en lui-même il s'irréalise. En sorte que l'œuvre, prise en totalité, trouve sa confirmation et sa densité dans les satisfactions de détail qui en sont les épisodes — et que chacune de celles-ci trouve son sens profond dans la totalité de l'œuvre. Ainsi l'auteur est à la fois dehors, construisant son piège à monde, et dedans, souffrant et jouissant en tous ses personnages.

Gustave s'est converti à la littérature, entre treize et quatorze ans, quand il a compris qu'il pouvait tenter par elle une Contre-Création qui le rendrait l'égal (imaginaire) de Dieu et que l'entreprise d'écrire lui donnerait enfin son *être*, qu'il se construirait en construisant. Mais, plus profondément, l'œuvre littéraire se propose à lui comme la forme la plus élevée du suicide. Je ne prétends pas que cet enfant de treize ans ait compris déjà tout ce que Mallarmé développe dans *Igitur* qu'on pourrait appeler : «De la littérature considérée comme un suicide». Mais je rappelle qu'il est, à cette époque, presque constamment tenté d'en finir avec la vie. Nous avons vu ce que cette tentation contient d'humilité rancuneuse et de fol orgueil. Disparaître, c'est, pour Gustave, tirer la conséquence ultime de la malédiction paternelle pour qu'elle se retourne contre celui qui l'a prononcée; c'est aussi *s'égaler au Créateur*, en anéantissant Son Œuvre en la personne de Son témoin. S'il meurt par ses propres soins, le flambeau s'éteint, qui éclairait l'Être, et la Création s'abîme dans la nuit. Nous avons remarqué, en son temps, l'étrange arrogance que trahissait ce projet suicidaire : Gustave serait seul témoin? Seul flambeau? Et nous autres, ses neveux? Et nos petits-neveux? Et Dieu même qui soutient le monde par une création continuée? À ce moment, il nous est apparu que le petit garçon visait, à travers Dieu, le seul *pater familias* : tu m'as fait, eh bien je te vaux, puisque je me défais. C'est ce que signifient tous ces suicides rageurs qui peuplent ses premières œuvres. Le meurtre de François est une autopunition : Garcia ne prend même pas la peine de s'en cacher. Mais c'est surtout, nous le savons, la punition du père : en obligeant Cosme à le tuer, le cadet détruit souverainement toute l'œuvre de celui-ci, le patient travail qu'il a fourni pendant un quart de siècle pour élever son fils aîné au cardinalat. Toutes ces considérations étaient et restent valables à la condition de ne point tenir compte du projet littéraire. Celui-ci, en effet, puisqu'il est, chez Gustave, par essence *totalisateur*, se fait, tout naturellement, projet de capter le monde dans un miroir. Ce qui ne se peut faire sans une déréalisation générale du *cosmos*. Et celle-ci exige à son tour que l'opérateur se déréalise : d'un seul coup, d'abord, ne serait-ce que pour concevoir l'entreprise, puis de plus en plus, en fonction directe du survol qui l'arrache à son ancrage et à l'Univers. Nous retrouvons très exactement ici la liaison dialectique que Gustave, suicidaire, établissait entre sa propre abolition et celle du macrocosme : pour détruire celui-ci, il était nécessaire et suffisant que l'enfant se détruise; pour irréaliser le monde, c'est-à-dire pour l'attirer dans les mots, il est nécessaire de se faire seigneur imaginaire du langage. Est-ce suffisant? Nous répondrons tout à l'heure. Mais nous ne pouvons douter que cette métamorphose ne soit indispensable : conscience de survol, maître imaginaire des mots-images, *cela et rien de plus*. C'est mourir : l'auteur refuse les besoins *réels* (ou les assouvit sans y prendre garde) ; il s'abstient de *vivre sa vie* : le vécu ne cesse pas pour autant de glisser confusément vers la mort réelle mais il est réduit à un ruissellement anonyme par l'absentéisme systématique du vivant ; les passions mêmes ne sont plus *ressenties* : il se peut qu'elles rugissent mais envers elles le maître des mots est en état de distraction permanente, à moins qu'il ne leur donne par le langage un assouvissement imaginaire. Il y a donc eu deux stades : avant la conversion, la satisfaction irréelle était la fin ; au moment de la conversion, l'enfant égaré entrevoit que, dans une phase ultérieure, la satisfaction cherchée deviendra un moyen d'écrire. L'artiste ne produira la contre-création que s'il devient un mort conscient et s'il prend sur toute vie, y compris la sienne, le point de vue de la mort. Avant 44, Flaubert s'embrouille un peu dans ses idées. Il lui arrive de vitupérer l'Art et les artistes qui singent l'œuvre divine, la Création. Mais c'est qu'il a perdu pied : ce que veut l'« Artiste », ce que veut profondément Gustave sans en avoir une conscience très nette, ce n'est pas *produire de l'être* mais tout au contraire réduire l'Être à un immense mirage qui s'abolit en se totalisant. Il donnera l'être au Non-Être dans l'intention de manifester le non-être de l'Être. Le support de l'œuvre, certes, est matériel ; ce sont les mots imprimés ; mais l'emploi qu'il en fait les irréalise et le livre imprimé devient un centre permanent de déréalisation. Tuer et se tuer conjointement dans un furieux enthousiasme qui couvre un calme déjà mortuaire, voilà, en définitive, ce qui se propose à l'enfant.

Je dis bien : ce qui se *propose*, puisque c'est son ambition totalisatrice qui vient à lui à travers les structures symboliques du langage. Il ne le sait pas, il le *sent* : c'est l'appel de la mort. Par le fait, pour cet enfant « né avec le désir de mourir », il n'y a d'être véritable que dans la permanence du non-être : « L'homme... aime la mort d'un amour dévorant. Il lui donne tout ce qu'il crée, il en sort, il y retourne, il ne fait qu'y songer tant qu'il vit, il en a le germe dans le corps et le désir dans le cœur. » La vie est une brève convulsion, une grimacerie monotone, un statut provisoire. L'être véritable est celui « des longues statues de pierre couchées sur les tombeaux », images inorganiques, éternelles du périssable organisme humain. Et quand il définit l'outre-tombe : « S'il faut encore sentir quelque chose, que ce soit son propre néant, que la mort se repaisse d'elle-même et s'admire ; assez de vie juste pour sentir que

l'on n'est plus », comment ne pas voir que c'est précisément le genre
d'existence que lui offre la littérature : ne plus rien *sentir* sauf que
l'on ne sent plus rien, tout imaginer et déposer les mots-images dans
l'éternelle matérialité du livre ? C'est ce qu'il désire quand, dans
la postface, il se réjouit de voir sa pensée naître, grandir, se dresser sur un socle pour n'en plus jamais descendre ; la succession de
ces infinitifs est révélatrice : on y voit la pensée, d'abord *organique*, se transformer en un être public qui ressemble aux gisants de
pierre en ceci qu'en se totalisant elle s'est pétrifiée et qu'elle survit
à tout, dressée sur un socle, dans l'inerte insolence de sa minéralité. La littérature se propose donc comme une préfiguration de la
mort : si l'on y entre, on assiste vivant à la minéralisation de son
Idée, c'est-à-dire de sa propre personne. Faire un livre, c'est « donner à la mort ce qu'on crée », s'affecter vivant en celui-ci de non-
vie, d'inorganicité, tout en y réduisant le monde totalisé à sa pure
apparence. Pour Gustave, écrire c'est refuser l'ancrage mais, du
même coup, c'est atteindre, en tant qu'impassible travailleur du
langage, dans la transformation perpétuelle de la « pensée » subjective en mots écrits, par-delà les jeux de l'être du Non-Être et
du non-être de l'Être, à l'être incorruptible de la matière.

Il y a donc, chez lui, aux environs de 1835, une double conception de la littérature : d'une part, en tant qu'elle procède du monologue intérieur, elle lui apparaît comme assouvissement totalitaire,
irréel mais matérialisé, de ses rancunes et de ses désirs : c'est une
virulente frénésie qui ne se calmera que lorsqu'elle aura mis le
monde en cage pour en dénoncer l'irréalité ; d'autre part c'est un
appel au calme, une invite à rejoindre, vivant, l'éternelle ataraxie
des morts. Ces deux aspects de l'Art ne sont pas vraiment contradictoires : la preuve en est que le second exige préalablement un
meurtre-suicide que l'enfant a souvent rêvé d'accomplir par orgueil
et vindicte, pour châtier le père indigne et tous ses infâmes partisans. Reste que, le sacrifice accompli, c'est l'abolition du désir —
sauf imaginaire — qui se propose. Celui qui « fait de l'Art », comme
il dira plus tard, « n'est pas né pour jouir ». En fait, dans l'un et
l'autre cas, le choix de l'imaginaire est vengeance et compensation,
ce qui permet de comprendre avec quelle audace Gustave pourra
passer bientôt de l'une à l'autre conception. Pour l'instant, c'est
la première qui prédomine : il a, cet écorché, trop amassé de rancunes, d'humiliations, de camouflets, il se sent frustré, angoisseux,
ennemi de soi-même et de tous, l'écriture est sa révolte imaginaire.
Reste que la seconde n'est point absente, elle se profile à travers

l'autre, il la pressent. C'est que la Contre-Création *doit* être totalisatrice. Et que la totalisation, comme tâche à accomplir et à recommencer sans cesse, dans la mesure où elle est la règle des apparences ou, si l'on veut, la norme de l'imaginaire, se dévoile tout à coup sous son vrai visage : elle n'est que l'autre nom de la Beauté. Nous reviendrons à loisir sur l'idée du Beau chez Flaubert. Celle-ci, pour l'instant, demeure embryonnaire. Notons toutefois qu'elle apparaît à l'enfant, dès à présent, comme l'unique justification de l'irréalité. Même sous cette forme encore fruste, cette conception est plus riche et plus originale que celle qu'il a pu voir traîner dans les manuels et qui fait du Beau la « multiplicité dans l'unité ». Par celle-ci, en effet, qui veut demeurer strictement formaliste, on se donne le moyen tout abstrait de juger *Don Quichotte* et, tout aussi bien, un poème de circonstance sur la mort d'un perroquet. Kant, quoi qu'on en dise, fonde cette définition sur une base philosophique mais n'y ajoute rien quand il présente le Beau comme une finalité sans fin. La marque de la finalité, en effet, c'est l'intégration du divers par la praxis : ôtons la fin, reste l'intégration qui se pose pour soi mais qui a perdu son sens. Ainsi déterminait-on, au XVIIIe siècle, l'objet esthétique par le rapport étroit mais externe de ses parties entre elles. Cent ans plus tard Valéry n'allait pas plus loin quand il exigeait que chaque élément, dans l'œuvre d'art, entretînt une multiplicité de relations avec tous les autres. C'est qu'un fort courant, né aux siècles classiques, traverse le XIXe siècle, s'oppose au romantisme, au symbolisme, à Mallarmé et vise à rendre compte des œuvres par la raison analytique.

Gustave, dès treize ans, est protégé de cette erreur par sa haine du mécanisme paternel. Il ne se soucie nullement, du moins au départ, de mettre de l'unité dans une diversité par ailleurs quelconque. Il part d'une intuition totalisante, comme l'indique ce passage célèbre des *Mémoires* : « J'avais un infini plus immense s'il est possible que l'infini de Dieu... et puis il fallait redescendre de ces régions sublimes vers les mots, et comment rendre par la parole cette harmonie qui s'élève dans le cœur du poète et les pensées de géant qui font ployer les phrases, comme une main forte et gonflée fait crever le gant qui la couvre ? » Cet infini « plus immense... que celui de Dieu » peut faire sourire, malgré un « s'il est possible » de précaution. Pourtant, ce ne sont point là des paroles creuses: certes Gustave « n'a » rien du tout. Mais l'intention est claire : il joue à embrasser l'infini de Dieu, qui n'est autre que la Création même, du point de vue du Néant qui, selon lui, existait avant elle et survivra à sa disparition. Le Néant : *son* point de vue, le siège même de la conscience de survol ; le Non-Être entoure l'Être de toute part, se glisse en lui, circule à travers les porosités du macrocosme ; du coup c'est lui la substance ; les mouvements, les sons, les lumières ne sont que des accidents. Ici devrait s'opérer la totalisation des apparences : la Création se présente à Gustave, qui plane au-dessus d'elle ; il la découvre comme un Tout dont il connaît le secret ou, plus exactement, c'est le secret qui la totalise (le monde, c'est l'Enfer). Or la totalité est une forme d'unité très particulière : le Tout y est la synthèse de toutes les parties et de *leurs relations d'intériorité* mais il est également présent en entier dans chacune [d'entre elles, qui ne] se distinguent les unes des autres que par leur détermination singulière, autrement dit par le néant qui est en elles et qui empêche la relation tout-partie d'être réciproque. Cette part de néant ne pouvant être que l'*apparence*, les parties se distinguent les unes des autres *en surface* mais témoignent toutes d'un même fond qui les produit et les habite. En sorte que, loin que le divers s'unifie — ou qu'il soit unifié du dehors par quelque démiurge —, c'est l'unité originelle et synthétique qui se diversifie sans jamais cesser d'être une ni de se manifester en chacune de ses hypostases à la fois comme le sens fondamental de celles-ci et les affinités mystérieuses et pourtant sensibles qui les unissent, établissant entre les lumières, les parfums, les sons des harmonies, révélant à travers des vies diverses le même malheur attaché à tous les hommes, la même malédiction d'Adam. Voilà ce que serait la Beauté, pour Flaubert, voilà ce qui le bouleverse, à présent, quand il y pense. Et, comme il ne peut s'agir de la trouver dans l'univers réel qui est probablement l'effet du hasard, il faut y voir l'exigence fondamentale de l'imaginaire. L'Art comme Contre-Création vise à produire des centres de déréalisation où l'on ne trouvera rien d'autre qu'un univers-image né d'une intuition fulgurante et totalisatrice, présent à l'œuvre, dans chaque détail singulier et dans l'ensemble, comme le tout dans la partie, bref se laissant deviner partout comme l'appropriation secrète des mots ou des couleurs ou des sons les uns aux autres, comme la profondeur de tout élément pris en particulier et comme le sens *indisable* de l'ouvrage entier qui le manifeste et qu'il déborde de son infinité. Entendons, par exemple, que si le monde-image est comme l'Enfer, il doit y avoir une affinité entre les tortures du damné et les objets qui l'environnent : non point que cet environnement doive être nécessairement sinistre ; mais il faut, au contraire, que la splendeur d'une forêt, de l'Océan, par quelque maléfice exprime la même indisable Idée que les souffrances humaines. Est-ce à dire que le Sens soit une thèse et que le roman, par exemple, soit écrit pour démontrer que nous vivons dans le royaume de Satan ? Pas du tout : nous verrons dans un autre chapitre que l'« idée » de Gustave — le monde, c'est l'Enfer — est non seulement un indisable mais un impensable et, par conséquent, un impensé. Elle ne peut être que suggérée comme immanente et transcendante, tout ensemble, par rapport à tous les épisodes liés dans lesquels le jeune auteur cherche à s'assouvir imaginairement. Et, quand on se rappelle, en effet, que les désirs de Flaubert sont inarticulables, que ses personnages sont à la fois, dans ses premières œuvres [1], des sujets lyriques et les objets de son sadisme, qu'il totalise dès les premiers mots (l'*ananké* dans l'introduction du *Parfum...*, la prophétie dans le chapitre initial de *La Peste à Florence*) pour déployer ensuite, en une aventure, ce « résumé » du monde et le reployer enfin dans l'embrasement final, ce qui donne à la temporalisation romanesque cette circularité qui est l'image même de la totalisation temporelle, on s'aperçoit que l'unité totalisante est trop riche et trop complexe pour tenir en une formule et qu'on ne peut que la *vivre* imaginairement en s'irréalisant dans la lecture.

Telle est donc la Beauté entrevue par Flaubert, comme but suprême de son élan totalisateur. Il peut y rêver en certains moments d'extase comme à un infini refermé sur soi et présent jusque dans un brin d'herbe. Il peut s'en approcher plus encore dans certains états d'hébétude. Ce dont témoigne clairement un passage de la première *Tentation* :

LE DIABLE

Souvent, à propos de n'importe quoi, d'une goutte d'eau, d'une coquille, d'un cheveu, tu t'es arrêté immobile, la prunelle fixe, le cœur ouvert. L'objet que tu contemplais semblait empiéter sur toi, à mesure que tu t'inclinais vers lui, et des liens s'établissaient ; vous vous serriez l'un contre l'autre, vous vous touchiez par des adhérences subtiles, innombrables ; puis, à force de regarder, tu ne voyais plus ; écoutant tu n'entendais rien et ton esprit même finissait par

---

1. Et aussi, naturellement, dans les romans de la maturité mais avec plus d'art et d'artifices.

perdre la notion de cette particularité qui le tenait en éveil. C'était comme une immense harmonie qui s'engouffrait en ton âme... tu éprouvais dans sa plénitude une *indicible*[1] compréhension de l'ensemble irrévélé... à cause de l'infini qui vous baignait tous les deux (toi et l'objet) ; vous vous pénétriez à profondeur égale et un courant subtil passait de toi à la matière, tandis que la vie des éléments te gagnait lentement, comme une sève qui monte ; un degré de plus et tu devenais nature ou bien la nature devenait toi[2].

Cette page a de multiples implications et nous serons amené, par la suite, à y revenir souvent. Ce qui nous intéresse, pour l'instant, c'est le projet esthétique qui s'y manifeste (et qui trouve son aboutissement dans le premier *Saint Antoine*). Tout objet témoigne de l'infini car il y baigne et le contient ; ainsi de tout sujet, en dépit de sa particularité. La conséquence est que le rapport de l'un à l'autre n'est point l'unité mais, en profondeur, l'identité. Gustave, contemplant une « goutte d'eau », y trouve la création entière et découvre en elle sa propre existence : il se fait goutte d'eau et la goutte d'eau est transformée « par le courant subtil qui passe de lui à la matière ». À la limite, Gustave est totalisateur totalisé : il devient Nature — extase panthéistique —, c'est s'abandonner à la totalisation divine, n'être plus que la présence du tout ici et maintenant ; ou bien la Nature devient lui : il enferme et totalise dans sa détermination particulière l'infini de la création. Or cette deuxième métamorphose — resserrement, condensation, « résumé » de l'Univers — ne peut se faire que par irréalisation, l'artiste s'irréalisera dans ce que Hegel a nommé l'*absolu sujet* : dans ces moments où Gustave s'éparpille[3] pour se ramasser en une vaste synthèse, l'éparpillement est vrai, la synthèse est une proposition de l'imaginaire. Aussi faut-il distinguer entre l'expérience extatique du totalisé et la tâche du retotalisateur. Gustave fait la distinction *lui-même* : il nomme celle-là *poésie* et celle-ci littérature (ou Art, comme on veut) : « Il fallait redescendre de ces régions sublimes vers les mots... et comment rendre par la parole cette harmonie

1. C'est moi qui souligne.
2. Éditions Charpentier, p. 247.
3. Saint Antoine répond au Diable : « Il est vrai, souvent j'ai senti que quelque chose de plus large que moi se mêlait à mon être ; petit à petit je m'en allais dans la verdure des prés et dans le courant des fleuves que je regardais passer ; et je ne savais plus où se trouvait mon âme, tant elle était diffuse, universelle, épandue ! » *Id., ibid.*

qui s'élève dans le cœur du poète ? » En d'autres termes, comment totaliser l'infini des choses à travers la totalité infinie des combinaisons verbales ? Ce problème apparaît dès sa quinzième année : son enthousiasme — si spontané, si jubilant dans la postface d'*Un parfum* — est retombé mais lui a révélé son projet littéraire : non, il ne s'est pas emparé du monde, il ne l'a point résumé dans un livre. Mais c'est là justement sa tâche : la Beauté est, à ses yeux, ce qu'on pourrait appeler, au sens kantien du terme, l'Idéal de l'Imagination. Elle n'est pas donnée dans l'extase : elle se donnerait à celui qui aurait su rendre la totalisation extatique par des mots.

À cet instant la conversion est achevée : enthousiasmé par la tâche infinie qui le requiert, l'enfant qui « écrivait pour se faire plaisir » se trouve en face d'une fin étrangère qui n'est autre que la projection hors de lui, comme *impératif*, de son intention totalisatrice. Puisqu'il peut accéder directement au tout par l'intuition, son mandat sublime sera de retotaliser cette intuition fulgurante à travers le langage. Résumer le monde dans un livre, que peut-il rêver de mieux, le petit histrion affamé de gloire ? La Contre-Création mettrait tout à coup le lecteur en face d'une terrifiante immensité, insoutenable et belle, s'affirmant dans l'imaginaire par une « disparition vibratoire » qui ne s'achèverait qu'avec le livre. Œuvre de géant, elle magnifiera son auteur. Et quelle compensation de tous les dégoûts essuyés ! Faire le Paillasse devant un parterre d'imbéciles, c'est bien, c'est même fort bien. Mais on ne fait que dénoncer un ridicule parmi d'autres. Recréer le monde — ou créer un contremonde — et le donner à voir par des mots, c'est mieux : ce qui fascine le petit totalisateur, c'est qu'on ne peut trouver d'entreprise plus exhaustive. En dehors de cela, en effet, toute occupation humaine est misérable ; l'ingénieur, le savant même visent à obtenir des résultats finis et par là se déterminent eux-mêmes comme des êtres finis ; mais le vrai créateur — ou contre-créateur — ne veut rien d'autre que tout. Par là même, on réclame de lui qu'il ne soit rien de particulier, rien de réel mais seulement une irréalisation totale de sa singularité vers une création cosmique. Comment l'orgueil le plus fou pourrait-il refuser ce mandat : Gustave sera grand comme le monde. Écrire est le plus beau délire.

D'autant que toutes les instances sont conservées : c'est en écrivant pour se plaire, pour assouvir ses désirs et son désir de désirer par l'imaginarisation des mots, c'est en prenant pour guide son ressentiment, son masochisme et son sadisme que Gustave a le plus de chance de dévoiler dans ses livres le mufle effrayant du Cosmos et sa cruelle Beauté. Les motifs subjectifs qui l'ont conduit à faire ses premières œuvres sont dépassés mais conservés dans l'élan qui le porte vers la fin objective qui vient d'apparaître. Faut-il parler ici de « sublimation » ? Je ne le pense pas : ce serait ne pas sortir de l'intériorité. La vérité est que le projet, étant extériorisation de l'intérieur, ne trouve son efficacité concrète qu'en se faisant annoncer ce qu'il est *par l'extérieur* ; or celui-ci, ayant ses caractères propres, ses structures et ses dimensions, le déforme, l'*extériorise* et le reflète à lui-même comme une exigence de l'objectivité. La littérature n'est pas une plage déserte, c'est un secteur de l'esprit objectif, élaboré depuis des millénaires par des spécialistes : la conversion de Flaubert l'entraîne à se faire définir à partir de ses confrères, prédécesseurs et contemporains, comme un défricheur, entre mille, du champ littéraire. Il aura des modèles, des exemples, des guides, une *exis* à intérioriser, un apprentissage à faire. Au terme de la conversion il se retrouve *dehors*, au milieu des autres et ce sont les autres qui lui apprennent son statut, même s'il veut les dépasser tous.

Nous verrons, dans un prochain chapitre, comment Flaubert est amené, un peu plus tard, à *s'aliéner* à sa fin, c'est-à-dire à la voir revenir sur lui comme un impératif catégorique qui exige le sacrifice de *tout*. Notons seulement ici ce qui est à l'origine de cette aliénation : la contradiction subsiste, chez Gustave, entre la littérature pis-aller et la littérature démiurgique ; la conversion l'a portée sur un autre terrain mais n'y a rien changé. Le mépris pour les mots écrits s'est tourné en défiance mais il subsiste : Gustave prétend avoir « des pensées de géant qui font ployer la phrase et la crèvent... ». En d'autres termes le graphème, sec et fermé, sans auxiliaires, laisse échapper la majeure partie de l'Idée à moins que celle-ci ne fasse éclater la phrase où l'on prétend l'introduire. Cette défiance est à l'origine du problème qui sera bientôt le principal de ses soucis : comment traiter le discours écrit pour qu'il soit apte à suggérer l'Idée totalitaire dans sa confuse richesse ? On a dit de Hugo que c'était une forme à la recherche de son contenu ; de Flaubert, on pourra bientôt dire que c'est un contenu à la recherche d'une forme. Mais son malaise ne vient pas seulement de l'inadéquation des mots aux intuitions qu'ils doivent rendre ; il exprime aussi les doutes de Flaubert sur lui-même. Il était sûr de sa vocation de comédien ; on lui interdit de la suivre ; après quelques hésitations, le voilà mis en face d'une tâche formidable et fascinante : créer un contre-cosmos avec des mots. Mais qui dit qu'il en soit capable ? Qui l'a mandaté ? Son arrogance n'est que le masque de son humilité. Il s'interroge : comment, moi indigne, serais-je capable d'écrire le Livre, ce Livre pour lequel il semble que l'Univers ait été créé ? Et si je ne l'écris pas, n'est-ce pas un crime d'être « entré en littérature » alors que je n'étais pas fait pour cela ? Alain disait : on ne nous a rien promis. Et c'est particulièrement vrai pour l'auteur-apprenti qui abandonne ou rejette ses œuvres dans la rage en se disant : je ne suis pas doué. Ou plutôt non : Gustave pense qu'on lui a promis le pire. Ne serait-ce pas une ruse du Diable que de lui avoir donné la force intime du comédien pour le frustrer de la gloire méritée par son talent inné et que de le fourvoyer ensuite dans une entreprise si follement ambitieuse qu'il s'y casserait les reins ? Après tout, c'est le schème ordinaire : une âme est grande par son désir infini et punie en proportion de sa grandeur. Voilà bien d'ailleurs ce qu'il répète dans *toutes* ses œuvres de jeunesse : comment peut-il espérer, auteur, qu'il échappera au sort commun ? Sur le sens même de ce qu'il fait, il hésite : parfois il entrevoit la grandeur de son projet — qui est de totaliser l'imaginaire — et d'autres fois il ne le comprend plus — par exemple quand il s'abandonne à l'éloquence — et croit qu'il a dessein de mettre le réel en accusation. Nous aurons d'ailleurs lieu de revenir sur le double aspect de cette œuvre ambiguë. La conséquence paradoxale de ses doutes, c'est qu'il s'est prédit un destin d'écrivain raté *à dater du jour* où il s'est converti à la littérature. Mais, chez lui, nous le verrons, il existe une tendance à généraliser son cas : aussi, tantôt il s'afflige sur sa médiocrité et tantôt il déclare que l'Art est un leurre. Puisque la Beauté, c'est la totalisation imaginaire du monde par le langage et puisque le langage, par nature, est incapable de remplir cette fonction, la conclusion s'impose : « Qu'est-ce que le Beau, sinon l'impossible ? » La Beauté, hors d'atteinte, scintille au hasard d'une phrase bien venue : c'est un piège ; qu'on se tourne vers elle, elle disparaît. Dans ces moments-là, Gustave prend avantage de son malheur : s'il est vrai qu'il lui est interdit par la nature des choses de mener à bien son entreprise et si pourtant celle-ci s'indique à travers le langage comme la lumière sourd, en forêt, à travers les feuilles, s'il la devine comme un appel qui ne s'adresse à personne en particulier mais qu'il a été seul à entendre, si l'homme se définit par la grandeur de son entreprise et si Gustave, parfaitement lucide, calmement désespéré, s'obstine dans la sienne tout en la sachant impossible, alors l'adolescent, nouveau Don Quichotte, trouve sa vérité dans son option : il est celui qui, dédaignant les possibilités qui sont siennes, a choisi l'impossibilité comme son unique possible. Et comme l'existence se manifeste dans le projet, comme il ne peut être Gustave Flaubert sans atteindre les objectifs qu'il se propose, alors il devient par son choix et, peut-être, par une élection satanique et grandiose le martyr (au double sens de témoin et de victime) de l'*impossibilité d'être homme*. De fait, toutes ses œuvres de jeunesse témoignent de cette impossibilité : on n'y trouve que des sous-hommes déchirés, incomplets bien que sublimes ou des robots.

Cette conception hyperbolique et grandiose de son choix le soutient et le console dans ses moments de désarroi ; surtout elle flatte son goût profond pour l'échec ; elle cheminera tout au long du siècle pour trouver sa forme parfaite sous la plume de Mallarmé. Au même moment, peut-être, elle naît chez un frère jumeau de Gustave, chez le jeune Charles Baudelaire. Pour l'instant, sous la forme fruste que lui donne le petit garçon, on peut l'exprimer ainsi : l'œuvre d'art est la seule épave d'un long naufrage où l'artiste s'est perdu, corps et biens. Mais Gustave n'use pas toujours de ce pessimisme réconfortant. La raison en est qu'il y a les confrères. Homère, par exemple. Ou Shakespeare. Dès qu'il pense à eux, il retombe dans le doute et revient à se demander si le Beau n'est impossible qu'à lui.

Bref, à quatorze ans Gustave est converti. Mais c'est une orageuse conversion. Il ne s'en dédira jamais et ne cessera de la remettre en question. Nous verrons comment la crise de 44 apportera à ces confuses idées, qui s'opposent et s'interpénètrent dans un syncrétisme primitif, une notable et nécessaire clarification. Dirons-nous que la personnalisation s'achève avec la conversion ? Non certes, mais que le noyau totalisé est mis en place. Gustave l'imaginaire s'est fait Gustave l'écrivain. Mais le mouvement totalisateur ne s'arrête pas pour autant. Le petit garçon a intégré sous nos yeux ses relations avec sa famille, avec ses intimes, avec un public, avec les mots, avec lui-même et avec le monde comme irréel totalisé. Mais, pendant ces mêmes années et aussi pendant celles qui les suivent immédiatement, il va pour la première fois s'affronter *avec le réel* : en 1831 ou 32 [1], Flaubert entre au collège, dans la classe de huitième. Il en sort en 1839 : pendant huit ans il aura subi la discipline assez rude de la petite communauté, partagé la vie mou-

---

1. L'incertitude porte sur le mois, non sur l'année scolaire puisque de toute façon nous le retrouvons, à la rentrée d'octobre 32, en septième.

vementée des collégiens rouennais, noué avec eux des liens agonis-
tiques de compétition ou des relations de camaraderie. Il nous faut
retracer l'histoire de ces années — décisives selon ses propres dires
— si nous voulons comprendre ce nouveau circuit de sa personnalisation. Mais avant d'y entrer avec lui, il convient de déterminer
l'importance du rôle joué, vers la même époque et au même niveau
d'intégration, par son nouveau Seigneur : Alfred Le Poittevin.

Du poète à l'artiste

Quelques idées se dégagent de cette lente maturation, dont l'une — qui mûrit d'ailleurs en d'autres têtes vers le même moment — fera fortune dans le siècle : si la Beauté comme totalisation est fin absolue, l'Art n'est pas au service de l'homme ; il n'est que le moyen d'atteindre au Beau. Contre l'utilitarisme, il se déclare pur et impératif : en d'autres termes c'est l'homme qui est au service de l'Art. En ce cas, la personnalisation de Gustave doit intégrer cette norme nouvelle dont l'incidence sur l'*être* de sa personne ne peut être surestimée : il est en question dans son être, l'être inessentiel qui doit se sacrifier *en vain* pour que l'essentiel existe. Conçue de cette manière, l'impossibilité de l'Artiste n'est pas seulement un choix ou un destin : c'est son impératif ontologique. Il doit se perdre en tant qu'homme pour donner une chance à la pure gratuité de se laisser entrevoir à travers une œuvre imparfaite et qui ne sert à rien ni à personne.

Toutefois, bien que ces déterminations soient impliquées dans la quête du jeune garçon, dès 1835, elles ne s'expliciteront que peu à peu. Au début, nous l'avons dit, il est *poète* et cela signifie que l'extase compte plus pour lui que la parole qui l'exprime, bien que déjà dans la décision de transcrire l'état poétique toutes les exigences futures soient contenues syncrétiquement. Ce qui les masque, c'est qu'il a structuré ses hébétudes dans une intention compensatrice et qu'il se tient avant tout pour l'homme qui *reçoit* ces extases et qui, par ce don imaginaire, se trouve placé au-dessus du commun. Le passage de cette conception malgré tout optimiste — le poète est comblé, même si c'est d'horreur, puisque c'est en lui et par lui que le macrocosme se totalise — à celle, profondément noire, qui fait de l'artiste un pilote-suicide, Gustave ne pouvait l'effectuer *seul* : le champ pratico-inerte (et l'esprit objectif en fait partie) ne révèle d'exigences que dans la mesure où il réfracte et charge de son inertie les intentions *des autres*, directement ou indirectement. C'est contre sa famille que Gustave a commencé sa personnalisation : à présent il la continue à travers son amitié avec Alfred, pour et contre celui-ci, et, simultanément, à travers sa vie de collégien. Nous verrons d'abord comment l'influence du fils Le Poittevin, intégrée et transformée, achemine le poète vers sa condition et son être d'artiste. Il conviendra ensuite d'examiner la transformation du *stress* personnalisant par la vie de collège — premier contact de l'enfant imaginaire avec la réalité. Nous pourrons reprendre, alors, notre étude première et montrer le passage de la poésie à l'art dans les œuvres que Gustave écrit à l'époque, c'est-à-dire de 36 à 42. En d'autres termes, nous devons, sous peine de tomber dans une confusion inextricable, présenter la liaison de Gustave et d'Alfred, son existence de collégien et la transformation de ses écrits (surtout le passage au cycle autobiographique) en trois chapitres successifs mais nous tomberions vite dans l'abstraction si nous devions oublier que ces trois processus sont *contemporains* et que, loin de s'isoler, chacun d'eux reste en liaison dialectique avec les deux autres. C'est le même homme au même moment qui se donne à son nouveau Seigneur, fait le Garçon et rédige *Agonies*. Nous tenterons, à la fin du troisième chapitre, de restituer l'unité de son développement.

> *Je n'ai aimé qu'un homme comme ami et qu'un autre, c'est mon père.*
>
> Gustave Flaubert, *Souvenirs*, p. 52.

De dix à vingt ans Flaubert a aimé, admiré, imité Alfred Le Poittevin ; il s'est donné à lui comme un disciple à son maître. En apparence, Alfred est une chance incroyable : grâce à lui Gustave va peut-être retrouver hors de l'entreprise Flaubert l'abrupt sentier des extases féodales. Mais si nous étudions en vérité l'histoire de cette liaison très singulière, nous verrons que, dans une vie perdue, les chances se tournent en malchances. Cette amitié d'enfance est une mystification : née pour compenser l'exil et les aliénations de Gustave, elle ne fait — à la prendre d'ensemble — que les accroître.

Pour que l'enfant ait aimé comme il l'a fait ce compagnon — de cinq ans plus âgé que lui [1] — il a fallu que celui-ci remplît trois

---

1. Né le 29 septembre 1816.

conditions dont les deux dernières sembleront contradictoires.

1° Sur la première, qui va de soi, je passe vite. D'ailleurs nous la retrouverons : il fallait que l'aîné fût ou parût tel qu'un jeune orgueilleux pût se dire son vassal.

2° Entre l'enfant et l'adolescent il ne devait y avoir aucun lien de sang. Alfred, s'il fût né Flaubert, se fût défini comme les autres par son rapport au *pater familias* : relatif il n'eût pu délivrer le cadet de sa relativité. Qu'on ne croie surtout pas que le jeune homme représente pour cet enfant un succédané du Père : il est trop jeune et le médecin-chef trop vieux. Non : c'est l'*Anti-Achille*, il joue dans la vie de Gustave le rôle qu'eût pu remplir un frère aîné. En d'autres circonstances, en effet, la différence d'âge — même considérable — peut être un lien puissant : Edmond de Goncourt, né en 1822, était de huit ans l'aîné de Jules ; rien ne dérangera leur fraternité amoureuse : c'est que le père, mort, ne gênait pas. Chez les Flaubert, Achille s'est vu, par la volonté du Père, chargé de barrer la route au cadet : à mi-côte, c'est l'ange militaire qui surveille la plaine ; pour aller jusqu'à Dieu il faut s'élever d'abord jusqu'à ce gardien du Paradis. Encore pourrait-il jouer le rôle de guide, d'intercesseur, de *daimon*. Mais l'injuste préférence du médecin-chef l'en a rendu incapable. Toutefois chez Gustave, l'existence du faux archange suscite le besoin d'un aîné véritable, supérieur par nature et par tradition sacrée, adorable et généreux, qui puisse d'un simple sourire donner *de la valeur* à son cadet. Ce frère miraculeux, radicalement *autre* que Grand Frère Achille, devrait, s'il existait, échapper entièrement à la zone d'influence paternelle, c'est-à-dire au sang Flaubert, de façon que l'enfant puisse l'aimer en lui-même et dans sa singularité, en dehors des commandements paternels et, d'une certaine façon, contre ce Père abusif. Un frère soustrait, du premier jour, à la juridiction d'Achille-Cléophas et qui ose décider — pour lui-même et pour son cadet — du Bien et du Mal en toute indépendance. Un frère qui ne soit ni de la même mère ni surtout du même père.

3° Et pourtant — c'est la troisième condition — Gustave ne pourrait l'aimer si c'était un ami de rencontre. Les collégiens de son âge, il les méprise : ce ne sont pas des Flaubert. C'est que Gustave n'a d'intérêt que pour son bagne : les autres, qu'ils aillent au diable. À moins qu'ils ne soient issus du même passé profond, qu'ils n'aient la même « douce langue natale », qu'ils ne participent aux mêmes cérémonies privées et ne soient liés aux Flaubert par des liens consacrés.

L'Anti-Achille existe et remplit les conditions requises. Il se trouve en effet que Mme Flaubert possède une amie d'enfance, que cette amie est réputée fort belle et qu'elle a épousé un très riche filateur, M. Le Poittevin. Les amitiés de pension s'effacent vite : les jeunes femmes s'oublieraient si, tout à coup, le frêle lien du cœur ne se trouvait soutenu par une liaison objective et bien autrement solide : celle qui s'établit entre leurs maris. Je ne pense pas que l'amitié de l'industriel libéral et du chirurgien analyste fût exemplaire ; mais ce fut un mariage de raison où les *Moi* de ces messieurs eurent peu de place. Il y avait conformité d'opinion : chacun retrouvait en l'autre son opposition au régime, sa prudence, cette dépolitisation consentie de bonne grâce avec le sourire cynique qui sauve la face dans le privé — et ne sauve qu'elle —, bref ce que l'on peut au gré de chacun nommer sagesse ou lâcheté. Il y avait plus encore : le docteur Flaubert vivait dans la dépendance des riches, il lui fallait des relations dans la haute société de Rouen, fermée, craintive, encore avare et si dure à la peine que les plus fortunés hésitaient, en cas de maladie, à faire venir un médecin : Le Poittevin, c'était une voie d'accès ; quant à l'industriel, bien que le machinisme fût, en France, pratiquement inexistant, il respectait en Achille-Cléophas l'homme de science. En quelle mesure, je l'ignore : cela dépendait de ses capacités de prévoir. Mais au temps où ils se connurent, il n'y avait pas si longtemps que Saint-Simon, renvoyant à leur néant les politiques, les souverains et leurs prélats, montrait que la bonne économie des nations n'en serait pas affectée mais que toute la vie sociale tomberait en panne sur l'instant si les industriels et les savants disparaissaient ensemble. L'idée courut partout sous la Restauration : on rapprochait ces deux types d'*hommes nouveaux* les uns des autres ; une Fronde éclairée affectait de voir en eux — ce qu'ils étaient vraiment d'ailleurs — des bâtisseurs.

Donc rien de plus solide : du ciment. On poussa les choses jusqu'à donner à la liaison des deux ménages un air d'apparentement. Le docteur Flaubert fut le parrain d'Alfred, M. le Poittevin celui de Gustave.

Ces parrainages sont la consécration d'un lien quasi familial. Ni l'un ni l'autre enfant ne se souvient du baptême. Mais, comme tout ce qui se passe dans la vie de Gustave, leur future camaraderie est préétablie ; sa place est marquée d'avance par cette figure de quadrille : les pères feignant d'échanger leurs enfants. Bien sûr, l'amitié n'est pas fatale : mais les deux baptisés y sont prédisposés par l'amitié des pères dont elle sera, si tant est qu'elle ait lieu, le produit direct et la répétition. Jamais Gustave ne *rencontrera* Alfred : celui-ci fait partie des réalités prénatales — hommes et choses — qui l'entourent et dont il saura toute sa vie qu'elles existaient avant lui et qu'on les a machinées pour le réduire au désespoir. Alfred, en un mot, est, pour Gustave, un facteur de son Destin. S'ils doivent s'aimer, d'ailleurs, ce ne sera pas tout uniment comme des individus ; les parents se féliciteront de voir les représentants de la génération montante prendre la relève de l'amitié et contribuer par là à resserrer les liens entre les deux tribus. Union fort encouragée, comme on voit par la Correspondance : ils se voyaient chez l'un, chez l'autre, librement ; les deux familles leur faisaient fête et l'intimité des femmes aussi bien que la solidarité des pères prétendaient se refléter dans cette inclination naissante.

Il y a de quoi dégoûter du meilleur camarade. Rappelez-vous *Si le grain ne meurt* et les fureurs du petit Gide quand ses parents se mettaient dans la tête de lui offrir pour amis les fils de leurs amis. Ces rages, ces refus obstinés sont typiques de l'individualisme. Pour le jeune André, ces enfants sont disqualifiés d'avance parce qu'il ne les a pas *choisis*. Il repousse sans concession ces rapports protégés, très légèrement dirigés dont il ne saurait jamais s'ils sont vraiment son œuvre ou celle des grandes personnes. Il ne veut pas couler dans le moule d'une *amitié autre* — et faite, comme les mariages de l'époque, « par présentation » — la spontanéité de ses sentiments.

De tout cela Gustave n'a cure ; nous savons qu'il n'est pas individualiste. Naturellement son amitié pour Alfred sera *élective*, cela veut dire qu'il choisira de l'aimer et d'aimer en lui ce que les autres ignorent ou négligent : il découvrira à sa manière et dans sa perspective féodale, le rôle que l'autre doit jouer dans sa vie. Mais ses options lui paraîtront d'autant plus justes, son inclination d'autant plus sacrée que le cadre et l'objet en sont prédéterminés. Et quelle joie, pour l'homme de ressentiment, que de découvrir dans sa vérité et d'*opposer* à sa famille l'ami qu'elle avait *imposé*. Toujours sacré, le nouveau Seigneur passe dans le monde noir, devient complice du petit méchant. Encore faut-il que la situation s'y prête, que l'élu possède des capacités démoniaques. Nous allons voir qu'Alfred n'en manquait pas.

Il avait quatre ans de plus que Gustave. Longtemps ce furent les enfants Flaubert — le cadet avec la dernière-née — qui rendaient visite aux enfants Le Poittevin dans la belle maison du filateur qui donnait sur la Grand'Rue et possédait un grand jardin avec une volière. Les enfants Le Poittevin se rendaient moins fréquemment à l'Hôtel-Dieu. C'est donc chez le filateur que les rapports se nouèrent et constituèrent tout de suite un inépuisable souvenir d'enfance. Quand il entrait dans l'immeuble de la Grand'Rue, Gustave se coulait dans l'intimité d'une famille féerique. La volière est un signe : cette cage suspecte contenait des objets vivants qui ne servaient à rien. Les Flaubert prenaient grand soin de ne pas introduire à l'Hôtel-Dieu ces curiosités inutilisables ni rien de ce qui coûte et ne rapporte pas. Chez Alfred, sans aucun doute, Gustave a fait la découverte illuminée de l'agrément, cette gratuité heureuse qu'il va bientôt opposer à l'utilitarisme. La volière était belle et ne servait pas : Mme Le Poittevin, plus belle encore, ne servait pas non plus. Rejeton accablé d'une famille semi-domestique, Gustave est séduit par l'exotisme d'une famille conjugale. Il suffit de traverser la Grand'Rue pour passer d'un continent à l'autre. Naturellement il n'y comprend rien : qui donc eût pu saisir les changements en cours ? Mais il vit profondément le contraste des mœurs, de l'économie familiale, du train de maison. Là-bas, la personnalité de la mère équilibrait sans effort l'autorité du père [1]. A vrai dire ce dédoublement des valeurs et des pouvoirs qui sera la règle dans la seconde moitié du siècle quand la famille conjugale atteindra son plein développement, n'est due, en 1820, chez les Le Poittevin qu'à une chance exceptionnelle. Mme Le Poittevin, grâce à sa beauté « rare » et universellement reconnue prit aux yeux des notables rouennais la valeur intrinsèque d'un bijou ; elle devint le signe le moins précis mais le plus sûr de la richesse du mari et, par-dessus tout, la plus étincelante et la plus inutile parure de son salon. La plus discrète, aussi : elle savait vivre et rien ne nous autorise à douter

---

1. Sur ce que Gustave pensait de son parrain, nous n'avons qu'un renseignement : sa lettre du 24 mars 1837. Ernest voudrait lire Byron ; il répond : « ... Je pourrais prendre celui d'Alfred mais par malheur il n'y est point et sa bibliothèque est fermée. Elle était encore ouverte hier mais tu penses bien que son père, qui est parti aujourd'hui pour Fécamp, a serré cette clef ainsi que celle des autres compartiments de son logis ; ainsi, *Amen.* » Rien de plus : mais le « tu penses bien » nous fait comprendre que l'avarice et la méticulosité bourgeoise de l'industriel étaient un sujet de plaisanteries pour les deux camarades. Ou plutôt *pour les trois* : comment Gustave connaîtrait-il les défauts du père si ce n'est par les confidences du fils ? Comment oserait-il moquer celui-là si ce n'est avec l'autorisation et même les encouragements de celui-ci ? Comment *à cette époque* (celle de l'amour ardent et sans réserves du vassal pour le Seigneur) se permettrait-il de rechercher la complicité d'Ernest contre un membre de la famille Le Poittevin sans qu'Alfred soit de mèche ? En d'autres termes, celui-ci imposait en douce au disciple ses préférences personnelles pour les éléments féminins de sa famille : sa mère, Laure. De son père, le moins qu'on puisse dire, c'est qu'il ne le respectait pas.

de sa vertu. Reste qu'on ne comprendra rien aux belles personnes si l'on ne part du principe qu'elles s'aliènent sans recours à la beauté. Souvent, cette aliénation peut passer pour du caractère : le beau a ses normes comme le vrai et quand on *est soi-même* quelqu'un que les autres tiennent pour une incarnation de la Beauté platonicienne, on intériorise les normes esthétiques comme des impératifs catégoriques. Dans la vie privée, Mme Le Poittevin introduisait l'Autre : son pouvoir lui venait du consentement public. Autre elle était, donc insaisissable : les caresses du mari glissaient sur elle ; pourtant Le Poittevin devait s'accommoder de cela ; mieux, il réclamait que son épouse gardât, fût-elle dans le lit nuptial, cette universalité singulière : cela faisait de bonne publicité. Ainsi, chez les Le Poittevin, la gratuité fondamentale est femme. Le reste vient après : le gratuit naît du gratuit. On dit d'une pièce ou d'un appartement qu'on y « devine une présence féminine » ; on entend par là : des inventions qui ne songent qu'à plaire, un ordre qui vient du cœur, injustifiable et charmant, le goût du détail pour lui-même et je ne sais quel narcissisme que les choses dénoncent dans un sourire. Chez les Flaubert on ne trouvait rien de tel et la présence féminine n'était pourtant pas discutable : Mme Flaubert, aussi présente que Mme Le Poittevin, n'était pas narcissiste ; l'économie domestique absorbait tous ses soins ; elle se sentait sinon l'associée de son mari, du moins un compagnon de travail subalterne. C'était un être relatif et qui se voulait tel, tirant sa légitimité de ses œuvres : indispensable autant qu'inessentielle, elle remettait les choses en état, réparait, conservait, luttait contre l'usure et, puisqu'elle ne *gagnait* rien, s'efforçait tenacement de réduire la dépense. L'appartement de l'Hôtel-Dieu, c'était une maison d'hommes avec une femme dedans. La « présence féminine », dans la maison de la Grand'Rue, on fait mieux que de la deviner, elle entête. C'est d'abord que les Le Poittevin sont plus libres que les Flaubert. Et je ne parle pas ici de liberté politique ou philosophique mais du simple fait qu'ils sont beaucoup plus riches : l'essentiel assuré, il reste assez pour répartir à leur gré les dépenses improductives et même pour s'inventer des besoins. Pourtant, en 1830, malgré ses progrès économiques, la bourgeoisie n'est pas prête à faire des acquisitions désintéressées : on accumule. Dans la famille Le Poittevin, en avance d'une décennie, le désintéressement, si minime soit-il, est introduit par une créature qui est en elle-même un luxe puisque sa qualité la plus haute et la moins contestable fait nécessairement d'elle une « finalité sans fin », c'est-à-dire, aux yeux de ses admirateurs et, partant, à ses propres yeux, une splendeur inutile. Qu'elle ait aimé ses enfants, qu'elle ait mis ses soins à les élever, qu'elle ait — comme son amie de pension — surveillé le train de maison, les domestiques : je n'en doute pas. Ni qu'elle ait fait de son mieux pour « se rendre utile ». Mais ces devoirs familiaux sont sans commune mesure avec ceux qu'impose sa détermination sociale et, par intériorisation, subjective. Choisie pour sa beauté, elle met sur tous les murs des images d'elle-même, force la maison tout entière à la refléter, cela veut dire qu'elle invente, à la fois, en elle la Femme bourgeoise et, tout autour d'elle, le narcissisme dans l'ameublement. Fleurs, bibelots, écharpes : nous n'avons pas de détail mais il n'en faut pas plus pour dater la première rencontre de Gustave avec cette Beauté déchirante, inaccessible, qui ne donne rien et prend tout. Ce fut un contact personnel et qui eut lieu du premier jour où l'enfant s'avisa de lever les yeux sur la femme de son parrain. La maison de la Grand'Rue, il s'y plaisait plus qu'en aucun autre lieu : il y retrouvait *sur les choses* l'altière gratuité de cette femme. Dès l'entrée, Gustave et Caroline se déverrouillaient : ces enfants étranglés par la toute-puissance paternelle s'évadaient d'une société masculine pour entrer d'un seul coup dans celle de la féminité. Ils n'accédaient pas seulement au monde de la libre dépense ; ils faisaient l'expérience d'une organisation familiale où la mère tenait le principal rôle : loin de ne vouloir être — comme faisait Mme Flaubert — qu'un intermédiaire à sens unique, communiquant aux enfants les ordres du père, elle tirait son autorité d'elle-même et donnait ou refusait les clés d'un royaume où son mari n'était pas admis.

C'est dans ce royaume que brille doucement, pour le petit Gustave, le fils très aimé de « la belle Mme Le Poittevin », Alfred. On fait remonter leur liaison de fort bonne heure et cela est sûrement vrai si l'on entend par là qu'ils se sont rencontrés souvent et tôt dans le jardin de la volière. Mais rien n'indique qu'ils aient eu l'un pour l'autre, en ce temps, autre chose qu'une inclination réciproque et familiale de faux cousins. De même, on a dit sans preuves qu'Alfred, au temps du « billard », n'avait pas dédaigné d'écrire quelques pièces du répertoire et d'en « superviser » la mise en scène : je n'en crois rien. Il serait invraisemblable que les lettres contemporaines de Gustave n'y fissent aucun allusion. Or, nous venons de le voir, la première fois que le nom d'Alfred apparaît dans la Correspondance c'est le 24 mars 1837 : Gustave a quinze ans. Du reste, ce n'est pas au bruyant interprète de *Poursôgnac* que le jeune

Le Poittevin se fût intéressé : sa sympathie ne pouvait aller qu'au collégien solitaire et perdu ; on ne peut envisager de faire commencer leur liaison avant 1835 : à cette époque Alfred va terminer ses études secondaires, il est possédé de ce qu'il appellera plus tard la *rage* littéraire ; il va publier, l'année suivante, dans le *Colibri* des poèmes résolument byroniens, qui découvrent chez lui une sorte d'angoisse : on dirait qu'il étouffe. *Satan* offre au jeune Gustave l'explication métaphorique de sa propre thématique profonde. L'archange noir jalouse Adam, « favori d'un Dieu qu'il déteste », et lui promet la Chute. « Tes jours de désespoir seront mes jours de fête. » Adam va « rouler dans les abîmes », entraîné par Satan. « Un vertige éternel pèsera sur (sa) race. » Le Christ, en vain, expiera pour lui. Voilà donc la « malédiction d'Adam », dont parle Gustave. La fin a la même fierté dans le crime qu'on trouve dans les « œuvres de jeunesse » : c'est à Dieu, cette fois, que s'adresse le Démon, pour railler la Création entière :

> *Tu descendras alors sur ton splendide trône,*
> *Quelques justes épars recevront la couronne*
> *Pour avoir pratiqué ta loi.*
> *Mais frémissant de rage et chérissant leurs crimes,*
> *Le reste des humains roulant dans les abîmes*
> *Viendra t'y maudire avec moi !*

On reconnaît le thème : Dieu le Père a manqué son œuvre et l'homme, damné pour l'éternité, est témoin à charge : je te maudis pour m'avoir fait coupable et damné.

Un peu plus tard Alfred refuse tout porte-parole : il interpelle lui-même le Créateur :

> *Dieu nous fit pour souffrir, et sa jalouse haine*
> *Nous frappe sans nous écouter...*
> *Ouvrez de nos aïeux l'histoire lamentable*
> *Vous y verrez partout la trace détestable*
> *De notre malédiction*
>
> *Les plus justes frappés par le céleste glaive...*
> *... C'est en nous frappant que Dieu se fait connaître...*
> *Assouvis donc, ô Dieu, ton éternelle rage.*

Il est vrai que deux strophes, à la fin du poème, rétablissent le Tout-Puissant dans sa bonté :

Ainsi je me plaignais dans les heures de doute...
Mais un éclair d'en haut vint calmer ma souffrance.

Mais le moins qu'on en puisse dire c'est qu'elles ne sont ni convaincantes ni convaincues : après avoir formulé des accusations précises contre le Père Éternel, il fallait au moins se donner la peine de les réfuter précisément. Mais non : un éclair calme le poète ; Dieu verse sur ses douleurs un baume salutaire ; rien de plus. Cette fin postiche est rajoutée en hâte pour permettre la publication du poème. Les deux filleuls croisés, compères en satanisme, étaient mûrs pour se *reconnaître*. En outre l'aîné, poussé par l'anxiété et par l'orgueil à refuser simultanément la solitude parfaite — il y viendra — et les réciprocités indiscrètes d'une camaraderie entre égaux, se trouvait disposé vers ce temps — nous en reparlerons — à choisir la compagnie d'un enfant. Qu'un bachelier de dix-neuf ans l'ait élu, lui, Gustave, l'idiot de la famille, pour *se* parler tout haut devant lui et que ce nouveau Seigneur, en échange de l'hommage, lui ait fait don gracieux des poèmes de Byron, voilà ce qui bouleverse le jeune garçon : deux maudits, fiers et sombres, s'unissent contre les Dieux et les Pères. Quelle bénédiction pour le cœur ulcéré du cadet ! Malheureusement ni les fiertés ni les malédictions n'étaient de même nature ; Gustave en fera l'expérience à ses dépens.

Il semble, en effet, que le désir de gloire n'ait eu, chez l'aîné, ni l'ingrate frénésie ni la violence compensatrice qu'il a chez le cadet. Alfred le bien-aimé n'a rien à compenser. La gloire, pour quoi faire ? Dès sa vingtième année, il doute que le jeu en vaille la chandelle. À l'époque il croit encore aux fatalités du génie :

Fardeau que ceux qui l'ont portent en gémissant
Et que pourtant la foule envie.

C'est une âpre vanité :

Un besoin de sortir des vulgaires sentiers
Pour frayer devant soi des routes inconnues,
De quitter les humains qui rampent à nos pieds
Pour s'aller perdre dans les nues.

Naturellement c'est aussi une force irrépressible :

> *Les volcans en travail peuvent-ils contenir*
> *Leur lave qui veut se répandre ?*

Le thème du Poète Maudit, qui connaîtra la fortune qu'on sait pendant tout le XIXe siècle, est largement développé, dans ses vers.

> *C'est le sort du poète... sur la terre*
> *Il est né pour souffrir jusqu'à l'heure dernière*
> *... Je dois pour que la fin à mon passé réponde*
> *Mourir désespéré.*

Il n'est pas jusqu'à sa nonchalance passée — et présente — où Alfred ne voie un lent travail d'assimilation inconsciente :

> *A ses impressions son âme abandonnée*
> *Sans travail et sans but laissait couler l'année,*
> *L'heure de l'avenir en lui se préparait*
> *Sans que de ce travail son âme eût le secret.*

Toute vie de grand homme est un Destin, des forces d'origine transcendante sont à l'ouvrage en lui pour accumuler les richesses qu'il utilisera un jour. S'agit-il d'un dessein divin ? Alfred a-t-il déjà les principes de sa doctrine future, basée sur la Métempsycose ? En tout cas, il est convaincu, bien avant Rimbaud, que « Je est un autre » : cette âme où l'avenir se prépare sans qu'elle le sache, cette transcendance cachée dans l'immanence, c'est une première mouture de l'inconscient poétique. Alfred s'est toujours pensé — nous le verrons mieux — beaucoup plus riche et plus profond que sa conscience immédiate ne pouvait le savoir.

Mais ses méditations sur la mort lui découvrent bientôt la vanité de l'œuvre littéraire. Dans « Le Tasse », poème publié dans le *Colibri* en 1837, il écrit :

> *Oui, je suis insensé d'avoir perdu ma vie*
> *A composer ces vers que déjà l'on oublie,*
> *D'avoir eu la petite et sotte vanité*
> *D'arriver comme un autre à l'immortalité ;*
> *D'avoir vécu pour ces quelques grains de fumée*
> *Que l'on appelle honneur et gloire et renommée...*

Sans doute, c'est le Tasse qui parle : il se méconnaît ; les vers

« que déjà l'on oublie » seront immortels. Mais où est la différence ?
Ne meurt-il pas désespéré ?

> *Il ne vit pas briller la divine auréole*
> *Et lorsqu'il s'en allait monter au Capitole*
> *Il tomba mourant à ses pieds.*

Si Dieu n'est pas, si l'âme meurt avec le corps ou lui survit en
perdant la mémoire, le génie n'est qu'un piège, une inutile passion ;
la certitude qu'il a de lui-même ne peut fonder son jugement sur
ses œuvres. En d'autres termes l'expérience intérieure est sans
commune mesure avec son objectivation dans le langage. Alfred
récolte ce qu'il a semé. Si l'Art n'est pas un rapport de réciprocité
entre auteur et lecteur, rien ne peut l'étayer, il s'affale sur lui-même.
Déjà le poète s'interroge : n'aurait-il pas mieux valu

> *... dans un calme dédain*
> *Mépriser tout cela; puis attendre la fin*
> *Aux lieux où j'étais né, dans un modeste asile*
> *Suivre une route enfin moins haute et plus tranquille ?*

Cela veut dire en propres termes : ne vaudrait-il pas mieux rester à Fécamp, à Rouen, dans ma famille, prendre un état, une
femme, remplacer la *praxis* de l'artiste par le « calme dédain » de
l'esthète ? En 1837, Alfred ne décide pas : il croit encore que ses
pulsions inconscientes ont décidé pour lui. Il sera génie, il l'*est*. Il
ne connaît pas le moyen

> *de comprimer ce feu* (qu'il) *voit s'étendre...*

Il sera poète *malgré lui*. Or, à ce moment même, il cesse d'écrire,
fait son droit, devient avocat, renonce à la littérature *pour jamais*.
Nous en avons la preuve dans une lettre à Gustave datée d'avril
45 : il vient de terminer la première partie de *Bélial* et lui en a fait
part quelques jours plus tôt. Revenant sur cette heureuse nouvelle,
il dit son étonnement : « Je ne sais où j'avais l'esprit mais quand
Germain me disait, il y a deux ans, que je reviendrais à la *rage* littéraire, j'avais peine à le croire. Les événements ont réalisé la prédiction... » Bref, de 37 à 45 : huit années de crise (« il y a huit ans
que je me suis posé le problème de mon existence ») pendant lesquelles il s'ennuie à mourir : « J'use des souliers pour me distraire

et par cela même que j'avais pour l'Art une vocation exclusive, j'y deviens de plus en plus étranger. »

En fait, entre 40 et 45, il écrit encore quelques poèmes que, d'ailleurs, il ne publie pas. Mais le ton a changé : l'ironie remplace le satanisme byronien, au défi à Dieu s'est substitué un « *carpe diem* » assez paillard et qui cache un scepticisme douloureux. Dans « Le Poète et la jeune fille », le poète s'écrie :

> *Muse ! sois ma seule maîtresse...*
> *Laissons l'imbécile vulgaire*
> *Aimer sous sa forme éphémère*
> *L'Éternelle et pure Beauté !*

Telle est la « religion » dont il est le « néophyte ». Passe une jeune fille. Il l'entraîne aussitôt dans une grotte et lui promet d'imiter le sage :

> *Quand Plutus vint lui offrir ses dons*
> *Lui qui dédaignait la richesse*
> *Ouvre les deux mains et s'empresse*
> *Confus à demander pardon.*

Il s'agit, en un mot, d'abandonner l'Art et la mystique platonicienne du Beau pour la simple volupté.

Nous avons encore quelques-uns de ses manuscrits : les nombreuses corrections qu'on y relève prouvent que, malgré sa paresse affichée, il peinait dur. Sans bonheur : ses poèmes sont plats ; on dirait que, chez lui, un obscur retour à l'ordre s'accomplit et s'exprime littérairement sous forme de retour au XVIIIe siècle.

On peut concevoir le malaise croissant de Gustave : l'archange maudit, son Seigneur, qui lui avait révélé *Lara, Manfred*, sans doute *Faust*, et qui lui semblait partager sa brûlante passion d'écrire, voici que, tout d'un coup, il renonçait à la littérature et que, s'il daignait encore, parfois, composer un poème, ses vers *trop légers* avaient le double défaut contradictoire de sentir l'effort et de chercher la facilité. Le disciple sentait qu'il perdait deux fois le Maître : il ne pouvait plus le comprendre et plus assez l'admirer. À cette déception qu'il n'ose s'avouer s'ajoutent les chagrins de la séparation : de 1838 à 1841, Le Poittevin séjourne à Paris, pour y faire son droit. En 42, c'est à Flaubert de partir : Alfred est à Rouen, stagiaire du barreau et attaché du procureur du roi ; ses occupations l'écrasent et lui ôtent jusqu'au loisir de voir ses amis ou de leur écrire. En 44, Gustave a sa crise nerveuse ; en 46, Alfred se marie. Mais, je le montrerai bientôt, leur correspondance témoigne, dès 42, d'un indéniable refroidissement de leur amitié, dont le Maître est entièrement responsable, comme s'il s'était, d'un même mouvement, détaché de l'Art et de l'adolescent qui y croyait encore. En sorte que le mariage du Maître, qui a tant chagriné le disciple, apparaît à celui-ci comme une ultime et conclusive trahison. Mais aussi comme une révélation de la vraie « nature » d'Alfred. Si nous voulons comprendre l'« influence » que l'aîné a exercée sur le cadet, nous devrons ne jamais oublier l'ambivalence de leurs rapports : c'est elle qui explique, en effet, comment celui-ci se personnalise à la fois en accord avec celui-là et, tantôt à son insu, tantôt sciemment, contre lui.

Que savons-nous d'Alfred ? Peu de chose : la première de ses lettres que Descharmes a publiées, le timbre de la poste nous apprend qu'elle remonte à 1842 : il aura bientôt vingt-six ans, Flaubert bientôt vingt et un. Le Poittevin est en pleine crise mais sa personnalisation s'achève : quatre ans plus tard il épousera Mlle de Maupassant ; encore deux ans et il meurt, devenant ainsi ce qu'il était car le mariage et la mort sont, dès 42, ses deux postulations secrètes et contradictoires. Ainsi son attitude, telle qu'elle se révèle par ses lettres, est déjà l'aboutissement d'une longue histoire : que connaîtrions-nous de Gustave si nous ne possédions ni ses lettres d'enfance ni ses œuvres de jeunesse ? Il est un fait, pourtant, dont nous ne pouvons douter : même à l'âge d'or de leur amitié, le disciple a peur du Maître. Doublement : parce que son scepticisme satanique ne laisse rien debout et parce qu'il le soupçonne d'un conformisme secret. Écrirait-il, sinon, en lui dédiant *Agonies* : « Peut-être riras-tu plus tard, quand tu seras un homme marié, rangé et moral, en rejetant les yeux sur les pensées d'un pauvre enfant de seize ans qui t'aimait par-dessus toute chose et qui déjà avait tourmentée de tant de sottises » ? Notons que ces lignes *terminent* la dédicace : aucune considération optimiste ne vient les corriger ou les nuancer. Voyez aussi, dans la même année 1838, les lignes en italique qui précèdent le premier chapitre des *Mémoires* : « À toi mon cher Alfred, ces pages sont dédiées et données... tu croiras peut-être, en bien des endroits, que l'expression est forcée et le tableau assombri à plaisir ; rappelle-toi que c'est un fou qui a écrit ces lignes... » Cette précaution semblerait inutile si l'on ne sentait qu'elle procède d'une certaine défiance ; le jeune garçon craint de faire sourire son aîné : soit plus tard, *quand il sera marié* (eût-il pu prévoir aussi clairement l'évolution d'Alfred si, déjà, elle ne s'était annoncée de quelque manière ?) soit dès à présent, au cas où l'élégant scepticisme du Maître serait choqué par les violences incongrues du disciple. Déjà, dans la dédicace d'*Agonies*, il tient à marquer ses distances : à lui le *pathos*, à son ami l'intellect : « Ce méchant cadeau te rappellera nos vieilles causeries de l'an passé. Sans doute ton cœur se dilatera en se ressouvenant de ce suave parfum de jeunesse qui embaumait tant de pensées désespérantes. » On ne peut mieux dire : Alfred *s'amusait* à désespérer, en tout cas il prenait un plaisir intellectuel à son entreprise de démolition ; Gustave, lui, ne peut qu'en souffrir. Les deux terreurs que celui-là inspire à celui-ci, nous les étudierons l'une et l'autre en détail. Dès à présent, nous pouvons voir que, malgré leur apparente opposition, elles peuvent fort bien se commander l'une l'autre : pousser le scepticisme à l'extrême, c'est justifier les pires compromissions en prétendant dénoncer le conformisme de l'anticonformisme. Quand Alfred parle, Gustave se sent menacé en même temps par le nihilisme et l'embourgeoisement ; il a le vertige : si l'embourgeoisement était le but final et la conclusion rigoureuse du nihilisme ? C'est en 1838, d'ailleurs, qu'il note dans son cahier de *Souvenirs* : « Je n'ai aimé qu'un homme comme ami, et qu'un autre, c'est mon père. » Phrase étrange, dont l'incorrection est significative. D'abord elle nous montre le lien profond qui rejoint le nouveau Seigneur à l'ancien. Ensuite l'emploi du passé composé — ce passé révolu qui conserve pourtant quelque lien au présent — manifeste clairement que Gustave a aimé Alfred, prétend ne l'aimer plus et, de toute évidence, l'aime encore. S'il ne s'efforçait pas — colère et malaise — de rejeter cette amitié au fond de sa mémoire, il écrirait : « Je n'aurai aimé... », etc. On peut donc localiser l'*acmé* de leur liaison en 37. Après quoi, elle se dégrade. Il y aura, pourtant, un premier rapprochement en 1840 : la Correspondance de Flaubert en témoigne : parlant en juillet 45 de la tristesse éprouvée cinq ans plus tôt, au retour de son voyage en Corse, il ajoute : « Te rappelles-tu l'état où j'ai été pendant tout un hiver, quand je venais le jeudi soir chez toi... avec mon gros paletot bleu et mes pieds trempés de neige que je chauffais à ta cheminée ? » À cette époque, il semble avoir cherché des consolations dans la compagnie de son ancien Seigneur. Mais ni l'un ni l'autre n'avaient le cœur de reprendre les jeux nihilistes de 37 ; à présent, du reste, c'est Gustave qui va, le jeudi, chez Alfred ; celui-ci, atone, doucement sinistre, reste chez lui. Ils se rapprocheront une fois encore, la dernière, en 44.

Nous tenterons d'expliquer en détail cette évolution. Mais, il faut en convenir d'abord, les lettres de Le Poittevin justifient entièrement la défiance de Gustave : ce qui frappe d'abord en elles — c'est-à-dire au niveau le plus superficiel —, c'est assurément le conformisme : « Il est fâcheux que nous ne soyons pas plus libres, de ton côté comme du mien, de faire coïncider nos entrevues, mais nous sommes soumis tous deux aux mœurs et habitudes. » On notera son souci d'associer l'ami Gustave à cette soumission. Par le fait, à lui aussi, il importe que l'autre soit le filleul de son père : on maudit — doucement — les familles mais sans quitter le milieu interfamilial. En 42, Alfred va jusqu'à se réjouir de la tristesse que Gustave a fait paraître en quittant sa famille pour aller suivre à Paris les cours de droit : « Voilà donc que nous nous retrouvons hommes faibles des mêmes faiblesses que nos pareils... Ce n'est pas qu'après tout je m'étonne démesurément. Je ne te savais pas de bronze et la tentation était forte. Ce sont de vivaces affections que celles que développe la famille. Quand les pères ont fait leur temps et que les frères et sœurs ont chacun leur maison *à eux*, je me figure qu'il se fait autour de nous un désert étrange. La solitude est bonne pour les forts mais à condition d'y grandir. Vient-elle trop tard, l'homme... finit par en mourir... Ma mère... reparla (de ta tristesse) au dîner. Lengliné... m'a dit à l'oreille que les *petites filles* te guériraient. Il riait baucoup en se foutant de toi, mais je riais plus fort, d'un rire bizarre, apparemment, car il a couvert et fait mourir le sien — Tu comprends cela. »

Alfred triomphe : Gustave partage ses faiblesses. Lengliné révèle son ignominie en comparant les profonds attachements familiaux d'un jeune provincial aux plaisirs faciles que lui offrira la capitale. Du coup Le Poittevin avoue l'angoisse qu'il aurait à quitter les siens : hors la famille, c'est le désert et l'on y peut mourir. De fait — sauf les années qu'il passe à Paris pour y faire son droit, lui aussi — il ne quitte la maison de Rouen que pour accompagner ses parents dans leur propriété de Fécamp. Il n'y est certes pas forcé puisque c'est lui qui demande à deux reprises à se faire inscrire près la Cour royale de Rouen ; la première fois — 42 — avec succès : il sera stagiaire puis avocat ; la seconde — 46 — sans bonheur : il n'aura pas le rang de substitut dans le ressort de la magistrature rouennaise. Il lui arrive de rêver à des voyages, à l'Orient. Il écrit alors : « Je mène une vie très déréglée... j'étouffe... Il me fallait le voyage, le mouvement et ne pas rester à croupir au coin du feu. Il y a près de moi des gens qui disent qu'ils m'aiment et cela est vrai ; ces gens-là ont en main le moyen de me sauver mais ils me le donneront de si mauvaise grâce que j'hésite à le leur demander. » C'est avouer que son père lui donnerait l'autorisation de voyager s'il l'en priait. Or *il est vrai* qu'Alfred étouffe dans sa famille mais il est vrai aussi qu'il ne veut pas s'en séparer.

Que fait-il ? Il se cloître la plupart du temps mais il est présent aux réceptions que donnent ses parents et il n'est pas rare qu'il « fasse des visites » : « J'ai fait hier ''mes visites''. Sens-tu la beauté plastique de l'homme en frac noir qui fait des visites de une heure à sept et rentre après cela dans sa cahute pour y dîner ? » Ce passage marque assez qu'il affichait bien haut son mépris des obligations sociales pour éviter de s'y soustraire. Du reste il réservait son ironie au seul Flaubert ; il lui écrit en mai 45 : « Nous sommes deux trappistes qui ne parlons que quand nous sommes ensemble. Sais-tu qu'il est dur de ne jamais penser tout haut ? » En famille, en société il use du même langage que les autres et se borne à faire des sourires « bizarres », à s'adresser des signes de connivence imperceptibles. Quand la scène lui paraît *trop* comique, il n'en laisse rien voir mais se dit qu'il la racontera à Gustave. Cette vie de salon — où sans nul doute il brillait — lui déplaisait-elle tant ? Nous l'ignorons. Ce qu'on sait, par contre, et que René Descharmes a bien mis en lumière, c'est que, tout en se moquant du Code civil, il n'était pas insensible aux minimes satisfactions d'amour-propre que lui apportait l'exercice intermittent de sa charge[1] : « J'ai obtenu beaucoup de félicitations, à deux reprises celles du président de Beauchamp dans son résumé. Ce dont je me fous, au reste ! » Il s'en fout si peu que d'autres lettres — et particulièrement celle du 14 décembre 1843 — montrent qu'il peut se dépiter vivement lorsqu'un accusé lui préfère un autre avocat. Il écrit un jour à Gustave : « Sens-tu la beauté de l'homme puni et du magistrat qui punit ? » Mais il dit une autre fois qu'il faut ménager « les

---

1. René Descharmes fait remarquer que, dès 42, il était *à la fois* avocat et troisième attaché du procureur général du roi près de la Cour royale de Rouen. Et Flaubert écrit à Chevalier, le 24 février de cette même année : « Alfred travaille chez le procureur général et passe son temps à faire des actes d'accusation. » Le 25, il débutait comme avocat, cette fois, « dans une affaire de vol où un adolescent a dérobé quelques pièces de cinq francs ». Mais les plaidoiries ne l'intéressent, dit-il, pas plus que les réquisitoires : « Nous ne dépouillerons jamais la veuve et l'orphelin mais nous ne nous y intéresserons guère. »

amours-propres des magistrats », si l'on veut « entrer dans ce foutu corps » et, de fait, sollicite, après son mariage, une charge de *substitut* à Rouen. En d'autres termes, il refuse aux hommes le droit de punir mais il sera, si le corps des magistrats l'accepte, celui qui réclame la punition.

Il y a, sans aucun doute, beaucoup de souplesse, un peu trop, dans son cas ainsi qu'un goût assez vif du compromis. Pourrait-on croire, par exemple, qu'on trouvera sous la plume du maître de Flaubert : « J'ai ajourné la pièce à Emma Caye ; je ne m'occupe guère maintenant que de choses immédiatement publiables. Peut-être même ce qui me paraît tel choquera-t-il un peu le goût du public. Cette bonne hypocrisie s'effarouchera de la liberté de ma Muse » (13 septembre 45). Les deux dernières phrases sont visiblement écrites pour rattraper aux yeux de Gustave ou à ses propres yeux ce que la première pouvait avoir de mesquin. Il n'en est pas moins vrai qu'il fait ce que ne fera jamais le disciple : il abandonne un ouvrage — peut-être obscène mais qu'importe ? — pour travailler à d'autres qui lui donneront, pense-t-il, des satisfactions immédiates et qui le « placeront » dans la course. À prendre Alfred dans son objectivité nous trouvons un jeune bourgeois doué, brillant, parfaitement adapté aux « mœurs et habitudes » de son milieu. Il n'est pas jusqu'au « libéralisme », idéologie de sa classe, qu'il ne reprenne à sa manière. Voyez les premières lignes de son *Essai sur la Révolution française* [1] : « Le genre humain veut enfin déposer la robe prétexte pour la toge virile. L'Angleterre et la France ont donné l'exemple, le monde entier se presse à leur suite. La liberté, n'en doutons pas, sera le fruit de ce noble élan. Mais, pour l'obtenir, la constance devra terminer ce que l'enthousiasme aura commencé. Puisque les hommes veulent se gouverner eux-mêmes, ils doivent par des études graves et sévères, se disposer de bonne heure au rôle qui les attend. » Bref, la classe bourgeoise a pris le pouvoir : qu'elle fonde en raison les institutions qu'elle va se donner peu à peu. Écrit sous Louis-Philippe, ce texte, plus républicain sans doute que monarchiste, ne fait que radicaliser les opinions paternelles. De toute manière la politique n'intéresse pas Alfred ; et cette vie si conformiste va naturellement à sa fin qui est le mariage. Il n'a pas cessé de railler cet « établissement ». En mai 45 il écrit encore : « Lengliné se marie demain. Baudry le 31. Dénouette est marié. Voilà tous nos amis qui marchent. Nous

---

1. Paru dans le *Colibri* en 1837.

aussi... mais ailleurs ! Vois-tu d'ici mon *Beau-père* ? Je te parie que tu ne te figures pas cette figure-là, plus que celle du "garçon". » Quatorze mois plus tard il épousait la fille d'un noble, Aglaé-Julie-Louise de Maupassant et tout de suite après lui faisait un enfant. Auparavant, dans le même temps qu'il se moquait du mariage, il se plaisait à taquiner Gustave en lui prédisant que ce serait leur destin commun. Étrange plaisanterie que Flaubert détestait franchement, preuve qu'il la prenait au sérieux. Quand celui-ci, en 42, laisse paraître sa tristesse de quitter l'Hôtel-Dieu, Alfred, nous l'avons vu, triomphe doucement et en profite pour ajouter : « Tu te révoltais autrefois quand je te disais que tu aurais quelque jour affaire à l'officier civil ; qui vivra verra, laissons faire ! » Le sens est clair : tu as l'esprit de famille, donc tu prendras femme un jour. Ce propos nous explique en partie la préface d'*Agonies* ; il est vrai : Gustave, comme Alfred, hors du milieu familial où il étouffe, est un poisson hors du bocal. Mais ses relations avec l'entreprise Flaubert, ses hargnes, son refus violent de « créer de la vie » ont une autre profondeur que le confortable scepticisme bourgeois de son ami. Rappelons, pour montrer la ligne rigoureuse de cette vie, que Le Poittevin, après avoir séjourné quelques mois à Paris, seul avec sa femme, ira mourir à La Neuville-Champ-d'Oisel chez ce beau-père dont il défiait quatre ans plus tôt son disciple d'imaginer la figure.

Telle est la vérité objective de ce jeune bourgeois, produit légèrement précoce mais non pas anormal de sa classe, ni prodigue ni économe, se gardant bien de ruiner son père comme feront — moins souvent qu'on ne le dit — les fils de famille, au second Empire, mais peu soucieux de lui succéder à la tête de sa fabrique : par des raisons que nous tenterons de démêler, il ne pouvait se voir que dans le rôle du consommateur pur. Il serait injuste, pourtant, de l'y réduire puisque, très tôt, il a choisi d'écrire. Faut-il conclure que son vrai malheur vient de n'être pas doué ? que c'est là le vrai motif de huit années de silence ? Cela ne veut rien dire. Non : mais ses infortunes d'écrivain découlent visiblement d'un mauvais rapport avec la littérature.

Ou plutôt avec l'Art, cette activité passive dont la fonction consiste — il suffit de feuilleter ses lettres et d'y retrouver à chaque page cette formule agaçante : « Sens-tu la beauté de... » (que Gustave, d'ailleurs, reprend à son compte) pour le comprendre — à compenser sa soumission aux mœurs bourgeoises en déréalisant la société qui l'entoure. Voici ce qu'il écrit, par exemple, dans une lettre que Descharmes date de juin 44 :

« J'ai à te raconter une scène inouïe. Un homme comme toi aurait payé 10 000 francs pour la voir et ce n'eût pas été trop. Je n'ai pas ri, parce que l'Art à son plus haut degré n'excite ni tristesse ni gaieté. On contemple et on *casse-intellectualise-jouit.* »

Il s'agit d'une scène qui a eu lieu dans sa famille ou dans le cercle étroit de ses relations. L'épisode est évidemment grotesque (comme le souligne ce « tu aurais payé 10 000 francs » qui, d'ailleurs, bien qu'Alfred ironise, demeure décidément suspect — la caque sent toujours le hareng). En même temps il touche le jeune homme de près, qui, sans cela, l'eût rapporté dans sa lettre : Alfred est *prudent*, comme on voit par sa Correspondance [1], c'est par précaution (par paresse aussi) qu'il se réserve d'en faire part oralement à Gustave. Donc, à peine l'événement s'est-il annoncé, Le Poittevin a bondi dans les airs pour n'être pas compromis : il n'a plus, à présent, qu'un « rapport d'œil » avec ceux qui en seront les protagonistes ; il s'interdit même de rire : le rire est à la fois refus et complicité, nous l'avons vu. Un regard d'en haut, c'est tout. A la racine de l'attitude esthétique qu'il a choisie, nous découvrons un besoin de refuser d'autant plus radicalement les fins de sa classe qu'il en reproduit plus docilement les conduites : « Je vois passer de ma fenêtre les voitures des Barbet qui retournent à Valmont ; et des propriétaires de l'Abbaye ! Sens-tu la beauté des *dames* à la campagne ? des étrangers ? De toute cette pauvre espèce qui grelotte à Paris l'hiver et sue l'été à la campagne ? La fameuse connerie que tout cela ! » Mais que fait-il d'autre — à part qu'il grelotte à Rouen plus souvent qu'à Paris ? Et sa mère n'est-elle point une *dame* ? Précisément par ces raisons, il démolit les valeurs et les buts de « cette pauvre espèce » (en vérité de la bourgeoisie) et réduit ce va-et-vient de calèches à la plus absurde des agitations. J'admets qu'il exprime aussi, presque à son insu, le mépris du provincial pour l'« étranger » parisien. Mais nous savons aussi qu'il sait, à l'occasion, se percher au-dessus de lui-même et se contempler « en artiste » : quand il « fait ses visites » n'invite-t-il pas Flaubert à le rejoindre sur les cimes pour admirer — sans tristesse et sans rire — la « beauté

1. 11 septembre 42 : « Je t'avais prié de détruire la lettre où étaient les changements à mon dithyrambe. Je te prie de bien vouloir m'annoncer dans ta prochaine lettre si tu as exécuté ta promesse à cet égard. »

8 décembre 42 : « Il est inutile de t'observer que ces pages ne sont communicables à personne. »

Sans date (vers 44) : « Si tu lis cela à M. Baudry ou à quelque autre que ce ne soit qu'une seule fois si bien que personne n'en puisse prendre copie ni même s'en souvenir. Cette recommandation est de rigueur. »

plastique » d'un homme en frac noir qui n'est autre que lui ? Ces envols ne ressemblent-ils pas de fort près à l'orgueil de rebond que nous avons découvert chez Gustave ? D'un certain point de vue, ce n'est pas douteux : aux uns et à l'autre, la verticalité est commune. Mais, chez le disciple, la voie verticale est à double sens : l'ascension se produit après la chute et contre elle, elle se termine souvent par une culbute ; chez le Maître, elle est à sens unique : on monte, on ne redescend jamais. Alfred le bien-aimé ne connaît pas la honte ni l'angoisse de déchoir, de démériter. C'est même à croire qu'il a fait, de bonne heure, l'économie du mouvement ascensionnel et qu'il reste à demeure sur son perchoir d'esthète devenu, somme toute, son lieu naturel. Ce qu'il y fait ? Il « casse-intellectualise-jouit ». Dans cette expression, le « casse », souvent utilisé par Gustave (« Je casse-pète d'enthousiasme ») n'est qu'un verbe-préfixe [1] dont l'office est d'intensifier ; il marque l'*explosion*. L'association de mots qui retiendra notre attention, c'est « intellectualise-jouit ». Le flot boueux du quotidien ne s'organise pas de lui-même pour offrir au regard l'unité d'une essence ou d'un type : l'expérience ne présente que des ébauches ; l'artiste est celui qui en dégage l'*eidos* par une triple élaboration de ces données, unifiant, isolant et radicalisant l'apport empirique. Nous ne sommes pas, on l'a compris, au niveau de l'œuvre — tableau, comédie, roman —, c'est le regard qui *se* travaille pour *voir* l'objet dans sa perfection nue (écartant les détails gênants, exaltant ceux qui servent son dessein) en le coupant de sa signification humaine. Un homme en noir sous le soleil, frappant à chaque porte, entrant, sortant, reprenant sa marche vaine pendant que son ombre s'allonge à ses pieds : voilà de la « beauté plastique ». Ces retouches, sollicitées par l'objet lui-même — s'il faut en croire le jeune esthète — sont exclusivement d'ordre *intellectuel* : il s'agit d'abstraire, de généraliser et de « typer ». Et cela montre bien qu'Alfred, en dépit de son byronisme momentané, n'a pas été touché en profondeur par le romantisme ; il apparaîtrait même comme un pur classique si l'« intellectualisation » de l'expérience devait s'opérer matériellement par la conception et la production d'un ouvrage d'art : le naturalisme du « Grand » siècle, c'est la rationalisation de la nature par une palette ou par une plume. Mais ce qui retient de voir en lui un disciple

---

1. Originellement, c'est la troisième personne de l'indicatif de « casser ». Il faut le prendre dans le sens familier de « à tout casser » et le concevoir dans sa fonction syntaxique comme « casse-tête » ou « casse-cœur » bien que le second terme soit un verbe et non un substantif.

attardé de Boileau, c'est qu'il présente l'intuition esthétique comme un tout « *selbstsändig* » : le plaisir esthétique que donne — selon les normes du classicisme — l'œuvre seule, quand elle est achevée, il dit l'éprouver dans le moment *préparatoire* de l'organisation contemplative : comme si l'élaboration immédiate de sa perception produisait sur l'instant un spectacle *pour lui seul* dont il tirait une jouissance intellectuelle, saisissant, par exemple, à travers les précautions de son père qui « serre les clés » avant de partir en voyage, l'*idée* d'avarice, telle qu'elle se manifeste en Harpagon. Sous cet aspect, l'attitude d'Alfred s'approche davantage de celle que prennent à leur insu, nombre de ses contemporains. On pense, en particulier, à ce moment décrit par Schopenhauer où, la volonté de puissance demeurant suspendue, l'Idée se fait spectacle pour l'Imagination. Il ne faut pas oublier, toutefois, que la conduite d'Alfred est doublement négative : d'abord il *déréalise* ce qu'il voit, fût-ce lui-même (l'homme en frac ou les dames en voiture sont de pures apparences) ; ensuite, en se coupant résolument de toutes les fins humaines, il réduit les actions des hommes, quelles qu'elles soient, à des agissements sans but. À la différence de l'artiste schopenhauerien, qui saisit l'Idée dans ses ramifications complexes et dans sa signification d'universel singulier, le jeune Le Poittevin en revient toujours, quoi qu'il fasse, à la même conclusion abstraite : l'homme est absurde [1]. Comment pourrait-il en être autrement puisque ses prémisses sont elles-mêmes absurdités : la plus grande sottise de l'espèce humaine, c'est, à ses yeux, de s'acharner à vivre ; pour quoi faire ? à quoi bon ? En sorte que la *beauté* n'est autre, pour lui, que l'absurdité mise en lumière : le juge qui punit est *beau* mais pas plus que les miséreux qui se battent à mort pour un morceau de pain. Il est clair que cette hautaine vindicte exercée nonchalamment par un seul et qui prétend se suffire n'a rien de commun avec l'activité de l'artiste : elle définit au contraire la quiète méchanceté de l'esthète.

Voilà pourquoi Alfred a tant de mal à écrire. En vérité, sa jouissance est complète quand il contemple de haut le cercle de famille ou le salon de sa mère : un petit coup de pouce et les dames, sous ses yeux, se transforment en archétypes. Qu'a-t-il besoin des mots pour fixer ces métamorphoses puisqu'il peut les reproduire à volonté et que, chaque fois, il casse-intellectualise-jouit ? Ses rapports avec l'écriture sont complexes : d'une certaine manière, on dirait qu'il

---

1. *La Promenade de Bélial* rend un autre son : nous allons y venir.

s'y astreint par devoir, pour ne pas s'en tenir à un quiétisme dont il s'accommoderait fort bien mais qu'il juge stérile ; il n'a jamais ce lien quasi sensuel avec le langage qui fait les vrais écrivains, ni le sentiment que rien de ce qui se passe dans sa tête n'atteint sa plénitude et sa consistance ontologique sans s'objectiver hors de lui et contre lui sur une feuille blanche. S'il veut traduire son intuition, c'est par acquit de conscience : elle est achevée ; aussi cherche-t-il moins à trouver l'expression singulière qui la complète, l'enrichit et la dévoile à ses propres yeux qu'à la couler dans un moule néo-classique qui en sera l'enjolivure. Relisez *Bélial* : le style en est sec, essoufflé, non dépourvu d'un maniérisme bourgeois ni de ces grâces délibérément désuètes dont l'office est d'élever l'auteur au rang d'un narrateur *de bon ton* dans la *bonne société* : en dépit de quelques formules heureuses, ce qui perd Alfred, c'est qu'il rajoute le style à l'idée comme une parure *distinguée*.

Cela dit, à un autre niveau de profondeur, une même raison le porte à écrire et lui ôte les moyens d'y parvenir. C'est celle qu'il exprime en ces termes : « J'ai dû être statue dans une vie passée » et qui tire son origine de ses relations avec sa mère. On n'est pas impunément le fils de la belle Mme Le Poittevin. Alfred vit une certaine situation œdipienne de deux manières à la fois et nous allons tâcher de retrouver la situation originelle à travers ses deux façons de la vivre. On pourrait dire, en lisant ses lettres et ses poèmes, qu'il considère son impuissance comme une anorexie suicidaire et, simultanément, comme une ataraxie superbe. Anorexie ou ataraxie : voilà les deux volets de ce diptyque. Quelle en est l'unité ?

1° Quand il se *plaint* de son immobilisme, deux autres thèmes apparaissent toujours, qui sont négatifs et organiquement liés : celui de la mort lente et savamment ménagée par les excès, celui du ressentiment contre les parents et spécialement contre la mère. Pendant ces huit années — surtout entre 43 et 45 — son anorexie le désole. Il écrit, dans « Comme a dit le vieux Dante » :

> *Mais, vers aucun désir ne me sentant porté*
> *Dans mon inaction je suis toujours resté...*
> *La route qui s'offrait, je ne l'ai pas suivie*
> *Mais pour me diriger, voyageur incertain,*
> *Je n'eus pas avec moi le poète latin*
> *Et sa main...*
> *Ne m'a pas comme but, au loin montré la Gloire.*

Il s'afflige en même temps, dans « À Goethe », pièce de vers à peu près contemporaine, de ce qu'on appellerait son *instabilité* :

> *Dès que je me connus, je me sentis mobile,*
> *À toute impression cédant comme l'argile...*

Les désirs et les émotions se succèdent et s'effondrent : pas de constance, pas de consistance. Ne dirait-on point que c'est Gustave lui-même qui a écrit ces vers, lui qui, quelques années plus tôt, nous montrait les passions violentes et fugaces qui foudroyaient l'instable Djalioh pour s'aller perdre ensuite « comme la foudre dans une flaque d'eau » ? Sans doute : ni l'un ni l'autre des deux amis ne peut « tenir » bien longtemps un sentiment et la raison en est, comme nous allons le voir aussitôt, la passivité constituée qui les caractérise tous deux. Mais il ne s'agit pas de la *même* passivité : les origines sont diverses, les fonctions et les sens diffèrent. Remarquons en effet que le *pathos*, chez Gustave, même inconsistant, même partiellement insincère, est, dans l'instant, d'une force et d'une âcreté presque insoutenables : il appuie, il pousse, j'en conviens, mais il n'est pas rare qu'il soit submergé. Et puis nous avons repéré chez lui des constantes : le ressentiment, le désir de la gloire compensatrice, l'orgueil de rebond méritent le nom de passions. Alfred n'a qu'une vive et chatoyante sensibilité qui ne peut l'attacher ni à une femme ni à l'Art [1]. Comme il le dit dans sa lettre du 28 septembre 42 : « La passion est une belle chose mais n'en a pas qui veut ». Or Le Poittevin pense, comme ses contemporains, que souffrance et passion sont l'apprentissage du génie. Les vrais élus sont « initiés à l'existence humaine » :

> *Quand la passion, précoce à les blesser,*
> *De ses mille replis vient à les enlacer.*

Ensuite :

> *Pour atteindre au rang que le ciel leur destine*
> *Il faut à tout jamais quitter la Fornarine*
> *Et ne gardant au cœur que le culte du Beau*
> *De ce qu'ils ont senti retracer le tableau.*

---

1. Il est follement orgueilleux, lui aussi, mais son orgueil est autre.

Bref, l'Artiste « intellectualise » ses douleurs et, brisant des chaînes trop humaines au nom d'une passion plus noble, s'élève du *pathos* à son Idée. Encore faut-il avoir connu les attachements vulgaires qui suivent l'« ardente volupté ». Alfred confesse qu'il n'en a pas l'expérience et qu'il n'a pas ressenti non plus la pulsion plus volontaire qui vise à bâtir l'œuvre sur le renoncement. J'emploie à dessein ces deux mots qui jurent ensemble car Alfred, quand il est en détresse, explique son immobilisme tantôt par sa sécheresse de cœur et tantôt par son manque de volonté.

« Assez fort pour ne pas agir contre ma volonté, je ne l'étais pas assez pour agir comme il l'eût fallu. Il me fallait le voyage, le mouvement... »

« J'avais une organisation singulièrement fine et délicate. J'aurais pu faire quelque chose *si j'avais su être un artiste*. Ce qui m'a toujours manqué, c'est la *volonté*, je l'ai pressenti avant de le savoir et c'est pour cela peut-être que je n'ai jamais cru au libre arbitre. »

Il ne s'agit plus, comme au temps où il écrivait « Le Tasse », de donner son propre génie comme une exubérance volcanique et comme une fatalité : c'est d'un état lacunaire qu'il faut rendre compte. Quelque chose fait défaut — affect ou volonté — qui empêche le génie de se manifester. Le résultat, c'est le *naufrage vulgaire* :

« Le flot que je croyais diriger m'emporte et la course triomphale que j'avais cru gagner se change en un naufrage vulgaire dont nul ne saura même la place » (1842).

Il *subit* cette impuissance, cette aboulie. « Mon inertie se développe à proportions si colossales qu'il n'y a plus en moi *le principe de la moindre action.* » Et : « Que dire d'une aiguille toujours à zéro ? » Ou : « Si le bien suprême est l'action, j'en suis bougrement loin. » Il a, vers 44, sans doute pour raisons de santé, renoncé au barreau et vit chez ses parents sans rien faire, tantôt à Fécamp, tantôt à Rouen [1].

Le résultat, c'est l'ennui. Cet ennui « colossal » qu'il passe à Gustave comme une maladie. Il faut dire que le disciple est un terrain particulièrement favorable. Dans ces moments-là, il plaît à Alfred de se tuer à petit feu : les filles, l'alcool. L'intention suicidaire est manifeste [2]. Surtout quand il boit . « Je mène une vie très

---

1. S'il tente de se réinscrire en 46, c'est probablement à l'occasion de son mariage.
2. Il se sait de santé délicate : « Étant toujours malade, je commence à être las de la vie que je mène » (28 juillet 43). Et, l'année suivante, il doit renoncer à son métier d'avocat. C'est précisément l'époque où il s'enivre ou court les bordels, pour se détruire.

déréglée et je m'affaiblis beaucoup : j'étouffe » (mars 45). « J'use toujours un peu trop de ce vieux trois-six, j'en ai été malade l'autre jour au point de dégueuler à minuit par la fenêtre... Il y a cela de fâcheux que mon estomac s'use de fatigue et que décidément il ne me paraît pas qu'avec un pareil régime je sois appelé à faire de vieux os » (septembre 45). Mais on voit aisément que cette autodestruction se teinte de rancune. À Fécamp, il se saoule *tout seul* et *dans la maison de ses parents* ; il dégueule par une de leurs fenêtres, quand ils sont endormis : la volonté de souiller le domicile paternel échappera d'autant moins qu'il ajoute : « Que trouves-tu du gaillard (*sous-entendu : que je suis*) ? Et de l'opinion du bourgeois sur la moralité d'un pareil mâtin ? » Le bourgeois, où donc le rencontre-t-il sinon à la table familiale, dans le salon de sa mère, chez les notables de Fécamp, quand il se met en frac pour faire « ses visites » ? Il vomit *contre* son entourage, sûr du scandale qu'il provoquerait si l'on venait à savoir que le fils Le Poittevin est un ivrogne, assez prudent toutefois pour se saouler en cachette, au milieu de la nuit. Et, bien entendu, il accuse sa famille : ce suicide à la petite semaine, c'est elle qui en porte la responsabilité : « Ces gens-là ont en mains le moyen de me sauver mais ils me le donneront de si mauvaise grâce que j'hésite à le leur demander. Et pourtant ils me pleureront quand je serai mort — mort étouffé — sans qu'ils aient rien fait ou su faire » (mars 45). Implacable et doux ressentiment : Alfred — sa Correspondance nous l'apprend [1] — aime à se représenter sa mort future et son enterrement ; avec une satisfaction hautement esthétique il imagine les siens marchant, tout en noir et le nez rouge derrière son cercueil. Pour être sûr de mourir et que le remords les empoisonnera, il se garde de rien leur demander. Il se sauverait en voyageant : ce n'est pas révéler un désir mais rendre un diagnostic, il n'a pas plus envie de se déplacer qu'un malade ne souhaite l'opération douloureuse qui le guérira ; dans ce dernier cas, on se *soumet* dans la crainte à l'intervention chirurgicale parce que c'est le seul moyen de recouvrer la santé, Alfred ne va pas même jusque-là : il constate qu'il faudrait l'arracher à sa famille qui est un milieu pathogène et, *décidant* que cela est impossible, il se sent voluptueusement entraîné par elle vers la mort. Voluptueusement ? Pas toujours : il *semble*, à lire ses lettres, que ce sentiment d'oppression se somatise parfois en angoisse respiratoire.

---

1. « Vois-tu d'ici le jour de mon enterrement ! Euh ? »

Les filles : autre instrument de suicide. Plus agréable que le trois-six ? À peine : « J'ai les sens âpres, mais je ne peux donner un baiser qui ne soit ironique. » C'est l'époque où il écrit « À Flora », « Le Poète et la jeune fille », « Quand des femmes de Tyr » et surtout « Les Lotophages ». En ces poèmes ambigus nous trouvons un aigre mélange de sensualité et de misogynie ; il prêche le *carpe diem* hédoniste et, en même temps, le condamne : il faut partager sa vie entre l'ennui, cette mort, et l'« orgie », cette résurrection :

> *Ainsi dans un esprit que la souffrance brise*
> *Se réveillent souvent, par une étrange crise*
> *Les instincts de la chair*
>
> *Et l'homme, dans les feux de la brutale orgie*
> *En son corps défaillant sent renaître la vie*
> *Prête à s'en détacher.*

Et surtout, malgré les exhortations des muses, il faut cueillir les fruits de l'antique Lotos qui apportent à la fois l'ivresse et l'oubli :

CHŒUR DES FEMMES LOTOPHAGES

> *Cueille, étranger, cueille avec confiance...*
> *Son suc est doux, il endort la souffrance...*
> *A ton foyer si des peines sans nombre*
> *T'ont fait des morts envier le repos*
> *Si tu fuyais quelque souvenir sombre*
> *Cueille les fruits de l'antique Lotos*

CHŒUR DES MUSES

> *Songe aux projets mûris dans ta jeunesse,* etc.
> *(Songe) à la postérité.*

LE NAUFRAGÉ

> *De l'avenir qu'importe le suffrage*
> *De vains projets perdant le souvenir*
> *Je veux puiser aux fleurs de ce rivage*
> *L'enivrement qui ne doit plus finir.*

Mais le dernier mot reste au « Chœur des Serpents » :

Encore un qui tombe,
Femmes, par vos mains
Poussez à la tombe
Les troupeaux humains.

Ces troupeaux humains ne comportent que des mâles. La Femme, complice de Satan qui lui donna la pomme, est retranchée de l'espèce.

Féconde en artifices
Elle a dépassé les malices
Du Dieu rampant

Et son but est de perdre les hommes en les avilissant. Ainsi, lorsque Alfred, poète raté, se laisse prendre aux charmes féminins, c'est sciemment : il sait que l'enchanteresse veut sa perte et qu'elle lui ôtera jusqu'à la conscience du « naufrage vulgaire » qui, à défaut de grandeur, lui conservait au moins la dignité négative du regret. Mais, précisément, c'est de ce regret-là qu'il prétend se délivrer ; il s'abandonne aux griffes d'une bête féroce parce qu'il cherche à se nuire mais il n'oublie pas la méchanceté profonde de l'animal féminin.

On comprendra mieux ses fantasmes si on lit le poème « À Flora », adressé à une jeune fille qu'il semble avoir à peine entrevue [1]. Sur l'ordre de César, un jeune chrétien est attaché sur un lit. Une esclave est chargée de le faire pécher :

Aux regards du jeune homme elle offre sa poitrine
Et sous ses deux bras liés passe ses deux bras nus ;
Elle étale à ses yeux ses formes magnifiques,
D'un doigt luxurieux elle parcourt son corps
Et, sur son front collant ses lèvres impudiques
Veut de sa nudité lui livrer les trésors.

Pour garder sa vertu, le catéchumène se coupe la langue entre les dents et la lui crache au visage. C'est, dit Alfred, un « maître sot ».

---

1. « Pourquoi cette jeune fille que je ne connais pas m'est-elle ainsi restée dans la mémoire ? Je ne le sais et sans doute que quelques heures de plus m'en auraient désenchanté comme des autres. Mais enfin j'aime à y penser de temps en temps. Est-ce parce que je lui ai adressé deux pièces de vers ? et ce souvenir d'elle, n'est-il qu'une nouvelle forme de la vanité ? »

> *Que n'étais-je moi cet heureux néophyte*
> *Que n'étiez-vous, Flora, l'esclave du préteur*
> *A vos empressements j'aurais cédé bien vite*
> *Et vite des chrétiens renié le Seigneur.*

On est frappé par la ressemblance de ce rêve érotique et de ceux que nourrit Gustave à la même époque. Alfred a vu de loin une jeune fille qui lui a paru désirable. Que souhaite-t-il d'elle ? La prendre ? Non, mais qu'elle le prenne. Il se sent inerte, couché sur le dos, et Flora vient à lui, lascive et nue, animée d'intentions criminelles. Elle éveillera *malgré lui* son désir par des caresses savantes et précises. Après quoi — au fait comment le peut-elle sans monter sur lui ? il est lié — elle lui livrera les trésors de sa nudité : entendons qu'elle se charge de régler elle-même les détails de l'intromission. Le jeune homme dit, somme toute, à cette inconnue : créature artificieuse et maligne, si tu prends sur toi de m'exciter en me caressant comme si j'étais une femme, puis de « faire l'homme » et d'achever seule le travail, je serai plus heureux d'être pris par toi que par toute autre. N'est-ce pas ce que Flaubert demande à ses maîtresses imaginaires ? En fait, non. La passivité est la même mais, en dépit des apparences, le masochisme est peu développé chez Alfred. Ce qu'il attend de Flora, c'est ce qu'il exige avec arrogance des jeunes prostituées qu'il paie ; la pudeur de Descharmes a privé les lecteurs des nombreux passages de ses lettres où il raconte à Gustave ses « priapies ». Heureusement ils ont été conservés : Mme Théa Sternheim possède les lettres autographes et Roger Kempf a bien voulu m'en communiquer les photocopies. Or il ressort de leur lecture qu'Alfred avait un goût modéré pour le coït proprement dit. Au point de nourrir parfois des inquiétudes touchant sa virilité. Il préférait nettement la fellation et pratiquait lui-même volontiers le *cunnilingua*. Il réclamait en outre de sa partenaire vénale que, pendant ces pratiques, elle le « socratisât ». Voici une description — entre autres — de ses plaisirs : « Pendant que sa langue agitait ce vieux Priape, son doigt me labourait le cul, je soupirai huit à neuf minutes, les jambes étendues comme la Dorothée qui se pâme ou plutôt comme une franche putain et je finis par décharger en me pâmant. Tout cela est littéral. » Et il ajoute, en marge : *De Sade, tome III* ; cette référence doit permettre à Gustave de comprendre l'allusion à Dorothée mais, comme nous allons le voir, elle semble se rapporter à la lettre entière et, qu'il l'ait voulu ou non, elle le montre sous son vrai jour. Il est vrai : sous les caresses, Alfred s'irréalise en femme, il est Dorothée, il est « une franche putain », il soupire, il se pâme et, plus tard, écrivant à Gustave, il jouit encore par le souvenir de sa féminité. Mais son « androgynie » a d'autres sources que celle de Gustave — nous tenterons plus loin de les indiquer — et un tout autre sens. Celui-ci rêve d'être pétri par les mains autoritaires d'une maîtresse dominatrice. Le Poittevin, lui, s'abandonne aux soins dociles et tarifés d'une esclave qu'il méprise. Soyons sûrs qu'il choisit exprès ces « viles créatures »[1] : ce ne sont pas des témoins, il peut s'envoyer en l'air dans une quasi-solitude. Pas de communication : ce qui compte, c'est lui-même et l'intensité de son plaisir.

Je reconnais qu'un jeune bourgeois de 1840 se trouve contraint, dans la plupart des cas, de satisfaire ses besoins sexuels avec des prostituées : les femmes de son milieu lui sont inaccessibles ; quant aux jeunes filles, elles sont intouchables et d'ailleurs fort bien gardées. Dans la mesure même où il respecte ses sœurs et sa mère, il méprise la « catin » dont il fait l'instrument de ses plaisirs ; l'acte sexuel lui apparaît comme la caricature satanique du devoir conjugal qu'il remplira bientôt et dont le but sacré est la procréation : donc il faut se hâter d'en rire *avec ses camarades* pour s'en désolidariser au plus vite. Créatures perdues, maudites et surtout *dangereuses*, les « filles » risquent presque toutes d'être malades et contagieuses ; donc on baise dans la peur, ce qui excite la hargne. Et puis surtout elles sont pauvres : comme elles se donnent pour cent sous, l'étudiant reproche à la modicité de leur prix de lui refléter la modestie de la pension paternelle ; il leur en veut de ne pas ressembler aux prestigieuses « demi-mondaines » qu'entretient la jeunesse dorée. En contrepartie de cette hostilité, les jeunes gens, sous la monarchie de Juillet, remettent en honneur l'amour platonique ; pour se racheter de leurs amours vénales ils nourrissent un tendre sentiment respectueux et asexué pour une amie de leurs mères ou de leurs sœurs. Cette dichotomie — Vénus chaude et noire des carrefours, blanche et froide déesse des hyménées — se retrouve dans la littérature du temps, c'est l'origine sociale de la dyade baudelairienne — la putain triviale, « l'affreuse Juive » et la femme de neige.

Rares pourtant sont ceux qui, dans leurs amours vénales, assou-

---

1. « As-tu été chez la Delille ? As-tu revu Mme Alphonse ? Ce sont là de précieuses connaissances : on n'y va que quand on veut sans qu'elles aient l'idée de rendre la visite. » Voilà la vérité de cet « amour philosophique pour les putains » que Gustave prête à Alfred.

vissent, comme Alfred, une véritable mysogynie. Ce qui frappe d'abord c'est la hâte qu'il a de raconter ses prouesses et le soin qu'il met à les détailler. Roger Kempf a fait remarquer [1] que, dans son impatience, « il (lui) arrivait... de griffonner son histoire au crayon ». Faut-il en conclure que le jeune homme s'empressait de « tout dire aussitôt après comme si la proximité du plaisir en permettait encore le partage » [2] ? En certains cas, ce n'est pas douteux et nous y reviendrons lorsque nous examinerons la composante homosexuelle de cette amitié assez particulière. Mais, la plupart du temps, il n'y a rien à partager : la sécheresse de ces comptes rendus n'invite guère à rêver. Le ton est volontairement grossier et trahit une intention dépréciative ; la recherche de l'ignoble et du grotesque est délibérée : il s'agit avant tout de faire rire de l'accouplement, de le dévaloriser, de refuser sa moite intimité et de l'offrir publiquement en spectacle à une société de petits mâles bourgeois. Il est clair, en effet, d'après certains passages, qu'Alfred ne réservait pas au seul Gustave ses confidences ; ses anciens camarades et les jeunes Rouennais de son entourage y avaient droit eux aussi. Et, comme tous ces garçons fréquentaient les prostituées, échangeaient des adresses, se passaient et se repassaient les « petites filles » dont ils avaient usé, ce n'était pas Alfred qui faisait les frais de cette publicité mais bien les femmes dont il parlait. Ses récits, d'ailleurs, trahissent le sadisme. « Ayant récolté une catin sur le trottoir, je n'hésitai pas à la suivre chez elle. Je la fis dénuder mais comme ver et lui promis cinq francs si elle avalait la décharge après m'avoir sucé. Il faut bien encourager les dispositions... Je ne m'en tins pas là et ma cochonnerie fut telle que je fis à cette fille l'épée de la Charlemagne. Il va sans dire que je la branlai. Malgré la crainte de la vérole, je tirai mon coup et sans capote... Ma prodigalité fut telle que je donnai 25 francs à la garce... Rentré chez moi, je me frictionnai d'eau de Saturne, étonné de mon imprudence. J'écrivis ensuite au nommé Flaubert. Adieu, vieux pédéraste. Es-tu content de moi ? (Hernani) — Alfred Caligula. » Le fils Le Poittevin, le bourgeois qui se met en frac pour faire ses visites à Fécamp se plaît à contraindre la « catin », la « garce » qu'il a « récoltée », à se soumettre pour de l'argent à ses caprices. Voyez comme il fait d'elle l'esclave de sa « cochonnerie » et comme il se réjouit de sa toute-puissance : « Je *la fis dénuder* mais comme ver. » Comme ver :

---

1. Roger Kempf : « Le Double Pupitre », in *Cahiers du Chemin*, octobre 69.
2. *Id., ibid.*

qu'est-ce qu'une putain nue sinon un long ver blanc ? Et quel mépris
dans le : « Il va sans dire… » Entendons : cela va de soi puisque
j'étais le maître et qu'elle était ma *chose* ; il se dépeint, somme toute,
tournant et retournant ce corps vivant comme un instrument inerte.
Suivent la peur et le dégoût : il se frictionne d'eau de Saturne et
s'inquiète : et si ce trou de vidange était vérolé ? la malheureuse
est définitivement détruite : elle était l'outil de ses plaisirs ; dans
son souvenir, elle se change en charogne. Le ton de la lettre, persi-
fleur et hautain, n'est pas supportable et l'on jugerait son sadisme
assez répugnant s'il n'était, à le prendre pour ce qu'il se donne,
incompréhensible : pourquoi ce fils de famille s'acharnait-il à avilir une fille qu'il tient d'avance pour avilie ? et le beau triomphe
que d'obtenir d'elle contre argent comptant les « fantaisies » qu'elle
a cent fois accordées à d'autres pour le même prix ? Les forfanteries d'Alfred ne se comprennent que si, en la personne de cette pros-
tituée, c'est la *femme* qu'il avilit imaginairement. La femme,
c'est-à-dire la bourgeoise. Sa mère. S'il réclame obscurément, dans
la passivité de sa chair, la répétition des caresses maternelles, ce
n'est point d'une Génitrix souveraine qu'il les attend mais d'une
mère coupable et humiliée. La raison en paraît claire : Alfred le
bien-aimé n'a pas eu la triste enfance du cadet Flaubert ; mâle et
premier-né, il a connu un âge d'or : celui des amours enfantines
dont l'épouse du filateur était l'unique objet ; mieux : jusqu'à cinq
ans, il a été fils unique ; Laure est née en 1821 ; c'est dire qu'il a
eu sa ration de tendresse. La rancune est venue après, pour des
motifs que nous ignorons : mère *trop* belle, trop aliénée à sa beauté,
trop mondaine ? Ou sa sœur lui fut-elle préférée ? En 1827, quand
on le met en pension, la rupture est consommée et Descharmes le
reconnaît lui-même puisqu'il écrit : « Les années qu'il passa sur les
bancs des classes *achevèrent* de le plonger dans une tristesse vague
et sans remède [1]. » De toute manière, c'est entre 1821 et 1827 qu'il
s'est senti *trahi* par Mme Le Poittevin. Une autre lettre — publiée
celle-là — montre à l'évidence que son goût pour les « garces » est
lié au désir de souiller son enfance. Il écrit, en mai 45 :

« J'ai été élevé dans ce pays. Le Havre et Honfleur pour beaucoup de causes, me donnent encore un attendrissement singulier.
J'y rêvais d'amour quand j'étais très jeune, de cet amour que je

---

1. C'est moi qui souligne. Descharmes croit pouvoir expliquer la « crise » de 40-45
par un amour malheureux. Hypothèse purement gratuite et qui devient comique quand
l'excellent homme, dans son désir de la justifier à tout prix, avance que la belle sans
merci n'était autre que Flora.

refuserais aujourd'hui d'où qu'il vînt, quel qu'il fût. J'ai aujourd'hui le fin mot de cette bouffonnerie, exquise entre toutes, mais j'aime à revenir dans le passé, quand je croyais !... De ces femmes, les unes sont mariées, les autres encore à prendre. Je ne sais ce que tu penseras d'un projet que je réaliserai dès que je pourrai : j'irai passer trois jours au Havre et à Honfleur avec une gueuse que je choisirai *ad hoc* ; je la ferai boire, manger, promener, nous coucherons ensemble. J'aurai une grande joie à la conduire dans les pays où j'ai cru quand j'étais jeune !... Je la congédierai au retour. Je suis comme ce Grec qui ne pouvait plus rire après être descendu dans l'antre de Trophonius. »

Le prétexte est de pure forme : j'ai cru à l'amour ; désabusé je veux ridiculiser mes naïves croyances en amenant ici une putain : nos ébats grotesques détruiront ce qui est resté de mes anciennes naïvetés. Mais qui peut croire qu'un homme de trente ans veuille se venger si puérilement d'une déception amoureuse — surtout s'il faut situer celle-ci vers 1833, c'est-à-dire dix ans plus tôt ? Il convient d'ailleurs de noter qu'Alfred a bien insisté sur le fait qu'il était « très jeune ». Nous savons qu'il est entré comme interne en 1827 (à onze ans) à l'institution Vallée dont les élèves suivaient les cours du collège de Rouen et qu'il n'en est sorti qu'au mois de juillet 34, à dix-huit ans. Comme il passait à l'époque ses vacances à Fécamp, nous devons comprendre qu'il se réfère à ses dix premières années. Est-il admissible qu'il ait à cette époque rêvé d'amour bien sérieusement ? Cet homme qui, de sa vie, ne quitta sa famille, n'était-il pas, dans ce premier âge, totalement requis par ses affections familiales ? Sans doute ajoute-t-il : « De ces femmes, les unes sont mariées, les autres encore à prendre. » Mais quoi ? C'étaient des compagnes de jeu, qu'il pousse sur le devant de la scène pour dissimuler les vrais protagonistes. Quel ressentiment ne faut-il pas pour revenir aux lieux de son enfance — qu'il aime encore, il le dit — dans l'intention de la souiller à jamais ? Comme si elle n'avait été que tromperie, qu'une méchante illusion et comme si elle demeurait encore, tenace, aux endroits mêmes qui en avaient été le théâtre. Comme s'il fallait, pour la conjurer, un acte magique — en d'autres mots faire l'amour à Honfleur avec une putain. Comme s'il s'en voulait de s'attendrir encore sur elle et se condamnait à la fornication pour se dévaster le cœur et remplacer ces émois trop naïfs par le cynisme.

Cette rancœur apparaît plus nettement encore dans un passage de *Bélial*. Quand il y travaillait, Alfred savait qu'il était condamné ;

il avait mené jusqu'à son terme son entreprise suicidaire. Or voici ce qu'il écrit :

« En descendant de voiture, Mme de Préval se trouva au cimetière du Père Lachaise...

« — Prenez mon bras, dit Bélial, et faisons un tour dans ces allées bordées de tombeaux en guise d'arbres.

« — Voyez cette vieille dame, dit la duchesse. Elle paraît bien désolée. On la croirait de marbre, vêtue de blanc comme elle est, et immobile devant ce mausolée.

« — C'est celui de son fils, observa le Diable ; c'était un brave militaire qui se fit tuer dans une déroute. Mais ce petit bonhomme que vous voyez là-bas, savez-vous qui c'est ?

« — Non, fit Madame.

« — Notre troupier, déjà sorti de l'autre vie. Cette jeune femme dont il tient la main est sa nouvelle mère.

« — Que m'apprenez-vous, s'écria la duchesse. Je me figurais que les hommes, s'ils viennent à renaître, retournent chercher la vie dans le sein qui les a portés. Est-ce que les noms de père, de fils, de femme, par-delà le trépas, n'auraient plus de sens ? Vous souriez ?... Savez-vous que le cœur me tremble et que votre dure science m'effraie. »

Le Diable donne ensuite une explication rationnelle de cette loi de la métempsycose : « Puisant l'existence aux mêmes sources, les enfants reviendraient les mêmes sans se perfectionner jamais. » Mais elle ne convainc guère : d'abord les parents eux-mêmes, nous a-t-on dit, progressent d'une vie à l'autre ; ensuite le caractère — c'est Alfred qui l'affirme — ne dépend point de l'hérédité mais de la vie antérieure. Et surtout, en cette fable sans rigueur, nous admettons tout sans rien croire ; l'auteur invente à son gré les mythes et les symboles, nous le suivons par simple amusement : il nous est donc parfaitement indifférent que les âmes se réincarnent dans les mêmes familles ou dans d'autres.

Cela n'indiffère pas à Alfred : ce mourant ne veut pas renaître chez les Le Poittevin. Il imagine une éternité qui fasse sauter les relations de parenté : le ventre dont il est issu ne sera qu'un réceptacle parmi des milliers d'autres : il n'y a plus de *genitrix*. On remarquera l'omission curieuse de la duchesse : « Est-ce que les noms de père, de fils, de femme, par-delà le trépas, n'auraient plus de sens ? » Mais c'est une mère qui pleure sur la tombe de son fils ; et la duchesse, mère future, devrait s'indigner qu'on la frustre de cette maternité *ad aeternum* que réclament la plupart des femmes à l'époque. Ce qui frappe, c'est que la vieille dame vêtue de blanc et « qu'on croirait de marbre » (rappelons-nous : « J'ai dû être statue ») est mystifiée sous nos yeux : elle pleure son fils mort et celui-ci ressuscité tient la main d'une autre mère ; le chagrin de la première n'a plus aucun sens, il naît d'une simple ignorance ; si elle savait la vérité, elle souffrirait sans doute mais pour de bons motifs : la jalousie, la rage du propriétaire dépossédé la tourmenteraient sans répit. Alfred s'est amusé : pour illustrer sa thèse « la parenté cesse par la mort » il pouvait, comme il fait souvent, nous montrer dans le miroir de Bélial plusieurs incarnations d'une même âme et pour celle-ci, chaque fois, une autre parentèle. Il a préféré convoquer l'ex-troupier aux lieux mêmes où on le pleure : ainsi peut-il savourer à son aise le spectacle de la Déesse-Mère dupée. Œil pour œil, dent pour dent : il la trahira par sa mort comme elle l'a trahi de son vivant ; l'image du petit garçon qui s'éloigne avec une femme plus jeune, laissant la vieille ruminer sa désolation, j'y trouve une intention profonde : Alfred veut avoir une autre enfance ou, plus exactement, il veut recommencer la sienne en éliminant la coupable qui la lui a gâchée.

Voici donc le premier volet du diptyque : Alfred, anorexique, se considère comme une pure lacune ; ce qui lui manque ? la transcendance sous toutes ses formes : un désir qui le jetterait hors de lui dans le monde, une entreprise, une forme quelconque de projet, la volonté de participer à la *praxis*. « Si le bien suprême est l'action... » Cette hypothèse, inspirée par la lecture de *Faust*, est révélatrice : quand Alfred se juge *du point de vue de l'action*, il se tient pour un infirme. Le désir sexuel — le seul qu'il éprouve, né d'angoisse et d'ennui — le ramène à l'immanence : il embauche une femme, passe avec elle un libre contrat de travail et, délivré d'elle par le salaire qu'il lui verse pour les services rendus, il peut s'enfermer en soi, n'être attentif qu'à sa jouissance, comme pure qualité subjective du vécu[1].

2° *L'ataraxie.* Pour se découvrir et s'apprécier, Alfred dispose d'un autre angle de vue : celui de l'*être*. Il y a recours en 43-44,

---

1. Il va de soi que, lorsque les deux partenaires *communiquent*, le plaisir est un fait d'intersubjectivité : le désir de chacun se nourrit de celui de l'autre et de même les orgasmes, s'ils sont accordés. Alfred est si peu soucieux de ses vénales maîtresses qu'il se croit capable de les faire jouir, s'il le daigne. N'écrit-il pas qu'il se pâme « comme une franche putain » ? Les putains ne sont pas franches (ce n'est certes pas ce qu'on leur demande) et leurs pâmoisons sur commande sont généralement feintes. Le cynique Le Poittevin tombe dans la naïveté par indifférence.

donc en pleine crise, et ses poèmes laissent entendre qu'il savait en user dès 36 — et, sans doute, bien plus tôt. Dès qu'il se place dans une perspective ontologique, les signes s'inversent et le négatif se change en positif, le pessimisme en optimisme, le ressentiment en tendre indulgence. Cette attitude se consolide à mesure que sa santé se dégrade et qu'il sent la mort venir, c'est la contrepartie de l'autodestruction et, d'une certaine façon, c'en est le sens et l'explication. En cela surtout il diffère de Gustave : celui-ci, parti à la recherche de son être réel, n'a rencontré que l'imaginaire. Pour son ami, au contraire, la renonciation à l'acte apparaît comme une ascèse qui lui découvre son essence : c'est, en vérité, qu'il n'a jamais douté du tuf profond qui le constitue, à ses yeux. Il écrit superbement à l'époque : « J'ai parfaitement écarté dans tout plan d'avenir ce qui n'est pas *moi*. » Imagine-t-on Gustave reprenant à son compte cette maxime barrésienne ? Cultiver son moi, c'est fort bien : encore faut-il en avoir un et l'aimer. La malchance de Flaubert — la chance de ses lecteurs — c'est qu'il s'est jeté douloureusement, passivité constituée, dans cette mini-praxis qu'est la littérature, faute de pouvoir se supporter. La malchance d'Alfred fut peut-être son narcissisme. Il s'attendrit sur soi, sur ses souvenirs : « Du haut de la côte, où je dominais, il m'a semblé nous voir tous deux au jour déjà lointain où nous y avons été ensemble... Quel était ce *moi* soucieux et chagrin, qui regardait de là cet autre moi *sinon* plus gai, du moins plus jeune ?... Je t'envoie la moitié de ce souvenir que tu dois remercier de cette lettre si elle te fait plaisir [1]. » Le mouvement de la pensée est clair : il sait fort bien que Gustave sera ravi de recevoir sa lettre. Mais il tient à préciser la raison par laquelle il lui écrit : ce n'est point tant qu'il soit ému de le retrouver dans un de ses souvenirs mais, bien plutôt, il s'enchante de *se* retrouver : le destinataire doit sa chance inespérée [2] à la rêverie d'un Ego devenu sur l'Ego qu'il a été. Une moitié de souvenir : celle où Alfred est le protagoniste avec, à ses côtés, Gustave, confident de tragédie. Si, dans l'autre moitié, c'est Flaubert qui joue le premier rôle, à celui-ci de la ressusciter. De toute manière, l'émotion qui inspire à Le Poittevin son message, ce n'est pas un retour de flamme pour son ancien vassal mais un attendrissement devant sa propre jeunesse. Il y a de l'étonnement dans cette contemplation réflexive mais point de tristesse, encore moins de critique. De façon générale il s'intrigue, s'intéresse et se plaît : « J'ai

1. Fécamp, 28 septembre 42.
2. Nous verrons qu'Alfred n'écrivait guère.

eu l'idée... de quelques poésies, les unes pudiques, les autres gaillardes ! — L'étrange individu que je fais. » Il aime à jouir de cette étrangeté à travers les yeux des autres : « Je viens d'avoir la visite d'un parent... qui est notaire à Cherbourg. Je crois qu'il me trouve *drôle* ». Il s'étonne complaisamment devant sa nature « obscène et pudique » et c'est à Gustave lui-même (à qui pourtant il écrit : « Nous sommes quelque chose comme un même homme, et nous vivons de la même vie [1] ») qu'il déclare [2] : « Je t'aime beaucoup mais je dois te sembler parfois bizarre. C'est un travers des gens très heureux ou très malheureux. » On s'agacera sans doute de cette fatuité, de cette réserve affectée, qu'on peut sentir dans la même lettre, lorsqu'il écrit : « Il est fâcheux d'être né ne pensant comme personne. Las de soi comme des autres, recherchant le bonheur vulgaire et ne pouvant y arriver. Il doit cependant y avoir quelque chose sous tout cela... » Fausse discrétion, fausse plainte : Alfred est ravi de sa *différence*. J'ai rapporté ailleurs les propos d'un jeune bourgeois de 1925 : « Faire comme tout le monde et n'être comme personne » ; le jeune bourgeois de 1840 ne dit pas autre chose, lui qui se soumet docilement au conformisme de son milieu et qui ne craint pas de prôner une éthique ésotérique, valable pour lui seul (et, par courtoisie, pour son correspondant) : « Nous serions ingrats pour les nôtres s'il n'y avait une morale à part pour de pareilles natures comme pour les rois [3]. » Le visiteur en frac n'a pas à justifier ses agissements terrestres : sur ce plan, il observe la « morale des hommes » ; mais sa vraie morale est *autre* et *ailleurs* ; et c'est de celle-ci seulement que relève la *nature royale* qu'il n'hésite pas à s'attribuer. Loin de fonder sa valeur sur les actes trop humains qu'il fait sans daigner y penser, il la tire de sa *qualité*, autrement dit *de son être*. C'est un aristocrate qui dit : noblesse oblige. Et son obligation majeure n'est autre que de devenir ce qu'il est. Voyez sa gentillesse : il ne prétend pas que « les siens » (sa famille, ses proches) soient des sous-hommes : bien au contraire, ce sont des hommes et il s'en voudrait de passer pour ingrat à leurs yeux. Mais, pendant qu'il envoie son hypostase figurer aux réceptions de sa mère ou rédiger des actes d'accusation dans le cabinet du procureur, il se travaille, là-haut, sur son pic jusqu'à ce qu'il puisse enfin s'écrier

---

1. 7 juin 43.

2. Publiée par Descharmes *(Promenade de Bélial)*, p. 218 et datée par lui de 43.

3. Il y revient dans *Bélial* : « Il y a là-dessus la morale des hommes, observe le Diable. Puis... il y a l'autre. »

triomphalement : « J'ai tué en moi tout ce qu'il y avait d'humain. »

L'éthique de l'être, en effet, exige qu'il renonce aux fins de l'espèce et à toutes les formes de la praxis : l'*être*, tel qu'il l'entend, est à l'opposé du *faire* ; l'impératif de l'*autre* morale : sois celui qui est. Rien de plus, rien de moins. Réalise *pour toi* ton *être en soi*. J'ai montré ailleurs l'attraction que cet irréalisable (l'en-soi-pour-soi) exerçait sur les hommes. Mais il peut se présenter sous des formes infiniment variées dont beaucoup n'excluent pas la praxis, bien au contraire, et se bornent à la dévier vers des fins qu'elle ne peut atteindre. L'aspect spécifique de l'*idéal ontologique*, chez Alfred, c'est d'abord qu'il se présente comme un impératif et c'est surtout qu'il se manifeste dans sa parfaite nudité, comme on peut voir dans ce passage souvent cité d'une lettre à Gustave que Descharmes fait remonter à 1843 [1] : « Il y a huit ans environ que je me suis posé le problème de mon existence : la vie étant reconnue pour une énigme, ce qui est une manière honnête vis-à-vis le Père Éternel de ne la pas appeler autrement, se réduire à l'immobilité impassible. On croirait que, les prémisses étant posées, la conclusion irait d'elle-même. Mais la pratique n'est pas si aisée. Vivre sans vivre et n'avoir de développé qu'une faculté — celle de sentir, c'était chose malaisée à tous, à un poète impossible peut-être. Je m'épuise à la suite de ce rude idéal mais Prométhée sent le vautour et la chair palpite encore. »

Vivre sans vivre : être sans agir ni pâtir. Le problème n'est pas tout à fait résolu mais, ajoute-t-il : « Je suis plus tranquille pourtant qu'autrefois. L'expérience m'a coûté cher mais elle est complète. Je ne la vendrais pas aisément, si le troc était possible. » Voici donc qu'il nous présente comme une sagesse chèrement acquise ce qu'il appelait hier « naufrage vulgaire ». Rappelons-nous : c'était un *naufragé* qui réclamait l'oubli de ses projets et troquait son avenir contre un présent perpétuel : le poète s'enfermait au bordel, abandonnant à la porte sa « vocation d'Artiste » ; le chœur des serpents concluait alors que c'était un mauvais marché.

---

1. Pour des raisons qui ne me paraissent pas décisives et que d'ailleurs il ne donne pas pour telles. Il semble plus probable — comme il l'a pensé d'abord — qu'elle ait été écrite en 45. De toute manière, la question me paraît de peu d'importance : je suis loin de prétendre, comme on verra, que l'attitude positive d'Alfred soit apparue à une date précise et qu'il l'ait, à partir de là, constamment maintenue. Optimisme et pessimisme alterneront jusqu'à sa mort et, sans nul doute, n'ont pas attendu 1843 pour se succéder. Il suffit de montrer que le jeune homme *en gros* s'oriente vers une interprétation positive de son expérience : ce qui apparaît à l'évidence lorsqu'on lit *Bélial*.

Aujourd'hui, les métaphores ont changé ; de naufrage, point : une lente ascèse. Les folies bordelières sont passées sous silence ; l'anorexie devient un signe providentiel, le commencement d'une ascension qui se terminera par une ataraxie complète. Il écrivait : « Mon inertie se développe à proportions si colossales qu'il n'y a plus en moi *le principe de la moindre action.* » Cette inertie qu'il subissait, qui se « développait » en lui comme un cancer, voici qu'elle devient, sous le nom d'immobilisme impassible, une fin éthique — *la* fin — et qu'il déplore de n'y avoir pas encore tout à fait atteint. Les flots l'emportaient ; il prétend maintenant qu'il gouvernait sa barque et qu'il savait où il allait. Bien sûr, la contradiction n'est pas totale : surpris par un universel dégoût qui le conduit à l'apathie, à l'aboulie, il a pu redresser le gouvernail, utiliser les vents et les courants pour aller vers ce qu'il découvrait soudain comme le vrai but du voyage. Reste que ce sont deux interprétations difficilement compatibles d'une même expérience : nous verrons que *La Promenade de Bélial* a pour but essentiel de les concilier. Comment rester passif et se travailler en même temps ? Comment *subir* sa vie et s'attribuer tout le mérite des progrès imposés par l'événement ? Comment atteindre à la transcendance de l'être sans quitter l'immanence de la subjectivité ? Telles sont les questions que lui pose ce retournement. On notera d'ailleurs qu'Alfred approche ici de la « répétition » kierkegaardienne : il a tout perdu et tout lui est rendu ; dans la même lettre, en effet, il écrit : « Je crois que je comprendrais mieux aujourd'hui qu'autrefois la pratique de l'Art et sa théorie ; mais la faculté ne s'est développée que parallèlement au dédain, et je ne veux plus de la gloire que je cueillerais peut-être en avançant la main. » Le voici donc si haut perché que l'Art même est au-dessous de lui : artiste éminemment par son ataraxie, celle-ci, du même coup, le détourne d'écrire. Il *sait* qu'il peut faire des chefs-d'œuvre et cela lui suffit. Si naïvement vaniteuse que cette déclaration nous paraisse, gardons-nous de n'y voir qu'une forfanterie. Elle correspond très exactement à son esthétisme : à celui qui se retranche du monde et se « déshumanise » les agissements de l'espèce apparaissent comme un pur spectacle ; il suffit d'un coup de pouce pour organiser l'univers sensible, qui dévoile à l'*imagination* sa beauté. Ne nous y trompons pas, en effet, quand le jeune homme se flatte de « n'avoir... développé qu'une faculté, celle de sentir », il ne se réfère nullement à l'affectivité — comment serait-il possible de pratiquer ensemble le développement du *pathos* et de l'*apathie* — et pas davantage à la sensation pure

— pour lui, tout spectacle a une signification, quand ce ne serait que le dévoilement de l'absurdité humaine. Pour comprendre « sentir », il faut nous reporter aux « *sens-tu* la beauté de... » qui émaillent ses lettres : l'impassibilité livre l'aspect esthétique de l'objet extérieur dans la mesure même où elle le déréalise. Partant de ce principe, Alfred croit mieux entendre la nature de l'Art : l'œuvre doit avoir cette gratuité contemplative. Mais du coup il se demande à quoi bon *transcrire* puisque la Beauté se donne tout entière à la contemplation ?

Ces remarques nous permettront de serrer de plus près l'objet de notre recherche : quel est donc cet *être* qu'Alfred est déjà quand il s'efforce encore d'y parvenir ? L'immobilité impassible, n'est-ce pas l'inertie du caillou ? Justement non. Alfred nous le dit clairement dans une lettre antérieure à 45 : « J'avais une organisation singulièrement fine et délicate. J'aurais pu faire quelque chose *si j'avais su être un artiste*[1]. » Ce qui importe ici ce n'est pas le membre de phrase souligné ; sur ce point, les opinions du jeune homme varient puisqu'il écrit en avril 45 : « Comment je réussirai ? Ce m'est une question secondaire ; la principale c'est d'être artiste », ce qui semble indiquer qu'il a repris de l'espoir. On notera toutefois que, dans l'un et l'autre passage, il ne s'agit point de « faire de l'Art », mais bel et bien d'achever une transmutation ontologique. C'est ce qui donne son importance à la première phrase : « J'avais une organisation singulièrement fine et délicate » : le voilà, l'*être* d'Alfred, cette nature royale dont il se targue ; la subjectivité du vécu, du *senti* s'efface devant les structures objectives qui la conditionnent ; l'immanence découvre, insaisissable et omniprésente, la transcendance ontologique. Alfred n'est certes pas un organisme : il aura, s'il se rejoint entièrement à lui-même, la hautaine inertie d'un objet *organisé*. Qu'il se sente tel, nul doute. Il écrit : « Que ne suis-je ce coq qui chante, fout et ne pense point, au lieu de la sacrée *monade* (?)[2] de ton serviteur. » Une monade, une totalité close, sans porte ni fenêtre, rien n'y entre, rien n'en sort ; créée par Dieu, elle n'est qu'une formule qui se développe et produit ses conséquences selon le principe d'identité, aussi ses apparents changements ne peuvent masquer sa parfaite simplicité toujours identique à elle-même ; cependant le Créateur l'a constituée de telle sorte qu'elle soit le miroir de l'Univers. Mais nous

---

1. C'est lui qui souligne.
2. *Id.* Et le point d'interrogation est de lui.

approcherons davantage son sentiment si nous nous remettons en mémoire une phrase citée plus haut : « J'ai pas mal de sujets en tête mais d'incroyables accès de paresse. Cela va bien quand je suis en train mais comment me mettre en train ? *J'ai dû être statue dans quelque vie passée.* » Quand il cherche à s'expliquer son inertie, c'est bien à un minéral qu'il se compare mais à un minéral *travaillé.* Du marbre façonné par un artiste, il pense avoir l'organisation singulièrement fine, la délicatesse et surtout la gratuité : ne recevant, ne donnant rien, inutile à tous et d'abord à lui-même, il se définit contre l'utilitarisme comme une finalité sans fin. Il pourrait dire, *il dit* qu'il est beau « comme un rêve de pierre », qu'il « hait le mouvement qui déplace les lignes », que « jamais il ne pleure et jamais ne rit [1] ». Baudelaire, du moins, faisait parler la Beauté ; Alfred parle en son propre nom ; celui-là créait des œuvres d'art, celui-ci prétend *en être une.* N'allons pas le confondre avec ceux qui, vers la fin du siècle, ont voulu « faire une œuvre d'art de leur vie » : Alfred laisse couler sa vie à vau-l'eau, il lui préfère son être : c'est sa substance même qu'il entend, par une opération toute négative, débroussailler de ce qu'elle conserve d'humain pour la mettre au jour dans son insolente perfection esthétique. C'est par cette raison, surtout, qu'il est détourné d'écrire : la fonction d'une œuvre d'art n'a jamais été de produire d'autres œuvres. C'est affaire à l'artiste, qui est un homme. En tentant de se donner l'impassibilité surhumaine d'une Vénus de pierre, Alfred, confiant dans la beauté de son être intime, se mue en une statue rêvant d'être sculpteur.

Il s'agit, bien entendu, d'une mutation *imaginaire* : l'être substantiel que vise Alfred à travers l'immanence n'a pas de réalité. Le jeune homme a choisi de s'identifier à son organisation ; s'il y parvient, pense-t-il, il saisira la beauté du spectacle du monde et cela seulement ; c'est qu'il compte apercevoir l'Univers à travers la délicatesse de sa propre substance, entendons : à travers *sa propre beauté* ; il entend appréhender les choses comme un objet d'art pourrait faire s'il était conscient, c'est-à-dire à travers les catégories de gratuité, de finalité sans fin, d'inutilité, etc., qui ont présidé à sa *confection.* Beau — sinon dans son apparence sensible, du moins dans son être pur —, Alfred se fait computeur de l'éparse beauté cosmique : cela signifie que par lui et *pour lui seul* — mais le sait-il ? — l'environnement s'irréalise par le mouvement

1. Lettre XXXIII, p. 212 : « Je n'ai pas ri parce que l'Art à son plus haut degré n'excite ni tristesse ni pitié. »

même de sa propre irréalisation ; le voici donc qui vise à devenir un centre permanent de déréalisation, ce qui est la définition même de l'objet d'art — à ceci près que, dans l'objet, tout est organisé pour que la déréalisation s'opère dans l'intériorité de celui qui le contemple au lieu que le jeune homme, s'irréalisant en impassible objet-sujet (en-soi-pour-soi), opère lui-même la déréalisation de son entourage. De fait, il prend son anorexie réelle pour *analogon* d'une ataraxie imaginaire ; l'immobile impassibilité est le sens qu'il lui plaît parfois de donner à son apathie. Alfred est-il donc, comme Gustave, un homme imaginaire ? Nullement. Chez le cadet, l'irréel est au départ : on l'a *constitué tel*. Chez l'aîné, il est à l'arrivée : on l'a aimé, choyé, trop peut-être, assez, en tout cas, pour lui permettre d'acquérir un sens solide de sa réalité. L'imaginaire n'apparaît chez lui que tardivement, comme réaction défensive : c'est à la fois le mouvement ascendant qui lui permet de se conformer aux mœurs de son milieu tout en s'en désolidarisant et l'interprétation optimiste qu'il se donne de son inquiétante inertie. Il n'arrive jamais, d'ailleurs, à *tenir longtemps* son attitude. Nous l'avons vu tour à tour, souvent dans la même lettre, déplorer son apathie ou se vanter d'avoir mené à bien son entreprise de déshumanisation. En 47, un an après son mariage, il écrit encore : « Comme les gens qui ont été sur mer et qui n'en ont rapporté qu'une grande répugnance pour y retourner, je suis depuis mon retour de Naples tout à fait antipathique au moindre dérangement. Quelques promenades devant la maison, dans le potager et rarement jusqu'à la lisière des bois. Voilà l'évolution journalière du corps qu'il plut à la divine providence d'associer à mon esprit. Ce n'est pas, du reste, que celui-ci travaille beaucoup : ils dorment simplement chacun de leur côté [1]. » Ces repentirs et cette lucidité empêchent le rapport imaginaire à son être de s'intégrer vraiment dans le mouvement synthétique de sa personnalisation.

Reste que les deux interprétations — négative et positive, réaliste et déréalisante — coexistent chez lui : « Y a-t-il un sens ? Je crois que *oui* la moitié du temps, et que *non* l'autre [2]. » Que sa croyance optimiste au sens de l'Univers soit inséparable, chez lui, du saut dans l'imaginaire, c'est ce que montre sa lettre XXXV, non datée, la dernière du recueil : il vient d'exposer sa morale ontologique — « Vivre sans vivre » — donc son parti pris de s'irréaliser ;

---

1. 14 avril 1847.
2. 23 septembre 1845.

il retombe, tout à coup, dans le désenchantement sans perdre pour autant sa superbe (« Il est fâcheux d'être né en pensant comme personne, las de soi comme des autres, » etc.) et, brusquement, il remonte d'un coup d'ailes : « Il doit cependant y avoir quelque chose sous tout cela... » Autrement dit, ma mélancolie, ma lassitude, mon anorexie, ma singularité *ont un sens*. Et ce sens n'est point lié à quelque mandat délivré par le Dieu des chrétiens mais à l'ataraxie qui s'annonce à travers son ennui. Il n'est pas douteux non plus que le dogme ontologique, en dépit de ses oscillations constantes, gagne en importance. Il faudrait donc rendre compte du recours à l'imaginaire — dont l'intermittence est compensée par la fréquence de ses répétitions — avec autant de soin, dans le cas d'Alfred, que nous en avons mis dans celui de Gustave, chez qui l'irréel est intégré à la personne. Il le faudrait si nous disposions d'informations suffisantes : on sait que ce n'est pas le cas. Nous nous contenterons donc d'indiquer les directions dans lesquelles on aurait pu mener l'enquête si les circonstances s'étaient montrées plus favorables.

L'autodestruction est ici une vengeance passive : elle est tournée contre les autres mais ne s'accompagne jamais du moindre dégoût de soi. Alfred s'aime parce qu'il a été aimé. Au plus profond de l'ennui, son orgueil reste entier. Celui de Gustave, nous le savons, est « *venu après* » ; c'est un principe négatif, une blessure, une contre-attaque vouée d'avance à l'échec. L'orgueil seigneurial d'Alfred, aussi vide que celui du disciple, pour être *venu d'abord*, est entièrement positif : cette calme certitude de soi n'est autre que la confiance de la Déesse-Mère intériorisée. Il lui arrive de se sentir las de lui-même, jamais au point de se contester [1]. Il adhère à soi, quoi qu'il fasse mais, n'étant pas dans le secret de ses frustrations premières et du ressentiment qui en est résulté, il s'observe comme un « étrange » objet qui le déconcerte sans cesse

---

1. Il est frappant qu'il n'ait, même dans les pires moments de sa courte vie, jamais douté de son génie. Son assurance transparaît dans chacune de ses lettres. En voici un exemple : le 13 septembre 1847 — il s'est remis à *Bélial* — il écrit : « Je ne lis guère, bien entendu. La composition exclut ce divertissement, et quand on médite des œuvres on ne peut guère s'occuper de celles des autres. Chacun son tour ; les modèles que nous admirons ont procédé comme nous qui, *toujours par analogie*, avons bien le droit de procéder comme eux quand nous nous occupons de la postérité. » Traduisons : Hugo, quand il écrivait *Les Feuilles d'automne*, que j'admire tout particulièrement, ne s'amusait point à lire les ouvrages de ses prédécesseurs ; et moi, Hugo futur, je n'ai point le temps, quand je compose, de lire les productions nouvelles de Hugo.

un instant de le charmer. C'est par cette première raison, toute de surface, qu'il est amené à supposer, derrière ses conduites, derrière l'Ego lui-même, pôle du réfléchi mais *quasi-objet*, un objet-Alfred, « organisation délicate » qui les produit selon certaines règles et qui, son orgueil en est sûr, possède un sens métaphysique. Ne nous arrêtons pas, descendons une marche encore : nous le pouvons puisque, dans le même temps, d'autres jeunes gens, à cinq ans près ses contemporains, issus comme lui d'une famille conjugale et parfois victimes, eux aussi, d'un amour contrarié pour une mère trop jolie, s'apprêtent à publier leur farouche refus de servir, leur intention arrêtée de n'être utiles à rien, à personne. On dirait que les contradictions de la famille bourgeoise, en les libérant partiellement du joug paternel, les a rendus particulièrement sensibles à la réalité sociale de l'aliénation. Ils partent dans la vie avec le sentiment « qu'on les a eus »; et, pour éviter qu'on les *utilise*, c'est-à-dire qu'on fasse d'eux des instruments, qu'on les vide de leur substance particulière et qu'on y substitue leur mode d'emploi, ils se mettent au service de l'*inutilité*. Le beau, pour eux, c'est l'*anti-social d'abord.* Alfred est semblable à eux : il a choisi sa mère contre son père comme le marque son énergique refus de faire fructifier l'entreprise familiale. En hériter, oui; y travailler, non. La fortune de son père l'avantage — ou le désavantage, c'est comme on veut. Les autres, en effet, doivent produire et *vendre* l'inutile : il faut bien vivre; c'est produire du capital pour leurs éditeurs. Il peut, lui, échapper à la dictature du profit et demeurer totalement improductif : rien ne l'oblige *à faire* des ouvrages inutiles puisque l'inutilité parfaite, c'est lui. Entre la gratuité de l'objet d'art et celle du pur consommateur, il y a de telles affinités qu'on ne s'étonnera pas si, quelquefois, il arrive à celui-ci de se prendre pour celui-là. L'homme du superflu et la chose ciselée sont le *luxe* de la société laborieuse : en se voulant l'homme du superflu, Alfred s'est changé en homme superflu. Ce qui est réel, chez lui, c'est le choix œdipien : contre le filateur, qui incarne l'Action, il a opté très tôt pour l'inactivité totale et cette antique option est déterminante puisqu'elle le paralyse jusqu'au bout, en dépit de ses velléités. Mais elle n'a fait qu'actualiser, en la personne d'un jeune Œdipe, les *possibilités de classe* que le travail des pères a ménagées aux fils. Le fils Le Poittevin préfigure en sa personne une phase particulière de l'évolution bourgeoise : en lui l'industrie se délivre de son austérité primitive. Ayant choisi d'être superflu, il vivra toute sa courte existence sur la part *superflue* des gains paternels. Et certes, c'est au propriétaire de décider de ce qu'il réinvestit, de ce qu'il place et de ce qu'il consacre aux dépenses improductives, mais, en mettant son luxe dans la beauté de sa femme, le filateur, à son insu, se préparait à définir le superflu par les exigences de son fils. Cette décompression légère, cette aurore précaire de liberté dont sa classe bénéficie, Alfred les pousse à la limite mais c'est qu'il en est lui-même le produit : c'est dans la haute bourgeoisie que la structure domestique des rapports familiaux cède en premier la place à la conjugalité. Les Nouveaux Messieurs commençaient à se dégrossir : l'argent leur donnait des mœurs [1]. Ces frustes raffinements de parvenus, captés et radicalisés par un enfant, le conduisent à refuser l'utilitarisme. Mais ce refus lui-même, c'est derechef la richesse qui le rend possible : Alfred a du bien, donc il vit *des autres* : ainsi ne voit-il pas même ses besoins et croit-il naïvement qu'il continue d'exister par cette simple raison qu'il a commencé. Assouvis les besoins, que faire ? On se dépense : *vivre, c'est dépenser sa vie*, glisser vers la mort. Et s'il faut trop de temps pour mourir, on mettra le paquet, on utilisera, pour accélérer le mouvement, tout l'argent nécessaire à détruire une jeune santé. L'avantage du plaisir c'est qu'il est stérile, coûteux et qu'il ruine les corps. En d'autres mots l'homme du superflu est l'homme de la dépense et ne reçoit la vie que *pour la dépenser* : l'attitude doucement suicidaire d'Alfred, avant d'être reprise par une intention fondamentale, est

---

1. Bien sûr, nous sommes à l'aurore de l'accumulation primitive : bientôt la concurrence se fera plus sévère. Mais, pour l'instant, un fabricant vise à maintenir son marché plus qu'à l'élargir. La mécanisation de l'industrie textile se fait souvent malgré les filateurs, en tout cas sous l'influence des crises (1827, 1832, 1837, 1847). Du reste la Normandie retarde sur l'Alsace et même sur le Nord : 3 600 broches à Rouen pour une usine moyenne, en 1834, contre 4 000 à Lille. Il est vrai que le « métier automate » inventé par un Anglais en 1826 est apparu en Normandie (1836) plus tôt que dans le Bas-Rhin. Mais on en construit peu de modèles. Les industriels, eux aussi, se méfient des machines : ils ont peur d'accroître le chômage qui fomente les troubles sociaux ; en France, les salaires restent très bas et l'économie de main-d'œuvre est peu recherchée ; de plus le « métier automate » demande beaucoup de force motrice. Cependant, malgré les crises, l'argent afflue. Les progrès de l'industrialisation, réels mais lents, ne peuvent absorber, sous forme de réinvestissements, la totalité du profit. En cette période confuse, les fabricants, dans la mesure même où ils résistent à la mécanisation, ont le pouvoir — très limité — de consacrer une partie de la plus-value aux dépenses improductives. La plupart du temps, ils se borneront à créer, par une demande accrue, des offices neufs, toujours utiles, ce qui aura pour effet la promotion et l'accroissement des classes moyennes. N'importe : la future classe dirigeante, entre 1820 et 1830, prenait lentement conscience de son pouvoir d'option. Il n'en sera plus tout à fait de même sous Louis-Philippe, quand l'accumulation et la concentration détruiront le capitalisme familial pour lui substituer les sociétés anonymes. Mais la « liberté de choisir » reviendra lentement à partir du second Empire.

pré-esquissée par sa situation objective. Il en avait — ce qui est sans doute son plus grand mérite — une certaine conscience, lui qui écrivait dans son bref essai sur la Révolution française : « Nous expliquons non les choses par les hommes mais les hommes par les choses. » À vrai dire, c'est encore un matérialisme mécaniste : le temps n'est pas loin où, dans l'unité d'un même procès dialectique, on expliquera les hommes par les choses et les choses par les hommes. N'importe : ce qui compte, c'est qu'Alfred ne croit point au libre arbitre et se sent le produit de son milieu plus encore que du couple qui l'a engendré. Et nous, à reprendre les choses dans l'ordre fondamental, nous découvrons un processus en spirale où le choix intime actualise la possibilité qu'offre la richesse et où celle-ci, dans un deuxième moment, incline cette option vers un radicalisme dont seule elle peut donner les moyens — pour être reprise à son tour et exploitée par un désir de mort toujours plus rigoureux, qui contient toutes les déterminations précédentes et définit l'attitude de Le Poittevin mais qui ne se manifesterait même pas si les revenus du père n'étaient devenus la possibilité immédiate du fils. On peut voir, à ce niveau, que, par son option fondamentale, Alfred nous déclare en même temps qu'il est, comme tout un chacun, une personne nonpareille et qu'il réalise en son corps la possibilité générale, pour les fils de famille, de détruire simultanément et l'un par l'autre l'héritage et l'héritier. C'est à ce niveau qu'il *imagine* la beauté de son âme, transcendance invisible de l'immanence, pour justifier sa gratuité : l'alibi sera son génie, finalité sans fin, splendeur reployée sur elle-même, ne produisant rien et ne servant à rien. C'est affirmer son droit à l'oisiveté. S'il se désole, parfois, de n'*être* pas un artiste, c'est dans les moments où il se croit *obligé* de matérialiser la beauté qui est son essence particulière : il met alors la charrue devant les bœufs ; l'artiste, à ses yeux, n'est pas celui — ni beau ni laid — qui crée *au-dehors* l'œuvre belle : c'est l'homme qui a reçu mandat d'extérioriser sa beauté intérieure. Mais il ne souhaite pas vraiment « œuvrer » : ses ouvrages, simples hypostases de son être, ne lui apporteraient rien de plus que ce qu'il imagine posséder.

Les raisons que je viens d'avancer ne suffiraient pas à expliquer, dans sa constante répétition défensive, l'irréalisation d'Alfred en œuvre d'art. La consommation pure est un tremplin commode pour sauter dans l'imaginaire : encore faut-il vouloir faire le saut. Pour comprendre ce qui l'y incite, il faudrait connaître l'enfance de l'Impassible et nous en ignorons à peu près tout. Je risque donc une conjecture, sachant fort bien que rien ne vient l'étayer sinon le fait qu'elle reprend en elle et totalise toutes les raisons antérieurement exposées. Ce n'est pas impunément, je l'ai dit, qu'on est le fils de la *belle* Mme Le Poittevin : on risque d'y gagner un sur-complexe d'Œdipe (au sens où l'on parle de sur-exploitation du colonisé). Pour Alfred, le développement de sa personne et de son goût s'est confondu, dans les années précieuses qui l'attendrissent encore, avec son apprentissage de la Beauté maternelle. Ou, si l'on préfère, la Beauté se dévoile à lui comme n'étant autre que sa mère. Non seulement il chérit celle-ci dans sa personne physique mais, à Honfleur, à Fécamp, dans la grande maison de Rouen, il fait l'inventaire des préférences de la jeune femme ; les mouvements de ce corps charmant se sont déposés partout : dans le choix d'un bibelot, d'une parure, dans l'arrangement d'un bouquet, dans les plis harmonieux d'une tenture, l'enfant la *reconnaît*. Mme Le Poittevin, bonne mère et bonne épouse, n'en passait pas moins, aux yeux de son mari, des Rouennais, aux siens mêmes, pour une inutile merveille : le travail des femmes d'intérieur se voit peu, puisqu'il consiste à restaurer. Comment son fils aîné n'eût-il pas été fier de l'admiration qu'elle suscitait ? Comment ne l'eût-il pas vue *aussi* avec le regard des autres et découvert par eux ce qu'ils tenaient pour l'essence singulière de cette femme si belle : que l'être de celle-ci résidait dans son apparence, dans son austère futilité (qu'on n'aille pas imaginer une croqueuse de diamants : elle était sans aucun doute *économe*, mais, à cette époque de puritanisme utilitariste, c'était le différentiel qui comptait) et dans sa féminité, qu'elle manifestait par le choix des objets qui lui renvoyaient son image. La voilà donc, en même temps, vivante, gracieuse, et tout inerte, épanchée dans l'environnement qui la reflète. Dans la première enfance d'Alfred, elle a été, comme toutes les bonnes mères, une présence charnelle et sexuelle qui, parfois, lui semblait d'une telle proximité qu'il ne faisait plus qu'un avec elle : à cet âge, on ne connaît ni le beau ni le laid et, d'ailleurs, l'on n'en a que faire. Mais quand l'enfant a su parler, quand il a découvert *par les autres* que sa mère était belle, il a dû rester douloureux et ébloui, tout ensemble : cette adorable beauté, c'était la première trahison maternelle. Il lui a semblé à la fois qu'elle lui *donnait davantage*, dans son inépuisable générosité, et qu'elle sautait en arrière, à une distance infinie : car on peut s'approprier le sein qu'on tète, une peau soyeuse qu'on caresse, une chaleur, une douce odeur animale mais non point l'*apparence pure*. Je l'ai écrit ailleurs : « Ce qui est "beau"... c'est un être qui ne saurait se donner à la perception et qui dans sa nature même est isolé de l'Univers... Il arrive cependant que nous prenions l'attitude de contemplation esthétique en face d'événements ou d'objets réels. En ce cas chacun peut constater en soi une sorte de recul par rapport à l'objet contemplé qui glisse en lui-même dans le néant... Il fonctionne comme *analogon* de lui-même, c'est-à-dire qu'une image réelle de ce qu'il "est" se manifeste pour nous à travers sa présence actuelle... L'extrême beauté d'une femme tue le désir qu'on a d'elle. En effet nous ne pouvons à la fois nous placer sur le plan esthétique où paraît cet "elle-même" irréel que nous admirons et sur le plan réalisant de la possession physique... car le désir est une plongée au cœur de l'existence dans ce qu'elle a de plus contingent [1]. » La véritable « distanciation », c'est donc Alfred qui l'opère quand il contemple sa mère esthétiquement : disons qu'il s'arrache au désir. Mais, comme celui-ci, momentanément suspendu, n'est pas supprimé pour autant, l'enfant ressent cette inaliénable apparition de l'imaginaire comme une frustration dont sa mère est responsable. Elle était sa possession la plus intime ; son douloureux émerveillement lui fait comprendre qu'elle lui échappe. D'autant que cette découverte est sans doute contemporaine de la seconde trahison — celle que nous avons entrevue à travers le ressentiment du jeune homme mais dont nous ignorons tout. Ce qu'on peut *supposer*, c'est qu'il a saisi *à travers* la beauté de Mᵐᵉ Le Poittevin, la vie mondaine de celle-ci : en ce sens, par la perfection de ses formes et de ses traits elle appartenait *aux autres* plus qu'à son propre enfant. C'est du moins ce qu'il croyait. S'il l'a vue, vers le même temps, donner son amour et ses soins à Laure, la nouvelle venue, il aura désespérément tenté de posséder sa mère *dans cette beauté* par quoi elle lui échappait et de se transformer pour récupérer l'amour dont il se croyait frustré. De toute manière, il avait depuis longtemps choisi le monde maternel : cela ne suffisait plus, à présent, et il s'apercevait qu'il n'y était jamais entré. Pour s'y faire admettre, il va tenter tout ensemble de s'identifier à sa mère et aux bibelots qu'elle a choisis, où elle mire sa beauté. Dans un effort désespéré pour retrouver l'amour perdu, il devient l'objet d'art qu'elle est *et* celui qu'elle a produit comme la chair de sa chair. Il cherche, d'une part, à retrouver l'indivisible unité qui a précédé le sevrage et, d'autre part, à partager la condition des objets qu'elle flatte d'une main légère et qu'elle paraît aimer.

---

1. *L'Imaginaire*, pp. 243-246.

C'était faire de l'apparence intériorisée son être, donner au vécu l'inertie des choses façonnées ou, plutôt, imaginer, derrière sa stupeur apathique, la splendide passivité d'un bijou ciselé. Il *est* sa mère — d'où son « androgynie » particulière, et elle le porte à son doigt, comme une bague, à son cou, comme un collier. Elle s'aime en lui, le plus précieux de ses produits, il se fond en elle, il sera sa parure : son âme sera belle et miroir de sa beauté. La tendresse qu'elle lui a prodiguée, les mots d'amour qu'elle lui a dits doivent lui faciliter la tâche : l'essence objective de son âme sera l'oisive magnificence du corps maternel. Il semble pourtant que la seconde trahison vraie ou supposée l'ait fait trop souffrir : par cette raison l'identification à la mère et à la beauté restera à l'état de fantasme — sans cesse renaissant, jamais intégré. Parfois il oblige la mère coupable, incarnée dans une putain, à le caresser comme elle eût fait un beau vase ; et d'autres fois, il croit découvrir le secret de son inertie dans son caractère *esthétique* de finalité sans fin, c'est-à-dire dans son identité secrète avec celle qui l'a enfanté. Comme on voit, cette conjecture ne fait que ramasser en elle l'ensemble des descriptions que nous avons faites et des motivations que nous avons tentées. Elle respecte, comme il se doit, la priorité des conditionnements infrastructurels et conjoncturels puisqu'elle suppose le mode de production, la classe, l'institution familiale, en dehors desquels la tentative d'identification ne pourrait même se concevoir. Reste qu'elle est indémontrable et que je la donne pour ce qu'elle vaut.

De toute façon si, en 45, Alfred reprend la plume pour écrire *La Promenade de Bélial*, ce n'est pas tant, je suppose, que le goût de la littérature lui soit revenu — encore que son vieil espoir d'« être artiste » ait ressuscité —, c'est plutôt pour *matérialiser* ses fantasmes et leur donner par l'écriture une consistance qui leur permette d'expliquer durablement et complètement son état réel. Pendant plusieurs années, il a cru contempler son être, toujours insaisissable, et s'est retrouvé, chaque fois, plongé dans une rêverie ontologique qui s'effilochait rapidement en dénonçant son caractère onirique. Contre cela, il s'est souvent figuré que s'il parvenait à se concentrer, à rassembler et à organiser ses idées, à totaliser les aperceptions qu'il se flatte d'avoir eues pendant qu'il méditait et surtout — *verba manent* — à les objectiver dans des graphèmes impérissables, il établirait, une fois pour toutes, le *sens* de son être *dans sa vérité*. Dans cette perspective, *Bélial* apparaît comme une réponse à la question qui le tourmente depuis huit ans : à quelles conditions un être comme moi est-il possible ? ou mieux encore — car il faut satisfaire son orgueil : que doit être l'Univers pour que mon attitude existentielle, loin d'être le pur produit du hasard, y soit *requise* ? Ce qui signifie : comment concilier le déterminisme avec une finalité transcendante au point que les mots de cause et de fin s'équivalent (en effet Alfred se considère comme le produit rigoureux de circonstances antérieures mais il entend prouver que ces circonstances l'ont façonné dans son être comme un sculpteur soumet le marbre à l'Idée) ? Comment mon inertie marmoréenne peut-elle *subir* un progrès éthique qui soit continu, incessant, et s'en attribuer le mérite ? Comment concilier mon glissement vers la mort et la lente maturation de ma beauté intérieure ? Y a-t-il un point de vue d'où l'on puisse saisir l'optimisme comme l'aboutissement nécessaire du pessimisme absolu ? Voici donc l'origine de ces « idées » d'Alfred qui suscitaient la stupeur admirative et la méfiance apeurée de Gustave : il faut reconnaître qu'elles procèdent d'un certain étonnement philosophique qui pose le Moi à distance comme inépuisable objet de contemplation, toujours interrogé, toujours hermétique ou ambigu. D'ailleurs le jeune homme lit Kant, Hegel, Spinoza, Darwin, bien d'autres dans l'unique dessein de trouver des réponses à ses questions sans cesse ruminées. Pourtant, le résultat ne peut être qu'une pseudo-philosophie car son problème n'est pas de comprendre le monde mais de se justifier ; aussi les « idées » d'Alfred, produites pour satisfaire aux exigences d'une large stratégie défensive [1], s'organisent plutôt comme une petite *idéologie* de poche et proviennent, d'ailleurs, d'une habile exploitation de l'idéologie bourgeoise. Du reste, qu'elles soient dites ou écrites, elles demeurent imaginaires : des *images d'idées* qui, comme celles du rêve, n'ont d'autre fin que d'assouvir le désir du rêveur ; c'est-à-dire, ici, qu'elles se rassemblent et s'extériorisent pour que le pseudo-philosophe se persuade de leur vérité. Le Poittevin ne s'y trompe pas, d'ailleurs, qui appelle son ouvrage un « conte philosophique ». On voit l'ambiguïté de cette nomination : s'agit-il d'une philosophie qui s'exprime allégoriquement par un conte ? ou la fabulation ne réside-t-elle pas dans la philosophie elle-même ? L'auteur ne décide pas.

La théorie de la réincarnation, s'il l'adopte, nous allons voir que la raison principale en est que, retravaillée, elle répond mieux qu'une autre aux questions qu'il se pose. Il faut noter toutefois qu'il est

---

1. Le recours intermittent à l'imaginaire n'était jusqu'alors que *tactique*.

incliné à ce choix par une sorte d''«expérience vécue». Un soir d'avril 45 [1], il a bouffonné longuement, «imité la femme qui jouit» puis, avec un camarade, «descendu les boulevards» pour scandaliser les passantes. Après ce bel emploi du temps, il rentre chez lui «las du présent, du passé, de l'avenir». Mais il ajoute aussitôt, en prenant tout juste la peine de passer à la ligne : «Il y a aussi quelque chose en moi qui n'a jamais été satisfait, je ne sais pas bien quoi. Réminiscence? Ou vague aperception de l'avenir?» Rien de plus mais il est clair que ces deux phrases, bien qu'elles se suivent, ne parlent pas du même avenir; et que les «réminiscences» de la seconde ne peuvent se confondre avec les souvenirs dont il est las. Il ne faudrait pas cependant vouloir retrouver dans cette plainte sèche et modeste le grand thème de l'insatisfaction baudelairienne. Bien sûr, il s'agit d'un motif très voisin et Baudelaire aussi croit avoir des souvenirs de «vies antérieures». Mais l'insatisfaction d'Alfred ne vient pas, à l'en croire, de l'infinie béance de son âme : sinon, pourquoi l'attribuer à des réminiscences, à des pressentiments? Ces mots semblent indiquer que la privation porte sur des objets précis et limités dont il est aujourd'hui privé mais dont il a joui et dont il jouira. Cela signifie que son *être* ne se *totalise* pas dans son existence présente : il échappe à soi-même par la très vague réminiscence de ce qu'il *a été*, c'est-à-dire de *cet autre* qu'il est encore — sans pouvoir le définir — au sein du *même*; mais il ressent aussi comme un vague appel futur, une invite à un *dépassement autre*. Ces lignes nous offrent la formulation la plus précise de son expérience : à l'époque il possède déjà sa théorie de la métempsycose. Mais il y fait allusion dès 42. Il est fort sérieux et fort dégoûté quand il écrit : «Je crois en effet que, si nous sommes de ce monde, nous ne sommes pas de ce siècle. Avons-nous quelque chose à expier? Je ne le sais : mais le forfait doit être grand, s'il est en raison de l'embêtement de notre vie.» Ailleurs, il raconte avec une complaisance poétique une promenade qu'il a faite au bord de la mer et note : «Je me suis retrouvé fils du Nord en traversant les brouillards, alors légers, des bruyères, et j'ai senti en moi quelque chose de l'ancienne vie des Scythes nomades.»

Or voici ce que deviennent, dans *Bélial*, ces brumeuses aperceptions : «Avez-vous vu, parfois... les grands bœufs mugir et les étalons galoper dans les prairies? N'avez-vous pas saisi dans leurs yeux l'éclair de la pensée et comme une majestueuse attente? Une autre

1. Il est en train d'écrire *Bélial*.

vie s'apprête en silence sous ces fronts tranquilles. Laissez faire. L'heure approche où l'animal, laissant à la terre sa dépouille, va s'élever à la pensée humaine et à la parole qui la communique. » Il en va de même pour toute créature : pour l'homme aussi, l'être futur existe déjà, ne serait-il saisi que sous forme de lacune, de subtil tourment. On sait que Flaubert, plus tard, après avoir lu *Louis Lambert* écrira à Louise : « Ce Lambert est à peu de choses près mon pauvre Alfred. » Or Lambert est incité à se poser des questions philosophiques par des événements étranges et irrationnels : il a un rêve divinatoire, il constate un fait de « communication de pensée » qui s'est produit dans sa famille ; il se met à lire Swedenborg et reçoit des intuitions dont les objets sont inaccessibles aux sens. Creusant le mystère de l'être, il ne supporte pas ses éclatantes découvertes et devient fou. C'est dire que la comparaison des deux hommes ne s'impose pas : serré, prudent, sceptique et, à l'extérieur au moins, conformiste, Alfred ne risquait certes pas la folie. Pour que Lambert l'ait à ce point rappelé à son ex-vassal, il faut que l'ex-Seigneur ait voulu prendre ses légers troubles au sérieux et qu'il les ait utilisés devant Gustave pour fonder sa doctrine : ses ressouvenirs et ses intuitions prophétiques prouvent que la vie d'Alfred et son organisme ne sont qu'un moyen — somme toute secondaire — d'appréhender son être à *cette* époque et à *ce* monde. L'être est substance impérissable et son éternité lui est parfois sensible — quoique, dans la confusion intuitive, il ne puisse la reconnaître — non pas comme un appel d'en haut (le mot de réminiscence ne doit pas nous tromper malgré son vague relent de platonisme) mais à travers de vagues remembrances ou d'inintelligibles oracles qui se rapportent à d'autres apprésentations qui ont ou qui auront lieu dans le même monde, à d'autres moments de l'histoire. Pour nous, ces deux séries d'illuminations sans contenu se conditionnent mutuellement : frustré mais, d'abord, passionnément aimé, le contraste entre son délaissement présent et son ancienne condition princière le fait tomber parfois dans une stupeur insatisfaite[1] ; en même temps, ce passé indéchiffrable garantit l'avenir : ce prince qu'il était, nul doute qu'il redeviendra prince. Alfred n'accepterait pas notre interprétation : s'il veut donner des solutions optimistes aux problèmes qui le tracassent, il faut qu'il interprète ses malaises comme des signes certains de ses réincarnations multiples. Quelques lectures sur le brahmanisme l'ont aidé sans doute à faire le saut. Le voici qui théorise :

---

1. C'est aussi par le souvenir des « verts paradis » perdus que j'expliquerais la croyance *poétique* et intermittente de Baudelaire à la métempsycose.

« La mémoire ne survit pas à la mort ; mais l'âme en se créant un nouveau corps, tire des conditions de sa vie passée les aspirations de sa vie nouvelle. » De tous les exemples que va citer Bélial, le plus clair est sans doute celui de l'orientaliste : « Il fut dans sa vie antérieure un célèbre orientaliste. Il étudie à présent sa propre grammaire, ne se doutant pas qu'il en est l'auteur. » Voilà ce qu'il fallait démontrer : Alfred se subit, soit, mais tel qu'il s'est fait dans une existence antérieure ; autre que soi, il ne se tient que de soi-même ; son orgueilleuse doctrine rejette l'hérédité : les parents sont des causes occasionnelles. Sur quoi, il saute à pieds joints dans l'optimisme. Pour l'avenir, voici : « L'âme ne peut mourir ; elle renouvelle le corps qu'elle habite à chaque phase de son existence. Seulement chaque phase la rapproche de l'Idéal, terme du développement des mondes... Les circonstances varient, le résultat est le même. Le règne effréné de la Matière amène la réaction de l'esprit. Pour s'émanciper, il la condamne, y voyant les pompes de l'Enfer. Mais plus tard, des hauteurs idéales, l'homme aperçoit des aspects plus vastes ; la science le fait impartial. Après avoir affranchi l'Esprit, il réhabilite la Matière et sous leur apparente opposition saisit leur identité. »

Donc trois phases ou hypostases : « Épris de merveilles inconnues dont la Nature lui fait largesse, d'abord (l'Esprit) redeviendra son esclave puis la niera pour s'en affranchir et enfin retournant à elle, l'asservira à son Empire. *Aux aspirations infinies qu'on sent confusément sourdre en soi, il y a donc, quand elles sont mûres, des réalités correspondantes* [1]... (À la troisième phase), en dehors de l'humanité il est des régions supérieures où s'élèveront quelque jour... les génies. Il suffit pour un tel progrès d'un nouveau sens qui perce en eux, et ouvre à des besoins nouveaux tout un monde d'émotions nouvelles. »

Malgré un vocabulaire éclectique et parfois néo-platonicien, c'est l'optimisme hégélien qui inspire surtout Alfred. On reconnaît le mouvement de la conscience qui s'aliène, se reprend et s'oppose par le principe négatif pour enfin rétablir l'unité du sujet et de son objectivation dans l'Absolu. Nul doute que ces trois moments — où l'on reconnaît d'ailleurs la trinité célèbre — ne reproduisent aussi, vaguement, les trois genres de connaissances spinozistes. Enfin, plus superficiellement, nous reconnaissons l'influence des premières doctrines évolutionnistes et, plus profondément, l'idéo-

---

1. C'est moi qui souligne.

La personnalisation 1033

logie bourgeoise du progrès. Simplement il s'agit d'un progrès spirituel : Alfred, tout comme Gustave, condamne le progrès matériel et le prétendu progrès social que celui-ci devrait engendrer [1].
N'importe : l'idéologie de sa classe est en lui, il n'a fait qu'en déplacer le point d'application. De fait le mythe de la réincarnation n'est
pas nécessairement lié à un évolutionnisme progressiste, comme le
prouvent justement les religions hindoues auxquelles Alfred l'a
emprunté. Pour que celui-ci passe avec cette paisible assurance de
l'un à l'autre comme s'il déduisait le second du premier, il faut que
la notion ambiguë de perfectionnement et d'expansion sans limites lui ait été inculquée de bonne heure et qu'il y croie, sans même
y prendre garde, avec la foi du charbonnier.

Dans la chaîne ininterrompue qui va « du ver à l'homme » et de
celui-ci aux esprits supérieurs, il est facile de repérer la place que
le jeune homme s'attribuait. Il se jugeait, sans aucun doute, parvenu à la frontière qui sépare la seconde de la troisième phase. Génie
plafonnant aux limites de l'humain, surhomme déjà par ses « aspirations infinies ». Du coup, il concilie l'âpreté de ses appétits sensuels et son quiétisme spiritualiste : « Il retombe dans (la phase)
des passions mais promptement il en ressort... Les rechutes... sont
dans l'ordre... (On) retombe à l'état antérieur mais pour bientôt
en ressortir. » Rien de mieux : le bordel n'est plus le séjour des Lotophages mais le lieu où Alfred, esprit supérieur, va rechuter commodément et brièvement ; les femmes gardent leur malignité mais,
pour les grandes âmes, elles deviennent inoffensives : bien sûr, elles
font « tomber » les hommes mais qu'importe, si, leur coup tiré, ils
rebondissent aux « froids plafonds » de l'humanité. Ces régressions,
normales et de plus en plus rares, prouvent que dans des vies antérieures, le jeune Alfred a été soumis au joug inflexible des sens,
« règne des choses extérieures et de la convoitise des yeux ». Il faut
en passer par là, comme le montre assez le fait que l'évolution de
l'âme à travers ses incarnations est reproduite dans la vie même
de chaque réincarnation particulière. Alfred explique avec beaucoup de clarté que — comme on l'a dit quelque temps plus tard
— « l'ontogénèse reproduit la phylogénèse ». Matériellement :
« L'enfant dans le sein de la femme ne commence pas par revêtir
les attributs de son espèce. Son âme devenue âme humaine reprend
avec son nouveau corps les types des espèces inférieures... » Spiri-

1. « As-tu été... complimenter Gautier de son exaspération croissante contre les progrès de l'espèce humaine ? » 6 août 42.

tuellement : « Si haut que l'esprit ait atteint, à chacune des crises créatrices qui renouvellent son enveloppe, il repart des degrés infimes qu'il avait parcourus déjà. » Ces remarques permettent à l'auteur de retrouver en lui-même les « trois phases » comme les moments d'un processus dialectique toujours renouvelé. Il cède à la matière, le dégoût le jette à condamner les sens au nom d'un idéalisme abstrait, ses prémonitions l'avisent qu'il touche à l'état supérieur où les sens et l'esprit seront réconciliés. Derrière la reconstruction philosophique, nous retrouvons l'histoire de cette conscience déchirée, oscillant sans trêve entre les deux termes de sa contradiction profonde et rêvant d'une synthèse future.

La Promenade de Bélial pourrait s'appeler l'apologie d'Alfred par lui-même : c'est vrai ; une fois, je fus soudard mais il a suffi que je ressente alors, au milieu des pillages et des viols, quelques inquiétudes et que j'aie, « moi, dont la force était la loi, entrevu parfois qu'il en existait une autre » ; ma vie suivante fut celle d'un moine qui mourut vierge et, après d'autres avatars, je renaquis philosophe : « J'avais émancipé l'esprit, je réhabilitais la matière et j'enseignais... leur absolue identité [1]. » L'insatisfaction, fondée sur la vague intuition d'une incomplétude, la simple conscience d'un état lacunaire, l'aspiration confuse à totaliser — bref la négation hégélienne *vécue dans la passivité* —, voilà qui suffit pour empêcher l'être de coïncider avec sa vie présente et pour conférer à l'individu les *mérites* qui le feront accéder à un stade supérieur. Dans son existence présente, Alfred *capitalise* tous les malaises qui, auparavant, l'ont, par intermittence, détaché de l'immédiat : accumulation, profit. Tout est bien puisque, comme dit Marivaux, il préfère son être à sa vie. Du coup, celle-ci, dans sa particularité présente, justifie son pessimisme : c'est un mal nécessaire ; il faut *s'abstenir de vivre, vivre sans vivre* ; et l'étonnement esthétique d'Alfred devant les agissements des bourgeois s'explique aisément : ce n'est pas tant *ce qu'ils font* qui provoque celui-ci, c'est le sérieux qu'ils mettent à le faire ; ces gens, submergés par l'immédiat, n'ont jamais le moindre doute, ils ne se mettent jamais, eux, leurs entreprises et leurs fins entre parenthèses. Ils ne sont point damnés pour autant : moins avancés que le fils Le Poittevin, ils demeurent encore au plus bas degré de l'échelle, aliénés à leur matérialité pure. Notre pseudo-philosophe s'en donne à cœur joie : il va expliciter le sens

---

1. Descharmes, p. 222. Ces phrases figurent dans une version du chapitre IV qu'Alfred a supprimée dans le manuscrit définitif.

de son entreprise suicidaire ; n'est-ce pas la seule manière de réaliser concrètement et pratiquement le détachement ? Qu'est-ce donc qu'on peut espérer sinon mourir puisqu'on renaîtra plus proche de l'Idéal et puisque cette mort souhaitée, préparée devient elle-même un mérite, un excellent investissement ? Il faut se tuer à petit feu, par l'alcool, par les filles, *par l'ennui* qui est la conséquence nécessaire du refus entêté de toutes les fins humaines ; il faut « vivre sans vivre » et cela veut dire mourir sa vie. Mourir est l'avenir intime d'Alfred, impatient de devenir autre ; c'est aussi son présent : à cette claire lagune transparente, il ne manquait que la conscience d'elle-même pour se changer enfin en ce néant qu'elle est. Le temps glisse sur lui, sans contenu : seule l'orientation de la temporalité lui demeure sensible. Il écrivait à Gustave : « Tout se ressemble, fors le temps qui marche ; c'est à peu près comme dans un tombeau. » À présent, il en a pris son parti : mort, il veut mourir ; inversement il réalise sa mort future par son ataraxie quotidienne et voit sa vie muette, insaisissable confusion, *dans la répétition*, des trois ek-stases temporelles, comme le reflet sans cesse renaissant, brouillé sans cesse, de l'éternité.

Ce catharisme altier et morose, c'est malgré tout un optimisme : le pessimisme condamne la vie *du point de vue de la vie* ; Alfred la méprise *du point de vue de la mort*. Car, finalement, bien que les décès ne fassent que préluder aux naissances et que, par conséquent, on puisse considérer *La Promenade* comme un hymne à l'universel Éros, à la fécondité cosmique, l'avantage reste à la Mort : comment ne pas la reconnaître dans ce qu'Alfred tient pour son être, insaisissable transcendance qui ne se résume en aucune existence particulière et se manifeste en toutes en les disqualifiant par le dévoilement de leur futilité et l'annonce de leur finitude, de leur prochaine disparition, qui subit des transformations dont, d'une hypostase à l'autre, il ne conserve aucune mémoire et, conséquemment, est à soi-même pure absence ? Nous pouvions nous y attendre : le point de vue de la mort sur la vie, c'est l'esthétisme, ce sera l'Art pour la génération postromantique. Ainsi se trouvent réconciliées, *sur le papier*, les interprétations diverses qu'Alfred donne de son attitude fondamentale. Cet objet d'art inanimé se crut d'abord le pur produit de la beauté maternelle ; par ressentiment, il refuse désormais d'être la chair de cette chair mais non pas le statut de matière précieuse, artistement travaillée : il sera, inerte, son propre orfèvre ; il aura l'être inorganique d'une pierre rare et morte, enchâssée dans un anneau dont les ciselures se sont faites au cours de vies antérieures et dont le pouvoir magique est de déréaliser son environnement, ce qui signifie à la fois qu'il dégage la beauté des choses et des spectacles et — c'est tout un — qu'il les tient en suspens dans l'infini du néant. Un mort exalte et tue tout ce qui vit en communiquant sa meurtrière beauté aux objets qui l'entourent. Assassinat rituel et secret, bien entendu : les victimes s'obstinent à vivre, faute de savoir qu'elles sont occises. Mais le procédé n'en est pas moins valable métaphysiquement : un prince défunt les détache de leur vie comme elles s'en détacheront elles-mêmes après quelques centaines de réincarnations.

Le fils Le Poittevin, en un tournemain, a tout rétabli : «il y a un sens», la vie n'est plus une énigme, il croit avoir fondé sur un rationalisme un peu sec un système axiologique et une hiérarchie cosmique où il occupe une place enviable ; il progresse vers l'Idéal, « terme du développement des mondes » où Matière et Esprit révéleront leur identité profonde qui n'est autre que la Beauté, c'est-à-dire leur double abolition simultanée. Aristocratique, spiritualiste, quiétiste, individualiste jusqu'au solipsisme et vaguement satanique sur les bords, cette morale était la seule qui pût lui convenir. On notera qu'elle sauve tout le monde : elle frappe pourtant par je ne sais quelle froide méchanceté. Il a mis huit années pour passer du pessimisme byronien à ce panthéisme souriant (les mondes ont une âme, il semble bien que, d'après lui, les âmes individuelles finissent par se fondre en celle-ci). Mais de même qu'une certaine désespérance demeure dans *La Promenade*, on sent dès sa première œuvre connue — il a vingt ans — qu'il porte en lui, déjà, le principe de son optimisme : *Satan* nous montre le Maudit en proie à des souffrances infinies mais qui tient tête à Dieu et se rend maître du genre humain ; Alfred a l'orgueil de celui qui, comme le Maître, selon Hegel, pour avoir risqué sa vie, s'est placé au-dessus d'elle et met sa certitude la plus haute dans un Ego sans contenu, le simple « Je pense », comme véhicule de toute pensée — peut-être vaudrait-il mieux dire ici : un « J'imagine » vide comme matrice de toute image possible. Il a tenu à garder sa fidélité à Satan puisqu'il a convoqué Bélial, un bon petit diable, pour lui donner mandat d'exposer ses théories. Mais quelle différence entre l'Archange maudit et ce personnage souriant qui se déclare calomnié par les chrétiens, ajoutant : « C'est ce qu'ont compris les Hussites qui appelaient (le Démon) au contraire : *Celui à qui l'on a fait tort.* » Le contraste entre ces deux personnages permet d'apprécier le chemin parcouru pendant ces huit ans. Alfred s'est révolté d'abord, ce que Gustave ne fera jamais ; mais la révolte ne convenait guère à son caractère hautain, conformiste et nonchalant : c'est à cause de cela, peut-être, que son lyrisme s'est si vite essoufflé. De ce point de vue, on ne se trompera guère en considérant *La Promenade* comme la justification théorique d'un *retour à l'ordre*. Ce jeune homme ambigu n'a visé, au cours de son long silence, que deux objectifs qui semblent contradictoires mais qu'il ne tenait certainement pas pour tels : se détruire, se réintégrer à sa classe, à la société fréquentée par sa famille. *Bélial* lui fournit la double solution : il faut mourir au monde — ataraxie ou mort de l'âme, suicide ou lente détérioration du corps. Mais, précisément pour cela, rien de ce qu'on fait n'a d'importance ; la révolte est aussi vaine que l'utilitarisme ; restons où nous sommes et faisons comme tout le monde : seul compte le détachement. Entendons qu'Alfred ne pouvait ni supporter la vie bourgeoise ni en refuser les confortables douceurs. C'est ce qu'on peut voir à l'évidence si l'on songe qu'il commence *La Promenade* en 45, qu'il « se range » en juillet 46 — le 6, exactement, il épouse Louise de Maupassant —, reprend et achève son livre en 47 et meurt en avril 48. Comme si sa théorie de la réincarnation n'avait d'autre but que de le décider à « faire une fin », comme on dit, ou plutôt à faire deux fins, le plus vite possible, en assumant les rôles de mari, de père bourgeois et en prenant congé tout de suite après.

*

Tel est donc le nouveau Seigneur que Gustave s'est choisi. À première vue le jeune homme et l'adolescent sont unis par de nombreuses affinités : tous deux ont des parents hors du commun — Achille-Cléophas, c'est la Science ; Mme Le Poittevin, c'est la Beauté —, tous deux, victimes et complices de leurs familles, ont reçu de bonne heure une constitution passive qui les conduit à mépriser l'action sous toutes ses formes, à condamner l'utilitarisme bourgeois et à professer le quiétisme ; tous deux sont tourmentés par une insatisfaction chronique ; ils ont, l'un et l'autre, du goût pour l'histoire dont ils tirent — faute d'expérience personnelle — leur « connaissance du cœur humain » ; mais ils lui préfèrent encore la poésie et l'imagination ; troublés par l'inconfort de leur agnosticisme, ils tentent d'y remédier l'un et l'autre par un effort de totalisation cosmique qui débouche parfois sur un panthéisme indécis ;

tous deux, ils sont poussés par un fol orgueil à se percher sur des cimes d'où ils contemplent l'affairement des hommes avec une ironie méprisante qui n'est pas dépourvue de méchanceté. On comprend, dans ces conditions, qu'Alfred ait écrit à Gustave : « Nous sommes quelque chose comme un même homme et nous vivons de la même vie [1]. » Croit-il ce qu'il dit ? C'est une autre affaire. Cette phrase est contenue dans une lettre d'excuses : Alfred prie son ami de lui pardonner son « long et coupable silence » ; en de telles circonstances, il arrive souvent qu'on force un peu, pour compenser, sur les protestations d'amitié. Et Gustave ? Que pense-t-il de leur liaison ? La juge-t-il solide et parfaite ? Nous avons à ce sujet une lettre curieuse. Le 9 décembre 1852, Flaubert vient de lire le *Livre posthume* de Maxime du Camp, publié par la *Revue de Paris* : « ... est-ce pitoyable, hein ?... *notre ami* se coule... On y sent un épuisement radical... Je ne sais si je m'abuse... mais il me semble que dans tout le *Livre posthume* il y a une vague réminiscence de *Novembre* et un brouillard de moi qui pèse sur le tout... Du Camp ne sera pas le seul sur qui j'aurai laissé mon empreinte. Le tort qu'il a eu, c'est de la recevoir. Je crois qu'il a agi très *naturellement* en tâchant de se dégager de moi. Il suit maintenant sa voie ; mais, en littérature, il se souviendra de moi longtemps. J'ai été funeste, aussi, à ce malheureux Hamard.

« Je suis communiquant et débordant (je l'étais est plus vrai) et, quoique doué d'une grande faculté d'imitation, toutes les rides qui me viennent en grimaçant ne m'altèrent pas la figure. Bouilhet est le seul homme au monde qui nous ait rendu justice là-dessus, à Alfred et à moi. Il a reconnu nos deux natures distinctes et vu l'abîme qui les séparait. S'il avait continué de vivre, il eût été s'agrandissant toujours, lui par sa netteté d'esprit et moi par mes extravagances. Il n'y avait [pas] de danger que nous nous réunissions de trop près. Quant à lui, Bouilhet, il faut que tous deux nous valions quelque chose puisque, depuis sept ans que nous nous communiquons nos plans et nos phrases, nous avons gardé respectivement notre physionomie individuelle [2]. »

Ce texte offre un exemple typique du cheminement de la pensée chez Flaubert. La publication du livre de Maxime l'irrite profondément. Pour de bonnes et de mauvaises raisons. Les bonnes : l'ouvrage est mauvais, sans personnalité, d'une exécution facile.

---

1. 7 juin 1843.
2. *Correspondance*, t. III, pp. 56-58.

Les mauvaises : *Novembre* reste dans mes tiroirs. Du Camp a éreinté *Saint Antoine* et l'on publie *ça*. En fait, c'est par *rigueur* que Flaubert s'est refusé à chercher un éditeur pour *Novembre* mais ce refus n'a pas été sans lui coûter : il y a une contradiction bien compréhensible entre l'ambition honorable du jeune homme, qui souhaiterait que son manuscrit se change en livre imprimé, et l'ensemble d'interdits — dont les plus importants sont esthétiques — qui l'empêchent de le soumettre au jugement public. Aussi, lorsqu'il s'aperçoit que Maxime a le front de présenter un travail médiocre à la *Revue de Paris* et que celui-ci y est aussitôt accepté, son blâme éthique — l'Art est *aussi* une morale — est exaspéré par une envie qu'il n'ose s'avouer. Avec quelle alacrité coléreuse il transforme ce modeste succès en naufrage : «*Notre ami* se coule ! [1] » L'orgueil de rebond se manifeste aussitôt : au fond, *il n'est pas vrai* qu'on édite Maxime et que Gustave demeure inconnu ; ce qu'on a publié, c'est un moindre *Novembre* ; si le *Livre posthume* a plu, c'est dans la mesure où il contenait des réminiscences de cet ouvrage. Il ne convient pas, cependant, que l'influence de Gustave ait des effets heureux sur cet ami qui se détourne de lui : si Maxime, grâce à elle, obtenait la gloire quand le cadet Flaubert désespère d'y atteindre, ce serait l'enfer pour de bon. D'où la reprise en sourdine du thème romantique si cher à Gustave : « Je porte malheur à tout ce qui m'entoure », ce qui explique l'allusion inattendue au pauvre Hamard (Gustave croyait, en effet, que celui-ci s'était rendu fou en essayant de l'imiter [2]). Certes, le *Livre posthume* a été publié parce que ses premiers lecteurs ont pressenti, en lisant le manuscrit, l'œuvre qu'ils attendaient obscurément et que Flaubert ne daignait pas leur donner ; mais cette chance inattendue se tourne en désastre pour Maxime : à présent, la première surprise passée, tout le monde peut découvrir l'âne qui se cachait sous la peau du lion.

1. *Notre ami* : Louise détestait Maxime ; Gustave ne lui pardonnait pas d'avoir jugé *Saint Antoine* : c'est ce que signifie l'*italique*. On aura remarqué que le jeune homme prend sa revanche : œil pour œil, dent pour dent ; tu as condamné mon œuvre, tu m'as obligé à l'enterrer : moi, je noie la tienne. Mais il ne peut s'empêcher d'altérer la vérité. Il écrit en effet, dans le même paragraphe : « ... S'il me demande jamais ce que j'en pense, je te promets bien que je lui dirai ma façon de penser entière et qui ne sera pas douce. Comme il ne m'a pas épargné du tout les avis *quand je ne le priais nullement de m'en donner*, ce ne sera que rendu. » C'est moi qui souligne ; certes, Maxime a donné à Flaubert des conseils qui n'étaient pas sollicités. Mais l'« avis » principal, celui dont Gustave lui garde une rancune recuite, on sait qu'il a été *prié* en bonne et due forme de le faire connaître : Du Camp et Bouilhet ont été convoqués ensemble à Croisset pour y subir la lecture de *Saint Antoine* et pour communiquer à l'auteur leur jugement sur son ouvrage.
2. Disons qu'il *désirait* le croire : ce serait sa revanche sur l'ami félon qui lui avait volé Caroline.

Bref, c'est Gustave qui a *coulé* (sans le vouloir, bien entendu) le pauvre Du Camp, c'est lui qui a mis son beau-frère sur le chemin de l'asile. D'où un nouveau délire de grandeur : « Je suis trop fort, moi, l'excessif, malheur à qui tente de m'imiter » — que masque et rationalise ce passage à l'universel : personne ne doit imiter personne. Ce qui lui permet, en passant, de mettre du baume sur une autre blessure de son amour-propre (Maxime ne l'admire plus, Maxime suit sa voie personnelle) : Du Camp *fait très bien* quand il essaie de se dégager de moi ; son tort a été de recevoir mon empreinte.

Et voilà que, tout à coup, sans liaison apparente, il passe à la ligne et se met à parler d'Alfred. Aussitôt, comme chaque fois qu'il touche à un point sensible et renchérit sur son insincérité coutumière, les incorrections abondent : d'abord la cascade des « il » qui désignent tantôt Bouilhet, tantôt Alfred, tantôt l'abîme qui séparait les deux jeunes gens. Ensuite l'étonnant « lui par sa netteté d'esprit, moi par mes extravagances » qui n'entre pas dans la construction de la phrase et semble supposer un verbe actif (« nous l'aurions élargi ») quand, en apparence, c'est à un événement *subi* que Gustave se réfère : étant donné les natures distinctes des deux amis, l'abîme se fût sans cesse agrandi. Il est vrai qu'on peut utiliser le passif et l'actif indifféremment puisque les caractères constitués s'expriment par des conduites (ce qui surprend, c'est justement que le jeune homme ne puisse formuler entièrement sa pensée et qu'il passe sous silence le verbe qui exprimerait une action réciproque et disjonctive des deux amis). Enfin on notera l'omission de deux éléments négatifs, « ne » et « pas », que l'éditeur a dû rétablir pour l'intelligibilité du texte. Voilà les signes d'un très grand désarroi : si Flaubert parlait au lieu d'écrire, nous dirions qu'il bafouille. Dès qu'il revient à parler de Bouilhet, il se calme et tout rentre dans l'ordre.

Pourquoi parler d'Alfred ? La liaison des pensées n'échappe pas mais elle est affective et non logique. Tout se passe comme si quelqu'un, tout à coup, avait soulevé cette objection troublante : « Tu dis qu'on a toujours tort de ''recevoir l'empreinte d'un autre'' : et l'empreinte d'Alfred ? Ne l'as-tu pas reçue ? Ne t'a-t-elle pas marqué pour toujours ? » Qui parle, ici ? Qui pose ces questions ? Qui contraint Gustave le fanfaron à se mettre sur la défensive ? Le chœur. Un mot nous renseigne : « Bouilhet est *le seul homme au monde* à nous avoir rendu justice. » Le seul : donc l'opinion générale — celle de ses parents, de ses camarades, des amis de sa famille —, c'était qu'il subissait l'influence d'Alfred. Encore Gustave n'ose-t-il même pas rapporter cette opinion sans la déguiser. Il écrit : «*nous* rendre justice», comme si, aux yeux de leur entourage, l'influence était réciproque. C'est, somme toute, une position de repli ; si on devait le pousser dans ses retranchements, il pourrait s'écrier : eh bien, oui ! nous nous sommes marqués réciproquement, nul ne dominait dans ce couple, nous nous faisions nos idées ensemble, etc. C'est ce dont, à titre posthume, il a convaincu René Descharmes qui parle d'une influence exercée, dans les dernières années de cette amitié, par le plus jeune sur le plus âgé. Rien n'est plus faux : Alfred a suivi son chemin avec une rectitude inflexible, de la naissance à la mort. Du reste, quand il écrit cette lettre, Gustave entend demeurer sur sa première ligne de défense : la réciprocité, ce sont les autres qui l'ont imaginée ; il lui importe peu qu'Alfred ait reçu son empreinte, ce dont il se défend c'est d'avoir reçu, lui, celle de son ami. N'est-ce point un reniement ? Comparez plutôt : «Nous sommes quelque chose comme un seul homme», écrivait l'aîné ; et le cadet, quatre ans après sa mort : «Un abîme nous séparait qui eût été en s'agrandissant toujours...» Entre ces deux «natures distinctes» qui, séparées par un gouffre, ne cessent de s'éloigner, aucune communication n'est possible : à peine peuvent-elles, comme les navires en haute mer, se signaler leurs positions par flammes, pavillons, trapèzes et feux de route sans que ces informations puissent rien changer à leurs parcours solitaires. Cela ne suffit pas, pourtant ; les faits sont là et Gustave le sait fort bien : il *imitait* Alfred et tout le monde l'a pu voir. Qu'à cela ne tienne : il va les disqualifier. «Je l'imitais, bien sûr ! Mais qui n'ai-je imité, du journaliste de Nevers au père Couillère ? Il y a en moi, vois-tu, quelque chose du saltimbanque, la force intime de l'acteur donc une grande faculté d'imitation. Alors, voilà, je le singeais. Pour rire. Et nos braves gens ont pris cela au sérieux.» Une grande faculté d'imitation : c'est exact. Ou plutôt — ceci n'est pas une restriction mais l'indication d'une lacune : nous ne savons pas s'il avait du talent — un entraînement constant à imiter quiconque, un besoin de s'emparer ainsi de l'être des autres, de leur voler leur réalité : c'est un symptôme connu de l'hystérie [1]. Mais il faut comprendre que l'imitation entraîne la croyance : ce que Gustave veut oublier en 1852, c'est qu'il imitait Alfred dans l'intention profondément sérieuse de *s'identifier à lui*. L'a-t-il fui ? C'est

---

1. Freud à Dora, in *Cinq Psychanalyses* : «Qui imitez-vous ?»

une autre affaire et nous allons y venir. Mais, dès à présent, l'âpreté de ses dénégations semble indiquer que l'entreprise était vouée à l'échec et qu'il l'a compris. Voyez jusqu'où il pousse le reniement : « Toutes les rides qui me viennent en grimaçant ne m'altèrent pas la figure. » Quand il s'emparait des attitudes de son ami, quand il tentait d'en adopter les pensées, ce n'était que grimaces passagères et les rides grotesques qui sillonnaient son visage disparaissaient sans laisser de traces : celui qu'il décrit ainsi, nous le connaissons, c'est le comique qui devait faire rire la France entière et déshonorer sa famille en recevant sur scène des gifles et des coups de pied au cul. Ne dirait-on pas qu'il veut avilir son passé ? Du moins, répondra-t-on, c'est sur lui-même qu'il s'acharne, c'est son amour pour Le Poittevin qu'il ridiculise : Alfred n'est pas touché. Je n'en suis pas si sûr : si la copie est fidèle — or elle l'est à son avis puisqu'il possède la « faculté d'imitation » — et qu'elle grimace, c'est que le modèle est lui-même grimaçant. Du reste il indique rapidement mais précisément ce qui distinguait leurs « natures » et ce n'est point à son ami qu'il fait la partie belle. « ... lui par sa netteté d'esprit, moi par mes extravagances ». Bien sûr : un extravagant, c'est un fou, un excessif, un songe-creux ; le mot est choisi pour sa brutalité péjorative. Et la « netteté d'esprit », n'est-ce pas, c'est une qualité positive : qui ne souhaiterait l'avoir ? Mais nous commençons à connaître Gustave : les défauts qu'il s'attribue sont souvent des vertus déguisées. Le mot dont il use ici, nous le retrouverons plus tard dans sa *Préface aux Dernières Chansons* : il y prend tout son sens : « Nos rêves (de collégiens) étaient superbes d'extravagance... nous méritions peu d'éloges, certainement ! mais quelle haine de toute platitude. Quels élans vers la grandeur !... » Tel était donc Flaubert, d'après son propre témoignage, à l'époque où il fréquentait Le Poittevin : ses débordements témoignent du feu qui le brûle et — pourquoi le cacherait-il — de son génie. Le pauvre Alfred, en comparaison, fait triste figure avec sa « netteté d'esprit » : on ne lui concède même pas cette intelligence d'exception qui lui sera reconnue plus tard quand le mythe de leur amitié aura pris le pas sur sa vérité. Il a des idées claires et distinctes, ce qui est enviable chez un ingénieur ou un professeur de mathématiques mais qui du même coup marque leurs limites : cette qualité-là vaut dans la vie pratique, méprisée par Gustave, elle s'oppose aux « raisons du cœur » qu'elle refuse sans les connaître. Sécheresse, abstraction : voilà les conséquences ; de fait, on l'aura noté, si Gustave diffère d'Alfred par ses extravagances, c'est que celui-ci, limité par son

intelligence, est tristement incapable d'excès. Un bourgeois raisonnable et mesuré : comme M. Paul, après tout ; ou comme cet Ernest
dont la perversité modérée fut terrorisée par l'infernale passion de
Mazza.

Pourquoi tient-il si fort, Gustave, à récuser l'influence indéniable qu'Alfred a exercée sur lui ? C'est d'abord qu'il ne croit guère
aux influences : à dix-huit mois, un homme est fait ; par la suite,
il ne fait que développer son essence, c'est-à-dire la déplier ; rien
ni personne ne l'empêchera de suivre son destin. Si, d'aventure,
une action extérieure le déroute, il y perdra la vie ou reviendra obstinément à suivre son chemin. On retrouve ici la vieille idée bourgeoise de « l'impénétrabilité des êtres ». Et surtout ces maximes cent
fois répétées cachent sa peur d'être influencé : c'est une des raisons qui expliquent sa sauvagerie et sa séquestration volontaire.
Comment pourrait-il en être autrement chez cet imaginaire qui
dépend des autres jusque dans son être et n'est jamais très sûr de
sa réalité ? Dans la lettre citée, il se dépeint : débordant et communiquant. À tort. Pour débordant, oui, et jusqu'à saouler ses auditeurs. Mais c'est justement *pour ne pas communiquer* : il tonne,
rugit, s'essouffle et ne leur laisse pas le temps de donner un conseil,
de glisser un avis. Avec Le Poittevin, pourtant, il en est allé autrement : Gustave reconnaissait et acceptait l'ascendant que son ami
avait pris sur lui. Rappelons-nous simplement cette dédicace :
« Pense à moi, pense pour moi. » Il est difficile de témoigner plus
de confiance : tu trouves les idées, tu me les exposes, je les adopte.
C'est l'amour, à cette époque, qui permet de comprendre un abandon si total. Or, justement, cet amour a été trahi : en 46, Alfred
s'est marié et toutes les rancunes antérieures de Gustave (nous verrons qu'il en nourrissait) ont cristallisé autour de cette ultime trahison. Nous y reviendrons. Il est donc parfaitement compréhensible
que son ressentiment le porte à dire : je ne lui dois rien, il ne m'a
jamais rien donné ; je l'ai pris pour un autre et nous n'avions pas
un goût commun. Mais il y a plus dans sa dénégation violente et
bégayeuse, l'émotion qui l'agite vient de plus loin : Alfred était
un mauvais maître, où en serais-je, pense-t-il dans la terreur, si
j'avais suivi ses leçons ? Et si quelque chose restait encore en moi
de ses idées fascinantes et pernicieuses ? En fait, il est, cette année-
là, assez tranquille : il a commencé *Madame Bovary* et, bien qu'il
connaisse parfois des crises de dégoût suspectes (« la Bovary
m'embête »), il est déterminé à mener l'entreprise à son terme. Mais
ses craintes demeurent : deux ans plus tôt, pendant le voyage en

Orient, il a eu peur : «... du passé, je vais rêvassant à l'avenir et
là je n'y vois rien, rien. Je suis sans plan, sans idées, sans projet
et, ce qu'il y a de pire, sans ambition. Quelque chose, l'éternel ''à
quoi bon?'' répond à tout et clôt de sa barrière d'airain chaque
avenue que je m'ouvre dans la campagne des hypothèses... je me
demande d'où vient le dégoût profond que j'ai maintenant à l'idée
de me remuer pour faire parler de moi[1]» : En fait il est
«malade... du coup affreux que lui a porté *Saint Antoine*» et s'il
n'ose plus rien entreprendre c'est qu'il est hanté par la crainte
d'essuyer un nouvel échec ! la preuve en est cette confidence qui
lui échappe *dans la même lettre* : «... il me semble que si je rate
encore la première œuvre que je fais, je n'ai plus qu'à me jeter à
l'eau. Moi qui étais si hardi, je deviens timide à l'excès.» Cependant cet universel dégoût, cet ennui qui l'enveloppe, même lorsqu'il
remonte le Nil à bord d'une cange, il appréhende d'y reconnaître
le dégoût et l'ennui qui ont conduit Alfred à la mort. Nous en trouvons la preuve dans une nouvelle lettre à Bouilhet datée du 4 septembre. Il se trouve que l'*Alter Ego*, à la même époque, traverse
à Rouen une crise de même nature et s'est cru autorisé à en faire
part à Gustave. Il s'est même permis de lui répéter en écho son «à
quoi bon?» du mois de juin. Mal lui en prend : Gustave, dans
l'entre-temps, s'est guéri et l'engueule violemment. Oui, il a, lui
aussi, pendant les quatre mois précédents «répété l'*inepte parole*[2]
que tu m'envoies : ''à quoi bon?''» mais c'est la faute à *Saint
Antoine*. Il était «déçu», voilà tout. Jamais, dans son bon sens,
il n'eût condamné l'effort de l'Artiste. Que Bouilhet ne s'avise pas
de le confondre avec Alfred : son désarroi était tout accidentel et
ne ressemblait en rien à l'altière et dédaigneuse paresse de son ancien
Seigneur. Et le voilà parti à critiquer durement l'attitude de Le
Poittevin :

«Si tu crois que tu vas m'embêter longtemps avec ton embêtement, tu te trompes. J'ai partagé le poids de plus considérables ;
rien, en ce genre, ne peut plus me faire peur. Si la chambre de
l'Hôtel-Dieu pouvait dire tout l'embêtement que pendant douze ans
deux hommes ont fait bouillonner à son foyer, je crois que l'établissement s'en écroulerait sur les bourgeois qui l'emplissent[3]. Ce
pauvre bougre d'Alfred ! c'est étonnant comme j'y pense et toutes

---

1. 4 juin 1850.
2. C'est moi qui souligne.
3. C'est-à-dire sur le ménage d'Achille.

les larmes non pleurées qui me restent dans le cœur à son endroit. Avons-nous causé ensemble ! Nous nous regardions dans les yeux, nous volions haut ! Prends garde, c'est qu'on s'amuse de s'embêter ; c'est une pente... Allons donc, petiot ! Gueule tout seul dans ta chambre. Regarde-toi dans la glace et relève ta chevelure. » Ce texte marque nettement l'ambivalence des sentiments de Gustave pour Alfred. D'abord, c'est un refus énergique de l'« embêtement » sous toutes ses formes : c'était le maître qui s'ennuyait et qui attirait le disciple dans son ennui : « J'ai partagé le poids de plus considérables. » Gustave, fasciné, n'en mourait pas moins de peur : si « rien, en ce genre, ne peut plus (lui) faire peur », c'est qu'il a l'expérience de quelques frousses mémorables qui l'ont blindé. Que craignait-il donc ? De trop bien réussir l'identification du vassal au Seigneur. Il le dit ici même : « C'est une pente. » Pour un peu, il ajouterait comme un Joseph Prudhomme : « Pente savonneuse ! Pente fatale ! » Cela veut dire qu'il redoutait de rejoindre Alfred dans sa redoutable anorexie et, convaincu de la vanité de tout, même de l'Art, d'atteindre pour finir le point de non-retour, l'inertie de l'aiguille toujours à zéro. D'ailleurs l'ennui de Le Poittevin n'était pas sans complaisance : « On s'amuse à s'embêter. » Où donc l'a-t-il conduit, cet embêtement dirigé ? Au mariage et à la mort. Tout à coup, Flaubert s'avise qu'il va trop loin : sans transition, il revient à son refrain coutumier : « Avons-nous causé ensemble ! Nous volions haut ! » Il s'agit des fameux entretiens du jeudi. Mais d'abord, Gustave exagère : ces entretiens, commencés en 34 ou 35, n'ont pas duré douze ans puisque le Seigneur est parti pour Paris vers 38 et que, lorsqu'il en est revenu, le Vassal était sur le point de partir. Vers cette époque, au contraire, leurs relations commencent à s'espacer et à se détendre. Cette simple remarque suffit à nous faire comprendre que Flaubert se prépare à renchérir sur son insincérité : nous connaissons la musique. Ce n'est point qu'il mente, lorsqu'il écrit « Nous volions haut » : il le croit ou voudrait le croire. Mais il n'en demeure pas moins que ces mots, rajoutés à la hâte, ont pour office de corriger la mauvaise impression que Gustave craint d'avoir fait sur l'*Alter Ego*. Par le fait, vole-t-on si haut quand on fait bouillonner l'ennui au foyer d'une chambre close ? Inversement, les discussions philosophiques, si les interlocuteurs brûlaient d'un même feu, n'étaient-elles pas de nature à diminuer leur embêtement ? En vérité, ces trois lignes sans rapport logique avec le propos général — et qui viennent ici comme mars en carême — nous livrent à son insu la véritable pensée de Gus-

tave, celle qu'elles ont mission de dissimuler : les idées de haut vol
qui naissaient de l'ennui — et l'accroissaient constamment — abou-
tissaient toutes à l'«inepte parole» que Bouilhet lui a renvoyée.
Les revues générales et systématiques entreprises par les deux amis
étaient machinées de telle sorte qu'elles conduisaient inévitablement
à la même conclusion, à cet «à quoi bon?» inepte et monotone
qui émanait de l'aîné et que celui-ci imposait au cadet. Gustave l'a
échappé belle : un archange pervers — qui contestait paresseuse-
ment l'Univers entier à seule fin de justifier son oisiveté — a bien
failli l'entraîner dans sa chute scandaleuse. Quelle revanche : survivre! Le Maître se trompait, ses vues cavalières et panoramiques
étaient fausses puisqu'elles l'ont conduit au mariage. À Bouilhet,
grenouille qui veut se faire aussi grosse qu'Alfred, Gustave déclare
sans ambages : «Comme je voudrais être là pour t'embrasser sur
le front et te flanquer de grands coups de pied au derrière» et c'est
comme s'il disait : «Des coups de pied au cul, voilà ce que mon
ex-Seigneur méritait ; voilà ce qu'il eût fallu pour le guérir.» On
comprend dès lors son soulagement quand, en 1852, il peut déclarer à Louise — sans en être encore tout à fait sûr : nous avions
deux natures distinctes ; un abîme nous séparait. Cela signifie, en
vérité, qu'il s'est délivré de l'emprise du ci-devant et que *très naturellement*, comme Maxime, «il suit maintenant sa voie».

Ces deux lettres sont des chefs-d'œuvre d'insincérité : Gustave
y cache et dévoile tour à tour ses sentiments. Mais quand sa pensée
se laisse surprendre, il faut reconnaître qu'elle est d'une rare lucidité ; il est vrai : les deux amis ont des natures distinctes et tout
ce qui paraît les rapprocher, en fait, les éloigne l'un de l'autre.
L'influence d'Alfred sur Gustave est profonde et sera durable, mais,
loin de transformer celui-ci en un épigone de celui-là, elle achèvera
de le changer en lui-même, par une double frustration que nous
allons étudier.

A. — L'AMITIÉ FRUSTRÉE

Qu'est-ce que le jeune garçon demande à son aîné? Un *don* qui
permette de lui rendre hommage ; autrement dit, assez d'amour
pour que l'enfant soit justifié de l'aimer éperdument ; une *valorisation*, autrement dit, assez d'estime pour que le mal-aimé, qui ne
s'estime guère, soit justifié de s'estimer un peu plus ; l'*être* : on sait
que celui de Gustave est aux mains des autres ; imaginaire, le cadet

Flaubert n'a de réalité que pour eux et par eux; le malheur, c'est qu'ils lui sont souvent hostiles — ou du moins il les croit tels — et qu'il leur rend bien leur inimitié; et puis ils sont secrets et Gustave ne peut ni ressentir ni savoir ce qu'il est à leurs yeux. S'il se donne entièrement à Alfred, comme Achille au docteur Flaubert, s'il vit de sa vie, s'il le sert et si son nouveau Seigneur le *regarde*, l'adolescent pense qu'il aura enfin la jouissance intuitive de son être et la connaissance de sa vérité; surtout, il va grimper pour de bon et se placer au-dessus de ceux qui l'abaissaient. Voilà ce qu'il espère; cela lui sera-t-il donné? Pour le savoir, il faut reprendre dès le commencement l'histoire de leur amitié.

Nous savons que leurs relations deviennent intimes vers 1835, quand le cadet a treize ans et l'aîné dix-huit et que leur amitié n'a jamais été plus vive qu'à cette époque. Cette différence d'âge est de grande importance. D'abord parce qu'elle ajoute un trait frappant au caractère d'Alfred : ils sont rares, les très jeunes hommes qui font leur compagnie d'un enfant. On dira que cet enfant était Gustave Flaubert. Mais justement non. Si nous ne voulons pas céder à l'illusion rétrospective, il faut bien reconnaître que cet écolier criard et fermé, malgré de très évidentes qualités, ne portait pas au front de signe. Nous le savons, nous, que l'amertume, la rage et le désespoir bouleversaient la sensibilité profonde du petit. Mais il l'a dit lui-même, plus tard : « Le secret de tout ce qui vous étonne en moi... est dans ce passé de ma vie interne que *personne* ne connaît. Le seul confident qu'elle ait eu est enterré depuis quatre ans [1]... » Ce qui signifie que l'enfant ne se livrait pas facilement : pour qu'il se fût ouvert à Alfred, il a fallu que celui-ci fît les premiers pas, découvrît en lui des passions, une intelligence très vive malgré la médiocrité des succès scolaires et, comme on disait alors, le tragique sous le grotesque affecté. Il a fallu surtout qu'il aimât ce petit garçon *contre les hommes*. Contre leurs affairements, leur vivacité d'esprit, il lui plaisait de se mirer dans cette âme sombre et violente, encore obscure à elle-même. Contre le savoir et la culture il cherchait en Gustave la virginité de la pensée.

Mais Gustave lui-même? Peut-on imaginer l'enivrement du mal-aimé qui voit venir vers lui un prince de ce monde, un *homme*, presque aussi vieux qu'Achille, qui se détache du monde des adultes pour aller le rechercher chez les petits, lui, cadet de famille méprisé et frustré par les aînés? Nul doute, cette fois, qu'il ait été *élu*. Son

1. Début novembre 51.

orgueil d'écorché vif, nous savons qu'il le défend contre un sentiment douloureux d'infériorité : or voici qu'on vient à lui et qu'on
l'aime *pour ce qu'il est*. Avec quel fol élan il se donne à son nouveau maître. Dans quelle mesure l'amour qu'il lui porte est-il homosexuel ? Dans son excellent article « Le Double Pupitre », Roger
Kempf a très habilement et très judicieusement établi l'« androgynie [1] » de Flaubert. Il est homme et femme ; j'ai précisé plus haut
qu'il se veut femme entre les mains des femmes, mais il se peut
fort bien qu'il ait vécu cet avatar de la vassalité comme un abandon de son corps aux désirs du Seigneur. Kempf fait de troublan-
tes citations. Celles-ci, en particulier, qu'il relève dans la seconde
Éducation : « Le jour de l'arrivée de Deslauriers, Frédéric se laisse
inviter par Arnoux... » ; apercevant son ami : « il se mit à trembler
comme une femme adultère sous le regard de son époux » ; et :
« Puis Deslauriers songea à la personne même de Frédéric. Elle avait
toujours exercé sur lui ''un charme presque féminin'' ». Voici donc
un couple d'amis où, « d'un tacite accord, l'un jouerait la femme
et l'autre l'époux [2] ». C'est à raison que le critique ajoute que
« cette distribution des rôles est très subtilement commandée » par
la féminité de Frédéric. Or Frédéric, dans *L'Éducation*, est l'incarnation principale de Flaubert. On peut dire, somme toute, que,
conscient de cette féminité, il l'intériorise en se faisant l'épouse de
Deslauriers. Fort habilement, Gustave nous montre Deslauriers
troublé par sa femme Frédéric mais jamais celle-ci se pâmant devant
la virilité de son mari [3]. Les lettres d'Alfred rendent parfois un son
curieux : « Je viendrai te voir lundi sans faute, vers les 1 heure.
Bandes-tu ? » « Adieu, vieux pédéraste ! » « Je t'embrasse le
Priape. » « Adieu, cher vieux, je t'embrasse en te socratisant [4]. »

---

1. C'est le terme dont use Baudelaire pour caractériser Emma Bovary.
2. Kempf : art. cité. Rappelons-nous les « fiançailles » de Gustave et de Maxime.
3. Sauf peut-être dans un passage ambigu que Kempf cite sans le juger convaincant :
« Un pareil homme (dit Frédéric de Deslauriers) valait toutes les femmes. » Faut-il y voir
l'inconditionnelle « virilité » de Frédéric ou cet aveu : être la maîtresse d'un tel homme
me donnerait plus de jouissance que la possession de toutes les autres femmes, mes sœurs ?
Il faut noter que dans *L'Éducation sentimentale*, Deslauriers cherche à posséder les femmes
qu'aime Frédéric. Il échoue avec Mme Arnoux mais réussit avec Rosanette (Frédéric lui
avait permis d'essayer). Or, il n'est pas douteux que ce genre de trio plaisait à Gustave.
Des lettres inédites de Bouilhet prouvent que celui-ci a couché avec la Muse et que Gustave l'a su. De la même manière Maxime a couché avec la femme divorcée de Pradier,
qui n'aimait que Gustave et celui-ci lui en a donné la permission.
4. Ces citations sont faites d'après la photocopie des autographes, que M. Roger Kempf
m'a obligeamment communiquée. On les trouvera aussi, avec beaucoup d'autres, dans
son article cité.

Il m'apparaît que l'usage épistolaire de ces « tournures » marque clairement qu'elles ne se référaient à aucune pratique réelle. D'autant que, finalement, il s'était généralisé et semble avoir été adopté, entre 42 et 45, par toute la petite bande des camarades de Flaubert : celui-ci avertissait Alfred que Du Camp le socratisait (ce qui équivalait, sans aucun doute, à cette autre formule : « Maxime se rappelle à ton bon souvenir ») et Alfred répondait : je le sodomise. Des plaisanteries, donc. Mais non pas innocentes : entre des garçons de plus de vingt ans, ces joyeusetés pédérastiques ne sont pas coutumières. Au reste, quoiqu'elles tendissent à devenir le bien commun du groupe, elles y ont été introduites par le couple et, vraisemblablement, surtout par Alfred. On remarquera que celui-ci se donne le rôle actif : c'est lui qui caresse et socratise. N'est-ce point qu'il a conscience du trouble féminin qu'il provoque chez Gustave ? Ou mieux : qu'il *a* provoqué. Quand ils échangent ces lettres, les deux amis sont fort éloignés l'un de l'autre. Et nous trouvons, plus tard, dans la Correspondance de Flaubert, cette confidence[1] : « Est-ce que (David) ressemblerait au roi musicien de la Bible que j'ai toujours suspecté d'avoir pour Jonathan un amour illicite ?... Un homme aussi sérieux, du reste, doit être calomnié. S'il est chaste, on le répute pédéraste ; c'est la règle. J'ai également eu dans un temps cette réputation. J'ai eu aussi celle d'impuissant. Et Dieu sait que je n'étais ni l'un et l'autre. » Dans ce texte, ce n'est pas tant la dénégation qui compte (d'autant que Gustave, de son propre aveu, fut bel et bien dix-huit mois impuissant[2]), c'est le renseignement qu'il nous donne : il a passé pour pédéraste. Quand ? « Vieux pédéraste » lui dit Alfred quand précisément Flaubert, courant les garces et les bordels, entend prouver qu'il n'est ni impuissant ni homosexuel. En d'autres termes ce n'est point sa chasteté qui est à l'origine de cette réputation calomnieuse. À moins que celle-ci ne remonte au temps de son adolescence : dans les *Mémoires d'un fou* il raconte que sa première expérience sexuelle l'a dégoûté des rapports charnels et de lui-même ; n'a-t-il pas, dans ces conditions, résisté longtemps à ceux qui voulaient l'entraîner dans les lupanars rouennais ? Mais puisque Alfred, son seul confident, se fait quatre ans plus tard l'écho de cette rumeur, on imagine facilement qu'il sait à quoi s'en tenir. Il paraît donc vraisemblable que le cadet a plus ou moins explicitement désiré compléter leur amitié par une

---

1. À Louise, 1ᵉʳ septembre 52. *Correspondance*, t. III., p. 11.
2. Nous y reviendrons plus loin.

union charnelle dans laquelle Alfred eût joué le rôle du mâle. Et que, si on l'a « réputé pédéraste » à l'époque, c'est en raison de son attitude envers son ami.

Disons-le tout de suite : selon toute apparence, son attente passive et troublée a été déçue. Certes, il était beau, à l'époque, il avait le charme ambigu de l'adolescence ; Alfred était à l'âge où les désirs sont encore incertains : rien ne dit qu'il n'a pas été *aussi* séduit — comme Deslauriers par Frédéric — par le charme féminin qui se dégageait de ce jeune corps. Mais s'il y a eu des attouchements, des contacts sexuels, quelques séances de masturbation réciproque — ce dont je doute —, tout a cessé très vite. La raison en est qu'Alfred a trop de virilité pour s'intéresser longtemps aux garçons et trop de passivité féminine pour se plaire à jouer les homosexuels actifs. À partir de 1838, au plus tard, il a découvert ses goûts véritables : recevoir les caresses d'une femme vénale et humiliée, voilà son affaire. Son homosexualité, si tant est qu'elle soit vraiment prononcée, est, elle aussi, tout à fait passive : ses lettres le prouvent, il aimerait se faire voir par Gustave quand il jouit, pâmé, et savoir que le spectacle de cet abandon fait bander le voyeur-malgré-lui. Mais ce n'est guère qu'un fantasme : il décrit ses voluptés pour les compléter par le trouble qu'elles provoqueront, deux jours plus tard, en province ; c'est s'isoler : il ne donne ni ne partage rien ; tout au contraire, il frustre, s'offrant et se dérobant tout ensemble.

Malgré le nombre des citations et l'ingéniosité de Roger Kempf [1], nous restons ici dans le domaine des conjectures. Mais, dans le fond, cela n'importe pas tant. Le fait est que l'amitié, pour Gustave, est totalitaire et non réciproque. Elle commence par un serment (il projetait, dans son adolescence, d'écrire un conte dont nous connaissons le titre : « Le Serment des amis ») qui n'est autre que l'hommage, elle implique le don seigneurial et la fidélité, corps et âme, du vassal ; pour être complète, elle devrait impliquer la cohabitation [2], le travail en commun sinon la collaboration, le célibat, etc. Si Gustave a ressenti sexuellement ces exigences comme un désir d'être possédé par Alfred, ce n'était que la totalisation charnelle de leur liaison : non point *sa* vérité mais *une* de ses vérités. Et la frustration amoureuse traduisait en termes corporels une frustra-

---

1. Qui, d'ailleurs, en convient lui-même puisque le titre de sa conclusion est « Après tout, pourquoi pas ? ».
2. Cf. la première *Éducation* : « Nous devions demeurer dans la même maison... », etc.

tion générale. Disons que celle-ci pouvait s'incarner en celle-là et tout aussi bien de cent autres manières. Gustave veut bien être l'amant ; encore faut-il que l'aimé ait quelque besoin de lui, ne fût-ce qu'à la façon dont on dit que Dieu a besoin des hommes. À tout le moins souhaite-t-il ne pas sentir qu'aux yeux d'Alfred, Baudry, Boivin, Chevalier et lui-même sont interchangeables. Après tout, c'est le Seigneur qui l'a *distingué*. Or c'est ici que le malentendu commence : ce que réclame le cadet, l'aîné est, par constitution, incapable de le lui donner. Un passage de leur correspondance m'a frappé : nous sommes en 42, le 23 septembre, la famille Le Poittevin est à Fécamp, comme chaque année, celle de Flaubert à Trouville. Gustave a tenté d'imiter Alfred ; il lui écrit fièrement qu'il n'a fréquenté de toutes les vacances qu'un enfant et un idiot. Nous savons déjà ses raisons : l'enfance le fascine — et tout autant l'idiotie et la « bestialité » ; il retrouve en elles le monde fruste et terrestre de ses anciennes rêveries. Et puis il lui plaît aussi d'imiter son maître et de nouer ces amitiés *contre les hommes*. S'il se souvient encore du temps où il se croyait, à treize ans, l'objet de l'attachement peut-être fasciné d'un grand garçon de dix-huit ans, que doit-il penser de la réponse doucement implacable du fils Le Poittevin :

« Si tu fais à Trouville ta compagnie d'un matelot stupide et d'un enfant de huit ans, c'est bien, mais au-dessous de moi qui ne la fais de personne. »

Alfred plaisante ? À peine : il dit plaisamment ce qu'il pense. Fréquenter un enfant, c'est un moment de l'ascèse dont l'aboutissement doit être la solitude totale. Il est vrai que la lettre est écrite cinq ans après la période *vivante* de leur amitié : celui qui, vers 35-36, s'est attaché Gustave comme disciple permanent, c'était le byronien maudit ; et qu'attendre à présent du styliste qui a pris le parti de l'impassible immobilité ? N'empêche : on aura senti je ne sais quelle suffisance dans ce badinage — et qui remonte loin. Alfred estime Gustave, sans aucun doute, mais avec un sentiment très accusé de sa propre supériorité. Ce sentiment se retrouve partout. Bien sûr il y a des déclarations d'amitié — sèches et rares. Par exemple : « Reviens donc. J'ai soif de toi ; nous sommes deux trappistes qui ne parlons que quand nous sommes ensemble. » Ou encore : « J'ai grande envie de te revoir ; il y a malgré tout quelque chose qui saigne en nous quand nous sommes longtemps éloignés. La distraction empêche d'abord de le sentir mais nous ne sommes pas longtemps *distraits* et l'habitude se réveille. » On aura noté le « *malgré tout* » et le « *longtemps* ». Si la séparation ne dure pas trop, la distraction suffit à masquer ce qui n'est qu'une habitude. Si celle-ci finit par se réveiller c'est qu'Alfred ne s'amuse jamais de rien, n'est « pas longtemps distrait ». Et cette étrange restriction — dans la même lettre, une des plus amicales :

« Quand pourrons-nous... causer un peu
                    « *comme deux vieux amis...*?
« J'en ai grande envie pour ma part. Je t'aime beaucoup, mais je dois te sembler parfois bizarre. C'est un travers de gens très heureux ou très malheureux. » Pourquoi ce « mais » sinon pour répondre d'avance à une accusation d'indifférence ? De fait Alfred n'écrit guère. Des trente-sept lettres qui nous sont restées, presque toutes — à part les cinq premières — commencent par des excuses :

N° 6 : « Je te demande mille fois pardon mon cher ami de l'oubli où j'ai paru te laisser... »

8 décembre 42.

N° 7 : « Je suis vraiment honteux mon cher Gustave de mon retard avec toi ; mais je suis très occupé, très paresseux, très ennuyé... »

30 décembre 42.

N° 8 : « Je suis vraiment honteux de ma conduite envers toi... Nous faisons des promesses mais nous les tenons malaisément... (et après quatre ou cinq lignes) je t'écrirais plus longuement mais...

18 mars 43.

N° 10 : « Je viens d'apprendre que tu es furieux contre moi... »

15 mai 43.

N° 11 : « J'ai vraiment à te demander pardon, mon cher Gustave, de mon long et coupable silence... »

7 juin 43.

N° 12 : « Si je ne t'ai pas écrit plus vite, carissimo, ce n'est pas précisément que le temps m'ait manqué : le courage seul m'a fait défaut, comme d'ordinaire... »

25 juillet 43.

Il s'excuse aussi de sa maladie (« étant toujours malade... ») mais

Flaubert n'y croit guère : à la réception de la lettre du 7 juin 43 il écrit à Caroline avec un mélange d'inquiétude et de méfiance : « Alfred n'a-t-il pas été malade ? Était-il malade réellement ou simplement indisposé ? Ce gredin-là m'écrit si rarement qu'on ne sait jamais comment il vit ni ce qu'il devient [1]. »

N° 15 : « Pardon de cette petite lettre, mon cher Gustave, mais...

23 septembre 43.

N° 18 : « Quel que soit le plaisir que j'éprouve d'habitude à lire tes lettres, j'ai vraiment éprouvé un moment de remords en lisant celle que je viens de recevoir. Ce n'est pas que je ne pense à t'écrire... », etc.

14 décembre 43.

N° 19 : « Si je t'avais semblé, mon cher enfant, m'écarter un peu de toi depuis quelque temps, c'est que... »

N° 23 : « J'ai un peu tardé à t'écrire, cher vieux, parce que j'ai beaucoup travaillé... faire de l'Art, c'est aussi penser à toi. »

15 septembre 45.

N° 25 : « Il y a longtemps que j'ai pensé à t'écrire, mon cher Gustave, mais ce n'est pas seulement ma paresse bien connue qui m'a retenu, il a fallu écrire à mes deux familles tout au moins quelques lignes et à diverses reprises... »

9 septembre 46, Florence.

N° 26 : « Il faut avoir quelque indulgence pour un ami paresseux... »

17 avril 47.

N°27 : « Ce serait grande honte de tarder, ainsi, cher ami, à t'envoyer la lettre promise (si je ne m'étais remis à *Bélial*). »

13 septembre 47.

Les lettres qui suivent, dans le recueil de Descharmes, non datées, sont à l'avenant. Quand ils sont tous deux à Rouen, il écrit souvent pour décommander le rendez-vous :

----

1. *Correspondance,* Supplément, 15 juin 43.

N° 28 : « Je n'ai pu t'aller voir aujourd'hui... cela m'est impossible demain... »

N° 29 : « J'ai été dérangé tous ces jours... »

N° 30 : « Je me vois forcé de te faire défaut demain... »

N° 31 : « J'ai un peu tardé à t'écrire... »

N° 32 : « ... Je m'étais arrangé (pour entendre ton roman)... Vendredi une affaire survient à mon père. Le tien qui l'avait vu le savait, j'ai pensé qu'il te le dirait [1]. Je suis allé chez M. Sénard qui était absent. Il a fallu retourner samedi... Sénard m'a remis à aujourd'hui... Je viendrai demain mais avec Levesque et Boivin. Mercredi je suis retenu, je ne pourrai donc être libre que jeudi, et encore, ne te pouvant promettre que ma bonne volonté pour vendredi ou samedi ; je crois cependant qu'il n'y aurait pas d'ennui. »

Et quelle hauteur quand le malheureux Gustave se permet de protester ! Le 15 mai 43 :

« Je viens d'apprendre que tu es furieux contre moi, que tu adresses à Déville, par le facteur, des volumes d'injures qu'on me renvoie ; la chose est burlesque et mérite d'être expliquée... » (Suit une « explication » peu convaincante et dont le mérite, aux yeux d'Alfred, est de mettre toute la faute au compte de Gustave). Il ajoute : « Quant à moi en pareil cas, si j'avais eu quelque chose d'intéressant, comme tu dois avoir, à t'écrire, j'aurais remis à plus tard une mercuriale mais je t'aurais donné signe de vie. Je crois qu'en ne le faisant pas tu as eu tort et que tu t'es gourmé fort sottement ; je veux bien te le passer mais c'est un peu d'un homme abruti, probablement par les excès dont j'espère que tu vas te décider à m'envoyer la relation. »

Un peu plus tard, le 8 mai 44, nouvelle explication, nouvelle mercuriale :

« Si je t'avais semblé, mon cher enfant, m'écarter un peu de toi depuis quelque temps, c'est qu'il m'avait paru que de ton côté, dans une occasion récente, j'avais trouvé moins de franchise que je n'en attendais. Cela m'avait fait te cacher différentes choses que sans cela j'aurais été tout prêt à te dire. Il m'avait été triste d'agir ainsi, mais je serai heureux de m'être trompé. »

Le ton frappe d'autant plus que la « crise » de Gustave était survenue trois ou quatre mois plus tôt et qu'il était loin d'en être guéri.

---

1. En d'autres termes, Alfred n'a même pas songé à prier expressément son parrain de faire la commission. Il était attendu et n'est pas venu, sans se décommander.

D'ailleurs Alfred ajoute sèchement : « Envoie-moi un prompt détail de ton état. J'espère que la campagne et la mer t'auront presque remis. » La fin de la lettre est plus froide encore : « Adieu, mon cher Gustave, rétablis-toi et compte toujours sur moi *et nunc et semper.* Des nouvelles de ta sœur qui était encore souffrante quand elle a écrit à Laure [1]. Mes amitiés aux tiens. »

De la condescendance, de la sévérité : aucun souci vrai de la maladie de Flaubert. Celui-ci pourtant, quand il la sentait venir, en avait sans nul doute parlé à Alfred ; il avait dit, en tout cas, son état subjectif : le Maître n'y fait pas même allusion, il veut un bulletin de santé. Il est vrai qu'il ajoute :

« Je ne sais quelle fatalité nous suit mais on dirait que quelque chose cherche à jeter entre nous les obstacles, sauf que tout cela aboutit à un brin de paille par où on voudrait arrêter deux mers qui se réunissent. Pourquoi ne nous sommes-nous donc jamais trouvés à Paris réunis ? On dirait que cette ville ne veut pas nous abriter ensemble jusqu'à ce que l'heure soit venue qu'il faudra bien qu'elle nous reçoive. Espérons-le au moins. »

Mais tout le passage sonne faux, désagréablement. La première phrase, c'est de la littérature : rien ne ressemble moins que les deux amis à deux mers qui se réunissent. Gustave, à la rigueur, pourrait dans sa passion se comparer à un torrent. Mais le calme quiétiste de Fécamp n'a pas la violence d'une masse d'eau en mouvement. À moins qu'on ne veuille appeler océan cette immense lagune.

Non : à bien lire, Alfred refuse la réciprocité et semble d'autant plus s'y dérober qu'ils avancent en âge. 13 ans, 18 ans : voilà qui fonde une hiérarchie. 23 ans, 28 ans : le lien de vassalité tend de lui-même à se transformer en un rapport démocratique. Or c'est de ce lien d'égalité que l'aîné ne veut à aucun prix. Par orgueil ? Certainement. Mais pas seulement pour cela : cet homme de la dépense et du superflu, ce pur consommateur, ce schizoïde n'est aucunement fait pour la communication ; il n'a rien à recevoir et rien à donner. Les réserves et les dérobades de 42-48 permettent de mieux comprendre ce qu'il cherchait en Gustave vers 34-38.

Il a préféré le petit garçon non pas *malgré* son jeune âge mais *à cause de lui.* Rappelons-nous qu'il lui dira un jour : « Sais-tu qu'il est dur de ne jamais penser tout haut ? » La phrase est claire, Alfred eût pu écrire : « de ne parler à personne », « de ne communiquer

---

1. C'est mettre sur le même plan les malaises de Caroline (dont on ne connaissait pas encore la gravité) et la maladie de Gustave.

sa pensée à personne ». Mais non : il ne va pas jusque-là. Ce qu'il souhaite, c'est parler à voix haute devant quelqu'un qui soit suffisamment conscient pour donner sa *consistance* au mot proféré, suffisamment perdu pour ne pas risquer de devenir un juge ou même un témoin à part entière. Au temps des grandes conversations de l'Hôtel-Dieu Gustave remplissait à merveille l'une et l'autre condition. C'était ce que j'appellerai le *témoin minimum* ; il écoutait, enthousiaste et passif, sans jamais contredire ni altérer les exercices spirituels d'Alfred par des préjugés. S'il intervenait, s'il dépassait parfois l'aîné, c'était par passion : le Maître faisait dédaigneusement le procès du monde et le Disciple criait de rage et de dégoût. C'est justement ce que voulait Alfred : ce cœur sec n'avait pas besoin d'aimer — tout ce qu'il avait d'amour, il l'avait bloqué sur sa mère et enseveli ; il souhaitait être aimé d'un enfant, comme si la sensibilité d'un autre, vampirisée, pouvait devenir *sa* sensibilité *en tant qu'autre* ; il se plaisait à faire naître le scandale et le malheur dans ce jeune cœur comme s'il dotait ainsi sa propre pensée, pure et vide, d'une profondeur affective dont elle manquait jusque-là. Alfred, Narcisse nonchalant, s'aimait par le truchement de Gustave : il n'avait nul besoin d'*éprouver* ses idées, de les affronter à celles des autres, par la raison qu'elles étaient siennes et qu'il ne pouvait produire que celles-là. Il ne se souciait pas de passer de la certitude subjective à la vérité : il chargeait Gustave de lui fournir par son admiration une certitude consolidée. Cela veut dire qu'il ne sortait qu'à demi du subjectif : ce qui le ravissait, c'était de sentir le *poids* qu'avait *pour un autre* la moindre de ses maximes. Compris à moitié, adoré, il prenait à ses propres yeux je ne sais quel adorable mystère : le stoïcisme du Maître, abstraite et stérile négation de la vie, a toujours besoin de se dissimuler son formalisme. Gustave aimait une figure de chair, avec une voix, de la physionomie ; par cet amour le Maître ressentait *sa* voix, *sa* physionomie comme la matière concrète de l'Idée.

Dans cette amitié — que seul Alfred put *décider* — je vois aussi de la prudence : nous savons que cet esthète, par son identification à sa mère, est contraint à des compromissions mondaines. S'il redoute un juge, c'est qu'il a peur, obscurément, qu'on ne dévoile la contradiction de ses principes et de ses actes et, plus profondément encore, qu'on ne mette au jour cette vérité partielle : son mépris universel sert à justifier son conformisme. Gustave est naïf, coincé par sa famille : l'enfant ne découvrira pas le sens réel des activités du Maître. Celui-ci veut bien, quand il lui plaît, railler ou blâmer ses parents : il les a mis entre parenthèses et sauvés des eaux. Il lui faut un ami qui ne pousse pas l'entreprise de subversion jusqu'à contester sa vie en famille. Quand Lengliné se moque de Flaubert et chuchote que les petites filles le consoleront, à Paris, de son exil, Alfred se sent attaqué lui-même : il défend les liens de famille contre la bêtise d'un mufle. Et, là encore, c'est aux *limites* du vassal qu'il attache du prix.

Telle est l'origine de la mystification : élu, l'enfant se sentait *valorisé*. Or Alfred ne voyait en lui qu'un disciple vierge et borné qu'il formerait avant que le commerce des autres ne le déformât. Pour le Seigneur, celui-ci n'est qu'une moitié d'homme : il n'aime en lui que la réceptivité, cela veut dire qu'il ne tient qu'à soi-même. Narcisse peut mirer son visage dans une jeune rivière. Par cette raison, l'âge d'or de cette amitié remonte aux enfances de Gustave. Dès que celui-ci devient un interlocuteur valable, il perd aux yeux de son ami tout attrait : choisi *contre* la communication, le Disciple peu à peu devient plus exigeant et, au nom de ce choix même, il demande à communiquer avec le Maître. Alfred s'y refuse : n'ayant aucun progrès à faire, il juge toute contestation oiseuse. Le cadet à présent connaît l'aîné par cœur et en comprend parfaitement les idées ; plus de mystère. Certes il ne discute pas encore : mais il pourrait discuter, qui sait ? Juger ? Alfred ne tolérerait pas qu'on le jugeât, fût-ce au nom de ses propres principes. Il s'éloigne. D'une certaine manière on peut dire qu'il passe son temps à se dérober. D'où la pénible impression, chez Gustave, de se dévaloriser en prenant des années. Alfred l'a aimé enfant *pour son enfance* et contre les adultes ; à mesure que leur différence d'âge perd son importance, il voit davantage en lui un adulte futur et tend à l'aimer moins. C'est à la fois pour le rappeler à l'enfance perdue et pour le tenir à distance qu'il s'obstine, dans ses dernières lettres, quand Gustave est majeur depuis longtemps, à l'appeler « mon cher enfant », formule qui devait fortement déplaire au destinataire et qui, en effet, aux yeux d'un témoin qui n'est ni juge ni partie, trahit un état d'esprit fort déplaisant. Loin qu'Alfred ait *besoin* de Gustave, il s'en éloigne de plus en plus comme d'un complice qui en sait trop. Il lui préfère, à la fin, la solitude ou n'importe qui, mais dans le salon de sa mère, Lengliné, Boivin, Ernest. Non qu'il leur trouve de l'intérêt ; au contraire, parce qu'ils ne comptent pas : avec eux, il reste seul, imite la femme qui jouit, drague, boit, écoute leurs sornettes en riant mystérieusement et ne se livre pas. Ce qui l'écarte de Gustave, c'est à la fois le souvenir de leur intimité passée et la forte personnalité de son ami, qui s'affirme chaque jour un peu plus. Dès que celui-ci cesse d'écouter passivement le monologue d'Alfred, nous avons affaire à un dialogue de sourds. Voici, par exemple, les exhortations de Flaubert, farouches, plébéiennes, pratiques : « Ne pense qu'à l'Art, qu'à lui et qu'à lui seul car tout est là. Travaille, Dieu le veut : il me semble que cela est clair [1]... Pense, travaille, écris, relève ta chemise jusqu'à l'aisselle et taille ton marbre comme le bon ouvrier qui ne détourne pas la tête et qui sue en riant sur sa tâche [2]... Envoie faire foutre tout, tout et toi-même avec si ce n'est pas ton intelligence [3]... » Et voici quelques réponses d'Alfred : « J'ai parfaitement écarté dans tout plan d'avenir ce qui n'est pas moi... La principale question c'est d'*être* artiste. J'admire ta sérénité. Tient-elle à ce que tu es moins détourné que moi, moins assailli par l'*externe* ou bien est-ce que tu as plus de forces ? Tu es toujours heureux de te sauver par un moyen que j'aurais aussi et auquel je n'ai pas eu jusqu'ici l'envie de me cramponner. Je ne veux plus de la gloire que je cueillerais peut-être en avançant la main... »

Visiblement, les deux hommes ne se comprennent plus, bien qu'ils emploient encore l'un et l'autre les mots clés qui les charmaient autrefois. Flaubert s'agace : son ami n'a paru le valoriser que pour le dévaloriser plus profondément. L'adolescent a cru que le regard du Maître lui conférait enfin son être : il s'aperçoit que celui-ci ne regarde rien ni personne, ne l'a peut-être jamais regardé, qu'il n'a d'yeux que pour lui-même. En face de cet aveugle, Gustave, dépouillé de sa réalité, se sent retomber dans l'imaginaire. Sa déception profonde n'est certainement pas étrangère à sa crise de 44 ; c'est ce que tend à montrer la lettre d'Alfred, datée du 8 mai suivant : on y trouvera la preuve que les deux jeunes gens se reprochaient alors leur manque de franchise. Mais nous ne pouvons comprendre leurs divergences croissantes qu'en étudiant l'autre frustration que leur triste amitié impose à Gustave.

1. Gênes, 1er mai 1845, I, 167.
2. Milan, 13 mai 1845, I, 171.
3. Croisset, sept. 1845, I, 192.

B. — LA NÉGATION MANQUÉE

À la différence de son maître, le cadet n'est pas un « homme du superflu » ; c'est que le superflu n'existe pas chez les Flaubert — et, pas davantage, la consommation pure. Gustave est embarqué dès le premier âge dans l'entreprise familiale. Cela suffit à lui donner fondamentalement la structure d'un « homme du nécessaire ». Voilà ce qu'il nous faut expliquer d'abord.

Depuis le début du siècle, les classes moyennes s'accroissent : elles commencent à peser indirectement sur les décisions de la classe dirigeante et la conscience de ce pouvoir naissant leur fait amèrement sentir leur impuissance politique. Les plus radicaux de ses membres seront républicains dès 1830 ; la majorité reste dépolitisée. Son problème est socio-professionnel : prélevée par les riches sur les masses, elle ne peut conserver ses privilèges qu'en les consolidant et qu'en les augmentant sans cesse. Intermédiaire entre les classes « défavorisées » et les classes dominantes, née des appels d'air qui la rapprochaient des cimes sans lui permettre d'y atteindre, elle connaît à la fois sa *dépendance*, d'où l'ambivalence de ses rapports avec les nantis — et sa *qualité* — d'où sa haine de classe pour les travailleurs manuels. J'appelle le représentant des classes moyennes en formation un homme du nécessaire pour l'opposer aux hommes du besoin. Ceux-ci sont les esclaves de la faim, celui-là, grâce à l'accumulation croissante du capital, est mis en possession des moyens d'assouvir la sienne. Cet homme *a le nécessaire*. Mais par cette raison même il y est aliéné : pour éviter les chutes et les rechutes, pour écarter de lui cette contrainte par corps, le besoin physique, il trouve dans le social sa nécessité. Sa tâche, mieux, son impératif catégorique est d'obtenir confirmation du statut octroyé. Mais il ne s'agit nullement d'un but : on améliore des positions, on pose des jalons pour une confirmation ultérieure et plus solennelle qui ne sera, elle-même, qu'un tremplin. La *socialité*, chez l'homme du nécessaire, bouleverse tout : il mange pour travailler, travaille pour épargner, épargne pour s'élever, s'élève pour travailler plus encore. Il ne s'arrête jamais à jouir ; le luxe et les biens de ce monde ne sont pas son affaire : il refuse jusqu'aux plaisirs qui se trouvent à sa portée ; mais sur les besoins aussi, il lésine : non seulement par économie mais pour démontrer qu'il s'est élevé au-dessus de l'existence simplement naturelle et qu'il ne partage plus les grossiers appétits des masses. Et c'est vrai : satisfaits d'avance, ses besoins se sont assoupis ; de toute manière, il a l'orgueil de ne s'en pas soucier ; c'est se priver d'un coup de ces fins urgentes et larges qui s'imposent à l'affamé et le mènent au combat. Quant à manger moins qu'un travailleur de force, l'homme du nécessaire peut y parvenir aisément : surtout quand il exerce son métier, comme il fait le plus souvent, dans sa boutique ou dans son cabinet. C'est l'homme-moyen par excellence : l'homme des moyens, l'homme des moyennes. Étranger aux fins réelles de la classe possédante, dont la principale est l'accumulation du capital, comme à celles des classes exploitées dont la plus impérative est *alors* l'assouvissement des besoins, il n'est, dans le procès social, jamais fin par lui-même (comme est obscurément encore l'homme du besoin quand il lutte contre l'exploitation qui tend à le réduire à n'être que le moyen essentiel de l'accumulation) ni — comme le capitaliste à ses propres yeux — moyen essentiel d'une fin absolue, c'est-à-dire du profit. Cet auxiliaire des bourgeois vit sur une part minime du profit, qu'ils lui concèdent en échange de services définis. En d'autres termes — qu'il soit avocat, médecin, ou notaire — il est moyen de moyens : sa fin propre est de restaurer les moyens sociaux ou de régulariser leurs rapports. Cela veut dire qu'il ne quittera pas sa fonction d'administrateur ou de commis et qu'il sera constitué par l'intériorisation de sa charge. Les termes initiaux et, tout autant, les termes ultimes d'une série *pratique* lui échappent : par la raison même que sa réalité sociale n'est jamais au commencement ni à la conclusion d'une entreprise ; il saisit clairement par contre les intermédiaires — moyens, moyens de moyens, apparences de fins qui deviennent moyens dès qu'on les atteint — parce que sa condition même est celle d'intermédiaire. Pas un souffle de liberté : il est paralysé par tous les systèmes qu'il a construits pour dissoudre la téléologie sans perdre l'ustensilité ; de là ce qu'on pourrait appeler son impératif majeur : « Agis de telle sorte que tu traites l'humanité en ta personne et en celle d'autrui comme un moyen et jamais comme une fin. » Du coup l'homme du nécessaire met son orgueil à devenir le meilleur moyen possible, il se donne, en connaissance de cause, l'être-moyen pour fin absolue et prétend régner sur le monde instrumental.

C'était la morale d'Achille-Cléophas : il tenait ses enfants pour les moyens dont il avait pourvu sa famille. De celle-ci, sans nul doute, il faisait un moyen de progrès pour la science et de la science, inversement, un moyen d'existence pour sa famille. Que l'orgueil de connaître, la curiosité des recherches singulières et passionnées l'aient tiré de cette fange et qu'il ait, savant, connu des fins absolues, telles que le savoir, et des jouissances de luxe, telles que la découverte, j'en suis sûr. Mais sa réalité profonde restait conditionnée par la *médiocrité* de l'improductif.

Gustave, pas plus qu'Achille, n'échappait à ce conditionnement. Toute sa gravité soutint et nourrit le sérieux morose de la famille. Enfant, il crut à tout, il se donna tout entier aux jeux sévères de l'épargne, on ne peut douter qu'il ne fût pénétré de ses responsabilités fondamentales. Pourvu qu'il arrachât un sourire à son père, le petit garçon ne demandait pas mieux que de devenir le moyen le plus décidé, le plus dépourvu de fins : par le fait, il l'était déjà. Le drame vint du « droit d'aînesse », des « sarcasmes » familiaux, du collège : Gustave eut la révélation amère qu'*il n'était pas un bon moyen*. Par cette découverte, il fut tordu, faussé, dévié ; la trame dont il était fait, toutefois, la substance Flaubert dont il était un mode mineur et monstrueux, comment se fût-elle changée ? C'était elle qui poussait à l'extrême ses contradictions : on supportera d'être un mauvais moyen si l'on se tient en soi pour une fin. Mais si l'on vous a fait moyen au départ ? Gustave demandait seulement d'être un instrument de première classe : c'est *cela* qu'on lui refusait, rien d'autre. Depuis le premier âge, il est déjà structuré par l'entreprise commune ; à travers l'aliénation au père, il s'est aliéné à l'organisation Flaubert : la vassalité — sa pulsion première — l'introduit, par élan féal, dans ce microcosme au travail ; l'utilitarisme, style de vie du Seigneur, est adorable, l'enfant l'intériorise, il en fera le plus profond, le plus étendu, le plus dur de ses massifs sous-marins. Tout cela, bien sûr, s'est fait sans mots : même à présent, l'adolescent n'a pas de mots pour désigner le soubassement sur quoi tout l'édifice repose et qui est antérieur à tout, même à l'« ambitieuse jalousie » qui le travaille. Par le fait, ce n'est pas d'une femme qu'il est jaloux ni de la gloire d'un capitaine, d'un auteur : c'est d'une charge honorifique et de l'argent qu'elle rapporte indirectement. Il est d'accord sur l'impératif Flaubert : cette organisation doit être à même de fournir le médecin le meilleur et le plus cher de Rouen ; en cas de décès subit, c'est elle encore qui doit pouvoir envoyer un autre de ses membres pour remplacer au pied levé le membre décédé. Son malheur commence donc *à partir* de cet accord original : ses rages et ses désolations n'ont d'autre force que celle qui leur vient de sa frustration première ; on a vu qu'elles sont extrêmes : c'est donc que la frustration même est d'une extraordinaire puissance.

Naturellement, cette « ambitieuse jalousie » et les tendances qui la soutiennent, Gustave ne voit pas qu'elles sont des déterminations pratiques de l'utilitarisme : la vassalité, les élans féodaux, le désir de croire suffisent à masquer en lui l'arrivisme Flaubert dans sa lourde réalité. Quand il prend conscience de sa jalousie, tout est déjà détraqué : l'arrivisme se montre mais se sublime en désespoir ; de fait l'enfant se pose *dans son instrumentalité* et se découvre comme un outil mal fait qu'on va jeter au rebut. À partir de là, ses démêlés — intérieurs — avec la famille porteront sur l'exil où l'on maintient un enfant qui ne demandait pas à naître ; ses sentiments pour son frère exprimeront son écœurement devant l'injustice universelle. Élans refusés, sens exigeant de la justice : voilà ce qu'il verra dans son cœur, ce que nous verrons sur le devant de la scène. Mais le fond, c'est cet absurde infini : les fins-moyens devenant moyens-fins. On l'a soigneusement façonné, il a tout repris à son compte ; or *il se trouve* que de ce moyen conscient et organisé, personne ne veut faire usage. Il découvre l'inutilité mais non pas, à la manière d'Alfred, comme une arrogante gratuité : comme un moindre être, comme un refus objectif de l'utiliser. Partageant les principes et les passions de ses tortionnaires, il ne peut se délivrer par la révolte ; la négation, informulée, informulable — et partant sans effet réel — étouffe sous les fantasmagories du ressentiment. Qu'il cherche Dieu, qu'il dénonce l'aridité des certitudes paternelles, qu'il rêve de gloire ou de suicide, l'enfant n'en poursuit pas moins, jusqu'à la sortie du collège, un travail décevant, répugnant, obstiné : il veut être au moins l'égal d'Achille et, dans le même moment, son corps résiste et le trahit. Toutes les conduites, toutes les attitudes, tous les rêves de Gustave sont rigoureusement conditionnés par son *être Flaubert* ou, si l'on veut, par son caractère de moyen, et par son *manque d'être* singulier — c'est-à-dire par la sentence supposée du père qui ne le trouve *pas assez* Flaubert et du coup le détermine à n'être qu'un Flaubert de seconde catégorie. L'austérité de sa vie familiale reposait entièrement sur la passion utilitariste mais, du même coup, elle la lui dissimule : c'est la « vertu par complexion ». De la même manière, le Savoir du médecin-philosophe revêt l'entreprise d'une haute dignité presque désintéressée : la Science se voue à l'Universalité ; ainsi les progrès sociaux des Flaubert sont liés aux progrès de la Pensée ; l'enfant peut même s'imaginer sans mauvaise foi trop visible que ceux-là ne sont que les récompenses de ceux-ci et que le chercheur, poussé par le seul souci de connaître, accepte les distinctions ou l'argent sans y prendre garde, par modestie. C'est un thème qu'on rencontre parfois sous la plume de Flaubert — mais rarement : la Science enrichit, dans ses ouvrages. Et, surtout, ni dans ses premiers contes ni dans ses lettres, on ne trouve chez lui le véritable souci de connaître le monde. Ou plutôt, curieusement, tout se passe pour cet adolescent de quinze ans comme si l'univers de la Science était *déjà connu*. Il n'a pas de curiosité : à quoi bon raffiner sur le détail puisque les principes de l'ensemble sont établis. Tout étant su, c'est aux élans du poète et du philosophe qu'il incombe de faire le total. Autrement dit, l'ambitieuse jalousie de Gustave le porte à convoiter l'argent, les honneurs, une certaine *qualité* qui marque la supériorité des Flaubert sur les autres hommes ; mais — dégoûté par les aphorismes du père et les succès du frère aîné — jamais il n'a souhaité *connaître pour connaître*.

À prendre les choses par la base, il faut voir ses élévations, ses mépris, ses appels à Dieu, sa misanthropie comme des tentatives de diversion et de compensation qui restent, malgré tout, périphériques — à cette époque du moins. Ce jeune garçon veut faire carrière ; les outrances de son romantisme noir ne doivent pas — je l'ai dit — être prises à la légère. Mais il ne faut pas non plus qu'elles nous dissimulent le sérieux profond d'un garçon qui rêve de devenir un moyen notoire, un notable de sa bonne ville de Rouen. Il se plaignait, tentait souvent de disqualifier ces moyens-fins dont il savait d'avance qu'il ne les atteindrait pas. Mais ces truquages, ce recours à l'orgueil, à l'extase, loin de prouver son nihilisme nous dévoilent dès l'origine — au sens où l'on dit « soldat perdu » depuis le putsch d'Alger — un utilitariste perdu. S'il veut obliger sa famille et ses condisciples à payer au plus cher le mal qu'ils lui ont fait, s'il se détache de leurs intérêts grossiers et les voit s'abîmer à ses pieds, c'est *justement* parce qu'il est incapable de détachement. Ce vassal surnuméraire, pour s'arracher *par en haut* au monde des *intérêts*, a commencé par vouer sa vassalité refusée à ces grands absents, Dieu, la Noblesse du cœur, la Noblesse tout court, dont la non-présence lui paraît un régime très adouci de non-être. Mais, pour son malheur, l'élévation solitaire est pure irréalisation. Il pourrait en résulter un cycle à périodes courtes mais languide, le retour d'ascensions imaginaires suivies de retombées amorties par des dispositifs automatiques de freinage si l'envie, la hargne jalouse, la terreur de crever comme un rat pris au piège, l'arrivisme exaspéré et contré avec ses conséquences inévitables, la haine fratricide et la honte, la totale soumission à la famille et la répugnance invincible pour le sort qu'elle lui ménage, bref si toutes ces passions issues de sa condition sociale et de sa situation particulière n'avaient chauffé à blanc le système autodéfensif, rendant chaque jour les élévations plus ambitieuses et les chutes plus brutales sans donner pour autant à Gustave la puissance négative qui lui eût permis de se révolter. Quand Alfred se prend d'amitié pour lui, le cadet Flaubert a compris qu'il crèvera s'il n'apprend à dire non, à se contester, à contester tout ce qu'il respecte encore.

Le petit garçon est ébloui par son futur Maître : il voit en lui l'archange du refus. Le Poittevin, en effet, est dans sa période byronienne : il défie Dieu, c'est-à-dire le Père éternel ; aux yeux de Gustave, c'est le vaincu invincible. Vaincu : rien ne peut plaire davantage à l'enfant, victime d'une malédiction qui l'oblige à partir perdant. Invincible : c'est en cela qu'Alfred lui servira de modèle ; le Maudit, théologien magnifique, a la force d'opposer à son Créateur un indéfectible Non. La négation, c'est l'arme absolue : Flaubert veut se mettre à l'école de Satan pour apprendre à s'en servir.

Ici commence le malentendu : Alfred est byronien d'occasion. Il lui plaît, à l'époque, d'exprimer son malaise, ses rancœurs et son orgueil en condamnant l'« œuvre de Dieu » et en apostrophant le Créateur : nous savons que ses certitudes intimes, nées dans sa protohistoire, lui donnent la force d'affirmer et de nier catégoriquement. Mais la position du vaincu ne lui convient guère : la preuve en est qu'il cesse brusquement d'écrire. Certes la vie est *par principe* une défaite mais seulement pour ceux qui acceptent de la vivre ; Le Poittevin se sent la force de la refuser : « Vivre sans vivre » ; il tuera en lui « tout ce qu'il y a d'humain ». Gustave ignore qu'il y a deux négations : celle du Maître et celle de l'esclave. Alfred tente de pratiquer la première : il se met au-dessus de sa vie et, simultanément, il cherche à la détruire. Le voici donc qui remplace la révolte par une négation globale et tranquille : le monde des travaux et des peines s'abîme à ses pieds, le jeune homme sera tout à la fois un « Je pense » vide et un joyau superflu. Gustave réclame, lui, l'usage d'une négation patiente, laborieuse et corrosive qui s'attaquerait aux détails pris un par un sans mettre d'abord en question les principes inculqués ni les pulsions fondamentales. Homme du nécessaire, il a besoin de contester la situation qui lui est faite dans le milieu de la nécessité, au nom des valeurs mêmes que produit ce milieu. Sans doute espère-t-il vaguement qu'un renversement s'opèrera au terme de la contestation progressive, qui en sera la récompense. Mais il ne sait pas encore si sa victoire lui permettra d'échapper à l'entreprise nécessitaire ou de se rétablir en celle-ci avec toutes les dignités que son mérite lui confère. Pour tout dire, s'il devait choisir, il opterait pour la seconde solution : il souhaite avoir la force de dénoncer publiquement l'injustice dont il se pense victime mais cette dénonciation ne prendra tout son sens que si elle s'adresse aux hommes de la nécessité. En conséquence la négation doit être intérieure au système. L'idéal pour le mal-aimé rancuneux serait peut-être de démontrer, par l'exposé de son cas, que le monde est mauvais mais qu'il n'en existe pas d'autre et que, par conséquent, on tenterait en vain de s'en évader ou d'y changer quoi que ce soit. Par deux raisons : ce monde l'a blessé, ce monde pourra seul le guérir ; et puis l'enfant, quoi qu'il puisse dire, a intériorisé certaines normes qui font, à présent, partie de lui-même : il respecte le travail des « capacités », la Science, l'argent, la propriété. Ses premières œuvres en font la preuve : Garcia s'évanouit de rage mais ne songe pas à nier l'importance des honneurs et de la richesse : ils les veut pour lui-même, voilà tout. Ce que Gustave demande à son nouveau maître, c'est de changer son ressentiment craintif en révolte limitée.

Or il ne lui faut pas longtemps pour découvrir que, sous un byronisme d'emprunt, Alfred se maintient dans une négation universelle et figée de la vie et qu'il prend sur toute chose le point de vue de la mort, c'est-à-dire du Néant. Mais, lui dit doucement son Seigneur, c'est aussi celui de l'Être. Alfred lui tend les bras, souriant, gracieux, patient et si beau[1] ; il ne demande qu'à élever jusqu'à lui son vassal. L'enfant est fasciné mais inquiet ; il veut s'identifier à cette grâce merveilleuse : c'est qu'il *aime* ; il ne demande qu'à s'abandonner aux mains de l'aimé : physiquement, sans doute, et moralement, c'est certain. L'aîné, c'est *animus*, le cadet *anima*. S'identifier, c'est trop dire : Gustave, plus modestement, demande à s'engloutir en Alfred : il ne *sera* son Maître — et bien partiellement — que dans la mesure où il se fondra en celui-ci. Fascination

---

1. À ma connaissance, nous ne disposons d'aucun portrait de lui. Mais Gustave a un tel dégoût de la laideur, une telle attirance pour la beauté *visible* qu'il n'a pu vouer un tel amour qu'à un jeune homme avantageux. N'a-t-il pas dit, plus tard, que Maupassant était l'image vivante de son oncle ? Or le neveu, comme on sait, était un fort bel homme.

ou vertige ? Il ne sait : va-t-il voler ou choir dans un gouffre ? Se laisser avaler par Alfred, est-ce enfin trouver l'*Être* ou s'abolir ? Le Seigneur ne veut *rien* ; de son abstention philosophique, il tire une condamnation radicale de la réalité ; l'Univers, disqualifié, n'est qu'une pluie de confettis, un chatoiement de reflets, rien ne vaut la peine de lever un doigt ; le jeune Œdipe se fait inutile pour s'identifier à l'être d'une trop belle Jocaste. Gustave comprend, à présent : si jamais il rejoint le maître, ce qu'il trouvera là-haut, c'est la neige éternelle, l'anorexie. L'angoisse le prend ; il a des passions étroites et farouches : il nourrit l'âpre désir de devenir un *grand* Flaubert pour arracher un sourire et, peut-être, des larmes à son père, il veut mener sa famille à l'assaut de la société rouennaise, *arriver*, l'emporter d'une manière ou d'une autre sur le brillant Achille : comment ne verrait-il pas que ces aspirations humaines, trop humaines sont condamnées sans recours par la philosophie de son bien-aimé ? Celui-ci méprise souverainement de si mesquines visées. Gustave, homme du nécessaire, se sent écrasé avec ses congénères par l'impitoyable nonchalance de l'homme du superflu. À la honte d'être un mauvais moyen s'ajoute celle de vouloir en être un bon : voici les classes moyennes mises à nu ; sous le regard d'un nanti, Gustave découvre dans la honte qu'il en fait partie. Un seul salut : grimper vers ce riche qui l'attend. Mais ce serait s'arracher le cœur : or il tient à ses désirs, à son ressentiment, à son désespoir, à ses espoirs vains et conscients de l'être : que lui offre-t-on, là-haut ? Pas même une revanche : l'oubli. Il agira sur soi-même, sur soi seul, il se videra de tout et, pendant cette ascèse, les méchants poursuivront, impunis, leur triomphante carrière. La petite victime n'échappera pas même à leurs « sarcasmes » : simplement elle y sera devenue insensible ; mais les bourreaux ne le sauront pas. Et pourtant Alfred n'a qu'à paraître : sa supériorité éclate. Sur tout. Même sur le praticien-philosophe. Car le vrai philosophe, c'est lui. Il « a des idées ». Éblouissantes. Irréfutables. Gustave n'en a point : les nommera-t-on des idées, ses aversions obscures, singulières, nées de l'urgence ? Cette pensée captive, ruminée, obsédante, incertaine, ces impressions intimes qui végètent dans sa pénombre et cherchent sourdement un langage ? En tout cela, rien n'est « raisonnable » ni raisonné : ce sont des mouvements défensifs. Les idées, c'est un luxe ; en avoir, c'est devenir son propre ciel avec toute l'angoisse que cela comporte. Alfred peut s'en permettre quelques-unes : ce bien-aimé a des droits sur le monde. Pour lui, la vérité existe. Il la confond souvent avec ses caprices : parce qu'il est souverain.

Il ne vérifie pas : il invente et ses inventions ont force de loi. Gustave ne peut se permettre d'affirmer, de nier : à peine formulées, il le sait, ses idées, si même il en avait, deviendraient fausses. Il imite son ami, lui emprunte son pouvoir de négation, adopte son langage mais les paradoxes d'Alfred n'ont d'autre caution pour le disciple que le principe d'autorité et que l'amour qu'il porte au Maître. Est-ce qu'il y croit, Gustave, aux théories d'Alfred ? Oui et non : elles le fascinent, il s'en convainc un moment, par autosuggestion, mais cela n'empêche qu'il frôle sans cesse la certitude de l'Autre sans jamais la partager : s'il veut s'en emparer, elle devient en lui *conviction autre*, c'est-à-dire conviction maligne qui le terrorise parce qu'elle l'occupe sans le combler. « Alfred avait des idées, je n'en avais pas. » Cela revient à dire qu'il n'a jamais *partagé* les opinions de son ami : les pensées de Le Poittevin emplissaient Flaubert comme les pistoles du Diable et se changeaient en feuilles mortes quand il les touchait. C'est dire que même leur accord intellectuel paraît fragile et décevant. Gustave a conscience d'être l'élément passif dans les dialogues du jeudi (« Pense *pour* moi ») ; Alfred, lui, ne prétend pas être un Socrate, un accoucheur d'esprit : il « pense tout haut » ; du coup, il rejette son ami dans le *pathos* : il ne reste à celui-ci que l'outrance, la passion, l'hyperbole, les « extravagances » ; il renchérit, scandalisé, sur les exécutions sommaires, sur ce jeu de massacre qui lui ravage le cœur en satisfaisant ses rancunes ; il se traîne en gémissant aux pieds de l'insensible Almaroës qui lui dit avec un sourire un peu méprisant : « C'est ainsi ; pas la peine d'en faire une cathédrale. » À quoi la chienne Flaubert, aux « mamelles pendantes », répond humblement : « Rappelle-toi que je suis un fou[1]. » Bref, s'il est vrai que la possibilité propre d'un autre que nous aimons, quand nous la découvrons en lui, devient, si elle nous est refusée *a priori*, notre plus intime impossibilité, Gustave s'est vu dénier par Alfred le droit de former des pensées rationnelles. Certes, on ne peut dire que l'adolescent y fût enclin. Mais le « philosophe » bien-aimé l'a formellement exclu du « règne de l'esprit » par le soin apparent qu'il mettait à l'y faire accéder. Par cette raison, l'orgueilleux disciple, après 47, va tenter de donner au sentiment une profondeur, une universalité qui rejoignent celles de l'Idée : c'est Charles Bovary disant à Rodolphe : « C'est la fatalité ! » Cela veut dire qu'il tente de s'égaler au Maître mort et peut-être de le surpasser ; il y a deux manières de penser : avec le

---

1. Dédicace des *Mémoires* : « Rappelle-toi que c'est un fou qui a écrit ces pages. »

cœur, avec la tête ; l'une et l'autre, poussées à l'extrême, atteignent la même vérité et celle-là mieux encore que celle-ci puisqu'elle joint à l'ampleur l'intuition concrète du vécu dans sa singularité. Du reste, malgré le mimétisme qui lui fait reprendre et radicaliser les théories du Seigneur, il reste sourdement convaincu que la « vraie » vérité demeure aux mains du *pater familias* : il n'y en a pas d'autre que la Science et la Philosophie mécaniste (qui, elle aussi, à sa manière, est un nihilisme désespérant mais qui ramène à l'utilitarisme). D'Alfred, éblouissant, sûr de soi, trop convaincant, il se défie : ce qui est bon pour lui, qui sait si ce sera bon pour moi ? et si ces idées étaient fausses ? et si, m'emplissant d'elles par amour, j'allais ne plus pouvoir m'en débarrasser ?

Sur la manière dont l'adolescent *vivait* les dialogues du jeudi, nous avons un témoignage qui en est presque contemporain : *Les Funérailles du docteur Mathurin*. Flaubert y raconte les derniers entretiens d'un Maître et de ses deux disciples — deux : sans doute Ernest était-il parfois admis au jeu de massacre. « Si vous les aviez vus ainsi épuiser tout, tarir tout... » Or il est clair que les trois compères sont, comme des apprentis sorciers, effrayés de ce qu'ils sont en train de faire. Alfred ne l'était certainement pas : il s'agit donc du seul Gustave partagé entre l'enthousiasme, le zèle iconoclaste (figuré ici symboliquement par l'ivresse), la conscience apeurée de *mal faire*, de blasphémer et, somme toute, de vendre son âme au Diable, bref de choisir délibérément la part nocturne, et une colère grandissante contre les valeurs admises (admises par Gustave lui aussi) qui ne se défendaient pas assez bien.

« Il y a dans leur cœur une force qui vit, une colère qu'ils sentent monter graduellement du cœur à la tête, leurs mouvements sont saccadés, leur voix est stridente, leurs dents claquent sur les verres ; ils boivent, ils boivent toujours, dissertant, philosophant, cherchant la vérité au fond du verre, le bonheur dans l'ivresse et l'éternité dans la mort. Mathurin seul trouva la dernière. Cette dernière nuit-là, entre ces trois hommes, il se passa quelque chose de monstrueux et de magnifique... tout passa devant eux et fut salué d'un rire grotesque et d'une grimace qui leur fit peur... Ils se remirent à boire... C'était de la frénésie... une fureur de démons ivres... Mathurin..., entré dans le cynisme... y marchera de toute sa force, il s'y plonge et il y meurt dans le dernier spasme de son orgie sublime. » Mathurin, c'était d'abord le père Flaubert — nous l'avons vu plus haut —, ensuite c'est Gustave lui-même. À présent, c'est Alfred[1] «pensant pour» Gustave qui, du coup, s'incarne aussi dans «les» disciples; mais *c'est aussi* Gustave s'efforçant furieusement, «monstrueusement», de se fondre en Alfred et d'atteindre l'«éternité dans la mort». En somme *Animus* pense, *Anima* palpite : ces revues si générales («la métaphysique traitée à fond en un quart d'heure», la morale «en buvant un douzième petit verre») ne sont, pour le disciple *encore enchaîné*, qu'une rampe d'accès vers un Virgile démoniaque : à chaque marche, l'enfant se dépouille d'une croyance ou d'une espérance (en fait il ne se dépouille de rien puisqu'il faudra recommencer le jeudi suivant : disons qu'il se blesse et s'ensanglante), il le faut car, là-haut, il est écrit : «*Lasciate ogni speranza.*» Alfred l'attend, fascinant et décevant, chaleureux et glacé. Là-haut? Là-bas? C'est tout un : le Maître adorable n'est autre que Satan. Et Gustave se damne par l'amour qu'il lui porte.

Le Voyage en enfer a été publié en 1835 (dans *Arts et Progrès*) et *Satan*, le poème d'Alfred, dans le premier semestre de 1836. Les deux écrits sont, en somme, contemporains et comme il y a peu de chance qu'un petit garçon de treize ans puisse influencer un jeune Monsieur qui en a dix-huit, il paraît infiniment probable que le mythe de l'ange déchu, si cher aux romantiques, a touché d'abord Alfred et, par son canal, Gustave. Pour Le Poittevin, nous l'avons vu, c'est l'époque du pessimisme. Il s'identifie sur l'heure au Maudit et ce premier poème n'est qu'une longue apostrophe au Tout-Puissant. Le cadet saisit l'occasion au bond : Alfred est le Démon. *Le Voyage en enfer* résume, en quelque sorte, les premières conversations de l'Hôtel-Dieu. Gustave s'élève par ses propres forces jusqu'au sommet de l'Atlas : cela, c'est l'élévation extatique, première transformation intentionnelle de ses stupeurs. Toutefois, *par lui-même*, il n'est pas capable de sortir d'une méditation vague : «de là je contemplais le monde et son or et sa boue, et sa vertu et son

---

1. A-t-on remarqué que Mathurin dans ses dernières heures résume en lui d'une manière frappante les deux attitudes complémentaires d'Alfred : sachant qu'il va mourir, il se tue à l'alcool et professe un hédonisme sinistre qui n'est qu'une justification du suicide en même temps que, «poussant jusqu'au bout son cynisme», il atteint à l'éternité par la mort? Le bonheur sensuel par l'orgie démoniaque et sublime, la calme ataraxie des cimes : l'instant et l'éternel se mirant l'un dans l'autre, n'est-ce pas le portrait même d'Alfred tel que Gustave pouvait le peindre en 1839 — c'est-à-dire avec un an de recul par rapport aux causeries de l'Hôtel-Dieu. Ce qui appartient en propre au cadet Flaubert, c'est le *pathos* du personnage et son style «grotesque».

orgueil ». Autrement dit, il n'est capable ni d'« analyser » — comme il dirait — les comportements humains ni de tirer les conclusions de son étude. C'est à ce sommet que l'attend Alfred : « Et Satan m'apparut. » L'aîné emmène avec soi le cadet : « Et Satan m'emmena avec soi et me montra le Monde. » Bref, d'une certaine manière, le Démon fait redescendre le jeune auteur. Mais c'est pour lui faire voir le détail des grandes entités — or, boue, vertu, orgueil — que celui-ci saisissait dans leur ensemble. Il ne s'agit bien sûr que de multiplier les expériences : mais cet empirisme (« Il me montra des savants, des hommes de lettres, des fats, des pédants, des rois et des sages ») n'est que fictif : en vérité Satan opérait en champ clos, dans la chambre de Gustave. Les savants, les rois, les sages étaient convoqués *en paroles* : en paroles ils étaient soumis au vitriol de la *négation* et n'y résistaient pas. Bref le Diable féconde la méditation passive de Flaubert en lui apprenant l'usage du principe négatif. Après le dénombrement et l'analyse dissolvante, vient la synthèse finale : Alfred *conclut*; Satan, ramassant tout le savoir acquis en une phrase, déclare : « Le monde, c'est l'Enfer. »

En un sens, c'est bien ce que Gustave lui demandait. Il a chargé *un autre* de conclure à sa place à partir d'une *pensée autre*. Mais on remarquera la prudence de l'enfant : bien qu'il utilise la négativité d'Alfred pour ses propres fins, il lui en laisse la responsabilité. Il ne reprend pas à son compte la démarche du Diable et la formule terminale : il la *rapporte*. C'est assez montrer qu'il *se défie*.

Smarh nous permettra de mieux entendre ses raisons. Alfred joue le même rôle. Or voici comment Gustave résume son récit à Ernest : « Satan conduit un homme (Smarh) dans l'infini... découvrant tant de choses, Smarh est plein d'orgueil. Il croit que tous les mystères de la création et de l'infini lui sont révélés mais Satan le conduit encore plus haut. Alors il a peur, il tremble, tout cet abîme semble le dévorer, il est faible dans le vide. Ils redescendent sur terre. Là, c'est son sol ; il dit qu'il est fait pour y vivre et que tout lui est soumis dans la nature. Alors survient une tempête... Il avoue encore sa faiblesse et son néant. Satan va le mener parmi les hommes... Voilà Smarh dégoûté du monde ; il voudrait que tout fût fini là, mais Satan va au contraire lui faire éprouver toutes les passions et toutes les misères qu'il a vues... »

Cette fois l'ascension est conduite par Alfred : tout seul Flaubert peut s'élever jusqu'au mont Atlas, pas plus haut. Le cadet, accroché au manteau de son aîné, croit trouver la connaissance et ne rencontre que le vide. Il se hâte de redescendre sur *son* sol. Mais

Alfred lui démontre alors la vanité de toutes les entreprises. De nouveau Smarh-Gustave tournoie dans le vide. En vérité, c'est que celui-ci demandait, pour limer ses fers, la patiente négation de l'esclave. Il souhaitait, au fond, qu'on lui permît de condamner l'organisation familiale, de disqualifier l'entreprise paternelle, où il joue un rôle secondaire, au nom d'une autre entreprise dont il serait l'unique responsable[1]. Il n'en est rien : Smarh tournoiera dans le vide indéfiniment, il aura tenté d'être poète mais la vanité de l'entreprise lui apparaît quand la femme qu'il aime (la Vérité) l'abandonne au profit de Yuk, le Dieu du grotesque.

Ces remarques permettent de donner un sens neuf au *Rêve d'enfer*. Almaroës, c'est, comme nous le savons, en partie Gustave mais *c'est aussi Alfred*. Rien d'étonnant : le thème du double, dont j'ai dit l'origine profonde chez Flaubert, se nourrit au passage de tout ce qu'il rencontre, plus tard Frédéric et Deslauriers représenteront avant tout deux attitudes possibles devant la vie mais Deslauriers sera *en outre* Maxime. Almaroës représente la matière mais aussi la créature privée d'âme et, partant, de désirs : en face de Satan, dont Gustave, pour une fois, assume le rôle et qui est un cadet de famille maudit, il incarne le « vivre sans vivre » du fils Le Poittevin et cette phrase de la lettre XXXV pourrait s'appliquer parfaitement à lui : « Il est fâcheux d'être né ne pensant comme personne, las de soi comme des autres, recherchant le bonheur vulgaire et n'y pouvant même arriver. » Aussi bien que cette autre (avril 45) : « J'ai tué en moi ce qu'il y avait d'humain... Peut-être ai-je réalisé le problème comme les tyrans de Tacite : '' *Solitudinem fecisse pacem appellant*[2]. '' » Ce qui frappe alors, dans ce conte philosophique, c'est l'inversion des rôles et le renversement du sens de leurs entretiens : Gustave-Satan veut ramener Almaroës à la vie humaine, aux désirs, à l'amour — c'est qu'il n'est lui-même que désir. Mais le Maître triomphe : rien ne le fera sortir de son « immobilité impassible ». Plus frappant encore le fait que l'affrontement de ces deux

---

1. Cela, Alfred le sait si bien qu'il lui écrit le 7 juin 43 : « Que dis-tu de la procédure, où tu dois procéder à pas de Flaubert et promettre à ton père un rival de son nom dans une autre branche ? Que dis-tu du Code pénal ! » Naturellement, l'intention est ironique. Mais doublement : le père et le fils sont discrètement moqués sur deux plans différents. En fait Flaubert méprise le droit, cette « autre branche », mais il est vrai qu'il souhaitait rivaliser avec son père et même l'emporter. Pour lui, l'« autre branche », c'est l'Art. L'Art — et non le Droit — s'oppose à la Science. Bien entendu le jeune homme se garde de présenter les choses sous cet angle de vue.

2. La citation latine est inexacte mais reste significative.

êtres est *agonistique*. Satan déteste Almaroës et veut en vain le frapper : ce passage en dit long sur Gustave et sur l'ambivalence de ses sentiments pour Alfred : le cadet a peur de son aîné, il l'aime sans aucun doute — aussi fort qu'il peut aimer — mais il lui en veut de sa froideur glacée, de son indifférence ; cet amant transi montre sa rancune et son admiration tout ensemble. En même temps l'homme du désir est terrorisé à l'idée qu'il devrait arracher de lui ses passions et les malheurs qu'il choie.

À la fin, nous l'avons vu, le Diable, vaincu, se change en Diablesse : il rampe, écrasant contre le sol ses lourdes mamelles comme si leur lutte avait été *aussi* une joute amoureuse et que, dans la défaite, il révélait au bel indifférent sa féminité. Julietta n'était qu'un simulacre : c'était Satan qui, sous ce déguisement, voulait se faire prendre par le duc de Fer [1].

Pour la première fois le terme de « tentation » se rencontre sous la plume de Gustave : celle-ci se solde par un échec ridicule ; si le cadet s'offre à l'aîné, s'il veut l'« induire en tentation » par la beauté de son jeune corps ou par la soumission de son âme, il peut aller se rhabiller : Alfred ne sortira pas de sa bienveillante froideur [2]. Mais n'est-ce pas qu'il a inversé les termes ? Au fond, n'est-ce pas Almaroës qui tente Satan ? De fait dans les récits ultérieurs, le Diable est rétabli dans sa puissance : c'est un caïd, Smarh n'est qu'un pauvre homme, saint Antoine n'offre qu'une résistance passive. Si l'on entreprend de lire la première version de *La Tentation* sans garder en mémoire les causeries de l'Hôtel-Dieu, on s'expose à ne rien comprendre au titre qu'il lui donne.

Je sais ce qu'on dira : Antoine, c'est l'artiste ; il est sollicité par les biens de la terre et trouve, dans son culte de l'Art, la force de les refuser. Mais cette interprétation, bien que fort accréditée, ne résiste pas à l'examen : Flaubert a souvent dit qu'il ne pouvait écrire sans mener, en même temps, une vie d'anachorète ; mais il n'a jamais prétendu que cette vie lui fût pénible ni difficile à mener : c'est la présence des hommes qui le met au bord de la fureur, non

---

1. Roger Kempf montre très justement que Frédéric, Deslauriers et Mme Arnoux forment, à un certain moment, un trio où l'élément pédérastique domine. Mais cette fois le rapport est inversé : Deslauriers, troublé par la féminité de Frédéric et jaloux de l'amour que celui-ci porte à la jeune femme, veut la séduire ; s'il la possède, c'est Frédéric qu'il possédera charnellement. Ce renversement des rôles ne change rien au fantasme : il exprime simplement le vœu profond de Flaubert. C'est ce genre de jalousie dominatrice qu'il eût souhaité susciter chez un ami viril.

2. Ce qui peut s'entendre de deux manières ; ou bien : « J'ai gémi sous ses caresses » mais il n'en a point paru troublé — ou bien : Je me suis offert et il a feint de ne pas s'en apercevoir.

pas la solitude. Quand il écrit le premier *Saint Antoine*, il ne se lasse pas de se peindre à Louise comme un supplicié, vieilli dès l'enfance par des souffrances qui l'ont asséché : il a le monde en aversion et déclare souvent qu'il voudrait n'y laisser pas même un nom ; en tout cas, il ne manque pas une occasion de le signaler à sa maîtresse, des malheurs épouvantables mais imprécis l'ont mis pour toujours dans l'incapacité d'aimer. Et puis, à la lire de près, la première *Tentation* offre cette étrangeté — que les deux autres atténueront à peine — que le Saint ne paraît pas *vraiment* tenté : à peine un suppôt du Diable a-t-il entrepris de le séduire, vient un autre suppôt qui sabote le travail commencé ; Antoine n'a qu'à laisser faire, ils vont s'entre-dévorer. Les vices s'accordent entre eux pour bafouer les vertus ; mais dès qu'ils sont seuls, c'est un beau charivari, chacun se prétend supérieur à tous les autres, et ces bavards nous cassent les oreilles sans parvenir à nous fasciner. Les seules attaques vigoureusement menées sont celles de la Logique et de la Science contre la Religion ; mais elles n'empêchent pas la foi de renaître. De toute manière il eût mieux valu confier le travail à un seul que déchaîner autour du saint ce *pandémonium* inefficace.

Pourtant il faut faire confiance à Gustave : s'il affirme qu'il a été tenté, c'est qu'il en est convaincu. Par *tentation*, que faut-il entendre ? Je vois deux structures principales. L'une, c'est le système, ensemble axiologique et totalitaire qui définit par lui-même la nature et l'importance du reniement. L'autre, c'est l'instrument de la déchéance : la passion. Mais on se tromperait fort si l'on ne voyait en celle-ci qu'un produit spontané de la sensibilité. En fait Ève est tentée par un autre ou plus exactement par l'Autre : n'est-ce pas le nom qu'on réserve à Satan ? La pomme est le moyen de l'opération. Il se peut qu'elle soit en elle-même désirable. Mais ce qui compte c'est que la sensibilité de la victime *induite* en tentation soit fécondée par l'Autre et que de cet accouplement naisse en elle ce monstre : un *désir autre*. Tenté, je retrouve l'Autre comme fondement de mon désir. Cette sollicitation qui nous touche au cœur sans nous ôter pour autant nos responsabilités, c'est une grâce à rebours, une grâce noire, réplique démoniaque de la Grâce efficace, transcendance dans l'immanence de l'affectivité. Elle nous induit à fauter, c'est-à-dire à commettre un acte qui relève d'un système de normes rigoureusement opposé à celui qui nous gouverne ou, si l'on préfère, à choisir un instant pour valeurs toutes les antivaleurs du système. Cela revient à se faire soi-même un autre, à passer de l'autre côté de la glace. On comprend que la victime tentée regarde le fruit mûrissant dans son âme avec une fascination d'horreur qui n'est que l'aspect négatif de la Terreur religieuse : la tentation, détermination autre de soi-même, se dévoile à ses yeux comme une détermination de son affectivité profane par le Sacré. Le Transcendant reconnu au plus profond de mon expérience intime comme l'insaisissable vérité de celle-ci et comme ma propre existence échappée dans le milieu de l'altérité, c'est précisément le Sacré, dans son ambivalence, blanc s'il est conforme au dogme et valable pour tous, noir s'il m'atteint dans ma singularité non communicable et m'incite à renier le système qui me soutient et me nourrit, à lui préférer la solitude du péché, plus proche des messes noires et des blasphèmes que de nos minables crimes quotidiens. Cette élection satanique provoque un sursaut d'orgueil : l'impitoyable Grâce nous a touchés, sacralisés.

De ce point de vue, la tentation du jeune Gustave a été réelle, le système axiologique, en lui, c'est celui de l'homme-moyen, sa *réalité* c'est l'être collectif et domestique des Flaubert ; son article de foi : on est sur terre pour servir à quelque chose ; il y a des objectifs *sérieux*, essentiels, l'homme est le moyen inessentiel de les atteindre. Or le malheur veut qu'il rencontre un Seigneur qui nie tout à la fois les moyens et les fins de l'espèce humaine. Celui-ci fait éclore à distance chez son vassal la *négation* mais elle se transforme en immobile Néant. Flaubert sent son désir de nier comme sien et comme autre : il est sien dans la mesure où Le Poittevin n'a fait qu'expliciter une négation implicite, il est autre dans la mesure où cette négation se transforme sous l'influence d'Alfred en un non-être figé qui se donne pour un être. Si nous relisons à présent le *Saint Antoine*, nous trouverons la tentation qui nous avait échappé jusqu'ici et nous la verrons se développer de la première page à la dernière : c'est la tentation de l'artiste, certes. Mais non par les biens de ce monde : par le néant. De ce rideau d'apparences tout à coup embrasé, que va-t-il rester ? Rien, c'est l'évidence. En ce cas, le sot projet que de se faire artiste. L'Art est un Rien qui peint des riens. La littérature ? Bibelots d'inanité sonore. Ne vaut-il pas mieux connaître son propre néant et s'y tenir dans l'ennui hautain et la parfaite inaction du sage ? Dès qu'Antoine détourne un instant la tête et se laisse fasciner, la fantasmagorie va tomber en cendres ; on retrouvera la Nuit du Non-Être et cette asphyxie par le vide que Smarh redoutait tant. Dans un passage curieux qui disparaîtra par la suite Satan-Alfred emporte Antoine-Gustave « dans les espaces » :

ANTOINE, *porté sur les cornes du Diable.*

Où vais-je ?

LE DIABLE

Plus haut.

ANTOINE

Assez !

LE DIABLE

Plus haut ! Plus haut !

ANTOINE

La tête me tourne, j'ai peur, je vais tomber...

C'est une nouvelle mouture de la page de *Smarh* que j'ai citée. Et, comme dans *Smarh*, il découvre de haut l'Univers. Mais à l'instant où le saint est comblé par la jouissance contemplative, le Diable, esprit sec et logique, gâche tout en lui révélant que cette plénitude d'être est illusoire, que rien n'existe sinon le Néant. Ce qui frappe ici, c'est que cette révélation ne se donne pas pour un choc brusque et terrifiant mais *au contraire* comme une tentation délicieuse :

> *Le corps du Diable, perdant ses proportions, se pénètre de lumière et s'illumine ; son œil immense se fait tout bleu comme le ciel, ses ailes disparaissent et sa figure plus vague devient belle à ravir...*

LE DIABLE

... Ces clartés où tu te dilatais tout joyeux, c'était toi qui les voyais. Qui te dit qu'elles sont ?

> *... Fixe, béant, éperdu, Antoine de plus en plus se rapproche du Diable...*

LE DIABLE

... et si ce monde lui-même n'est pas, si cet esprit n'est pas ? ah ! ah ! ah !

ANTOINE

> *Suspendu dans l'air, flotte en face du Diable et touche son front avec son front.*

Mais tu es, toi, pourtant ! je te sens. Oh ! comme tu es beau !

Le Diable ouvre la gueule toute grande.

Oui, j'y vais, j'y vais !

Etc.

On remarquera l'étrange liaison de la Beauté et du Néant. Au moment que Satan, par des arguments d'un scepticisme éculé, met en question la réalité du monde, Antoine, plus sensible à l'apparence qu'aux raisons, est fasciné par l'aspect physique de son compagnon, par « sa figure belle à ravir ». Comme si la Beauté même n'était qu'un leurre au service du Démon et comme si Gustave voulait rappeler l'attirance qu'il éprouvait pour son ami, du temps que celui-ci vivait. En tout cas, c'est le seul instant où le Saint se trouve en péril : fasciné par cette beauté somptueuse qui se donne pour un *être* (« Mais tu *es*, toi, pourtant ! je te sens »), il cède à la tentation de se laisser absorber par elle et l'auteur nous laisse entendre que si le malheureux n'était sauvé par miracle, il s'engloutirait dans le néant. Cette allusion à la beauté du Diable nous ramène au statut d'objet d'art que le fils Le Poittevin a prétendu se donner. Nul doute que Flaubert, par amour pour Alfred, héritier prestigieux, n'ait été fortement tenté dans son adolescence de s'élever jusqu'à ce statut. Nul doute qu'il ait compris, dès cette époque, que sa condition sociale lui rendait cette métamorphose impossible ou plutôt qu'il ne pourrait y atteindre qu'en sombrant dans la folie comme le héros de *La Spirale*.

Il faut *avoir* pour *être* : si Gustave *possédait*, il *serait* ce merveilleux indifférent qui casse-intellectualise-jouit. Le cadet reconnaît de bonne heure qu'aucune ascèse morale ne peut le rapprocher de l'aîné : il faudrait un changement matériel. Ou plutôt non : il est trop tard, déjà ; il faudrait *être né riche*. Faute de cela, Alfred restera un Seigneur inaccessible : impossible de réunir en soi l'âpreté besogneuse des Flaubert et l'ataraxie du fils Le Poittevin. Celui-ci, que son oisiveté se marque par des « débauches » ou par son quiétisme, diffère de son ami par une *qualité* qui n'est, le disciple malheureux l'a compris, que le produit dialectique de la quantité, c'est-à-dire de sa fortune. C'est à partir de cette constatation que nous pouvons déterminer l'influence exacte d'Alfred sur Gustave, c'est-à-dire le rôle que celui-là a joué dans la personnalisation de celui-ci. Il semble que le disciple, constatant à la fois son désir de s'identifier à son maître et l'impossibilité de le rejoindre sans endommager gravement son ipséité, ait voulu dépasser la contradiction en se développant dans deux directions différentes : il a intégré à sa personne le superflu comme idéal-hors-d'atteinte, à son œuvre en cours la gratuité comme impératif absolu. Il va de soi que les deux mouvements sont dans un rapport de conditionnement réciproque.

1. *Le superflu comme lacune infinie.*

Plus lucide que son maître, l'esclave va au fond des choses quand il définit la « vie véritable » par la possession du superflu. Mais, ne nous y trompons pas, ce ne sont pas les choses qu'il convoite mais la qualité d'âme qui permet de les convoiter. Cercle vicieux : cette qualité même vient aux riches de la richesse qui les arrache au règne de la nécessité, l'*abondance* leur permet de ne plus considérer les objets en fonction de leur seule ustensilité. Il comprend le secret d'Alfred, hoir ineffable, puisqu'il assimile de bonne heure richesse et sensibilité, réduisant celle-ci à n'être que l'intériorisation de celle-là. À condition d'être immense et due à l'héritage — ce qui suppose une éducation appropriée — la fortune provoque chez son nouveau propriétaire une authentique conversion. En d'autres termes, donnez au fils Flaubert les trésors de Golconde et vous ferez de lui le fils Le Poittevin. Gustave en est si convaincu qu'il fait, une fois, ce souhait extraordinaire : « Je voudrais être assez riche pour donner le superflu à ceux qui ont le nécessaire. » Ne nous scandalisons pas trop : il est vrai que cette phrase révèle une insensibilité profonde ; Flaubert n'aime pas les pauvres : ils sont laids, sales, envieux et voleurs. Mais ce misanthrope ne prétend pas faire un vœu charitable, il nous indique seulement à quelle condition il supporterait le commerce des hommes : les gens du besoin, on les garde comme ils sont, quitte à les saouler de temps en temps ; il en faut pour les basses besognes ; mais ceux du nécessaire, on les élève par l'abondance : la classe moyenne est supprimée par une pluie d'or qui change en nababs tous ses membres. L'homme est enfin possible ; et la société. Mais, surtout, malgré le tour universel qu'il lui a donné, ce souhait ne concerne que lui. Il fait en l'écrivant un retour sur son enfance austère : que ne lui a-t-on donné *quand il en était temps* le sens du superflu ? Au lieu de cela, on l'a travaillé du premier jour et, quels que soient ses élans, il sait

qu'on l'a fait *moyen*. Quand il dénoncera plus tard « le bourgeois
qu'il a sous la peau », soyons sûrs qu'il ne s'accuse pas : il remâ-
che un grief — l'un des plus anciens qu'il ait nourri contre sa
famille. Et « bourgeois » ne prétend pas viser, ici, les nantis : c'est
l'homme-moyen qu'il vise et, par là, toute la petite-bourgeoisie.

Il va plus loin encore : la richesse est ascèse. Elle a délivré le riche
de la nécessité ; Flaubert rêve parfois qu'elle peut le délivrer du
besoin même. S'il était possesseur d'un palais oriental, couché sur
« un divan en peau de cygne », entouré d'œuvres d'art, Gustave
oublierait de manger et de boire. La contemplation des pierres précieuses le nourrirait, le désir sans cesse renaissant et sans cesse
comblé prendrait la place de la faim, de la soif, du sommeil. Et
— sans nul doute — du besoin sexuel. Il accéderait ainsi, vivant
sans vivre, à l'espèce suprême qui se caractérise par l'atrophie des
pulsions animales et par l'hypertrophie de la « faculté de sentir »
— celle-ci, d'ailleurs, étant la raison de celle-là. Immobile et comblé par la simple vue des apparences *esthétiques*, inutile et solitaire,
il réaliserait l'abolition lente et systématique de son corps et deviendrait, comme Alfred, au terme de l'ascèse, une apparence.

On prendrait ce mysticisme pour un effet de plume si l'on ne
savait par ailleurs que Flaubert, faute de pouvoir les écraser par
l'irruption massive du superflu, a souvent recours à l'abstinence
dans le vain espoir de juguler ses besoins. Adolescent, il jeûne, par
haine de tout asservissement matériel. On retrouve ici les premières assises de sa mémoire, les morts de l'Hôtel-Dieu, le sentiment
de porter un cadavre sous sa peau ; il a pris en horreur tout ce qui
est *organique* ; les exigences du corps et, tout aussi bien, la croissance biologique, le mouvement de la vie. Alfred est sûr de trouver en lui un écho quand il lui écrit : « Je n'aime plus (les femmes)
que dans la statuaire ou la peinture ; — l'homme peut y être beau
aussi mais ceux qui ont dit de la sculpture qu'on avait tort d'y représenter la vie, ont dit plus vrai qu'ils ne pensaient, et plus loin. Je
crois que la vie, si belle partout, ne l'est pas dans l'homme[1]. » Les
premières expériences de Gustave s'unissent aux bonnes leçons de
son Maître pour lui remontrer l'absurdité de sa tenace volonté de
vivre : faut-il tenir compte des réclamations de nos charognes ? Gustave n'aura point d'égards pour les ignobles tissus dont il est fait ;
par le désir pur, par le commerce des pierreries et du marbre, il

---

1. 8 mai 44. Alfred se dégoûte des garces. D'où cette phrase assez sotte qui pourrait
servir d'épigraphe à un manuel de la « *distinction* » bourgeoise.

voudrait faire entrer en lui non seulement le vide tranquille de son Seigneur mais l'inorganique. Une inerte lacune dans un corps de granit, ce ne serait plus vivre, grâce à Dieu, mais *être*.

Pour *être*, il faut *avoir*; et l'on *est* ce que l'on *a* : telle est la métaphysique du propriétaire, telle est celle de Gustave, propriétaire manqué. C'est ici qu'il nous rend témoins du plus curieux retournement. Cet *être-au-delà-de-la-vie*, cette finalité sans fin qui qualifient Alfred, puisque le cadet en est privé, il se les donnera comme lacune sans cesse ressentie : c'est-à-dire négativement. Il intériorisera ce manque comme *conscience douloureuse de manquer* : entendons que cette négation purement *externe* devient, par ses soins, constitutive de son être et qu'il se fait, par le dolorisme, refus inconditionné de cette négation. Il se pose donc ainsi *dans son être* comme négation de négation ou révolte passionnée contre l'impossibilité d'être Alfred. Et comme l'impossible identification doit se préoccuper d'abord des moyens de se réaliser — ne serait-ce que pour découvrir qu'ils sont hors de portée — elle se manifestera d'abord comme vain désir de la richesse. Alfred, lui, ne désire rien : il *a*, il *est*. Quand à Gustave, il ne fait pas de difficulté pour reconnaître que ce désir infini est *imaginaire*. Il faudrait lire tout entière la lettre du 20 septembre 46, où il expose à Louise la règle impérative de sa sensibilité. Je n'en citerai que les passages essentiels :

« C'est ici une des plaies cachées de ma nature mais plaie énorme. Je suis démesurément pauvre. Quand je dis cela à ma mère... elle... qui ne saisit pas que les besoins d'imagination sont les pires de tous, cela la blesse ; elle pense à notre pauvre père qui nous a acquis par son travail une aisance honnête. Eh bien ! je soutiens que c'est un malheur immense, en cela qu'on le sent chaque jour, que d'être né dans la médiocrité avec des instincts de richesse. On en souffre à toute minute, on en souffre pour soi, pour les autres, pour tout...

« Je suis d'une cupidité excessive en même temps que je ne tiens à rien. On viendrait m'apprendre que je n'ai plus le sou, que je n'en dormirais pas moins cette nuit[1]... Mais, mon faible, c'est un besoin d'argent qui m'effraie, c'est un appétit de choses splendides qui, n'étant pas satisfait, augmente, s'aigrit et tourne en manie. Tu me demandais l'autre jour à quoi je passais mon temps avec Du Camp ? Nous avons pendant trois jours travaillé sur la carte

---

1. Rien de plus faux : la peur de manquer le tenaillait. On connaît d'ailleurs ses désespoirs de 1875.

un grand voyage en Asie qui devrait durer six ans et nous coûter, de la manière dont il était conçu, trois millions six cent mille et quelques francs... Nous nous étions si bien monté la tête que nous en avons été un peu malades ; lui surtout en a eu la fièvre. N'est-ce pas bête ? Mais qu'y faire si c'est dans mon sang ?... Oui, j'aurais voulu être riche parce que j'aurais fait de belles choses. J'aurais fait de l'Art pratique, j'aurais été grand et beau... Axiome : le superflu est le premier des besoins... Sais-tu à quoi j'ai pensé ces jours-ci ? À deux meubles que je voudrais me faire confectionner ; le premier serait pour être mis dans un salon voûté en dôme bleu : c'est un divan en peau de cygne ; et le second c'est un divan en plumes de colibri. En voilà assez pour m'occuper toute une journée et me rendre triste le soir. Ne crois pas que je sois paresseux... Je suis naturellement actif et laborieux... Mais j'ai des bondissements intérieurs qui m'emportent malgré moi. »

Voici donc l'exposé théorique du plus fameux truquage de Flaubert. Mais, pour le moment, prenons-le au sérieux et voyons ce que cela donne. D'abord l'homme du nécessaire commence par se nier : il est né dans la médiocrité mais ce hasard de naissance n'empêche pas sa « nature » d'échapper par principe à l'utilitarisme ; il a des instincts de richesse. L'aisance honnête acquise par le travail, il la répudie ; du fait qu'il ne « tient à rien », il s'élève au-dessus du règne des moyens. Bref il n'est pas le produit des classes moyennes, il est tombé par malchance au milieu d'elles. Ce qui le caractérise, c'est un « appétit de choses splendides ». Toutefois ces « splendeurs » ne sont pas — ou pas toujours — des œuvres d'art. Il ne convoite ni les tableaux ni les statues. Les palais, oui. L'ameublement. Mais surtout les pierreries. On dirait que ce tâcheron de l'art répugne à retrouver sur les biens qu'il exige les traces d'autres tâcherons, leur travail refroidi. Il rêve d'une beauté quasi naturelle, finalité sans fin qui se fonde sur la rareté. On aura noté ce mot curieux : « J'aurais fait de l'Art pratique. » Il entend par là qu'il aurait suscité des événements esthétiques : « soûler chaque soir la canaille... prodiguer le superflu à ceux qui ont le nécessaire ». Donc, il voudrait produire, dans la subjectivité de ses congénères, une transformation radicale qui les rapprocherait du superflu en les guérissant de leur utilitarisme. Et, dans le même moment, il organiserait, par la puissance de son or, des « spectacles dans la rue » dont il puisse « casser-intellectualiser-jouir ». En outre, le contexte le montre assez, il aurait introduit de l'ordre dans ses possessions. Il se serait fait décorateur, jardinier-paysagiste, modéliste, etc. Gustave voudrait disposer autour de lui ses biens et s'objectiver *pour lui-même* dans l'unité qu'il leur impose : l'ordonnance — toujours révocable — des objets superflus qui l'environneraient lui refléterait sa superfluité, mieux, l'*affecterait* d'une finalité sans fin. Il intérioriserait le palais, les gemmes, le salon bleu avec le divan «en peau de cygne» : ce serait *lui*, inutile enfin, désigné dans son être par les marchandises qui l'entourent[1].

En un mot, puisqu'il ne se définit point par la possession, Gustave se définira par le *désir*, c'est-à-dire, somptueusement et universellement, par tout ce qu'il n'a pas. Du coup il se donne, sournoisement, une supériorité sur Alfred : celui-ci est assouvi ; Gustave sera l'inassouvissable. Chez le premier, le vide est calme ; chez l'autre, ce sera une privation rugissante. En somme, le fils du chirurgien-chef est un riche d'honneur. Il s'élève au-dessus de la classe moyenne par sa passion innée du superflu ; il l'emporte aussi sur le grand propriétaire par la souffrance qui naît de la frustration. Nous avons déjà rencontré cela, chez lui, au cours de notre enquête régressive. On voit apparaître le *Désir fou* à partir de sa seizième année ; nous comprenons à présent les raisons *historiques* de ce motif si flaubertien : le grand désir inassouvissable est une déstructuration de l'homme-moyen ; c'est l'équivalent négatif de l'ataraxie Le Poittevin. Ce jeune homme ne connaît l'opulence que par ouï-dire ; n'importe : il la désire comme un nabab ruiné peut la regretter. Avec la même amertume *détaillée*. Les signes extérieurs de la richesse, seuls objets de sa concupiscence, doivent être aussi familiers à son imagination qu'à la mémoire désolée de ceux qui ont tout perdu après avoir tout possédé. Et c'est bien ce qu'il affirme à sa maîtresse. À d'autres aussi : nous le verrons bientôt, pendant son voyage en Orient, justifier son indifférence par ce curieux paradoxe : l'imagination des artistes est prophétique ; tout ce qu'il voit en Égypte, en Grèce, il en avait eu connaissance par les images précises qu'il avait formées dans sa chambre, avant toute expérience. Cette idée lui tient à cœur ; on la retrouvera fréquemment sous sa plume et nous verrons qu'elle a des origines complexes. Mais il n'est pas douteux qu'il en avait besoin pour cautionner ses fastueuses convoitises : quand le désirable est ignoré et que le désir veut se

---

1. Cf. aussi 7 décembre 46 : «Nous passons (Maxime et moi) notre temps à des causeries dont je serais honteux presque, à des folies, à des songeries impériales. Nous bâtissons des palais, nous meublons des hôtels vénitiens, nous voyageons en Orient avec des escortes, et puis nous retombons plus à plat sur notre vie présente et, en définitive, nous sommes tristes comme des cadavres...»

faire poignant comme un regret, il faut que l'imaginaire se donne comme un souvenir anticipé.

Ce n'est pas assez ; il faut viser l'infini à travers les biens terrestres. Par quoi sera-t-il manifesté ? Par l'or : il ne s'agit pas d'envier Alfred ni même le plus riche des banquiers. Le Désir-regret s'adresse directement aux fabuleuses ressources que les Crésus antiques tiraient de l'esclavage, que les princes orientaux doivent au servage, à la surexploitation des paysans. Il faut être Monte-Cristo ou rien ; les capitaux français, les revenus, la rente : tout est à chaque instant *défini* et *limité* par des lois économiques qu'il ignore mais dont il ne met pas en doute la rigueur. Mais ces trésors lointains, fabuleux, antiques, depuis des siècles accumulés, se tiennent debout par leur propre force ; sans limites et sans lois, ils s'accroissent d'eux-mêmes, c'est l'infini sauvage de l'innombrable.

Cela ne suffit pas encore : la haute qualité du Désir le préserve à juste titre des souillures organiques ; mais il ne faudrait pas que cette recherche systématique du *gratuit* fût en elle-même gratuite : elle perdrait du coup sa gravité, sa tension dramatique. Rien ne la distinguerait d'un caprice. Le besoin, lui, est gagé par la mort : il faut respirer ou mourir. Peut-on trouver au Désir une semblable caution ? Oui : dans les romans. Mazza, Emma, d'une certaine façon, c'est leurs exigences qui les tuent. Mais, dans les lettres à Louise, c'est de Flaubert lui-même qu'il s'agit. De Flaubert qui n'entend pas mourir malgré son infinie frustration. Reste un autre aspect du Besoin : le radicalisme. Il faut manger : tout va bien quand c'est possible. Mais si des naufragés, sur leur radeau, ont épuisé leurs vivres, le besoin demeure : *manger est impossible* et pourtant il *faut* manger. On sait ce qu'ont fait les survivants de *La Méduse* et comment ils ont transformé l'universelle impossibilité de se nourrir en impossibilité de vivre limitée à quelques-uns. Soutenu par toute la violence d'un organisme qui veut persévérer dans sa vie, le besoin maintient sans faiblir sa requête quand la parfaite absurdité de celle-ci est depuis longtemps démontrée. Pour les inanités, il peut y avoir rémission ; mais la soif ne lâche plus son homme ni l'asphyxie. Il semble que la vie, dans ces cas extrêmes, s'affirme furieusement et dans les spasmes, comme une absurde flamme étouffée déjà par l'Univers et comme un droit permanent de chacun sur toute l'espèce.

Flaubert peut achever sa machinerie : il donnera au Désir cette contradiction du Besoin poussé à bout ; seul et pauvre dans sa chambre, il brûle de concupiscence pour un palais extravagant : c'est absurde, il le sait. Et pourtant le désir est là, qui se dresse *en connaissance de cause* ; il pose *de lui-même* son impossibilité, il s'y déchire, rien n'y fait : cette blessure l'aigrit mais l'enflamme. Mieux : il se calmerait vite si le désirable était à portée de main. *C'est l'essence du Désir infini que de désirer l'Impossible.* Ou, si l'on préfère, l'Impossibilité consciente d'elle-même suscite le Désir et l'érige ; elle est en lui comme sa rigueur et sa violence, il la retrouve au-dehors dans l'objet, comme la catégorie fondamentale du Désirable. En même temps, par sa nécessité même, l'absurde exigence s'affirme comme un droit. Si Gustave, conscient de son impuissance, est, par cette impuissance même, jeté dans la concupiscence, c'est que l'homme se définit *comme un droit sur l'impossible*. Il n'y a, dans cette étrange détermination, ni malentendu ni caprice : c'est notre réalité humaine qui est ainsi et quand l'homme ne ferait que passer en ce monde, il faut que le monde lui reconnaisse ce droit. J'ai dit : le monde ; l'homme du besoin s'adresse aux autres hommes : sur cette postulation, un humanisme se bâtira. Or l'homme du superflu n'est pas humaniste ; en tout cas Flaubert ne l'est pas. Mais son univers est si chargé de significations, avec son Dieu mort, son Diable loquace et ses ascensions mystifiantes, tout y semble si fabriqué, si pétri d'intentions presque visibles, que la substance — être ou néant — du Macrocosme semble reproduire dans son unité profonde les caractères principaux du microcosme humain. La Matière, bien sûr : rien d'autre. Mais si l'homme est matière pure, il faut reconnaître que la matière, aux yeux de Gustave, s'est anthropomorphisée. Ainsi, par toutes leurs affirmations absurdes et sublimes, les naufragés, en coulant bas, inscrivent ou dévoilent dans le ciel une juridiction métaphysique dont le premier principe est que l'amour désespéré de l'Impossible comporte, en sa nature même, le droit de l'obtenir.

Nulle trace d'optimisme en ceci ; dans le royaume de Satan, tout se passe à l'envers : les droits y existent mais pour y être violés : le jeune Flaubert ne s'est soucié que de prouver par la grandeur de son désir sa qualité singulière : faute de pouvoir s'identifier à Alfred, il s'est fait le *négatif* de son Seigneur ; l'impossibilité de se fondre à son ami se pose comme son mérite et son essence singulière. Cependant — il le reconnaît lui-même — cette douloureuse béance de l'âme est purement imaginaire. Ce ne sont certes pas les « aigres passions » qui lui manquent mais, pour se faire le *double noir* d'Alfred, il faut qu'il s'efforce de les déchiffrer autrement : dans telle jalousie, dans telle fureur passagère ou durable, il s'agit de *ne plus voir* le produit de frustrations particulières et finies elles-mêmes déterminées par les structures d'une certaine famille Flaubert : à l'aide de la nouvelle grille il s'applique à saisir chaque privation sentie de *quelque chose* comme le signe de son élection, c'est-à-dire d'une privation quasi religieuse et qui s'étend à tout. Ainsi pour certains chrétiens, l'amour que nous portons aux créatures vise au travers d'elles l'être absolu qui les a créées. Le schème est ancien, nous le savons, puisque Gustave porte les traces ineffaçables de l'idéologie féodale. Mais il prend ici toute sa force : le moindre désir, l'envie la plus banale seront une fois pour toutes interprétés comme les manifestations du lien négatif et dévot qui unit au macrocosme trop évasif un microcosme trop exigeant. On le voit souvent, dans ses lettres de jeunesse, transformer sur-le-champ un dégoût né d'une vexation en appel infini ; voici l'opération : « J'ai plus peur des piqûres d'épingle que des coups de sabre... J'éprouve la vérité de ceci fort cruellement dans ma famille, où je subis maintenant tous les embêtements, toutes les amertumes possibles. Ah ! le désert ! le désert ! une selle turque ! un défilé dans la montagne et l'aigle qui crie dans les nuages ! » Mont Atlas ? Mont Ararat ? Asie ? Afrique ? Peu importe : la nostalgie de Flaubert est cosmique ; il prend l'occasion d'une piqûre d'épingle (Hamard se propose de venir à Croisset, Achille n'a pas invité son frère à un dîner prié, Mme Flaubert s'est montrée peureuse et tatillonne, etc.), qui lui donne l'envie de planter là sa famille et de foutre le camp n'importe où, pour habiller cette réaction négative et défensive de somptueux oripeaux. Au reste, si fous qu'ils lui paraissent, ses vœux déconcertent par leur misère intime, par une sécheresse originelle. Quand il parle des objets qu'il convoite, les mêmes mots reviennent toujours : divans en peau de cygne, en plumes de colibri, hamacs en plumes de colibri. Qu'est-ce que cela, en vérité ? Rien du tout. Ou plutôt des ustensiles déguisés, passablement laids, dont le seul intérêt, pour lui, vient de ce qu'ils sont des *signes* de la rareté et, conséquemment, de son raffinement. Il en va de même pour les « pierreries » qu'il prétend convoiter. Mais Flaubert, justement, *n'était pas* raffiné. Plus tard, il ramènera de son voyage des bagatelles sans valeur, du « gros Orient », diront les Goncourt. Il s'agit donc de jouer la convoitise, de « bramer » après des objets qu'on ignore — faute d'apprentissage et de curiosité —, qu'on ne peut ni concevoir ni imaginer et qu'on ne saurait, le cas échéant, distinguer des produits de « l'artisanat dirigé ».

Il se soucie fort peu d'ailleurs de masquer l'incohérence de ses déclarations et de ses conduites. Dans ses lettres à Louise, il fait alterner, selon les besoins de la cause, des déclarations contradictoires : tantôt le voilà point par une indicible et douloureuse convoitise ; et tantôt il écrit que son âme pour avoir été, autrefois, trop concupiscente est tombée dans l'incapacité de désirer quoi que ce soit. À vrai dire, dans l'un et l'autre cas il « pose », passant de l'infini dénuement — son rôle — à l'ataraxie parfaite — le rôle d'Alfred —, comme si, après l'éloignement puis la mort de son ami, il jouait successivement leurs deux personnages. Mais voici qui est plus sérieux : dans le temps même qu'il veut éblouir Louise par des morceaux d'éloquence qui décrivent ses appétits inassouvissables — or, palais, pierreries —, il lui déclare tout uniment que ses désirs sont fanés et qu'il ne souhaite plus rien sinon vivre à Paris avec cent mille francs de rente « comme tout le monde ». Son fol amour du luxe laisse transparaître son goût réel pour le confort.

Il lui arrive, cependant, de désirer le superflu concrètement. Mais alors quel contraste entre la modestie de ses vœux et l'air de gravité qu'il prend pour en parler. Le 14 septembre 1846, par exemple, il écrit : « On m'a annoncé aujourd'hui que d'ici à quinze jours je recevrai de Smyrne des ceintures de soie : ça m'a fait plaisir. J'avoue cette faiblesse. Il y a ainsi pour moi un tas de niaiseries qui sont sérieuses. » De fait, à travers ce détachement plein d'ironie, cette honte jouée qui le fait nommer « faiblesse » la *qualité* dont il s'enorgueillit, on sent l'étonnante rudesse du milieu qui le conditionne : faut-il tant de mots pour dire qu'on attend des ceintures de Smyrne et qu'on s'en réjouit ? Oui : il faut ces mots et cette ironie, en 1846, quand on a vingt-quatre ans et qu'on se dégage à grand-peine de l'utilitarisme familial : aimer un mouchoir de soie, un foulard d'Orient, c'est fronder. Restituons l'affirmation dissimulée sous ces négations légères ; il vient ceci : pour moi, le superflu est affaire sérieuse ; je suis capable d'attendre avec impatience des bagatelles exotiques qui ne serviront à rien. On dirait l'écho lointain de l'orgueilleuse confession d'Alfred : « J'ai des souvenirs de faits insignifiants peut-être parce que j'ai toujours oublié les choses importantes [1]. » Aux yeux de Gustave, Le Poittevin représente l'*homme de goût*. Dans la mesure où le cadet se veut le négatif de l'aîné, le goût lui est indispensable : comment, sinon, serait-il frustré

---

1. 15 septembre 45. Les faits insignifiants qu'il rapporte dans cette lettre constituent bien entendu un spectacle esthétique : un vieux fiacre sur la route, des amis qui chantent, « les prairies couvertes d'eau ».

des trésors *esthétiques* que les riches possèdent ? Or le goût est chose inconnue dans la famille Flaubert et Gustave, nous le verrons bientôt, se plaint, dès 38, de n'en pas avoir. Par cette raison, il *jouera* l'esthète maudit. En ce sens, l'influence d'Alfred aura pour effet d'amener son ami à pousser à l'extrême son irréalisation ; en d'autres termes, le mouvement personnalisant enveloppe, chez Gustave, un nouveau secteur de l'imaginaire. Nous l'avons vu, enfant, se prêter des désirs irréels ou, si l'on préfère, se plaire à imaginer des concupiscences qu'il ne ressentait point. C'était alors une réaction spontanée à sa situation. À présent, le travail devient systématique et réfléchi : il ne s'agit plus de rêver au petit bonheur mais de se restructurer *dans sa personne* comme l'amateur d'art éclairé et — autre face du même rôle — comme le damné de l'infini désir. Quand il écrit : « Qu'est-ce que le Beau sinon l'impossible ? » sa phrase est à double sens : le Beau c'est ce qu'on ne peut faire mais c'est aussi ce qu'on ne peut avoir.

2. *De la gratuité comme impératif catégorique.*

Il faut faire pour être. Dans le temps même où l'adolescent s'enfonce dans l'imaginaire pour rejoindre son Seigneur ou s'en faire le négatif, il tourne à son profit l'influence douteuse d'Alfred pour établir enfin ce qui deviendra sa *réalité.*. Depuis quelque temps, Gustave a décidé qu'il était poète. Mais il tient la poésie pour une attitude mentale ; c'est un processus de déréalisation qui se manifeste presque toujours comme réaction de défense : traqué par le réel, l'enfant s'évade dans l'irréalité. Cette démarche ressemble à une élévation mystique et Flaubert le sait, qui décrit le mysticisme en ces termes : « Je voudrais bien être mystique : il doit y avoir de belles voluptés à croire au paradis, à se *noyer* dans des flots d'encens, à *s'anéantir* au pied de la Croix, à se *réfugier* sur les ailes de la colombe... J'aurais voulu *mourir* martyr [1]. » Les mots qu'il emploie sont significatifs, la poésie est une fuite, elle tire son origine des hébétudes et peut confiner à l'évanouissement. Certes il est fier de ces « états d'âme » qui l'élèvent au-dessus du vulgaire par leur *qualité* spécifique. Pourtant il n'ignore pas qu'ils

---

1. *Souvenirs*, pp. 60-61. C'est moi qui souligne. Cf. lettre à Louise Colet (27 décembre 52) : « Sans l'amour de la forme, j'eusse été peut-être un grand mystique. »

ne dépassent jamais le stade de la détermination subjective et ne lui donneront pas, étant imaginaires, la moindre chance de se réaliser : «... Je savais ce que c'était qu'être poète, je l'étais en dedans du moins, dans mon âme, comme tous les grands cœurs le sont... toute mon œuvre était en moi et je n'ai jamais écrit une ligne du beau poème qui me délectait. » L'extase est ressentie pour elle-même, c'est l'oubli de soi, une mort exquise ; Flaubert sait qu'elle ne représente qu'une certaine manière de vivre son échec : il ne songe donc pas vraiment à l'extérioriser ; *écrire* le « beau poème dont il se délecte » ne peut faire, à ses yeux, l'objet d'un impératif. Et cela d'autant moins qu'il est convaincu que les mots le trahiraient.

De même ses écrits de 34 à 37, nés d'une « inspiration » passagère, d'une rage ou d'une amertume, ne lui paraissent qu'un prolongement de ses agitations subjectives : il s'y défoule, s'y venge, s'y martyrise à plaisir ; ces rêves consolidés remplacent l'impossible révolte ; il y assouvit irréellement ses pulsions sexuelles ; l'œuvre émane d'un autisme masturbatoire dont elle le délivre en partie ; il est frappant que Gustave ait conservé jusqu'à la fin de sa vie la manie de comparer la « composition » à l'onanisme. Quelque chose sort de lui, comme du foutre : on ne peut écrire sur commande — pas plus qu'on n'éjacule à volonté. Jusqu'à seize ans, Gustave préfère à tout l'« improvisation » ; il écrit : « Il y a quelque chose de supérieur au raisonnement, c'est l'improvisation[1]. » Entendons qu'il n'écrit point pour obéir à une exigence transcendante mais par exubérance. Un peu plus tard, d'ailleurs — à une époque où il a déjà profondément modifié son point de vue — il y revient : «... jour de lassitude et d'angoisse — c'est un besoin d'écrire et de s'épancher et je ne sais quoi écrire ni quoi penser[2] ». Nul mandat : un besoin, qu'il appelle aussi « instinct confus » ; une *vis a tergo* le pousse à écrire, même lorsqu'il n'a pas de sujet en tête. C'est comme une germination vague et, dans cette perspective, l'œuvre, fruit glaireux de ses entrailles, le prolonge et ne saurait lui conférer un nouveau statut ontologique. Et, dans un certain sens, il a raison : la matérialisation de l'imaginaire n'en est pas la réalisation.

Or, à partir de 1837, tout change : lentement, certes, mais continûment ; le processus se poursuivra jusqu'à la crise de 44 à

1. *Souvenirs*, p. 54.
2. *Ibid*, p. 102.

travers des hésitations et des contradictions que nous aurons à détailler plus tard. Ce qui nous intéresse ici, c'est de repérer son commencement : « À 15 ans j'avais certes plus d'imagination que je n'en ai. À mesure que j'avance, je perds en verve, en originalité ce que j'acquiers peut-être en critique et en goût. J'arriverai, j'en ai peur, à ne plus oser écrire une ligne. La passion de la perfection vous fait détester ce qui en approche[1]. » Quinze ans : il les a en décembre 36. La transformation s'amorce donc à l'époque des entretiens de l'Hôtel-Dieu : régression de la puissance imaginative, apparition du « goût ». Il commence vers 38 à parler d'Art.

C'est à cet instant que l'influence d'Alfred ou plutôt la rumination rancuneuse de leur amitié à demi manquée devient décisive. Gustave a voulu de toutes ses forces imiter son Seigneur, être lui-même l'homme du superflu, cette gracieuse finalité sans fin, qui lui paraissait échapper aux lois de l'espèce et planer au-dessus d'elle. Il n'a pas pu : l'esprit de sérieux s'est vite réveillé en lui ; le fils du chirurgien-chef a été élevé dans le respect du travail intellectuel, il ne voudrait, pour rien au monde, être un oisif, un homme qui ne fait rien. Et, pourtant, qu'il est beau, l'incomparable Alfred ! D'autant plus cruellement beau qu'il est inaccessible. Il vient de se dérober et Gustave, ulcéré mais encore amoureux, n'a pas cessé de rêver d'une identification impossible. C'est alors que jaillit l'idée, trouble et confuse, qu'il va peu à peu expliciter : au lien dialectique de l'avoir et de l'être, il va substituer celui de l'être et du faire. Il écrivait jusque-là sans peine à la manière de Milton qui, s'il en faut croire Marx, produisait ses poèmes comme un oiseau produit son chant. Or par sa douloureuse liaison avec Alfred, par la peur que lui inspire l'immobilisme suicidaire de celui-ci, le voilà renvoyé à l'éthique de l'effort et du mérite. Gustave est un *travailleur* ; chez lui, le travail s'isole et se pose pour soi : « Il n'y a de continuellement bon que l'habitude d'un travail entêté[2]. » Il ne voit pas dans le « *labor improbus* » l'unique moyen possible de reproduire sa vie mais une entreprise qu'on se doit de mener à bien, à la sueur de son front, dans les larmes, pour *acquérir du mérite*. Seul un travail acharné et réussi, quel que soit le domaine choisi, peut surclasser le gros labeur d'Achille-Cléophas et d'Achille. Qu'à cela ne tienne : l'oiseau chanteur se fera « ouvrier d'art » ; il mettra la morale austère du Savant, la conscience professionnelle du méde-

---

1. *Correspondance*, t. I, p. 17, septembre 1846. À Louise Colet.
2. *Ibid*, t. II, 26 juillet 51.

cin au service de la gratuité pure. Alfred lui a appris à refuser les fins humaines sans l'arracher à sa condition d'homme-moyen. Moyen il restera donc mais non pas le moyen d'un moyen : il échappera à la ronde infernale des moyens-fins et des fins-moyens, s'il se fait moyen unique et essentiel d'une fin absolue, c'est-à-dire inhumaine puisqu'elle n'a d'autre fin qu'elle-même. La gratuité s'impose alors comme un impératif catégorique : pour que l'œuvre produite ait éminemment en elle l'impassible immobilité d'Alfred, il faut que l'artiste n'ait aucun motif, aucun mobile *humains* de la produire. Cela signifie que les grandes douleurs et les grandes colères ne sont pas bonnes conseillères quand il s'agit de création artistique — nous y reviendrons longuement ; elles peuvent arracher de beaux cris, un mouvement de plume mais elles détonneront dans l'œuvre qui nécessite un recul de l'auteur par rapport à lui-même c'est-à-dire, quasiment, une désincarnation : de même que, pour Kant, tout acte qui naît de nos motivations ordinaires, même s'il semble conforme à la loi morale, tombe en dehors de la moralité, de même toute invention qui s'inspirerait, chez l'artiste, de son «*pathos*» vécu — et même du besoin de rêver — tombe, en fait, hors du domaine de l'art. On peut poursuivre le parallélisme : pour Kant le seul mobile éthique doit être déterminé *a priori*, c'est le respect qu'inspire la loi morale elle-même ; ce que Flaubert commence à comprendre, lui, c'est que le seul mobile de l'artiste doit être une détermination *a priori* du *pathos*, c'est-à-dire l'amour désespéré que provoque en lui, à distance, l'impossible Beauté. N'est-ce pas une sublimation de son amour désespéré pour Alfred, l'ami impossible ? N'est-ce pas un effort nouveau pour se rapprocher de lui ? L'Art, tel qu'il le conçoit, exige, en effet, un effort éthique pour s'élever au-dessus des passions. Dieu sait, pourtant, qu'elles sont violentes et qu'elles le bouleversent : Gustave n'ignore pas qu'il lui serait impossible de les supprimer et qu'il diffère en cela — profondément, définitivement — de son aîné qui n'en éprouve aucune. Mais l'exigence du Beau vient le tirer d'affaire : il n'est plus question pour l'instant de l'opérer de ses passions [1], on lui demande simplement, quand il œuvre, de les mettre entre parenthèses, afin que l'inspiration ne vienne jamais d'elles. Ainsi, dans les moments de conception, de composition et d'exécution, il *doit* rejoindre l'ataraxie d'Alfred. Et, certes, cette ataraxie ne peut être qu'intermittente. À peine la plume posée, le pathétique revient

---

1. Il y reviendra en 44.

en force. Mais, si l'amour du Beau demeure la détermination essentielle et constante de son affectivité, si l'adolescent n'oublie jamais, même dans les pires désordres du cœur, qu'il s'est *voué* totalement et désespérément à la Beauté, s'il ne cesse, pendant qu'il grince des dents, jouit ou sanglote, de ruminer son œuvre, les pulsions sauvages, sans perdre leur force, sont frappées d'une certaine inefficacité : elles demeurent mais dévalorisées, il les subit comme des maux inévitables mais sans s'y laisser prendre. On admirera l'habileté du retournement : il rejoint son ami sur les sommets puisque l'amour *a priori* — qui n'est autre en ses racines profondes que l'amour qu'il lui porte — lui confère une sorte d'*ataraxie d'honneur*. Mais, puisque la gratuité se présente comme un impératif, puisqu'elle exige de lui le sacrifice de son Moi, cette ataraxie prend aux yeux du cadet Flaubert le sérieux même qui caractérise les démarches du *pater familias*, les « sacrifices » que celui-ci s'impose pour protéger sa famille, pour investir une partie de ses gains dans l'immobilier. Chez Alfred, qui *est* œuvre d'art, l'ataraxie est sa propre fin : tenter de la justifier serait retomber au niveau de l'espèce ; précisément à cause de cela, elle demeure suspecte aux yeux de son disciple ; un homme-moyen doit pouvoir *justifier* ses conduites. Or, en s'arrachant au lyrisme romantique, en faisant de la gratuité une exigence de l'objet, Gustave se donne une justification de l'ataraxie : elle rentre dans l'univers des moyens puisqu'elle est le moyen nécessaire de l'œuvre à produire. Du coup, dans la perspective de la nécessité, l'indifférence de Gustave à ses propres affections lui paraît mieux fondée que l'anorexie d'Alfred : celle-ci, après tout, n'est qu'un fait ; celle-là est une *conduite à tenir* et qui s'oriente vers un but. Du reste l'attitude de Flaubert ne va pas tarder à se radicaliser : l'ataraxie, mettant entre parenthèses la totalité de sa vie affective, englobe nécessairement l'Ego de l'Artiste, qui en est le pôle. De là ce conseil donné plus tard à Le Poittevin, au terme de la métamorphose : « Envoie faire foutre tout, tout et toi-même avec, si ce n'est pas ton intelligence [1]. » Précepte dont l'urgence passionnée ne doit pas nous dissimuler la condescendance. Gustave ne peut ignorer qu'Alfred cajole son moi : il éprouve une joie réelle à penser que le disciple a dépassé le Maître en tenant sa propre personne pour inessentielle et en la disqualifiant au profit du travail. Lui aussi, à présent, il ne veut plus être qu'un « Je pense » mais, alors que l'ex-Seigneur, pratiquant le stoïcisme des Maîtres,

---

1. Septembre 45.

fait de ce « véhicule des catégories » une fin indépassable — il faut y parvenir et quand on s'est réduit à n'être que cela, on contemple le monde et son propre nombril —, l'ancien vassal fait du « Je pense » (envoie tout promener... si ce n'est ton intelligence) une activité synthétique guidant et contrôlant le travail, bref le moyen de produire l'œuvre ; par là, il sent qu'il échappe au quiétisme : il peinera autant et plus que ceux qui « servent » (« Pense, travaille, écris, relève ta chemise jusqu'à l'aisselle et taille ton marbre, comme le bon ouvrier qui ne détourne pas la tête et qui sue, en riant, sur sa tâche [1] »), il s'aliénera totalement à une fin transcendante, il retrouvera le projet et le dépassement mais l'inutilité même de son labeur le fait accéder, avec une bonne conscience, à l'univers interdit de la dépense improductive : Alfred dépense une partie du profit paternel et sa propre vie *pour rien*. Gustave dépensera *sans aucun profit pour personne* ses forces et sa vie en produisant coûteusement des inanités splendides. Ce n'est pas un hasard si les mots de « bon ouvrier » reviennent si souvent sous sa plume : la littérature est un artisanat, l'écriture est assimilée à un effort physique : on taille à coups de ciseau dans le marbre du langage. Et quel est le résultat ? Un objet qui est sa propre fin comme Alfred prétend être la sienne. Ainsi non seulement la négation patiente de l'esclave pénètre et transforme l'éthique du Maître, mais plus profondément encore, l'esclave *produit* le Maître [2]. Gustave ne s'identifiera jamais à son ami — par là il se sent inférieur à lui — mais chacune de ses œuvres sera comme la recréation symbolique de celui-ci — ce qui est une supériorité manifeste : je ne puis *être* toi mais je puis *t'engendrer*, amant ingrat ! Ton immobile et superbe impassibilité, je l'intériorise non comme mon essence mais comme celle des objets inutiles qui sortiront de mes mains ; ton « organisation singulièrement fine et délicate », je ne l'ai point, puisque je suis un Flaubert, mais je l'ai assez aimée pour l'intérioriser : elle sera le schème directeur de mes entreprises, la matrice d'où sortiront mes œuvres. Tu as le goût, moi non ; mais je l'acquerrai : *labor improbus vincit omnia* ; je me perds pour que tu sois *ad aeternum*. C'est peut-être ce qui explique l'insistance de Flaubert à présenter l'invention artistique sous forme d'érection ; l'amante dédaignée prend sa revanche en se faisant le géniteur de son aimé : l'écriture est la virilité de Gustave.

---

1. 13 mai 45.
2. C'est bien l'idée de Hegel transportée sur un plan d'idéalisme et de sexualité : l'esclave, par son travail, reproduit la vie du Maître.

Reste que cette belle construction, au début, laisse de côté les questions capitales : si l'inspiration de l'Artiste ne vient ni de Dieu ni des passions, d'où vient-elle ? Et si l'on en refuse jusqu'à l'idée, qu'est-ce qu'un créateur qui n'est pas inspiré ? N'ayons crainte, Gustave les retrouvera sur sa route, elles le mèneront jusqu'aux lisières de la folie. Pour l'instant ce qui lui importe avant tout, c'est la métamorphose de l'objet littéraire : il était *traduction* lyrique, mise en forme de ses rêves ; à présent il naît *ex nihilo*, d'un travail d'orfèvre exécuté sur ces pierreries, les mots. Pas de tremplin, pas d'élan : l'opiniâtreté ; peut-être, à la longue, une forme se dessinera dehors, sous les ciselures. Sa fierté lui vient d'avoir choisi le chemin le plus difficile : produire un objet « fait de rien ». Il se permet à présent les intuitions esthétiques de son ex-Seigneur : on trouve mainte allusion, après 42, surtout après 44, à la « vision artiste ». Mais, là où Alfred casse-intellectualise-jouit, Gustave a le sentiment d'exercer son métier : en mettant ses passions de côté pour réduire le monde à un spectacle, il crée les matériaux dont son Art se servira. L'attitude de l'esthète est un moyen nécessaire à l'Artiste : peut-être est-ce là qu'il faut chercher le remplaçant de l'inspiration détrônée.

Quoi qu'il en soit, à partir de 38, grâce à ses rancœurs, qui lui permettent de se dégager un peu du Maître et de prendre un léger recul par rapport à l'enseignement magistral, Gustave découvre peu à peu sa *réalité* : il sera l'Artiste. Certes il n'abandonnera pas si facilement la comédie du Désir infini : c'est qu'elle lui est inspirée par son insatisfaction originelle et par son amour pour Alfred. Mais le mouvement de sa personnalisation se referme à présent sur deux postulations : l'une qui le conduit, une fois de plus, à l'*être imaginaire* puisque, par désir hystérique d'imiter l'aimé et par impuissance reconnue de s'élever jusqu'à lui, Gustave tente de fonder son être sur le *non-avoir* ; l'autre qui, suscitée certes par l'amour mais aussi par la rancune et le besoin de dépasser à la fois l'aimé et soi-même, vise à lui donner une fin absolue qui, par ses exigences, définisse son travail et du coup son être réel. Il sera le travailleur de l'imaginaire — car l'irréel seul peut être pure gratuité — celui qui donne sa vie pour instituer des centres de déréalisation permanents. Nous n'envisageons ici que les motivations subjectives de la seconde postulation ; on en verra dans un chapitre ultérieur[1] les motivations directement *sociales*. Reste qu'il ne s'agit ni ne peut s'agir

---

1. « Du poète à l'Artiste » (suite).

que d'une *demande* : Gustave postule le statut ontologique d'Artiste ;
il ne l'obtiendra pas avant d'être *reconnu* (par qui ? autre question
non posée) comme producteur *réel* d'objets *irréels* et *beaux* (ou
s'approchant de la perfection le plus qu'il est possible). Cela suppose
donc une nouvelle figure dans le ballet de l'être et du non-être :
puisqu'il veut parvenir à l'être par le faire et qu'il est conscient de
n'avoir rien fait encore, l'adolescent est amené à la fois à *jouer*
l'Artiste par anticipation et à souffrir *réellement* de ne l'être point
(qu'est-ce donc qui lui prouve qu'il le *deviendra* ?). Mais cette évolution concerne le rapport dialectique de Gustave aux œuvres dans lesquelles il s'objective ; sa liaison avec Alfred n'y joue qu'un rôle indirect
et secondaire qui va en s'atténuant et finit par disparaître. Nous n'en
parlerons pas ici[1]. Ce qui compte, c'est que, malgré l'aspect ludique
de cette anticipation, elle repose sur un projet ferme et précis dont
les bases ne changeront plus et qui ne cessera de s'enrichir.

De ce point de vue *aussi* l'influence intellectuelle d'Alfred n'est
pas niable : c'est par lui que le bouillant Gustave est amené à fondre ensemble le classicisme et certains aspects du romantisme pour
forger une idée neuve de la beauté. De fait, Le Poittevin, dans sa
sécheresse, s'apparente, autant par ses poésies post-byroniennes que
par sa prose, aux écrivains du XVIIIe siècle. C'est par lui, sans aucun
doute, que Flaubert découvre l'*Essai sur le Goût* de Montesquieu ;
sans lui, Gustave eût vraisemblablement négligé l'*Art poétique* de
Boileau, qu'on « expliquait » au collège et qui devait souffrir du
morne ennui que distillent les explications de texte et les récita-
tions[2]. Et, certainement, c'est pour avoir été formé par son aîné,
qu'il lui arrive, étudiant, comme en témoigne Du Camp, de défendre avec emportement le classicisme contre ses camarades qui
romantisaient encore. Le goût, le travail, l'objet d'art comme fin
en soi (« Tout poème est brillant de sa propre beauté »), la
condamnation du pur lyrisme et de l'inspiration nue[3], la volonté

---

1. Cf. livre III : « La prénévrose », qui est tout entier consacré à la retracer.
2. Gustave a toujours eu — comme pour Voltaire — des sentiments ambivalents pour
Boileau. Dans les *Souvenirs*... il lui accorde le « goût attique » tout en lui préférant Racine
qui est créateur. En 43, il s'indigne contre ce « pisse-froid » qui « a effacé » Ronsard. Mais,
quand il donne des conseils à Louise, c'est Boileau qu'il lui cite en exemple : « Ce vieux
croûton de Boileau vivra autant que qui que ce soit parce qu'il a su faire ce qu'il a fait »,
18 septembre 52. Il le relit volontiers, d'ailleurs, « ce bon Boileau, législateur du Parnasse ».
3.   *Un poème excellent...*
        N'est pas de ces travaux qu'un caprice produit
        Il veut du temps, des soins...
        Mais souvent... un poète sans art,
        Q'un beau feu quelquefois échauffa par hasard...
        Art poétique, chant III, Pléiade, p. 176.

de nourrir son talent par la lecture et, par là, de se rattacher aux Anciens, de produire l'œuvre comme la quintessence d'une culture plus de deux fois millénaire : voilà ce que les classiques apportent à Flaubert. Mais il refuse leur humanisme naturaliste : à celui-ci, il substitue la misanthropie « Jeune France », et la gratuité pure du Beau, fin inhumaine, idole qui dévore ses ministres. Au reste, comme nous le savons, la mise entre parenthèses des passions lui permettra d'en faire le matériau de l'art : la *distanciation*, fût-elle provisoire, donne le droit de les reproduire. Ce qui amène Gustave à cette définition de l'œuvre parfaite : « Il faut être froid comme Boileau et échevelé comme Shakespeare [1]. » Froid comme Alfred, échevelé comme Gustave. Ardeur glacée. Congelée par le langage. Fureurs romantiques, transformées en pures apparences par le regard impersonnel, impassible du classique. Tel est, au niveau de la rationalisation culturelle, le programme qui correspond à la deuxième postulation amoureuse de Flaubert.

S'est-il, pour autant, rapproché de l'aimé ? Non : il s'en éloigne et le sait. Ce n'est pas sans malice qu'il conseille à ce narcissiste d'envoyer faire foutre son moi. Tous deux se réclament de l'Art mais pour l'un, qui n'est qu'un esthète, l'Ariel du capitalisme familial, l'artiste est celui qui *est* ; pour l'autre, celui qui *fait*. On devine à quel point les conseils de Flaubert ont dû, vers 45, agacer son ex-Seigneur. Pour celui-ci, les œuvres, si tant est qu'il en fasse, ne seront jamais que les sous-produits de son *être-artiste* et, bien que l'enfantement lui soit pénible, il préfère passer sous silence le moment du travail. Gustave s'attire un jour cette réplique hautaine : « Je ne veux plus de la gloire que je cueillerais peut-être en avançant la main. » Par ces mots — qui n'ont pas été choisis pour plaire — l'aîné vise à rétablir les distances : il plane au-dessus de l'Art et le méprise ; le cadet reste au-dessous ; mobilisé par on ne sait quelle passion populacière, il peine en vain et c'est tout juste s'il atteindra — dans le meilleur des cas, à la condition triviale d'orfèvre. Mais pour Flaubert, à présent, c'est l'inverse ; l'ex-Seigneur démérite en *n'utilisant pas* les dons que la nature lui a donnés. Il y a pire : ses écrits, quand il s'avise d'en faire, ne sont pas bons et puis, s'il parle de les publier, il laisse paraître une souplesse que Gustave n'aime guère : « (Mon roman) sera moins long que je n'avais cru parce que je veux d'abord sonder le goût du public sauf à faire une deuxième *Promenade de Bélial*. » Quoi donc ? Il veut *plaire* ?

---

1. À Louise, *Correspondance*, t. III p. 46. 1854, sans autre précision de date.

S'il plaît, il achèvera l'œuvre et sinon il la laissera en plan ? Quelle est cette servilité ? Flatter le lecteur, Gustave n'y a jamais songé : il craint, scandalisé, qu'Alfred ne transporte en littérature l'esprit de compromission qu'il manifeste dans ses relations familiales et mondaines. « Soigne bien ton roman, répond-il ; je n'approuve pas cette idée d'une seconde partie : pendant que tu es en train, épuise le sujet, condense-le en une seule. » C'est que, pour le cadet — qui est au niveau du faire — il n'y a pas lieu de se soucier de l'approbation publique : le plaisir des lecteurs est à ses yeux — au contaire, cette fois, de la pensée classique — une détermination subjective donc sans grande importance. Ce qu'il veut c'est *s'objectiver* dans une œuvre conçue et exécutée selon des *techniques du Beau* qu'il aura éprouvées et mises au point lui-même. L'aîné, aristocrate de l'être, c'est-à-dire de la mort, ne demande au fond à ses écrits que de lui donner les satisfactions accessoires de vanité.

Du coup, dans cette ataraxie qui mettait son ami au-dessus des hommes, le jeune écrivain ne veut plus voir que l'anorexie. La réalité d'Alfred, c'est la paresse. Pis : ne serait-ce pas tout simplement un bourgeois, comme Gustave l'avait toujours redouté ? Du coup, en 1843, il le trompe : avec un nouvel ami, Maxime Du Camp, dont nous avons parlé et dont nous reparlerons. Il y aura toutefois un rapprochement, le dernier, entre Gustave et Le Poittevin, à partir de mai 44, quand Maxime fait son premier voyage en Orient. Flaubert écrit à Alfred : « Nous aurions vraiment tort de nous quitter. » Alfred reconnaît qu'il a été blessé par l'amitié de Gustave pour Maxime [1]. Maxime, mis au courant, est fou de jalousie. Il écrit, de Constantinople : « Tu as vu le beau où il n'était pas. Tu t'es enthousiasmé pour des choses négligeables et dont le côté artistique ne devrait pas faire oublier l'horreur et le ridicule. Tu as menti à ton cœur, tu as plaisanté impitoyablement sur des choses sacrées ; toi qui as une intelligence d'élite, tu t'es fait le singe d'un être corrompu, un Grec du *bas empire* comme il dit lui-même ; et maintenant, je t'en donne ma parole sacrée, Gustave, il se moque de toi et ne croit pas un mot de tout ce qu'il t'a dit. Montre-lui cette lettre et tu verras s'il ose me démentir. Pardonne-moi, mon bien cher enfant... mais l'amitié est inexorable et j'ai dû te parler ainsi [2]. »

---

1. Lettre inédite. Bibl. nat. Paris, N.A.F. 25 285.
2. Lettre inédite du 31 octobre 44, coll. Spoelberch de Lovenjoul, bibl. de l'Inst. de Chantilly. Cette lettre est restée sur le cœur de Flaubert. Elle explique en partie pourquoi celui-ci, dans la lettre à Louise précitée, est passé si vite de Maxime à Alfred et pourquoi il s'est reconnu un grand talent d'imitateur : c'est que Maxime lui reprochait de *singer* Alfred.

Un dimanche de mai 46 — la flambée de 44-45 s'est déjà éteinte — Flaubert apprend la nouvelle : Le Poittevin se marie. Il en conçoit un profond chagrin. Faut-il croire qu'il ait vu dans la décision de son ancien seigneur une « apostasie » et que ce fut pour lui « comme pour les gens dévots la nouvelle d'un grand scandale donné par un évêque » ? C'est ce qu'il écrira plus tard à sa mère, en ajoutant : « La mort d'Alfred n'a pas effacé le souvenir de l'irritation que cela m'a causée. » Mais je n'en crois rien : en 46, Gustave était lucide ; du reste nous l'avons vu, quelque dix ans plus tôt, dans ses dédicaces, déjà fort défiant : « plus tard quand tu seras marié... ». Il prend sa plume, le soir de ce dimanche et il écrit à l'évêque apostat : « Malheureusement, j'ai la vue longue, — je crois que tu es dans l'illusion et dans une énorme comme toutes les fois du reste qu'on fait une Action quelle qu'elle soit. Es-tu sûr, ô grand homme, de ne pas finir par devenir bourgeois ? Dans tous mes espoirs d'art, je t'unissais. C'est ce côté-là qui me fait souffrir... Toujours tu me retrouveras. Reste à savoir si moi je te retrouverai... Y aura-t-il encore entre nous de ces *arcana* d'idées et de sentiments inaccessibles au reste du monde ?... » Il va de soi que ces interrogations sont des négations déguisées. Ne dit-il pas au début de la lettre qu'il « a des prévisions » touchant l'avenir d'Alfred ? Et il ajoute : « Malheureusement j'ai la vue longue », ce qui veut dire à la fois qu'il est sûr de son fait et que d'ailleurs il s'en était toujours douté. Je ne te retrouverai pas ! Tu es perdu pour l'Art et pour moi-même ! Tu perdras peu à peu ces *arcana* d'idées que j'admirais en toi, tu t'embourgeoiseras ! Voilà les prophéties et les malédictions qui se cachent sous cette inquiète sollicitude. Et, plus profondément : « Je découvre aujourd'hui que tu es bourgeois, que tu l'as toujours été et je m'aperçois que depuis longtemps je le savais. » Non, l'apostasie d'Alfred n'est, pour Gustave, que la dernière d'une longue série de trahisons qui commence en 38 : depuis cette date, ils n'ont cessé de s'éloigner l'un de l'autre. Pourtant l'« irritation » de Gustave est telle qu'elle ne sera pas même effacée par la mort de son ami. En 1863, il fait connaître à Laure le vrai motif de ses fureurs : la *jalousie.* « J'ai eu, lorsqu'il s'est marié, un chagrin de jalousie très profond ; ç'a été une rupture, un arrachement ! Pour moi, il est mort deux fois... » De fait, il l'aimait encore, sans illusion. Mais le coup porté a été d'une telle violence qu'il a provoqué chez lui une rupture intérieure : c'est la première mort d'Alfred. Il s'efforce même de le mépriser : « Le sieur Alfred est à La Neuville, ne faisant pas grand'chose et étant toujours le même être que tu connais », et, le 28 avril : « J'ai vu Alfred jeudi dernier... (il) a toujours la même balle, il végète comme par le passé, et encore plus que par le passé, dans une paresse profonde. C'est déplorable... » Un commentaire suivait, qui a dû effaroucher l'éditeur car celui-ci l'a supprimé. Heureusement le texte est clair : à vingt-six ans, Gustave porte un jugement sans pitié sur le Maître tant aimé : vivre sans vivre, c'est tout simplement végéter. La condamnation est rétroactive : elle s'étend sinon à toute la vie du moins à toute la jeunesse d'Alfred. Mieux, c'est une sentence ontologique : Alfred ne voulait qu'*être* : eh bien c'est dans son être que Gustave l'attaque. Est-ce une si grande chance pour ce « pauvre bougre » que d'avoir reçu ou de s'être donné l'être d'un légume ? Quelques années plut tôt, lors du mariage d'Achille, son cadet portait sentence avec une vive satisfaction. Or ses prévisions féroces — « Il va devenir un homme rangé et ressemblera à un polypier fixé sur les rochers » — sont celles-là même qu'il reprend pour décrire l'avenir d'Alfred. Et n'est-ce pas une vengeance que de réclamer contre son ancien Seigneur la complicité d'Ernest ? N'est-il pas *trop sûr* de trouver un allié dans ce substitut du procureur — pompeux imbécile qu'il méprise et jalouse de tout son cœur ? La sentence qu'il porte sur son meilleur ami au nom de l'Art, ne se réjouit-il pas de la faire confirmer par un autre au nom de la morale utilitariste ? Et cette complicité, n'est-ce pas *intentionnellement* qu'il l'impose à celui qui a osé, à Paris, de 38 à 40, le remplacer auprès d'Alfred ?

Ce qui est sûr, c'est que cette âme ulcérée a trop souffert en 46 pour ressentir profondément la seconde mort de son ami. Sa lettre du 7 avril 48 en témoigne : il annonce à Maxime la mort d'Alfred en ces termes significatifs : « *Je* l'ai enterré hier... [1] » La maîtresse délaissée exulte : elle a récupéré son amant infidèle. « Quand le jour a paru, vers 4 heures, *moi et la garde* [2], nous nous sommes mis à la besogne. Je l'ai soulevé, retourné, enveloppé. L'impression de ses membres froids et raidis m'est restée toute la journée au bout des doigts. Il était affreusement décomposé. Nous lui avons mis deux linceuls. Quand il a été ainsi arrangé, il ressemblait à une momie égyptienne serrée dans ses bandelettes et j'ai éprouvé je ne puis dire quel sentiment énorme de joie et de liberté pour lui. » *Pour*

---

1. *Correspondance*, t. II, p. 81. C'est moi qui souligne.
2. *Ibid*. C'est moi qui souligne.

lui? Est-ce bien sûr? Certes, dans une lettre à Ernest, du 10 avril, Gustave écrit : « Il a horriblement souffert et s'est vu finir [1]. » On pourrait donc être tenté d'interpréter la dernière phrase dans le sens le plus banal : il est enfin délivré de ses souffrances. Mais, outre que l'interprétation ne rendrait pas compte de l'« énormité » de cette joie — il ne pourrait s'agir que d'un simple soulagement —, c'est *à la mort* d'Alfred, le lundi soir à minuit, qu'il eût ressenti cette délivrance. Observez au contraire que la conjonction *et*, dans cette phrase, réunit une action et un sentiment qui, au premier abord, jurent ensemble : *après* l'avoir ligoté comme une momie — et comme un nourrisson dans ses langes —, *après* avoir symboliquement réduit ce cadavre encore trop vivant à l'impuissance, à l'inertie inorganique de la *chose*, Gustave éprouve tout à coup un « énorme sentiment » de liberté *pour* Alfred. Il est donc libre, ce macchabée qu'il vient de saucissonner? « Je me suis dit cette phrase de son *Bélial* : "Il ira, joyeux oiseau, saluer les pins dans le soleil levant" ou plutôt j'entendais sa voix qui me le disait et j'en ai été tout le jour *délicieusement* obsédé. » Or, si l'âme d'Alfred existe, ce n'est point à l'instant de la mise en linceul qu'elle a quitté ce corps mais beaucoup plus tôt, dès le lundi soir. Pourquoi Gustave, qui a veillé deux nuits la dépouille de son ami, en lisant et méditant, ne s'en est-il pas avisé au cours de ses méditations? La vérité, c'est que la joie et la délivrance, dédiées peut-être au Seigneur aboli, sont celles du seul Gustave : c'est par cette raison qu'il les ressent *après* l'opération qu'il exécute sur le cadavre. Par celle-ci, il le *façonne* et le rend symboliquement à sa condition de pur objet. À la fois comme une mère — n'était-il pas lui-même objet de soins pour Mᵐᵉ Flaubert — et comme un artiste créant un *objet d'art*, en façonnant la vie sous la lumière noire de la mort. Il se fait en lui, à travers les gestes qu'il exécute, une interpénétration de deux symboles : Alfred s'abandonne sans réserve à ses mains, Gustave le possède enfin ; disparues cette froide nonchalance, cette « netteté d'esprit » qui les séparaient et, tout en même temps, les affections douteuses que le disciple jalousait (a-t-on remarqué que ni dans la lettre à Maxime ni dans la lettre à Ernest, Gustave ne souffle mot de la *femme*[2]? Où donc était-

---

1. Reprise — à trois jours de distance —, la formule « Je l'ai enterré », qui figure aussi dans cette lettre, témoigne assez d'une intention délibérée de récupération.
2. Avec quel plaisir, par contre, il mentionnera, en 53, le remariage de celle-ci : il se rappelle un voyage de Rouen aux Andelys, en bateau, avec Alfred puis, sans transition : « Elle était à Trouville, la femme d'Alfred, avec son nouveau mari. Je ne l'ai pas vue. » *Correspondance*, t. III, p. 332. On aura noté la structure passionnelle de la phrase et cet « Elle » qui surgit tout à coup, indéterminé et que Flaubert ne détermine que pour

elle ?). À présent le mâle, le maître, c'est l'ancienne esclave, c'est elle qui agit sur le Seigneur sommeilleux qui a bu le philtre des Loto-phages ; une seule conscience veille, la sienne ; d'autre part Gus-tave, tels les psychagogues de certaines sociétés, se sent chargé de reconduire Alfred à son être véritable, qui n'est autre que le néant ; par là, le « bon ouvrier » fait de cette dépouille *son œuvre* : la mise en linceul est un rite de passage ; sans elle, Alfred n'eût été qu'une charogne très ordinaire ; Gustave, en l'entourant de bandelettes, l'a consacré, l'Artiste s'est fait prêtre sans cesser d'agir en artiste. Du coup, la liberté fait irruption dans son cœur : il est délivré de sa jalousie, sinon de ses rancœurs [1], délivré de ses aigres passions, de sa souffrance encore vive. La mort d'Alfred lui *donne raison* : la route que celui-ci s'obstinait à suivre ne pouvait le mener qu'à la catastrophe. Gustave a *gagné*, l'esclave triomphant ensevelit son maître : la preuve est faite que le véritable Artiste, c'était lui.

N'allons pas supposer, pour autant, que Gustave se propose d'*oublier* Alfred. Nullement : le travail du deuil, chez lui, se fait tout autrement. Le Poittevin mort passe *dans le monde imaginaire* de son ami : il obéira aux lois régnantes et se pliera aux caprices du nouveau Créateur. Déjà, dans les *Mémoires*, celui-ci avait dit comment il « s'amusait, aux heures d'ennui » avec ses souvenirs : « À l'évocation d'un nom tous les personnages reviennent, avec leurs costumes et leur langage pour jouer leur rôle comme ils le jouèrent dans ma vie et je les vois agir devant moi comme un Dieu qui s'amu-serait à regarder ses mondes créés. » Et, dans le même ouvrage — nous y reviendrons —, il reconnaît qu'il n'aimait pas Maria (Élisa Schlésinger) tant qu'elle dérangeait ses rêves par sa présence inop-portune : il en était jaloux, alors, trop férocement pour sentir vrai-ment son amour. Mais, deux ans plus tard, quand il revient à Trouville, elle a la discrétion de ne pas y être. « C'est maintenant que je l'aimais, que je la désirais ; que, seul sur le rivage.. je me la créais là, marchant à côté de moi, parlant, me regardant. » Ainsi d'Alfred : Gustave s'en empare et l'irréalise, il le « crée » à sa guise ; Seigneur de l'Imaginaire, il donnera à l'image aimée les coups de pouce nécessaires sans craindre un démenti de l'intéressé. Déjà, dans

---

se faire entendre de Louise. Pour lui, Mme Le Poittevin, née Maupassant, c'est «*elle*». Rien de plus. Et ce qu'il veut montrer à la Muse, c'est que cette pute est infidèle à Alfred (elle aurait dû rester veuve sa vie entière) comme Isabellada le fut un jour à Pedrillo. Dernière vengeance : même *ça*, l'amour durable d'une épouse, Alfred ne l'aura point eu.

1. Partiellement assouvies par les manipulations réifiantes qu'il exécute sur l'aimé.

la lettre triomphale du 7 avril, on sent que le travail est commencé : Le Poittevin, du fond de son néant, envoie à Flaubert des messages pour l'assurer de son amour et pour le charger de le représenter sur terre. La chienne, d'abord : « Elle l'avait pris en affection et l'accompagnait toujours quand il sortait seul. » Or « le mercredi je me suis promené tout l'après-midi (et elle) m'a suivi sans que je l'aie appelée ». Les livres, ensuite : « La dernière nuit, j'ai lu *Les Feuilles d'automne*. Je tombais toujours sur les pièces qu'il aimait le mieux ou qui avaient trait pour moi aux choses présentes. » Et comme si ces monitions ne suffisaient pas, le mort prend lui-même la parole : Gustave entend sa voix, obsession « délicieuse », qui lui répète une phrase de *Bélial*. Et puisqu'il en est là, pourquoi ne pas le faire entrer dans la sainte cohorte des défunts Flaubert : jugez-en par cette « coïncidence » significative : « (Quand je le veillais) j'étais enveloppé d'un manteau qui a appartenu à mon père et qu'il n'a mis qu'une fois, le jour du mariage de Caroline. » Le mariage de Caroline, première trahison, origine de toutes les catastrophes : Achille-Cléophas y portait ce manteau et puis il est mort ; et Caroline est morte ; et Gustave s'en enveloppe à son tour pendant qu'Alfred se décompose. Opération terminée. On comprend que Flaubert ait passé là « deux jours larges » et qu'il ait eu « des aperceptions inouïes et des éblouissements d'idées intraduisibles ». De retour à Rouen, il tombe sur son lit, dort toute la nuit et toute la journée suivante. Comme il a fait après son baccalauréat ; comme il fera après son voyage à Carthage : c'est sa manière de tirer le trait.

À partir de là, en effet, Alfred désincarné passe au rang de mythe. Gustave écrit, en 1857 : « Je n'ai jamais connu personne (et je connais bien du monde) d'un esprit aussi transcendantal... » En 1863 : « Il n'est point de jour et j'ose dire presque point d'heure où je ne songe à lui. Je connais maintenant ce qu'on est convenu d'appeler ''les hommes les plus intelligents de l'époque'', je les toise à sa mesure et les trouve médiocres en comparaison. Je n'ai ressenti auprès d'aucun d'eux l'éblouissement que ton frère me causait. Quels voyages il m'a fait faire dans le bleu, celui-là... Je me rappelle avec délice et mélancolie tout à la fois nos interminables conversations... Si je vaux quelque chose, c'est sans doute à cause de cela... Nous étions très beaux ; je n'ai pas voulu déchoir. »

Comme on voit, le schème est fixé de bonne heure et ne variera pas : en 57, Gustave, en dépit de ses dires, ne connaît pas grand monde ; il est entendu pourtant que son ami est supérieur à tous les représentants de l'espèce. En 63, il connaît, en effet, les « intellectuels représentatifs » de son temps : j'admets qu'ils sont piètres — on a les intellectuels qu'on mérite — mais les Sainte-Beuve, les Michelet, les Renan, les Taine valent largement le fils Le Poittevin. N'importe : on les attache à son char de vainqueur parce que *c'était entendu d'avance.* On remarquera que les terribles courses « dans les espaces » se changent avec le temps, en « voyages dans le bleu ». Le Diable, racheté, redevient un Archange. Serait-ce que Gustave lui porte un culte ? Nullement. Il n'est que de relire la dernière citation : « *Nous* étions très beaux ; je n'ai pas voulu déchoir. » Qui donc pourrait admettre, connaissant les vingt premières années de Flaubert, qu'il a écrit pour rester à la hauteur de son ami ? La vérité, c'est qu'il a englouti et digéré le Maître mort au point de ne plus savoir très bien se distinguer de lui. La preuve nous en est fournie par la fameuse lettre du 2 décembre 52 qu'il envoie à la Muse « cinq minutes après avoir terminé *Louis Lambert* ». Résumant à sa manière le roman de Balzac, il écrit : « C'est l'histoire d'un homme qui devient fou à force de penser aux choses intangibles. » Pour ajouter aussitôt : « Ce Lambert est, à peu de chose près, mon pauvre Alfred. » C'est oublier que le « pauvre » Alfred n'est *jamais* devenu fou et, d'ailleurs, ne pensait guère aux choses intangibles ; et aussi que Balzac précise bien que Lambert est fou aux yeux du monde mais non pas à ceux de sa compagne : pour elle, « qui vit dans sa pensée, toutes ses idées sont lucides. Je parcours, dit-elle, le chemin fait par son esprit et, quoique je n'en connaisse pas tous les détours, je sais me trouver néanmoins au but avec lui... Contente d'entendre battre son cœur, tout mon bonheur est d'être auprès de lui. N'est-il pas tout à moi ? » C'est oublier, enfin, ou *feindre* d'oublier que le narrateur, en cette histoire, se présente comme un ancien camarade de Lambert et son ami intime ; il parle à la première personne et c'est à lui que revient l'honneur d'arracher à l'oubli cette « fleur née sur le bord d'un gouffre et qui devait y retomber inconnue... » Or, durant les années de collège, la fraternité des deux garçons fut si grande « que nos camarades accolèrent nos deux noms ; l'un ne se prononçait pas sans l'autre ; et, pour appeler l'un de nous, ils criaient ''Le Poète-et-Pythagore'' [1]. » Bref un seul en deux ; une seule vie commune, à ceci près que le poète survit et témoigne pour Pythagore, réalisant ainsi *à son profit* la symbiose dont il parle : deux hommes en un

---

1. Deux surnoms plutôt dont chacun suffit à dépeindre le caractère de l'enfant auquel on l'applique.

seul, lui ; une seule vie pour deux, la sienne. À partir de là, le lecteur Gustave peut s'en donner à cœur joie : il n'y avait qu'un seul être, en 1836, et c'était Gustave-Alfred, Pylade-Oreste, le Poète-et-Pythagore. Lisons sa lettre : il commence par situer Louis, c'est Alfred. Troisième personne du singulier ; Alfred est objet. De là, glissement à la première personne du pluriel : unité intersubjective. « J'ai trouvé là de *nos* phrases... (leurs) causeries sont celles que nous avions, ou analogues. » Comme il a dû être frappé, dans son androgynie, par ces phrases de Balzac : « Il n'existait aucune distinction entre les choses qui venaient de lui et celles qui venaient de moi. Nous contrefaisions mutuellement nos deux écritures, afin que l'un pût faire, à lui seul, les devoirs de tous les deux. » Une seule écriture : n'est-ce pas le meilleur symbole d'une unité charnelle ? Et, d'ailleurs, Balzac ne dit-il pas, pour définir la relation du Poète et de Pythagore : « la conjugalité qui nous liait l'un à l'autre » ? Rien ne peut troubler davantage le cœur de Flaubert : la conjugalité, n'est-ce pas le lien d'Henry et de Jules, celui de Deslauriers et de Frédéric ? Et, bien sûr, ici aussi, l'*Anima* est au poète, l'*Animus* à l'intellect. Mais ce qui enchante notre lecteur, c'est qu'il peut, à la faveur de cette symbiose, panser de vieilles blessures d'orgueil. Un mot l'a sûrement bouleversé : « hébétude ». Il lit, stupéfait : « Et tout le monde de rire, pendant que Lambert regardait le professeur d'un air hébété. » Voilà qui lui rappelle en coup de foudre les rires des collégiens quand le maître d'études le prenait à rêver. Mais ce qui l'enrageait alors — nous y reviendrons dans le prochain chapitre — c'était son incapacité radicale de prouver la supériorité du rêve sur la réalité. Ici, Lambert est méconnu, raillé pour une qualité incontestable : il l'emporte sur les autres, comme Alfred, par son intelligence. « Nous nous acquittions de nos devoirs comme d'un impôt frappé sur notre tranquillité. Si ma mémoire n'est pas infidèle, souvent ils étaient d'une supériorité remarquable lorsque Lambert les composait. Mais, pris l'un et l'autre pour deux idiots, le professeur analysait toujours nos devoirs sous l'empire d'un préjugé fatal et les réservait même pour amuser nos camarades. » *Donc,* quand on moquait Gustave, c'était *pour sa supériorité intellectuelle* : il n'était point un idiot de génie, comme on le lui faisait croire, comme Alfred lui-même, par sa simple existence, le lui donnait à sentir. Mais un génie tout court — largesse de l'imagination et profondeur de la pensée. Les mots qu'il lit, bien entendu, ne font qu'assouvir des fantasmes : Alfred et Gustave ne se fréquentaient point au collège mais à l'Hôtel-Dieu et ils n'ont pas connu cette union délicieuse et clandestine de deux amants contre l'opinion publique. Reste que la secousse a été forte puisque, dans la lettre à Louise, après avoir noté la ressemblance de Lambert et de son ami, Gustave passe du « il » au « nous » et, tout à coup, du « nous » au « je ». Lambert, à présent, c'est *lui*, c'est Flaubert en personne : « Il y a une histoire de manuscrit dérobé par les camarades... *qui m'est arrivée*, etc., etc. Te rappelles-tu que je t'ai parlé d'un roman métaphysique... où un homme, à force de penser, arrive à avoir des hallucinations au bout desquelles le fantôme de son ami lui apparaît pour tirer la conclusion (idéale, absolue) des prémisses (mondaines, tangibles) ? Eh bien... tout ce roman de *Louis Lambert* en est la préface. À la fin, le héros veut se châtrer, par une espèce de manie mystique. J'ai eu, à dix-neuf ans, cette envie... Ajoute à cela mes attaques de nerfs, lesquelles ne sont que des déclivités involontaires d'idées, d'images. L'élément psychique, alors, saute par-dessus moi et la conscience disparaît avec le sentiment de la vie [1]. » Et pour achever l'identification à Louis : « Oh ! comme on se sent près de la folie quelquefois, moi surtout. » Mais, pas plus qu'il n'affirme explicitement cette identité, il n'abandonne l'affirmation première : « Lambert est mon pauvre Alfred. » De fait il reprend le thème sur un plan mystique : « Ce diable de livre m'a fait rêver d'Alfred toute la nuit. Est-ce *Louis Lambert* qui a appelé Alfred cette nuit (il y a huit mois, j'ai rêvé de lions et, au moment où je les rêvais, un bateau portant une ménagerie passait sous mes fenêtres) ? » Bref il aimerait s'imaginer que le livre, par quelque pouvoir magique, a convoqué son ami mort. Rien ne marque mieux que cette lettre échevelée sa détermination implicite de jouer les deux rôles tour à tour ou, s'il se peut, simultanément : il sera sacré androgyne s'il est Alfred et Gustave dans l'unité dialectique d'une même personne. Ou, si l'on préfère, s'il est Gustave dépositaire d'Alfred. Les dernières pages de *Louis Lambert* ont dû l'enivrer : « La vue de Louis avait exercé sur moi je ne sais quelle influence sinistre. Je redoutai de me retrouver dans cette atmosphère enivrante où l'extase était contagieuse. Chacun aurait éprouvé comme moi l'envie de se précipiter dans l'infini, de même que les soldats se tuaient tous dans la guérite où s'était suicidé l'un d'entre eux au camp de Boulogne. On sait que Napoléon fut obligé de faire brûler ce bois, déposi-

---

1. Rien de plus suspect : Gustave, sauf en ce passage, a *toujours* affirmé qu'il restait conscient dans ses crises.

taire d'idées arrivées à l'état de miasmes mortels. Peut-être en était-il
de la chambre de Louis comme de cette guérite ? Ces deux faits
seraient des preuves en faveur de son système sur la transmission
de la volonté. J'y ressentis des troubles extraordinaires qui surpas-
sèrent les effets les plus fantastiques causés par le thé, le café,
l'opium, par le sommeil et la fièvre, agents mystérieux dont les terribles actions embrasent si souvent nos têtes. Peut-être aurais-je
pu transformer en un livre ces débris de pensées, compréhensibles
seulement pour certains esprits habitués à se pencher sur le bord
des abîmes, dans l'espérance d'en apercevoir le fond. La vie de cet
immense cerveau, qui, sans doute a craqué de toute part comme
un empire trop vaste, y eût été développée par le récit de cet être,
incomplet par trop de force ou par faiblesse ; mais j'ai mieux aimé
rendre compte de mes impressions que de faire une œuvre plus ou
moins poétique. Lambert mourut à l'âge de vingt-huit ans... n'avait-
il pas souvent voulu se plonger avec orgueil dans le néant pour y
perdre les secrets de sa vie ![1] »

Dans ces « troubles extraordinaires » ressentis dans la chambre
de Louis, Flaubert aura sans aucun doute reconnu les « aperceptions inouïes » qu'il a « reçues » dans la chambre mortuaire
d'Alfred. Et dans la tentation du narrateur : « transformer en un
livre ces... pensées compréhensibles seulement pour (quelques-
uns)... », n'a-t-il pas trouvé comme un écho du post-scriptum de
sa lettre à Maxime (7 avril 46)[2] : « j'ai grande envie de te voir car
j'ai besoin de dire des choses incompréhensibles » ? Il a en tout cas
retenu la conclusion de Balzac : la vie de Louis-Alfred est un échec ;
le malheureux était incomplet par défaut ou par excès (en vérité,
il ne peut s'agir que d'un *manque* : trop fort pour être simplement
un homme, Louis-Alfred ne l'est pas assez pour atteindre à l'angélisme ou à la surhumanité). Mais ce qui plaît sûrement à Gustave,
c'est la soudaine affirmation de soi par quoi le narrateur conclut :
il eût été fort capable de « transformer en un livre » ces débris de
pensée, bref, de les restituer dans leur intégralité, de lire à livre
ouvert dans cet immense cerveau. C'est ce que pense aussi Flaubert : dans le fond, il peut reprendre et terminer la tâche et, par
là, sa supériorité sur le cerveau aboli se trouve bien établie. Les
aperceptions qu'il reçoit sont un mandat : j'ai raté mon coup, finis
le *job* à ma place. Ainsi s'explique le « Je n'ai pas voulu déchoir »

---

1. Balzac. Pléiade, t.X, pp. 455-456.
2. C'est celle qui fait part à Du Camp de la mort d'Alfred.

de la lettre à Laure. C'est oublier délibérément qu'Alfred ne l'a chargé de rien et qu'il se tenait pour supérieur à l'Art même, comme Lambert qui finit par se désintéresser de l'expression même de sa pensée.

N'importe : en s'incorporant l'être d'Alfred, Gustave en intériorise la gratuité ; enfant, il se sentait surnuméraire ; c'était une hantise qu'il ne pouvait fuir qu'en se jetant dans les bras rarement ouverts d'Achille-Cléophas ; rejeté, il a gardé le sentiment d'être « de trop » dans sa famille et dans le monde : il mène une vie sans visa, il existe sans permis d'existence. En se donnant mission d'instituer Alfred, n'aura-t-il pas la chance de transformer l'être-de-trop en être-de-luxe ? Nous le verrons bientôt réinstaller en lui comme de hautes vertus le vide et l'ennui de son ami mort. Ne s'ennuyait-il pas, auparavant ? Si, mais comme un roturier : l'ennui qui le « gonflait », c'était la saveur même de sa contingence. À présent, il y voit ses lettres de noblesse : c'est la preuve que son orgueil le place au-dessus des hommes. Mais le « bon ouvrier » n'abandonnera pas sa tâche : ce vide est le signe de son élection par la fin absolue. Il peut penser, selon son désir du moment, que sa gratuité lacunaire est l'intériorisation de l'impératif artistique ou que c'est elle qui le désigne pour être « ouvrier d'art ». Nous serons frappés de sa nouvelle superbe si nous relisons sa lettre à sa mère du 15 décembre 1850 : « Quand on veut, petit ou grand, se mêler des œuvres du bon Dieu, il faut commencer, rien que sous le rapport de l'hygiène, par se mettre dans une position à n'en être pas la dupe. Tu peindras le vin, l'amour, les femmes, la gloire, à condition, mon bonhomme, que tu ne seras ni ivrogne, ni amant, ni mari, ni tourlourou. Mêlé à la vie, on la voit mal : on en souffre ou on en jouit trop. L'artiste, selon moi, est une monstruosité, quelque chose hors nature [1]. » Ce que résume bien ce cri d'orgueil : « Nous autres, les artistes, nous sommes les aristocrates du bon Dieu. » Ce tâcheron des lettres se prend à ses heures pour un prince. Il ne l'est point, Dieu merci. Mais il y a des moments où il faut qu'il le croie ou qu'il crève. Alfred, *incorporated*, favorise ses illusions : c'est l'*Autre* en Flaubert qui est princier.

La personnalisation conquérante de Gustave intègre donc Alfred selon trois dimensions distinctes dont deux sont imaginaires : le jeune mort est à l'origine du Grand Désir — ou privation infinie —, il est institué par son ami et en lui comme l'*être* de l'Artiste —

---

1. *Correspondance*, t. II, p. 268.

c'est-à-dire comme son inerte et noble gratuité d'objet d'art. La troisième dimension, réelle ou, tout au moins, en voie de réalisation, c'est la gratuité de l'*œuvre à faire* qui la détermine. Privé de tout, superflu par naissance et dédaigneux du nécessaire, Gustave *n'est* en vérité rien d'autre qu'un travailleur de l'imaginaire, c'est-à-dire le moyen d'une fin inhumaine. Tout se passe comme si, à la mort de son ami, il avait décidé de rester deux hommes en un seul, un couple n'ayant qu'une vie, bref Gustave et Alfred à la fois. La chose lui est facilitée par le dédoublement perpétuel de son Ego, c'est-à-dire par le passage permanent, en lui, du *Je* au *Il* et *vice versa*. Reste que la disparité du couple est indéniable et qu'elle est due à la disparité des conditions sociales. Le chemin vers le haut reste fermé à l'homme du nécessaire : Gustave le sait, depuis 49, bien qu'il ne le dise guère. Nous verrons dans la troisième partie de cet ouvrage qu'il n'a pu échapper à sa classe qu'en se précipitant *au-dessous d'elle*, c'est-à-dire en se faisant disqualifier tout à fait et jeter au rebut comme moyen *inutilisable*. Il a appris alors que la voie vers la « surhumanité » passe d'abord par en bas, chez les sous-hommes. N'importe : l'institution d'Alfred fait de celui-ci, pour Gustave, le tuteur de son orgueil. Le survivant ne cesse de grandir les mérites du disparu pour se grandir, lui, son pair aux yeux du monde, dans l'estime des autres et dans sa propre estime.

Composition Charente-Photogravure
à l'Isle-d'Espagnac
reproduit et achevé d'imprimer
par l'Imprimerie Floch
à Mayenne, le 14 mars 1988.
Reliure Babouot
à Lagny-sur-Marne.
Dépôt légal : mars 1988.
Numéro d'imprimeur : 26491.

ISBN 2-07-071190-0 / Imprimé en France

reflection qui imagine 219

Sartre parasite.

l'exploitation litt. de la passion 230

la tentation de l'image.

la Beauté de S.

La Bêtise est dehors et dedans   631
Estrangement.
Si la vérité devient   662
Les flammes froides de l'imaginaire   679
Le désir de désir   972